平 成 29 年

介護サービス施設・事業所調査

厚生労働省政策統括官（統計・情報政策、政策評価担当）編
一般財団法人　厚 生 労 働 統 計 協 会

ま　え　が　き

この報告書は、平成29年に実施した介護サービス施設・事業所調査の結果を取りまとめたものです。

介護サービス施設・事業所調査は、全国の介護サービスの提供体制、提供内容等を把握することにより、介護サービスの提供面に着目した基盤整備に関する基礎資料を得ることを目的として平成12年から毎年実施しています。

調査の対象は、介護保険法に規定する介護保険施設、居宅サービス事業所、居宅介護支援事業所、介護予防居宅サービス事業所、介護予防支援事業所、地域密着型サービス事業所及び介護予防地域密着型サービス事業所とし、施設（事業所）数、定員（病床数）、要介護度別在所者（利用者）数、従事者数等の調査結果を収録しました。

この報告書が介護保険行政推進の基礎資料として活用されるとともに、関係各方面においても広く御利用いただければ幸いです。

終わりに、この調査に御協力いただいた関係各位に深く感謝申し上げるとともに、今後一層の御協力をお願いする次第です。

平成31年２月

厚生労働省政策統括官（統計・情報政策、政策評価担当）

厚生労働省政策統括官（統計・情報政策、政策評価担当）

担当係：参事官（企画調整担当）付
社会統計室　介護統計第一・二係
電　話：03−5253−1111
（内線：7567・7568）
03−3595−3107
（ダイヤルイン）

目　　　次

第Ⅰ編　調 査 の 概 要

調 査 の 概 要

1　調査の目的

この調査は、全国の介護サービスの提供体制、提供内容等を把握することにより、介護サービスの提供面に着目した基盤整備に関する基礎資料を得ることを目的とする。

2　調査の対象及び客体

(1) 基本票

都道府県を対象とし、以下に掲げる施設・事業所の全数を把握した。

(2) 詳細票

基本票で把握した介護保険制度における全国の介護予防サービス事業所、地域密着型介護予防サービス事業所、介護予防支援事業所（地域包括支援センター）、居宅サービス事業所、地域密着型サービス事業所、居宅介護支援事業所及び介護保険施設を対象とし、これらの施設・事業所の全数を調査客体とした（(介護予防)訪問リハビリテーション、（介護予防）居宅療養管理指導並びに医療施設がみなしで行っている（介護予防）訪問看護及び（介護予防）通所リハビリテーションを除く）。

	基本票		詳細票		
	施設・事業所数 1)	集計施設・事業所数 2)	回収施設・事業所数 3)	集計施設・事業所数 4)	回収率（%） 3)/1)
介護予防サービス事業所					
介護予防訪問介護	35 384	34 160	28 082	27 331	79.4
介護予防訪問入浴介護	1 944	1 865	1 552	1 486	79.8
介護予防訪問看護ステーション	10 504	10 133	9 545	9 298	90.9
介護予防通所介護	41 561	40 870	35 786	35 357	86.1
介護予防通所リハビリテーション	8 035	7 837	7 372	7 196	91.7
介護予防短期入所生活介護	10 823	10 729	9 847	9 769	91.0
介護予防短期入所療養介護	5 281	5 223	4 841	4 788	91.7
介護予防特定施設入居者生活介護	4 672	4 657	4 189	4 175	89.7
介護予防福祉用具貸与	8 169	7 948	6 361	6 234	77.9
特定介護予防福祉用具販売	8 276	8 043	6 424	6 286	77.6
地域密着型介護予防サービス事業所					
介護予防認知症対応型通所介護	4 131	3 849	3 772	3 524	91.3
介護予防小規模多機能型居宅介護	4 915	4 842	4 369	4 316	88.9
介護予防認知症対応型共同生活介護	13 052	12 952	12 009	11 922	92.0
介護予防支援事業所（地域包括支援センター）	5 026	5 020	4 672	4 666	93.0
居宅サービス事業所					
訪問介護	36 564	35 311	28 908	28 147	79.1
訪問入浴介護	2 071	1 993	1 660	1 593	80.2
訪問看護ステーション	10 673	10 305	9 689	9 445	90.8
通所介護	23 763	23 597	20 544	20 439	86.5
通所リハビリテーション	8 114	7 915	7 439	7 261	91.7
短期入所生活介護	11 299	11 205	10 276	10 198	90.9
短期入所療養介護	5 422	5 359	4 972	4 915	91.7
特定施設入居者生活介護	5 026	5 010	4 514	4 499	89.8
福祉用具貸与	8 239	8 012	6 410	6 278	77.8
特定福祉用具販売	8 309	8 072	6 446	6 305	77.6
地域密着型サービス事業所					
定期巡回・随時対応型訪問介護看護	898	861	757	733	84.3
夜間対応型訪問介護	235	217	190	180	80.9
地域密着型通所介護	21 014	20 492	18 058	17 761	85.9
認知症対応型通所介護	4 445	4 146	4 043	3 780	91.0
小規模多機能型居宅介護	5 424	5 342	4 826	4 767	89.0
認知症対応型共同生活介護	13 397	13 346	12 308	12 265	91.9
地域密着型特定施設入居者生活介護	321	320	293	292	91.3
複合型サービス（看護小規模多機能型居宅介護）	395	390	353	349	89.4
地域密着型介護老人福祉施設	2 160	2 158	2 019	2 019	93.5
居宅介護支援事業所	42 988	41 273	36 810	35 571	85.6
介護保険施設					
介護老人福祉施設	7 892	7 891	7 299	7 299	92.5
介護老人保健施設	4 325	4 322	3 986	3 984	92.2
介護療養型医療施設	1 212	1 196	1 138	1 125	93.9

注：1）施設・事業所数は、休止中の施設・事業所数を含む。
2）基本票の集計施設・事業所数は、活動中の施設・事業所数である。
3）回収施設・事業所数は、調査した結果、回収のあった施設・事業所数である。
4）詳細票の集計施設・事業所数は、回収施設・事業所数のうち活動中の施設・事業所数である。

3　調査の時期

平成29年10月１日

4　調査事項

(1)　基本票

①　施設基本票：　法人名、施設名、所在地、活動状況、定員

②　事業所基本票：　法人名、事業所名、所在地、活動状況

(2)　詳細票

①　介護保険施設：　開設・経営主体、在所者数、居室等の状況、従事者数等

②　居宅サービス事業所等：　開設・経営主体、利用者数、従事者数等

5　調査の方法及び系統

(1)　基本票

行政情報から把握可能な項目について、都道府県に対し、オンラインによる調査票の配布・回収により調査を実施した。

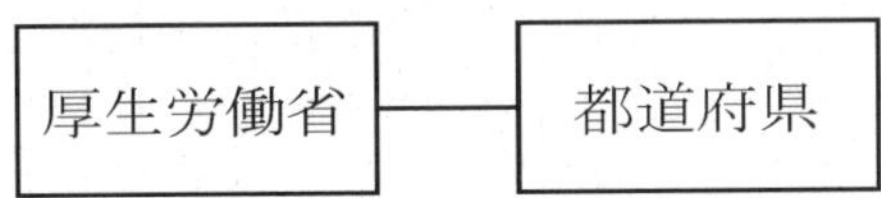

(2)　詳細票

基本票以外の項目について、厚生労働省から施設・事業所に対し、郵送及び一部オンラインによる調査票の配布・回収により調査を実施した。

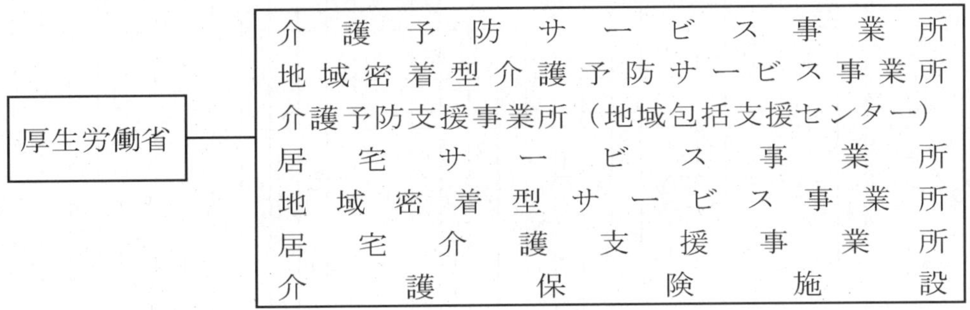

6　結果の集計

結果の集計は、厚生労働省政策統括官（統計・情報政策、政策評価担当）で行った。

7　利用上の注意

(1)　表章記号の規約

計数のない場合	—
統計項目のあり得ない場合	・
計数不明又は計数を表章することが不適当な場合	…
表章単位の１／２未満の場合	0.0
減少数（率）の場合	△

(2)　集計対象は、活動中の施設・事業所である。

(3)　この概況に掲載の数値は四捨五入しているので、内訳の合計が「総数」に合わない場合がある。

(4)　複数のサービスを提供している事業所は、それぞれのサービスを提供している事業所数に計上している。例えば、１事業所において介護予防サービスと介護サービスを提供している場合、それぞれのサービスを提供している個々の事業所数に計上している。

㊙ 政府統計

平成29年介護サービス施設・事業所調査　施設基本票

（平成29年10月1日現在）

都道府県：

厚生労働省

調査番号	サービス種別	事業所番号	法人名	施設名	所在地					定員									活動状況	変更	備考
					郵便番号	住所	電話番号			介護老人福祉施設	地域密着型介護老人福祉施設	介護老人保健施設		介護療養型医療施設							
														療養病床		老人性認知症疾患療養病棟					
							市外	市内	番号			一般棟入所定員	認知症専門棟入所定員	介護指定病床を有する病棟の病床数	うち介護指定病床数	介護指定病床を有する病棟の病床数	うち介護指定病床数				

㊙ 政府統計

平成29年介護サービス施設・事業所調査　事業所基本票

（平成29年10月1日現在）

都道府県：

厚生労働省

調査番号	サービス種別	事業所番号	法人名	事業所名	所在地						活動状況	変更	備考
					郵便番号		住所	電話番号					
								市外	市内	番号			

㊙ 

政府統計

介護サービス施設・事業所調査

介護老人福祉施設・地域密着型介護老人福祉施設票

（平成29年10月１日調査）

1

厚生労働省

＊一連番号	
＊調査番号	

［注］１　＊印の箇所は施設では記入しないでください。
　　２　あらかじめ調査票に印字されている項目に変更または誤りがあった場合は、赤字で訂正をしてください。

法人名	
施設名	
施設の所在地	〒　TEL（　）−（　）−（　）
事業所番号	活動状況　1 活動中　2 休止中　3 廃止
(1)開設年月	1 昭和　2 平成　□年　□月

(2)開設主体及び経営主体

開設主体	
経営主体	

それぞれ該当する番号を選択し、左の各欄に記入してください。

01 都道府県
02 市区町村
03 広域連合・一部事務組合
04 日本赤十字社
05 社会福祉協議会
06 社会福祉法人（社会福祉協議会以外）
07 公益社団・財団法人
08 一般社団・財団法人（公益社団・財団法人以外）
09 01〜08以外

(3)介護報酬上の届出

該当する施設の種類の番号を○で囲んでください。「＊」が付いた施設への変更がある場合は、事務局までご連絡ください。

介護老人福祉施設（複数回答）	地域密着型介護老人福祉施設（複数回答）
1 介護福祉施設	1 地域密着型介護福祉施設
2 小規模介護福祉施設	2 サテライト型介護福祉施設
3 ユニット型介護福祉施設	3 ユニット型地域密着型介護福祉施設
4 ユニット型小規模介護福祉施設	4 ユニット型サテライト型地域密着型介護福祉施設

入所定員（短期入所生活介護（ショートステイ）床の定員は含みません）	人

(4)居室の状況

短期入所生活介護（ショートステイ）のみに使用している居室は除いて記入してください。

多床室				従来型個室	ユニット型	
5人以上室	4人室	3人室	2人室		夫婦等の2人室	個室（準個室を含む）
室	室	室	室	室	室	室

上記居室の一部に短期入所生活介護（ショートステイ）床を　1 含む　2 含まない

(5)ユニットの状況

「(3)介護報酬上の届出」の種別が「3」または「4」に該当する場合のみ記入してください。
なお、ユニット型として届け出た居室について記入してください。

ユニットの規模（定員）	人	人	人	人	人	人
ユニット数	ユニット	ユニット	ユニット	ユニット	ユニット	ユニット

(6)居住費の状況

各居室の種類ごとに施設が設定している料金の高い順に記入してください。
居住費の室数と(4)居室の室数は一致させてください。

多床室	居住費（日額）	円	円	円	円	円
	室定員	人室	人室	人室	人室	人室
	室数	室	室	室	室	室
従来型個室	居住費（日額）	円	円	円	円	円
	室数	室	室	室	室	室
ユニット型準個室（夫婦等の2人室を含む）	居住費（日額）	円	円	円	円	円
	室定員	人室	人室	人室	人室	人室
	室数	室	室	室	室	室
ユニット型個室（夫婦等の2人室を含む）	居住費（日額）	円	円	円	円	円
	室定員	人室	人室	人室	人室	人室
	室数	室	室	室	室	室

(7)食費の状況

施設が設定している料金を日額で記入してください。
なお、料金が複数ある場合は、利用者の最も多い額を記入してください。　1日あたりの食費　円

裏面につづきます

(8)施設サービスの状況	9月末日の在所者数 **9月末日時点で在所者はいましたか。** 1 いた 2 いない **短期入所生活介護(ショートステイ)床の利用者は含めないでください。**

要介護1	要介護2	要介護3	要介護4	要介護5	要介護認定申請中
人	人	人	人	人	人

短期入所生活介護(ショートステイ)床が空床利用型の場合の 短期入所生活介護(ショートステイ)利用者数	人
(再掲) 9月末日の在所者のうち、やむを得ない事由により介護保険法による施設への入所が困難であり、市町村の措置により入所している者	人

(9)社会福祉法人等による軽減の状況	1 実施している 2 実施していない	→ 9月中の軽減者数	人
		うち生活保護受給者数	人

(10)苦情解決のための取組状況(複数回答)

該当する番号をすべて○で囲んでください。

1 苦情受付窓口を設置　3 共同で第三者委員を設置　5 1～4以外の取組を実施している
2 苦情解決責任者を設置　4 単独で第三者委員を設置

(11)夜勤時間帯における勤務体制

平成29年9月30日から10月1日にかけて、施設が定める夜勤時間に夜勤を行った職員の勤務体制を記入してください。
例えば、夕方から午前0時までが4名、午前0時から8時までが3名と交代で勤務を行っている場合の勤務体制は7名ではなく、3名となります。

夜勤を行った**看護職員**がいましたか。	夜勤を行った**介護職員**がいましたか。
1 いた → 夜勤を行った**看護職員** 人 2 いない	1 いた → 夜勤を行った**介護職員** 人 2 いない

(12)夜勤職員の実人員数及び夜勤回数

9月中(平成29年9月1日～30日)に、施設が定める夜勤時間に夜勤を行った職員の実人員数(延人数ではありません)及び延べ夜勤回数を記入してください。

看護職員	実人員数	人	**介護職員** 実人員数	人
	延べ夜勤回数	回	延べ夜勤回数	回

(13)サテライト型地域密着型介護老人福祉施設の運営状況

本体施設として、サテライト型地域密着型介護老人福祉施設を運営していますか。　1 運営している　2 運営していない

(14)併設の状況(複数回答)

併設事業所が予防介護事業・介護事業のいずれか一方のみを行っている場合であっても、該当する番号を○で囲んでください。

同一法人(法人が異なっても実質的に同一経営の場合を含む。)が、同一または隣接する敷地内で運営している、異なる施設・事業所について、該当する番号をすべて○で囲んでください。

1 短期入所生活介護事業所　3 認知症対応型通所介護事業所　5 複合型サービス(看護小規模多機能型居宅介護)事業所
2 通所介護事業所　4 小規模多機能型居宅介護事業所　6 1～5との併設はない

(15)従事者数

★ 機能訓練指導員の再掲欄において、当該職員が複数の資格を有している場合は、主に従事している資格を1つ決めた上で、当該資格欄に記入してください。

※雇用形態にかかわらず、施設が定める1週間の勤務時間(所定労働時間)の全てを勤務する場合は「常勤」、勤務しない場合は「非常勤」となります。
※『常勤兼務』には、『常勤専従』分は含めません。また、『常勤専従』分の「換算数」は計上不要です。
※「換算数」には、『常勤兼務』または『非常勤』の人数分をそれぞれ計上します。

換算数 ＝ 従事者の1週間の勤務延時間数(残業は除く) ／ 当該施設において常勤の従事者が勤務すべき1週間の時間数(所定労働時間)
(1週間の時間数が32時間を下回る場合は分母を32時間としてください。)(**換算数の詳細は、手引きを参照してください。**)
小数点以下第2位を四捨五入して小数点以下第1位まで計上してください。得られた結果が0.1に満たない場合は「0.1」と計上してください。

	常勤専従(人)	常勤兼務(専従分除く)(人)	常勤兼務 換算数(人)	非常勤(人)	非常勤 換算数(人)
1施設長			.		.
2医師			.		.
3歯科医師			.		.
4生活相談員			.		.
4のうち社会福祉士			.		.
5看護師			.		.
6准看護師			.		.
7介護職員			.		.
7のうち介護福祉士			.		.
8管理栄養士			.		.
9栄養士			.		.
10歯科衛生士			.		.

	常勤専従(人)	常勤兼務(専従分除く)(人)	常勤兼務 換算数(人)	非常勤(人)	非常勤 換算数(人)
11機能訓練指導員			.		.
★(1)11のうち理学療法士			.		.
★(2)11のうち作業療法士			.		.
★(3)11のうち言語聴覚士			.		.
★(4)11のうち看護師(5の業務分除く)			.		.
★(5)11のうち准看護師(6の業務分除く)			.		.
★(6)11のうち柔道整復師			.		.
★(7)11のうちあん摩マッサージ指圧師			.		.
12障害者生活支援員			.		.
13介護支援専門員			.		.
14調理員			.		.
15その他の職員			.		.

(補問) 認定特定行為業務従事者〈登録特定行為事業者のみ〉 (介護職員等であって、喀痰吸引等の業務の**登録認定を受けた従事者**)	人

※調査票の記入内容について質問する際の問い合わせ先として使用する場合があります。施設の代表者の氏名ではなく、実際に調査票を記入した施設の担当者の氏名と連絡先を記入してください。

調査票記入者名・担当部署と連絡先(※必須)	(担当部署名)
	(調査票記入者名) ふりがな
	電話(－ －)
上記以外連絡先(携帯、FAX等)	

ご協力ありがとうございました

㊙ 政府統計

介護サービス施設・事業所調査

介護老人保健施設票

（平成29年10月１日調査）

2

厚生労働省

＊一連番号	
＊調査番号	

[注] 1 ＊印の箇所は施設では記入しないでください。
2 あらかじめ調査票に印字されている項目に変更または誤りがあった場合は、赤字で訂正をしてください。

法人名	
施設名	
施設の所在地	〒　TEL(　)−(　)−(　)
事業所番号	活動状況：1 活動中　2 休止中　3 廃止
(1)開設年月	1 昭和　2 平成　　年　　月
(2)開設主体	開設主体　該当する番号を選択し、左の欄に記入してください。 01 都道府県 02 市区町村 03 広域連合・一部事務組合 04 独立行政法人 05 日本赤十字社・社会保険関係団体 06 医療法人 07 社会福祉協議会 08 社会福祉法人(社会福祉協議会以外) 09 公益社団・財団法人 10 一般社団・財団法人(公益社団・財団法人以外) 11 その他の法人 12 個人 13 01〜12以外
(3)介護報酬上の届出（複数回答）	介護保健施設（1 Ⅰ型　2 Ⅱ型　3 Ⅲ型）　ユニット型介護保健施設（4 Ⅰ型　5 Ⅱ型　6 Ⅲ型）
(4)療養体制維持特別加算の状況	「(3)介護報酬上の届出」の種別で、2、3、5、6(Ⅱ型、Ⅲ型)に該当する施設のみ記入してください。 療養体制維持特別加算をしている場合は、「1　加算している」の番号を○で囲んでください。 1　加算している　2　加算していない
(5)小規模介護老人保健施設等の設置状況	1から3の施設を設置している場合、該当する番号を○で囲んでください。 1　サテライト型小規模介護老人保健施設　2　医療機関併設型小規模介護老人保健施設　3　分館型介護老人保健施設
入所定員	一般棟入所定員　人　認知症専門棟入所定員　人

(6)療養室の状況

	多床室 4人室	多床室 3人室	多床室 2人室	従来型個室	ユニット型 夫婦等の２人室	ユニット型 個室(準個室を含む)
一般棟室数	室	室	室	室	室	室
認知症専門棟室数	室	室	室	室	室	室

(7)ユニットの状況

「(3)介護報酬上の届出」の種別でユニット型介護保健施設（Ⅰ型、Ⅱ型、Ⅲ型）に該当する場合は記入してください。
なお、ユニット型として届け出た療養室について記入してください。

一般棟	ユニットの規模(定員)	人	人	人	人	人	人
	ユニット数	ユニット	ユニット	ユニット	ユニット	ユニット	ユニット
認知症専門棟	ユニットの規模(定員)	人	人	人	人	人	人
	ユニット数	ユニット	ユニット	ユニット	ユニット	ユニット	ユニット

(8)居住費の状況

各居室の種類ごとに施設が設定している料金の高い順に記入してください。
居住費の室数と(6)療養室の室数は一致させてください。

多床室	居住費(日額)	円	円	円	円	円
	室定員	人室	人室	人室	人室	人室
	室数	室	室	室	室	室
従来型個室	居住費(日額)	円	円	円	円	円
	室数	室	室	室	室	室
ユニット型準個室(夫婦等の2人室を含む)	居住費(日額)	円	円	円	円	円
	室定員	人室	人室	人室	人室	人室
	室数	室	室	室	室	室
ユニット型個室(夫婦等の2人室を含む)	居住費(日額)	円	円	円	円	円
	室定員	人室	人室	人室	人室	人室
	室数	室	室	室	室	室

(9)食費の状況	施設が設定している料金を日額で記入してください。 なお、料金が複数ある場合は、利用者の最も多い額を記入してください。	1日あたりの食費	円

裏面につづきます

⑩施設サービスの状況

9月末日の在所者数

9月末日時点で在所者はいましたか。　1　いた　　2　いない

短期入所療養介護の利用者は含めないでください。

	要介護1	要介護2	要介護3	要介護4	要介護5	要介護認定申請中
一般棟	人	人	人	人	人	人
認知症専門棟	人	人	人	人	人	人

⑪夜勤時間帯における勤務体制

平成29年9月30日から10月1日にかけて、施設が定める夜勤時間に夜勤を行った職員の勤務体制を記入してください。
例えば、夕方から午前0時までが4名、午前0時から8時までが3名と交代で勤務を行っている場合の勤務体制は7名ではなく、3名となります。

夜勤を行った**看護職員**がいましたか。
1　いた → 夜勤を行った**看護職員**　　人
2　いない

夜勤を行った**介護職員**がいましたか。
1　いた → 夜勤を行った**介護職員**　　人
2　いない

⑫夜勤職員の実人員数及び夜勤回数

9月中(平成29年9月1日～30日)に、施設が定める夜勤時間に夜勤を行った職員の実人員数(延人数ではありません)及び延べ夜勤回数を記入してください。

看護職員　実人員数　　人
　　　　　延べ夜勤回数　　回

介護職員　実人員数　　人
　　　　　延べ夜勤回数　　回

⑬従事者数

※雇用形態にかかわらず、施設が定める1週間の勤務時間(所定労働時間)の全てを勤務する場合は「常勤」、勤務しない場合は「非常勤」となります。
※『常勤兼務』には、『常勤専従』分は含めません。また、『常勤専従』分の「換算数」は計上不要です。
※「換算数」には、『常勤兼務』または『非常勤』の人数分をそれぞれ計上します。

換算数 ＝ 従事者の1週間の勤務延時間数(残業は除く) / 当該施設において常勤の従事者が勤務すべき1週間の時間数(所定労働時間)
(1週間の時間数が32時間を下回る場合は分母を32時間としてください。)(換算数の詳細は、手引きを参照してください。)
小数点以下第2位を四捨五入して小数点以下第1位まで計上してください。得られた結果が0.1に満たない場合は「0.1」と計上してください。

	常勤専従(人)	常勤兼務(専従分除く)(人)	常勤兼務 換算数(人)	非常勤(人)	非常勤 換算数(人)
1 医師			.		.
2 歯科医師			.		.
3 薬剤師			.		.
4 看護師			.		.
5 准看護師			.		.
6 介護職員			.		.
6のうち介護福祉士			.		.
7 支援相談員			.		.
7のうち社会福祉士			.		.

	常勤専従(人)	常勤兼務(専従分除く)(人)	常勤兼務 換算数(人)	非常勤(人)	非常勤 換算数(人)
8 理学療法士			.		.
9 作業療法士			.		.
10 言語聴覚士			.		.
11 管理栄養士			.		.
12 栄養士			.		.
13 歯科衛生士			.		.
14 介護支援専門員			.		.
15 調理員			.		.
16 その他の職員			.		.

(補問) 認定特定行為業務従事者 <登録特定行為事業者のみ>
(介護職員等であって、喀痰吸引等の業務の**登録認定を受けた従事者**)　　人

※調査票の記入内容について質問する際の問い合わせ先として使用する場合があります。施設の代表者の氏名ではなく、実際に調査票を記入した施設の担当者の氏名と連絡先を記入してください。

調査票記入者名・担当部署と連絡先(※必須)	(担当部署名)
	(調査票記入者名) ふりがな
	電話(　　－　　－　　)
上記以外連絡先(携帯、FAX等)	

ご協力ありがとうございました

政府統計

介護サービス施設・事業所調査
介護療養型医療施設票
（平成29年10月１日調査）

3

厚生労働省

＊一連番号	
＊調査番号	

［注］1　＊印の箇所は施設では記入しないでください。
2　あらかじめ調査票に印字されている項目に変更または誤りがあった場合は、赤字で訂正をしてください。

法人名	
施設名	
施設の所在地	〒　　TEL（　　）－（　　）－（　　）
事業所番号	活動状況　1 活動中　2 休止中　3 廃止

(1) 開設主体	開設主体	該当する番号を選択し、左の欄に記入してください。 01 都道府県 02 市区町村 03 広域連合・一部事務組合 04 日本赤十字社・社会保険関係団体 05 医療法人 06 社会福祉協議会 07 社会福祉法人（社会福祉協議会以外） 08 公益社団・財団法人 09 一般社団・財団法人（公益社団・財団法人以外） 10 営利法人（会社） 11 その他の法人 12 個人

(2) 介護報酬上の届出（複数回答）	
病院療養型	（1 Ⅰ型　2 Ⅱ型　3 Ⅲ型）
ユニット型病院療養型	（1 Ⅰ型　2 Ⅱ型）
病院経過型	（1 Ⅰ型　2 Ⅱ型）
ユニット型病院経過型	（1 Ⅰ型　2 Ⅱ型）
診療所型	（1 Ⅰ型　2 Ⅱ型）
ユニット型診療所型	（1 Ⅰ型　2 Ⅱ型）
認知症疾患型	（1 Ⅰ型　2 Ⅱ型　3 Ⅲ型　4 Ⅳ型　5 Ⅴ型）
ユニット型認知症疾患型	（1 Ⅰ型　2 Ⅱ型）
認知症経過型	（1 Ⅰ型　2 Ⅱ型）

(3) 療養機能強化型の届出の状況
「(2)介護報酬上の届出」の種別で、病院療養型（ユニット型含む）、診療所型（ユニット型含む）に該当する施設のみ記入してください。
1　療養機能強化型A　2　療養機能強化型B　3　療養機能強化型の届出はしていない

病床数	療養病床		老人性認知症疾患療養病棟	
	介護指定病床を有する病棟の病床数	うち介護指定病床数	介護指定病床を有する病棟の病床数	うち介護指定病床数
	床	床	床	床

以下の(4)～(8)の項目は、「介護指定病床」についての状況を記入してください。

(4) 病室の状況	多床室				従来型個室	ユニット型	
	5人以上室	4人室	3人室	2人室		夫婦等の2人室	個室(準個室を含む)
	室	室	室	室	室	室	室

(5) ユニットの状況
「(2)介護報酬上の届出」の種別でユニット型として届け出た病室について記入してください。

療養病床	ユニットの規模（定員）	人	人	人	人	人	人
	ユニット数	ユニット	ユニット	ユニット	ユニット	ユニット	ユニット
老人性認知症疾患療養病棟	ユニットの規模（定員）	人	人	人	人	人	人
	ユニット数	ユニット	ユニット	ユニット	ユニット	ユニット	ユニット

(6) 居住費の状況
各居室の種類ごとに施設が設定している料金の高い順に記入してください。
居住費の室数と(4)病室の室数は一致させてください。

多床室	居住費（日額）	円	円	円	円	円
	室定員	人室	人室	人室	人室	人室
	室数	室	室	室	室	室
従来型個室	居住費（日額）	円	円	円	円	円
	室数	室	室	室	室	室
ユニット型準個室（夫婦等の2人室を含む）	居住費（日額）	円	円	円	円	円
	室定員	人室	人室	人室	人室	人室
	室数	室	室	室	室	室
ユニット型個室（夫婦等の2人室を含む）	居住費（日額）	円	円	円	円	円
	室定員	人室	人室	人室	人室	人室
	室数	室	室	室	室	室

(7) 食費の状況	施設が設定している料金を日額で記入してください。 なお、料金が複数ある場合は、利用者の最も多い額を記入してください。	1日あたりの食費	円

裏面につづきます

	「介護指定病床」における9月末日の在院者数					
(8) 施設サービスの状況	9月末日時点で在院者はいましたか。 1 いた 2 いない 短期入所療養介護の利用者は含めないでください。					
	要介護1	要介護2	要介護3	要介護4	要介護5	要介護認定申請中
療養病床	人	人	人	人	人	人
老人性認知症疾患療養病棟	人	人	人	人	人	人

(9) 夜勤時間帯における勤務体制

平成29年9月30日から10月1日にかけて、施設が定める夜勤時間に夜勤を行った職員の勤務体制を記入してください。
例えば、夕方から午前0時までが4名、午前0時から8時までが3名と交代で勤務を行っている場合の勤務体制は7名ではなく、3名となります。

夜勤を行った**看護職員**がいましたか。 1 いた → 夜勤を行った**看護職員** 人 / 2 いない

夜勤を行った**介護職員**がいましたか。 1 いた → 夜勤を行った**介護職員** 人 / 2 いない

(10) 夜勤職員の実人員数及び夜勤回数

9月中(平成29年9月1日～30日)に、施設が定める夜勤時間に夜勤を行った職員の実人員数(延人数ではありません)及び延べ夜勤回数を記入してください。

	実人員数	延べ夜勤回数
看護職員	人	回
介護職員	人	回

(11) 従事者数

※雇用形態にかかわらず、施設が定める1週間の勤務時間(所定労働時間)の全てを勤務する場合は「常勤」、勤務しない場合は「非常勤」となります。
※『常勤兼務』には、『常勤専従』分は含めません。また、『常勤専従』分の「換算数」は計上不要です。
※「換算数」には、『常勤兼務』または『非常勤』の人数分をそれぞれ計上します。

換算数 ＝ 従事者の1週間の勤務延時間数(残業は除く) / 当該施設において常勤の従事者が勤務すべき1週間の時間数(所定労働時間)
(1週間の時間数が32時間を下回る場合は分母を32時間としてください。)(換算数の詳細は、手引きを参照してください。)
小数点以下第2位を四捨五入して小数点以下第1位まで計上してください。得られた結果が0.1に満たない場合は「0.1」と計上してください。

施設に在籍する職員のうち、介護療養型医療施設サービスを行う病棟(診療所においては病室)の業務に携わる従事者について、職種別に記入してください。

	常勤専従(人)	常勤兼務(専従分除く)(人)	常勤兼務 換算数(人)	非常勤(人)	非常勤 換算数(人)
1 医師			.		.
2 歯科医師			.		.
3 薬剤師			.		.
4 看護師			.		.
5 准看護師			.		.
6 介護職員			.		.
6のうち介護福祉士			.		.
7 介護支援専門員			.		.
8 管理栄養士			.		.
9 栄養士			.		.
10 理学療法士			.		.
11 作業療法士			.		.
12 言語聴覚士			.		.
13 精神保健福祉士等			.		.
14 歯科衛生士			.		.

※調査票の記入内容について質問する際の問い合わせ先として使用する場合があります。施設の代表者の氏名ではなく、実際に調査票を記入した施設の担当者の氏名と連絡先を記入してください。

調査票記入者名・担当部署と連絡先(※必須)	(担当部署名) (調査票記入者名) ふりがな 電話(－ －)
上記以外連絡先(携帯、FAX等)	

ご協力ありがとうございました

介護サービス施設・事業所調査

訪問看護ステーション票

（平成29年10月１日調査）

4

厚生労働省

＊一連番号	
＊調査番号	

[注] 1 ＊印の箇所は事業所では記入しないでください。
2 あらかじめ調査票に印字されている項目に変更または誤りがあった場合は、赤字で訂正をしてください。

法人名	
ステーション名	
ステーションの所在地	〒　TEL（　　）−（　　）−（　　）

(1)サービスの種類・事業所番号・ステーション名

・９月30日現在、貴事業所において指定を受けている下記の各事業について、**「活動状況」の該当する番号を○で囲み**、印字内容を確認してください。

・事業所番号、ステーション名が**印字されていない事業については、記入（追記）不要です。**

・「活動状況」は、**休止届や廃止届を提出している場合は、「２ 休止中」、「３ 廃止」を○で囲んでください。**その場合、以降は記入不要です。

サービスの種類	事業所番号	ステーション名	活動状況（１つに○）
041 介護予防訪問看護			1 活動中　2 休止中　3 廃止
042 訪問看護			1 活動中　2 休止中　3 廃止

(2)開設主体

※該当する番号を選択し、左の欄に記入してください。

開設主体 [　　]

01 都道府県
02 市区町村
03 広域連合・一部事務組合
04 独立行政法人
05 日本赤十字社・社会保険関係団体
06 医療法人
07 医師会
08 看護協会
09 公益社団・財団法人（07、08以外）
10 一般社団・財団法人（07、08、09以外）
11 社会福祉協議会
12 社会福祉法人（社会福祉協議会以外）
13 農業協同組合及び連合会
14 消費生活協同組合及び連合会
15 営利法人（会社）
16 特定非営利活動法人（NPO）
17 01～16以外

(3)加算等の届出の状況

介護保険法　※該当する番号を**それぞれにつき１つ**○で囲んでください。

緊急時訪問看護加算の届出	1 あり	2 なし
特別管理体制の届出	1 あり	2 なし
ターミナルケア体制の届出	1 あり	2 なし
サービス提供体制強化加算の届出	1 あり	2 なし

健康保険法等　※該当する番号を**それぞれにつき１つ**○で囲んでください。

1 24時間対応体制加算の届出あり　2 24時間連絡体制加算の届出あり　3 1，2いずれもなし

1または2の場合 →　1 特別管理加算の届出あり　2 特別管理加算の届出なし

(4)出張所等（サテライト事業所）の状況

サテライト事業所数 [　　] 事業所

９月中のサテライト事業所の利用実人員数 [　　] 人

９月中のサテライト事業所からの訪問回数の合計 [　　] 回

次ページにつづきます

1

(5) 9月中のサービスの提供状況

介護保険法

営業日数には、利用者がいない日（利用者がいれば提供可能であった日）も含めます。
介護と介護予防を一体的に行っている場合は、同一の営業日数を記入してください。

※**利用実人員数欄**には、介護保険法による（介護予防）訪問看護を１回でも利用した者について計上してください。

※**訪問回数の合計欄**には、支給限度額を超えた訪問回数及び健康保険法等併給による訪問回数も含めて計上してください。

※**訪問回数の合計の（再掲）**については、看護職員を伴わずにPT（理学療法士）、OT（作業療法士）、ST（言語聴覚士）のいずれかのみで訪問した回数を内数として再計上してください。（ただし、PT２人や、PTとOTなど１回に複数で訪問した場合も１回とします。）
訪問時間が連続して20分以上の場合、介護報酬の算定回数に関わらず訪問回数は「１回」とします。

※**複合型サービス（看護小規模多機能型居宅介護）の登録者**に対して行った訪問看護は、**この調査票に記載せず**、別途配布される「**地域密着型サービス事業所票**」に記載してください。

介護予防訪問看護

9月中の営業日数 [　　] 日

9月中の利用者 　1 あり　　2 なし

	要支援1	要支援2	要支援認定申請中
利用実人員数	人	人	人
訪問回数の合計	回	回	回
うちPT、OT、STのみによる訪問回数の合計（再掲）	回	回	回

訪問看護（介護給付）

9月中の営業日数 [　　] 日

9月中の利用者 　1 あり　　2 なし

※　定期巡回・随時対応型訪問介護看護と連携して行った訪問看護については**この欄に記載せず**、下記の「**定期巡回・随時対応型との連携**」欄に記載してください。

	要介護1	要介護2	要介護3	要介護4	要介護5	要介護認定申請中
利用実人員数	人	人	人	人	人	人
訪問回数の合計	回	回	回	回	回	回
うちPT、OT、STのみによる訪問回数の合計（再掲）	回	回	回	回	回	回

定期巡回・随時対応型との連携

定期巡回・随時対応型訪問介護看護の法２号型（連携型）事業所と連携している場合は、「１　連携あり」の番号を○で囲み、連携先の事業所数、連携による利用実人員数及び訪問回数の合計を記入してください。

1　連携あり → 連携先の事業所数 [　　] 事業所

2　連携なし

連携による利用実人員数	人
連携による訪問回数の合計	回

※　定期巡回・随時対応型訪問介護看護の一体型事業所との契約に基づき、訪問看護サービスを行った場合の利用者は含めません。

健康保険法等との併給者

	併給者
利用実人員数	人
うち新たな疾病等の診断による（再掲）	人
うち特別訪問看護指示書による（再掲）	人
訪問回数の合計	回

※　上記の介護保険法利用者のうち、月の途中で健康保険法等による給付が行われた者を、該当する理由別に計上してください。

※　「新たな疾病等の診断による」とは、厚生労働大臣が定める疾病等（末期の悪性腫瘍、神経難病等）として新たに診断を受けた場合をいいます。

健康保険法等及びその他

	健康保険法等	その他
利用実人員数	人	人
訪問回数の合計	回	回
うちPT、OT、STのみによる訪問回数の合計（再掲）	回	

※　「健康保険法等」欄には、介護保険法による（介護予防）訪問看護を１回も利用せず健康保険法等のみによる訪問看護を利用した者について計上してください。
（**健康保険法等**とは、後期高齢者医療制度、健康保険、国民健康保険、労災保険等の医療保険及び生活保護等の公費負担医療をいいます。）

※「その他」欄には、介護保険法及び健康保険法等いずれの保険制度も利用していない者で、９月中のすべての訪問看護を全額自費により受けた者及び市町村事業による者について計上してください。

次ページにつづきます

2

(6) 9月中の利用者

緊急時等の利用状況

介護保険法の利用者		介護予防訪問看護	訪問看護（介護給付）
緊急時訪問看護加算に同意をしている実人員数		人	人
緊急時訪問看護	利用実人員数	人	人
	訪問回数の合計	回	回

健康保険法等の利用者		
24時間対応体制加算に同意をしている実人員数		人
緊急時訪問看護	利用実人員数	人
	訪問回数の合計	回
24時間連絡体制加算に同意をしている実人員数		人

死亡によるサービスの終了者

	介護保険法 ターミナルケア加算		健康保険法等 訪問看護ターミナルケア療養費	
	加算ありの利用者数	加算なしの利用者数	療養費ありの利用者数	療養費なしの利用者数
9月中に死亡した利用者数	人	人	人	人
在宅で死亡した利用者数	人	人	人	人
在宅以外で死亡した利用者数	人	人	人	人

(7) 従事者数

※雇用形態にかかわらず、事業所が定める1週間の勤務時間（所定労働時間）の全てを勤務する場合は「常勤」、勤務しない場合は「非常勤」となります。
※「介護予防訪問看護」と「訪問看護」を一体的に行っている場合は、「兼務」ではありません。
※「常勤兼務」には、「常勤専従」分は含めません。また、「常勤専従」分の「換算数」は計上不要です。
※「換算数」には、「常勤兼務」または「非常勤」の人数分をそれぞれ計上します。

$$\text{換算数} = \frac{\text{従事者の1週間の勤務延時間数（残業は除く）}}{\text{当該事業所において常勤の従事者が勤務すべき1週間の時間数（所定労働時間）}}$$

（1週間の時間数が32時間を下回る場合は分母を32時間としてください。）（換算数の詳細は、手引きを参照してください。）
小数点以下第2位を四捨五入して小数点以下第1位まで計上してください。得られた結果が0.1に満たない場合は「0.1」と計上してください。

	常勤専従（人）	常勤兼務（専従分除く）（人）	常勤兼務 換算数（人）	非常勤（人）	非常勤 換算数（人）
1 保健師			.		.
2 助産師			.		.
3 看護師			.		.
4 准看護師			.		.
5 理学療法士			.		.
6 作業療法士			.		.
7 言語聴覚士			.		.
8 その他の職員（管理者含む）			.		.
1～7のうちサテライト事業所の従事者			.		.

(8)「居宅介護支援事業所」の併設の状況と従事者による介護支援専門員（ケアマネージャー）の兼務状況

同一法人（法人が異なっても実質的に同一経営の場合を含む。）が、同一または隣接する敷地内で「居宅介護支援事業所」を併設している場合は、「1 併設している」の番号を○で囲み、介護支援専門員と兼務の有無を回答してください。

1 併設している → 1 兼務あり → 兼務している人数 [　　] 人
2 併設していない　2 兼務なし

(9) 居宅療養管理指導の指定事業者の届出の状況と利用者数

居宅療養管理指導（介護予防を含む）のサービス事業者としての指定を受けている場合は「1 指定あり」の番号を○で囲み、利用実人員数を記入してください。

1 指定あり → 平成29年9月中の利用実人員数 [　　] 人
2 指定なし

(10) 複合型サービス（看護小規模多機能型居宅介護）事業所の併設の有無

1 併設している
2 併設していない

同一法人（法人が異なっても実質的に同一経営の場合を含む。）が、同一または隣接する敷地内で「複合型サービス（看護小規模多機能型居宅介護）事業所」を併設している場合は、「1 併設している」の番号を○で囲んでください。

※調査票の記入内容について質問する際の問い合わせ先として使用する場合があります。事業所の代表者の氏名ではなく、実際に調査票を記入した事業所の担当者の氏名と連絡先を記入してください。

調査票記入者名・担当部署と連絡先（※必須）	（担当部署名）
	（調査票記入者名）ふりがな
	電話（　　－　　－　　）
上記以外連絡先（携帯、FAX等）	

ご協力ありがとうございました

㊙ 政府統計

介護サービス施設・事業所調査
居宅サービス事業所（福祉関係）票
（平成29年10月１日調査）

5

厚生労働省

＊一連番号	
＊調査番号	

［注］１ ＊印の箇所は事業所では記入しないでください。
２ あらかじめ調査票に印字されている項目に変更または誤りがあった場合は、赤字で訂正をしてください。

法人名	
事業所名	
事業所の所在地	〒　　TEL（　　）－（　　）－（　　）

（記入ページのみを剥がしたりせず、冊子のままご返送ください。）

サービスの種類・事業所番号・事業所名・活動状況
・9月30日現在、貴事業所において指定を受けている下記の各事業について、**「活動状況」の該当する番号を○で囲み**、印字内容を確認してください。
確認後は、サービスの種類ごとに右側に示した回答ページへ進んでください。
・事業所番号、事業所名が**印字されていない事業については、記入（追記）不要です。**
・「活動状況」は、**休止届や廃止届を提出している場合は、「２休止中」、「３廃止」を○で囲んでください。**その場合、次ページ以降は記入不要です。
上記以外で**利用者がいない場合も「１活動中」を○で囲み**、回答ページへ進んでください。
・サービスの種類により記入者が異なる場合は、お手数ですが、**調査票を事業所内で回覧の上**、記入してください（同一法人・同一所在地の場合は、以下の全サービスについて、調査票に記入してください）。
・調査票は所在地ごとに送付しているため（同一法人・同一所在地の事業所には、まとめて送付）、別所在地におけるサービスの記入は不要です。

サービスの種類	事業所番号	事業所名	活動状況（１つに○）	回答ページ
071 介護予防通所介護			1 活動中　2 休止中　3 廃止	2ページに記入してください
072 通所介護			1 活動中　2 休止中　3 廃止	
081 介護予防短期入所生活介護			1 活動中　2 休止中　3 廃止	3ページに記入してください
082 短期入所生活介護			1 活動中　2 休止中　3 廃止	
091 介護予防特定施設入居者生活介護			1 活動中　2 休止中　3 廃止	4ページに記入してください
092 特定施設入居者生活介護			1 活動中　2 休止中　3 廃止	
101 介護予防訪問介護			1 活動中　2 休止中　3 廃止	5ページに記入してください
102 訪問介護			1 活動中　2 休止中　3 廃止	
111 介護予防訪問入浴介護			1 活動中　2 休止中　3 廃止	6ページに記入してください
112 訪問入浴介護			1 活動中　2 休止中　3 廃止	
121 介護予防福祉用具貸与			1 活動中　2 休止中　3 廃止	7ページに記入してください
122 福祉用具貸与			1 活動中　2 休止中　3 廃止	
131 特定介護予防福祉用具販売			1 活動中　2 休止中　3 廃止	
132 特定福祉用具販売			1 活動中　2 休止中　3 廃止	
191 介護予防支援			1 活動中　2 休止中　3 廃止	8ページに記入してください
201 居宅介護支援			1 活動中　2 休止中　3 廃止	9ページに記入してください

(1)経営主体

該当する番号を**１つ**選択し、左の欄に記入してください。

経営主体

01 都道府県
02 市区町村
03 広域連合・一部事務組合
04 社会福祉協議会
05 社会福祉法人（社会福祉協議会以外）
06 医療法人
07 公益社団・財団法人
08 一般社団・財団法人（公益社団・財団法人以外）
09 農業協同組合及び連合会
10 消費生活協同組合及び連合会
11 営利法人（会社）
12 特定非営利活動法人（NPO）
13 その他の法人
14 01～13以外（個人を含む）

(2)苦情解決のための取組状況（複数回答）

該当する番号を**すべて**○で囲んでください。
1 苦情受付窓口を設置
2 苦情解決責任者を設置
3 共同で第三者委員を設置
4 単独で第三者委員を設置
5 １～４以外の取組を実施している

※調査票の記入内容について質問する際の問い合わせ先として使用する場合があります。事業所の代表者の氏名ではなく、実際に調査票を記入した事業所の担当者の氏名と連絡先を記入してください。

調査票記入者名・担当部署と連絡先（※必須）	（担当部署名）
	（調査票記入者名）ふりがな
	電話（　　－　　－　　）
上記以外連絡先（携帯、ＦＡＸ等）	

1

【０７１介護予防通所介護・０７２通所介護】

記入者名（　　　　　　　　　　　　　）　電話番号（　　　　－　　　　－　　　　）

(3)事業所の形態（複数回答）	事業所の形態について、該当する番号を**すべて**○で囲んでください。 1　通常規模型事業所　2　大規模型事業所（Ⅰ）　3　大規模型事業所（Ⅱ）　4　介護予防事業所

(4)サービスの提供状況

現在、指定を受けて活動中のサービスについて、利用者の有無に関わらず、提供体制（定員・開催日数）を記入してください。「９月中」の利用者がいない場合には、「２　なし」を○で囲んでください。（詳細は、手引きを参照してください。）

介護予防通所介護

※右表「単位ごとの定員」は、１週間のサービス提供実施単位ごとの定員を記入してください（定員≧単位１の定員 ※単位２～６も同様）。
※介護と介護予防を一体的に行っている場合は、同一の定員、開催日数を記入してください。なお、開催日数には、利用者がいない日も含めます。

定員	人
9月中の開催日数（1～30日）	日

単位1の定員	人	単位4の定員	人
単位2の定員	人	単位5の定員	人
単位3の定員	人	単位6の定員	人

9月中の利用者　1 あり　2 なし

	要支援1	要支援2	その他（自費利用者、認定申請中の者）
利用実人員数 ※総合事業の利用者は含めません。	人	人	人
利用延人員数 ※総合事業の利用者は含めません。	人	人	人

注）**「地域密着型通所介護」**については、**「地域密着型サービス事業所票」**に記入してください。

通所介護

※右表「単位ごとの定員」は、１週間のサービス提供実施単位ごとの定員を記入してください（定員≧単位１の定員 ※単位２～６も同様）。
※介護と介護予防を一体的に行っている場合は、同一の定員、開催日数を記入してください。なお、開催日数には、利用者がいない日も含めます。

定員	人
9月中の開催日数（1～30日）	日

単位1の定員	人	単位4の定員	人
単位2の定員	人	単位5の定員	人
単位3の定員	人	単位6の定員	人

9月中の利用者　1 あり　2 なし

	要介護1	要介護2	要介護3	要介護4	要介護5	その他（自費利用者、認定申請中の者）
利用実人員数	人	人	人	人	人	人
利用延人員数	人	人	人	人	人	人

(5)社会福祉法人等による軽減の状況

1 実施している → 9月中の軽減者数　　人（生活保護受給者等は含みません）
2 実施していない

(6)従事者数

※雇用形態にかかわらず、事業所が定める１週間の勤務時間（所定労働時間）の全てを勤務する場合は「常勤」、勤務しない場合は「非常勤」となります。
※「介護予防通所介護」と「通所介護」を一体的に行っている場合は、「兼務」ではありません。
※「常勤兼務」には、「常勤専従」分は含めません。また、「常勤専従」分の「換算数」は計上不要です。
※「換算数」には、「常勤兼務」または「非常勤」の人数分をそれぞれ計上します。

$$換算数 = \frac{従事者の１週間の勤務延時間数（残業は除く）}{当該事業所において常勤の従事者が勤務すべき１週間の時間数（所定労働時間）}$$

（１週間の時間数が32時間を下回る場合は分母を32時間としてください。）（換算数の詳細は、手引きを参照してください。）
小数点以下第２位を四捨五入して小数点以下第１位まで計上してください。得られた結果が0.1に満たない場合は「0.1」と計上してください。

注）総合事業のみに従事する者、及び常勤兼務、非常勤の者が総合事業に従事する分（換算数）は含めません（手引きを参照してください）。

★　機能訓練指導員の再掲欄において、当該職員が複数の資格を有している場合は、主に従事している資格を１つ決めた上で、当該資格欄に記入してください。

	常勤専従（人）	常勤兼務（専従分除く）（人）	常勤兼務 換算数（人）	非常勤（人）	非常勤 換算数（人）
1 医師			.		.
2 看護師			.		.
3 准看護師			.		.
4 機能訓練指導員			.		.
(1) 4のうち理学療法士			.		.
(2) 4のうち作業療法士			.		.
(3) 4のうち言語聴覚士			.		.
★(4) 4のうち看護師（2の業務分除く）			.		.
(5) 4のうち准看護師（3の業務分除く）			.		.
(6) 4のうち柔道整復師			.		.
(7) 4のうちあん摩マッサージ指圧師			.		.

	常勤専従（人）	常勤兼務（専従分除く）（人）	常勤兼務 換算数（人）	非常勤（人）	非常勤 換算数（人）
5 調理員			.		.
6 管理栄養士			.		.
7 栄養士			.		.
8 歯科衛生士			.		.
9 生活相談員			.		.
9のうち社会福祉士			.		.
10 介護職員			.		.
10のうち介護福祉士			.		.
11 その他の職員（管理者含む）			.		.

（補問）認定特定行為業務従事者<登録特定行為事業者のみ>
介護職員等であって、喀痰吸引等の業務の**登録認定を受けた従事者**　　人

【071介護予防通所介護・072通所介護】については以上です。他のサービスを提供している場合は、１ページに戻り、該当ページにご記入ください。

2

【０８１介護予防短期入所生活介護・０８２短期入所生活介護】　記入者名（　　　　　　　　　）　電話番号（　　－　　－　　）

(7)介護報酬上の届出種別（複数回答）	介護報酬上の届出について、該当する番号を**すべて**○で囲んでください。 1　単独型　　3　空床型　　5　併設型ユニット型 2　併設型　　4　単独型ユニット型　　6　空床型ユニット型

※(7)において「1　単独型」、「2　併設型」、「4　単独型ユニット型」、「5　併設型ユニット型」を○で囲んだ事業所は、以下(8)～(11)に回答してください。
（「3　空床型」、「6　空床型ユニット型」のみを○で囲んだ事業所で他のサービスを提供している場合は、1ページに戻り、該当ページにご記入ください）。
「2　併設型」又は「5　併設型ユニット型」を○で囲んだ事業所は、併設型（ユニット型）分についてのみ記入してください。

(8)サービスの提供状況

現在、指定を受けて活動中のサービスについて、提供体制（定員）を記入してください。
「9月中」の利用者がいない場合には、「2　なし」を○で囲んでください。
空床利用している利用者は含めず、指定を受けている事業でサービスの利用者を記入してください。

介護予防短期入所生活介護	定員 ※介護と介護予防を一体的に行っている場合は、同一の定員を記入してください。	9月中の利用者		要支援1	要支援2	その他（自費利用者、認定申請中の者）
	人	1　あり →	利用実人員数	人	人	人
		2　なし	利用日数合計	日	日	日

短期入所生活介護	定員 ※介護と介護予防を一体的に行っている場合は、同一の定員を記入してください。	9月中の利用者		要介護1	要介護2	要介護3	要介護4	要介護5	その他（自費利用者、認定申請中の者）
	人	1　あり →	利用実人員数	人	人	人	人	人	人
		2　なし	利用日数合計	日	日	日	日	日	日

(9)居室の状況

空床利用している居室は含めず、**指定を受けている居室（特別養護老人ホーム等の室数ではありません）**を記入してください。

多床室				従来型個室	ユニット型	
5人以上室	4人室	3人室	2人室		夫婦等の2人室	個室（準個室を含む）
室	室	室	室	室	室	室

(10)社会福祉法人等による軽減の状況

1　実施している →	9月中の軽減者数	人
2　実施していない	うち生活保護受給者数	人

(11)従事者数

★　機能訓練指導員の再掲欄において、当該職員が複数の資格を有している場合は、主に従事している資格を1つ決めた上で、当該資格欄に記入してください。

※雇用形態にかかわらず、事業所が定める1週間の勤務時間（所定労働時間）の全てを勤務する場合は「常勤」、勤務しない場合は「非常勤」となります。
※「介護予防短期入所生活介護」と「短期入所生活介護」を一体的に行っている場合は、「兼務」ではありません。
※「常勤兼務」には、「常勤専従」分は含めません。また、「常勤専従」分の「換算数」は計上不要です。
※「換算数」には、「常勤兼務」または「非常勤」の人数分をそれぞれ計上します。

$$\text{換算数} = \frac{\text{従事者の1週間の勤務延時間数（残業は除く）}}{\text{当該事業所において常勤の従事者が勤務すべき1週間の時間数（所定労働時間）}}$$

（1週間の時間数が32時間を下回る場合は分母を32時間としてください。）（換算数の詳細は、手引きを参照してください。）
小数点以下第2位を四捨五入して小数点以下第1位まで計上してください。得られた結果が0.1に満たない場合は「0.1」と計上してください。

	常勤専従（人）	常勤兼務（専従分除く）（人）	換算数（人）	非常勤（人）	換算数（人）
1 医師			.		.
2 看護師			.		.
3 准看護師			.		.
4 機能訓練指導員			.		.
★(1) 4のうち理学療法士			.		.
★(2) 4のうち作業療法士			.		.
★(3) 4のうち言語聴覚士			.		.
★(4) 4のうち看護師（2の業務分除く）			.		.
★(5) 4のうち准看護師（3の業務分除く）			.		.
★(6) 4のうち柔道整復師			.		.
★(7) 4のうちあん摩マッサージ指圧師			.		.
5 調理員			.		.
6 管理栄養士			.		.
7 栄養士			.		.
8 介護支援専門員			.		.
9 生活相談員			.		.
9のうち社会福祉士			.		.
10 介護職員			.		.
10のうち介護福祉士			.		.
11 その他の職員（管理者含む）			.		.

（補問）認定特定行為業務従事者〈登録特定行為事業者のみ〉
介護職員等であって、喀痰吸引等の業務の**登録認定を受けた従事者**　　人

【081介護予防短期入所生活介護・082短期入所生活介護】については以上です。他のサービスを提供している場合は、1ページに戻り、該当ページにご記入ください。

【０９１介護予防特定施設入居者生活介護・０９２特定施設入居者生活介護】

記入者名（　　　　　　　　　）　電話番号（　　　－　　　－　　　）

⑿事業所の形態

該当する番号を**１つ**〇で囲んでください。

１　有料老人ホーム（４に該当するものを除く）　２　軽費老人ホーム　３　養護老人ホーム　４　サービス付き高齢者向け住宅

⒀サービスの提供状況

現在、指定を受けて活動中のサービスについて、利用者の有無に関わらず、提供体制（定員）を記入してください。
「９月中」の利用者がいない場合には、「２　なし」を〇で囲んでください。

	定員 ※介護と介護予防を一体的に行っている場合は、同一の定員を記入してください。	９月中の利用者		要支援１	要支援２	要支援認定申請中
介護予防特定施設入居者生活介護	人	１　あり→ ２　なし	９月末日の利用者数	人	人	人

	定員 ※介護と介護予防を一体的に行っている場合は、同一の定員を記入してください。	９月中の利用者		要介護１	要介護２	要介護３	要介護４	要介護５	要介護認定申請中
特定施設入居者生活介護	人	１　あり→ ２　なし	９月末日の利用者数	人	人	人	人	人	人

⒁人員配置区分の状況

１　一般型　　２　外部サービス利用型

「２　外部サービス利用型」を選択された場合は、利用しているサービスについてあてはまる番号を**すべて**〇で囲んでください。

１（介護予防）訪問介護　４（介護予防）福祉用具貸与
２（介護予防）訪問看護　５（介護予防）その他
３（介護予防）通所介護

⒂介護専用型・混合型の区分

１　専用型　　２　混合型

「専用型」とは、特定施設のうち入居者が要介護者とその配偶者などに限られるものをいいます。
「混合型」とは、それ以外の特定施設をいいます。

⒃従事者数

★　機能訓練指導員の再掲欄において、当該職員が複数の資格を有している場合は、主に従事している資格を１つ決めた上で、当該資格欄に記入してください。

※雇用形態にかかわらず、事業所が定める１週間の勤務時間（所定労働時間）の全てを勤務する場合は「常勤」、勤務しない場合は「非常勤」となります。
※「介護予防特定施設入居者生活介護」と「特定施設入居者生活介護」を一体的に行っている場合は、「兼務」ではありません。
※『常勤兼務』には、『常勤専従』分は含めません。また、『常勤専従』分の『換算数』は計上不要です。
※『換算数』には、『常勤兼務』または『非常勤』の人数分をそれぞれ計上します。

換算数 ＝ 従事者の１週間の勤務延時間数（残業は除く） ／ 当該事業所において常勤の従事者が勤務すべき１週間の時間数（所定労働時間）

（１週間の時間数が32時間を下回る場合は分母を32時間としてください。）（**換算数の詳細は、手引きを参照してください。**）
小数点以下第２位を四捨五入して小数点以下第１位まで計上してください。得られた結果が0.1に満たない場合は「0.1」と計上してください。

	常勤専従（人）	常勤兼務（専従分除く）（人）	換算数（人）	非常勤（人）	換算数（人）
１介護職員			.		.
１のうち介護福祉士			.		.
２生活相談員			.		.
２のうち社会福祉士			.		.
３看護師			.		.
４准看護師			.		.
５計画作成担当者			.		.

	常勤専従（人）	常勤兼務（専従分除く）（人）	換算数（人）	非常勤（人）	換算数（人）
６機能訓練指導員			.		.
★(1)６のうち理学療法士			.		.
★(2)６のうち作業療法士			.		.
★(3)６のうち言語聴覚士			.		.
★(4)６のうち看護師（３の業務分除く）			.		.
★(5)６のうち准看護師（４の業務分除く）			.		.
★(6)６のうち柔道整復師			.		.
★(7)６のうちあん摩マッサージ指圧師			.		.
７その他の職員（管理者含む）			.		.

（補問）認定特定行為業務従事者〈登録特定行為事業者のみ〉
介護職員等であって、喀痰吸引等の業務の**登録認定を受けた従事者**　　人

【091介護予防特定施設入居者生活介護・092特定施設入居者生活介護】については以上です。他のサービスを提供している場合は、１ページに戻り、該当ページにご記入ください。

【１０１介護予防訪問介護・１０２訪問介護】　　記入者名（　　　　　　　　　　）　電話番号（　　　－　　　　－　　　）

(17) サービスの提供体制

次の提供体制について、利用者の有無に関わらず、**どちらか**を○で囲んでください。

24時間訪問介護の提供体制	1　提供体制あり	2　提供体制なし
休日の提供体制	1　提供体制あり	2　提供体制なし
夜間の提供体制	1　提供体制あり	2　提供体制なし

(18) サービスの提供状況

現在、指定を受けて活動中のサービスについて、利用者の有無に関わらず、提供体制（営業日数）を記入してください。
「９月中の利用者」がいない場合には、「２　なし」を○で囲んでください。
※営業日数には、利用者がいない日（利用者がいれば提供可能であった日）も含めます。

介護予防訪問介護

9月中の営業日数（1～30日）※介護と介護予防を一体的に行っている場合は、同一の営業日数を記入してください。　　日

9月中の利用者　1 あり　2 なし

	要支援1	要支援2	その他（自費利用者、認定申請中の者）
利用実人員数 ※総合事業の利用者は含めません。	人	人	人
訪問回数合計 ※総合事業の利用者は含めません。	回	回	回

訪問介護

9月中の営業日数（1～30日）※介護と介護予防を一体的に行っている場合は、同一の営業日数を記入してください。　　日

9月中の利用者　1 あり　2 なし

	要介護1	要介護2	要介護3	要介護4	要介護5	その他（自費利用者、認定申請中の者）
利用実人員数	人	人	人	人	人	人
訪問回数合計	回	回	回	回	回	回

(19) 社会福祉法人等による軽減の状況

1　実施している　→　9月中の軽減者数　　人（生活保護受給者等は含みません）
2　実施していない

(20) 従事者数

注）総合事業のみに従事する者、及び常勤兼務、非常勤の者が総合事業に従事する分（換算数）は含めません（手引きを参照してください）。

★　資格(1)～(5)の中で複数の資格を有している者については、最も若い番号の資格について記入してください。

※雇用形態にかかわらず、事業所が定める1週間の勤務時間（所定労働時間）の全てを勤務する場合は「常勤」、勤務しない場合は「非常勤」となります。
※「介護予防訪問介護」と「訪問介護」を一体的に行っている場合は、「兼務」ではありません。
※『常勤兼務』には、『常勤専従』分は含めません。また、『常勤専従』分の「換算数」は計上不要です。
※「換算数」には、『常勤兼務』または『非常勤』の人数分をそれぞれ計上します。
※「管理者」と「訪問介護員」を『兼務』し、換算数を按分できない場合は、「その他の職員（管理者含む）＝0.5」、「訪問介護員＝0.5」、「該当する資格＝0.5」としてください。

$$換算数 = \frac{従事者の1週間の勤務延時間数（残業は除く）}{当該事業所において常勤の従事者が勤務すべき1週間の時間数（所定労働時間）}$$

（1週間の時間数が32時間を下回る場合は分母を32時間としてください。）**（換算数の詳細は、手引きを参照してください。）**
小数点以下第2位を四捨五入して小数点以下第1位まで計上してください。得られた結果が0.1に満たない場合は「0.1」と計上してください。

注）訪問介護員とサービス提供責任者の**内数（資格ごとの従事者数、サテライト事業所の従事者数）についても**記入してください。

	常勤専従（人）	常勤兼務（専従分除く）（人）	換算数（人）	非常勤（人）	換算数（人）
1 訪問介護員					
★(1) 1のうち介護福祉士					
★(2) 1のうち実務者研修修了者					
★(3) 1のうち旧介護職員基礎研修課程修了者					
★(4) 1のうち旧ホームヘルパー1級研修課程修了者					
★(5) 1のうち初任者研修修了者（旧ホームヘルパー2級研修課程修了者含む）					
1のうちサテライト事業所の従事者					
2 その他の職員（管理者含む）					

サービス提供責任者について
左記従事者（訪問介護員、その他の職員）のうち、サービス提供責任者について記入してください。

	常勤専従（人）	常勤兼務（専従分除く）（人）	換算数（人）	非常勤（人）	換算数（人）
3 サービス提供責任者					
★(1) 3のうち介護福祉士					
★(2) 3のうち実務者研修修了者					
★(3) 3のうち旧介護職員基礎研修課程修了者					
★(4) 3のうち旧ホームヘルパー1級研修課程修了者					
★(5) 3のうち(1)～(4)以外の従事者					

★資格(1)～(5)の中で複数の資格を有している者については、最も若い番号の資格について記入してください。

（補問）認定特定行為業務従事者〈登録特定行為事業者のみ〉
介護職員等であって、喀痰吸引等の業務の**登録認定を受けた従事者**　　人

【101介護予防訪問介護・102訪問介護】については以上です。他のサービスを提供している場合は、1ページに戻り、該当ページにご記入ください。

【111介護予防訪問入浴介護・112訪問入浴介護】

記入者名（　　　　　　　　　　　）　電話番号（　　　ー　　　ー　　　）

(21)サービスの提供状況

現在、指定を受けて活動中のサービスについて、利用者の有無に関わらず、提供体制（営業日数）を記入してください。
「9月中」の利用者がいない場合には、「2　なし」を○で囲んでください。
※営業日数には、利用者がいない日（利用者がいれば提供可能であった日）も含めます。

介護予防訪問入浴介護

9月中の営業日数（1～30日）※介護と介護予防を一体的に行っている場合は、同一の営業日数を記入してください。	9月中の利用者		要支援1	要支援2	その他（自費利用者、認定申請中の者）
日	1 あり	利用実人員数	人	人	人
	2 なし	訪問回数合計	回	回	回

訪問入浴介護

9月中の営業日数（1～30日）※介護と介護予防を一体的に行っている場合は、同一の営業日数を記入してください。	9月中の利用者		要介護1	要介護2	要介護3	要介護4	要介護5	その他（自費利用者、認定申請中の者）
日	1 あり	利用実人員数	人	人	人	人	人	人
	2 なし	訪問回数合計	回	回	回	回	回	回

(22)従事者数

※雇用形態にかかわらず、事業所が定める1週間の勤務時間（所定労働時間）の全てを勤務する場合は「常勤」、勤務しない場合は「非常勤」となります。
※「介護予防訪問入浴介護」と「訪問入浴介護」を一体的に行っている場合は、「兼務」ではありません。
※『常勤兼務』には、『常勤専従』分は含めません。また、『常勤専従』分の「換算数」は計上不要です。
※「換算数」には、『常勤兼務』または『非常勤』の人数分をそれぞれ計上します。

換算数 ＝ 従事者の1週間の勤務延時間数（残業は除く） ／ 当該事業所において常勤の従事者が勤務すべき1週間の時間数（所定労働時間）

（1週間の時間数が32時間を下回る場合は分母を32時間としてください。）（換算数の詳細は、手引きを参照してください。）
小数点以下第2位を四捨五入して小数点以下第1位まで計上してください。得られた結果が0.1に満たない場合は「0.1」と計上してください。

★ 資格(1)～(5)の中で複数の資格を有している者については、最も若い番号の資格について記入してください。

	常勤専従（人）	常勤兼務（専従分除く）（人）	換算数（人）	非常勤（人）	換算数（人）
1 介護職員			.		.
★(1) 1のうち介護福祉士			.		.
★(2) 1のうち実務者研修修了者			.		.
★(3) 1のうち旧介護職員基礎研修課程修了者			.		.
★(4) 1のうち旧ホームヘルパー1級研修課程修了者			.		.
★(5) 1のうち初任者研修修了者（旧ホームヘルパー2級研修課程修了者を含む）			.		.

	常勤専従（人）	常勤兼務（専従分除く）（人）	換算数（人）	非常勤（人）	換算数（人）
2 看護師			.		.
3 准看護師			.		.
4 その他の職員（管理者含む）			.		.

【111介護予防訪問入浴介護・112訪問入浴介護】については以上です。他のサービスを提供している場合は、1ページに戻り、該当ページにご記入ください。

【121介護予防福祉用具貸与・122福祉用具貸与・131特定介護予防福祉用具販売・132特定福祉用具販売】

記入者名（　　　　　）　電話番号（　　－　　－　　）

現在、指定を受けて活動中のサービスについて、利用者の有無に関わらず、提供体制（営業日数）を記入してください。
「9月中」の利用者がいない場合には、「2　なし」を○で囲んでください。

介護予防福祉用具貸与・福祉用具貸与

⑳サービスの提供状況

介護予防福祉用具貸与

9月中の営業日数（1～30日）　　日

※営業日数には、利用者がいない日（利用者がいれば提供可能であった日）も含めます。
※介護と介護予防を一体的に行っている場合は、同一の営業日数を記入してください。

9月中の介護保険の利用者（9月以前からの継続利用者を含む）

1 あり → 利用実人員　　人
2 なし

福祉用具貸与

9月中の営業日数（1～30日）　　日

※営業日数には、利用者がいない日（利用者がいれば提供可能であった日）も含めます。
※介護と介護予防を一体的に行っている場合は、同一の営業日数を記入してください。

9月中の介護保険の利用者（9月以前からの継続利用者を含む）

1 あり → 利用実人員　　人
2 なし

特定介護予防福祉用具販売・特定福祉用具販売

㉔サービスの提供状況

特定介護予防福祉用具販売

9月中の営業日数（1～30日）　　日

※営業日数には、利用者がいない日（利用者がいれば提供可能であった日）も含めます。
※介護と介護予防を一体的に行っている場合は、同一の営業日数を記入してください。

特定福祉用具販売

9月中の営業日数（1～30日）　　日

※営業日数には、利用者がいない日（利用者がいれば提供可能であった日）も含めます。
※介護と介護予防を一体的に行っている場合は、同一の営業日数を記入してください。

「9月中の福祉用具販売数（介護保険のみ）」を記入してください。

1 あり →
2 なし

腰掛便座	自動排泄処理装置の交換可能部品	入浴補助用具	簡易浴槽	移動用リフトのつり具の部分

【共通】介護予防福祉用具貸与・福祉用具貸与・特定介護予防福祉用具販売・特定福祉用具販売

㉕従事者数

※雇用形態にかかわらず、事業所が定める1週間の勤務時間（所定労働時間）の全てを勤務する場合は「常勤」、勤務しない場合は「非常勤」となります。
※「介護予防福祉用具貸与」「福祉用具貸与」「特定介護予防福祉用具販売」「特定福祉用具販売」を一体的に行っている場合は、「兼務」ではありません。
※『常勤兼務』には、「常勤専従」分は含めません。また、『常勤専従』分の「換算数」は計上不要です。
※「換算数」には、『常勤兼務』または「非常勤」の人数分をそれぞれ計上します。

$$\text{換算数} = \frac{\text{従事者の1週間の勤務延時間数（残業は除く）}}{\text{当該事業所において常勤の従事者が勤務すべき1週間の時間数（所定労働時間）}}$$

（1週間の時間数が32時間を下回る場合は分母を32時間としてください。）（換算数の詳細は、手引きを参照してください。）
小数点以下第2位を四捨五入して小数点以下第1位まで計上してください。得られた結果が0.1に満たない場合は「0.1」と計上してください。

	常勤専従（人）	常勤兼務（専従分除く）（人）	常勤兼務 換算数（人）	非常勤（人）	非常勤 換算数（人）
1 福祉用具専門相談員			.		.
2 その他の職員（管理者含む）			.		.

「1福祉用具専門相談員」の資格についておたずねします。保有している資格に人数を記入してください。
1人の者が1～8の複数の資格を保有している場合は、該当する資格すべてに記入してください。

1 介護福祉士　　人　　3 保健師　　人　　5 准看護師　　人　　7 作業療法士　　人

2 義肢装具士　　人　　4 看護師　　人　　6 理学療法士　　人　　8 社会福祉士　　人

上記1～8に該当しない者で
- 9 福祉用具専門相談員指定講習会修了者　　人
- 10 1～9以外の有資格者　　人

【121介護予防福祉用具貸与・122福祉用具貸与・131特定介護予防福祉用具販売・132特定福祉用具販売】については以上です。
他のサービスを提供している場合は、1ページに戻り、該当ページにご記入ください。

【１９１介護予防支援（地域包括支援センター）】

記入者名（　　　　　　　　　）　電話番号（　　　－　　　－　　　）

(26)独立・併設の状況（複数回答）	同一法人（法人が異なっても実質的同一経営の場合を含む）が、同一又は隣接の敷地内で運営している異なる施設・事業所について、該当する番号を**すべて**○で囲んでください。 1　介護保険施設と併設している 2　居宅サービス事業所、介護予防サービス事業所、地域密着型サービス事業所又は地域密着型介護予防サービス事業所と併設している 3　居宅介護支援事業所と併設している 4　介護療養型医療施設以外の病院・診療所と併設している 5　上記以外の施設・事業所と併設している 6　1～5との併設はない（独立事業所）

(27)サービスの提供状況

9月中の委託の状況についておたずねします。介護予防支援業務の一部（要支援者のケアプラン作成）を居宅介護支援事業所に委託しましたか。委託した場合は、**委託した人数、委託した事業所数**をご記入ください。

9月中の委託
1　委託あり →
2　委託なし

	要支援１	要支援２	その他（自費利用者、認定申請中の者）
利用実人員数	人	人	人
うち９月中の新規の利用実人員数	人	人	人

委託した事業所数　　事業所

9月中の利用者を記入してください。**上記で回答した委託した人数は除きます。**

9月中の利用者
1　あり →
2　なし

	要支援１	要支援２	その他（自費利用者、認定申請中の者）
利用実人員数	人	人	人
うち９月中の新規の利用実人員数	人	人	人

(28)従事者数

※雇用形態にかかわらず、事業所が定める１週間の勤務時間（所定労働時間）の全てを勤務する場合は「常勤」、勤務しない場合は「非常勤」となります。
※「常勤兼務」には、「常勤専従」分は含めません。また、「常勤専従」分の「換算数」は計上不要です。
※「換算数」には、「常勤兼務」または「非常勤」の人数分をそれぞれ計上します。

換算数 ＝ 従事者の１週間の勤務延時間数（残業は除く） ／ 当該事業所において常勤の従事者が勤務すべき１週間の時間数（所定労働時間）

（１週間の時間数が32時間を下回る場合は分母を32時間としてください。）（**換算数の詳細は、手引きを参照してください。**）
小数点以下第２位を四捨五入して小数点以下第１位まで計上してください。得られた結果が0.1に満たない場合は「0.1」と計上してください。

	常勤専従（人）	常勤兼務（専従分除く）（人）	常勤兼務 換算数（人）	非常勤（人）	非常勤 換算数（人）
１専門職員			.		.
(1) １のうち保健師			.		.
(2) １のうち看護師			.		.
★(3) １のうち社会福祉士			.		.
(4) １のうち介護支援専門員			.		.
(5)1のうち高齢者保健福祉に関する相談援助業務等に３年以上従事した社会福祉主事			.		.
２その他の職員（管理者含む）			.		.

★　専門職員の再掲欄において、当該職員が複数の資格を有している場合は、主に従事している資格を１つ決めた上で、当該資格欄に記入してください。

【191介護予防支援（地域包括支援センター）】については以上です。他のサービスを提供している場合は、１ページに戻り、該当ページにご記入ください。

8

【201居宅介護支援】

記入者名（　　　　　　　　　　）　電話番号（　　　－　　　－　　　）

(29)独立・併設の状況（複数回答）	同一法人(法人が異なっても実質的同一経営の場合を含む)が、同一又は隣接の敷地内で運営している異なる施設・事業所について、該当する番号を**すべて**○で囲んでください。 1　介護保険施設と併設している 2　居宅サービス事業所、介護予防サービス事業所、地域密着型サービス事業所又は地域密着型介護予防サービス事業所と併設している 3　介護予防支援事業所(地域包括支援センター)と併設している 4　介護療養型医療施設以外の病院・診療所と併設している 5　上記以外の施設・事業所と併設している 6　１～５との併設はない(独立事業所)

(30)サービスの提供状況

9月中の利用者を記入してください。**介護予防支援事業所から委託を受けた人数は除きます。**

9月中の利用者

1　あり →
2　なし

	要介護1	要介護2	要介護3	要介護4	要介護5	その他（自費利用者、認定申請中の者）
利用実人員数	人	人	人	人	人	人
うち9月中の新規の利用実人員数	人	人	人	人	人	人

(31)従事者数

※雇用形態にかかわらず、事業所が定める１週間の勤務時間(所定労働時間)の全てを勤務する場合は「常勤」、勤務しない場合は「非常勤」となります。

※『常勤兼務』には、『常勤専従』分は含めません。また、『常勤専従』分の「換算数」は計上不要です。

※「換算数」には、『常勤兼務』または『非常勤』の人数分をそれぞれ計上します。

$$\text{換算数} = \frac{\text{従事者の１週間の勤務延時間数(残業は除く)}}{\text{当該事業所において常勤の従事者が勤務すべき１週間の時間数(所定労働時間)}}$$

（１週間の時間数が32時間を下回る場合は分母を32時間としてください。）(**換算数の詳細は、手引きを参照してください。**)
小数点以下第２位を四捨五入して小数点以下第１位まで計上してください。得られた結果が0.1に満たない場合は「0.1」と計上してください。

	常勤専従（人）	常勤兼務（専従分除く）（人）	換算数（人）	非常勤（人）	換算数（人）
1 介護支援専門員			.		.
1のうち主任介護支援専門員			.		.
2 その他の職員（管理者含む）			.		.

【201居宅介護支援】については以上です。他のサービスを提供している場合は、１ページに戻り、該当ページにご記入ください。

9

㊙ 政府統計

介護サービス施設・事業所調査

地域密着型サービス事業所票

（平成29年10月１日調査）

6

厚生労働省

*一連番号	
*調査番号	

〔注〕1 ＊印の箇所は事業所では記入しないでください。
2 あらかじめ調査票に印字されている項目に変更または誤りがあった場合は、赤字で訂正をしてください。

法人名	
事業所名	
事業所の所在地	〒　TEL(　　)−(　　)−(　　)

サービスの種類・事業所番号・事業所名・活動状況

・９月30日現在、貴事業所において指定を受けている下記の各事業について、**「活動状況」の該当する番号を〇で囲み**、印字内容を確認してください。確認後は、サービスの種類ごとに右側に示した回答ページへ進んでください。
・事業所番号、事業所名が**印字されていない事業については、記入（追記）不要です。**
・「活動状況」は、**休止届や廃止届を提出している場合は、「2 休止中」、「3 廃止」を〇で囲んでください。**その場合、次ページ以降は記入不要です。上記以外で**利用者がいない場合も「1 活動中」を〇で囲み**、回答ページへ進んでください。
・サービスの種類により記入者が異なる場合は、お手数ですが、**調査票を事業所内で回覧の上**、記入してください（同一法人・同一所在地の場合は、以下の全サービスについて、調査票に記入してください）。
・調査票は所在地ごとに送付しているため（同一法人・同一所在地の事業所には、まとめて送付）、別所在地におけるサービスの記入は不要です。

サービスの種類	事業所番号	事業所名	活動状況（１つに〇）	回答ページ
141 介護予防認知症対応型通所介護			1 活動中 2 休止中 3 廃止	2ページに記入してください
142 認知症対応型通所介護			1 活動中 2 休止中 3 廃止	
151 介護予防認知症対応型共同生活介護			1 活動中 2 休止中 3 廃止	3ページに記入してください
152 認知症対応型共同生活介護			1 活動中 2 休止中 3 廃止	
161 地域密着型特定施設入居者生活介護			1 活動中 2 休止中 3 廃止	4ページに記入してください
171 夜間対応型訪問介護			1 活動中 2 休止中 3 廃止	5ページに記入してください
181 介護予防小規模多機能型居宅介護			1 活動中 2 休止中 3 廃止	6ページに記入してください
182 小規模多機能型居宅介護			1 活動中 2 休止中 3 廃止	
211 定期巡回・随時対応型訪問介護看護			1 活動中 2 休止中 3 廃止	7ページに記入してください
221 複合型サービス（看護小規模多機能型居宅介護）			1 活動中 2 休止中 3 廃止	8ページに記入してください
231 地域密着型通所介護			1 活動中 2 休止中 3 廃止	9ページに記入してください

（記入ページのみを剥がしたりせず、冊子のままご返送ください。）

(1)経営主体

該当する番号を**１つ**選択し、左の欄に記入してください。

経営主体 [　]

01 都道府県
02 市区町村
03 広域連合・一部事務組合
04 社会福祉協議会
05 社会福祉法人（社会福祉協議会以外）
06 医療法人
07 公益社団・財団法人
08 一般社団・財団法人（公益社団・財団法人以外）
09 農業協同組合及び連合会
10 消費生活協同組合及び連合会
11 営利法人（会社）
12 特定非営利活動法人（NPO）
13 その他の法人
14 01〜13以外（個人を含む）

(2)苦情解決のための取組状況（複数回答）

該当する番号を**すべて**〇で囲んでください。

1 苦情受付窓口を設置
2 苦情解決責任者を設置
3 共同で第三者委員を設置
4 単独で第三者委員を設置
5 1〜4以外の取組を実施している

※調査票の記入内容について質問する際の問い合わせ先として使用する場合があります。事業所の代表者の氏名ではなく、実際に調査票を記入した事業所の担当者の氏名と連絡先を記入してください。

調査票記入者名・担当部署と連絡先（※必須）	(担当部署名)
	(調査票記入者名) ふりがな
	電話（　　−　　−　　）
上記以外連絡先（携帯、ＦＡＸ等）	

1

【１４１介護予防認知症対応型通所介護・１４２認知症対応型通所介護】

記入者名（　　　）	電話番号（　－　－　）

(3)サービスの提供状況

現在、指定を受けて活動中のサービスについて、利用者の有無に関わらず、提供体制（定員）、開催日数を記入してください。
「９月中」の利用者がいない場合には、「２　なし」を○で囲んでください。

介護予防認知症対応型通所介護

定員	人
９月中の開催日数（１～30日）	日

※介護と介護予防を一体的に行っている場合は、同一の定員、開催日数を記入してください。
※開催日数には、利用者がいない日も含めます。

９月中の利用者　１ あり　２ なし

	要支援１	要支援２	その他（自費利用者、認定申請中の者）
利用実人員数	人	人	人
利用延人員数	人	人	人

認知症対応型通所介護

定員	人
９月中の開催日数（１～30日）	日

※介護と介護予防を一体的に行っている場合は、同一の定員、開催日数を記入してください。
※開催日数には、利用者がいない日も含めます。

９月中の利用者　１ あり　２ なし

	要介護１	要介護２	要介護３	要介護４	要介護５	その他（自費利用者、認定申請中の者）
利用実人員数	人	人	人	人	人	人
利用延人員数	人	人	人	人	人	人

(4)事業所の形態

事業所の形態について、該当する番号を1つ○で囲んでください。

１　単独型　　２　併設型　　３　共用型

(5)社会福祉法人等による軽減の状況

１　実施している　→　９月中の軽減者数　　人（生活保護受給者等は含みません）
２　実施していない

(6)従事者数

★機能訓練指導員の再掲欄において、当該職員が複数の資格を有している場合は、主に従事している資格を１つ決めた上で、当該資格欄に記入してください。

※雇用形態にかかわらず、事業所が定める１週間の勤務時間（所定労働時間）の全てを勤務する場合は「常勤」、勤務しない場合は「非常勤」となります。
※「介護予防認知症対応型通所介護」と「認知症対応型通所介護」を一体的に行っている場合は、「兼務」ではありません。
※『常勤兼務』には、『常勤専従』分は含めません。また、『常勤専従』分の「換算数」は計上不要です。
※「換算数」には、『常勤兼務』または『非常勤』の人数分をそれぞれ計上します。

換算数 ＝ 従事者の１週間の勤務延時間数（残業は除く） ／ 当該事業所において常勤の従事者が勤務すべき１週間の時間数（所定労働時間）
（１週間の時間数が32時間を下回る場合は分母を32時間としてください。）（換算数の詳細は、手引きを参照してください。）
小数点以下第２位を四捨五入して小数点以下第１位まで計上してください。得られた結果が0.1に満たない場合は「0.1」と計上してください。

	常勤専従（人）	常勤兼務（専従分除く）（人）	常勤兼務 換算数（人）	非常勤（人）	非常勤 換算数（人）
１医師			.		.
２看護師			.		.
３准看護師			.		.
４機能訓練指導員			.		.
(1)４のうち理学療法士			.		.
(2)４のうち作業療法士			.		.
(3)４のうち言語聴覚士			.		.
★(4)４のうち看護師（２の業務分除く）			.		.
(5)４のうち准看護師（３の業務分除く）			.		.
(6)４のうち柔道整復師			.		.
(7)４のうちあん摩マッサージ指圧師			.		.
５調理員			.		.
６管理栄養士			.		.
７栄養士			.		.
８歯科衛生士			.		.
９生活相談員			.		.
９のうち社会福祉士			.		.
10介護職員			.		.
10のうち介護福祉士			.		.
11その他の職員（管理者含む）			.		.

（補問）認定特定行為業務従事者〈登録特定行為事業者のみ〉

介護職員等であって、喀痰吸引等の業務の登録認定を受けた従事者　　人

【141介護予防認知症対応型通所介護・142認知症対応型通所介護】については以上です。他のサービスを提供している場合は、１ページに戻り、該当ページにご記入ください。

２

【１５１介護予防認知症対応型共同生活介護・１５２認知症対応型共同生活介護】

記入者名（　　　　　　　　　　）　電話番号（　　　－　　　－　　　）

(7)サービスの提供状況

現在、指定を受けて活動中のサービスについて、利用者の有無に関わらず、提供体制（定員）を記入してください。
「９月中」の利用者がいない場合には、「２　なし」を○で囲んでください。

介護予防認知症対応型共同生活介護

定員　　　人

※介護と介護予防を一体的に行っている場合は、同一の定員を記入してください。

９月中の利用者　１ あり → ／ ２ なし

	要支援２	その他（自費利用者、認定申請中の者）
９月末日の利用者数	人	人

認知症対応型共同生活介護

定員　　　人

※介護と介護予防を一体的に行っている場合は、同一の定員を記入してください。

９月中の利用者　１ あり → ／ ２ なし

	要介護１	要介護２	要介護３	要介護４	要介護５	その他（自費利用者、認定申請中の者）
９月末日の利用者数	人	人	人	人	人	人
うち「短期利用」の利用者数	人	人	人	人	人	人

(8)ユニット及び居室の状況

※平均家賃（月額）は、整数で記入してください。

※左記ユニットを構成する居室の状況について記入してください。

ユニット数	２人室 室数	２人室 １部屋当たりの平均家賃（月額）	個室 室数	個室 １部屋当たりの平均家賃（月額）
ユニット	室	円	室	円

(9)従事者数

★複数の資格を有している者については、(1)～(3)のうち最も若い番号の資格について記入してください。

※雇用形態にかかわらず、事業所が定める１週間の勤務時間（所定労働時間）の全てを勤務する場合は「常勤」、勤務しない場合は「非常勤」となります。
※「介護予防認知症対応型共同生活介護」と「認知症対応型共同生活介護」を一体的に行っている場合は、「兼務」ではありません。
※「常勤兼務」には、『常勤専従』分は含めません。また、『常勤専従』分の「換算数」は計上不要です。
※「換算数」には、『常勤兼務』または『非常勤』の人数分をそれぞれ計上します。

換算数 ＝ 従事者の１週間の勤務延時間数（残業は除く）／当該事業所において常勤の従事者が勤務すべき１週間の時間数（所定労働時間）

（１週間の時間数が32時間を下回る場合は分母を32時間としてください。）（換算数の詳細は、手引きを参照してください。）
小数点以下第２位を四捨五入して小数点以下第１位まで計上してください。得られた結果が0.1に満たない場合は「0.1」と計上してください。

	常勤専従（人）	常勤兼務（専従分除く）（人）	常勤兼務 換算数（人）	非常勤（人）	非常勤 換算数（人）
１介護職員			.		.
★(1) １のうち看護師			.		.
★(2) １のうち准看護師			.		.
★(3) １のうち介護福祉士			.		.
２計画作成担当者			.		.
２のうち介護支援専門員			.		.
３その他の職員（管理者含む）			.		.

（補問）認定特定行為業務従事者〈登録特定行為事業者のみ〉

介護職員等であって、喀痰吸引等の業務の登録認定を受けた従事者　　　人

【151介護予防認知症対応型共同生活介護・152認知症対応型共同生活介護】については以上です。他のサービスを提供している場合は、１ページに戻り、該当ページにご記入ください。

【１６１地域密着型特定施設入居者生活介護】

記入者名（　　　　　　　　　　）　電話番号（　　―　　―　　）

⑽サービスの提供状況	現在、指定を受けて活動中のサービスについて、利用者の有無に関わらず、提供体制（定員）を記入してください。 「９月中」の利用者がいない場合には、「２　なし」を○で囲んでください。

地域密着型特定施設入居者生活介護

定員　　人

９月中の利用者		要介護１	要介護２	要介護３	要介護４	要介護５	要介護認定申請中
１ あり ２ なし	９月末日の利用者数	人	人	人	人	人	人

⑾事業所の形態

該当する番号を１つ○で囲んでください。

- 有料老人ホーム（サービス付き高齢者向け住宅に該当するものを除く）→（１ サテライト型以外　２ サテライト型）
- 軽費老人ホーム →（３ サテライト型以外　４ サテライト型）
- 養護老人ホーム →（５ サテライト型以外　６ サテライト型）
- サービス付き高齢者向け住宅 →（７ サテライト型以外　８ サテライト型）

⑿居室の状況

	個室（夫婦部屋含む）	２人室	３人室	４人室
室数	室	室	室	室

⒀従事者数

★機能訓練指導員の再掲欄において、当該職員が複数の資格を有している場合は、主に従事している資格を１つ決めた上で、当該資格欄に記入してください。

※雇用形態にかかわらず、事業所が定める１週間の勤務時間（所定労働時間）の全てを勤務する場合は「常勤」、勤務しない場合は「非常勤」となります。
※「常勤兼務」には、「常勤専従」分は含めません。また、「常勤専従」分の「換算数」は計上不要です。
※「換算数」には、「常勤兼務」または「非常勤」の人数分をそれぞれ計上します。

換算数 ＝ 従事者の１週間の勤務延時間数（残業は除く）／当該事業所において常勤の従事者が勤務すべき１週間の時間数（所定労働時間）

（１週間の時間数が32時間を下回る場合は分母を32時間としてください。）（換算数の詳細は、手引きを参照してください。）
小数点以下第２位を四捨五入して小数点以下第１位まで計上してください。得られた結果が0.1に満たない場合は「0.1」と計上してください。

	常勤専従（人）	常勤兼務（専従分除く）（人）	常勤兼務 換算数（人）	非常勤（人）	非常勤 換算数（人）
１介護職員			.		.
１のうち介護福祉士			.		.
２生活相談員			.		.
２のうち社会福祉士			.		.
３看護師			.		.
４准看護師			.		.
５計画作成担当者			.		.

	常勤専従（人）	常勤兼務（専従分除く）（人）	常勤兼務 換算数（人）	非常勤（人）	非常勤 換算数（人）
６機能訓練指導員			.		.
★(1)６のうち理学療法士			.		.
★(2)６のうち作業療法士			.		.
★(3)６のうち言語聴覚士			.		.
★(4)６のうち看護師（3の業務分除く）			.		.
★(5)６のうち准看護師（4の業務分除く）			.		.
★(6)６のうち柔道整復師			.		.
★(7)６のうちあん摩マッサージ指圧師			.		.
７その他の職員（管理者含む）			.		.

（補問）認定特定行為業務従事者〈登録特定行為事業者のみ〉

介護職員等であって、喀痰吸引等の業務の**登録認定を受けた従事者**　　人

【161地域密着型特定施設入居者生活介護】については以上です。他のサービスを提供している場合は、１ページに戻り、該当ページにご記入ください。

【１７１夜間対応型訪問介護】　　記入者名（　　　）　電話番号（　－　－　）

(14)サービスの提供状況

現在、指定を受けて活動中のサービスについて、利用者の有無に関わらず、提供体制（営業日数）を記入してください。
「９月中」の利用者がいない場合には、「２　なし」を○で囲んでください。

夜間対応型訪問介護

9月中の営業日数（1～30日）　　日　※営業日数には、利用者がいない日（利用者がいれば提供可能であった日）も含めます。

9月中の通報件数　　件

9月中の利用者
1 あり
2 なし

	要介護1	要介護2	要介護3	要介護4	要介護5	その他（自費利用者、認定申請中の者）
利用実人員数	人	人	人	人	人	人
定期巡回訪問回数	回	回	回	回	回	回
随時訪問回数	回	回	回	回	回	回

(15)事業所の区分

1 Ⅰ型（オペレーションセンターの設置あり）→　　か所
2 Ⅱ型（オペレーションセンターの設置なし）

(16)社会福祉法人等による軽減の状況

1 実施している → 9月中の軽減者数　　人（生活保護受給者等は含みません）
2 実施していない

(17)従事者数

★複数の資格（経験）を有している者については、それぞれのうち最も若い番号の資格（経験）について記入してください。

※雇用形態にかかわらず、事業所が定める１週間の勤務時間（所定労働時間）の全てを勤務する場合は「常勤」、勤務しない場合は「非常勤」となります。
※「常勤兼務」には、「常勤専従」分は含めません。また、「常勤専従」分の「換算数」は計上不要です。
※「換算数」には、「常勤兼務」または「非常勤」の人数分をそれぞれ計上します。

換算数 ＝ 従事者の１週間の勤務延時間数（残業は除く） ／ 当該事業所において常勤の従事者が勤務すべき１週間の時間数（所定労働時間）
（１週間の時間数が32時間を下回る場合は分母を32時間としてください。）（換算数の詳細は、手引きを参照してください。）
小数点以下第２位を四捨五入して小数点以下第１位まで計上してください。得られた結果が0.1に満たない場合は「0.1」と計上してください。

	常勤専従（人）	常勤兼務（専従分除く）（人）	常勤兼務 換算数（人）	非常勤（人）	非常勤 換算数（人）
1 訪問介護員					
★(1) 1のうち介護福祉士					
★(2) 1のうち実務者研修修了者					
★(3) 1のうち旧介護職員基礎研修課程修了者					
★(4) 1のうち旧ホームヘルパー1級研修課程修了者					
★(5) 1のうち初任者研修修了者（旧ホームヘルパー2級研修課程修了者を含む）					
2 オペレーター					
★(1) 2のうち医師					
★(2) 2のうち保健師					
★(3) 2のうち看護師					
★(4) 2のうち准看護師					
★(5) 2のうち社会福祉士					
★(6) 2のうち介護福祉士					
★(7) 2のうち介護支援専門員					
★(8) 2のうちサービス提供責任者経験者					

	常勤専従（人）	常勤兼務（専従分除く）（人）	常勤兼務 換算数（人）	非常勤（人）	非常勤 換算数（人）
3 面接相談員					
★(1) 3のうち医師					
★(2) 3のうち保健師					
★(3) 3のうち看護師					
★(4) 3のうち准看護師					
★(5) 3のうち社会福祉士					
★(6) 3のうち介護福祉士					
★(7) 3のうち介護支援専門員					
4 その他の職員（管理者含む）					

（補問）認定特定行為業務従事者〈登録特定行為事業者のみ〉

介護職員等であって、喀痰吸引等の業務の登録認定を受けた従事者　　人

【171夜間対応型訪問介護】については以上です。他のサービスを提供している場合は、１ページに戻り、該当ページにご記入ください。

【１８１介護予防小規模多機能型居宅介護・１８２小規模多機能型居宅介護】

記入者名（　　　　　　　　　　）　電話番号（　　　－　　　－　　　）

⑱サービスの提供状況

現在、指定を受けて活動中のサービスについて、利用者の有無に関わらず、提供体制（定員）を記入してください。
「９月中」の利用者がいない場合には、「２　なし」を○で囲んでください。

介護予防小規模多機能型居宅介護

登録定員	人	宿泊サービスの利用定員	人	通いサービスの利用定員	人

		要支援１	要支援２	その他（自費利用者、認定申請中の者）
９月中の利用者	１ あり ２ なし			
事業所を利用した利用実人員数 ※同一の人が宿泊、通い、訪問を利用した場合は、「１人」と数えます。		人	人	人
事業所を利用した利用延人員数 ※宿泊、通い、訪問の利用延人員数の合計です。		人	人	人
※重複する場合は、それぞれに計上してください。 宿泊	利用実人員数	人	人	人
	利用延人員数	人	人	人
通い	利用実人員数	人	人	人
	利用延人員数	人	人	人
訪問	利用実人員数	人	人	人
	利用延人員数	人	人	人

小規模多機能型居宅介護

登録定員	人	宿泊サービスの利用定員	人	通いサービスの利用定員	人

		要介護１	要介護２	要介護３	要介護４	要介護５	その他（自費利用者、認定申請中の者）
９月中の利用者	１ あり ２ なし						
事業所を利用した利用実人員数 ※同一の人が宿泊、通い、訪問を利用した場合は、「１人」と数えます。		人	人	人	人	人	人
事業所を利用した利用延人員数 ※宿泊、通い、訪問の利用延人員数の合計です。		人	人	人	人	人	人
※重複する場合は、それぞれに計上してください。 宿泊	利用実人員数	人	人	人	人	人	人
	利用延人員数	人	人	人	人	人	人
通い	利用実人員数	人	人	人	人	人	人
	利用延人員数	人	人	人	人	人	人
訪問	利用実人員数	人	人	人	人	人	人
	利用延人員数	人	人	人	人	人	人

⑲宿泊室の状況

個室の数	室	個室以外の宿泊室の数	室

⑳宿泊費の状況

各居室の種類ごとに、**事業所が設定している料金の高い順**に記入してください。
※要介護（要支援）度別に宿泊費を設定している場合は、平均額を記入してください。

宿泊費（日額）	円	円	円	円	円	円
室定員	人室	人室	人室	人室	人室	人室
室数	室	室	室	室	室	室

㉑社会福祉法人等による軽減の状況

１ 実施している → ９月中の軽減者数（　　人）（生活保護受給者等は含みません）
２ 実施していない

㉒従事者数

※雇用形態にかかわらず、事業所が定める１週間の勤務時間（所定労働時間）の全てを勤務する場合は「常勤」、勤務しない場合は「非常勤」となります。
※「介護予防小規模多機能型居宅介護」と「小規模多機能型居宅介護」を一体的に行っている場合は、「兼務」ではありません。
※『常勤兼務』には、『常勤専従』分は含めません。また、『常勤専従』分の「換算数」は計上不要です。
※「換算数」には、『常勤兼務』または『非常勤』の人数分をそれぞれ計上します。

換算数 ＝ 従事者の１週間の勤務延時間数（残業は除く） ／ 当該事業所において常勤の従事者が勤務すべき１週間の時間数（所定労働時間）

（１週間の時間数が32時間を下回る場合は分母を32時間としてください。）（換算数の詳細は、手引きを参照してください。）
小数点以下第２位を四捨五入して小数点以下第１位まで計上してください。得られた結果が0.1に満たない場合は「0.1」と計上してください。

	常勤専従（人）	常勤兼務（専従分除く）（人）	常勤兼務 換算数（人）	非常勤（人）	非常勤 換算数（人）
１介護職員			.		.
１のうち介護福祉士			.		.
２看護師			.		.
３准看護師			.		.
４介護支援専門員			.		.
５その他の職員（管理者含む）			.		.

（補問）認定特定行為業務従事者〈登録特定行為事業者のみ〉
介護職員等であって、喀痰吸引等の業務の**登録認定を受けた従事者**（　　人）

【181介護予防小規模多機能型居宅介護・182小規模多機能型居宅介護】については以上です。他のサービスを提供している場合は、１ページに戻り、該当ページにご記入ください。

6

【２１１定期巡回・随時対応型訪問介護看護】

記入者名（　　　　　　　　）　電話番号（　　－　　－　　）

㉓事業所の種別（複数回答）	1 一体型　　2 連携型

㉔サービスの提供状況

「９月中」の利用者がいない場合には、「２ なし」を○で囲んでください。

※利用実人員数欄には、定期巡回・随時対応型訪問介護看護を１回でも利用した者について計上してください。
※訪問回数欄には、支給限度額を超えた訪問回数及び健康保険法等併給による訪問回数も含めて計上してください。
※訪問回数については、看護職員を伴わずにPT（理学療法士）、OT（作業療法士）、ST（言語聴覚士）のいずれかのみで訪問した回数を内数として再計上してください。（ただし、PT２人や、PTとOTなど１回に複数で訪問した場合も１回とします。）
※訪問看護については、定期巡回・随時対応型訪問介護看護の利用者に対し、「１ 一体型」の事業所が行った場合のみ記入してください。
（「２ 連携型」の事業所が行った訪問看護の提供状況については、記入不要です。）
また、「１ 一体型」の事業所が、契約に基づき、訪問看護サービスの一部を他の訪問看護事業所に行わせた場合の利用者も含めて計上してください。

定期巡回・随時対応型訪問介護看護

介護保険法

９月中の利用者　1 あり　2 なし　　９月中の通報件数　　件

		要介護１	要介護２	要介護３	要介護４	要介護５	要介護認定申請中
利用実人員数 ※同一の人が訪問介護、訪問看護を利用した場合は、「１人」と数えます。		人	人	人	人	人	人
訪問介護	利用実人員数	人	人	人	人	人	人
	定期巡回訪問回数	回	回	回	回	回	回
	随時対応訪問回数	回	回	回	回	回	回
訪問看護	利用実人員数	人	人	人	人	人	人
	定期巡回訪問回数	回	回	回	回	回	回
	随時対応訪問回数	回	回	回	回	回	回

健康保険法等との併給者

上記の訪問看護利用者のうち、月の途中で健康保険法等による給付が行われた者を計上してください。

利用実人員数	人	訪問回数の合計	回
うち新たな疾病等の診断による	人		
うち特別訪問看護指示書による	人		

健康保険法等

健康保険法等でサービスを受けた者（介護保険法による訪問看護を利用していない者）を計上してください。

利用実人員数	人
訪問回数の合計	回
うちPT、OT、STのみによる訪問回数	回

その他

介護保険法及び健康保険法等いずれも利用していない者で全額自費によりサービスを受けた者を計上してください。

利用実人員数	人
訪問回数の合計	回
うちPT、OT、STのみによる訪問回数	回

㉕夜勤職員の実人員数及び夜勤回数

９月中に、事業所が定める夜勤時間に夜勤を行った職員の実人員数、延べ夜勤回数を記入してください。

看護職員	実人員数	人	介護職員	実人員数	人
	延べ夜勤回数	回		延べ夜勤回数	回

㉖９月中の利用者

定期的なアセスメント・モニタリングのための訪問回数

	要介護１	要介護２	要介護３	要介護４	要介護５
医師の指示書がない利用者に対する看護職員の訪問回数（9月の状況についてお答えください。）	回	回	回	回	回
医師の指示書がある利用者に対する医師の指示書に基づかない看護職員の訪問回数（9月の状況についてお答えください。）	回	回	回	回	回

死亡によるサービスの終了者

	介護保険法		介護保険と健康保険等との併給者		健康保険等のみ利用者	
	ターミナルケア加算		訪問看護ターミナルケア療養費		訪問看護ターミナルケア療養費	
	加算ありの利用者数	加算なしの利用者数	療養費ありの利用者数	療養費なしの利用者数	療養費ありの利用者数	療養費なしの利用者数
9月中に死亡した利用者数	人	人	人	人	人	人
在宅で死亡した利用者数	人	人	人	人	人	人
在宅以外で死亡した利用者数	人	人	人	人	人	人

㉗社会福祉法人等による軽減の状況

1 実施している → ９月中の軽減者数　　人（生活保護受給者等は含みません）
2 実施していない

㉘従事者数

★複数の資格（経験）を有している者については、(1)～(8)のうち最も若い番号の資格（経験）について記入してください。

※雇用形態にかかわらず、事業所が定める１週間の勤務時間（所定労働時間）の全てを勤務する場合は「常勤」、勤務しない場合は「非常勤」となります。
※『常勤兼務』には、『常勤専従』分は含めません。また、『常勤専従』分の「換算数」は計上不要です。
※「換算数」には、『常勤兼務』または『非常勤』の人数分をそれぞれ計上します。

$$換算数 = \frac{従事者の１週間の勤務延時間数（残業は除く）}{当該事業所において常勤の従事者が勤務すべき１週間の時間数（所定労働時間）}$$

（１週間の時間数が32時間を下回る場合は分母を32時間としてください。）（換算数の詳細は、手引きを参照してください。）
小数点以下第２位を四捨五入して小数点以下第１位まで計上してください。得られた結果が0.1に満たない場合は「0.1」と計上してください。

	常勤専従（人）	常勤兼務（専従分除く）（人）	常勤兼務 換算数（人）	非常勤（人）	非常勤 換算数（人）
1 訪問介護員等			.		.
1のうち介護福祉士			.		.
2 看護師			.		.
3 准看護師			.		.
4 理学療法士			.		.
5 作業療法士			.		.
6 言語聴覚士			.		.

	常勤専従（人）	常勤兼務（専従分除く）（人）	常勤兼務 換算数（人）	非常勤（人）	非常勤 換算数（人）
7 オペレーター			.		.
★(1) 7のうち医師			.		.
★(2) 7のうち保健師			.		.
★(3) 7のうち看護師			.		.
★(4) 7のうち准看護師			.		.
★(5) 7のうち社会福祉士			.		.
★(6) 7のうち介護福祉士			.		.
★(7) 7のうち介護支援専門員			.		.
★(8) 7のうちサービス提供責任者経験者			.		.
8 その他の職員（管理者含む）			.		.

（補問１）認定特定行為業務従事者〈登録特定行為事業者のみ〉
介護職員等であって、喀痰吸引等の業務の登録認定を受けた従事者　　人

（補問２）計画作成責任者　　人

【211定期巡回・随時対応型訪問介護看護】については以上です。他のサービスを提供している場合は、1ページに戻り、該当ページにご記入ください。

【２２１複合型サービス（看護小規模多機能型居宅介護）】

記入者名（　　　　　　　　）　電話番号（　　ー　　ー　　）

(29) サービスの提供状況

現在、指定を受けて活動中のサービスについて、利用者の有無に関わらず、提供体制（定員）を記入してください。
「９月中」の利用者がいない場合には、「２　なし」を○で囲んでください。
※利用者については、複合型サービス（看護小規模多機能型居宅介護）の登録者に対し、健康保険法等により行われる訪問看護の利用者も含めて計上してください。
（複合型サービス（看護小規模多機能型居宅介護）の登録者以外への訪問看護の提供状況については、「訪問看護ステーション票」へ記入してください。）

複合型サービス（看護小規模多機能型居宅介護）

登録定員	人	宿泊サービスの利用定員	人	通いサービスの利用定員	人

９月中の利用者　１　あり　２　なし

		要介護１	要介護２	要介護３	要介護４	要介護５	その他（自費利用者、認定申請中の者）
事業所を利用した利用実人員数 ※同一の人が宿泊、通い、訪問を利用した場合は、「１人」と数えます。		人	人	人	人	人	人
事業所を利用した利用延人員数 ※宿泊、通い、訪問（介護・看護）の利用延人員数の合計です。		人	人	人	人	人	人
※重複する場合は、それぞれに計上してください。　宿泊	利用実人員数	人	人	人	人	人	人
	利用延人員数	人	人	人	人	人	人
通い	利用実人員数	人	人	人	人	人	人
	利用延人員数	人	人	人	人	人	人
訪問介護	利用実人員数	人	人	人	人	人	人
	利用延人員数	人	人	人	人	人	人
訪問看護	利用実人員数	人	人	人	人	人	人
	利用延人員数	人	人	人	人	人	人
訪問看護指示書のある利用実人員数		人	人	人	人	人	人

(30) ９月中の利用者

重症度の高い利用者への加算・減算の状況	
介護保険法 または 健康保険法等の利用者	
医療保険による訪問看護に係る減算 あり	人
特別管理加算（Ⅰ）（介護保険） あり または 特別管理加算（重症度の高いもの）（健康保険等） あり	人
特別管理加算（Ⅱ）（介護保険） あり または 特別管理加算（健康保険等） あり	人

死亡によるサービスの終了者		
介護保険法 または 健康保険法等	ターミナルケア加算 または 訪問看護ターミナルケア療養費	
	加算あり または 療養費あり	加算なし または 療養費なし
９月中に死亡した利用者数	人	人
在宅または複合型サービス（看護小規模多機能型居宅介護）事業所で死亡した利用者数	人	人
上記以外で死亡した利用者数	人	人

(31) 宿泊室の状況

個室の数	室	個室以外の宿泊室の数	室

(32) 宿泊費の状況

各居室の種類ごとに、**事業所が設定している料金の高い順**に記入してください。
※要介護度別に宿泊費を設定している場合は、平均額を記入してください。

宿泊費（日額）	円	円	円	円	円	円
室定員	人室	人室	人室	人室	人室	人室
室数	室	室	室	室	室	室

(33) 夜勤職員の実人員数及び夜勤回数

９月中に、**事業所が定める夜勤時間に夜勤を行った職員の実人員数、延べ夜勤回数**を記入してください。

看護職員	実人員数	人	**介護職員**	実人員数	人
	延べ夜勤回数	回		延べ夜勤回数	回

(34) 社会福祉法人等による軽減の状況

１　実施している → ９月中の軽減者数　　人（生活保護受給者等は含みません）
２　実施していない

(35) 従事者数

※雇用形態にかかわらず、事業所が定める１週間の勤務時間（所定労働時間）の全てを勤務する場合は「常勤」、勤務しない場合は「非常勤」となります。
※『常勤兼務』には、『常勤専従』分は含めません。また、『常勤専従』分の「換算数」は計上不要です。
※「換算数」には、『常勤兼務』または『非常勤』の人数分をそれぞれ計上します。

換算数 ＝ 従事者の１週間の勤務延時間数（残業は除く） ／ 当該事業所において常勤の従事者が勤務すべき１週間の時間数（所定労働時間）
（１週間の時間数が32時間を下回る場合は分母を32時間としてください。）（換算数の詳細は、手引きを参照してください。）
小数点以下第２位を四捨五入して小数点以下第１位まで計上してください。得られた結果が0.1に満たない場合は「0.1」と計上してください。

	常勤専従（人）	常勤兼務（専従分除く）（人）	換算数（人）	非常勤（人）	換算数（人）
１介護職員			.		.
１のうち介護福祉士			.		.
２保健師			.		.
３看護師			.		.
４准看護師			.		.

	常勤専従（人）	常勤兼務（専従分除く）（人）	換算数（人）	非常勤（人）	換算数（人）
５理学療法士			.		.
６作業療法士			.		.
７言語聴覚士			.		.
８介護支援専門員			.		.
９その他の職員（管理者含む）			.		.

（補問）認定特定行為業務従事者〈登録特定行為事業者のみ〉
介護職員等であって、喀痰吸引等の業務の**登録認定を受けた従事者**　　人

【221複合型サービス（看護小規模多機能型居宅介護）】については以上です。他のサービスを提供している場合は、１ページに戻り、該当ページにご記入ください。

8

【２３１地域密着型通所介護】

記入者名（　　　　　　　　）　電話番号（　　－　　－　　）

(36) 事業所の形態

事業所の形態について、該当する番号を○で囲んでください。

1　地域密着型通所介護事業所　　2　療養通所介護事業所

(37) サービスの提供状況

現在、指定を受けて活動中のサービスについて、利用者の有無に関わらず、提供体制（定員・開催日数）を記入してください。
「９月中」の利用者がいない場合には、「２　なし」を○で囲んでください。（詳細は、手引きを参照してください。）
※開催日数には、利用者がいない日も含めます。

注）「介護予防通所介護」については、「居宅サービス事業所（福祉関係）票」に記入してください。

地域密着型通所介護

※右表「単位ごとの定員」は、１週間のサービス提供実施単位ごとの定員を記入してください（定員≧単位１の定員 ※単位２～６も同様）。

定員	人
９月中の開催日数（１～30日）	日

単位１の定員	人	単位４の定員	人
単位２の定員	人	単位５の定員	人
単位３の定員	人	単位６の定員	人

９月中の利用者　1 あり → 　2 なし

	要介護１	要介護２	要介護３	要介護４	要介護５	その他（自費利用者、認定申請中の者）
利用実人員数	人	人	人	人	人	人
利用延人員数	人	人	人	人	人	人

療養通所介護

事業所番号	
定員	人
９月中の開催日数（１～30日）	日

９月中の利用者　1 あり → 　2 なし

	要介護１	要介護２	要介護３	要介護４	要介護５	その他（自費利用者、認定申請中の者）
利用実人員数	人	人	人	人	人	人
利用延人員数	人	人	人	人	人	人

(38) 社会福祉法人等による軽減の状況

1　実施している → ９月中の軽減者数（　　人）（生活保護受給者等は含みません）
2　実施していない

(39) 従事者数

★機能訓練指導員の再掲欄において、当該職員が複数の資格を有している場合は、主に従事している資格を１つ決めた上で、当該資格欄に記入してください。

※雇用形態にかかわらず、事業所が定める１週間の勤務時間（所定労働時間）の全てを勤務する場合は「常勤」、勤務しない場合は「非常勤」となります。
※『常勤兼務』には、『常勤専従』分は含めません。また、『常勤専従』分の「換算数」は計上不要です。
※「換算数」には、『常勤兼務』または「非常勤」の人数分をそれぞれ計上します。

換算数 ＝ 従事者の１週間の勤務延時間数（残業は除く） ／ 当該事業所において常勤の従事者が勤務すべき１週間の時間数（所定労働時間）
（１週間の時間数が32時間を下回る場合は分母を32時間としてください。）（換算数の詳細は、手引きを参照してください。）
小数点以下第２位を四捨五入して小数点以下第１位まで計上してください。得られた結果が0.1に満たない場合は「0.1」と計上してください。

	常勤専従（人）	常勤兼務（専従分除く）（人）	常勤兼務 換算数（人）	非常勤（人）	非常勤 換算数（人）
1 医師			.		.
2 看護師			.		.
3 准看護師			.		.
4 機能訓練指導員			.		.
(1) ４のうち理学療法士			.		.
(2) ４のうち作業療法士			.		.
(3) ４のうち言語聴覚士			.		.
★ (4) ４のうち看護師（2の業務分除く）			.		.
(5) ４のうち准看護師（3の業務分除く）			.		.
(6) ４のうち柔道整復師			.		.
(7) ４のうちあん摩マッサージ指圧師			.		.

	常勤専従（人）	常勤兼務（専従分除く）（人）	常勤兼務 換算数（人）	非常勤（人）	非常勤 換算数（人）
5 調理員			.		.
6 管理栄養士			.		.
7 栄養士			.		.
8 歯科衛生士			.		.
9 生活相談員			.		.
9のうち社会福祉士			.		.
10 介護職員			.		.
10のうち介護福祉士			.		.
11 その他の職員（管理者含む）			.		.

（補問）認定特定行為業務従事者〈登録特定行為事業者のみ〉

介護職員等であって、喀痰吸引等の業務の登録認定を受けた従事者　　人

【231地域密着型通所介護】については以上です。他のサービスを提供している場合は、１ページに戻り、該当ページにご記入ください。

㊙ 

政府統計

介護サービス施設・事業所調査

居宅サービス事業所(医療関係)票

(平成29年10月1日調査)

7

※調査票の記入及び提出はインターネットでも可能です。

厚生労働省

*一連番号	
*調査番号	

[注] 1 *印の箇所は事業所では記入しないでください。
2 あらかじめ調査票に印字されている項目に変更または誤りがあった場合は、赤字で訂正をしてください。

法人名	
施設名	
施設の所在地	〒 TEL( )−( )−( )

(1) サービスの状況・施設の種類・事業所の種別

・9月30日現在、貴事業所において指定を受けている下記の各事業について、「活動状況」の該当する番号を○で囲み、印字内容を確認してください。
・事業所番号、事業所名が印字されていない事業については、記入(追記)不要です。
・「活動状況」は、休止届や廃止届を提出している場合は、「2 休止中」、「3 廃止」を○で囲んでください。その場合、以降は記入不要です。
・サービスの種類により記入者が異なる場合は、お手数ですが、調査票を事業所内で回覧の上、記入してください(同一法人・同一所在地の場合は、以下の全サービスについて、調査票に記入してください)。
・調査票は所在地ごとに送付しているため(同一法人・同一所在地の事業所には、まとめて送付)、別所在地におけるサービスの記入は不要です。

短期入所療養介護

	事業所番号	事業所名	活動状況(1つに○)
051 介護予防短期入所療養介護			1 活動中 2 休止中 3 廃止
052 短期入所療養介護			1 活動中 2 休止中 3 廃止
施設の種類	1 介護老人保健施設 2 介護療養型医療施設 3 その他の病院・診療所		
事業所の種別(複数回答可)	介護老人保健施設 (01 Ⅰ型 02 Ⅱ型 03 Ⅲ型) ユニット型介護老人保健施設 (04 Ⅰ型 05 Ⅱ型 06 Ⅲ型) 07 病院療養型 08 ユニット型病院療養型 09 病院経過型 10 ユニット型病院経過型 11 診療所型 12 ユニット型診療所型 13 認知症疾患型 14 ユニット型認知症疾患型 15 認知症経過型		

通所リハビリテーション

	事業所番号	事業所名	活動状況(1つに○)
061 介護予防通所リハビリテーション			1 活動中 2 休止中 3 廃止
062 通所リハビリテーション			1 活動中 2 休止中 3 廃止
施設の種類	1 介護老人保健施設 2 介護療養型医療施設 3 その他の病院・診療所		
事業所の種別	事業所の種別 □ ※該当する番号を1つ、左の欄に記入してください。 通常規模の事業所 (01 介護老人保健施設 02 病院 03 診療所) 大規模の事業所(Ⅰ) (04 介護老人保健施設 05 病院 06 診療所) 大規模の事業所(Ⅱ) (07 介護老人保健施設 08 病院 09 診療所)		

(2) 開設主体

開設主体 □

※該当する番号を選択し、左の欄に記入してください。

01 都道府県
02 市区町村
03 広域連合・一部事務組合
04 独立行政法人
05 日本赤十字社・社会保険関係団体
06 医療法人
07 社会福祉協議会
08 社会福祉法人(社会福祉協議会以外)
09 公益社団・財団法人
10 一般社団・財団法人(公益社団・財団法人以外)
11 営利法人(会社)
12 その他の法人
13 個人

次ページにつづきます

1

【０５１介護予防短期入所療養介護・０５２短期入所療養介護】の状況

(3) サービスの提供状況

現在指定を受けて活動中のサービスについて記入してください。
介護と介護予防を一体的に行っている場合は、同一の指定病床数を記入してください。

介護予防短期入所療養介護

空床利用型ですか　1 はい　2 いいえ

※利用者の有無に関わらず、**空床利用型以外は**、介護予防短期入所療養介護としての指定病床数を記入してください。

指定病床数　　床

9月中の利用者　1 あり　2 なし

※空床利用型の場合でも、利用者ありの場合は、「利用実人員数」「利用日数合計」にご記入ください。

	要支援1	要支援2	その他（自費利用者、認定申請中の者）
利用実人員数	人	人	人
利用日数合計	日	日	日

短期入所療養介護

空床利用型ですか　1 はい　2 いいえ

※利用者の有無に関わらず、**空床利用型以外は**、短期入所療養介護としての指定病床数を記入してください。

指定病床数　　床

9月中の利用者　1 あり　2 なし

※空床利用型の場合でも、利用者ありの場合は、「利用実人員数」「利用日数合計」にご記入ください。

	要介護1	要介護2	要介護3	要介護4	要介護5	その他（自費利用者、認定申請中の者）
利用実人員数	人	人	人	人	人	人
利用日数合計	日	日	日	日	日	日

※調査票の記入内容について質問する際の問い合わせ先として使用する場合があります。事業所の代表者の氏名ではなく、実際に調査票を記入した事業所の担当者の氏名と連絡先を記入してください。

調査票記入者名・担当部署と連絡先（※必須）	（担当部署名）
	（調査票記入者名）ふりがな
	電話（　　－　　－　　）
上記以外連絡先（携帯、ＦＡＸ等）	

次ページにつづきます

【０６１介護予防通所リハビリテーション・０６２通所リハビリテーション】の状況

(4) サービスの提供状況

現在指定を受けて活動中のサービスについて記入してください。
開催日数には、利用者がいない日（利用者がいれば提供可能であった日）も含めます。
介護と介護予防を一体的に行っている場合は、同一の定員、開催日数を記入してください。
利用実人員数は利用回数に関係なく、１日利用した者も２日以上利用した者も「1」とカウントしてください。

介護予防通所リハビリテーション

定員 [　　] 人　　9月中の開催日数 [　　] 日

9月中の利用者　1 あり　　2 なし

	要支援１	要支援２	その他（自費利用者、認定申請中の者）
利用実人員数	人	人	人
利用延人員数	人	人	人

通所リハビリテーション

定員 [　　] 人　　9月中の開催日数 [　　] 日

9月中の利用者　1 あり　　2 なし

	要介護１	要介護２	要介護３	要介護４	要介護５	その他（自費利用者、認定申請中の者）
利用実人員数	人	人	人	人	人	人
利用延人員数	人	人	人	人	人	人

(5) 通所リハビリテーションの従事者数

※雇用形態にかかわらず、事業所が定める１週間の勤務時間（所定労働時間）の全てを勤務する場合は「常勤」、勤務しない場合は「非常勤」となります。
※「介護予防通所リハビリテーション」と「通所リハビリテーション」を一体的に行っている場合は、「兼務」ではありません。
※『常勤兼務』には、『常勤専従』分は含めません。また、『常勤専従』分の『換算数』は計上不要です。
※『換算数』には、『常勤兼務』または『非常勤』の人数分をそれぞれ計上します。

換算数 ＝ 従事者の１週間の勤務延時間数（残業は除く） ／ 当該事業所において常勤の従事者が勤務すべき１週間の時間数（所定労働時間）

（１週間の時間数が32時間を下回る場合は分母を32時間としてください。）（換算数の詳細は、手引きを参照してください。）
小数点以下第２位を四捨五入して小数点以下第１位まで計上してください。得られた結果が0.1に満たない場合は「0.1」と計上してください。

施設に在籍する職員のうち、通所リハビリテーションの業務に携わっている者を記入してください。

	常勤専従（人）	常勤兼務（専従分除く）（人）	常勤兼務 換算数（人）	非常勤（人）	非常勤 換算数（人）
1 医師			.		.
2 看護師			.		.
3 准看護師			.		.
4 介護職員			.		.
4のうち介護福祉士			.		.
5 理学療法士			.		.
6 作業療法士			.		.
7 言語聴覚士			.		.
8 歯科衛生士			.		.
9 管理栄養士			.		.
10 栄養士			.		.

※調査票の記入内容について質問する際の問い合わせ先として使用する場合があります。事業所の代表者の氏名ではなく、実際に調査票を記入した事業所の担当者の氏名と連絡先を記入してください。

調査票記入者名・担当部署と連絡先（※必須）	（担当部署名）
	（調査票記入者名）ふりがな
	電話（　　－　　－　　）
上記以外連絡先（携帯、ＦＡＸ等）	

ご協力ありがとうございました

第Ⅱ編　結果の概要

1　表章記号の規約

計数のない場合	—
統計項目のありえない場合	・
計数不明又は計数を表章することが不適当な場合	…
表章単位の１／２未満の場合	0.0

2　利用上の注意

(1) 集計対象は、活動中の施設・事業所である。

(2) 数値は四捨五入しているので、内訳の合計が「総数」に合わない場合がある。

(3) 複数のサービスを提供している事業所は、それぞれのサービスに計上している。例えば、１事業所において介護予防サービスと介護サービスを提供している場合、提供している個々の事業所数に計上している。

結 果 の 概 要

【 基本票編 】

この結果は、基本票で把握した施設・事業所のうち、平成 29 年 10 月 1 日現在で活動中の施設・事業所について集計したものである。

施設・事業所の状況

（1）施設・事業所数

介護予防サービスの事業所数をみると、介護予防訪問介護が 34,160 事業所、介護予防通所介護が 40,870 事業所となっており、介護サービスの事業所数をみると、訪問介護が 35,311 事業所、通所介護が 23,597 事業所となっている。

介護保険施設では、介護老人福祉施設が 7,891 施設、介護老人保健施設が 4,322 施設、介護療養型医療施設が 1,196 施設となっている。（表１）

表１　施設・事業所数（基本票）

各年10月１日現在

	平成29年 (2017)	平成28年 (2016)	対前年	
			増減数	増減率(%)
介護予防サービス事業所				
介護予防訪問介護	34 160	34 113	47	0.1
介護予防訪問入浴介護	1 865	1 930	△ 65	△ 3.4
介護予防訪問看護ステーション	10 133	9 356	777	8.3
介護予防通所介護	40 870	41 448	△ 578	△ 1.4
介護予防通所リハビリテーション	7 837	7 537	300	4.0
介護予防短期入所生活介護	10 729	10 455	274	2.6
介護予防短期入所療養介護	5 223	5 179	44	0.8
介護予防特定施設入居者生活介護	4 657	4 528	129	2.8
介護予防福祉用具貸与	7 948	7 957	△ 9	△ 0.1
特定介護予防福祉用具販売	8 043	8 078	△ 35	△ 0.4
地域密着型介護予防サービス事業所				
介護予防認知症対応型通所介護	3 849	3 900	△ 51	△ 1.3
介護予防小規模多機能型居宅介護	4 842	4 611	231	5.0
介護予防認知症対応型共同生活介護	12 952	12 761	191	1.5
介護予防支援事業所（地域包括支援センター）	5 020	4 873	147	3.0
居宅サービス事業所				
訪問介護	35 311	35 013	298	0.9
訪問入浴介護	1 993	2 077	△ 84	△ 4.0
訪問看護ステーション	10 305	9 525	780	8.2
通所介護	23 597	23 038	559	2.4
通所リハビリテーション	7 915	7 638	277	3.6
短期入所生活介護	11 205	10 925	280	2.6
短期入所療養介護	5 359	5 331	28	0.5
特定施設入居者生活介護	5 010	4 858	152	3.1
福祉用具貸与	8 012	8 030	△ 18	△ 0.2
特定福祉用具販売	8 072	8 111	△ 39	△ 0.5
地域密着型サービス事業所				
定期巡回・随時対応型訪問介護看護	861	735	126	17.1
夜間対応型訪問介護	217	226	△ 9	△ 4.0
地域密着型通所介護	20 492	21 063	△ 571	△ 2.7
認知症対応型通所介護	4 146	4 239	△ 93	△ 2.2
小規模多機能型居宅介護	5 342	5 125	217	4.2
認知症対応型共同生活介護	13 346	13 069	277	2.1
地域密着型特定施設入居者生活介護	320	310	10	3.2
複合型サービス（看護小規模多機能型居宅介護）	390	305	85	27.9
地域密着型介護老人福祉施設	2 158	1 977	181	9.2
居宅介護支援事業所	41 273	40 686	587	1.4
介護保険施設				
介護老人福祉施設	7 891	7 705	186	2.4
介護老人保健施設	4 322	4 241	81	1.9
介護療養型医療施設	1 196	1 324	△ 128	△ 9.7

注：複数のサービスを提供している事業所は、各々に計上している。

（2）施設別定員の状況

介護保険施設の種類ごとに定員をみると、介護老人福祉施設が 542,498 人、介護老人保健施設が 372,679 人、介護療養型医療施設が 53,352 人となっている。

介護保険施設の種類ごとに１施設当たり定員をみると、介護老人福祉施設が 68.7 人、介護老人保健施設が 86.2 人、介護療養型医療施設が 44.6 人となっている。（表２）

表２　施設数、定員、１施設当たり定員（基本票）

各年10月１日現在

	施設数		定員（人）		１施設当たり定員（人）	
	平成29年(2017)	平成28年(2016)	平成29年(2017)	平成28年(2016)	平成29年(2017)	平成28年(2016)
介護老人福祉施設	7 891	7 705	542 498	530 280	68.7	68.8
介護老人保健施設	4 322	4 241	372 679	370 366	86.2	87.3
介護療養型医療施設[1]	1 196	1 324	53 352	59 106	44.6	44.6

注：1）介護療養型医療施設における「定員」は、介護指定病床数である。

（3）定員階級別施設数及び構成割合

介護保険施設の種類ごとに定員階級別施設数の構成割合をみると、介護老人福祉施設は「50～59 人」が 31.5%、介護老人保健施設は「100～109 人」が 36.7%、介護療養型医療施設は「10～19 人」が 19.6%と、それぞれ最も多くなっている（表３）。

表３　定員階級別施設数及び構成割合（基本票）

平成29年10月１日現在

	介護老人福祉施設		介護老人保健施設		介護療養型医療施設[1]	
	施設数	構成割合(%)	施設数	構成割合(%)	施設数	構成割合(%)
総数	7 891	100.0	4 322	100.0	1 196	100.0
1～ 9 人	·	·	5	0.1	205	17.1
10～ 19	·	·	83	1.9	235	19.6
20～ 29	·	·	214	5.0	113	9.4
30～ 39	636	8.1	67	1.6	120	10.0
40～ 49	404	5.1	129	3.0	121	10.1
50～ 59	2 484	31.5	338	7.8	121	10.1
60～ 69	710	9.0	228	5.3	88	7.4
70～ 79	683	8.7	249	5.8	19	1.6
80～ 89	1 275	16.2	606	14.0	18	1.5
90～ 99	374	4.7	338	7.8	40	3.3
100～ 109	784	9.9	1 586	36.7	21	1.8
110～ 119	166	2.1	52	1.2	22	1.8
120～ 129	143	1.8	101	2.3	20	1.7
130～ 139	66	0.8	45	1.0	5	0.4
140～ 149	44	0.6	47	1.1	4	0.3
150 人以上	122	1.5	234	5.4	44	3.7

注：1）介護療養型医療施設における「定員」は、介護指定病床数である。

【 詳細票編 】

この結果は、基本票で把握した施設・事業所について、平成 29 年 10 月 1 日現在の状況を詳細票により調査し、回収された施設・事業所のうち活動中の施設・事業所について集計したものである。

調査方法の変更等により回収率が変動しているため、施設・事業所数、在所者数、利用者数、従事者数等については、実数での年次比較は行っていない。

1　開設（経営）主体別の状況

介護保険施設の種類ごとに開設主体別施設数の構成割合をみると、介護老人福祉施設では「社会福祉法人（社会福祉協議会以外）」が 94.8%と最も多く、介護老人保健施設及び介護療養型医療施設では「医療法人」が 75.3%、83.4%とそれぞれ最も多くなっている（表４）。

介護サービス事業所の種類ごとに開設（経営）主体別事業所数の構成割合をみると、多くのサービスで「営利法人（会社）」が最も多くなっているが、短期入所生活介護、認知症対応型通所介護、地域密着型介護老人福祉施設及び介護予防支援事業所（地域包括支援センター）では「社会福祉法人」が最も多く、通所リハビリテーション及び短期入所療養介護では「医療法人」が最も多くなっている（表５）。

表４　開設主体別施設数の構成割合（詳細票）

(単位:%)

平成29年10月1日現在

	総数	都道府県	市区町村	広域連合・一部事務組合	日本赤十字社・社会保険関係団体・独立行政法人	社会福祉協議会	社会福祉法人(社会福祉協議会以外)	医療法人	社団・財団法人	その他の法人	その他
介護保険施設											
介護老人福祉施設	100.0	0.5	3.1	1.3	0.1	0.2	94.8	・	・	0.0	・
介護老人保健施設	100.0	0.0	3.6	0.5	1.7	-	15.0	75.3	2.8	1.0	0.1
介護療養型医療施設	100.0	-	4.7	0.3	1.1	-	1.1	83.4	2.3	0.6	6.6

表5　開設（経営）主体別事業所数の構成割合（詳細票）

（単位：%）　　　　平成29年10月1日現在

	総数	地方公共団体	日本赤十字社・社会保険関係団体・独立行政法人	社会福祉法人 1)	医療法人	社団・財団法人	協同組合	営利法人（会社）	特定非営利活動法人（NPO）	その他
居宅サービス事業所										
（訪問系）										
訪問介護	100.0	0.3	…	18.2	6.2	1.4	2.3	66.2	5.0	0.4
訪問入浴介護	100.0	0.1	…	34.8	1.9	0.6	0.6	61.6	0.4	−
訪問看護ステーション	100.0	2.1	2.0	6.7	27.3	8.2	1.9	49.6	1.6	0.6
（通所系）										
通所介護	100.0	0.5	…	38.8	8.3	0.6	1.6	48.5	1.6	0.1
通所リハビリテーション	100.0	2.7	1.3	8.3	77.3	2.7	…	0.1	…	7.6
介護老人保健施設	100.0	3.5	2.0	16.2	74.3	3.1	…	−	…	0.9
医療施設	100.0	2.0	0.7	1.4	80.0	2.3	…	0.1	…	13.5
（その他）										
短期入所生活介護	100.0	1.7	…	83.4	3.5	0.1	0.4	10.3	0.4	0.2
短期入所療養介護	100.0	3.8	1.6	11.9	77.6	2.9	…	−	…	2.1
介護老人保健施設	100.0	3.5	1.8	15.3	75.3	3.1	…	−	…	1.0
医療施設	100.0	4.9	1.1	0.5	85.3	2.3	…	−	…	6.0
特定施設入居者生活介護	100.0	0.8	…	23.8	6.2	0.6	0.4	67.4	0.4	0.6
福祉用具貸与	100.0	0.0	…	2.3	1.3	0.4	1.5	93.5	0.7	0.3
特定福祉用具販売	100.0	−	…	1.8	1.0	0.4	1.5	94.5	0.7	0.3
地域密着型サービス事業所										
定期巡回・随時対応型訪問介護看護	100.0	−	…	30.6	17.1	2.0	3.4	45.0	1.5	0.4
夜間対応型訪問介護	100.0	0.6	…	36.7	8.9	2.2	2.8	46.7	2.2	−
地域密着型通所介護	100.0	0.3	…	11.7	3.9	0.9	1.1	75.3	6.3	0.5
認知症対応型通所介護	100.0	0.3	…	44.3	11.9	0.9	1.4	35.3	5.7	0.2
小規模多機能型居宅介護	100.0	0.1	…	31.9	12.8	0.7	2.1	46.1	5.9	0.4
認知症対応型共同生活介護	100.0	0.1	…	24.4	16.5	0.4	0.6	53.6	4.3	0.2
地域密着型特定施設入居者生活介護	100.0	−	…	31.2	16.4	0.7	0.7	48.3	2.4	0.3
複合型サービス（看護小規模多機能型居宅介護）	100.0	−	…	18.1	20.3	4.9	3.2	50.1	3.4	−
地域密着型介護老人福祉施設	100.0	4.1	−	95.9	・	・	・	・	・	−
介護予防支援事業所（地域包括支援センター）	100.0	24.5	…	55.2	13.6	3.4	1.1	1.5	0.6	0.3
居宅介護支援事業所	100.0	0.8	…	25.1	16.0	2.4	2.2	49.9	3.2	0.6

注：訪問看護ステーション、通所リハビリテーション、短期入所療養介護及び地域密着型介護老人福祉施設については、開設主体であり、それ以外は、経営主体である。

1)「社会福祉法人」には社会福祉協議会を含む。

2　居宅サービス事業所等の状況

（1）利用人員階級別事業所数の構成割合

平成 29 年 9 月中の利用人員階級別に事業所数の構成割合をみると、介護予防サービスでは「1～9人」が多くなっており、介護サービスではおおむね「1～19 人」、「20～39 人」が多くなっている。

1事業所当たり利用者数をみると、介護予防サービスでは介護予防支援事業所（地域包括支援センター）が 219.2 人、介護予防通所リハビリテーションが 21.4 人、介護予防通所介護が 11.7 人となっている。

また、介護サービスでは居宅介護支援事業所が 68.0 人、訪問看護ステーションが 65.4 人、通所リハビリテーションが 59.3 人となっている。（表6、表7）

表6　利用人員階級別事業所数の構成割合（介護予防サービス）（詳細票）

(単位:%)　　平成29年10月1日現在

	総数	利用者なし	1～9人	10～19	20～29	30～39	40～49	50～59	60～69	70～79	80人以上	9月中の1事業所当たり利用者数(人)[1]
介護予防サービス事業所												
(訪問系)												
介護予防訪問介護	100.0	34.5	39.9	14.8	5.7	2.3	1.2	0.7	0.3	0.2	0.4	11.4
介護予防訪問入浴介護	100.0	83.3	16.7	-	-	-	-	-	-	-	-	1.3
介護予防訪問看護ステーション[2]	100.0	20.9	56.8	15.1	4.4	1.5	0.5	0.3	0.1	0.2	0.2	8.4
(通所系)												
介護予防通所介護	100.0	31.5	43.1	14.1	5.4	2.6	1.3	0.8	0.5	0.3	0.6	11.7
介護予防通所リハビリテーション	100.0	9.5	28.5	26.8	15.6	7.7	4.4	2.6	1.6	0.9	2.2	21.4
介護老人保健施設	100.0	5.9	31.8	29.8	16.2	7.4	4.0	2.1	1.1	0.5	1.2	18.7
医療施設	100.0	12.7	25.7	24.1	15.1	7.9	4.8	3.1	2.1	1.3	3.1	24.0
(その他)												
介護予防短期入所生活介護[3]	100.0	50.2	49.4	0.4	0.1	-	-	-	-	-	-	2.2
介護予防短期入所療養介護	100.0	84.2	15.8	-	-	-	-	-	-	-	-	1.4
介護老人保健施設	100.0	80.9	19.1	-	-	-	-	-	-	-	-	1.5
医療施設	100.0	96.1	3.9	-	-	-	-	-	-	-	-	1.2
介護予防特定施設入居者生活介護	100.0	14.8	62.8	18.2	3.1	0.7	0.3	0.1	0.0	0.0	0.0	7.4
介護予防福祉用具貸与	100.0	13.9	22.9	11.1	7.6	6.1	4.9	4.0	3.3	2.1	24.0	78.1
地域密着型介護予防サービス事業所												
介護予防認知症対応型通所介護	100.0	84.6	15.2	0.1	-	-	-	-	-	-	-	1.8
介護予防小規模多機能型居宅介護	100.0	22.6	76.2	1.0	0.1	·	·	·	·	·	·	3.1
介護予防認知症対応型共同生活介護	100.0	93.4	6.6	-	-	-	-	-	-	-	-	1.1
介護予防支援事業所(地域包括支援センター)	100.0	1.9	1.0	1.9	1.5	2.2	2.4	2.2	3.1	3.1	80.7	219.2

注：1)「9月中の1事業所当たり利用者数」は、利用者なしの事業所を除いて算出した。
　2)「介護予防訪問看護ステーション」は、健康保険法等のみによる利用者を含まない。
　3)「介護予防短期入所生活介護」は、空床利用型の事業所を含まない。

表7　利用人員階級別事業所数の構成割合（介護サービス）（詳細票）

(単位:%)　　平成29年10月1日現在

	総数	利用者なし	1～19人	20～39	40～59	60～79	80～99	100～119	120～139	140～159	160人以上	9月中の1事業所当たり利用者数(人)[1]
居宅サービス事業所												
(訪問系)												
訪問介護	100.0	4.1	34.6	32.7	15.7	6.4	2.9	1.6	0.7	0.5	0.9	34.5
訪問入浴介護	100.0	5.1	39.6	21.7	15.7	9.0	5.0	2.3	0.7	0.3	0.6	34.9
訪問看護ステーション[2]	100.0	3.3	15.3	22.3	19.4	13.8	8.6	5.5	3.5	2.3	5.9	65.4
(通所系)												
通所介護	100.0	1.9	5.3	28.0	31.8	19.9	8.0	2.8	1.0	0.5	0.7	53.9
通所リハビリテーション	100.0	6.9	12.9	20.0	21.2	16.3	10.2	5.6	2.7	1.6	2.5	59.3
介護老人保健施設	100.0	2.1	6.5	16.2	23.1	20.5	13.0	8.6	3.9	2.5	3.7	70.1
医療施設	100.0	11.2	18.7	23.3	19.4	12.6	7.8	3.0	1.6	0.9	1.5	48.9
(その他)												
短期入所生活介護[3]	100.0	2.5	27.6	37.9	20.0	8.0	2.4	0.9	0.4	0.2	0.1	34.3
短期入所療養介護	100.0	29.9	54.2	11.8	3.1	0.6	0.1	0.1	0.1	-	0.1	13.8
介護老人保健施設	100.0	16.9	63.2	14.8	3.9	0.8	0.2	0.1	0.1	-	0.1	14.4
医療施設	100.0	74.6	23.6	1.4	0.4	-	-	-	-	-	-	6.6
特定施設入居者生活介護	100.0	1.1	15.0	42.4	29.5	8.3	2.5	0.6	0.2	0.2	0.2	38.6
福祉用具貸与	100.0	6.9	15.6	8.8	6.8	5.7	5.3	4.7	3.9	3.3	39.1	253.7
地域密着型サービス事業所												
定期巡回・随時対応型訪問介護看護[4]	100.0	8.5	56.3	21.6	7.1	3.5	1.0	0.8	0.4	0.1	0.7	22.7
夜間対応型訪問介護	100.0	25.0	50.6	10.6	6.1	2.8	1.1	2.2	-	-	1.7	24.9
地域密着型通所介護	100.0	4.1	46.9	40.7	6.9	1.1	0.2	0.0	0.0	0.0	0.0	22.2
認知症対応型通所介護	100.0	15.8	53.1	28.3	2.2	0.3	0.1	0.0	0.1	0.1	0.1	17.2
小規模多機能型居宅介護	100.0	2.6	58.1	39.3	·	·	·	·	·	·	·	17.7
認知症対応型共同生活介護	100.0	1.7	93.1	5.2	0.0	-	-	-	-	-	-	14.7
地域密着型特定施設入居者生活介護	100.0	2.4	28.4	69.2	·	·	·	·	·	·	·	22.7
複合型サービス(看護小規模多機能型居宅介護)	100.0	1.4	44.7	52.4	1.4	·	·	·	·	·	·	19.9
地域密着型介護老人福祉施設	100.0	-	14.6	85.4	·	·	·	·	·	·	·	24.9
居宅介護支援事業所	100.0	3.7	12.9	25.3	14.6	12.4	9.5	7.1	5.0	3.2	6.2	68.0

注：1)「9月中の1事業所当たり利用者数」は、利用者なしの事業所を除いて算出した。
　2)「訪問看護ステーション」は、健康保険法等の利用者を含む。
　3)「短期入所生活介護」は、空床利用型の事業所を含まない。
　4)「定期巡回・随時対応型訪問介護看護」は、健康保険法等の利用者を含み、連携型事業所の訪問看護利用者を含まない。

（2）要介護（要支援）度別利用者数の構成割合

平成29年９月中の介護予防サービスの要支援度別利用者数の構成割合をみると、多くの介護予防サービスにおいて「要支援２」が多くなっている（図１）。

平成29年９月中の介護サービスの要介護度別利用者数の構成割合をみると、訪問入浴介護では「要介護５」が最も多くなっている（図２）。

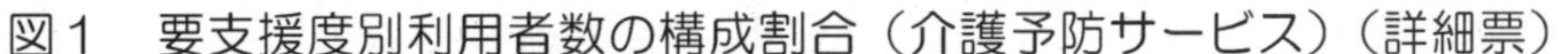

図１　要支援度別利用者数の構成割合（介護予防サービス）（詳細票）

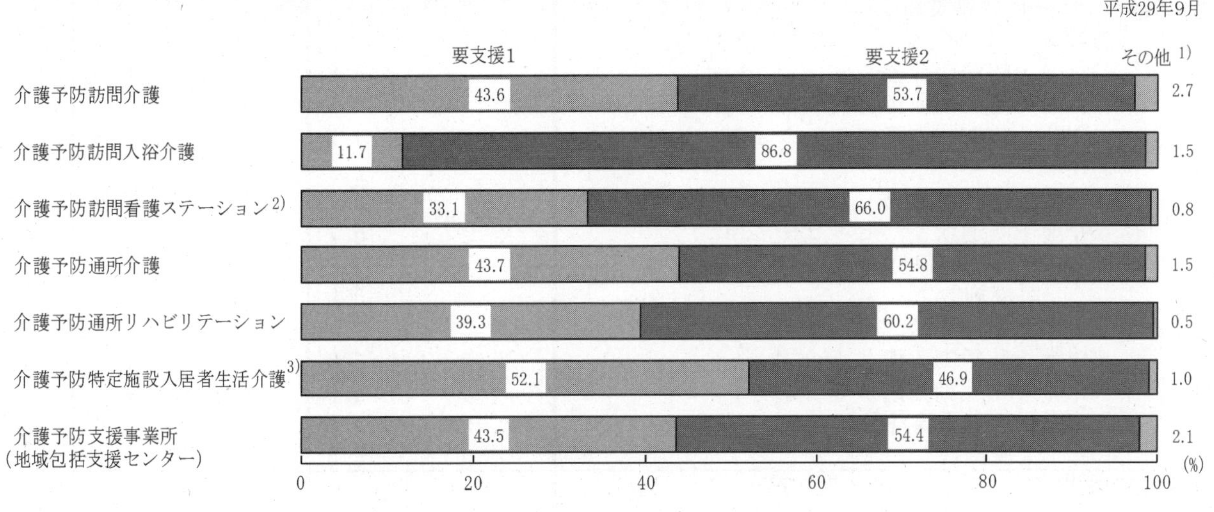

注：1)「その他」は、要支援認定申請中等である。
2)「介護予防訪問看護ステーション」は、健康保険法等のみによる利用者を含まない。
3)「介護予防特定施設入居者生活介護」は、9月末日の利用者数である。

図２　要介護度別利用者数の構成割合（介護サービス）（詳細票）

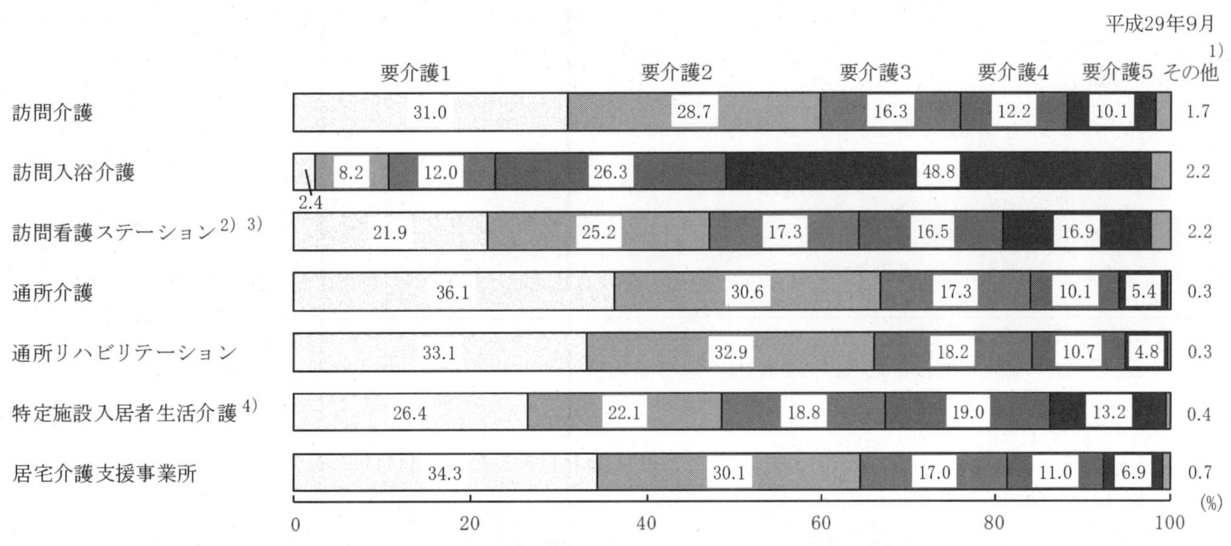

注：1)「その他」は、要介護認定申請中等である。
2)「訪問看護ステーション」は、健康保険法等のみによる利用者を含まない。
3) 訪問看護ステーションの「その他」は、定期巡回・随時対応型訪問介護看護事業所との連携による利用者も含む。
4)「特定施設入居者生活介護」は、9月末日の利用者数である。

（3）利用者１人当たり利用回数

平成 29 年９月中の利用者１人当たり利用回数をみると、訪問介護が 19.7 回、通所介護が 9.1 回となっている（表８）。

表８　利用者１人当たり利用回数（詳細票）

各年９月

	平成29年 (2017)	平成28年 (2016)
介護予防サービス事業所		
（訪問系）		
介護予防訪問介護	5.8	6.0
介護予防訪問入浴介護	4.3	4.3
介護予防訪問看護ステーション 1)	4.7	4.8
（通所系）		
介護予防通所介護	5.1	5.3
介護予防通所リハビリテーション	5.7	5.8
介護老人保健施設	6.0	6.0
医療施設	5.5	5.6
（その他）		
介護予防短期入所生活介護 2) 3)	5.3	5.4
介護予防短期入所療養介護 3)	4.9	4.9
介護老人保健施設	4.8	4.9
医療施設	5.3	5.6
地域密着型介護予防サービス事業所		
介護予防認知症対応型通所介護	5.3	5.4
介護予防小規模多機能型居宅介護	17.8	18.2
居宅サービス事業所		
（訪問系）		
訪問介護	19.7	19.3
訪問入浴介護	5.0	5.0
訪問看護ステーション 4)	6.9	6.8
（通所系）		
通所介護	9.1	9.0
通所リハビリテーション	8.2	8.2
介護老人保健施設	8.4	8.4
医療施設	7.9	8.0
（その他）		
短期入所生活介護 2) 3)	10.2	10.3
短期入所療養介護 3)	7.3	7.4
介護老人保健施設	7.2	7.3
医療施設	10.2	9.8
地域密着型サービス事業所		
定期巡回・随時対応型訪問介護看護 5)	97.8	106.3
夜間対応型訪問介護	7.1	5.2
地域密着型通所介護	8.1	8.2
認知症対応型通所介護	9.7	9.8
小規模多機能型居宅介護	35.5	35.6
複合型サービス（看護小規模多機能型居宅介護）	39.4	42.9

注：1)「介護予防訪問看護ステーション」は、健康保険法等のみによる利用者を含まない。
2)「(介護予防)短期入所生活介護」は、空床利用型の利用者を含まない。
3)「(介護予防)短期入所生活介護」及び「(介護予防)短期入所療養介護」は、1人当たり利用日数である。
4)「訪問看護ステーション」は、健康保険法等の利用者を含む。
5)「定期巡回・随時対応型訪問介護看護」は、健康保険法等の利用者を含み、連携型事業所の訪問看護利用者を含まない。

（4）訪問看護ステーションにおける利用者の状況

平成29年９月中の利用者の状況をみると、利用者１人当たり訪問回数は、介護予防サービスでは4.7回、介護サービスでは6.3回となっている。利用者１人当たり訪問回数を要介護（要支援）度別にみると、「要介護５」が8.1回と最も多く、要介護度が高くなるに従い訪問回数が多くなっている。１事業所当たり利用者数をみると、介護予防サービスでは8.4人、介護サービスでは43.7人、１事業所当たり延利用者数は、介護予防サービスでは39.6人、介護サービスでは275.5人となっている。（表９、図３）

表９　要介護（要支援）度別利用者の状況（詳細票）

平成29年９月

	利用者１人当たり訪問回数(回)	１事業所当たり利用者数(人)[1]	１事業所当たり延利用者数(人)[1]
介護予防サービス[2]	4.7	8.4	39.6
要支援１	4.0	2.8	11.1
要支援２	5.1	5.5	28.2
介護サービス[3]	6.3	43.7	275.5
要介護１	5.4	9.6	51.3
要介護２	5.8	11.0	64.0
要介護３	6.0	7.6	45.7
要介護４	6.7	7.2	48.7
要介護５	8.1	7.4	59.9

注：健康保険法等のみによる利用者を含まない。

1)「1事業所当たり利用者数」及び「1事業所当たり延利用者数」は、利用者なしの事業所を除いて算出した。

2)「介護予防サービス」は、要支援認定申請中を含む。

3)「介護サービス」は、要介護認定申請中、定期巡回・随時対応型訪問介護看護事業所との連携による利用者等を含む。

図３　要介護度別利用者１人当たり訪問回数の年次推移（詳細票）

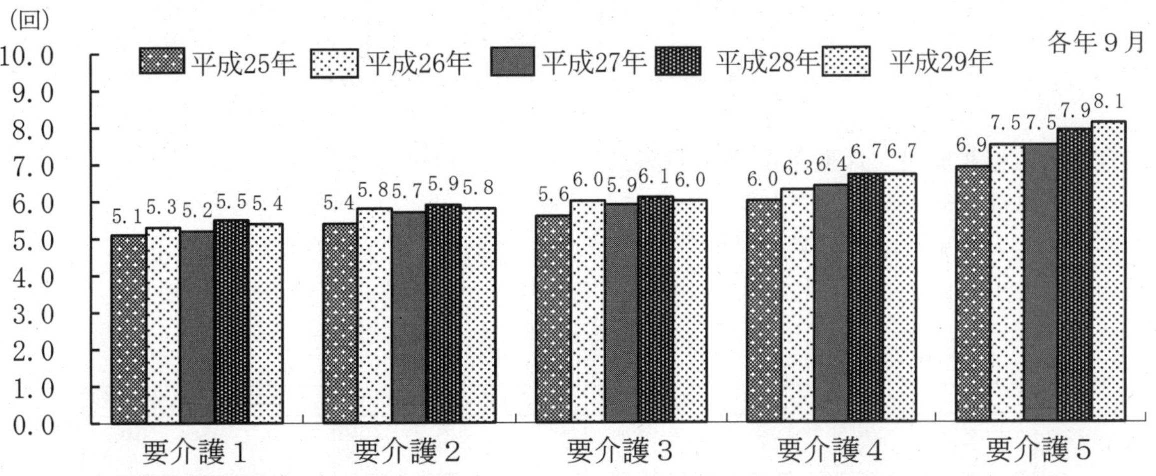

注：健康保険法等のみによる利用者を含まない。

3 介護保険施設の状況

（1）定員、在所者数、利用率

介護保険施設の種類ごとに１施設当たり定員をみると、介護老人福祉施設が 68.9 人、介護老人保健施設が 86.3 人、介護療養型医療施設が 44.7 人、１施設当たり在所者数は、それぞれ 66.6 人、77.4 人、40.3 人となっており、利用率は介護老人福祉施設、介護療養型医療施設で９割を超えている（表 10）。

表１０　１施設当たり定員、在所者数、利用率（詳細票）

各年10月１日現在

	１施設当たり定員（人）		１施設当たり在所者数（人）		利用率（%）[1]	
	平成29年(2017)	平成28年(2016)	平成29年(2017)	平成28年(2016)	平成29年(2017)	平成28年(2016)
介護老人福祉施設	68.9	68.8	66.6	66.7	96.6	96.9
介護老人保健施設	86.3	87.1	77.4	78.3	89.7	89.9
介護療養型医療施設 [2]	44.7	44.8	40.3	40.6	90.1	90.7
診療所（再掲）	9.0	9.1	6.5	6.7	71.9	73.4

注：1）「利用率」は、定員に対する在所者数の割合である。
2）介護療養型医療施設における「定員」は、介護指定病床数である。

（2）室定員別室数の構成割合

介護保険施設の種類ごとに室定員別室数の構成割合をみると、介護老人福祉施設及び介護老人保健施設では「個室」が 74.6%、45.7%とそれぞれ最も多く、介護療養型医療施設では「４人室」が 51.5%と最も多くなっている（表 11）。

表１１　室定員別室数の構成割合（詳細票）

（単位：%）　各年10月１日現在

	介護老人福祉施設		介護老人保健施設		介護療養型医療施設	
	平成29年(2017)	平成28年(2016)	平成29年(2017)	平成28年(2016)	平成29年(2017)	平成28年(2016)
総　数	100.0	100.0	100.0	100.0	100.0	100.0
個　室	74.6	73.4	45.7	45.1	21.5	21.0
ユニット型	60.8	59.1	16.2	15.6	1.0	0.9
その他	13.8	14.3	29.6	29.5	20.5	20.1
２人室	7.7	7.9	12.0	12.1	17.2	17.6
ユニット型	0.0	0.0	0.0	0.0	-	-
その他	7.6	7.9	12.0	12.1	17.2	17.6
３人室	0.8	0.8	2.1	2.1	9.7	10.1
４人室	16.9	17.8	40.2	40.7	51.5	51.1
５人以上室	0.1	0.1	·	·	0.1	0.1

注：「ユニット型」とはユニットの中の居室（療養室）であり、「その他」とはユニット型以外の居室（療養室）である。

（3）介護老人福祉施設、介護老人保健施設におけるユニットケアの状況

介護老人福祉施設、介護老人保健施設におけるユニットケアの状況をみると、ユニットケアを実施している施設は介護老人福祉施設が 37.9%、介護老人保健施設が 10.4%となっており、平均ユニット数は、それぞれ 7.1 ユニット、5.7 ユニットとなっている（表 12）。

表１２　ユニットケアの状況（詳細票）

平成29年10月１日現在

	介護老人福祉施設	介護老人保健施設
ユニットケア実施施設数の割合（%）	37.9	10.4
ユニットケア実施施設の定員の割合（%）	38.6	6.8
平均ユニット数[1]	7.1	5.7
１ユニット当たりの定員（人）	9.9	10.0

注：介護老人福祉施設、介護老人保健施設におけるユニットとは、少数の居室（療養室）及び当該居室（療養室）に近接して設けられる共同生活室（当該居室（療養室）の入居者が交流し、共同で日常生活を営むための場所をいう。）により、一体的に構成される場所をいう。
1）「平均ユニット数」は、ユニットケアを実施する施設におけるユニット数の平均である。

（4）要介護度別在所者数の構成割合

介護保険施設の種類ごとに平成 29 年の要介護度別在所者数の構成割合をみると、介護老人福祉施設及び介護老人保健施設では「要介護４」が 36.8％、26.7％とそれぞれ最も多くなっている。介護療養型医療施設では「要介護５」が 51.9％と最も多くなっている。（図４）

図４　要介護度別在所者数（構成割合）の年次推移（詳細票）

各年９月末現在

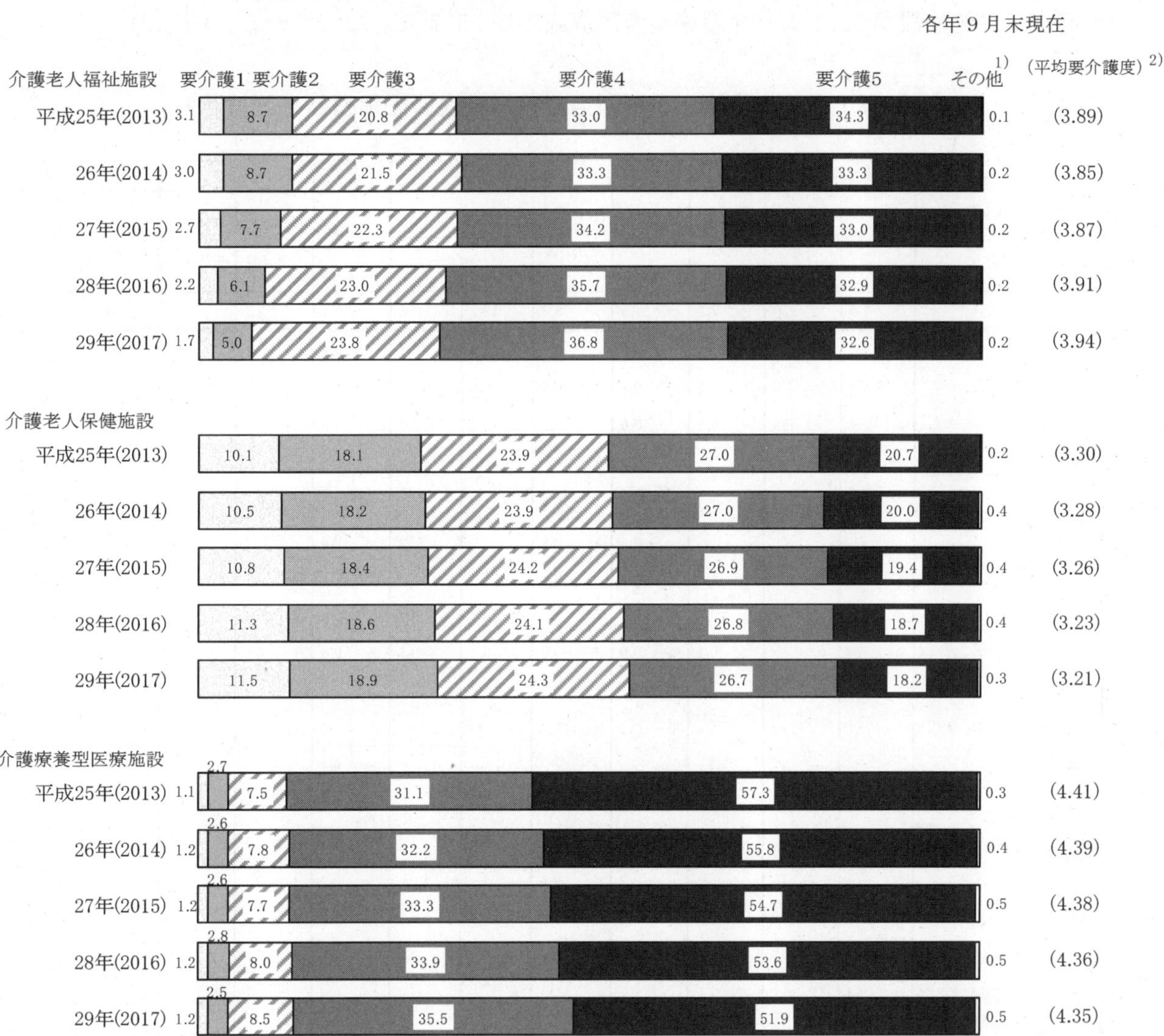

注：１）「その他」は、要介護認定申請中等である。

２）「平均要介護度」は、以下の算式により計算した。

$$\text{平均要介護度} = \frac{\text{在所者の要介護度の合計}}{\text{要介護１～５の在所者数の合計}}$$

４　従事者の状況

（1）１施設・事業所当たり常勤換算従事者数

１事業所当たり常勤換算従事者数をみると、訪問介護が 7.9 人、通所介護が 11.3 人となっている。

また、介護保険施設の１施設当たり常勤換算従事者数をみると、介護老人福祉施設が 44.8 人、介護老人保健施設が 52.1 人、介護療養型医療施設が 35.7 人となっている。（表 13）

表１３　１施設・事業所当たり常勤換算従事者数（詳細票）

（単位:人）　　平成29年10月1日現在

	訪問系			通所系				その他			介護保険施設		
	訪問介護	訪問入浴介護	訪問看護ステーション	通所介護	地域密着型通所介護	通所リハビリテーション 介護老人保健施設	通所リハビリテーション 医療施設	短期入所生活介護 1)	特定施設入居者生活介護	認知症対応型共同生活介護	介護老人福祉施設	介護老人保健施設	介護療養型医療施設 2)
総数	7.9	5.9	7.1	11.3	5.8	12.7	9.6	19.1	25.7	13.4	44.8	52.1	35.7
医師	…	…	…	0.0	0.0	0.6	0.7	0.2	…	…	0.2	1.1	2.7
看護師 3)	…	1.0	4.5	0.7	0.3	0.6	0.7	1.0	1.9	＊ 0.2	2.3	5.3	6.9
准看護師	…	0.9	0.5	0.6	0.2	0.5	0.4	0.8	1.1	＊ 0.2	1.7	4.6	6.1
機能訓練指導員	…	…	…	1.0	0.6	…	…	0.5	0.6	…	0.8	…	…
看護師（再掲）	…	…	…	0.3	0.2	…	…	0.1	0.2	…	0.2	…	…
准看護師（再掲）	…	…	…	0.3	0.2	…	…	0.1	0.1	…	0.2	…	…
理学療法士	…	…	1.0	※ 0.2	※ 0.1	1.4	1.7	※ 0.1	※ 0.1	…	※ 0.1	1.9	1.8
作業療法士	…	…	0.5	※ 0.1	※ 0.0	0.9	0.6	※ 0.0	※ 0.1	…	※ 0.1	1.3	0.9
言語聴覚士	…	…	0.1	※ 0.0	※ 0.0	0.2	0.1	※ 0.0	※ 0.0	…	※ 0.0	0.3	0.4
柔道整復師	…	…	…	※ 0.1	※ 0.1	…	…	※ 0.0	※ 0.1	…	※ 0.1	…	…
あん摩マッサージ指圧師	…	…	…	※ 0.1	※ 0.0	…	…	※ 0.0	※ 0.0	…	※ 0.1	…	…
介護支援専門員	…	…	…	…	…	…	…	0.4	…	＊＊ 0.6	1.2	1.5	1.1
計画作成担当者	…	…	…	…	…	…	…	…	0.9	0.9	…	…	…
生活相談員・支援相談員	…	…	…	1.4	1.2	…	…	0.9	1.1	…	1.3	1.6	…
社会福祉士（再掲）	…	…	…	0.2	0.1	…	…	0.2	0.1	…	0.4	0.7	…
介護職員（訪問介護員）	7.3	3.6	…	6.2	2.7	8.1	5.3	12.5	17.1	11.6	29.8	27.4	13.6
介護福祉士（再掲）	3.7	1.5	…	2.6	0.8	5.2	3.0	7.1	7.5	4.7	18.0	18.3	6.6
実務者研修修了者（再掲）	0.4	0.2	…	…	…	…	…	…	…	…	…	…	…
旧介護職員基礎研修課程修了者（再掲）	0.1	0.0	…	…	…	…	…	…	…	…	…	…	…
旧ホームヘルパー１級研修課程修了者（再掲）	0.2	0.0	…	…	…	…	…	…	…	…	…	…	…
初任者研修修了者（再掲）	2.8	0.9	…	…	…	…	…	…	…	…	…	…	…
障害者生活支援員	…	…	…	…	…	…	…	…	…	…	0.0	…	…
管理栄養士	…	…	…	0.0	0.0	0.3	0.1	0.4	…	…	0.9	1.0	0.9
栄養士	…	…	…	0.0	0.0	0.1	0.0	0.2	…	…	0.2	0.2	0.2
歯科衛生士	…	…	…	0.0	0.0	0.0	0.0	…	…	…	0.0	0.1	0.1
調理員	…	…	…	0.4	0.2	…	…	0.9	…	…	2.0	1.6	…
その他の職員	0.5	0.4	0.5	0.9	0.5	…	…	1.5	3.0	0.8	3.6	3.9	…

注：常勤換算従事者数は調査した職種分のみであり、調査した職種以外は「…」とした。
介護予防を一体的に行っている事業所の従事者を含む。
介護予防のみ行っている事業所は対象外とした。
従事者数不詳の事業所を除いて算出した。
「※」は機能訓練指導員の再掲である。
「＊」は介護職員の再掲である。
「＊＊」は計画作成担当者の再掲である。
1）「短期入所生活介護」は、空床利用型のみの従事者を含まない。
2）「介護療養型医療施設」は、介護療養病床を有する病棟の従事者を含む。
3）「看護師」は、保健師及び助産師を含む。

（2）１事業所当たり常勤換算看護・介護職員数

１事業所当たり常勤換算看護・介護職員数をみると、訪問介護が 7.3 人、通所リハビリテーションが 7.7 人となっている。

平成 29 年９月中の常勤換算看護・介護職員１人当たり延利用者数をみると、訪問介護が 96.3 人、通所リハビリテーションが 75.4 人となっている。（表 14）

表１４　１事業所当たり常勤換算看護・介護職員数（詳細票）

（単位：人）　各年10月1日現在

	1事業所当たり常勤換算看護・介護職員数 [1]		常勤換算看護・介護職員1人当たり9月中の延利用者数 [2]	
	平成29年(2017)	平成28年(2016)	平成29年(2017)	平成28年(2016)
（訪問系）				
訪問介護	7.3	7.3	96.3	95.7
訪問入浴介護	5.5	5.3	31.0	30.9
訪問看護ステーション	5.1	4.8	93.6	93.4
（通所系）				
通所介護	7.4	7.5	71.8	75.0
地域密着型通所介護	3.2	3.1	53.5	54.3
通所リハビリテーション	7.7	7.8	75.4	74.2
介護老人保健施設	9.2	9.2	74.2	73.8
医療施設	6.4	6.5	77.0	74.9
（その他）				
短期入所生活介護 [3]	14.3	14.2	24.4	24.9
特定施設入居者生活介護 [4]	20.0	19.9	…	…
認知症対応型共同生活介護 [4]	11.6	11.5	…	…

注：介護予防を一体的に行っている事業所の従事者を含む。
介護予防のみ行っている事業所は対象外とした。
看護・介護職員とは、保健師、助産師、看護師、准看護師及び介護職員（訪問介護員）のことである。
1)「1事業所当たり常勤換算看護・介護職員数」は、従事者数不詳の事業所を除いて算出した。
2)「常勤換算看護・介護職員1人当たり9月中の延利用者数」は、従事者数不詳の事業所を除いて算出した。
3)「短期入所生活介護」は、空床利用型のみの従事者を含まない。
4)「特定施設入居者生活介護」及び「認知症対応型共同生活介護」については、9月中の延利用者数を調査していないため、「常勤換算看護・介護職員1人当たり9月中の延利用者数」は算出できない。

（3）介護老人福祉施設、介護老人保健施設の常勤換算看護・介護職員１人当たり在所者数

介護老人福祉施設、介護老人保健施設の常勤換算看護・介護職員１人当たり在所者数をみると、介護老人福祉施設が 2.0 人、介護老人保健施設が 2.1 人となっている（表 15）。

表１５　常勤換算看護・介護職員１人当たり在所者数（詳細票）

（単位：人）　各年10月1日現在

	介護老人福祉施設		介護老人保健施設	
	平成29年(2017)	平成28年(2016)	平成29年(2017)	平成28年(2016)
看護・介護職員	2.0	2.0	2.1	2.1
看護職員 [1]	16.6	16.8	7.8	7.9
介護職員	2.2	2.2	2.8	2.8

注：1)「看護職員」とは、看護師（保健師を含む）、准看護師のことである。

第Ⅲ編　統　　計　　表

1　表章記号の規約

計数のない場合	—
統計項目のありえない場合	・
計数不明又は計数を表章することが不適当な場合	…
表章単位の１／２未満の場合	0，0.0

2　利用上の注意

(1) 集計対象は、活動中の施設・事業所である。

(2) 数値は四捨五入しているので、内訳の合計が「総数」に合わない場合がある。

(3) 複数のサービスを提供している事業所は、それぞれのサービスに計上している。例えば、１事業所において介護予防サービスと介護サービスを提供している場合、それぞれのサービスを提供している個々の事業所数に計上している。

統計表一覧（基本票）

統計表番号			1
第1章 介護保険施設	客体	介護老人福祉施設	○
		介護老人保健施設	○
		介護療養型医療施設	○
	分類項目	施設数	○
		定員（病床数）	○
		都道府県－指定都市・中核市	○

統計表番号				1	2
第2章 居宅サービス事業所	客体	居宅サービスの種類	訪問介護	○	
			訪問入浴介護	○	
			訪問看護ステーション	○	
			通所介護	○	
			通所リハビリテーション	○	
			短期入所生活介護	○	
			短期入所療養介護	○	
			特定施設入居者生活介護	○	
			福祉用具貸与	○	
			特定福祉用具販売	○	
			居宅介護支援	○	
		介護予防サービスの種類	介護予防訪問介護		○
			介護予防訪問入浴介護		○
			介護予防訪問看護ステーション		○
			介護予防通所介護		○
			介護予防通所リハビリテーション		○
			介護予防短期入所生活介護		○
			介護予防短期入所療養介護		○
			介護予防特定施設入居者生活介護		○
			介護予防福祉用具貸与		○
			特定介護予防福祉用具販売		○
			介護予防支援		○
	分類項目		事業所数	○	○
			都道府県－指定都市・中核市	○	○

統計表番号					1	2	3
第3章	地域密着型サービス	客体	地域密着型サービスの種類	地域密着型介護老人福祉施設	○		
				定期巡回・随時対応型訪問介護看護		○	
				夜間対応型訪問介護		○	
				地域密着型通所介護		○	
				認知症対応型通所介護		○	
				小規模多機能型居宅介護		○	
				認知症対応型共同生活介護		○	
				地域密着型特定施設入居者生活介護		○	
				複合型サービス（看護小規模多機能型居宅介護）		○	
			地域密着型介護予防サービスの種類	介護予防認知症対応型通所介護			○
				介護予防認知症対応型共同生活介護			○
				介護予防小規模多機能型居宅介護			○
		分類項目		施設数・事業所数	○	○	○
				定員	○		
				都道府県－指定都市・中核市	○	○	○

注：○印は、該当する客体及び分類項目である。

統計表一覧（詳細票）

第１章　介護保険施設

統計表番号	客体									分類項目												
	施設数	認知症専門棟のある介護老人保健施設数	定員（病床数）	在所者（在院者）数	利用率	平均要介護度	常勤換算従事者数	定員（病床）100人（床）当たり常勤換算従事者数	居室・療養室・病室数	都道府県―指定都市・中核市	開設主体	経営主体	定員（病床数）階級	ユニットの状況	ユニット数	病床の種類	職種	（常勤―非常勤）	室定員	一般棟―認知症専門棟	療養病床―老人性認知症疾患療養病棟	要介護度
総括表																						
	○		○	○	○	○	○			○												
介護老人福祉施設																						
1	○									○	○											
2	○											○	○									
3	○										○	○										
4	○											○		○	○							
5			○							○	○											
6			○	○							○		○									
7									○				○						○			
8									○		○								○			
9							○			○							○	○				
10							○				○						○	○				
11								○		○							○					
12				○						○												○
介護老人保健施設																						
13	○									○	○											
14		○								○	○											
15	○										○		○									
16	○										○			○	○					○		
17			○							○	○											
18									○				○						○	○		
19									○		○								○	○		
20							○			○							○	○				
21							○				○						○	○				
22								○		○							○					
23				○						○										○		○
介護療養型医療施設																						
24	○									○	○											
25	○										○			○	○						○	
26			○							○	○											
27			○							○						○						
28									○				○						○			
29									○		○								○			
30							○			○							○	○				
31								○		○							○					
32				○						○						○						○

注：○印は、該当する客体及び分類項目である。

統　計　表　一

第２章　居宅サービス事業所

統計表番号	客																	体					
	居宅サービスの種類																	介護予防サービ					
	訪問介護	訪問入浴介護	訪問看護ステーション	通所介護	通所リハビリテーション（介護老人保健施設）	通所リハビリテーション（医療施設）	短期入所生活介護	短期入所療養介護（介護老人保健施設）	短期入所療養介護（医療施設）	特定施設入居者生活介護					福祉用具貸与	特定福祉用具販売	居宅介護支援	介護予防訪問介護	介護予防訪問入浴介護	介護予防訪問看護ステーション	介護予防通所介護	介護予防通所リハビリテーション（介護老人保健施設）	介護予防通所リハビリテーション（医療施設）
											軽費老人ホーム	有料老人ホーム	養護老人ホーム	サービス付き高齢者向け住宅									
総括																							
1					○	○		○	○	○	○	○	○	○									
2																						○	○
3	○	○	○	○	○	○	○	○	○	○					○	○	○						
4																		○	○	○	○	○	○
5				○	○	○	○			○													
6	○	○	○	○	○	○	○			○					○		○						
7	○	○	○	○	○	○	○			○					○		○						
8	○	○	○	○	○	○	○	○	○	○					○		○						
9																		○	○	○	○	○	○

注：1　○印は、該当する客体及び分類項目である。
　：2　5～9表の（介護予防）短期入所生活介護には空床利用型を含まない。

覧　（詳　細　票）

スの種類											分類項目											統計表番号
介護予防短期入所生活介護	介護予防短期入所療養介護（介護老人保健施設）	介護予防短期入所療養介護（医療施設）	介護予防特定施設入居者生活介護	軽費老人ホーム	有料老人ホーム	養護老人ホーム	サービス付き高齢者向け住宅	介護予防福祉用具貸与	特定介護予防福祉用具販売	介護予防支援	事業所数	定員	従事者数	常勤換算従事者数	利用者数	開設（経営）主体	都道府県－指定都市・中核市	常勤（専従－兼務）－非常勤	常勤－非常勤	要介護度	要支援度	
表																						
											○						○					1
	○	○	○	○	○	○	○				○						○					2
											○					○	○					3
○	○	○	○					○	○	○	○					○	○					4
												○				○	○					5
										○			○				○	○				6
										○				○			○		○			7
															○		○			○		8
○	○	○	○					○		○					○		○				○	9

統 計 表 一 覧 （詳 細 票）

第３章　地域密着型サービス

統計表番号	客体												分類項目																	統計表番号
	地域密着型サービスの種類									地域密着型介護予防サービスの種類																				
	地域密着型介護老人福祉施設	定期巡回・随時対応型訪問介護看護	夜間対応型訪問介護	地域密着型通所介護	認知症対応型通所介護	小規模多機能型居宅介護	認知症対応型共同生活介護	地域密着型特定施設入居者生活介護	複合型サービス(看護小規模多機能型居宅介護)	介護予防認知症対応型通所介護	介護予防認知症対応型共同生活介護	介護予防小規模多機能型居宅介護	施設数・事業所数	定員	従事者数	常勤換算従事者数	在所者数・利用者数	居室数	都道府県－指定都市・中核市	開設主体	経営主体	定員階級	ユニットの状況	ユニット数	室定員	職種（常勤（専従－兼務）－非常勤）	職種（常勤－非常勤）	要介護度	要支援度	
総括表																														
1	○												○						○	○										1
2	○												○								○	○								2
3	○												○							○	○									3
4	○												○								○		○	○						4
5	○													○					○	○										5
6	○													○			○			○		○								6
7	○																	○				○			○					7
8	○																	○		○					○					8
9	○															○			○								○			9
10	○															○				○							○			10
11	○																○		○									○		11
12		○	○	○	○	○	○	○	○				○						○		○									12
13										○	○	○	○						○		○									13
14				○	○		○	○						○					○		○									14
15		○	○	○	○	○	○	○	○						○				○							○				15
16		○	○	○	○	○	○	○	○							○			○								○			16
17		○	○	○	○	○	○	○	○								○		○									○		17
18										○	○	○					○		○										○	18

注：○印は、該当する客体及び分類項目である。

[閲覧可能な統計表一覧]

次の統計表は、本報告書に掲載していないが、政府統計の総合窓口（e-Stat）（https://www.e-stat.go.jp）に掲載している。

<基本票編>

介護保険施設

第１表　介護保険施設数－定員（病床数），市区町村、施設の種類別

<詳細票編>

1　介護保険施設

（総括表）

第１表　介護保険施設数－定員（病床数）－常勤換算従事者数，市区町村、施設の種類別

（介護老人福祉施設）

第２表　介護老人福祉施設数，都道府県－指定都市・中核市（再掲）、経営主体別

第３表　介護老人福祉施設数，定員階級、開設主体別

第４表　介護老人福祉施設数，ユニットの状況、ユニット数、開設主体別

第５表　介護老人福祉施設数，ユニットの状況、ユニット数、定員階級別

第６表　介護老人福祉施設数－平均食費，食費階級、経営主体別

第７表　介護老人福祉施設数，都道府県－指定都市・中核市（再掲）、社会福祉法人等による軽減の状況別

第８表　介護老人福祉施設数，都道府県－指定都市・中核市（再掲）、苦情解決のための取組み状況（複数回答）別

第９表　介護老人福祉施設数，経営主体、夜勤時間帯における勤務体制別

第10表　介護老人福祉施設数，夜勤職員（看護職員－介護職員）の平均夜勤回数階級、経営主体別

第11表　介護老人福祉施設の定員－在所者数，定員階級、経営主体別

第12表　介護老人福祉施設の定員，開設主体、経営主体別

第13表　介護老人福祉施設の定員，都道府県－指定都市・中核市（再掲）、経営主体別

第14表　介護老人福祉施設の居室数，都道府県－指定都市・中核市（再掲）、室定員別

第15表　介護老人福祉施設の居室数，経営主体、室定員別

第16表　介護老人福祉施設の居室数－平均居住費，室定員、居住費階級、経営主体別

第17表　介護老人福祉施設のやむを得ない事由による措置の入所者数，都道府県－指定都市・中核市（再掲）別

第18表　介護老人福祉施設の常勤換算従事者数，職種（常勤－非常勤）、経営主体別

第19表　介護老人福祉施設の従事者数，都道府県－指定都市・中核市（再掲）、職種（常勤（専従－兼務）－非常勤）別

第20表　介護老人福祉施設の認定特定行為業務従事者数，都道府県－指定都市・中核市（再掲）、経営主体別

第21表　介護老人福祉施設数，都道府県－指定都市・中核市（再掲）、サテライト型地域密着型介護老人福祉施設の状況別

第22表　介護老人福祉施設数，都道府県－指定都市・中核市（再掲）、併設の状況（複数回答）別

（介護老人保健施設）

第23表　認知症専門棟のある介護老人保健施設数，認知症専門棟の定員階級、開設主体別

第24表　介護老人保健施設数－平均食費，食費階級、開設主体別

第25表　介護老人保健施設数，開設主体、夜勤時間帯における勤務体制別

第26表　介護老人保健施設数，夜勤職員（看護職員－介護職員）の平均夜勤回数階級、開設主体別

第27表　介護老人保健施設の認知症専門棟の定員，都道府県－指定都市・中核市（再掲）、開設主体別

第28表　介護老人保健施設の定員－在所者数，定員階級、開設主体別

第29表　介護老人保健施設の認知症専門棟の定員－在所者数，認知症専門棟の定員階級、開設主体別

第30表　介護老人保健施設の療養室数，都道府県－指定都市・中核市（再掲）、室定員別

第31表　介護老人保健施設の居室数－平均居住費，室定員、居住費階級、開設主体別

第32表　介護老人保健施設の従事者数，都道府県－指定都市・中核市（再掲）、職種（常勤（専従－兼務）－非常勤）別

第33表　介護老人保健施設の認定特定行為業務従事者数，都道府県－指定都市・中核市（再掲）、開設主体別

（介護療養型医療施設）

第34表　介護療養型医療施設数，介護報酬上の届出（複数回答）、開設主体別

第35表　介護療養型医療施設数，都道府県－指定都市・中核市（再掲）、介護報酬上の届出（複数回答）別

第36表　介護療養型医療施設数，病床数階級、介護報酬上の届出（複数回答）別

第37表　介護療養型医療施設数－平均食費，食費階級、開設主体別

第38表　介護療養型医療施設数，開設主体、夜勤時間帯における勤務体制別

第39表　介護療養型医療施設数，夜勤職員（看護職員－介護職員）の平均夜勤回数階級、開設主体別

第40表　介護療養型医療施設の病床数，病床の種類、開設主体別

第41表　介護療養型医療施設の病室数，都道府県－指定都市・中核市（再掲）、室定員別

第42表　介護療養型医療施設の居室数－平均居住費，室定員、居住費階級、開設主体別

第43表　介護療養型医療施設の従事者数，都道府県－指定都市・中核市（再掲）、職種（常勤（専従－兼務）－非常勤）別

第44表　介護療養型医療施設数，療養機能強化型の届出の状況、開設主体別

第45表　介護療養型医療施設数，都道府県－指定都市・中核市（再掲）、療養機能強化型の届出の状況別

第46表　介護療養型医療施設の病床数，療養機能強化型の届出の状況、開設主体別

第47表　介護療養型医療施設の病床数，都道府県－指定都市・中核市（再掲）、療養機能強化型の届出の状況別

2　居宅サービス事業所

（総括表）

第１表　居宅サービスの事業所数，開設（経営）主体、居宅サービスの種類、定員階級別

第２表　介護予防サービスの事業所数，開設（経営）主体、介護予防サービスの種類、定員階級別

第３表　居宅サービスの事業所数，都道府県－指定都市・中核市（再掲）、居宅サービスの種類、利用実人員階級別

第４表　介護予防サービスの事業所数，都道府県－指定都市・中核市（再掲）、介護予防サービスの種類、利用実人員階級別

第５表　居宅サービスの事業所数，都道府県－指定都市・中核市（再掲）、居宅サービスの種類、利用延人員階級別

第６表　介護予防サービスの事業所数，都道府県－指定都市・中核市（再掲）、介護予防サービスの種類、利用延人員階級別

第７表　１事業所当たり利用実人員数－１事業所当たり利用延人員数－利用者１人当たり利用回（日）数，都道府県－指定都市・中核市（再掲）、居宅サービスの種類別

第８表　１事業所当たり利用実人員数－１事業所当たり利用延人員数－利用者１人当たり利用回（日）数，都道府県－指定都市・中核市（再掲）、介護予防サービスの種類別

第９表　１事業所当たり利用延人員数，居宅サービスの種類、開設（経営）主体別

第10表　１事業所当たり利用延人員数，介護予防サービスの種類、開設（経営）主体別

第11表　利用者数，居宅サービスの種類、開設（経営）主体別

（居宅サービス事業所（福祉関係））

第12表　事業所数（通所介護－短期入所生活介護－特定施設入居者生活介護），都道府県－指定都市・中核市（再掲）、苦情解決のための取組状況（複数回答）別

第13表　事業所数－軽減者数（訪問介護－通所介護－短期入所生活介護），都道府県－指定都市・中核市（再掲）、居宅サービスの種類、社会福祉法人等による軽減実施の有無別

第14表　事業所数（通所介護－短期入所生活介護－特定施設入居者生活介護），都道府県－指定都市・中核市（再掲）、居宅サービスの種類、事業所の形態（複数回答）別

第15表　通所介護事業所数，単位別定員、経営主体別

第16表　短期入所生活介護事業所におけるユニットケアの状況，経営主体別

第17表　特定施設入居者生活介護事業所数，介護専用型・混合型の区分、人員配置区分の状況、経営主体別

第18表　事業所数（福祉用具貸与－福祉用具販売）－福祉用具専門相談員数，経営主体、福祉用具専門相談員の資格の状況（複数回答）別

第19表　福祉用具販売数，種目別、経営主体別

第20表　事業所数（居宅介護支援－介護予防支援），経営主体、独立・併設の状況別

第21表　介護予防支援事業所数，委託の新規の利用実人員階級、委託の利用実人員階級別

第22表　居宅介護支援事業所数，新規の利用実人員階級、利用実人員階級別

第23表　定員，都道府県－指定都市・中核市（再掲）、介護予防サービスの種類、経営主体別

第24表　従事者数，居宅サービスの種類、経営主体、職種（常勤（専従－兼務）－非常勤）別

第25表　常勤換算従事者数，居宅サービスの種類、経営主体、職種（常勤－非常勤）別

第26表　認定特定行為業務従事者数，都道府県－指定都市・中核市（再掲）、居宅サービスの種類別

（訪問看護ステーション）

第27表　訪問看護ステーション数，居宅介護支援事業所の併設の状況、介護支援専門員との兼務の状況、開設主体別

第28表　訪問看護ステーション数，利用実人員階級、居宅療養管理指導の指定の有無別

第29表　訪問看護ステーション数，定期巡回・随時対応型訪問介護看護との連携の状況、複合型サービス（看護小規模多機能型居宅介護）事業所の併設の状況、都道府県－指定都市・中核市（再掲）別

第30表　訪問看護ステーションの利用実人員数－訪問回数－理学療法士・作業療法士・言語聴覚士のみによる訪問回数（再掲），要介護度－適用法、開設主体別

第31表　訪問看護ステーション数－加算に同意している実人員数－利用実人員数－訪問回数，都道府県－指定都市・中核市（再掲）、加算等の届出の状況－利用者の状況別

第32表　訪問看護ステーションの９月中の死亡によるサービスの終了者数，都道府県－指定都市・中核市（再掲）、適用法、死亡者の状況別

第33表　訪問看護ステーションの従事者数，開設主体、職種（常勤（専従－兼務）－非常勤）別

第34表　訪問看護ステーションの常勤換算従事者数，開設主体、職種（常勤－非常勤）別

第35表　訪問看護ステーションの常勤換算従事者１人当たり訪問回数，都道府県－指定都市・中核市（再掲）、開設主体別

第36表　訪問看護ステーション数－利用実人員数－訪問回数－１事業所当たり利用実人員数－１事業所当たり訪問回数－利用者１人当たり訪問回数－１事業所当たり常勤換算従事者数－常勤換算従事者１人当たり利用実人員数－常勤換算従事者１人当たり訪問回数，都道府県－指定都市・中核市（再掲）別

第37表　訪問看護ステーションの利用実人員数－訪問回数－１事業所当たり利用実人員数－１事業所当たり訪問回数－利用者１人当たり訪問回数－常勤換算従事者１人当たり利用実人員数－常勤換算従事者１人当たり訪問回数，要介護度－適用法別

第38表　介護予防訪問看護ステーションの利用実人員数－訪問回数－１事業所当たり利用実人員数－１事業所当たり訪問回数－利用者１人当たり訪問回数，要支援度別

第39表　出張所等（サテライト事業所）のある訪問看護ステーション数－出張所等（サテライト事業所）箇所数－利用実人員数－訪問回数，都道府県－指定都市・中核市（再掲）別（訪問看護ステーション）

（居宅サービス事業所（医療関係））

第40表　事業所数（医療関係），居宅サービス事業の組み合わせ、開設主体別

第41表　事業所数－病床数，事業所の種別（複数回答）、開設主体別

第42表　利用実人員数－利用日数，要介護度、介護老人保健施設－病院－診療所別

第43表　９月中の平均開催日数，都道府県－指定都市・中核市（再掲）、事業所の種別別

第44表　利用実人員数－利用日数・利用延人員数，居宅サービス（医療関係）の種類、介護老人保健施設－医療施設別

第45表　利用実人員数－利用日数・利用延人員数，介護予防サービス（医療関係）の種類、介護老人保健施設－医療施設別

第46表　利用延人員数，事業所の種別、都道府県－指定都市・中核市（再掲）、要介護度別

第47表　利用延人員数，事業所の種別、要介護度、開設主体別

第48表　常勤換算従事者数，都道府県－指定都市・中核市（再掲）、病院－診療所別

3　地域密着型サービス

第１表　地域密着型介護老人福祉施設数，都道府県－指定都市・中核市（再掲）、経営主体別

第２表　地域密着型介護老人福祉施設数，定員階級、開設主体別

第３表　地域密着型介護老人福祉施設数，ユニットの状況、ユニット数、開設主体別

第４表　地域密着型介護老人福祉施設数，ユニットの状況、ユニット数、定員階級別

第５表　地域密着型介護老人福祉施設数－平均食費，食費階級、経営主体別

第６表　地域密着型介護老人福祉施設数，都道府県－指定都市・中核市（再掲）、社会福祉法人等による軽減の状況別

第７表　地域密着型介護老人福祉施設数，都道府県－指定都市・中核市（再掲）、苦情解決のための取組み状況（複数回答）別

第８表　地域密着型介護老人福祉施設数，経営主体、夜勤時間帯における勤務体制別

第９表　地域密着型介護老人福祉施設数，夜勤職員（看護職員－介護職員）の平均夜勤回数階級、経営主体別

第10表　地域密着型介護老人福祉施設の定員－在所者数，定員階級、経営主体別

第11表　地域密着型介護老人福祉施設の定員，開設主体、経営主体別

第12表　地域密着型介護老人福祉施設の定員，都道府県－指定都市・中核市（再掲）、経営主体別

第13表　地域密着型介護老人福祉施設の居室数，都道府県－指定都市・中核市（再掲）、室定員別

第14表　地域密着型介護老人福祉施設の居室数，経営主体、室定員別

第15表　地域密着型介護老人福祉施設の居室数－平均居住費，室定員、居住費階級、経営主体別

第16表　地域密着型介護老人福祉施設のやむを得ない事由による措置の入所者数，都道府県－指定都市・中核市（再掲）別

第17表　地域密着型介護老人福祉施設の常勤換算従事者数，職種（常勤－非常勤）、経営主体別

第18表　地域密着型介護老人福祉施設の従事者数，都道府県－指定都市・中核市（再掲）、職種（常勤（専従－兼務）－非常勤）別

第19表　地域密着型介護老人福祉施設の認定特定行為業務従事者数，都道府県－指定都市・中核市（再掲）、経営主体別

第20表　地域密着型介護老人福祉施設数，都道府県－指定都市・中核市（再掲）、サテライト型地域密着型介護老人福祉施設の状況別

第21表　地域密着型介護老人福祉施設数，都道府県－指定都市・中核市（再掲）、併設の状況（複数回答）別

第22表　地域密着型サービスの事業所数，経営主体、地域密着型サービスの種類、定員階級別

第23表　地域密着型介護予防サービスの事業所数，経営主体、地域密着型介護予防サービスの種類、定員階級別

第24表　地域密着型サービスの事業所数，都道府県－指定都市・中核市（再掲）、地域密着型サービスの種類、利用実人員階級別

第25表　地域密着型介護予防サービスの事業所数，都道府県－指定都市・中核市（再掲）、地域密着型介護予防サービスの種類、利用実人員階級別

第26表　地域密着型サービスの事業所数，都道府県－指定都市・中核市（再掲）、地域密着型サービスの種類、利用延人員階級別

第27表　地域密着型介護予防サービスの事業所数，都道府県－指定都市・中核市（再掲）、地域密着型介護予防サービスの種類、利用延人員階級別

第28表　定員，都道府県－指定都市・中核市（再掲）、地域密着型介護予防サービスの種類、経営主体別

第29表　１事業所当たり利用実人員数－１事業所当たり利用延人員数－利用者１人当たり利用回（日）数，都道府県－指定都市・中核市（再掲）、地域密着型サービスの種類別

第30表　１事業所当たり利用実人員数－１事業所当たり利用延人員数－利用者１人当たり利用回（日）数，都道府県－指定都市・中核市（再掲）、地域密着型介護予防サービスの種類別

第31表　１事業所当たり利用延人員数，地域密着型サービスの種類、経営主体別

第32表　１事業所当たり利用延人員数，地域密着型介護予防サービスの種類、経営主体別

第33表　利用者数，地域密着型サービスの種類、経営主体別

第34表　事業所数（認知症対応型共同生活介護－地域密着型通所介護），都道府県－指定都市・中核市（再掲）、苦情解決のための取組状況（複数回答）別

第35表　認知症対応型共同生活介護事業所数，経営主体、ユニット数別

第36表　夜間対応型訪問介護の通報件数，都道府県－指定都市・中核市（再掲）、利用実人員階級別

第37表　小規模多機能型居宅介護事業所の利用者数，経営主体、要介護度、利用サービス別

第38表　介護予防小規模多機能型居宅介護事業所の利用者数，経営主体、要支援度、利用サービス別

第39表　宿泊室数（小規模多機能型居宅介護－複合型サービス（看護小規模多機能型居宅介護）），宿泊費階級、室定員別

第40表　事業所数－軽減者数，都道府県－指定都市・中核市（再掲）、地域密着型サービスの種類、社会福祉法人等による軽減実施の有無別

第41表　事業所数（認知症対応型通所介護－地域密着型特定施設入居者生活介護－地域密着型通所介護），都道府県－指定都市・中核市（再掲）、地域密着型サービスの種類、事業所の形態別

第42表　定期巡回・随時対応型訪問介護看護事業所数，都道府県－指定都市・中核市（再掲）、事業所の種別（複数回答）別

第43表　事業所数（定期巡回・随時対応型訪問介護看護－複合型サービス（看護小規模多機能型居宅介護）），夜勤職員（看護職員－介護職員）の平均夜勤回数階級、経営主体別

第44表　定期巡回・随時対応型訪問介護看護の通報件数，都道府県－指定都市・中核市（再掲）、利用実人員階級別

第45表　定期巡回・随時対応型訪問介護看護の定期的なアセスメント・モニタリングのための訪問回数，都道府県－指定都市・中核市（再掲）、指示書の有無、要介護度別

第46表　定期巡回・随時対応型訪問介護看護の９月中の死亡によるサービスの終了者数，都道府県－指定都市・中核市（再掲）、適用法、加算の有無、死亡者の状況別

第47表　定期巡回・随時対応型訪問介護看護の利用実人員数，適用法、経営主体別

第48表　定期巡回・随時対応型訪問介護看護の訪問回数（定期－随時）－理学療法士・作業療法士・言語聴覚士のみによる訪問回数（再掲），適用法、経営主体別

第49表　定期巡回・随時対応型訪問介護看護事業所数－利用実人員数－訪問回数－１事業所当たり利用実人員数－１事業所当たり訪問回数－利用者１人当たり訪問回数－１事業所当たり常勤換算従事者数－常勤換算従事者１人当たり利用実人員数－常勤換算従事者１人当たり訪問回数，都道府県－指定都市・中核市（再掲）別

第50表　定期巡回・随時対応型訪問介護看護事業所数－利用実人員数－訪問回数－１事業所当たり利用実人員数－１事業所当たり訪問回数－利用者１人当たり訪問回数－１事業所当たり常勤換算従事者数－常勤換算従事者１人当たり利用実人員数－常勤換算従事者１人当たり訪問回数，経営主体別

第51表　複合型サービス（看護小規模多機能型居宅介護）事業所の利用者数，経営主体、要介護度、利用サービス別

第52表　複合型サービス（看護小規模多機能型居宅介護）事業所の訪問看護指示書のある利用者数，経営主体、要介護度別

第53表　複合型サービス（看護小規模多機能型居宅介護）事業所の重症度の高い利用者数，都道府県－指定都市・中核市（再掲）、加算・減算の種類別

第54表　複合型サービス（看護小規模多機能型居宅介護）事業所の９月中の死亡によるサービスの終了者数，都道府県－指定都市・中核市（再掲）、加算の有無、死亡者の状況別

第55表　地域密着型通所介護事業所数，単位別定員、経営主体別

第56表　従事者数，地域密着型サービスの種類、経営主体、職種（常勤（専従－兼務）－非常勤）別

第57表　常勤換算従事者数，地域密着型サービスの種類、経営主体、職種（常勤－非常勤）別

第58表　認定特定行為業務従事者数－計画作成責任者数，都道府県－指定都市・中核市（再掲）、地域密着型サービスの種類別

〈基　本　票〉

第1章　介 護 保 険 施 設

第1表　介護保険施設数－定員（病床数），

都道府県 指定都市 中核市	介護老人福祉施設		介護老人保健施設		介護療養型医療施設	
	施設数	定員	施設数	定員	施設数	病床数
全国	7 891	542 498	4 322	372 679	1 196	53 352
北海道	363	24 424	196	16 666	55	2 658
青森	95	5 489	65	5 373	16	804
岩手	116	6 951	69	6 038	13	315
宮城	152	9 223	89	8 489	9	200
秋田	120	6 843	59	5 238	7	413
山形	104	7 749	47	4 137	7	220
福島	151	10 613	89	7 550	16	490
茨城	240	14 292	132	11 168	20	675
栃木	134	7 335	66	5 667	7	466
群馬	169	9 923	98	6 563	11	485
埼玉	387	31 094	176	17 125	17	1 433
千葉	360	23 166	167	15 384	20	1 219
東京	516	45 534	206	21 272	56	4 866
神奈川	404	34 664	197	20 204	25	1 603
新潟	205	14 847	108	10 298	21	1 546
富山	83	5 352	48	4 490	34	1 717
石川	76	6 069	48	4 184	15	808
福井	70	4 468	35	3 024	17	375
山梨	59	3 511	32	2 819	7	182
長野	160	11 051	97	7 774	35	1 243
岐阜	135	9 794	83	6 833	20	485
静岡	250	17 257	129	13 137	22	1 809
愛知	265	22 892	192	18 305	35	1 931
三重	154	8 957	77	6 780	13	481
滋賀	86	5 500	35	2 944	5	357
京都	158	11 204	76	7 569	26	2 942
大阪	414	31 493	224	20 427	34	1 957
兵庫	337	22 919	176	15 168	33	1 625
奈良	105	6 885	54	4 745	7	681
和歌山	92	5 713	42	3 488	15	518
鳥取	44	2 988	59	3 139	6	278
島根	93	4 823	39	2 977	13	309
岡山	154	9 693	88	6 595	21	604
広島	181	11 082	115	9 132	56	2 417
山口	105	6 547	66	4 953	28	1 625
徳島	66	3 517	52	4 128	36	1 022
香川	88	5 031	53	3 817	24	670
愛媛	106	6 210	69	5 276	26	741
高知	58	4 116	34	2 236	42	1 863
福岡	319	21 234	179	14 840	74	3 410
佐賀	57	3 523	41	2 917	21	819
長崎	117	6 345	65	4 928	43	653
熊本	137	7 398	99	6 619	67	1 873
大分	85	4 837	72	4 587	39	531
宮崎	95	5 578	45	3 355	32	842
鹿児島	164	9 765	90	6 336	38	831
沖縄	62	4 599	44	3 985	12	360

都道府県－指定都市・中核市（再掲）、施設の種類別

平成29年10月１日

都道府県 指定都市 中核市	介護老人福祉施設		介護老人保健施設		介護療養型医療施設	
	施設数	定員	施設数	定員	施設数	病床数
指定都市(再掲)						
札幌市	70	5 751	49	4 415	12	732
仙台市	48	3 312	32	3 080	1	19
さいたま市	62	5 689	29	3 048	2	256
千葉市	52	3 402	25	2 213	-	-
横浜市	148	15 233	87	9 571	8	456
川崎市	57	4 070	21	2 281	4	303
相模原市	42	3 127	13	1 231	7	634
新潟市	63	4 302	42	3 812	5	445
静岡市	42	3 359	25	2 544	2	378
浜松市	59	4 181	29	3 279	8	628
名古屋市	84	7 385	75	6 884	9	480
京都市	67	5 278	43	4 371	18	2 632
大阪市	129	11 736	78	7 297	8	458
堺市	39	2 791	19	1 764	2	131
神戸市	79	5 251	64	5 521	9	446
岡山市	36	2 318	24	2 145	5	76
広島市	59	3 867	32	2 751	19	1 008
北九州市	57	4 607	36	2 940	11	447
福岡市	68	5 267	27	2 627	12	638
熊本市	33	1 844	30	2 197	21	751
中核市(再掲)						
旭川市	20	1 250	11	922	7	335
函館市	18	1 251	9	1 084	5	234
青森市	14	844	15	1 100	3	123
八戸市	9	565	7	730	4	216
盛岡市	20	1 264	9	828	5	222
秋田市	21	1 289	13	1 308	-	-
郡山市	15	1 094	8	754	5	166
いわき市	16	1 270	14	1 289	5	136
宇都宮市	29	1 720	11	1 038	3	318
前橋市	26	1 585	13	1 014	2	13
高崎市	26	1 491	20	1 358	1	14
川越市	13	1 078	7	600	1	61
越谷市	10	869	6	579	-	-
船橋市	26	1 969	14	1 315	-	-
柏市	18	1 314	9	920	-	-
八王子市	25	2 483	9	927	4	702
横須賀市	21	2 140	10	992	-	-
富山市	24	1 685	18	1 783	14	850
金沢市	20	1 802	13	1 429	6	323
長野市	23	1 663	13	1 289	5	289
岐阜市	19	1 619	18	1 435	5	152
豊橋市	8	674	7	736	3	365
豊田市	11	911	8	674	2	63
岡崎市	9	720	7	806	1	107
大津市	15	1 104	8	549	1	27
高槻市	15	1 265	8	742	-	-
東大阪市	25	1 796	13	1 161	3	122
豊中市	14	1 160	10	809	-	-
枚方市	17	1 168	9	973	2	49
姫路市	33	2 038	11	968	5	248
西宮市	18	1 685	9	947	2	44
尼崎市	21	1 484	13	1 154	-	-
奈良市	28	1 652	11	1 098	1	172
和歌山市	21	1 339	13	1 069	5	166
倉敷市	24	1 610	17	1 397	3	221
福山市	23	1 344	15	1 168	9	233
呉市	15	1 122	18	1 262	7	181
下関市	17	1 057	11	807	8	343
高松市	28	1 697	19	1 306	8	181
松山市	24	1 503	15	1 274	8	289
高知市	14	1 086	9	517	16	1 106
久留米市	9	560	8	700	4	219
長崎市	32	1 650	17	1 333	9	152
佐世保市	20	1 190	11	807	9	153
大分市	20	1 133	19	1 130	6	37
宮崎市	23	1 452	13	1 042	11	220
鹿児島市	42	2 394	20	1 414	12	225
那覇市	7	620	6	482	3	30

〈基　本　票〉

第２章　居宅サービス事業所

第1表　居宅サービスの事業所数，都道府県－指定都市

都道府県 指定都市 中核市	訪問介護	訪問入浴介護	訪問看護ステーション	通所介護	通所リハビリテーション	短期入所生活介護
全国	35 311	1 993	10 305	23 597	7 915	11 205
北海道	1 718	57	473	754	245	451
青森	512	47	125	281	86	154
岩手	328	52	104	308	112	192
宮城	508	57	138	441	111	235
秋田	268	35	64	215	54	309
山形	219	30	65	292	88	150
福島	476	49	123	399	140	198
茨城	552	47	151	531	152	314
栃木	392	27	88	437	98	240
群馬	507	30	175	632	118	231
埼玉	1 327	81	384	1 073	276	525
千葉	1 483	112	338	840	270	474
東京	3 370	165	1 047	1 580	393	599
神奈川	2 076	142	655	1 039	264	454
新潟	398	33	132	518	132	383
富山	231	16	63	248	75	130
石川	242	20	98	256	83	109
福井	163	18	78	187	70	110
山梨	180	17	52	195	63	127
長野	517	49	172	428	140	269
岐阜	431	37	195	463	146	222
静岡	717	69	203	883	186	304
愛知	1 679	87	601	1 152	455	417
三重	542	29	143	459	106	228
滋賀	323	24	94	275	59	103
京都	606	49	268	440	154	193
大阪	4 913	106	1 074	1 435	559	539
兵庫	1 877	79	598	925	358	428
奈良	554	27	132	277	86	128
和歌山	547	17	117	268	84	118
鳥取	122	12	57	158	62	54
島根	215	14	71	170	54	107
岡山	478	20	147	432	182	230
広島	747	41	264	578	262	480
山口	383	22	124	347	119	150
徳島	361	13	80	213	100	99
香川	302	15	79	227	111	126
愛媛	463	23	131	351	173	184
高知	222	21	63	159	70	75
福岡	1 527	51	502	1 148	480	403
佐賀	177	11	69	281	90	70
長崎	385	20	102	326	185	197
熊本	631	25	186	451	214	186
大分	445	22	112	355	148	138
宮崎	449	26	112	370	119	115
鹿児島	441	42	151	318	266	189
沖縄	307	7	105	482	117	68

・中核市（再掲）、居宅サービスの種類別（２－１）

平成29年10月１日

都道府県 指定都市 中核市	訪問介護	訪問入浴介護	訪問看護ステーション	通所介護	通所リハビリテーション	短期入所生活介護
指定都市(再掲)						
札幌市	616	9	201	238	59	88
仙台市	236	15	78	122	50	84
さいたま市	248	13	67	168	38	86
千葉市	261	16	62	116	45	62
横浜市	853	56	299	393	112	159
川崎市	319	18	81	144	31	61
相模原市	162	9	44	85	16	42
新潟市	151	7	51	176	52	133
静岡市	164	12	46	250	31	54
浜松市	129	14	40	158	44	74
名古屋市	790	29	276	315	147	126
京都市	393	21	166	253	85	92
大阪市	2 057	38	365	404	210	142
堺市	510	14	120	146	50	53
神戸市	595	16	184	251	100	106
岡山市	204	6	71	156	66	71
広島市	343	15	128	219	94	146
北九州市	331	12	95	251	76	70
福岡市	405	12	151	236	124	93
熊本市	249	5	72	142	68	44
中核市(再掲)						
旭川市	208	4	33	52	18	23
函館市	90	6	22	55	12	33
青森市	122	6	22	39	20	21
八戸市	73	5	29	40	15	16
盛岡市	106	5	40	72	34	36
秋田市	83	2	21	52	13	74
郡山市	57	7	26	62	22	31
いわき市	130	6	15	95	29	27
宇都宮市	104	5	25	90	16	40
前橋市	95	5	37	117	20	31
高崎市	83	4	33	108	23	53
川越市	68	5	21	47	15	20
越谷市	45	4	16	37	15	16
船橋市	133	6	29	64	21	33
柏市	97	5	23	53	13	24
八王子市	135	7	24	75	14	29
横須賀市	103	9	32	56	13	24
富山市	113	5	28	107	30	52
金沢市	125	3	47	103	30	41
長野市	91	8	28	86	23	48
岐阜市	132	7	62	102	32	35
豊橋市	49	3	19	54	24	18
豊田市	52	4	19	54	51	18
岡崎市	52	4	24	64	24	18
大津市	104	4	24	55	15	23
高槻市	90	3	27	51	16	13
東大阪市	313	7	54	86	35	34
豊中市	188	6	50	62	25	21
枚方市	175	4	39	59	25	21
姫路市	154	5	63	102	30	42
西宮市	172	6	49	51	22	25
尼崎市	299	7	61	87	35	26
奈良市	158	3	40	84	19	34
和歌山市	257	5	51	105	37	31
倉敷市	100	6	31	91	46	45
福山市	92	5	32	100	49	78
呉市	71	6	16	37	26	42
下関市	75	5	25	62	27	30
高松市	145	5	43	101	39	55
松山市	182	6	59	119	67	59
高知市	101	2	34	72	27	20
久留米市	79	5	36	61	33	30
長崎市	145	4	43	87	56	67
佐世保市	47	5	11	36	28	31
大分市	154	9	43	142	55	33
宮崎市	171	5	45	111	35	29
鹿児島市	146	14	62	99	81	44
那覇市	46	2	21	95	27	8

第１表　居宅サービスの事業所数，都道府県－指定都市

都道府県 指定都市 中核市	短期入所療養介護	特定施設入居者生活介護	福祉用具貸与	特定福祉用具販売	居宅介護支援
全国	5 359	5 010	8 012	8 072	41 273
北海道	237	281	335	346	1 636
青森	80	16	116	113	541
岩手	82	29	86	87	450
宮城	98	63	137	135	670
秋田	60	56	88	95	411
山形	51	39	97	97	379
福島	101	51	162	169	650
茨城	143	62	137	135	891
栃木	69	65	121	118	595
群馬	105	65	114	108	763
埼玉	194	441	341	338	1 893
千葉	180	202	302	301	1 937
東京	238	680	713	720	3 863
神奈川	214	505	378	394	2 463
新潟	120	68	142	158	739
富山	79	6	79	74	336
石川	62	38	73	75	340
福井	49	32	42	40	274
山梨	42	9	52	54	353
長野	133	80	133	135	681
岐阜	91	35	139	139	636
静岡	151	127	230	228	1 176
愛知	213	221	434	436	1 835
三重	88	58	145	141	636
滋賀	37	13	64	63	449
京都	97	61	104	103	769
大阪	253	327	875	872	3 787
兵庫	211	222	383	381	1 835
奈良	64	61	136	148	584
和歌山	56	26	104	105	530
鳥取	55	18	42	44	177
島根	45	45	85	84	293
岡山	101	113	87	90	648
広島	174	119	162	165	896
山口	87	48	103	104	524
徳島	95	5	86	95	342
香川	79	44	86	86	365
愛媛	93	82	106	107	536
高知	70	25	35	34	275
福岡	253	225	315	313	1 616
佐賀	69	31	43	42	266
長崎	105	74	112	112	532
熊本	172	51	136	135	728
大分	112	42	88	88	450
宮崎	69	67	73	73	451
鹿児島	131	56	106	107	607
沖縄	51	26	85	85	465

・中核市（再掲）、居宅サービスの種類別（２－２）

平成29年10月１日

都道府県 指定都市 中核市	短期入所療養介護	特定施設入居者生活介護	福祉用具貸与	特定福祉用具販売	居宅介護支援
指定都市(再掲)					
札幌市	59	80	91	95	481
仙台市	32	43	62	61	263
さいたま市	30	139	65	63	361
千葉市	25	55	57	57	332
横浜市	91	166	162	171	997
川崎市	24	109	43	45	382
相模原市	17	36	38	40	207
新潟市	43	15	47	52	277
静岡市	26	27	56	56	279
浜松市	39	20	43	42	227
名古屋市	78	101	176	183	695
京都市	58	41	58	55	447
大阪市	83	130	345	339	1 426
堺市	21	20	109	109	373
神戸市	71	97	115	109	494
岡山市	27	48	33	33	242
広島市	57	48	56	53	350
北九州市	47	50	70	70	359
福岡市	40	60	91	91	434
熊本市	57	33	55	54	242
中核市(再掲)					
旭川市	16	27	35	36	132
函館市	10	14	25	25	111
青森市	18	2	29	28	120
八戸市	11	3	26	26	83
盛岡市	13	12	18	19	122
秋田市	13	26	30	31	125
郡山市	13	9	32	32	90
いわき市	17	14	31	33	167
宇都宮市	10	15	34	33	133
前橋市	15	10	20	19	123
高崎市	21	11	19	19	136
川越市	10	8	21	21	90
越谷市	6	24	12	12	66
船橋市	14	14	29	28	177
柏市	9	10	23	24	119
八王子市	13	24	38	37	148
横須賀市	9	19	15	15	138
富山市	27	5	40	36	136
金沢市	16	16	39	38	142
長野市	17	10	26	29	132
岐阜市	19	4	39	41	153
豊橋市	9	7	18	18	72
豊田市	10	6	12	13	72
岡崎市	7	11	22	23	85
大津市	9	6	16	16	129
高槻市	9	12	15	15	79
東大阪市	14	12	47	44	250
豊中市	10	18	34	37	153
枚方市	11	20	31	31	146
姫路市	15	9	36	39	159
西宮市	10	19	29	31	138
尼崎市	13	9	38	35	226
奈良市	12	16	27	29	146
和歌山市	19	14	66	66	230
倉敷市	18	31	23	25	116
福山市	24	20	34	35	139
呉市	22	8	12	14	69
下関市	19	5	24	27	102
高松市	27	21	53	51	166
松山市	23	49	38	37	201
高知市	21	12	24	24	124
久留米市	12	13	26	25	106
長崎市	26	14	38	37	174
佐世保市	21	30	23	24	74
大分市	31	10	29	31	136
宮崎市	21	26	27	28	129
鹿児島市	35	15	39	40	188
那覇市	8	6	20	19	75

第2表　介護予防サービスの事業所数，都道府県－指定都市

都道府県 指定都市 中核市	介護予防訪問介護	介護予防訪問入浴介護	介護予防訪問看護ステーション	介護予防通所介護	介護予防通所リハビリテーション	介護予防短期入所生活介護
全国	34 160	1 865	10 133	40 870	7 837	10 729
北海道	1 685	55	462	1 565	245	437
青森	502	46	123	418	85	148
岩手	317	48	92	478	113	182
宮城	475	56	137	771	108	218
秋田	249	34	63	363	52	300
山形	212	30	64	377	85	148
福島	463	48	122	632	141	193
茨城	533	45	149	890	151	309
栃木	376	26	88	702	95	238
群馬	499	25	169	906	118	223
埼玉	1 282	79	383	1 784	279	496
千葉	1 408	112	326	1 689	264	437
東京	3 270	164	1 032	3 021	384	574
神奈川	1 934	134	647	2 122	252	430
新潟	392	32	132	693	130	378
富山	225	16	63	430	74	128
石川	233	18	97	385	84	108
福井	160	17	75	257	71	102
山梨	176	12	52	420	58	114
長野	488	40	168	851	139	243
岐阜	401	33	187	694	144	204
静岡	689	66	199	1 324	185	297
愛知	1 596	85	582	2 058	448	409
三重	536	27	138	817	104	213
滋賀	313	23	93	493	59	92
京都	586	47	265	626	150	183
大阪	4 837	104	1 060	2 920	560	503
兵庫	1 840	71	589	1 800	356	417
奈良	539	27	131	490	88	126
和歌山	541	16	117	489	83	115
鳥取	120	11	56	249	59	52
島根	210	11	71	319	52	103
岡山	472	20	147	736	181	224
広島	731	38	264	930	258	438
山口	368	21	122	652	119	149
徳島	367	12	79	308	100	96
香川	267	10	77	372	110	117
愛媛	447	22	128	554	169	176
高知	216	9	63	320	69	75
福岡	1 506	51	501	1 926	480	396
佐賀	175	8	69	453	90	70
長崎	376	16	102	567	184	192
熊本	604	23	181	721	212	182
大分	421	22	109	429	148	137
宮崎	401	17	109	589	119	107
鹿児島	431	34	148	658	266	183
沖縄	291	4	102	622	116	67

・中核市（再掲）、介護予防サービスの種類別（２－１）

平成29年10月１日

都道府県 指定都市 中核市	介護予防 訪問介護	介護予防 訪問入浴介護	介護予防 訪問看護 ステーション	介護予防 通所介護	介護予防 通所リハビリ テーション	介護予防短期 入所生活介護
指定都市(再掲)						
札幌市	597	8	198	524	58	84
仙台市	213	15	78	253	49	80
さいたま市	240	12	67	272	37	80
千葉市	251	16	60	242	45	55
横浜市	806	54	294	769	105	147
川崎市	293	17	79	295	29	54
相模原市	151	8	44	192	16	41
新潟市	150	7	51	261	51	132
静岡市	153	12	44	264	31	52
浜松市	126	13	40	258	44	73
名古屋市	738	29	268	670	143	125
京都市	375	21	164	375	83	89
大阪市	2 024	38	357	926	210	127
堺市	504	14	120	291	50	49
神戸市	582	15	183	465	100	102
岡山市	205	6	71	279	66	70
広島市	334	14	129	363	94	136
北九州市	328	11	94	457	76	68
福岡市	400	12	151	458	125	92
熊本市	239	5	69	253	68	44
中核市(再掲)						
旭川市	207	4	32	110	18	23
函館市	89	6	22	94	11	31
青森市	116	6	22	81	20	20
八戸市	71	6	28	60	15	16
盛岡市	97	4	32	120	34	33
秋田市	75	2	21	93	11	70
郡山市	56	7	26	101	22	31
いわき市	128	5	15	164	30	27
宇都宮市	96	5	25	143	15	38
前橋市	93	4	36	170	20	32
高崎市	82	4	33	159	23	51
川越市	67	5	21	78	15	19
越谷市	44	4	16	67	16	14
船橋市	127	6	28	134	21	32
柏市	88	6	22	104	13	22
八王子市	123	7	24	152	13	26
横須賀市	91	9	32	106	13	24
富山市	111	5	28	193	30	52
金沢市	119	3	46	182	30	40
長野市	85	7	26	166	23	46
岐阜市	121	7	58	165	31	33
豊橋市	48	3	18	113	24	18
豊田市	50	4	19	94	51	17
岡崎市	50	4	23	112	24	18
大津市	103	4	24	127	15	22
高槻市	89	3	27	95	16	13
東大阪市	310	7	54	187	35	33
豊中市	183	6	50	108	25	19
枚方市	173	4	39	128	25	20
姫路市	153	5	62	199	30	42
西宮市	172	6	48	121	22	22
尼崎市	288	6	60	175	35	26
奈良市	147	3	40	141	19	34
和歌山市	253	5	51	210	36	31
倉敷市	98	6	31	147	45	43
福山市	89	5	31	179	48	72
呉市	71	6	16	51	26	39
下関市	73	5	25	150	28	30
高松市	123	3	42	173	38	47
松山市	172	6	58	178	66	57
高知市	98	2	34	160	26	20
久留米市	77	5	36	103	33	29
長崎市	142	4	43	181	56	66
佐世保市	44	3	11	70	28	30
大分市	146	9	40	161	54	33
宮崎市	146	4	42	187	35	29
鹿児島市	141	14	61	247	81	43
那覇市	42	2	20	118	27	8

第2表　介護予防サービスの事業所数，都道府県－指定都市

都道府県 指定都市 中核市	介護予防 短期入所療養介護	介護予防特定施設 入居者生活介護	介護予防福祉 用具貸与	特定介護予防 福祉用具販売	介護予防支援
全国	5 223	4 657	7 948	8 043	5 020
北海道	233	276	332	343	279
青森	78	14	115	113	58
岩手	79	23	86	87	53
宮城	93	61	135	135	125
秋田	60	50	88	95	59
山形	48	39	96	97	69
福島	100	46	161	167	123
茨城	142	54	135	133	69
栃木	69	65	121	118	94
群馬	105	62	112	108	103
埼玉	192	438	337	336	288
千葉	174	190	293	299	188
東京	232	601	711	720	414
神奈川	209	426	371	388	358
新潟	120	68	142	158	121
富山	79	4	78	74	61
石川	62	32	75	75	58
福井	44	25	41	40	37
山梨	40	8	52	54	35
長野	120	68	134	136	126
岐阜	86	33	136	139	86
静岡	150	120	228	228	149
愛知	213	206	426	434	219
三重	86	51	145	141	54
滋賀	35	13	64	63	49
京都	92	40	102	103	125
大阪	239	315	871	870	261
兵庫	209	219	379	378	209
奈良	64	61	136	147	64
和歌山	54	26	104	105	50
鳥取	53	18	42	44	35
島根	43	44	85	84	28
岡山	99	112	87	90	61
広島	164	117	161	165	100
山口	86	47	103	104	59
徳島	93	5	85	94	37
香川	77	31	86	86	18
愛媛	89	82	105	106	34
高知	66	21	34	34	35
福岡	252	217	315	313	185
佐賀	69	31	43	42	40
長崎	102	73	113	112	53
熊本	169	48	135	134	85
大分	111	40	86	88	60
宮崎	68	64	72	72	69
鹿児島	128	54	107	107	66
沖縄	47	19	83	84	71

・中核市（再掲）、介護予防サービスの種類別（２－２）

平成29年10月１日

都道府県 指定都市 中核市	介護予防 短期入所療養介護	介護予防特定施設 入居者生活介護	介護予防福祉 用具貸与	特定介護予防 福祉用具販売	介護予防支援
指定都市(再掲)					
札幌市	59	79	87	92	27
仙台市	31	43	61	61	50
さいたま市	30	139	64	63	27
千葉市	24	47	56	59	24
横浜市	87	121	158	168	138
川崎市	24	94	42	44	49
相模原市	17	32	38	40	29
新潟市	43	15	47	52	27
静岡市	26	27	56	56	26
浜松市	39	18	42	42	22
名古屋市	78	92	176	183	29
京都市	54	20	56	55	60
大阪市	80	130	342	337	67
堺市	20	20	109	109	21
神戸市	70	97	114	109	76
岡山市	27	48	33	33	6
広島市	53	47	56	53	41
北九州市	47	50	70	70	31
福岡市	40	60	91	91	57
熊本市	56	32	55	54	27
中核市(再掲)					
旭川市	15	27	35	36	11
函館市	10	14	25	25	10
青森市	18	2	29	28	11
八戸市	11	2	26	26	1
盛岡市	13	10	18	19	9
秋田市	13	23	30	31	18
郡山市	13	4	32	32	17
いわき市	17	14	31	33	7
宇都宮市	10	15	34	33	25
前橋市	15	9	20	19	11
高崎市	21	10	19	19	29
川越市	10	8	21	21	9
越谷市	6	24	12	12	11
船橋市	14	13	29	28	10
柏市	9	10	23	23	9
八王子市	12	22	38	37	17
横須賀市	9	17	15	15	12
富山市	27	3	39	36	32
金沢市	16	10	39	38	19
長野市	15	9	28	30	18
岐阜市	18	4	39	41	18
豊橋市	9	7	18	18	18
豊田市	10	6	12	13	27
岡崎市	7	10	22	23	21
大津市	8	6	16	16	8
高槻市	9	12	15	15	12
東大阪市	13	10	47	44	22
豊中市	10	17	34	37	8
枚方市	10	19	31	31	13
姫路市	14	9	36	39	23
西宮市	10	19	29	31	15
尼崎市	13	7	36	35	12
奈良市	12	16	27	29	13
和歌山市	19	14	66	66	15
倉敷市	18	31	23	25	25
福山市	24	20	34	35	15
呉市	20	8	11	14	8
下関市	19	5	24	27	12
高松市	25	18	53	51	1
松山市	23	49	38	37	10
高知市	18	11	24	24	5
久留米市	12	12	26	25	5
長崎市	26	14	38	37	20
佐世保市	21	30	24	24	9
大分市	30	10	29	31	23
宮崎市	21	25	27	28	19
鹿児島市	34	14	40	40	18
那覇市	6	5	20	18	12

〈基　本　票〉

第３章　地域密着型サービス

第１表　地域密着型介護老人福祉施設数－定員,

地域密着型介護老人福祉施設

都道府県 指定都市 中核市	施設数	定員
全国	2 158	55 619
北海道	111	2 648
青森	44	1 125
岩手	55	1 445
宮城	54	1 256
秋田	29	776
山形	52	1 418
福島	31	826
茨城	40	1 024
栃木	79	2 040
群馬	45	1 046
埼玉	43	1 122
千葉	69	1 765
東京	30	725
神奈川	26	707
新潟	99	2 648
富山	27	632
石川	39	1 055
福井	36	884
山梨	45	1 255
長野	61	1 654
岐阜	40	1 066
静岡	43	1 162
愛知	115	3 281
三重	43	1 003
滋賀	29	756
京都	42	1 075
大阪	109	3 083
兵庫	86	2 195
奈良	7	174
和歌山	22	602
鳥取	9	204
島根	23	549
岡山	68	1 788
広島	63	1 546
山口	54	1 365
徳島	10	214
香川	11	295
愛媛	41	1 143
高知	7	183
福岡	82	2 140
佐賀	6	116
長崎	35	916
熊本	86	2 101
大分	46	997
宮崎	11	280
鹿児島	45	1 076
沖縄	10	258

都道府県－指定都市・中核市（再掲）別

平成29年10月１日

都道府県 指定都市 中核市	施設数	定員
指定都市(再掲)		
札幌市	12	339
仙台市	13	348
さいたま市	3	87
千葉市	3	87
横浜市	2	55
川崎市	9	250
相模原市	1	29
新潟市	28	753
静岡市	4	96
浜松市	15	435
名古屋市	29	805
京都市	24	619
大阪市	7	200
堺市	11	298
神戸市	24	620
岡山市	26	754
広島市	6	108
北九州市	20	554
福岡市	19	497
熊本市	16	402
中核市(再掲)		
旭川市	4	98
函館市	4	107
青森市	5	130
八戸市	6	116
盛岡市	4	107
秋田市	3	87
郡山市	6	142
いわき市	10	281
宇都宮市	10	271
前橋市	6	110
高崎市	16	403
川越市	1	20
越谷市	5	118
船橋市	3	78
柏市	6	163
八王子市	2	58
横須賀市	-	-
富山市	15	339
金沢市	19	545
長野市	19	522
岐阜市	3	87
豊橋市	10	290
豊田市	11	319
岡崎市	12	348
大津市	2	58
高槻市	7	203
東大阪市	4	105
豊中市	8	232
枚方市	4	116
姫路市	14	332
西宮市	2	49
尼崎市	3	73
奈良市	-	-
和歌山市	10	290
倉敷市	11	294
福山市	20	503
呉市	4	107
下関市	17	466
高松市	-	-
松山市	16	428
高知市	2	47
久留米市	17	450
長崎市	16	426
佐世保市	5	126
大分市	13	295
宮崎市	1	22
鹿児島市	7	156
那覇市	1	29

第２表　地域密着型サービスの事業所数，都道府県－指定都市

都道府県 指定都市 中核市	定期巡回・随時対応型訪問介護看護	夜間対応型訪問介護	地域密着型通所介護	認知症対応型通所介護	小規模多機能型居宅介護	認知症対応型共同生活介護	地域密着型特定施設入居者生活介護	複合型サービス（看護小規模多機能型居宅介護）
全国	861	217	20 492	4 146	5 342	13 346	320	390
北海道	82	12	895	201	333	969	28	35
青森	4	－	153	57	36	321	4	4
岩手	6	2	208	42	78	198	7	1
宮城	15	1	412	66	64	267	2	9
秋田	7	－	162	38	69	200	14	5
山形	8	2	113	67	118	139	－	4
福島	20	2	279	102	118	233	7	6
茨城	7	1	477	47	81	278	2	6
栃木	4	－	308	45	92	173	－	3
群馬	10	1	333	80	116	254	4	8
埼玉	49	11	920	114	123	510	10	9
千葉	39	13	1 064	92	128	460	13	8
東京	84	35	1 927	427	204	588	8	25
神奈川	67	49	1 312	277	284	701	13	32
新潟	15	2	188	109	186	247	6	8
富山	10	2	204	65	77	162	－	4
石川	6	2	146	43	80	180	1	1
福井	9	1	80	61	83	89	－	12
山梨	6	－	259	27	24	70	5	3
長野	13	1	460	105	88	222	17	2
岐阜	11	2	291	63	78	280	5	5
静岡	17	1	537	156	153	383	17	15
愛知	30	3	1 013	168	187	527	15	10
三重	8	2	405	53	58	196	4	4
滋賀	6	－	287	74	69	138	1	6
京都	16	12	211	82	163	216	15	8
大阪	54	16	1 615	247	225	650	13	29
兵庫	40	3	957	162	234	401	7	16
奈良	24	－	239	40	42	135	－	3
和歌山	4	1	242	31	47	124	8	5
鳥取	9	1	107	30	55	90	4	2
島根	3	1	165	50	79	140	2	4
岡山	10	1	339	57	164	319	7	4
広島	36	6	379	82	209	351	1	15
山口	14	3	359	71	81	191	4	2
徳島	－	－	115	25	33	136	－	3
香川	7	2	174	42	43	107	4	4
愛媛	9	4	253	54	117	310	－	7
高知	6	－	183	29	33	153	8	3
福岡	40	6	888	125	272	668	19	16
佐賀	3	1	201	57	51	185	3	7
長崎	18	5	255	96	122	334	－	9
熊本	7	1	353	88	146	245	13	8
大分	7	5	144	58	41	134	8	9
宮崎	5	1	275	30	59	183	－	4
鹿児島	15	1	385	72	130	385	16	5
沖縄	1	2	220	39	69	104	5	2

・中核市（再掲）、地域密着型サービスの種類別

平成29年10月１日

都道府県 指定都市 中核市	定期巡回・随時対応型訪問介護看護	夜間対応型訪問介護	地域密着型通所介護	認知症対応型通所介護	小規模多機能型居宅介護	認知症対応型共同生活介護	地域密着型特定施設入居者生活介護	複合型サービス（看護小規模多機能型居宅介護）
指定都市（再掲）								
札幌市	53	4	317	69	139	252	1	20
仙台市	10	1	166	26	36	100	−	6
さいたま市	8	1	136	12	14	52	1	1
千葉市	10	−	160	12	18	99	2	−
横浜市	38	35	471	135	124	289	1	11
川崎市	12	9	184	55	44	116	−	8
相模原市	2	1	125	15	24	62	−	1
新潟市	3	1	87	27	59	55	1	4
静岡市	6	1	15	33	32	113	6	8
浜松市	6	−	116	36	28	65	7	1
名古屋市	11	3	405	47	80	195	4	4
京都市	7	11	140	28	92	116	11	5
大阪市	16	6	557	76	81	212	6	9
堺市	3	1	161	17	19	68	−	6
神戸市	11	1	230	31	49	117	−	5
岡山市	8	1	133	19	66	113	−	1
広島市	13	4	148	24	35	147	−	4
北九州市	9	1	217	37	50	145	−	1
福岡市	10	1	263	17	47	129	2	2
熊本市	1	1	133	36	54	67	2	6
中核市（再掲）								
旭川市	2	1	60	14	16	83	−	−
函館市	12	2	39	6	21	47	13	4
青森市	1	−	44	6	3	57	1	1
八戸市	2	−	25	8	9	30	1	2
盛岡市	2	−	69	9	8	28	−	−
秋田市	3	−	51	4	25	29	−	1
郡山市	4	−	47	8	34	48	1	−
いわき市	−	−	82	22	26	41	2	1
宇都宮市	3	−	72	10	17	23	−	−
前橋市	1	−	60	7	17	35	−	−
高崎市	5	−	63	23	25	55	−	4
川越市	1	−	42	7	5	19	2	1
越谷市	2	−	40	8	6	18	−	−
船橋市	6	1	83	7	8	48	3	−
柏市	4	2	67	3	10	26	−	−
八王子市	3	2	97	17	16	22	−	1
横須賀市	1	−	59	19	7	46	−	−
富山市	5	1	93	21	26	41	−	4
金沢市	1	1	85	6	24	51	−	1
長野市	3	−	94	12	7	42	9	1
岐阜市	4	1	68	11	17	54	2	−
豊橋市	4	−	62	12	3	24	−	3
豊田市	−	−	45	12	2	28	−	−
岡崎市	2	−	50	10	3	20	3	−
大津市	−	−	88	12	13	35	−	1
高槻市	1	1	51	9	9	27	3	1
東大阪市	5	1	108	21	5	42	−	−
豊中市	3	1	51	9	21	31	−	1
枚方市	2	1	76	10	6	32	−	−
姫路市	4	−	107	3	23	30	−	−
西宮市	3	−	81	10	4	20	−	−
尼崎市	3	−	97	13	13	25	2	2
奈良市	13	−	70	12	10	35	−	2
和歌山市	3	1	114	15	22	55	2	4
倉敷市	2	−	63	14	31	75	2	2
福山市	6	2	85	18	85	72	−	5
呉市	1	−	16	8	9	26	−	−
下関市	6	1	97	11	14	30	−	−
高松市	2	1	89	19	14	46	1	2
松山市	1	1	83	18	54	120	−	4
高知市	4	−	98	15	16	46	5	3
久留米市	7	−	45	14	41	50	−	10
長崎市	10	2	96	22	31	69	−	4
佐世保市	4	1	34	27	54	63	−	1
大分市	−	1	43	16	9	38	−	5
宮崎市	2	1	87	13	28	61	−	1
鹿児島市	10	1	165	29	32	118	3	3
那覇市	−	1	31	5	17	25	2	−

第3表　地域密着型介護予防サービスの事業所数，都道府県－指定都市

都道府県 指定都市 中核市	介護予防 認知症対応型通所介護	介護予防小規模 多機能型居宅介護	介護予防認知症対応型 共同生活介護
全国	3 849	4 842	12 952
北海道	179	291	961
青森	55	30	318
岩手	41	69	185
宮城	66	61	267
秋田	38	66	196
山形	63	108	137
福島	95	102	224
茨城	45	82	272
栃木	44	91	167
群馬	79	100	247
埼玉	111	120	492
千葉	84	117	439
東京	404	194	574
神奈川	230	207	638
新潟	106	181	245
富山	60	73	158
石川	41	75	179
福井	58	81	83
山梨	26	24	67
長野	94	76	192
岐阜	57	77	277
静岡	138	121	368
愛知	157	168	522
三重	48	55	190
滋賀	71	63	128
京都	73	131	196
大阪	227	200	638
兵庫	153	222	398
奈良	40	39	134
和歌山	31	46	121
鳥取	26	50	82
島根	38	66	130
岡山	53	152	314
広島	75	203	342
山口	69	75	181
徳島	25	32	135
香川	39	39	105
愛媛	49	94	306
高知	28	28	150
福岡	114	257	667
佐賀	53	47	185
長崎	94	122	330
熊本	86	137	238
大分	57	40	132
宮崎	26	49	181
鹿児島	68	122	374
沖縄	35	59	87

・中核市（再掲）、地域密着型介護予防サービスの種類別

平成29年10月１日

都道府県 指定都市 中核市	介護予防 認知症対応型通所介護	介護予防小規模 多機能型居宅介護	介護予防認知症対応型 共同生活介護
指定都市(再掲)			
札幌市	54	106	251
仙台市	25	33	100
さいたま市	11	14	53
千葉市	11	15	98
横浜市	89	76	257
川崎市	51	38	103
相模原市	14	21	60
新潟市	27	58	55
静岡市	31	23	109
浜松市	29	22	64
名古屋市	44	74	195
京都市	25	73	110
大阪市	68	73	212
堺市	17	13	66
神戸市	30	45	116
岡山市	15	62	112
広島市	23	34	143
北九州市	30	48	145
福岡市	15	42	129
熊本市	36	50	64
中核市(再掲)			
旭川市	12	16	83
函館市	5	21	47
青森市	6	1	57
八戸市	8	8	30
盛岡市	9	6	27
秋田市	4	23	28
郡山市	8	30	44
いわき市	19	23	40
宇都宮市	8	17	23
前橋市	7	16	35
高崎市	22	12	53
川越市	5	4	19
越谷市	8	6	18
船橋市	4	6	48
柏市	2	10	24
八王子市	17	16	22
横須賀市	16	7	46
富山市	20	26	41
金沢市	6	22	51
長野市	11	6	36
岐阜市	11	17	54
豊橋市	10	3	24
豊田市	11	2	28
岡崎市	11	3	20
大津市	12	12	32
高槻市	9	9	27
東大阪市	18	5	42
豊中市	6	18	30
枚方市	8	5	32
姫路市	3	23	30
西宮市	9	4	20
尼崎市	12	12	25
奈良市	11	7	35
和歌山市	15	22	53
倉敷市	14	30	74
福山市	15	85	71
呉市	8	9	25
下関市	11	14	30
高松市	18	13	46
松山市	15	42	120
高知市	14	12	44
久留米市	12	39	50
長崎市	21	31	69
佐世保市	26	54	60
大分市	14	8	37
宮崎市	11	23	60
鹿児島市	26	29	114
那覇市	4	9	14

〈詳　細　票〉

第1章　介護保険施設

介護老人福祉施設

都道府県 指定都市 中核市	施設数	定員	９月末日の状況			常勤換算従事者数
			在所者数	利用率(%)	平均要介護度	
全国	7 299	502 678	485 795	96.6	3.94	327 105
北海道	345	23 075	22 144	96.0	3.82	15 314
青森	89	5 193	5 054	97.3	4.14	3 703
岩手	110	6 608	6 433	97.4	4.10	4 893
宮城	144	8 679	8 358	96.3	3.97	5 873
秋田	117	6 687	6 571	98.3	4.09	4 537
山形	100	7 499	7 375	98.3	4.02	4 631
福島	140	9 823	9 365	95.3	4.02	6 354
茨城	218	12 982	12 584	96.9	3.91	8 636
栃木	124	6 827	6 639	97.2	4.02	4 488
群馬	156	9 143	8 740	95.6	4.02	5 941
埼玉	365	29 253	27 411	93.7	3.80	17 622
千葉	326	20 980	20 383	97.2	3.85	13 815
東京	479	42 269	40 602	96.1	3.98	26 467
神奈川	364	31 637	30 523	96.5	3.89	19 854
新潟	197	14 371	14 104	98.1	4.08	9 143
富山	79	5 112	4 992	97.7	4.04	3 532
石川	73	5 889	5 675	96.4	3.84	3 648
福井	66	4 204	4 119	98.0	4.00	2 751
山梨	50	3 000	2 923	97.4	3.95	1 948
長野	145	10 058	9 859	98.0	3.98	6 222
岐阜	127	9 166	8 863	96.7	3.90	5 852
静岡	225	15 702	15 058	95.9	3.73	9 899
愛知	246	21 218	20 446	96.4	3.78	13 023
三重	151	8 827	8 500	96.3	3.97	5 686
滋賀	83	5 336	5 145	96.4	3.84	3 611
京都	149	10 612	10 341	97.4	3.94	6 983
大阪	368	28 111	27 117	96.5	3.99	17 715
兵庫	315	21 443	20 890	97.4	3.91	13 920
奈良	94	6 192	5 827	94.1	3.79	4 016
和歌山	85	5 123	4 911	95.9	3.95	3 468
鳥取	37	2 492	2 475	99.3	4.17	1 879
島根	83	4 308	4 222	98.0	4.07	3 270
岡山	140	8 899	8 704	97.8	4.00	6 007
広島	166	10 173	9 852	96.8	3.99	6 824
山口	93	5 795	5 621	97.0	4.03	3 952
徳島	64	3 417	3 324	97.3	3.98	2 290
香川	84	4 851	4 775	98.4	3.81	3 218
愛媛	92	5 413	5 309	98.1	4.15	3 643
高知	53	3 716	3 661	98.5	4.19	2 534
福岡	295	19 674	18 910	96.1	3.77	12 493
佐賀	47	2 971	2 944	99.1	3.86	2 147
長崎	114	6 165	5 983	97.0	3.96	4 150
熊本	130	6 986	6 891	98.6	4.09	4 972
大分	76	4 325	4 239	98.0	4.09	3 092
宮崎	87	5 089	4 968	97.6	4.04	3 676
鹿児島	151	9 116	8 754	96.0	4.17	6 495
沖縄	57	4 269	4 211	98.6	4.03	2 918

注：調査方法の変更等による回収率変動の影響を受けているため、数量を示す施設数等の実数は前年以前と単純に年次比較できない。

要介護度）－常勤換算従事者数，都道府県－指定都市・中核市（再掲）別（３－１）

平成29年10月１日

都道府県 指定都市 中核市	施設数	定員	9月末日の状況			常勤換算従事者数
			在所者数	利用率(%)	平均要介護度	
指定都市(再掲)						
札幌市	64	5 254	4 998	95.1	3.87	3 528
仙台市	48	3 312	3 181	96.0	3.94	2 220
さいたま市	56	5 163	4 766	92.3	3.71	2 876
千葉市	44	2 932	2 807	95.7	3.86	1 843
横浜市	142	14 571	14 141	97.0	3.90	9 052
川崎市	52	3 722	3 519	94.5	3.83	2 076
相模原市	36	2 765	2 649	95.8	3.87	1 908
新潟市	61	4 212	4 149	98.5	4.08	2 593
静岡市	39	3 119	2 988	95.8	3.82	1 949
浜松市	50	3 696	3 334	90.2	3.62	2 233
名古屋市	77	6 701	6 357	94.9	3.69	3 902
京都市	59	4 716	4 621	98.0	3.95	3 058
大阪市	119	10 802	10 332	95.6	3.95	6 522
堺市	33	2 401	2 331	97.1	4.08	1 589
神戸市	69	4 622	4 404	95.3	3.96	2 953
岡山市	35	2 238	2 205	98.5	4.07	1 539
広島市	54	3 574	3 435	96.1	3.86	2 426
北九州市	56	4 557	4 411	96.8	3.77	2 769
福岡市	62	4 767	4 557	95.6	3.68	3 028
熊本市	29	1 612	1 599	99.2	4.13	1 057
中核市(再掲)						
旭川市	20	1 250	1 203	96.2	3.83	842
函館市	16	1 051	1 020	97.1	3.95	713
青森市	13	794	777	97.9	4.20	652
八戸市	8	515	514	99.8	4.23	371
盛岡市	18	1 174	1 141	97.2	4.09	916
秋田市	20	1 239	1 223	98.7	4.06	789
郡山市	15	1 094	1 062	97.1	3.92	744
いわき市	15	1 190	1 150	96.6	4.09	764
宇都宮市	28	1 664	1 592	95.7	4.02	1 114
前橋市	24	1 435	1 397	97.4	4.07	916
高崎市	26	1 491	1 385	92.9	3.99	978
川越市	12	978	934	95.5	3.78	588
越谷市	9	749	729	97.3	3.61	441
船橋市	23	1 741	1 666	95.7	3.88	1 146
柏市	17	1 264	1 233	97.5	3.75	807
八王子市	23	2 378	2 295	96.5	3.91	1 410
横須賀市	20	2 051	1 964	95.8	3.98	1 277
富山市	23	1 605	1 557	97.0	3.96	1 109
金沢市	19	1 752	1 666	95.1	3.79	999
長野市	20	1 385	1 358	98.1	4.02	841
岐阜市	17	1 439	1 383	96.1	3.96	866
豊橋市	8	674	675	100.1	3.95	422
豊田市	10	811	803	99.0	4.01	487
岡崎市	9	720	684	95.0	3.87	449
大津市	15	1 104	1 085	98.3	3.86	797
高槻市	12	1 020	993	97.4	3.84	660
東大阪市	18	1 329	1 309	98.5	4.04	804
豊中市	13	1 115	1 087	97.5	3.82	706
枚方市	15	1 028	1 016	98.8	3.96	691
姫路市	31	1 918	1 882	98.1	4.02	1 314
西宮市	14	1 387	1 299	93.7	3.80	802
尼崎市	19	1 369	1 354	98.9	3.90	864
奈良市	22	1 302	1 240	95.2	3.85	867
和歌山市	20	1 204	1 167	96.9	4.02	759
倉敷市	21	1 456	1 438	98.8	4.07	985
福山市	22	1 294	1 228	94.9	4.14	839
呉市	13	962	925	96.2	3.91	651
下関市	17	1 057	1 029	97.4	4.10	776
高松市	26	1 607	1 587	98.8	3.81	1 137
松山市	20	1 281	1 268	99.0	4.14	866
高知市	11	846	841	99.4	4.17	634
久留米市	8	480	480	100.0	3.92	299
長崎市	31	1 570	1 548	98.6	4.05	1 141
佐世保市	20	1 190	1 138	95.6	3.95	747
大分市	19	1 083	1 080	99.7	4.25	756
宮崎市	22	1 377	1 330	96.6	3.98	1 031
鹿児島市	35	2 085	1 995	95.7	4.23	1 524
那覇市	6	540	539	99.8	4.09	387

総括表　介護保険施設数－定員（病床数）－９月末日の状況（在所者数－利用率－平均

介護老人保健施設

都道府県 指定都市 中核市	施設数	定員	９月末日の状況 在所者数	利用率 (%)	平均 要介護度	常勤換算 従事者数
全国	3 984	343 638	308 271	89.7	3.21	207 721
北海道	182	15 321	13 913	90.8	3.04	9 494
青森	65	5 373	4 966	92.4	3.36	3 481
岩手	68	5 938	5 479	92.3	3.47	3 428
宮城	82	7 787	7 066	90.7	3.24	5 014
秋田	55	4 948	4 633	93.6	3.30	3 005
山形	45	3 957	3 653	92.3	3.27	2 581
福島	83	7 076	6 077	85.9	3.32	4 347
茨城	119	10 068	9 117	90.6	3.25	5 986
栃木	60	5 138	4 668	90.9	3.21	2 906
群馬	93	6 212	5 478	88.2	3.18	3 899
埼玉	163	15 880	14 112	88.9	3.16	9 791
千葉	161	14 672	12 981	88.5	3.30	9 042
東京	187	19 466	16 940	87.0	3.18	11 911
神奈川	165	16 989	15 223	89.6	3.17	10 283
新潟	106	10 103	9 301	92.1	3.27	5 867
富山	47	4 394	3 890	88.5	3.26	2 653
石川	41	3 671	3 417	93.1	3.28	2 010
福井	33	2 855	2 628	92.0	3.44	1 689
山梨	31	2 719	2 474	91.0	3.31	1 452
長野	86	7 036	5 983	85.0	3.30	4 363
岐阜	81	6 693	5 725	85.5	3.29	3 806
静岡	117	11 785	10 877	92.3	3.11	6 462
愛知	181	17 256	15 610	90.5	3.14	9 846
三重	76	6 680	6 116	91.6	3.25	3 943
滋賀	31	2 588	2 169	83.8	3.11	1 644
京都	71	7 031	6 349	90.3	3.23	4 245
大阪	194	17 678	15 718	88.9	3.25	10 318
兵庫	165	14 178	12 426	87.6	3.19	8 559
奈良	47	4 113	3 601	87.6	3.08	2 482
和歌山	39	3 202	2 859	89.3	3.37	1 865
鳥取	48	2 644	2 444	92.4	3.34	1 719
島根	36	2 817	2 455	87.1	3.29	1 733
岡山	79	5 796	5 125	88.4	3.27	3 442
広島	107	8 528	7 515	88.1	3.18	5 235
山口	64	4 813	4 369	90.8	2.86	2 868
徳島	48	3 851	3 567	92.6	3.48	2 165
香川	49	3 515	3 309	94.1	3.24	1 975
愛媛	64	4 956	4 414	89.1	3.35	2 998
高知	34	2 236	1 954	87.4	3.31	1 434
福岡	166	13 780	12 456	90.4	3.04	8 403
佐賀	37	2 607	2 381	91.3	3.08	1 780
長崎	60	4 528	4 245	93.8	3.18	2 955
熊本	88	5 970	5 308	88.9	3.10	3 808
大分	62	3 917	3 532	90.2	3.31	2 469
宮崎	44	3 275	2 918	89.1	3.20	2 252
鹿児島	86	6 083	5 549	91.2	3.23	3 848
沖縄	38	3 515	3 281	93.3	3.58	2 268

注：調査方法の変更等による回収率変動の影響を受けているため、数量を示す施設数等の実数は前年以前と単純に年次比較できない。

要介護度）－常勤換算従事者数，都道府県－指定都市・中核市（再掲）別（３－２）

平成29年10月１日

都道府県 指定都市 中核市	施設数	定員	９月末日の状況			常勤換算 従事者数
			在所者数	利用率 （％）	平均 要介護度	
指定都市（再掲）						
札幌市	46	4 115	3 705	90.0	3.05	2 689
仙台市	28	2 754	2 463	89.4	3.19	1 799
さいたま市	28	2 948	2 573	87.3	3.09	1 704
千葉市	24	2 133	1 757	82.4	3.28	1 207
横浜市	76	8 382	7 392	88.2	3.22	5 152
川崎市	17	1 905	1 690	88.7	3.06	1 108
相模原市	13	1 231	1 136	92.3	3.35	783
新潟市	42	3 812	3 544	93.0	3.31	2 132
静岡市	25	2 544	2 338	91.9	3.10	1 428
浜松市	24	2 749	2 584	94.0	3.07	1 407
名古屋市	69	6 334	5 745	90.7	3.12	3 680
京都市	41	4 247	3 800	89.5	3.27	2 582
大阪市	67	6 288	5 526	87.9	3.33	3 479
堺市	14	1 243	1 082	87.0	3.28	770
神戸市	58	4 941	4 284	86.7	3.24	3 091
岡山市	21	1 836	1 664	90.6	3.28	1 111
広島市	28	2 488	2 172	87.3	3.12	1 435
北九州市	34	2 750	2 515	91.5	2.98	1 625
福岡市	23	2 287	2 088	91.3	2.98	1 332
熊本市	28	2 045	1 774	86.7	3.23	1 314
中核市（再掲）						
旭川市	11	922	865	93.8	3.15	596
函館市	8	988	875	88.6	3.08	538
青森市	15	1 100	1 008	91.6	3.47	801
八戸市	7	730	676	92.6	3.58	422
盛岡市	9	828	764	92.3	3.70	543
秋田市	12	1 218	1 148	94.3	3.33	739
郡山市	7	660	587	88.9	3.25	391
いわき市	13	1 189	992	83.4	3.42	652
宇都宮市	7	709	629	88.7	3.04	387
前橋市	12	975	862	88.4	3.11	616
高崎市	17	1 146	1 030	89.9	3.28	692
川越市	7	600	504	84.0	3.33	324
越谷市	5	429	416	97.0	3.44	297
船橋市	14	1 315	1 119	85.1	3.32	805
柏市	9	920	845	91.8	3.37	536
八王子市	9	927	829	89.4	3.15	615
横須賀市	8	792	737	93.1	2.89	478
富山市	17	1 687	1 514	89.7	3.15	1 018
金沢市	10	1 209	1 146	94.8	3.09	651
長野市	12	1 209	1 088	90.0	3.43	668
岐阜市	16	1 295	1 098	84.8	3.42	738
豊橋市	5	536	469	87.5	3.09	282
豊田市	8	674	604	89.6	2.98	453
岡崎市	7	806	746	92.6	3.06	435
大津市	6	393	280	71.2	3.15	225
高槻市	7	642	544	84.7	3.14	392
東大阪市	12	1 061	962	90.7	3.25	627
豊中市	9	717	661	92.2	3.20	490
枚方市	8	888	804	90.5	3.28	539
姫路市	9	798	728	91.2	3.20	493
西宮市	9	947	844	89.1	3.10	497
尼崎市	12	1 104	970	87.9	3.29	657
奈良市	9	866	735	84.9	3.25	515
和歌山市	13	1 069	934	87.4	3.47	584
倉敷市	14	1 098	1 024	93.3	3.32	628
福山市	13	983	852	86.7	3.56	655
呉市	18	1 262	1 185	93.9	3.02	760
下関市	11	807	717	88.8	2.89	498
高松市	18	1 264	1 178	93.2	3.30	730
松山市	12	1 114	971	87.2	3.29	642
高知市	9	517	445	86.1	3.25	372
久留米市	8	700	602	86.0	3.06	392
長崎市	17	1 333	1 244	93.3	3.06	862
佐世保市	10	727	704	96.8	3.22	466
大分市	17	1 016	933	91.8	3.32	676
宮崎市	12	962	850	88.4	3.00	619
鹿児島市	19	1 320	1 191	90.2	3.18	817
那覇市	5	401	382	95.3	3.47	245

総括表　介護保険施設数－定員（病床数）－９月末日の状況（在所者数－利用率－平均

介護療養型医療施設

都道府県 指定都市 中核市	施設数	病床数	９月末日の状況			常勤換算従事者数
			在院者数	利用率(%)	平均要介護度	
全国	1 125	50 325	45 359	90.1	4.35	40 188
北海道	51	2 507	2 252	89.8	4.46	2 067
青森	16	804	771	95.9	4.02	581
岩手	13	315	275	87.3	4.35	330
宮城	9	200	167	83.5	4.41	139
秋田	7	413	395	95.6	4.45	268
山形	7	220	201	91.4	4.04	170
福島	15	484	432	89.3	4.35	374
茨城	19	656	563	85.8	4.52	431
栃木	7	466	450	96.6	4.61	357
群馬	10	477	434	91.0	4.33	339
埼玉	17	1 433	1 280	89.3	4.33	1 154
千葉	18	1 060	920	86.8	4.17	770
東京	53	4 686	4 303	91.8	4.50	3 301
神奈川	25	1 603	1 418	88.5	4.49	1 032
新潟	20	1 451	1 336	92.1	4.41	950
富山	32	1 583	1 485	93.8	4.45	1 520
石川	13	716	625	87.3	4.30	467
福井	16	337	308	91.4	4.18	299
山梨	6	172	140	81.4	4.29	138
長野	31	1 150	951	82.7	4.44	897
岐阜	20	485	388	80.0	4.41	589
静岡	21	1 708	1 614	94.5	4.07	1 153
愛知	34	1 841	1 686	91.6	4.23	1 623
三重	12	465	421	90.5	4.35	425
滋賀	5	357	342	95.8	4.50	243
京都	24	2 647	2 544	96.1	4.36	1 693
大阪	31	1 846	1 662	90.0	4.37	1 279
兵庫	28	1 356	1 234	91.0	4.52	1 016
奈良	7	681	609	89.4	4.28	441
和歌山	14	508	439	86.4	4.57	537
鳥取	6	278	237	85.3	4.41	352
島根	11	281	204	72.6	4.48	267
岡山	20	593	537	90.6	4.41	634
広島	52	2 266	1 956	86.3	4.39	1 803
山口	27	1 571	1 474	93.8	4.06	1 163
徳島	33	984	857	87.1	4.27	967
香川	22	561	471	84.0	4.24	488
愛媛	26	741	687	92.7	4.43	680
高知	39	1 762	1 658	94.1	4.46	1 526
福岡	73	3 403	3 111	91.4	4.32	2 650
佐賀	20	699	618	88.4	4.12	575
長崎	41	599	457	76.3	4.08	689
熊本	64	1 767	1 546	87.5	4.28	1 589
大分	38	493	393	79.7	4.11	497
宮崎	28	661	560	84.7	4.29	717
鹿児島	35	760	694	91.3	4.39	811
沖縄	9	279	254	91.0	4.17	195

注：調査方法の変更等による回収率変動の影響を受けているため、数量を示す施設数等の実数は前年以前と単純に年次比較できない。

要介護度）－常勤換算従事者数，都道府県－指定都市・中核市（再掲）別（３－３）

平成29年10月１日

都道府県 指定都市 中核市	施設数	病床数	9月末日の状況			常勤換算従事者数
			在院者数	利用率(%)	平均要介護度	
指定都市(再掲)						
札幌市	10	628	572	91.1	4.37	588
仙台市	1	19	15	78.9	3.07	15
さいたま市	2	256	226	88.3	4.61	125
千葉市	-	-	-	-	-	-
横浜市	8	456	404	88.6	4.44	313
川崎市	4	303	252	83.2	4.38	212
相模原市	7	634	580	91.5	4.58	345
新潟市	4	350	326	93.1	4.65	214
静岡市	2	378	373	98.7	4.30	202
浜松市	8	628	573	91.2	3.89	463
名古屋市	8	390	341	87.4	4.47	314
京都市	17	2 415	2 332	96.6	4.35	1 497
大阪市	8	458	412	90.0	4.46	268
堺市	2	131	118	90.1	4.06	95
神戸市	8	427	357	83.6	4.52	345
岡山市	5	76	47	61.8	4.51	95
広島市	16	949	801	84.4	4.41	765
北九州市	11	447	426	95.3	4.21	333
福岡市	11	631	567	89.9	4.54	489
熊本市	18	645	550	85.3	4.35	487
中核市(再掲)						
旭川市	6	318	248	78.0	4.78	252
函館市	5	234	222	94.9	4.70	213
青森市	3	123	116	94.3	4.21	104
八戸市	4	216	211	97.7	3.36	139
盛岡市	5	222	205	92.3	4.43	236
秋田市	-	-	-	-	-	-
郡山市	4	160	145	90.6	4.23	131
いわき市	5	136	119	87.5	4.36	80
宇都宮市	3	318	303	95.3	4.61	263
前橋市	1	5	5	100.0	4.80	3
高崎市	1	14	10	71.4	4.30	26
川越市	1	61	54	88.5	4.41	49
越谷市	-	-	-	-	-	-
船橋市	-	-	-	-	-	-
柏市	-	-	-	-	-	-
八王子市	4	702	670	95.4	4.42	446
横須賀市	-	-	-	-	-	-
富山市	14	850	777	91.4	4.42	740
金沢市	5	243	185	76.1	4.39	140
長野市	4	249	206	82.7	4.50	155
岐阜市	5	152	112	73.7	4.34	259
豊橋市	3	365	364	99.7	4.12	245
豊田市	2	63	50	79.4	4.18	111
岡崎市	1	107	95	88.8	3.65	145
大津市	1	27	22	81.5	4.41	17
高槻市	-	-	-	-	-	-
東大阪市	3	122	113	92.6	4.63	91
豊中市	-	-	-	-	-	-
枚方市	2	49	36	73.5	4.31	46
姫路市	4	188	182	96.8	4.63	130
西宮市	2	44	34	77.3	4.68	57
尼崎市	-	-	-	-	-	-
奈良市	1	172	132	76.7	4.36	112
和歌山市	5	166	132	79.5	4.66	248
倉敷市	3	221	214	96.8	4.31	152
福山市	9	233	193	82.8	4.42	189
呉市	7	181	154	85.1	4.63	197
下関市	7	289	272	94.1	4.01	259
高松市	7	172	137	79.7	4.26	146
松山市	8	289	263	91.0	4.45	270
高知市	16	1 106	1 053	95.2	4.52	872
久留米市	4	219	201	91.8	4.15	162
長崎市	9	152	110	72.4	4.31	150
佐世保市	9	153	133	86.9	4.19	160
大分市	6	37	33	89.2	4.27	53
宮崎市	10	162	121	74.7	4.03	255
鹿児島市	11	209	188	90.0	4.47	274
那覇市	3	30	28	93.3	4.39	37

第１表　介護老人福祉施設数,

都道府県 指定都市 中核市	総数	都道府県	市区町村	広域連合・ 一部事務組合
全国	7 299	36	226	98
北海道	345	-	40	-
青森	89	-	1	1
岩手	110	1	4	-
宮城	144	1	-	1
秋田	117	-	15	7
山形	100	-	2	-
福島	140	-	1	-
茨城	218	-	3	-
栃木	124	-	-	-
群馬	156	1	2	-
埼玉	365	1	5	-
千葉	326	-	4	1
東京	479	3	48	-
神奈川	364	5	9	-
新潟	197	1	3	2
富山	79	-	4	-
石川	73	-	-	-
福井	66	1	3	-
山梨	50	1	-	1
長野	145	-	11	27
岐阜	127	4	5	4
静岡	225	-	-	-
愛知	246	1	3	-
三重	151	1	3	7
滋賀	83	1	1	-
京都	149	1	4	-
大阪	368	2	4	-
兵庫	315	1	2	-
奈良	94	-	1	3
和歌山	85	-	1	9
鳥取	37	-	2	-
島根	83	-	8	-
岡山	140	4	5	2
広島	166	1	2	-
山口	93	-	1	-
徳島	64	-	1	3
香川	84	-	2	2
愛媛	92	-	1	13
高知	53	-	5	12
福岡	295	1	4	-
佐賀	47	-	1	1
長崎	114	1	3	-
熊本	130	1	1	2
大分	76	1	3	-
宮崎	87	-	1	-
鹿児島	151	1	7	-
沖縄	57	-	-	-

注：調査方法の変更等による回収率変動の影響を受けているため、数量を示す施設数の実数は前年以前と単純に年次比較できない。

都道府県－指定都市・中核市（再掲）、開設主体別（２－１）

平成29年10月１日

日本赤十字社	社会福祉協議会	社会福祉法人 （社会福祉協議会以外）	社団・財団法人	その他
8	13	6 917	－	1
－	－	305	－	－
－	1	86	－	－
1	1	103	－	－
－	2	140	－	－
－	4	91	－	－
－	－	98	－	－
－	－	139	－	－
－	－	215	－	－
－	－	124	－	－
－	－	153	－	－
2	－	357	－	－
－	－	320	－	1
1	－	427	－	－
－	－	350	－	－
－	1	190	－	－
－	－	75	－	－
－	－	73	－	－
－	－	62	－	－
－	－	48	－	－
－	－	107	－	－
－	－	114	－	－
－	－	225	－	－
－	－	242	－	－
－	－	140	－	－
－	1	80	－	－
－	－	144	－	－
－	－	362	－	－
－	－	312	－	－
－	－	90	－	－
－	－	75	－	－
－	－	35	－	－
－	2	73	－	－
－	－	129	－	－
－	－	163	－	－
－	－	92	－	－
－	－	60	－	－
－	－	80	－	－
－	－	78	－	－
－	－	36	－	－
2	1	287	－	－
－	－	45	－	－
－	－	110	－	－
－	－	126	－	－
－	－	72	－	－
－	－	86	－	－
1	－	142	－	－
1	－	56	－	－

第１表　介護老人福祉施設数,

都道府県 指定都市 中核市	総数	都道府県	市区町村	広域連合・ 一部事務組合
指定都市(再掲)				
札幌市	64	–	1	–
仙台市	48	–	–	–
さいたま市	56	–	–	–
千葉市	44	–	–	–
横浜市	142	1	3	–
川崎市	52	1	6	–
相模原市	36	1	–	–
新潟市	61	1	1	–
静岡市	39	–	–	–
浜松市	50	–	–	–
名古屋市	77	–	1	–
京都市	59	1	4	–
大阪市	119	–	–	–
堺市	33	–	–	–
神戸市	69	1	–	–
岡山市	35	2	1	–
広島市	54	1	–	–
北九州市	56	–	1	–
福岡市	62	–	–	–
熊本市	29	–	–	–
中核市(再掲)				
旭川市	20	–	–	–
函館市	16	–	–	–
青森市	13	–	–	–
八戸市	8	–	–	–
盛岡市	18	1	–	–
秋田市	20	–	–	–
郡山市	15	–	–	–
いわき市	15	–	–	–
宇都宮市	28	–	–	–
前橋市	24	–	–	–
高崎市	26	–	–	–
川越市	12	–	–	–
越谷市	9	–	–	–
船橋市	23	–	1	1
柏市	17	–	–	–
八王子市	23	–	–	–
横須賀市	20	–	–	–
富山市	23	–	–	–
金沢市	19	–	–	–
長野市	20	–	–	3
岐阜市	17	1	–	–
豊橋市	8	–	1	–
豊田市	10	–	–	–
岡崎市	9	–	–	–
大津市	15	–	–	–
高槻市	12	–	–	–
東大阪市	18	–	–	–
豊中市	13	–	1	–
枚方市	15	–	1	–
姫路市	31	–	–	–
西宮市	14	–	–	–
尼崎市	19	–	–	–
奈良市	22	–	–	–
和歌山市	20	–	–	–
倉敷市	21	–	1	–
福山市	22	–	–	–
呉市	13	–	–	–
下関市	17	–	–	–
高松市	26	–	–	–
松山市	20	–	–	1
高知市	11	–	–	–
久留米市	8	–	–	–
長崎市	31	–	–	–
佐世保市	20	1	1	–
大分市	19	–	–	–
宮崎市	22	–	–	–
鹿児島市	35	–	–	–
那覇市	6	–	–	–

注：調査方法の変更等による回収率変動の影響を受けているため、数量を示す施設数の実数は前年以前と単純に年次比較できない。

都道府県－指定都市・中核市（再掲）、開設主体別（２－２）

平成29年10月１日

日本赤十字社	社会福祉協議会	社会福祉法人（社会福祉協議会以外）	社団・財団法人	その他
－	－	63	－	－
－	－	48	－	－
－	－	56	－	－
－	－	44	－	－
－	－	138	－	－
－	－	45	－	－
－	－	35	－	－
－	－	59	－	－
－	－	39	－	－
－	－	50	－	－
－	－	76	－	－
－	－	54	－	－
－	－	119	－	－
－	－	33	－	－
－	－	68	－	－
－	－	32	－	－
－	－	53	－	－
1	－	54	－	－
－	－	62	－	－
－	－	29	－	－
－	－	20	－	－
－	－	16	－	－
－	－	13	－	－
－	－	8	－	－
－	－	17	－	－
－	－	20	－	－
－	－	15	－	－
－	－	15	－	－
－	－	28	－	－
－	－	24	－	－
－	－	26	－	－
－	－	12	－	－
－	－	9	－	－
－	－	21	－	－
－	－	17	－	－
－	－	23	－	－
－	－	20	－	－
－	－	23	－	－
－	－	19	－	－
－	－	17	－	－
－	－	16	－	－
－	－	7	－	－
－	－	10	－	－
－	－	9	－	－
－	－	15	－	－
－	－	12	－	－
－	－	18	－	－
－	－	12	－	－
－	－	14	－	－
－	－	31	－	－
－	－	14	－	－
－	－	19	－	－
－	－	22	－	－
－	－	20	－	－
－	－	20	－	－
－	－	22	－	－
－	－	13	－	－
－	－	17	－	－
－	－	26	－	－
－	－	19	－	－
－	－	11	－	－
－	－	8	－	－
－	－	31	－	－
－	－	18	－	－
－	－	19	－	－
－	－	22	－	－
1	－	34	－	－
1	－	5	－	－

第2表　介護老人福祉施設数,

定員階級	総数	都道府県	市区町村	広域連合・一部事務組合
総数	7 299	1	50	91
1 ～ 9人	.	.	.	.
10 ～ 19	.	.	.	.
20 ～ 29	.	.	.	.
30 ～ 39	580	-	3	3
40 ～ 49	372	-	-	-
50 ～ 59	2 297	-	22	31
60 ～ 69	670	-	5	7
70 ～ 79	626	-	3	15
80 ～ 89	1 165	-	8	15
90 ～ 99	347	-	1	4
100 ～ 109	738	-	6	7
110 ～ 119	156	-	-	8
120 ～ 129	128	-	1	-
130 ～ 139	61	-	-	-
140 ～ 149	42	-	-	-
150人以上	117	1	1	1

注：調査方法の変更等による回収率変動の影響を受けているため、数量を示す施設数の実数は前年以前と単純に年次比較できない。

第3表　介護老人福祉施設数,

開設主体	経営			
	総数	都道府県	市区町村	広域連合・一部事務組合
総数	7 299	1	50	91
都道府県	36	1	-	-
市区町村	226	-	49	1
広域連合・一部事務組合	98	-	1	90
日本赤十字社	8	-	-	-
社会福祉協議会	13	-	-	-
社会福祉法人(社会福祉協議会以外)	6 917	-	-	-
社団・財団法人	-	-	-	-
その他	1	-	-	-

注：調査方法の変更等による回収率変動の影響を受けているため、数量を示す施設数の実数は前年以前と単純に年次比較できない。

定員階級、経営主体別

平成29年10月１日

日本赤十字社	社会福祉協議会	社会福祉法人 （社会福祉協議会以外）	社団・財団法人	その他
8	58	7 089	－	2
・	・	・	・	・
・	・	・	・	・
・	・	・	・	・
－	17	557	－	－
－	6	366	－	－
1	22	2 219	－	2
－	4	654	－	－
－	2	606	－	－
3	3	1 136	－	－
－	－	342	－	－
3	1	721	－	－
1	－	147	－	－
－	1	126	－	－
－	－	61	－	－
－	－	42	－	－
－	2	112	－	－

開設主体、経営主体別

平成29年10月１日

主		体		
日本赤十字社	社会福祉協議会	社会福祉法人 （社会福祉協議会以外）	社団・財団法人	その他
8	58	7 089	－	2
－	1	34	－	－
－	43	132	－	1
－	1	6	－	－
8	－	－	－	－
－	13	－	－	－
－	－	6 917	－	－
－	－	－	－	－
－	－	－	－	1

第４表　介護老人福祉施設数,

ユニットの状況 ユニット数	総数	都道府県	市区町村	広域連合・ 一部事務組合
総数	7 299	1	50	91
ユニット有	2 766	-	4	7
1ユニット	-	-	-	-
2ユニット	1	-	-	-
3ユニット	254	-	1	1
4ユニット	259	-	-	-
5ユニット	434	-	1	-
6ユニット	328	-	-	-
7ユニット	228	-	-	2
8ユニット	452	-	-	-
9ユニット	198	-	-	-
10ユニット以上	612	-	2	4
ユニット無	4 533	1	46	84

注：調査方法の変更等による回収率変動の影響を受けているため、数量を示す施設数の実数は前年以前と単純に年次比較できない。

ユニットの状況、ユニット数、経営主体別

平成29年10月１日

日本赤十字社	社会福祉協議会	社会福祉法人（社会福祉協議会以外）	社団・財団法人	その他
8	58	7 089	-	2
2	11	2 742	-	-
-	-	-	-	-
-	-	1	-	-
-	3	249	-	-
-	3	256	-	-
-	1	432	-	-
-	2	326	-	-
-	1	225	-	-
1	-	451	-	-
-	-	198	-	-
1	1	604	-	-
6	47	4 347	-	2

第5表　介護老人福祉施設の定員,

都道府県 指定都市 中核市	総数	都道府県	市区町村	広域連合・ 一部事務組合
全国	502 678	2 798	15 817	6 801
北海道	23 075	-	2 451	-
青森	5 193	-	60	50
岩手	6 608	58	237	-
宮城	8 679	200	-	50
秋田	6 687	-	935	487
山形	7 499	-	204	-
福島	9 823	-	80	-
茨城	12 982	-	200	-
栃木	6 827	-	-	-
群馬	9 143	70	100	-
埼玉	29 253	110	415	-
千葉	20 980	-	330	100
東京	42 269	336	4 249	-
神奈川	31 637	364	625	-
新潟	14 371	80	255	200
富山	5 112	-	302	-
石川	5 889	-	-	-
福井	4 204	30	110	-
山梨	3 000	50	-	30
長野	10 058	-	695	2 014
岐阜	9 166	390	240	230
静岡	15 702	-	-	-
愛知	21 218	100	450	-
三重	8 827	80	150	502
滋賀	5 336	80	30	-
京都	10 612	50	220	-
大阪	28 111	150	470	-
兵庫	21 443	80	110	-
奈良	6 192	-	30	154
和歌山	5 123	-	55	600
鳥取	2 492	-	166	-
島根	4 308	-	302	-
岡山	8 899	280	280	90
広島	10 173	54	110	-
山口	5 795	-	130	-
徳島	3 417	-	60	215
香川	4 851	-	90	132
愛媛	5 413	-	69	835
高知	3 716	-	390	852
福岡	19 674	50	195	-
佐賀	2 971	-	92	90
長崎	6 165	50	160	-
熊本	6 986	50	102	170
大分	4 325	36	239	-
宮崎	5 089	-	49	-
鹿児島	9 116	50	380	-
沖縄	4 269	-	-	-

注：調査方法の変更等による回収率変動の影響を受けているため、数量を示す定員の実数は前年以前と単純に年次比較できない。

都道府県－指定都市・中核市（再掲）、開設主体別（２－１）

平成29年10月１日

日本赤十字社	社会福祉協議会	社会福祉法人（社会福祉協議会以外）	社団・財団法人	その他
708	677	475 827	－	50
－	－	20 624	－	－
－	30	5 053	－	－
80	50	6 183	－	－
－	230	8 199	－	－
－	194	5 071	－	－
－	－	7 295	－	－
－	－	9 743	－	－
－	－	12 782	－	－
－	－	6 827	－	－
－	－	8 973	－	－
138	－	28 590	－	－
－	－	20 500	－	50
110	－	37 574	－	－
－	－	30 648	－	－
－	30	13 806	－	－
－	－	4 810	－	－
－	－	5 889	－	－
－	－	4 064	－	－
－	－	2 920	－	－
－	－	7 349	－	－
－	－	8 306	－	－
－	－	15 702	－	－
－	－	20 668	－	－
－	－	8 095	－	－
－	50	5 176	－	－
－	－	10 342	－	－
－	－	27 491	－	－
－	－	21 253	－	－
－	－	6 008	－	－
－	－	4 468	－	－
－	－	2 326	－	－
－	63	3 943	－	－
－	－	8 249	－	－
－	－	10 009	－	－
－	－	5 665	－	－
－	－	3 142	－	－
－	－	4 629	－	－
－	－	4 509	－	－
－	－	2 474	－	－
200	30	19 199	－	－
－	－	2 789	－	－
－	－	5 955	－	－
－	－	6 664	－	－
－	－	4 050	－	－
－	－	5 040	－	－
80	－	8 606	－	－
100	－	4 169	－	－

都道府県 指定都市 中核市	総数	都道府県	市区町村	広域連合・ 一部事務組合
指定都市(再掲)				
札幌市	5 254	–	100	–
仙台市	3 312	–	–	–
さいたま市	5 163	–	–	–
千葉市	2 932	–	–	–
横浜市	14 571	100	188	–
川崎市	3 722	60	437	–
相模原市	2 765	60	–	–
新潟市	4 212	80	100	–
静岡市	3 119	–	–	–
浜松市	3 696	–	–	–
名古屋市	6 701	–	300	–
京都市	4 716	50	220	–
大阪市	10 802	–	–	–
堺市	2 401	–	–	–
神戸市	4 622	80	–	–
岡山市	2 238	100	80	–
広島市	3 574	54	–	–
北九州市	4 557	–	55	–
福岡市	4 767	–	–	–
熊本市	1 612	–	–	–
中核市(再掲)				
旭川市	1 250	–	–	–
函館市	1 051	–	–	–
青森市	794	–	–	–
八戸市	515	–	–	–
盛岡市	1 174	58	–	–
秋田市	1 239	–	–	–
郡山市	1 094	–	–	–
いわき市	1 190	–	–	–
宇都宮市	1 664	–	–	–
前橋市	1 435	–	–	–
高崎市	1 491	–	–	–
川越市	978	–	–	–
越谷市	749	–	–	–
船橋市	1 741	–	100	100
柏市	1 264	–	–	–
八王子市	2 378	–	–	–
横須賀市	2 051	–	–	–
富山市	1 605	–	–	–
金沢市	1 752	–	–	–
長野市	1 385	–	–	204
岐阜市	1 439	70	–	–
豊橋市	674	–	50	–
豊田市	811	–	–	–
岡崎市	720	–	–	–
大津市	1 104	–	–	–
高槻市	1 020	–	–	–
東大阪市	1 329	–	–	–
豊中市	1 115	–	80	–
枚方市	1 028	–	50	–
姫路市	1 918	–	–	–
西宮市	1 387	–	–	–
尼崎市	1 369	–	–	–
奈良市	1 302	–	–	–
和歌山市	1 204	–	–	–
倉敷市	1 456	–	50	–
福山市	1 294	–	–	–
呉市	962	–	–	–
下関市	1 057	–	–	–
高松市	1 607	–	–	–
松山市	1 281	–	–	150
高知市	846	–	–	–
久留米市	480	–	–	–
長崎市	1 570	–	–	–
佐世保市	1 190	50	80	–
大分市	1 083	–	–	–
宮崎市	1 377	–	–	–
鹿児島市	2 085	–	–	–
那覇市	540	–	–	–

注：調査方法の変更等による回収率変動の影響を受けているため、数量を示す定員の実数は前年以前と単純に年次比較できない。

都道府県－指定都市・中核市（再掲）、開設主体別（２－２）

平成29年10月１日

日本赤十字社	社会福祉協議会	社会福祉法人（社会福祉協議会以外）	社団・財団法人	その他
－	－	5 154	－	－
－	－	3 312	－	－
－	－	5 163	－	－
－	－	2 932	－	－
－	－	14 283	－	－
－	－	3 225	－	－
－	－	2 705	－	－
－	－	4 032	－	－
－	－	3 119	－	－
－	－	3 696	－	－
－	－	6 401	－	－
－	－	4 446	－	－
－	－	10 802	－	－
－	－	2 401	－	－
－	－	4 542	－	－
－	－	2 058	－	－
－	－	3 520	－	－
100	－	4 402	－	－
－	－	4 767	－	－
－	－	1 612	－	－
－	－	1 250	－	－
－	－	1 051	－	－
－	－	794	－	－
－	－	515	－	－
－	－	1 116	－	－
－	－	1 239	－	－
－	－	1 094	－	－
－	－	1 190	－	－
－	－	1 664	－	－
－	－	1 435	－	－
－	－	1 491	－	－
－	－	978	－	－
－	－	749	－	－
－	－	1 541	－	－
－	－	1 264	－	－
－	－	2 378	－	－
－	－	2 051	－	－
－	－	1 605	－	－
－	－	1 752	－	－
－	－	1 181	－	－
－	－	1 369	－	－
－	－	624	－	－
－	－	811	－	－
－	－	720	－	－
－	－	1 104	－	－
－	－	1 020	－	－
－	－	1 329	－	－
－	－	1 035	－	－
－	－	978	－	－
－	－	1 918	－	－
－	－	1 387	－	－
－	－	1 369	－	－
－	－	1 302	－	－
－	－	1 204	－	－
－	－	1 406	－	－
－	－	1 294	－	－
－	－	962	－	－
－	－	1 057	－	－
－	－	1 607	－	－
－	－	1 131	－	－
－	－	846	－	－
－	－	480	－	－
－	－	1 570	－	－
－	－	1 060	－	－
－	－	1 083	－	－
－	－	1 377	－	－
80	－	2 005	－	－
100	－	440	－	－

第6表　介護老人福祉施設の定員－在所者数,

定員階級	総数	都道府県	市区町村	広域連合・一部事務組合
定員総数	502 678	2 798	15 817	6 801
1 ～ 9人	·	·	·	·
10 ～ 19	·	·	·	·
20 ～ 29	·	·	·	·
30 ～ 39	17 842	96	630	90
40 ～ 49	15 424	－	344	40
50 ～ 59	116 776	566	4 134	1 864
60 ～ 69	40 890	120	924	424
70 ～ 79	44 545	210	942	1 058
80 ～ 89	94 249	400	2 851	1 223
90 ～ 99	31 620	185	542	360
100 ～ 109	74 260	400	3 431	702
110 ～ 119	17 304	220	－	890
120 ～ 129	15 478	240	851	－
130 ～ 139	8 033	－	398	－
140 ～ 149	5 926	－	－	－
150人以上	20 331	361	770	150
在所者数	485 795	2 699	15 244	6 648

注：調査方法の変更等による回収率変動の影響を受けているため、数量を示す定員、在所者数の実数は前年以前と単純に年次比較できない。

第7表　介護老人福祉施設の居室数,

定員階級	総数	個室	2人室
総数	318 538	237 610	24 447
1 ～ 9人	·	·	·
10 ～ 19	·	·	·
20 ～ 29	·	·	·
30 ～ 39	13 545	11 358	975
40 ～ 49	11 530	9 650	690
50 ～ 59	62 420	38 594	6 871
60 ～ 69	26 699	20 433	1 902
70 ～ 79	29 106	22 343	2 034
80 ～ 89	59 199	43 894	4 678
90 ～ 99	22 789	18 945	1 098
100 ～ 109	49 086	38 265	3 165
110 ～ 119	11 293	8 738	714
120 ～ 129	11 016	9 133	487
130 ～ 139	4 977	3 567	460
140 ～ 149	4 604	4 044	139
150人以上	12 274	8 646	1 234

注：調査方法の変更等による回収率変動の影響を受けているため、数量を示す居室数の実数は前年以前と単純に年次比較できない。

第8表　介護老人福祉施設の居室数,

開設主体	総数	個室	2人室
総数	318 538	237 610	24 447
都道府県	2 138	1 828	112
市区町村	7 581	3 847	1 309
広域連合・一部事務組合	2 901	1 294	389
日本赤十字社	380	228	54
社会福祉協議会	380	251	36
社会福祉法人(社会福祉協議会以外)	305 143	230 162	22 542
社団・財団法人	－	－	－
その他	15	－	5

注：調査方法の変更等による回収率変動の影響を受けているため、数量を示す居室数の実数は前年以前と単純に年次比較できない。

定員階級、開設主体別

平成29年10月１日

日本赤十字社	社会福祉協議会	社会福祉法人 (社会福祉協議会以外)	社団・財団法人	その他
708	677	475 827	-	50
⋮	⋮	⋮	⋮	⋮
-	213	16 813	-	-
-	-	15 040	-	-
50	204	109 908	-	50
-	60	39 362	-	-
-	-	42 335	-	-
248	-	89 527	-	-
-	-	30 533	-	-
300	-	69 427	-	-
110	-	16 084	-	-
-	-	14 387	-	-
-	-	7 635	-	-
-	-	5 926	-	-
-	200	18 850	-	-
705	666	459 784	-	49

定員階級、室定員別

平成29年10月１日

3人室	4人室	5人以上室
2 394	53 715	372
⋮	⋮	⋮
110	1 102	-
106	1 084	-
488	16 397	70
139	4 208	17
184	4 505	40
369	10 220	38
217	2 492	37
303	7 223	130
87	1 735	19
93	1 299	4
150	800	-
7	397	17
141	2 253	-

開設主体、室定員別

平成29年10月１日

3人室	4人室	5人以上室
2 394	53 715	372
39	159	-
71	2 341	13
40	1 158	20
-	98	-
2	91	-
2 242	49 858	339
-	-	-
-	10	-

第９表　介護老人福祉施設の常勤換算従事者数,

都道府県 指定都市 中核市	総数			施設長			医師		
	総数	常勤	非常勤	総数	常勤	非常勤	総数	常勤	非常勤
全国	327 105	274 353	52 751	5 556	5 549	7	1 509	215	1 295
北海道	15 314	13 611	1 703	254	254	-	53	4	49
青森	3 703	3 330	373	66	66	-	15	0	15
岩手	4 893	4 544	349	80	80	-	20	-	20
宮城	5 873	5 302	570	107	106	1	26	2	24
秋田	4 537	4 212	325	88	88	-	20	1	19
山形	4 631	4 185	446	60	59	1	18	1	17
福島	6 354	5 828	526	101	101	0	23	0	23
茨城	8 636	7 391	1 246	137	137	1	38	4	34
栃木	4 488	3 866	622	93	93	-	22	1	21
群馬	5 941	5 061	880	111	111	-	27	2	26
埼玉	17 622	14 073	3 549	299	299	-	66	7	59
千葉	13 815	11 019	2 796	224	224	-	55	8	47
東京	26 467	20 431	6 037	402	402	-	165	33	131
神奈川	19 854	15 239	4 615	277	277	-	74	8	67
新潟	9 143	8 132	1 011	136	136	-	35	6	29
富山	3 532	2 944	587	62	62	-	16	3	13
石川	3 648	3 311	338	57	57	-	12	1	11
福井	2 751	2 310	441	44	43	1	10	0	10
山梨	1 948	1 732	215	36	36	0	9	0	8
長野	6 222	5 402	820	114	114	-	26	2	24
岐阜	5 852	4 601	1 251	98	98	-	25	2	23
静岡	9 899	8 070	1 829	172	171	1	33	2	31
愛知	13 023	10 561	2 462	198	198	-	54	6	49
三重	5 686	4 884	802	125	124	1	22	2	20
滋賀	3 611	2 908	704	60	60	-	13	-	13
京都	6 983	5 812	1 171	107	107	-	38	9	29
大阪	17 715	14 002	3 714	317	317	0	129	35	94
兵庫	13 920	10 972	2 949	257	256	1	80	18	63
奈良	4 016	3 147	870	66	66	-	20	4	16
和歌山	3 468	3 015	453	58	58	-	18	3	15
鳥取	1 879	1 668	211	29	29	-	12	7	6
島根	3 270	2 790	480	60	60	-	14	1	14
岡山	6 007	5 218	789	115	115	-	28	4	24
広島	6 824	5 770	1 055	139	139	0	34	6	28
山口	3 952	3 416	535	65	65	0	17	1	16
徳島	2 290	2 009	282	40	40	-	13	0	13
香川	3 218	2 815	403	61	61	0	17	3	14
愛媛	3 643	3 166	478	67	67	1	22	5	17
高知	2 534	2 337	197	43	43	-	11	1	10
福岡	12 493	11 038	1 455	230	230	-	59	8	51
佐賀	2 147	1 921	226	39	39	1	12	3	8
長崎	4 150	3 625	526	88	88	-	21	2	20
熊本	4 972	4 312	661	81	81	-	24	5	19
大分	3 092	2 707	386	60	60	-	12	2	10
宮崎	3 676	3 340	336	68	68	-	14	1	13
鹿児島	6 495	5 742	753	120	120	-	27	3	24
沖縄	2 918	2 588	330	47	47	-	12	3	10

注：1）調査方法の変更等による回収率変動の影響を受けているため、数量を示す従事者数の実数は前年以前と単純に年次比較できない。
　　2）「0」は常勤換算従事者数が0.5未満の場合である。

都道府県－指定都市・中核市（再掲）、職種（常勤－非常勤）別（７－１）

平成29年10月１日

歯科医師			生活相談員			社会福祉士（再掲）			看護師		
総数	常勤	非常勤	総数	常勤	非常勤	総数	常勤	非常勤	総数	常勤	非常勤
84	9	74	9 648	9 525	124	2 844	2 808	37	16 746	13 150	3 597
2	－	2	496	494	2	180	178	2	693	621	72
2	－	2	100	98	2	22	21	1	148	132	15
1	－	1	151	150	1	39	39	－	260	243	17
2	0	2	216	214	2	54	54	－	254	218	35
0	－	0	130	130	－	36	36	－	249	235	13
1	0	1	123	122	1	41	41	－	250	220	30
3	0	2	191	190	0	57	57	－	284	261	23
2	－	2	260	257	4	57	55	1	381	296	85
2	1	1	133	133	－	29	29	－	192	151	41
4	3	1	165	162	3	45	44	1	280	238	42
5	0	5	500	491	9	101	98	4	810	555	255
6	1	5	425	421	5	97	94	3	675	463	212
6	0	6	770	752	18	275	271	4	1 585	1 100	486
9	1	8	614	598	16	153	149	4	1 115	706	409
2	0	2	261	260	2	130	129	1	510	422	88
1	－	1	93	92	1	35	35	0	160	139	21
0	－	0	100	100	－	47	47	－	185	166	20
1	－	1	80	79	1	27	27	1	126	98	27
0	－	0	64	63	1	13	13	－	94	79	15
1	－	1	170	170	－	65	65	－	326	265	62
1	－	1	167	163	4	47	46	1	293	228	65
3	0	2	307	301	5	91	91	1	595	438	157
4	－	4	406	401	5	140	138	2	708	524	184
1	－	1	165	163	1	44	43	1	298	236	63
2	－	2	102	102	1	38	38	0	243	178	65
1	1	0	221	217	4	72	69	3	396	299	98
3	1	2	506	493	13	138	136	2	986	758	228
4	0	3	374	370	4	108	108	－	782	579	203
1	－	1	129	128	1	33	33	1	221	155	66
0	－	0	95	94	1	16	16	1	188	152	36
0	0	0	46	45	1	16	16	－	92	74	17
0	－	0	86	86	0	18	18	－	144	121	23
2	0	2	188	186	3	66	65	1	319	251	68
1	－	1	216	213	3	71	70	1	302	251	51
1	－	1	123	119	4	39	38	1	176	151	25
1	－	1	69	69	－	10	10	－	108	88	20
0	－	0	104	104	0	34	34	0	165	144	21
0	－	0	111	110	1	44	44	1	172	152	20
0	0	0	71	70	1	18	18	－	116	108	8
1	－	1	377	375	2	115	115	－	651	563	88
0	－	0	58	58	－	12	12	－	98	84	14
0	－	0	114	112	2	20	20	－	204	182	22
2	1	2	146	145	1	55	54	1	220	200	21
0	－	0	80	79	1	29	29	－	139	119	20
1	－	1	95	95	－	22	22	－	148	141	7
1	－	1	179	178	1	35	35	－	288	255	34
1	－	1	75	74	1	12	12	－	120	111	9

第9表　介護老人福祉施設の常勤換算従事者数,

都道府県 指定都市 中核市	総数			施設長			医師		
	総数	常勤	非常勤	総数	常勤	非常勤	総数	常勤	非常勤
指定都市(再掲)									
札幌市	3 528	3 106	422	54	54	-	10	-	10
仙台市	2 220	2 015	205	36	36	-	9	-	9
さいたま市	2 876	2 279	597	47	47	-	12	2	10
千葉市	1 843	1 469	374	29	29	-	7	1	6
横浜市	9 052	6 906	2 146	122	122	-	29	4	25
川崎市	2 076	1 723	353	36	36	-	10	1	9
相模原市	1 908	1 411	497	27	27	-	7	1	6
新潟市	2 593	2 275	318	36	36	-	11	4	7
静岡市	1 949	1 540	409	31	31	1	6	-	6
浜松市	2 233	1 788	445	36	36	-	8	2	6
名古屋市	3 902	3 213	690	61	61	-	18	4	14
京都市	3 058	2 513	546	45	45	-	20	6	14
大阪市	6 522	5 259	1 263	108	108	0	44	13	31
堺市	1 589	1 267	322	27	27	-	9	2	7
神戸市	2 953	2 288	665	55	55	-	27	7	20
岡山市	1 539	1 323	216	30	30	-	8	2	6
広島市	2 426	2 036	390	46	46	0	13	4	9
北九州市	2 769	2 314	455	46	46	-	14	1	13
福岡市	3 028	2 724	304	52	52	-	15	3	12
熊本市	1 057	903	154	16	16	-	7	3	4
中核市(再掲)									
旭川市	842	755	87	13	13	-	2	-	2
函館市	713	654	59	12	12	-	2	-	2
青森市	652	586	66	12	12	-	2	0	2
八戸市	371	336	35	5	5	-	1	-	1
盛岡市	916	859	57	14	14	-	3	-	3
秋田市	789	746	43	17	17	-	4	-	4
郡山市	744	685	59	11	11	-	2	-	2
いわき市	764	684	80	11	11	-	3	0	3
宇都宮市	1 114	950	163	21	21	-	5	-	5
前橋市	916	751	165	15	15	-	4	-	4
高崎市	978	830	148	20	20	-	6	-	6
川越市	588	480	108	9	9	-	2	-	2
越谷市	441	322	119	8	8	-	2	1	1
船橋市	1 146	885	261	20	20	-	3	-	3
柏市	807	610	196	11	11	-	3	1	2
八王子市	1 410	1 041	369	20	20	-	10	3	7
横須賀市	1 277	993	284	15	15	-	5	1	3
富山市	1 109	931	179	21	21	-	6	1	5
金沢市	999	930	69	16	16	-	3	-	3
長野市	841	701	140	15	15	-	3	-	3
岐阜市	866	681	185	14	14	-	3	-	3
豊橋市	422	358	64	6	6	-	1	-	1
豊田市	487	379	108	7	7	-	2	0	2
岡崎市	449	367	81	7	7	-	2	-	2
大津市	797	647	150	13	13	-	3	-	3
高槻市	660	440	220	9	9	-	6	2	4
東大阪市	804	659	145	14	14	-	6	1	5
豊中市	706	588	118	11	11	-	5	3	3
枚方市	691	542	149	14	14	-	4	1	3
姫路市	1 314	1 025	289	28	28	-	6	2	4
西宮市	802	673	129	13	12	1	7	2	5
尼崎市	864	640	224	15	15	-	5	1	4
奈良市	867	717	149	14	14	-	4	1	3
和歌山市	759	656	104	13	13	-	5	2	4
倉敷市	985	845	141	17	17	-	5	1	4
福山市	839	741	98	20	20	-	3	-	3
呉市	651	533	118	11	11	-	4	1	3
下関市	776	667	109	11	11	-	3	-	3
高松市	1 137	1 007	130	18	18	-	7	2	5
松山市	866	753	113	15	14	1	8	4	4
高知市	634	583	50	9	9	-	3	1	2
久留米市	299	275	24	6	6	-	2	1	2
長崎市	1 141	977	165	23	23	-	6	1	5
佐世保市	747	668	79	16	16	-	5	1	4
大分市	756	671	85	13	13	-	4	1	3
宮崎市	1 031	929	102	19	19	-	3	-	3
鹿児島市	1 524	1 385	139	29	29	-	8	1	7
那覇市	387	344	42	6	6	-	2	1	1

注：1）調査方法の変更等による回収率変動の影響を受けているため、数量を示す従事者数の実数は前年以前と単純に年次比較できない。
　　2）「0」は常勤換算従事者数が0.5未満の場合である。

平成29年10月１日

歯科医師			生活相談員			社会福祉士（再掲）			看護師		
総数	常勤	非常勤	総数	常勤	非常勤	総数	常勤	非常勤	総数	常勤	非常勤
0	-	0	124	123	0	68	68	0	223	192	30
0	-	0	90	90	1	33	33	-	101	88	13
1	-	1	97	95	3	21	19	2	137	94	43
1	0	1	57	57	-	11	11	-	105	65	40
3	-	3	297	289	8	76	75	1	520	329	191
1	-	1	70	69	1	13	13	-	124	93	31
1	-	1	53	53	-	10	10	-	104	61	43
1	0	1	78	77	1	37	37	-	158	130	28
0	-	0	74	72	2	25	25	-	126	92	34
1	-	1	69	69	1	16	16	-	137	100	37
1	-	1	126	126	1	34	34	-	234	177	56
0	-	0	93	92	2	34	32	1	173	135	38
2	0	1	184	179	5	56	55	1	343	278	65
-	-	-	50	46	5	16	16	-	115	89	26
1	-	1	86	85	1	22	22	-	188	137	51
0	-	0	46	45	1	16	16	0	92	70	21
0	-	0	70	68	2	24	24	1	105	85	20
0	-	0	75	75	0	23	23	-	164	142	22
0	-	0	94	94	-	39	39	-	157	135	22
0	0	0	33	33	-	12	12	-	56	51	5
0	-	0	26	26	-	14	14	-	37	33	3
0	-	0	28	28	-	5	5	-	24	22	3
0	-	0	16	16	-	5	5	-	22	18	4
-	-	-	10	10	-	2	2	-	15	13	2
1	-	1	24	23	1	12	12	-	46	44	2
0	-	0	25	25	-	6	6	-	44	42	2
0	-	0	27	27	0	13	13	-	36	33	4
0	0	-	24	24	-	4	4	-	28	24	4
0	-	0	32	32	-	5	5	-	56	47	9
0	-	0	22	22	-	6	6	-	51	43	8
1	1	0	27	27	-	6	6	-	48	38	10
-	-	-	14	14	-	1	1	-	28	23	5
0	-	0	18	17	0	3	3	-	20	11	9
1	-	1	31	31	1	10	9	1	73	40	34
2	1	1	24	24	-	4	4	-	48	25	23
1	-	1	46	44	1	9	9	-	74	50	24
1	-	1	36	34	2	10	9	1	58	37	21
0	-	0	28	28	-	12	12	-	59	54	6
0	-	0	32	32	-	18	18	-	56	46	11
0	-	0	25	25	-	9	9	-	53	38	15
0	-	0	22	22	-	9	9	-	41	32	9
0	-	0	12	12	-	6	6	-	18	16	2
0	-	0	14	13	0	4	4	0	30	20	11
0	-	0	13	12	1	4	4	-	26	18	8
1	-	1	24	24	-	9	9	-	54	43	11
0	-	0	16	16	-	3	3	-	30	18	12
-	-	-	24	24	-	4	4	-	40	30	10
-	-	-	18	18	1	5	5	-	40	36	4
0	-	0	19	19	-	7	7	-	49	36	13
0	-	0	32	32	-	10	10	-	70	50	20
0	-	0	24	24	-	12	12	-	47	35	11
1	-	1	23	23	-	6	6	-	40	29	11
0	-	0	26	25	1	7	7	1	45	34	11
-	-	-	21	21	-	3	3	-	45	40	5
0	-	0	37	37	-	17	17	-	43	37	6
0	-	0	25	25	-	3	3	-	32	25	7
0	-	0	22	22	-	11	11	-	28	23	6
0	-	0	27	27	-	7	7	-	38	31	7
0	-	0	37	37	0	16	16	0	56	48	8
0	-	0	25	25	-	8	8	-	47	42	5
-	-	-	16	16	-	4	4	-	31	30	1
-	-	-	9	9	-	2	2	-	16	14	2
0	-	0	30	30	-	7	7	-	66	59	7
-	-	-	19	19	-	5	5	-	36	32	3
0	-	0	22	21	0	9	9	-	41	30	11
0	-	0	25	25	-	8	8	-	57	53	4
0	-	0	45	45	-	12	12	-	83	72	12
-	-	-	10	10	-	2	2	-	18	17	1

第9表　介護老人福祉施設の常勤換算従事者数，

都道府県 指定都市 中核市	准看護師			介護職員			介護福祉士（再掲）		
	総数	常勤	非常勤	総数	常勤	非常勤	総数	常勤	非常勤
全国	12 518	10 018	2 501	217 295	186 650	30 645	131 056	120 778	10 278
北海道	626	557	70	10 401	9 366	1 035	7 027	6 668	359
青森	198	177	21	2 145	1 994	151	1 476	1 419	57
岩手	134	125	10	3 093	2 937	156	2 049	2 010	39
宮城	240	203	37	3 906	3 601	305	2 332	2 254	78
秋田	147	144	4	2 876	2 749	127	2 209	2 164	45
山形	147	129	18	3 060	2 832	228	2 160	2 096	64
福島	314	283	31	4 216	3 933	283	2 631	2 555	76
茨城	405	317	88	5 853	5 088	766	3 000	2 776	224
栃木	220	194	27	2 983	2 603	380	1 718	1 618	100
群馬	303	246	57	3 873	3 343	530	2 454	2 269	186
埼玉	666	491	175	12 251	10 024	2 227	6 428	5 660	768
千葉	541	395	146	9 213	7 626	1 587	4 935	4 432	503
東京	713	470	243	17 834	14 232	3 601	10 819	9 571	1 247
神奈川	516	335	181	13 628	10 929	2 700	8 007	7 042	965
新潟	304	252	52	6 279	5 713	567	4 420	4 195	225
富山	137	112	25	2 303	1 952	351	1 610	1 476	134
石川	124	111	13	2 472	2 295	177	1 663	1 602	60
福井	124	97	27	1 813	1 558	255	1 157	1 065	91
山梨	84	74	9	1 301	1 191	110	815	776	40
長野	183	152	32	4 299	3 820	479	2 934	2 718	217
岐阜	243	176	67	4 019	3 250	769	2 364	2 100	265
静岡	275	202	73	6 871	5 728	1 144	3 960	3 548	412
愛知	499	399	100	9 052	7 523	1 529	4 754	4 232	522
三重	274	220	54	3 782	3 370	411	2 042	1 899	143
滋賀	91	62	30	2 465	2 072	392	1 398	1 264	133
京都	198	141	57	4 804	4 087	717	2 928	2 663	265
大阪	598	451	148	12 048	9 699	2 348	6 690	5 967	724
兵庫	507	351	156	9 326	7 552	1 773	5 247	4 737	510
奈良	142	93	48	2 629	2 115	515	1 419	1 251	168
和歌山	149	115	34	2 263	2 035	229	1 332	1 258	74
鳥取	63	54	9	1 235	1 143	91	963	924	40
島根	130	111	19	2 023	1 765	258	1 270	1 192	78
岡山	246	204	43	3 953	3 538	415	2 320	2 161	160
広島	365	289	76	4 288	3 719	570	2 729	2 506	224
山口	170	150	19	2 531	2 249	283	1 606	1 524	82
徳島	110	90	20	1 389	1 261	129	884	838	46
香川	153	130	23	2 019	1 803	216	1 321	1 232	89
愛媛	165	139	27	2 328	2 054	274	1 411	1 331	81
高知	76	69	7	1 636	1 556	80	1 172	1 143	29
福岡	578	506	72	8 133	7 300	833	4 895	4 641	254
佐賀	107	88	19	1 342	1 225	116	874	834	40
長崎	204	182	21	2 461	2 224	237	1 581	1 495	86
熊本	262	225	37	2 953	2 601	353	1 784	1 674	110
大分	179	152	27	1 959	1 756	202	1 274	1 212	62
宮崎	182	172	10	2 271	2 086	184	1 522	1 477	46
鹿児島	314	285	29	3 966	3 590	376	2 544	2 432	112
沖縄	115	102	13	1 751	1 565	187	930	883	47

注：1）調査方法の変更等による回収率変動の影響を受けているため、数量を示す従事者数の実数は前年以前と単純に年次比較できない。
　　2）「0」は常勤換算従事者数が0.5未満の場合である。

都道府県－指定都市・中核市（再掲）、職種（常勤－非常勤）別（７－３）

平成29年10月１日

管理栄養士			栄養士			歯科衛生士			機能訓練指導員		
総数	常勤	非常勤	総数	常勤	非常勤	総数	常勤	非常勤	総数	常勤	非常勤
6 535	6 447	88	1 643	1 582	61	291	177	114	5 649	5 074	575
265	262	3	78	72	6	7	3	4	252	234	18
50	50	0	48	47	1	1	1	-	64	57	7
72	72	-	48	47	1	3	2	1	79	73	6
122	120	2	28	28	-	9	8	1	100	92	8
68	68	1	39	38	1	5	5	0	53	50	3
76	76	1	18	15	3	7	5	2	90	87	4
118	118	1	46	45	1	3	1	2	112	110	1
173	172	1	80	78	2	2	1	1	120	101	19
94	93	1	54	53	0	-	-	-	65	55	10
138	134	4	32	29	3	7	3	3	95	82	13
348	342	6	83	80	3	5	2	3	269	230	39
273	271	2	77	74	3	1	-	1	205	173	32
490	479	10	70	67	4	15	7	8	553	474	79
379	373	6	41	38	3	14	5	10	274	242	32
163	162	0	20	19	1	17	14	3	167	156	11
73	72	1	26	25	1	2	0	1	57	56	1
68	68	-	31	31	-	1	1	-	59	52	7
55	53	2	23	23	-	3	3	0	44	39	5
34	34	-	14	14	-	1	1	-	21	18	3
121	120	2	22	22	-	6	4	2	111	101	11
117	115	2	18	17	1	12	8	5	95	84	11
198	193	5	50	47	2	18	10	8	163	145	19
267	263	4	42	41	2	9	5	4	191	167	24
139	134	5	32	30	3	4	2	2	87	72	15
74	74	-	7	7	-	2	0	2	49	44	6
151	150	1	26	24	2	1	0	1	99	89	10
406	401	5	32	32	1	11	7	4	350	314	36
300	292	8	48	46	2	12	4	8	237	212	24
94	93	1	17	16	1	5	2	4	60	52	8
69	68	1	26	25	1	5	4	1	54	50	4
39	39	0	8	8	-	6	4	2	34	32	2
63	63	-	21	21	-	6	5	1	67	62	6
148	147	1	31	30	1	9	5	4	126	110	16
151	150	1	34	32	3	11	6	5	136	123	12
85	83	2	20	19	0	2	1	1	71	66	5
52	52	0	19	18	1	5	2	3	49	48	2
79	78	1	16	16	-	3	2	1	61	56	5
68	66	3	20	19	1	4	3	1	66	63	3
47	47	-	12	11	1	1	0	1	47	45	2
278	276	2	65	63	2	14	9	5	261	241	20
45	45	-	24	23	1	3	3	-	30	26	4
70	69	1	47	45	2	3	2	2	96	89	6
92	92	-	51	48	3	7	5	2	122	117	5
62	61	0	15	15	-	10	7	3	66	60	6
71	71	-	28	28	-	6	5	1	64	60	4
133	133	1	37	36	1	11	7	4	128	118	9
58	56	2	23	22	1	5	3	2	53	49	4

第9表　介護老人福祉施設の常勤換算従事者数,

都道府県 指定都市 中核市	准看護師			介護職員			介護福祉士(再掲)		
	総数	常勤	非常勤	総数	常勤	非常勤	総数	常勤	非常勤
指定都市(再掲)									
札幌市	90	76	15	2 533	2 243	290	1 746	1 637	109
仙台市	78	71	7	1 511	1 401	110	942	915	27
さいたま市	95	72	23	2 117	1 697	420	1 032	915	117
千葉市	62	44	18	1 263	1 037	226	686	622	64
横浜市	214	135	79	6 151	4 953	1 199	3 764	3 272	492
川崎市	66	47	19	1 485	1 250	236	828	749	79
相模原市	47	28	19	1 338	1 014	324	673	597	77
新潟市	91	73	18	1 811	1 627	185	1 251	1 176	75
静岡市	48	33	15	1 359	1 086	272	817	722	95
浜松市	66	50	16	1 572	1 282	290	932	815	117
名古屋市	160	119	42	2 731	2 309	422	1 396	1 263	133
京都市	68	48	20	2 152	1 810	342	1 322	1 208	114
大阪市	207	163	44	4 551	3 721	830	2 436	2 191	245
堺市	37	24	13	1 047	868	179	646	580	67
神戸市	85	54	30	1 977	1 610	366	1 092	991	102
岡山市	49	37	12	1 033	926	107	696	654	42
広島市	118	90	28	1 554	1 370	184	1 032	946	87
北九州市	123	99	24	1 815	1 524	291	1 083	1 006	76
福岡市	126	112	14	2 068	1 912	156	1 387	1 333	54
熊本市	50	42	8	651	565	86	378	349	28
中核市(再掲)									
旭川市	36	33	3	573	514	58	404	374	31
函館市	35	33	1	479	448	31	334	324	10
青森市	38	37	1	403	371	32	316	304	13
八戸市	17	13	4	213	201	12	150	143	7
盛岡市	26	24	2	570	547	23	387	379	8
秋田市	25	23	1	512	490	22	425	420	5
郡山市	34	30	4	507	474	33	334	322	12
いわき市	44	37	7	476	437	39	258	250	8
宇都宮市	40	35	5	763	656	106	425	403	22
前橋市	34	26	8	612	505	106	399	371	28
高崎市	52	42	9	642	545	97	402	357	46
川越市	20	16	4	401	340	61	187	163	25
越谷市	15	10	5	315	226	89	144	113	31
船橋市	36	25	11	779	628	151	435	380	55
柏市	30	14	16	564	451	113	275	247	28
八王子市	46	32	14	889	700	189	565	497	68
横須賀市	32	21	11	881	718	163	530	474	56
富山市	31	24	8	697	602	95	490	447	43
金沢市	24	22	3	706	674	32	530	510	20
長野市	25	18	7	554	485	69	413	375	38
岐阜市	38	29	10	598	473	125	339	308	30
豊橋市	17	13	4	292	245	47	124	113	10
豊田市	39	37	3	320	251	69	181	147	35
岡崎市	11	9	2	325	267	58	150	129	21
大津市	14	7	7	571	477	94	319	291	28
高槻市	26	19	8	467	323	145	229	199	30
東大阪市	40	31	9	549	456	93	282	258	24
豊中市	19	17	2	500	412	88	315	285	30
枚方市	21	15	6	481	383	98	290	262	28
姫路市	55	39	15	874	697	177	472	414	58
西宮市	26	18	8	565	482	83	333	311	22
尼崎市	40	27	13	597	446	151	314	282	32
奈良市	24	17	7	561	486	75	301	273	28
和歌山市	38	27	11	491	433	58	247	233	14
倉敷市	44	35	8	655	580	76	379	346	34
福山市	54	46	8	515	459	56	331	302	29
呉市	36	34	3	378	316	62	202	186	16
下関市	37	31	6	486	438	48	285	269	17
高松市	44	37	8	736	677	58	504	479	25
松山市	31	26	5	573	499	74	316	294	22
高知市	13	13	-	398	381	17	313	306	7
久留米市	16	16	1	187	171	15	103	97	5
長崎市	45	40	6	674	615	59	479	454	25
佐世保市	39	36	3	432	396	37	262	251	11
大分市	38	36	2	504	457	47	382	364	18
宮崎市	38	35	4	658	602	56	451	436	15
鹿児島市	64	56	8	944	880	65	670	642	28
那覇市	11	11	-	249	218	31	117	108	9

注：1）調査方法の変更等による回収率変動の影響を受けているため、数量を示す従事者数の実数は前年以前と単純に年次比較できない。
　　2）「0」は常勤換算従事者数が0.5未満の場合である。

都道府県－指定都市・中核市（再掲）、職種（常勤－非常勤）別（7－4）

平成29年10月1日

管理栄養士			栄養士			歯科衛生士			機能訓練指導員		
総数	常勤	非常勤	総数	常勤	非常勤	総数	常勤	非常勤	総数	常勤	非常勤
68	67	1	3	3	－	1	1	0	67	60	6
46	45	1	5	5	－	5	5	－	36	35	1
52	52	1	4	3	1	1	－	1	36	29	7
42	42	－	11	11	－	0	－	0	25	21	4
158	155	3	21	21	－	7	0	6	118	109	9
44	44	－	2	1	1	－	－	－	24	22	2
41	39	1	－	－	－	2	1	1	28	24	4
44	44	－	3	3	－	5	3	2	56	53	3
40	37	3	12	11	1	6	3	3	37	31	5
46	46	0	3	3	1	4	2	2	35	32	3
86	84	1	17	16	1	2	1	1	55	45	9
65	64	1	6	6	－	1	－	1	47	43	4
145	141	4	4	4	－	7	5	2	116	106	10
38	38	1	7	7	－	－	－	－	35	32	3
69	67	2	2	2	－	5	2	3	49	47	2
38	38	－	4	4	－	3	2	1	35	30	5
54	54	1	4	3	1	3	1	2	49	44	4
61	61	0	9	9	－	7	4	3	61	54	6
69	68	1	9	9	－	3	2	1	68	64	4
27	27	－	11	10	1	3	2	1	31	28	3
16	15	0	1	1	－	1	1	－	17	17	1
10	10	1	5	5	0	2	1	1	14	14	0
9	9	－	3	3	－	－	－	－	11	10	1
7	7	－	5	5	－	0	0	－	6	6	1
20	20	－	3	3	－	－	－	－	14	14	－
12	12	－	5	5	－	－	－	－	11	11	－
14	14	－	3	3	－	－	－	－	17	17	0
14	14	－	8	8	1	2	1	1	11	10	0
21	21	－	9	9	－	－	－	－	12	8	5
18	18	0	6	6	－	1	－	1	14	13	1
24	22	2	1	1	－	1	－	1	19	16	3
10	10	－	－	－	－	－	－	－	13	11	3
12	12	－	1	1	－	0	－	0	5	5	0
21	21	0	4	4	1	－	－	－	12	11	2
16	16	－	3	2	1	－	－	－	10	8	2
22	20	2	5	5	1	0	－	0	31	24	7
22	22	－	4	3	1	1	－	1	21	19	2
25	25	1	10	10	－	0	－	0	17	16	1
20	20	－	12	12	－	－	－	－	13	12	1
18	17	1	2	2	－	0	－	0	12	11	1
18	18	－	4	3	1	0	－	0	15	14	1
8	8	－	4	4	－	0	－	0	8	6	2
8	8	－	2	2	－	－	－	－	7	6	1
10	10	－	1	1	－	－	－	－	7	7	0
14	14	－	1	1	－	0	－	0	12	11	1
14	14	－	－	－	－	－	－	－	12	11	2
19	19	－	3	3	－	－	－	－	15	13	2
15	15	－	－	－	－	1	1	－	17	16	0
17	17	－	1	1	－	－	－	－	13	12	1
29	29	－	4	4	1	2	－	2	23	22	1
17	17	1	1	1	－	－	－	－	24	19	6
19	18	0	1	1	－	－	－	－	17	12	4
21	20	1	4	4	－	2	1	1	11	10	1
17	17	0	9	9	0	1	－	1	14	14	0
29	29	－	2	1	1	3	1	1	29	24	5
18	18	0	8	6	2	2	1	1	18	18	－
9	9	－	7	7	－	－	－	－	12	10	2
16	16	－	3	3	－	2	1	1	13	10	2
25	25	－	2	2	－	1	1	0	17	16	2
13	13	1	4	4	－	1	0	1	15	14	1
13	13	－	3	3	－	0	－	0	12	12	1
10	10	1	－	－	－	－	－	－	8	7	1
25	25	－	12	11	1	1	－	1	28	26	2
15	15	1	8	7	1	1	1	－	17	17	1
14	14	－	4	4	－	2	2	－	13	12	1
24	24	－	5	5	－	1	1	－	19	17	2
37	37	0	5	5	0	2	2	－	35	30	5
8	8	－	1	1	－	1	1	－	9	9	－

第９表　介護老人福祉施設の常勤換算従事者数，

都道府県 指定都市 中核市	機能訓練								
	理学療法士（再掲）			作業療法士（再掲）			言語聴覚士（再掲）		
	総数	常勤	非常勤	総数	常勤	非常勤	総数	常勤	非常勤
全国	1 025	896	129	696	634	62	129	107	22
北海道	36	34	2	29	28	1	6	6	0
青森	3	1	2	3	2	1	2	2	-
岩手	11	11	0	6	5	0	-	-	-
宮城	20	19	2	16	15	1	3	2	1
秋田	6	6	-	5	5	-	1	1	-
山形	22	21	1	21	21	-	1	1	0
福島	15	14	1	11	11	-	2	2	-
茨城	18	13	5	8	6	3	2	2	0
栃木	4	4	1	7	6	1	3	3	0
群馬	5	4	1	8	8	0	1	0	1
埼玉	29	22	7	21	19	2	1	-	1
千葉	36	27	9	33	28	5	5	4	1
東京	123	98	25	71	58	12	13	10	3
神奈川	48	37	11	30	28	2	4	4	0
新潟	48	46	2	42	39	3	9	8	1
富山	10	10	0	4	4	-	-	-	-
石川	15	13	2	8	7	1	-	-	-
福井	9	8	1	5	5	0	5	3	1
山梨	3	2	1	2	2	0	0	-	0
長野	20	18	2	17	16	1	0	-	0
岐阜	15	14	1	8	6	1	2	1	1
静岡	21	19	2	22	20	2	2	1	1
愛知	41	35	6	24	21	3	9	7	2
三重	16	15	1	8	8	-	1	1	-
滋賀	10	10	0	4	4	-	1	1	-
京都	24	23	2	10	9	1	2	1	1
大阪	70	61	9	37	34	3	6	6	1
兵庫	27	23	4	22	19	3	5	4	1
奈良	6	5	1	5	3	2	2	1	1
和歌山	13	11	1	4	4	0	-	-	-
鳥取	14	14	0	5	5	-	2	1	0
島根	11	11	-	18	17	0	1	1	-
岡山	27	22	5	20	18	2	2	2	-
広島	13	11	2	18	17	1	2	2	-
山口	11	10	2	3	3	0	2	1	1
徳島	19	18	1	9	9	0	-	-	-
香川	5	4	1	5	5	-	1	-	1
愛媛	8	7	2	13	12	1	3	3	1
高知	17	16	1	3	2	1	2	2	0
福岡	77	71	6	40	38	2	13	11	2
佐賀	5	4	1	4	4	0	-	-	-
長崎	10	9	1	10	9	1	1	1	-
熊本	27	26	0	15	12	3	5	5	-
大分	10	9	1	9	9	0	4	4	-
宮崎	16	14	2	9	9	1	2	2	-
鹿児島	16	12	4	16	16	0	1	1	0
沖縄	18	16	2	11	11	0	3	3	-

注：1）調査方法の変更等による回収率変動の影響を受けているため、数量を示す従事者数の実数は前年以前と単純に年次比較できない。
　　2）「0」は常勤換算従事者数が0.5未満の場合である。

都道府県－指定都市・中核市（再掲）、職種（常勤－非常勤）別（７－５）

平成29年10月１日

指導員											
看護師（再掲）			准看護師（再掲）			柔道整復師（再掲）			あん摩マッサージ指圧師（再掲）		
総数	常勤	非常勤	総数	常勤	非常勤	総数	常勤	非常勤	総数	常勤	非常勤
1 315	1 150	166	1 420	1 293	127	537	516	22	526	479	47
52	45	7	89	83	6	26	26	0	13	12	1
14	12	2	26	25	1	8	7	1	9	8	1
29	27	3	20	18	1	8	8	0	5	4	1
26	24	2	26	23	2	6	6	0	4	3	1
21	19	2	18	17	1	-	-	-	2	2	0
26	25	2	16	14	1	1	1	-	3	3	0
22	22	0	36	36	0	20	20	-	7	6	0
37	30	7	37	34	3	7	7	1	11	11	0
13	10	3	33	28	4	2	2	0	3	3	0
28	24	4	47	41	6	1	1	0	5	4	1
81	69	12	86	74	12	31	28	2	20	19	1
48	40	8	54	47	7	19	18	1	11	10	1
41	28	13	12	8	4	90	85	5	205	188	17
71	60	10	32	28	4	42	40	2	48	46	2
28	25	4	27	26	1	6	6	-	8	8	-
18	18	0	11	11	-	11	10	1	3	3	-
13	12	1	16	14	2	2	2	-	5	3	2
7	6	0	12	10	1	3	3	0	5	4	1
6	6	0	5	5	0	2	2	-	3	2	1
39	36	3	25	21	4	6	6	0	5	4	1
29	24	5	29	27	2	3	3	0	10	9	1
35	27	8	24	21	2	27	27	1	33	30	3
47	43	4	38	33	5	19	18	2	12	10	2
32	22	10	26	22	3	2	2	0	3	3	0
19	16	3	7	5	2	3	3	-	6	5	0
23	22	1	20	16	4	13	12	1	6	6	0
71	60	11	64	58	6	78	75	4	25	22	2
87	78	10	62	56	6	28	27	1	6	6	0
22	19	3	15	14	1	9	9	0	1	1	0
8	8	1	18	17	2	8	8	0	3	3	-
1	1	-	5	4	1	1	1	-	6	6	-
11	10	1	25	21	4	-	-	-	3	3	-
35	29	6	31	28	3	9	9	-	2	2	0
40	37	3	51	46	5	4	4	0	8	7	1
15	14	1	37	36	1	1	1	-	1	1	0
8	8	-	11	11	0	-	-	-	3	3	0
22	20	2	24	22	2	4	4	-	1	1	-
15	15	0	26	26	0	-	-	-	1	1	0
10	10	0	13	13	1	2	2	-	1	1	-
45	40	5	60	56	4	16	16	0	10	9	2
7	5	2	12	11	1	3	3	-	-	-	-
28	26	2	43	41	3	2	2	-	1	1	-
26	26	1	46	45	1	2	2	-	1	1	-
9	9	-	30	25	5	4	4	-	1	1	-
11	10	1	25	25	0	1	1	-	-	-	-
34	30	3	50	49	1	4	4	-	8	7	1
10	9	0	5	5	1	5	5	-	3	2	1

第9表　介護老人福祉施設の常勤換算従事者数，

都道府県 指定都市 中核市	機能訓練								
	理学療法士（再掲）			作業療法士（再掲）			言語聴覚士（再掲）		
	総数	常勤	非常勤	総数	常勤	非常勤	総数	常勤	非常勤
指定都市（再掲）									
札幌市	19	18	1	15	14	1	4	4	0
仙台市	10	10	0	9	8	0	2	2	-
さいたま市	3	2	1	4	4	0	1	-	1
千葉市	6	5	1	3	2	1	3	2	1
横浜市	27	24	3	17	16	1	3	3	0
川崎市	1	1	1	2	2	-	-	-	-
相模原市	6	5	1	3	3	-	0	-	0
新潟市	20	19	1	11	10	1	4	4	1
静岡市	6	5	1	5	5	-	-	-	-
浜松市	4	3	1	9	9	0	1	1	0
名古屋市	11	9	2	5	4	1	4	2	2
京都市	15	14	0	4	4	0	2	1	1
大阪市	31	27	4	10	10	0	2	2	1
堺市	6	5	1	8	7	0	1	1	-
神戸市	4	3	1	6	6	0	0	-	0
岡山市	10	7	3	6	6	0	1	1	-
広島市	5	4	0	5	5	0	2	2	-
北九州市	18	15	3	12	12	0	3	2	1
福岡市	17	17	-	12	12	0	3	2	1
熊本市	11	11	0	4	3	1	2	2	-
中核市（再掲）									
旭川市	6	6	-	2	2	-	2	2	0
函館市	1	1	0	1	1	-	-	-	-
青森市	0	-	0	2	2	0	-	-	-
八戸市	1	1	-	1	-	1	-	-	-
盛岡市	4	4	-	1	1	-	-	-	-
秋田市	1	1	-	3	3	-	-	-	-
郡山市	2	2	0	2	2	-	-	-	-
いわき市	-	-	-	-	-	-	-	-	-
宇都宮市	1	-	1	0	-	0	-	-	-
前橋市	1	1	-	1	1	-	1	-	1
高崎市	1	1	0	2	2	-	-	-	-
川越市	2	2	-	-	-	-	-	-	-
越谷市	1	1	-	1	1	-	-	-	-
船橋市	1	-	1	3	3	0	0	-	0
柏市	3	3	0	2	2	-	-	-	-
八王子市	4	2	2	2	2	1	0	-	0
横須賀市	0	-	0	1	1	-	-	-	-
富山市	2	2	-	3	3	-	-	-	-
金沢市	3	2	1	0	-	0	-	-	-
長野市	2	2	0	2	2	-	-	-	-
岐阜市	2	2	-	-	-	-	-	-	-
豊橋市	1	1	0	-	-	-	-	-	-
豊田市	0	-	0	1	1	-	0	-	0
岡崎市	3	3	-	2	2	0	1	1	-
大津市	3	3	-	2	2	-	1	1	-
高槻市	3	3	-	2	1	1	-	-	-
東大阪市	1	1	0	-	-	-	-	-	-
豊中市	4	4	-	2	2	-	0	-	0
枚方市	4	4	0	1	1	0	2	2	-
姫路市	2	2	0	2	2	1	-	-	-
西宮市	1	1	0	5	5	-	-	-	-
尼崎市	3	3	1	0	-	0	0	-	0
奈良市	1	1	0	1	1	0	-	-	-
和歌山市	1	1	-	-	-	-	-	-	-
倉敷市	5	4	1	3	3	-	1	1	-
福山市	1	1	-	3	3	-	-	-	-
呉市	1	-	1	3	3	-	-	-	-
下関市	4	3	1	1	1	0	0	-	0
高松市	0	0	0	1	1	-	-	-	-
松山市	2	1	1	2	2	-	-	-	-
高知市	7	7	0	1	-	1	1	1	-
久留米市	4	4	0	1	1	0	1	1	-
長崎市	4	4	0	4	4	1	1	1	-
佐世保市	2	2	0	2	2	-	-	-	-
大分市	2	2	0	3	3	-	1	1	-
宮崎市	6	6	0	6	5	1	-	-	-
鹿児島市	6	4	2	5	5	-	0	-	0
那覇市	4	4	-	2	2	-	1	1	-

注：1）調査方法の変更等による回収率変動の影響を受けているため、数量を示す従事者数の実数は前年以前と単純に年次比較できない。
　　2）「0」は常勤換算従事者数が0.5未満の場合である。

平成29年10月1日

指導員											
看護師（再掲）			准看護師（再掲）			柔道整復師（再掲）			あん摩マッサージ指圧師（再掲）		
総数	常勤	非常勤	総数	常勤	非常勤	総数	常勤	非常勤	総数	常勤	非常勤
9	7	2	9	7	2	12	12	－	0	－	0
7	6	1	4	4	－	2	2	－	3	3	－
12	9	3	6	5	1	7	7	1	3	3	－
8	7	1	4	4	0	－	－	－	2	2	1
15	13	2	11	10	1	26	24	1	19	18	1
11	11	0	3	2	1	4	4	－	2	2	－
15	12	2	0	0	0	3	3	－	1	1	－
9	8	0	8	8	－	4	4	－	1	1	－
6	3	3	3	2	1	9	9	－	8	7	1
8	7	1	6	6	0	7	6	0	0	－	0
18	15	2	8	8	1	6	5	1	4	2	2
7	7	0	10	8	2	7	7	0	3	3	－
20	17	3	13	12	1	32	31	1	8	8	－
5	5	0	6	5	1	5	5	－	4	3	1
17	17	－	17	16	0	4	4	0	1	1	0
8	6	2	5	4	1	5	5	－	1	1	－
17	16	1	15	13	3	2	2	－	3	3	－
15	14	1	6	5	1	6	6	－	1	1	－
13	11	3	10	10	－	6	6	－	7	7	0
5	4	1	9	8	1	－	－	－	1	1	－
1	1	－	6	5	1	－	－	－	－	－	－
1	1	－	8	8	－	2	2	－	1	1	－
2	1	0	2	2	－	4	4	－	1	1	－
0	0	0	2	2	0	－	－	－	3	3	－
4	4	－	3	3	－	2	2	－	－	－	－
3	3	－	4	4	－	－	－	－	－	－	－
1	1	－	3	3	－	5	5	－	4	4	－
4	4	－	4	4	0	2	2	－	－	－	－
4	2	2	7	6	2	－	－	－	0	－	0
7	7	0	5	5	0	－	－	－	－	－	－
3	3	1	10	9	2	1	1	－	1	－	1
6	4	1	5	3	1	－	－	－	1	1	－
2	2	－	0	0	－	1	1	0	－	－	－
1	1	0	0	0	－	3	3	－	4	4	－
1	1	0	2	1	1	0	－	0	1	1	－
4	2	2	－	－	－	3	2	1	18	17	1
9	8	1	5	5	0	－	－	－	6	6	0
5	5	－	4	4	－	3	2	1	1	1	－
5	4	0	3	3	－	1	1	－	1	1	－
3	3	0	3	2	0	2	2	－	－	－	－
4	4	0	5	5	－	－	－	－	4	4	0
3	3	1	3	2	1	1	1	－	－	－	－
2	2	－	3	3	－	－	－	－	－	－	－
1	1	－	1	1	－	－	－	－	－	－	－
2	2	0	1	1	0	3	3	－	－	－	－
1	1	－	2	1	0	3	3	－	1	1	－
5	4	2	5	5	0	2	2	－	2	2	－
4	4	－	0	0	－	5	5	－	1	1	－
0	0	0	0	0	0	4	4	－	1	－	1
10	10	－	7	7	－	2	2	0	－	－	－
13	8	5	2	2	－	3	3	－	－	－	－
7	4	3	2	2	0	4	4	－	－	－	－
6	5	0	3	3	0	0	－	0	－	－	－
2	2	0	8	7	0	3	3	－	1	1	－
7	4	3	12	11	1	1	1	－	0	－	0
1	1	－	11	11	－	1	1	－	1	1	－
4	4	－	3	3	－	0	－	0	2	1	1
1	0	1	7	6	0	－	－	－	－	－	－
7	6	1	8	8	0	1	1	－	－	－	－
6	6	－	4	4	0	－	－	－	1	1	0
2	2	－	1	1	－	1	1	－	－	－	－
1	1	－	1	1	－	－	－	－	－	－	－
8	8	0	10	10	1	－	－	－	－	－	－
3	3	0	9	9	0	1	1	－	1	1	－
3	3	－	4	4	0	－	－	－	－	－	－
4	3	1	3	3	－	－	－	－	－	－	－
13	10	3	7	7	－	1	1	－	4	4	－
－	－	－	－	－	－	1	1	－	1	1	－

第9表　介護老人福祉施設の常勤換算従事者数，

都道府県 指定都市 中核市	障害者生活支援員			介護支援専門員			調理員			その他の職員		
	総数	常勤	非常勤	総数	常勤	非常勤	総数	常勤	非常勤	総数	常勤	非常勤
全国	64	55	9	8 781	8 561	220	14 266	10 579	3 687	26 521	16 764	9 757
北海道	7	7	-	401	393	8	611	469	143	1 169	878	291
青森	-	-	-	98	96	2	335	291	44	433	320	113
岩手	2	2	-	136	135	0	307	278	29	508	401	107
宮城	-	-	-	184	183	1	137	109	28	543	418	125
秋田	-	-	-	117	117	-	324	276	48	423	314	109
山形	4	4	0	141	141	-	227	198	29	409	297	112
福島	-	-	-	175	172	2	208	184	24	564	432	132
茨城	2	2	-	223	218	5	390	313	77	572	409	163
栃木	-	-	-	124	120	4	213	158	55	293	211	81
群馬	-	-	-	163	159	5	330	267	63	413	282	131
埼玉	3	3	-	452	439	13	466	308	158	1 400	801	599
千葉	2	1	1	341	328	14	542	329	213	1 235	705	530
東京	5	5	1	682	658	24	930	589	340	2 249	1 163	1 086
神奈川	6	3	3	584	567	16	649	357	293	1 673	801	872
新潟	1	1	-	251	248	3	279	236	43	721	510	211
富山	-	-	-	93	87	5	202	165	36	308	178	130
石川	1	1	-	91	89	2	163	131	32	286	210	76
福井	-	-	-	65	62	3	171	140	31	193	115	78
山梨	-	-	-	54	53	1	47	42	5	189	127	62
長野	2	1	1	177	171	6	220	171	49	443	290	153
岐阜	3	3	-	143	140	4	130	73	56	489	246	242
静岡	1	1	-	247	239	8	234	158	75	734	435	299
愛知	1	1	-	328	314	14	432	266	167	832	454	377
三重	2	2	-	156	155	2	199	128	71	399	244	155
滋賀	3	3	-	95	92	2	81	46	35	325	168	157
京都	1	1	-	184	174	10	260	200	60	496	313	183
大阪	4	4	-	498	482	16	544	302	242	1 284	707	577
兵庫	3	3	-	355	342	12	516	330	185	1 122	617	505
奈良	-	-	-	117	114	3	157	96	61	359	214	145
和歌山	2	2	-	99	98	1	204	167	38	239	146	93
鳥取	3	2	1	54	54	-	114	94	20	144	82	62
島根	-	-	-	81	81	0	281	234	47	293	181	112
岡山	-	-	-	160	156	4	234	180	55	448	294	154
広島	-	-	-	186	181	6	387	290	97	575	372	203
山口	-	-	-	96	95	1	273	199	74	324	219	105
徳島	-	-	-	55	55	1	199	159	41	180	128	52
香川	-	-	-	85	85	0	239	185	53	217	148	69
愛媛	-	-	-	112	111	1	217	179	38	288	198	90
高知	-	-	-	75	73	2	164	136	28	235	177	58
福岡	2	-	2	366	360	6	590	471	119	889	636	253
佐賀	2	2	-	52	51	1	150	125	25	186	149	37
長崎	-	-	-	112	110	2	331	259	72	400	261	139
熊本	1	1	-	138	136	2	430	323	107	444	334	110
大分	-	-	-	80	77	2	143	119	24	289	199	90
宮崎	-	-	-	105	103	1	329	289	40	296	222	74
鹿児島	1	1	-	181	178	3	445	359	86	662	478	184
沖縄	1	1	-	73	72	1	233	202	30	353	282	71

注：1）調査方法の変更等による回収率変動の影響を受けているため、数量を示す従事者数の実数は前年以前と単純に年次比較できない。
　　2）「0」は常勤換算従事者数が0.5未満の場合である。

都道府県－指定都市・中核市（再掲）、職種（常勤－非常勤）別（7－7）

平成29年10月1日

都道府県 指定都市 中核市	障害者生活支援員			介護支援専門員			調理員			その他の職員		
	総数	常勤	非常勤	総数	常勤	非常勤	総数	常勤	非常勤	総数	常勤	非常勤
指定都市(再掲)												
札幌市	1	1	-	81	79	2	62	39	23	212	167	44
仙台市	-	-	-	76	75	1	31	18	13	197	147	50
さいたま市	-	-	-	87	78	9	21	8	14	169	103	66
千葉市	1	-	1	43	43	-	36	22	14	162	98	65
横浜市	3	-	3	255	247	8	285	147	138	871	396	475
川崎市	-	-	-	68	66	2	23	19	3	126	78	48
相模原市	1	1	-	59	56	3	58	35	23	145	73	72
新潟市	-	-	-	76	76	-	28	23	5	198	128	70
静岡市	-	-	-	54	52	1	44	28	16	113	64	49
浜松市	-	-	-	53	50	3	44	23	21	158	92	66
名古屋市	1	1	-	104	96	7	78	52	26	230	122	109
京都市	-	-	-	88	83	6	82	58	24	217	123	95
大阪市	-	-	-	181	177	4	112	69	43	520	297	223
堺市	-	-	-	44	44	-	79	37	42	101	54	47
神戸市	-	-	-	76	72	4	52	27	25	284	124	160
岡山市	-	-	-	41	40	2	47	26	21	114	74	40
広島市	-	-	-	66	65	1	93	67	26	252	141	111
北九州市	-	-	-	78	74	5	113	87	26	204	139	65
福岡市	2	-	2	87	86	1	63	45	18	214	141	74
熊本市	1	1	-	28	27	2	41	21	20	102	78	24
中核市(再掲)												
旭川市	-	-	-	20	20	0	30	27	3	70	55	15
函館市	-	-	-	20	20	-	24	18	6	58	44	14
青森市	-	-	-	21	20	1	33	28	5	82	61	21
八戸市	-	-	-	8	8	-	31	28	3	53	41	12
盛岡市	1	1	-	21	21	-	76	68	8	99	81	19
秋田市	-	-	-	24	24	-	42	40	2	68	56	13
郡山市	-	-	-	17	16	1	20	16	3	57	45	12
いわき市	-	-	-	15	15	-	41	37	5	88	68	20
宇都宮市	-	-	-	31	30	1	58	43	16	65	49	17
前橋市	-	-	-	26	25	1	55	42	12	60	35	25
高崎市	-	-	-	25	25	-	47	38	9	67	56	11
川越市	-	-	-	14	14	1	15	8	7	60	35	25
越谷市	-	-	-	13	13	-	7	6	1	26	13	14
船橋市	-	-	-	27	23	4	39	23	16	100	61	39
柏市	-	-	-	18	18	-	8	4	4	71	38	34
八王子市	-	-	-	28	26	2	80	42	37	160	74	85
横須賀市	1	1	-	46	45	1	34	18	16	121	59	62
富山市	-	-	-	25	25	1	88	65	23	101	62	39
金沢市	-	-	-	29	29	-	26	23	3	61	44	17
長野市	-	-	-	26	25	1	16	12	5	92	54	38
岐阜市	-	-	-	25	24	1	24	17	7	65	36	29
豊橋市	-	-	-	12	12	-	18	16	2	28	22	6
豊田市	-	-	-	9	8	0	16	9	7	35	18	16
岡崎市	-	-	-	10	10	-	16	9	8	20	17	3
大津市	3	3	-	26	24	2	14	8	6	49	23	26
高槻市	-	-	-	15	14	1	22	1	21	43	15	28
東大阪市	-	-	-	20	20	-	18	16	2	57	33	24
豊中市	-	-	-	17	17	0	19	10	9	45	34	11
枚方市	-	-	-	22	22	-	12	4	8	38	19	20
姫路市	-	-	-	34	33	1	60	31	29	98	58	40
西宮市	1	1	-	24	22	1	7	5	2	47	34	12
尼崎市	-	-	-	24	23	1	17	11	6	65	33	33
奈良市	-	-	-	24	24	1	30	22	9	102	61	41
和歌山市	2	2	-	22	21	1	37	31	6	45	28	17
倉敷市	-	-	-	30	29	1	25	13	12	67	41	26
福山市	-	-	-	26	24	2	56	47	10	63	53	10
呉市	-	-	-	15	15	1	72	50	22	56	37	20
下関市	-	-	-	24	23	1	45	30	15	74	47	27
高松市	-	-	-	27	27	-	80	68	12	86	50	37
松山市	-	-	-	24	24	-	50	38	11	61	50	11
高知市	-	-	-	20	19	1	26	21	5	91	67	23
久留米市	-	-	-	8	8	-	4	4	-	33	30	3
長崎市	-	-	-	32	30	2	80	52	28	120	65	55
佐世保市	-	-	-	18	18	-	46	42	4	94	68	26
大分市	-	-	-	20	18	2	28	28	1	56	37	19
宮崎市	-	-	-	23	23	-	60	49	11	97	75	22
鹿児島市	-	-	-	39	38	1	94	83	11	138	108	31
那覇市	1	1	-	8	8	-	28	24	4	38	33	5

第10表　介護老人福祉施設の常勤換算従事者数,

職種	総数	都道府県	市区町村	広域連合・一部事務組合
総数	327 105	1 815	10 094	3 837
常勤	274 353	1 396	8 492	3 437
非常勤	52 751	419	1 602	400
施設長	5 556	28	178	76
常勤	5 549	28	178	76
非常勤	7	-	-	-
医師	1 509	8	56	19
常勤	215	1	10	4
非常勤	1 295	7	46	15
歯科医師	84	0	2	0
常勤	9	-	-	-
非常勤	74	0	2	0
生活相談員	9 648	50	304	115
常勤	9 525	50	303	115
非常勤	124	-	2	1
社会福祉士（再掲）	2 844	9	107	32
常勤	2 808	9	106	31
非常勤	37	-	2	1
看護師	16 746	127	619	233
常勤	13 150	93	494	222
非常勤	3 597	34	125	11
准看護師	12 518	59	350	101
常勤	10 018	44	284	86
非常勤	2 501	15	67	15
介護職員	217 295	1 255	6 652	2 521
常勤	186 650	965	5 701	2 277
非常勤	30 645	290	951	244
介護福祉士（再掲）	131 056	657	4 368	1 710
常勤	120 778	560	4 056	1 627
非常勤	10 278	97	312	84
管理栄養士	6 535	36	183	61
常勤	6 447	36	180	59
非常勤	88	0	3	2
栄養士	1 643	8	50	27
常勤	1 582	8	46	26
非常勤	61	1	4	1
歯科衛生士	291	2	6	3
常勤	177	2	4	2
非常勤	114	1	2	0
機能訓練指導員	5 649	30	153	63
常勤	5 074	28	140	59
非常勤	575	2	13	4
理学療法士（再掲）	1 025	3	35	11
常勤	896	3	31	10
非常勤	129	-	4	1
作業療法士（再掲）	696	5	15	0
常勤	634	5	14	-
非常勤	62	-	1	0
言語聴覚士（再掲）	129	1	3	0
常勤	107	-	3	-
非常勤	22	1	0	0
看護師（再掲）	1 315	11	38	35
常勤	1 150	10	37	34
非常勤	166	1	2	1
准看護師（再掲）	1 420	7	31	14
常勤	1 293	7	27	13
非常勤	127	0	4	1
柔道整復師（再掲）	537	2	11	2
常勤	516	2	10	2
非常勤	22	-	1	0
あん摩マッサージ指圧師（再掲）	526	2	21	1
常勤	479	1	19	1
非常勤	47	1	2	0
障害者生活支援員	64	1	1	-
常勤	55	1	1	-
非常勤	9	-	-	-
介護支援専門員	8 781	46	293	112
常勤	8 561	44	291	110
非常勤	220	2	2	2
調理員	14 266	45	496	261
常勤	10 579	25	379	219
非常勤	3 687	20	117	42
その他の職員	26 521	119	752	245
常勤	16 764	72	483	181
非常勤	9 757	48	269	64

注：1）調査方法の変更等による回収率変動の影響を受けているため、数量を示す従事者数の実数は前年以前と単純に年次比較できない。
2）「0」は常勤換算従事者数が0.5未満の場合である。

職種（常勤－非常勤）、開設主体別

平成29年10月１日

日本赤十字社	社会福祉協議会	社会福祉法人（社会福祉協議会以外）	社団・財団法人	その他
451	502	310 380	-	27
425	457	260 124	-	22
25	46	50 255	-	5
7	9	5 257	-	1
7	9	5 251	-	1
-	-	7	-	-
2	2	1 423	-	0
1	-	199	-	-
1	2	1 224	-	0
0	0	81	-	-
-	-	9	-	-
0	0	72	-	-
14	13	9 150	-	1
14	13	9 028	-	1
-	-	122	-	-
4	1	2 692	-	1
4	1	2 657	-	1
-	-	35	-	-
28	24	15 713	-	3
26	21	12 292	-	2
2	3	3 421	-	1
8	17	11 981	-	2
8	17	9 578	-	2
-	1	2 403	-	-
288	343	206 220	-	16
272	325	177 097	-	13
16	18	29 124	-	3
249	220	123 836	-	15
239	218	114 065	-	13
11	2	9 771	-	2
7	10	6 237	-	1
7	10	6 154	-	1
-	-	83	-	-
2	4	1 552	-	-
2	4	1 498	-	-
-	-	54	-	-
1	1	278	-	-
1	1	168	-	-
-	-	111	-	-
8	7	5 388	-	0
8	6	4 833	-	-
0	1	555	-	0
3	-	973	-	-
3	-	849	-	-
0	-	124	-	-
3	1	672	-	0
3	1	611	-	-
-	-	61	-	0
-	-	125	-	-
-	-	104	-	-
-	-	21	-	-
2	3	1 227	-	-
2	3	1 065	-	-
-	0	162	-	-
-	3	1 366	-	-
-	2	1 244	-	-
-	1	122	-	-
-	-	523	-	-
-	-	502	-	-
-	-	21	-	-
-	-	503	-	-
-	-	458	-	-
-	-	44	-	-
1	-	61	-	-
1	-	52	-	-
-	-	9	-	-
9	14	8 306	-	1
9	13	8 091	-	1
-	0	214	-	-
26	23	13 415	-	-
23	14	9 921	-	-
4	9	3 495	-	-
50	36	25 318	-	2
48	25	15 954	-	2
3	11	9 363	-	1

第11表　介護老人福祉施設の定員100人当たり常勤換算従事者数,

都道府県 指定都市 中核市	施設長	医師	歯科医師	生活相談員	社会福祉士 (再掲)	看護師
全国	1.1	0.3	0.0	1.9	0.6	3.3
北海道	1.1	0.2	0.0	2.1	0.8	3.0
青森	1.3	0.3	0.0	1.9	0.4	2.8
岩手	1.2	0.3	0.0	2.3	0.6	3.9
宮城	1.2	0.3	0.0	2.5	0.6	2.9
秋田	1.3	0.3	0.0	1.9	0.5	3.7
山形	0.8	0.2	0.0	1.6	0.5	3.3
福島	1.0	0.2	0.0	1.9	0.6	2.9
茨城	1.1	0.3	0.0	2.0	0.4	2.9
栃木	1.4	0.3	0.0	2.0	0.4	2.8
群馬	1.2	0.3	0.0	1.8	0.5	3.1
埼玉	1.0	0.2	0.0	1.7	0.3	2.8
千葉	1.1	0.3	0.0	2.0	0.5	3.2
東京	1.0	0.4	0.0	1.8	0.6	3.8
神奈川	0.9	0.2	0.0	1.9	0.5	3.5
新潟	0.9	0.2	0.0	1.8	0.9	3.5
富山	1.2	0.3	0.0	1.8	0.7	3.1
石川	1.0	0.2	0.0	1.7	0.8	3.1
福井	1.0	0.2	0.0	1.9	0.6	3.0
山梨	1.2	0.3	0.0	2.1	0.4	3.1
長野	1.1	0.3	0.0	1.7	0.6	3.2
岐阜	1.1	0.3	0.0	1.8	0.5	3.2
静岡	1.1	0.2	0.0	2.0	0.6	3.8
愛知	0.9	0.3	0.0	1.9	0.7	3.3
三重	1.4	0.3	0.0	1.9	0.5	3.4
滋賀	1.1	0.2	0.0	1.9	0.7	4.6
京都	1.0	0.4	0.0	2.1	0.7	3.7
大阪	1.1	0.5	0.0	1.8	0.5	3.5
兵庫	1.2	0.4	0.0	1.7	0.5	3.6
奈良	1.1	0.3	0.0	2.1	0.5	3.6
和歌山	1.1	0.3	0.0	1.8	0.3	3.7
鳥取	1.2	0.5	0.0	1.8	0.7	3.7
島根	1.4	0.3	0.0	2.0	0.4	3.3
岡山	1.3	0.3	0.0	2.1	0.7	3.6
広島	1.4	0.3	0.0	2.1	0.7	3.0
山口	1.1	0.3	0.0	2.1	0.7	3.0
徳島	1.2	0.4	0.0	2.0	0.3	3.2
香川	1.3	0.3	0.0	2.2	0.7	3.4
愛媛	1.2	0.4	0.0	2.1	0.8	3.2
高知	1.1	0.3	0.0	1.9	0.5	3.1
福岡	1.2	0.3	0.0	1.9	0.6	3.3
佐賀	1.3	0.4	0.0	2.0	0.4	3.3
長崎	1.4	0.3	0.0	1.8	0.3	3.3
熊本	1.2	0.3	0.0	2.1	0.8	3.2
大分	1.4	0.3	0.0	1.8	0.7	3.2
宮崎	1.3	0.3	0.0	1.9	0.4	2.9
鹿児島	1.3	0.3	0.0	2.0	0.4	3.2
沖縄	1.1	0.3	0.0	1.7	0.3	2.8

注：1）調査方法の変更等による回収率変動の影響を受けているため、数量を示す従事者数の実数は前年以前と単純に年次比較できない。
　　2）「0.0」は常勤換算従事者数が0.05未満の場合である。

平成29年10月１日

准看護師	介護職員	介護福祉士（再掲）	管理栄養士	栄養士	歯科衛生士
2.5	43.2	26.1	1.3	0.3	0.1
2.7	45.1	30.5	1.1	0.3	0.0
3.8	41.3	28.4	1.0	0.9	0.0
2.0	46.8	31.0	1.1	0.7	0.0
2.8	45.0	26.9	1.4	0.3	0.1
2.2	43.0	33.0	1.0	0.6	0.1
2.0	40.8	28.8	1.0	0.2	0.1
3.2	42.9	26.8	1.2	0.5	0.0
3.1	45.1	23.1	1.3	0.6	0.0
3.2	43.7	25.2	1.4	0.8	－
3.3	42.4	26.8	1.5	0.4	0.1
2.3	41.9	22.0	1.2	0.3	0.0
2.6	43.9	23.5	1.3	0.4	0.0
1.7	42.2	25.6	1.2	0.2	0.0
1.6	43.1	25.3	1.2	0.1	0.0
2.1	43.7	30.8	1.1	0.1	0.1
2.7	45.1	31.5	1.4	0.5	0.0
2.1	42.0	28.2	1.2	0.5	0.0
2.9	43.1	27.5	1.3	0.5	0.1
2.8	43.4	27.2	1.1	0.5	0.0
1.8	42.7	29.2	1.2	0.2	0.1
2.7	43.8	25.8	1.3	0.2	0.1
1.8	43.8	25.2	1.3	0.3	0.1
2.4	42.7	22.4	1.3	0.2	0.0
3.1	42.8	23.1	1.6	0.4	0.0
1.7	46.2	26.2	1.4	0.1	0.0
1.9	45.3	27.6	1.4	0.2	0.0
2.1	42.9	23.8	1.4	0.1	0.0
2.4	43.5	24.5	1.4	0.2	0.1
2.3	42.5	22.9	1.5	0.3	0.1
2.9	44.2	26.0	1.3	0.5	0.1
2.5	49.5	38.7	1.6	0.3	0.2
3.0	47.0	29.5	1.5	0.5	0.1
2.8	44.4	26.1	1.7	0.3	0.1
3.6	42.2	26.8	1.5	0.3	0.1
2.9	43.7	27.7	1.5	0.3	0.0
3.2	40.7	25.9	1.5	0.6	0.1
3.1	41.6	27.2	1.6	0.3	0.1
3.1	43.0	26.1	1.3	0.4	0.1
2.0	44.0	31.5	1.3	0.3	0.0
2.9	41.3	24.9	1.4	0.3	0.1
3.6	45.2	29.4	1.5	0.8	0.1
3.3	39.9	25.6	1.1	0.8	0.1
3.7	42.3	25.5	1.3	0.7	0.1
4.1	45.3	29.4	1.4	0.4	0.2
3.6	44.6	29.9	1.4	0.5	0.1
3.4	43.5	27.9	1.5	0.4	0.1
2.7	41.0	21.8	1.4	0.5	0.1

第11表　介護老人福祉施設の定員100人当たり常勤換算従事者数，

都道府県 指定都市 中核市	施設長	医師	歯科医師	生活相談員	社会福祉士 （再掲）	看護師
指定都市（再掲）						
札幌市	1.0	0.2	0.0	2.4	1.3	4.2
仙台市	1.1	0.3	0.0	2.7	1.0	3.0
さいたま市	0.9	0.2	0.0	1.9	0.4	2.6
千葉市	1.0	0.2	0.0	1.9	0.4	3.6
横浜市	0.8	0.2	0.0	2.0	0.5	3.6
川崎市	1.0	0.3	0.0	1.9	0.3	3.3
相模原市	1.0	0.3	0.0	1.9	0.4	3.8
新潟市	0.8	0.3	0.0	1.8	0.9	3.8
静岡市	1.0	0.2	0.0	2.4	0.8	4.0
浜松市	1.0	0.2	0.0	1.9	0.4	3.7
名古屋市	0.9	0.3	0.0	1.9	0.5	3.5
京都市	0.9	0.4	0.0	2.0	0.7	3.7
大阪市	1.0	0.4	0.0	1.7	0.5	3.2
堺市	1.1	0.4	-	2.1	0.6	4.8
神戸市	1.2	0.6	0.0	1.9	0.5	4.1
岡山市	1.3	0.4	0.0	2.1	0.7	4.1
広島市	1.3	0.4	0.0	2.0	0.7	2.9
北九州市	1.0	0.3	0.0	1.6	0.5	3.6
福岡市	1.1	0.3	0.0	2.0	0.8	3.3
熊本市	1.0	0.4	0.0	2.0	0.7	3.5
中核市（再掲）						
旭川市	1.0	0.2	0.0	2.1	1.1	2.9
函館市	1.1	0.2	0.0	2.7	0.5	2.3
青森市	1.5	0.3	0.0	2.0	0.7	2.8
八戸市	1.0	0.2	-	2.0	0.4	2.8
盛岡市	1.2	0.2	0.1	2.0	1.0	3.9
秋田市	1.4	0.3	0.0	2.0	0.5	3.5
郡山市	1.0	0.2	0.0	2.4	1.2	3.3
いわき市	0.9	0.3	0.0	2.0	0.4	2.4
宇都宮市	1.3	0.3	0.0	1.9	0.3	3.4
前橋市	1.0	0.3	0.0	1.6	0.4	3.5
高崎市	1.3	0.4	0.1	1.8	0.4	3.2
川越市	1.0	0.2	-	1.4	0.1	2.9
越谷市	1.1	0.3	0.0	2.3	0.4	2.6
船橋市	1.1	0.2	0.0	1.8	0.5	4.2
柏市	0.8	0.2	0.1	1.9	0.3	3.8
八王子市	0.8	0.4	0.0	1.9	0.4	3.1
横須賀市	0.8	0.2	0.0	1.7	0.5	2.8
富山市	1.3	0.4	0.0	1.7	0.8	3.7
金沢市	0.9	0.1	0.0	1.8	1.0	3.2
長野市	1.1	0.2	0.0	1.8	0.6	3.8
岐阜市	1.0	0.2	0.0	1.5	0.6	2.8
豊橋市	0.8	0.2	0.0	1.8	0.9	2.6
豊田市	0.8	0.2	0.0	1.7	0.5	3.7
岡崎市	1.0	0.2	0.1	1.8	0.5	3.6
大津市	1.1	0.3	0.0	2.1	0.8	4.9
高槻市	0.9	0.6	0.0	1.5	0.3	2.9
東大阪市	1.0	0.5	-	1.8	0.3	3.0
豊中市	1.0	0.5	-	1.6	0.4	3.5
枚方市	1.4	0.4	0.0	1.9	0.7	4.7
姫路市	1.4	0.3	0.0	1.7	0.5	3.6
西宮市	1.0	0.5	0.0	1.8	0.8	3.4
尼崎市	1.1	0.4	0.0	1.7	0.4	3.0
奈良市	1.1	0.3	0.0	2.0	0.6	3.5
和歌山市	1.1	0.4	-	1.7	0.2	3.7
倉敷市	1.1	0.4	0.0	2.5	1.2	3.0
福山市	1.6	0.2	0.0	1.9	0.2	2.5
呉市	1.1	0.4	0.0	2.3	1.2	3.0
下関市	1.1	0.3	0.0	2.5	0.7	3.6
高松市	1.1	0.5	0.0	2.3	1.0	3.5
松山市	1.2	0.6	0.0	1.9	0.6	3.7
高知市	1.1	0.3	-	1.9	0.4	3.7
久留米市	1.3	0.5	-	1.8	0.4	3.3
長崎市	1.5	0.4	0.0	1.9	0.4	4.2
佐世保市	1.3	0.4	-	1.6	0.4	3.0
大分市	1.2	0.4	0.0	2.0	0.8	3.8
宮崎市	1.4	0.2	0.0	1.8	0.5	4.1
鹿児島市	1.4	0.4	0.0	2.2	0.6	4.0
那覇市	1.1	0.3	-	1.8	0.4	3.3

注：1）調査方法の変更等による回収率変動の影響を受けているため、数量を示す従事者数の実数は前年以前と単純に年次比較できない。
　　2）「0.0」は常勤換算従事者数が0.05未満の場合である。

平成29年10月１日

准看護師	介護職員	介護福祉士（再掲）	管理栄養士	栄養士	歯科衛生士
1.7	48.2	33.2	1.3	0.1	0.0
2.4	45.6	28.4	1.4	0.1	0.1
1.8	41.0	20.0	1.0	0.1	0.0
2.1	43.1	23.4	1.4	0.4	0.0
1.5	42.2	25.8	1.1	0.1	0.0
1.8	39.9	22.2	1.2	0.0	－
1.7	48.4	24.3	1.5	－	0.1
2.2	43.0	29.7	1.0	0.1	0.1
1.5	43.6	26.2	1.3	0.4	0.2
1.8	42.5	25.2	1.3	0.1	0.1
2.4	40.8	20.8	1.3	0.2	0.0
1.5	45.6	28.0	1.4	0.1	0.0
1.9	42.1	22.6	1.3	0.0	0.1
1.5	43.6	26.9	1.6	0.3	－
1.8	42.8	23.6	1.5	0.0	0.1
2.2	46.1	31.1	1.7	0.2	0.1
3.3	43.5	28.9	1.5	0.1	0.1
2.7	39.8	23.8	1.3	0.2	0.1
2.6	43.4	29.1	1.5	0.2	0.1
3.1	40.4	23.4	1.6	0.7	0.2
2.9	45.8	32.3	1.3	0.1	0.1
3.3	45.5	31.7	1.0	0.5	0.2
4.8	50.7	39.8	1.2	0.4	－
3.3	41.4	29.1	1.3	0.9	0.0
2.2	48.5	32.9	1.7	0.3	－
2.0	41.3	34.3	1.0	0.4	－
3.1	46.3	30.5	1.2	0.2	－
3.7	40.0	21.7	1.2	0.7	0.1
2.4	45.8	25.6	1.3	0.6	－
2.4	42.6	27.8	1.3	0.4	0.1
3.5	43.0	27.0	1.6	0.1	0.1
2.0	41.0	19.1	1.1	－	－
2.0	42.1	19.2	1.6	0.1	0.0
2.1	44.7	25.0	1.2	0.2	－
2.4	44.6	21.7	1.3	0.2	－
1.9	37.4	23.7	0.9	0.2	0.0
1.6	43.0	25.8	1.1	0.2	0.1
1.9	43.4	30.5	1.6	0.6	0.0
1.4	40.3	30.2	1.1	0.7	－
1.8	40.0	29.8	1.3	0.2	0.0
2.7	41.5	23.5	1.3	0.2	0.0
2.5	43.3	18.3	1.1	0.6	0.1
4.8	39.4	22.3	1.0	0.2	－
1.5	45.2	20.8	1.4	0.1	－
1.3	51.7	28.8	1.2	0.1	0.0
2.6	45.8	22.5	1.4	－	－
3.0	41.3	21.2	1.4	0.2	－
1.7	44.8	28.3	1.3	－	0.0
2.0	46.8	28.2	1.7	0.1	－
2.8	45.6	24.6	1.5	0.2	0.1
1.8	40.7	24.0	1.2	0.1	－
3.0	43.6	23.0	1.4	0.1	－
1.8	43.0	23.1	1.6	0.3	0.2
3.1	40.8	20.5	1.4	0.7	0.1
3.0	45.0	26.1	2.0	0.1	0.2
4.2	39.8	25.6	1.4	0.6	0.2
3.8	39.3	21.0	0.9	0.7	－
3.5	46.0	27.0	1.5	0.3	0.1
2.8	45.8	31.4	1.6	0.1	0.1
2.4	44.7	24.6	1.0	0.3	0.0
1.5	47.0	37.0	1.5	0.3	0.0
3.4	38.9	21.4	2.2	－	－
2.9	42.9	30.5	1.6	0.8	0.1
3.3	36.3	22.0	1.3	0.7	0.1
3.5	46.5	35.2	1.2	0.3	0.1
2.8	47.8	32.8	1.8	0.3	0.1
3.1	45.3	32.1	1.8	0.2	0.1
1.9	46.1	21.7	1.4	0.2	0.2

第11表　介護老人福祉施設の定員100人当たり常勤換算従事者数,

都道府県 指定都市 中核市	機能訓練指導員	理学療法士（再掲）	作業療法士（再掲）	言語聴覚士（再掲）	看護師（再掲）	准看護師（再掲）
全国	1.1	0.2	0.1	0.0	0.3	0.3
北海道	1.1	0.2	0.1	0.0	0.2	0.4
青森	1.2	0.0	0.1	0.0	0.3	0.5
岩手	1.2	0.2	0.1	-	0.4	0.3
宮城	1.2	0.2	0.2	0.0	0.3	0.3
秋田	0.8	0.1	0.1	0.0	0.3	0.3
山形	1.2	0.3	0.3	0.0	0.4	0.2
福島	1.1	0.1	0.1	0.0	0.2	0.4
茨城	0.9	0.1	0.1	0.0	0.3	0.3
栃木	0.9	0.1	0.1	0.0	0.2	0.5
群馬	1.0	0.0	0.1	0.0	0.3	0.5
埼玉	0.9	0.1	0.1	0.0	0.3	0.3
千葉	1.0	0.2	0.2	0.0	0.2	0.3
東京	1.3	0.3	0.2	0.0	0.1	0.0
神奈川	0.9	0.2	0.1	0.0	0.2	0.1
新潟	1.2	0.3	0.3	0.1	0.2	0.2
富山	1.1	0.2	0.1	-	0.3	0.2
石川	1.0	0.3	0.1	-	0.2	0.3
福井	1.1	0.2	0.1	0.1	0.2	0.3
山梨	0.7	0.1	0.1	0.0	0.2	0.2
長野	1.1	0.2	0.2	0.0	0.4	0.2
岐阜	1.0	0.2	0.1	0.0	0.3	0.3
静岡	1.0	0.1	0.1	0.0	0.2	0.2
愛知	0.9	0.2	0.1	0.0	0.2	0.2
三重	1.0	0.2	0.1	0.0	0.4	0.3
滋賀	0.9	0.2	0.1	0.0	0.4	0.1
京都	0.9	0.2	0.1	0.0	0.2	0.2
大阪	1.2	0.3	0.1	0.0	0.3	0.2
兵庫	1.1	0.1	0.1	0.0	0.4	0.3
奈良	1.0	0.1	0.1	0.0	0.4	0.2
和歌山	1.0	0.2	0.1	-	0.2	0.4
鳥取	1.4	0.6	0.2	0.1	0.0	0.2
島根	1.6	0.2	0.4	0.0	0.2	0.6
岡山	1.4	0.3	0.2	0.0	0.4	0.3
広島	1.3	0.1	0.2	0.0	0.4	0.5
山口	1.2	0.2	0.1	0.0	0.3	0.6
徳島	1.4	0.5	0.3	-	0.2	0.3
香川	1.3	0.1	0.1	0.0	0.4	0.5
愛媛	1.2	0.2	0.2	0.1	0.3	0.5
高知	1.3	0.5	0.1	0.1	0.3	0.3
福岡	1.3	0.4	0.2	0.1	0.2	0.3
佐賀	1.0	0.2	0.1	-	0.2	0.4
長崎	1.6	0.2	0.2	0.0	0.5	0.7
熊本	1.7	0.4	0.2	0.1	0.4	0.7
大分	1.5	0.2	0.2	0.1	0.2	0.7
宮崎	1.2	0.3	0.2	0.0	0.2	0.5
鹿児島	1.4	0.2	0.2	0.0	0.4	0.5
沖縄	1.3	0.4	0.3	0.1	0.2	0.1

注：1）調査方法の変更等による回収率変動の影響を受けているため、数量を示す従事者数の実数は前年以前と単純に年次比較できない。
　　2）「0.0」は常勤換算従事者数が0.05未満の場合である。

平成29年10月１日

柔道整復師（再掲）	あん摩マッサージ指圧師（再掲）	障害者生活支援員	介護支援専門員	調理員	その他の職員
0.1	0.1	0.0	1.7	2.8	5.3
0.1	0.1	0.0	1.7	2.6	5.1
0.1	0.2	－	1.9	6.5	8.3
0.1	0.1	0.0	2.1	4.6	7.7
0.1	0.0	－	2.1	1.6	6.3
－	0.0	－	1.7	4.8	6.3
0.0	0.0	0.1	1.9	3.0	5.5
0.2	0.1	－	1.8	2.1	5.7
0.1	0.1	0.0	1.7	3.0	4.4
0.0	0.0	－	1.8	3.1	4.3
0.0	0.1	－	1.8	3.6	4.5
0.1	0.1	0.0	1.5	1.6	4.8
0.1	0.1	0.0	1.6	2.6	5.9
0.2	0.5	0.0	1.6	2.2	5.3
0.1	0.2	0.0	1.8	2.1	5.3
0.0	0.1	0.0	1.7	1.9	5.0
0.2	0.1	－	1.8	3.9	6.0
0.0	0.1	0.0	1.5	2.8	4.9
0.1	0.1	－	1.5	4.1	4.6
0.1	0.1	－	1.8	1.6	6.3
0.1	0.0	0.0	1.8	2.2	4.4
0.0	0.1	0.0	1.6	1.4	5.3
0.2	0.2	0.0	1.6	1.5	4.7
0.1	0.1	0.0	1.5	2.0	3.9
0.0	0.0	0.0	1.8	2.3	4.5
0.1	0.1	0.0	1.8	1.5	6.1
0.1	0.1	0.0	1.7	2.4	4.7
0.3	0.1	0.0	1.8	1.9	4.6
0.1	0.0	0.0	1.7	2.4	5.2
0.2	0.0	－	1.9	2.5	5.8
0.2	0.0	0.0	1.9	4.0	4.7
0.0	0.2	0.1	2.2	4.6	5.8
－	0.1	－	1.9	6.5	6.8
0.1	0.0	－	1.8	2.6	5.0
0.0	0.1	－	1.8	3.8	5.6
0.0	0.0	－	1.7	4.7	5.6
－	0.1	－	1.6	5.8	5.3
0.1	0.0	－	1.8	4.9	4.5
－	0.0	－	2.1	4.0	5.3
0.0	0.0	－	2.0	4.4	6.3
0.1	0.1	0.0	1.9	3.0	4.5
0.1	－	0.1	1.8	5.1	6.2
0.0	0.0	－	1.8	5.4	6.5
0.0	0.0	0.0	2.0	6.1	6.4
0.1	0.0	－	1.8	3.3	6.7
0.0	－	－	2.1	6.5	5.8
0.0	0.1	0.0	2.0	4.9	7.3
0.1	0.1	0.0	1.7	5.4	8.3

第11表　介護老人福祉施設の定員100人当たり常勤換算従事者数，

都道府県 指定都市 中核市	機能訓練指導員	理学療法士 (再掲)	作業療法士 (再掲)	言語聴覚士 (再掲)	看護師 (再掲)	准看護師 (再掲)
指定都市(再掲)						
札幌市	1.3	0.4	0.3	0.1	0.2	0.2
仙台市	1.1	0.3	0.3	0.1	0.2	0.1
さいたま市	0.7	0.1	0.1	0.0	0.2	0.1
千葉市	0.9	0.2	0.1	0.1	0.3	0.1
横浜市	0.8	0.2	0.1	0.0	0.1	0.1
川崎市	0.6	0.0	0.1	−	0.3	0.1
相模原市	1.0	0.2	0.1	0.0	0.5	0.0
新潟市	1.3	0.5	0.3	0.1	0.2	0.2
静岡市	1.2	0.2	0.2	−	0.2	0.1
浜松市	0.9	0.1	0.2	0.0	0.2	0.2
名古屋市	0.8	0.2	0.1	0.1	0.3	0.1
京都市	1.0	0.3	0.1	0.0	0.1	0.2
大阪市	1.1	0.3	0.1	0.0	0.2	0.1
堺市	1.4	0.2	0.3	0.0	0.2	0.3
神戸市	1.1	0.1	0.1	0.0	0.4	0.4
岡山市	1.6	0.5	0.3	0.0	0.3	0.2
広島市	1.4	0.1	0.1	0.1	0.5	0.4
北九州市	1.3	0.4	0.3	0.1	0.3	0.1
福岡市	1.4	0.4	0.3	0.1	0.3	0.2
熊本市	1.9	0.7	0.2	0.1	0.3	0.6
中核市(再掲)						
旭川市	1.4	0.5	0.1	0.2	0.1	0.5
函館市	1.4	0.1	0.1	−	0.1	0.8
青森市	1.3	0.0	0.2	−	0.2	0.3
八戸市	1.2	0.1	0.1	−	0.1	0.3
盛岡市	1.2	0.4	0.1	−	0.3	0.2
秋田市	0.9	0.1	0.2	−	0.2	0.3
郡山市	1.6	0.2	0.2	−	0.1	0.3
いわき市	0.9	−	−	−	0.4	0.4
宇都宮市	0.7	0.0	0.0	−	0.2	0.4
前橋市	1.0	0.1	0.1	0.0	0.5	0.3
高崎市	1.2	0.1	0.1	−	0.2	0.7
川越市	1.3	0.2	−	−	0.6	0.5
越谷市	0.6	0.1	0.1	−	0.2	0.0
船橋市	0.7	0.1	0.2	0.0	0.1	0.0
柏市	0.8	0.2	0.2	−	0.1	0.2
八王子市	1.3	0.2	0.1	0.0	0.2	−
横須賀市	1.0	0.0	0.0	−	0.4	0.2
富山市	1.1	0.1	0.2	−	0.3	0.2
金沢市	0.7	0.1	0.0	−	0.3	0.2
長野市	0.9	0.2	0.1	−	0.2	0.2
岐阜市	1.0	0.1	−	−	0.3	0.3
豊橋市	1.2	0.2	−	−	0.5	0.4
豊田市	0.8	0.0	0.1	0.0	0.2	0.4
岡崎市	1.0	0.4	0.3	0.1	0.1	0.1
大津市	1.1	0.2	0.2	0.1	0.2	0.1
高槻市	1.2	0.3	0.2	−	0.1	0.2
東大阪市	1.1	0.1	−	−	0.4	0.4
豊中市	1.5	0.4	0.2	0.0	0.3	0.0
枚方市	1.3	0.4	0.1	0.2	0.0	0.0
姫路市	1.2	0.1	0.1	−	0.5	0.4
西宮市	1.7	0.1	0.4	−	0.9	0.1
尼崎市	1.2	0.2	0.0	0.0	0.5	0.1
奈良市	0.8	0.1	0.1	−	0.4	0.2
和歌山市	1.2	0.1	−	−	0.2	0.6
倉敷市	2.0	0.3	0.2	0.1	0.5	0.8
福山市	1.4	0.1	0.2	−	0.1	0.8
呉市	1.3	0.1	0.3	−	0.4	0.3
下関市	1.2	0.4	0.1	0.0	0.1	0.6
高松市	1.1	0.0	0.1	−	0.4	0.5
松山市	1.1	0.1	0.1	−	0.5	0.3
高知市	1.4	0.8	0.1	0.1	0.2	0.1
久留米市	1.6	0.8	0.3	0.2	0.1	0.2
長崎市	1.8	0.2	0.3	0.1	0.5	0.7
佐世保市	1.5	0.1	0.1	−	0.3	0.8
大分市	1.2	0.2	0.3	0.1	0.3	0.4
宮崎市	1.4	0.5	0.4	−	0.3	0.2
鹿児島市	1.7	0.3	0.2	0.0	0.6	0.3
那覇市	1.6	0.7	0.4	0.2	−	−

注：1）調査方法の変更等による回収率変動の影響を受けているため、数量を示す従事者数の実数は前年以前と単純に年次比較できない。
　　2）「0.0」は常勤換算従事者数が0.05未満の場合である。

都道府県－指定都市・中核市（再掲）、職種別（４－４）

平成29年10月１日

柔道整復師（再掲）	あん摩マッサージ指圧師（再掲）	障害者生活支援員	介護支援専門員	調理員	その他の職員
0.2	0.0	0.0	1.5	1.2	4.0
0.1	0.1	-	2.3	0.9	5.9
0.1	0.1	-	1.7	0.4	3.3
-	0.1	0.0	1.4	1.2	5.5
0.2	0.1	0.0	1.7	2.0	6.0
0.1	0.1	-	1.8	0.6	3.4
0.1	0.0	0.0	2.1	2.1	5.2
0.1	0.0	-	1.8	0.7	4.7
0.3	0.2	-	1.7	1.4	3.6
0.2	0.0	-	1.4	1.2	4.3
0.1	0.1	0.0	1.5	1.2	3.4
0.2	0.1	-	1.9	1.7	4.6
0.3	0.1	-	1.7	1.0	4.8
0.2	0.1	-	1.8	3.3	4.2
0.1	0.0	-	1.7	1.1	6.1
0.2	0.0	-	1.8	2.1	5.1
0.1	0.1	-	1.8	2.6	7.0
0.1	0.0	-	1.7	2.5	4.5
0.1	0.2	0.0	1.8	1.3	4.5
-	0.1	0.1	1.8	2.5	6.3
-	-	-	1.6	2.4	5.6
0.2	0.1	-	1.9	2.3	5.5
0.5	0.1	-	2.6	4.2	10.4
-	0.6	-	1.6	6.0	10.3
0.2	-	0.1	1.8	6.5	8.4
-	-	-	1.9	3.4	5.5
0.4	0.4	-	1.6	1.8	5.2
0.2	-	-	1.2	3.5	7.4
-	0.0	-	1.8	3.5	3.9
-	-	-	1.8	3.8	4.2
0.1	0.1	-	1.7	3.2	4.5
-	0.1	-	1.4	1.6	6.2
0.2	-	-	1.7	0.9	3.5
0.2	0.2	-	1.5	2.2	5.7
0.0	0.1	-	1.4	0.7	5.6
0.1	0.8	-	1.2	3.3	6.7
-	0.3	0.0	2.2	1.7	5.9
0.2	0.1	-	1.6	5.5	6.3
0.1	0.1	-	1.7	1.5	3.5
0.1	-	-	1.9	1.2	6.6
-	0.3	-	1.7	1.7	4.5
0.1	-	-	1.7	2.6	4.1
-	-	-	1.1	1.9	4.3
-	-	-	1.4	2.3	2.8
0.3	-	0.2	2.3	1.3	4.4
0.3	0.1	-	1.5	2.1	4.2
0.1	0.2	-	1.5	1.3	4.3
0.4	0.1	-	1.5	1.7	4.1
0.4	0.1	-	2.1	1.1	3.7
0.1	-	-	1.7	3.1	5.1
0.2	-	0.1	1.7	0.5	3.4
0.3	-	-	1.7	1.2	4.8
0.0	-	-	1.9	2.3	7.8
0.2	0.1	0.2	1.8	3.1	3.7
0.1	0.0	-	2.1	1.7	4.6
0.1	0.1	-	2.0	4.3	4.8
0.0	0.2	-	1.6	7.5	5.8
-	-	-	2.3	4.2	7.0
0.1	-	-	1.7	5.0	5.4
-	0.1	-	1.8	3.9	4.8
0.1	-	-	2.3	3.1	10.7
-	-	-	1.7	0.8	6.8
-	-	-	2.0	5.1	7.7
0.1	0.1	-	1.5	3.9	7.9
-	-	-	1.8	2.6	5.1
-	-	-	1.7	4.4	7.0
0.0	0.2	-	1.9	4.5	6.6
0.2	0.2	0.2	1.4	5.2	6.9

第12表　介護老人福祉施設の在所者数,

都道府県 指定都市 中核市	総数	要介護1	要介護2	要介護3	要介護4	要介護5	その他
全国	485 795	8 356	24 359	115 396	178 541	158 365	778
北海道	22 144	590	1 556	5 650	7 680	6 643	25
青森	5 054	38	151	866	2 009	1 980	10
岩手	6 433	70	186	1 192	2 564	2 411	10
宮城	8 358	115	393	1 881	3 234	2 724	11
秋田	6 571	47	239	1 299	2 493	2 489	4
山形	7 375	111	315	1 639	2 575	2 730	5
福島	9 365	121	399	1 989	3 517	3 325	14
茨城	12 584	216	590	3 233	4 652	3 880	13
栃木	6 639	68	252	1 441	2 587	2 282	9
群馬	8 740	79	282	1 991	3 382	2 993	13
埼玉	27 411	621	1 824	7 543	9 641	7 713	69
千葉	20 383	416	1 125	5 526	7 286	6 011	19
東京	40 602	635	1 863	9 099	14 821	14 090	94
神奈川	30 523	624	1 840	7 450	10 890	9 675	44
新潟	14 104	123	493	2 918	5 194	5 362	14
富山	4 992	31	120	1 151	1 990	1 695	5
石川	5 675	102	320	1 584	2 013	1 650	6
福井	4 119	37	161	933	1 630	1 354	4
山梨	2 923	31	160	719	1 013	1 000	-
長野	9 859	179	457	2 085	3 742	3 386	10
岐阜	8 863	153	491	2 241	3 211	2 761	6
静岡	15 058	579	1 172	3 990	5 203	4 063	51
愛知	20 446	410	1 188	6 229	7 279	5 310	30
三重	8 500	143	381	1 870	3 298	2 784	24
滋賀	5 145	106	293	1 412	1 840	1 481	13
京都	10 341	79	360	2 854	3 853	3 181	14
大阪	27 117	400	1 295	5 956	10 000	9 417	49
兵庫	20 890	314	1 096	5 287	7 590	6 556	47
奈良	5 827	140	379	1 640	2 051	1 606	11
和歌山	4 911	87	276	1 121	1 703	1 712	12
鳥取	2 475	17	65	437	917	1 039	-
島根	4 222	48	116	886	1 620	1 547	5
岡山	8 704	105	394	1 889	3 340	2 973	3
広島	9 852	147	468	2 263	3 458	3 502	14
山口	5 621	76	190	1 195	2 190	1 959	11
徳島	3 324	52	142	731	1 284	1 103	12
香川	4 775	122	284	1 342	1 661	1 361	5
愛媛	5 309	64	189	865	1 970	2 219	2
高知	3 661	13	82	631	1 408	1 520	7
福岡	18 910	658	1 516	4 644	6 775	5 291	26
佐賀	2 944	72	145	798	1 030	885	14
長崎	5 983	79	255	1 412	2 328	1 903	6
熊本	6 891	44	179	1 405	2 726	2 528	9
大分	4 239	49	145	769	1 674	1 599	3
宮崎	4 968	66	204	1 046	1 780	1 869	3
鹿児島	8 754	58	230	1 436	3 475	3 549	6
沖縄	4 211	21	98	858	1 964	1 254	16

注：調査方法の変更等による回収率変動の影響を受けているため、数量を示す在所者数の実数は前年以前と単純に年次比較できない。

都道府県－指定都市・中核市（再掲）、要介護度別

平成29年９月末

都道府県 指定都市 中核市	総数	要介護１	要介護２	要介護３	要介護４	要介護５	その他
指定都市(再掲)							
札幌市	4 998	98	228	1 328	1 911	1 417	16
仙台市	3 181	45	161	753	1 200	1 013	9
さいたま市	4 766	117	367	1 470	1 619	1 170	23
千葉市	2 807	71	155	751	950	877	3
横浜市	14 141	300	976	3 256	4 924	4 671	14
川崎市	3 519	118	237	890	1 161	1 110	3
相模原市	2 649	26	137	759	972	755	-
新潟市	4 149	24	141	924	1 433	1 624	3
静岡市	2 988	67	222	764	1 072	862	1
浜松市	3 334	185	275	924	1 160	767	23
名古屋市	6 357	134	439	2 185	2 087	1 510	2
京都市	4 621	23	110	1 333	1 768	1 385	2
大阪市	10 332	156	550	2 347	3 911	3 357	11
堺市	2 331	29	98	430	879	894	1
神戸市	4 404	37	179	1 146	1 596	1 433	13
岡山市	2 205	21	87	445	819	833	-
広島市	3 435	69	232	911	1 113	1 109	1
北九州市	4 411	157	392	1 052	1 506	1 302	2
福岡市	4 557	203	444	1 189	1 492	1 224	5
熊本市	1 599	6	31	321	637	603	1
中核市(再掲)							
旭川市	1 203	31	114	284	374	400	-
函館市	1 020	13	65	231	362	349	-
青森市	777	1	15	129	313	318	1
八戸市	514	11	7	68	197	231	-
盛岡市	1 141	14	29	218	458	420	2
秋田市	1 223	5	31	309	416	462	-
郡山市	1 062	24	58	221	437	320	2
いわき市	1 150	6	25	244	450	419	6
宇都宮市	1 592	10	56	348	652	525	1
前橋市	1 397	15	43	285	542	512	-
高崎市	1 385	20	61	288	559	457	-
川越市	934	29	48	269	338	246	4
越谷市	729	37	63	215	242	168	4
船橋市	1 666	35	95	438	565	533	-
柏市	1 233	29	71	407	400	325	1
八王子市	2 295	44	155	535	790	768	3
横須賀市	1 964	39	96	404	744	680	1
富山市	1 557	6	37	452	579	483	-
金沢市	1 666	31	86	530	568	451	-
長野市	1 358	23	48	247	601	438	1
岐阜市	1 383	20	74	332	472	485	-
豊橋市	675	6	22	174	262	205	6
豊田市	803	9	27	178	318	264	7
岡崎市	684	11	18	191	291	173	-
大津市	1 085	14	51	321	383	316	-
高槻市	993	26	66	270	311	318	2
東大阪市	1 309	8	52	298	459	480	12
豊中市	1 087	32	89	249	384	331	2
枚方市	1 016	7	49	258	363	334	5
姫路市	1 882	16	62	419	754	631	-
西宮市	1 299	20	73	433	394	376	3
尼崎市	1 354	9	69	365	507	401	3
奈良市	1 240	15	68	363	430	362	2
和歌山市	1 167	17	51	240	435	415	9
倉敷市	1 438	11	44	287	591	505	-
福山市	1 228	11	52	230	401	534	-
呉市	925	23	40	227	333	291	11
下関市	1 029	10	17	200	435	367	-
高松市	1 587	40	83	470	546	448	-
松山市	1 268	20	49	194	480	523	2
高知市	841	1	12	143	371	310	4
久留米市	480	5	22	144	143	165	1
長崎市	1 548	10	40	364	580	554	-
佐世保市	1 138	14	43	265	474	337	5
大分市	1 080	1	21	168	408	482	-
宮崎市	1 330	34	76	303	389	527	1
鹿児島市	1 995	12	45	313	723	899	3
那覇市	539	-	7	97	273	162	-

第13表　介護老人保健施設数,

都道府県 指定都市 中核市	総数	都道府県	市区町村	広域連合・ 一部事務組合	日本赤十字社・ 社会保険関係団体・ 独立行政法人
全国	3 984	1	143	21	68
北海道	182	−	21	−	1
青森	65	−	5	1	−
岩手	68	−	3	−	1
宮城	82	−	3	1	1
秋田	55	−	3	−	1
山形	45	−	3	−	−
福島	83	−	4	−	4
茨城	119	−	−	−	1
栃木	60	−	1	−	2
群馬	93	−	4	1	1
埼玉	163	−	4	−	1
千葉	161	−	3	1	1
東京	187	1	3	−	4
神奈川	165	−	1	−	1
新潟	106	−	3	−	7
富山	47	−	1	−	−
石川	41	−	1	−	−
福井	33	−	2	1	2
山梨	31	−	2	3	−
長野	86	−	4	3	7
岐阜	81	−	9	−	2
静岡	117	−	2	2	3
愛知	181	−	−	−	6
三重	76	−	4	1	2
滋賀	31	−	3	−	1
京都	71	−	2	1	−
大阪	194	−	10	−	1
兵庫	165	−	7	1	2
奈良	47	−	2	−	−
和歌山	39	−	−	−	−
鳥取	48	−	1	−	−
島根	36	−	3	−	−
岡山	79	−	6	−	1
広島	107	−	4	−	2
山口	64	−	7	−	4
徳島	48	−	−	−	−
香川	49	−	3	1	−
愛媛	64	−	4	−	1
高知	34	−	2	−	1
福岡	166	−	−	1	1
佐賀	37	−	−	−	1
長崎	60	−	−	1	−
熊本	88	−	1	2	1
大分	62	−	−	−	3
宮崎	44	−	1	−	1
鹿児島	86	−	1	−	−
沖縄	38	−	−	−	−

注：調査方法の変更等による回収率変動の影響を受けているため、数量を示す施設数の実数は前年以前と単純に年次比較できない。

都道府県－指定都市・中核市（再掲）、開設主体別（２－１）

平成29年10月１日

医療法人	社会福祉協議会	社会福祉法人（社会福祉協議会以外）	社団・財団法人	その他の法人	その他
3 000	-	597	111	39	4
119	-	39	2	-	-
27	-	27	4	1	-
59	-	4	1	-	-
70	-	5	2	-	-
30	-	19	2	-	-
27	-	11	3	1	-
47	-	12	14	1	1
102	-	13	3	-	-
48	-	6	2	1	-
69	-	10	6	2	-
123	-	26	5	3	1
140	-	12	3	1	-
150	-	21	7	1	-
136	-	19	5	3	-
69	-	22	1	4	-
40	-	6	-	-	-
33	-	6	1	-	-
22	-	6	-	-	-
21	-	4	1	-	-
46	-	21	-	5	-
66	-	4	-	-	-
104	-	5	1	-	-
167	-	7	-	1	-
49	-	20	-	-	-
14	-	7	5	1	-
49	-	13	5	1	-
138	-	40	4	1	-
130	-	17	5	2	1
35	-	9	1	-	-
32	-	7	-	-	-
30	-	15	-	1	1
22	-	9	1	1	-
49	-	19	3	1	-
78	-	19	4	-	-
49	-	4	-	-	-
41	-	6	-	1	-
30	-	14	-	1	-
44	-	14	1	-	-
28	-	3	-	-	-
129	-	31	2	2	-
30	-	6	-	-	-
41	-	17	-	1	-
72	-	10	2	-	-
52	-	1	6	-	-
37	-	1	4	-	-
74	-	5	5	1	-
32	-	5	-	1	-

第13表　介護老人保健施設数,

都道府県 指定都市 中核市	総数	都道府県	市区町村	広域連合・一部事務組合	日本赤十字社・社会保険関係団体・独立行政法人
指定都市(再掲)					
札幌市	46	−	−	−	1
仙台市	28	−	−	−	1
さいたま市	28	−	1	−	1
千葉市	24	−	−	−	1
横浜市	76	−	1	−	−
川崎市	17	−	−	−	−
相模原市	13	−	−	−	−
新潟市	42	−	−	−	1
静岡市	25	−	−	−	1
浜松市	24	−	−	−	−
名古屋市	69	−	−	−	3
京都市	41	−	−	−	−
大阪市	67	−	5	−	−
堺市	14	−	−	−	−
神戸市	58	−	−	−	1
岡山市	21	−	−	−	−
広島市	28	−	−	−	1
北九州市	34	−	−	−	−
福岡市	23	−	−	−	−
熊本市	28	−	−	−	−
中核市(再掲)					
旭川市	11	−	−	−	−
函館市	8	−	−	−	−
青森市	15	−	−	−	−
八戸市	7	−	−	−	−
盛岡市	9	−	−	−	1
秋田市	12	−	−	−	−
郡山市	7	−	−	−	−
いわき市	13	−	−	−	−
宇都宮市	7	−	−	−	1
前橋市	12	−	−	−	1
高崎市	17	−	−	−	−
川越市	7	−	−	−	−
越谷市	5	−	−	−	−
船橋市	14	−	−	−	−
柏市	9	−	1	−	−
八王子市	9	−	−	−	−
横須賀市	8	−	−	−	−
富山市	17	−	−	−	−
金沢市	10	−	−	−	−
長野市	12	−	−	−	−
岐阜市	16	−	−	−	−
豊橋市	5	−	−	−	−
豊田市	8	−	−	−	1
岡崎市	7	−	−	−	−
大津市	6	−	−	−	1
高槻市	7	−	−	−	−
東大阪市	12	−	−	−	−
豊中市	9	−	1	−	−
枚方市	8	−	−	−	−
姫路市	9	−	−	−	−
西宮市	9	−	1	−	−
尼崎市	12	−	−	−	−
奈良市	9	−	−	−	−
和歌山市	13	−	−	−	−
倉敷市	14	−	−	−	−
福山市	13	−	−	−	−
呉市	18	−	1	−	−
下関市	11	−	1	−	1
高松市	18	−	−	−	−
松山市	12	−	−	−	−
高知市	9	−	−	−	−
久留米市	8	−	−	−	1
長崎市	17	−	−	−	−
佐世保市	10	−	−	−	−
大分市	17	−	−	−	−
宮崎市	12	−	1	−	1
鹿児島市	19	−	−	−	−
那覇市	5	−	−	−	−

注：調査方法の変更等による回収率変動の影響を受けているため、数量を示す施設数の実数は前年以前と単純に年次比較できない。

都道府県－指定都市・中核市（再掲）、開設主体別（２－２）

平成29年10月１日

医療法人	社会福祉協議会	社会福祉法人（社会福祉協議会以外）	社団・財団法人	その他の法人	その他
36	-	8	1	-	-
25	-	1	1	-	-
22	-	4	-	-	-
19	-	4	-	-	-
62	-	10	3	-	-
10	-	5	-	2	-
13	-	-	-	-	-
33	-	4	1	3	-
23	-	1	-	-	-
22	-	2	-	-	-
63	-	2	-	1	-
27	-	9	4	1	-
51	-	8	2	1	-
5	-	7	2	-	-
50	-	3	4	-	-
12	-	9	-	-	-
22	-	5	-	-	-
31	-	3	-	-	-
20	-	2	-	1	-
25	-	2	1	-	-
9	-	2	-	-	-
6	-	2	-	-	-
4	-	9	1	1	-
5	-	1	1	-	-
8	-	-	-	-	-
5	-	7	-	-	-
4	-	-	3	-	-
10	-	2	1	-	-
4	-	2	-	-	-
8	-	2	1	-	-
13	-	2	2	-	-
6	-	-	1	-	-
4	-	1	-	-	-
13	-	-	1	-	-
8	-	-	-	-	-
9	-	-	-	-	-
7	-	1	-	-	-
15	-	2	-	-	-
9	-	1	-	-	-
10	-	1	-	1	-
16	-	-	-	-	-
5	-	-	-	-	-
7	-	-	-	-	-
7	-	-	-	-	-
4	-	-	-	1	-
7	-	-	-	-	-
7	-	5	-	-	-
6	-	2	-	-	-
7	-	1	-	-	-
9	-	-	-	-	-
8	-	-	-	-	-
11	-	-	-	1	-
8	-	1	-	-	-
12	-	1	-	-	-
10	-	2	1	1	-
12	-	1	-	-	-
10	-	7	-	-	-
9	-	-	-	-	-
15	-	2	-	1	-
8	-	4	-	-	-
9	-	-	-	-	-
7	-	-	-	-	-
10	-	6	-	1	-
7	-	3	-	-	-
17	-	-	-	-	-
8	-	-	2	-	-
18	-	-	1	-	-
5	-	-	-	-	-

第14表　認知症専門棟のある介護老人保健施設数,

都道府県 指定都市 中核市	総数	都道府県	市区町村	広域連合・ 一部事務組合	日本赤十字社・ 社会保険関係団体・ 独立行政法人
全国	1 128	-	15	7	9
北海道	62	-	-	-	-
青森	16	-	-	-	-
岩手	16	-	-	-	-
宮城	27	-	1	1	-
秋田	14	-	-	-	-
山形	17	-	-	-	-
福島	20	-	1	-	-
茨城	30	-	-	-	1
栃木	22	-	-	-	1
群馬	47	-	1	1	1
埼玉	61	-	1	-	-
千葉	68	-	1	-	-
東京	49	-	1	-	-
神奈川	79	-	-	-	1
新潟	21	-	-	-	-
富山	13	-	-	-	-
石川	9	-	-	-	-
福井	11	-	-	1	-
山梨	13	-	-	1	-
長野	27	-	1	-	-
岐阜	7	-	1	-	-
静岡	42	-	1	2	1
愛知	39	-	-	-	2
三重	22	-	-	-	-
滋賀	13	-	-	-	-
京都	27	-	1	-	-
大阪	37	-	1	-	1
兵庫	62	-	-	-	-
奈良	10	-	1	-	-
和歌山	7	-	-	-	-
鳥取	8	-	-	-	-
島根	12	-	-	-	-
岡山	10	-	-	-	-
広島	15	-	1	-	-
山口	23	-	2	-	-
徳島	6	-	-	-	-
香川	3	-	-	-	-
愛媛	13	-	-	-	-
高知	11	-	-	-	1
福岡	70	-	-	-	-
佐賀	16	-	-	-	-
長崎	6	-	-	-	-
熊本	18	-	-	1	-
大分	7	-	-	-	-
宮崎	3	-	-	-	-
鹿児島	17	-	-	-	-
沖縄	2	-	-	-	-

注：調査方法の変更等による回収率変動の影響を受けているため、数量を示す施設数の実数は前年以前と単純に年次比較できない。

都道府県－指定都市・中核市（再掲）、開設主体別（２－１）

平成29年10月１日

医療法人	社会福祉協議会	社会福祉法人（社会福祉協議会以外）	社団・財団法人	その他の法人	その他
880	-	181	30	6	-
45	-	16	1	-	-
8	-	7	1	-	-
15	-	1	-	-	-
22	-	3	-	-	-
11	-	3	-	-	-
11	-	5	1	-	-
13	-	4	2	-	-
26	-	3	-	-	-
18	-	3	-	-	-
36	-	4	4	-	-
44	-	13	3	-	-
61	-	4	2	-	-
43	-	4	1	-	-
69	-	6	3	-	-
12	-	9	-	-	-
11	-	2	-	-	-
9	-	-	-	-	-
7	-	3	-	-	-
11	-	1	-	-	-
16	-	8	-	2	-
6	-	-	-	-	-
37	-	1	-	-	-
33	-	4	-	-	-
13	-	9	-	-	-
5	-	5	3	-	-
17	-	8	1	-	-
25	-	7	2	1	-
55	-	6	-	1	-
8	-	1	-	-	-
5	-	2	-	-	-
7	-	1	-	-	-
7	-	5	-	-	-
6	-	3	-	1	-
11	-	2	1	-	-
19	-	2	-	-	-
6	-	-	-	-	-
2	-	1	-	-	-
11	-	2	-	-	-
8	-	2	-	-	-
54	-	15	-	1	-
14	-	2	-	-	-
4	-	2	-	-	-
16	-	1	-	-	-
5	-	-	2	-	-
2	-	-	1	-	-
14	-	1	2	-	-
2	-	-	-	-	-

第14表　認知症専門棟のある介護老人保健施設数,

都道府県 指定都市 中核市	総数	都道府県	市区町村	広域連合・ 一部事務組合	日本赤十字社・ 社会保険関係団体・ 独立行政法人
指定都市(再掲)					
札幌市	20	–	–	–	–
仙台市	2	–	–	–	–
さいたま市	8	–	–	–	–
千葉市	12	–	–	–	–
横浜市	41	–	–	–	–
川崎市	5	–	–	–	–
相模原市	6	–	–	–	–
新潟市	4	–	–	–	–
静岡市	8	–	–	–	1
浜松市	7	–	–	–	–
名古屋市	13	–	–	–	1
京都市	17	–	–	–	–
大阪市	14	–	1	–	–
堺市	4	–	–	–	–
神戸市	29	–	–	–	–
岡山市	3	–	–	–	–
広島市	4	–	–	–	–
北九州市	12	–	–	–	–
福岡市	12	–	–	–	–
熊本市	3	–	–	–	–
中核市(再掲)					
旭川市	6	–	–	–	–
函館市	2	–	–	–	–
青森市	1	–	–	–	–
八戸市	1	–	–	–	–
盛岡市	2	–	–	–	–
秋田市	3	–	–	–	–
郡山市	1	–	–	–	–
いわき市	3	–	–	–	–
宇都宮市	4	–	–	–	–
前橋市	10	–	–	–	1
高崎市	8	–	–	–	–
川越市	3	–	–	–	–
越谷市	1	–	–	–	–
船橋市	6	–	–	–	–
柏市	3	–	1	–	–
八王子市	2	–	–	–	–
横須賀市	1	–	–	–	–
富山市	2	–	–	–	–
金沢市	4	–	–	–	–
長野市	6	–	–	–	–
岐阜市	1	–	–	–	–
豊橋市	–	–	–	–	–
豊田市	2	–	–	–	–
岡崎市	1	–	–	–	–
大津市	1	–	–	–	–
高槻市	1	–	–	–	–
東大阪市	–	–	–	–	–
豊中市	1	–	–	–	–
枚方市	4	–	–	–	–
姫路市	2	–	–	–	–
西宮市	2	–	–	–	–
尼崎市	2	–	–	–	–
奈良市	1	–	–	–	–
和歌山市	2	–	–	–	–
倉敷市	3	–	–	–	–
福山市	2	–	–	–	–
呉市	1	–	–	–	–
下関市	2	–	–	–	–
高松市	–	–	–	–	–
松山市	4	–	–	–	–
高知市	2	–	–	–	–
久留米市	3	–	–	–	–
長崎市	1	–	–	–	–
佐世保市	4	–	–	–	–
大分市	3	–	–	–	–
宮崎市	1	–	–	–	–
鹿児島市	5	–	–	–	–
那覇市	–	–	–	–	–

注：調査方法の変更等による回収率変動の影響を受けているため、数量を示す施設数の実数は前年以前と単純に年次比較できない。

平成29年10月1日

医療法人	社会福祉協議会	社会福祉法人 (社会福祉協議会以外)	社団・財団法人	その他の法人	その他
17	−	2	1	−	−
2	−	−	−	−	−
7	−	1	−	−	−
9	−	3	−	−	−
37	−	2	2	−	−
3	−	2	−	−	−
6	−	−	−	−	−
3	−	1	−	−	−
6	−	1	−	−	−
7	−	−	−	−	−
12	−	−	−	−	−
11	−	5	1	−	−
9	−	2	1	1	−
2	−	1	1	−	−
28	−	1	−	−	−
2	−	1	−	−	−
3	−	1	−	−	−
11	−	1	−	−	−
11	−	−	−	1	−
3	−	−	−	−	−
4	−	2	−	−	−
−	−	2	−	−	−
−	−	1	−	−	−
1	−	−	−	−	−
2	−	−	−	−	−
3	−	−	−	−	−
1	−	−	−	−	−
3	−	−	−	−	−
2	−	2	−	−	−
6	−	2	1	−	−
6	−	−	2	−	−
2	−	−	1	−	−
−	−	1	−	−	−
5	−	−	1	−	−
2	−	−	−	−	−
2	−	−	−	−	−
1	−	−	−	−	−
2	−	−	−	−	−
4	−	−	−	−	−
5	−	−	−	1	−
1	−	−	−	−	−
−	−	−	−	−	−
2	−	−	−	−	−
1	−	−	−	−	−
1	−	−	−	−	−
1	−	−	−	−	−
−	−	−	−	−	−
−	−	1	−	−	−
4	−	−	−	−	−
2	−	−	−	−	−
2	−	−	−	−	−
2	−	−	−	−	−
1	−	−	−	−	−
2	−	−	−	−	−
2	−	−	−	1	−
2	−	−	−	−	−
−	−	1	−	−	−
2	−	−	−	−	−
−	−	−	−	−	−
4	−	−	−	−	−
2	−	−	−	−	−
3	−	−	−	−	−
1	−	−	−	−	−
2	−	2	−	−	−
3	−	−	−	−	−
−	−	−	1	−	−
4	−	−	1	−	−
−	−	−	−	−	−

定員階級	総数	都道府県	市区町村	広域連合・一部事務組合	日本赤十字社・社会保険関係団体・独立行政法人
総数	3 984	1	143	21	68
1 ～ 9人	5	-	-	-	-
10 ～ 19	74	-	3	-	-
20 ～ 29	193	-	15	-	-
30 ～ 39	62	-	4	-	-
40 ～ 49	117	-	7	1	2
50 ～ 59	315	1	33	4	4
60 ～ 69	213	-	8	-	2
70 ～ 79	231	-	12	3	2
80 ～ 89	551	-	17	3	11
90 ～ 99	310	-	9	3	4
100 ～ 109	1 480	-	32	7	41
110 ～ 119	49	-	1	-	-
120 ～ 129	88	-	1	-	2
130 ～ 139	39	-	-	-	-
140 ～ 149	44	-	-	-	-
150人以上	213	-	1	-	-

注：調査方法の変更等による回収率変動の影響を受けているため、数量を示す施設数の実数は前年以前と単純に年次比較できない。

定員階級、開設主体別

平成29年10月１日

医療法人	社会福祉協議会	社会福祉法人（社会福祉協議会以外）	社団・財団法人	その他の法人	その他
3 000	-	597	111	39	4
3	-	2	-	-	-
59	-	6	2	2	2
155	-	15	2	5	1
44	-	9	4	1	-
84	-	18	2	3	-
219	-	36	13	5	-
166	-	31	4	2	-
181	-	29	3	1	-
390	-	102	23	4	1
231	-	53	7	3	-
1 100	-	251	40	9	-
38	-	8	2	-	-
74	-	10	1	-	-
35	-	2	2	-	-
35	-	7	1	1	-
186	-	18	5	3	-

第16表　介護老人保健施設数,

ユニットの状況 ユニット数	総数	都道府県	市区町村	広域連合・ 一部事務組合	日本赤十字社・ 社会保険関係団体・ 独立行政法人
総数	3 984	1	143	21	68
ユニット有	414	–	6	–	2
総数					
1ユニット	24	–	–	–	–
2ユニット	62	–	–	–	–
3ユニット	58	–	2	–	–
4ユニット	69	–	–	–	1
5ユニット以上	201	–	4	–	1
一般棟					
0ユニット	1	–	–	–	–
1ユニット	24	–	–	–	–
2ユニット	63	–	–	–	–
3ユニット	58	–	2	–	–
4ユニット	68	–	–	–	1
5ユニット以上	200	–	4	–	1
認知症専門棟					
0ユニット	397	–	6	–	2
1ユニット	–	–	–	–	–
2ユニット	5	–	–	–	–
3ユニット	–	–	–	–	–
4ユニット	11	–	–	–	–
5ユニット以上	1	–	–	–	–
ユニット無	3 570	1	137	21	66

注：調査方法の変更等による回収率変動の影響を受けているため、数量を示す施設数の実数は前年以前と単純に年次比較できない。

一般棟－認知症専門棟、ユニットの状況、ユニット数、開設主体別

平成29年10月１日

医療法人	社会福祉協議会	社会福祉法人（社会福祉協議会以外）	社団・財団法人	その他の法人	その他
3 000	－	597	111	39	4
318	－	73	10	5	－
17	－	5	2	－	－
51	－	11	－	－	－
45	－	6	1	4	－
49	－	16	3	－	－
156	－	35	4	1	－
1	－	－	－	－	－
17	－	5	2	－	－
52	－	11	－	－	－
45	－	6	1	4	－
47	－	17	3	－	－
156	－	34	4	1	－
306	－	68	10	5	－
－	－	－	－	－	－
5	－	－	－	－	－
－	－	－	－	－	－
6	－	5	－	－	－
1	－	－	－	－	－
2 682	－	524	101	34	4

第17表　介護老人保健施設の定員，

都道府県 指定都市 中核市	総数	都道府県	市区町村	広域連合・ 一部事務組合	日本赤十字社・ 社会保険関係団体・ 独立行政法人
全国	343 638	50	9 748	1 681	6 157
北海道	15 321	−	1 090	−	100
青森	5 373	−	207	48	−
岩手	5 938	−	160	−	100
宮城	7 787	−	255	100	100
秋田	4 948	−	280	−	100
山形	3 957	−	130	−	−
福島	7 076	−	315	−	400
茨城	10 068	−	−	−	100
栃木	5 138	−	100	−	200
群馬	6 212	−	250	80	80
埼玉	15 880	−	312	−	100
千葉	14 672	−	250	100	100
東京	19 466	50	311	−	300
神奈川	16 989	−	80	−	100
新潟	10 103	−	237	−	620
富山	4 394	−	80	−	−
石川	3 671	−	56	−	−
福井	2 855	−	80	100	170
山梨	2 719	−	170	224	−
長野	7 036	−	327	170	631
岐阜	6 693	−	594	−	200
静岡	11 785	−	175	180	300
愛知	17 256	−	−	−	614
三重	6 680	−	228	100	200
滋賀	2 588	−	213	−	100
京都	7 031	−	119	100	−
大阪	17 678	−	943	−	100
兵庫	14 178	−	478	98	182
奈良	4 113	−	200	−	−
和歌山	3 202	−	−	−	−
鳥取	2 644	−	45	−	−
島根	2 817	−	279	−	−
岡山	5 796	−	395	−	100
広島	8 528	−	270	−	108
山口	4 813	−	440	−	322
徳島	3 851	−	−	−	−
香川	3 515	−	88	80	−
愛媛	4 956	−	285	−	100
高知	2 236	−	111	−	80
福岡	13 780	−	−	90	90
佐賀	2 607	−	−	−	80
長崎	4 528	−	−	71	−
熊本	5 970	−	50	140	100
大分	3 917	−	−	−	200
宮崎	3 275	−	50	−	80
鹿児島	6 083	−	95	−	−
沖縄	3 515	−	−	−	−

注：調査方法の変更等による回収率変動の影響を受けているため、数量を示す定員の実数は前年以前と単純に年次比較できない。

平成29年10月１日

医　療　法　人	社会福祉協議会	社会福祉法人（社会福祉協議会以外）	社団・財団法人	その他の法人	そ　の　他
261 233	－	52 116	9 528	2 988	137
10 416	－	3 535	180	－	－
2 465	－	2 275	360	18	－
5 226	－	380	72	－	－
6 666	－	500	166	－	－
2 527	－	1 864	177	－	－
2 334	－	1 157	296	40	－
3 854	－	1 107	1 213	100	87
8 739	－	929	300	－	－
3 888	－	600	150	200	－
4 792	－	500	430	80	－
12 150	－	2 384	574	340	20
12 805	－	987	330	100	－
16 387	－	1 714	615	89	－
14 278	－	1 797	408	326	－
6 776	－	2 102	143	225	－
3 744	－	570	－	－	－
3 156	－	409	50	－	－
1 898	－	607	－	－	－
1 829	－	396	100	－	－
3 829	－	1 750	－	329	－
5 507	－	392	－	－	－
10 453	－	577	100	－	－
15 865	－	748	－	29	－
4 372	－	1 780	－	－	－
1 080	－	635	460	100	－
4 691	－	1 572	520	29	－
12 706	－	3 449	380	100	－
11 490	－	1 412	308	195	15
3 055	－	742	116	－	－
2 566	－	636	－	－	－
1 749	－	789	－	46	15
1 708	－	600	50	180	－
3 407	－	1 605	206	83	－
6 330	－	1 500	320	－	－
3 721	－	330	－	－	－
3 187	－	635	－	29	－
2 196	－	1 100	－	51	－
3 215	－	1 256	100	－	－
1 835	－	210	－	－	－
10 373	－	2 932	150	145	－
2 127	－	400	－	－	－
2 978	－	1 460	－	19	－
4 898	－	622	160	－	－
3 239	－	100	378	－	－
2 705	－	85	355	－	－
5 081	－	486	361	60	－
2 940	－	500	－	75	－

第17表　介護老人保健施設の定員，

都道府県 指定都市 中核市	総数	都道府県	市区町村	広域連合・ 一部事務組合	日本赤十字社・ 社会保険関係団体・ 独立行政法人
指定都市(再掲)					
札幌市	4 115	–	–	–	100
仙台市	2 754	–	–	–	100
さいたま市	2 948	–	100	–	100
千葉市	2 133	–	–	–	100
横浜市	8 382	–	80	–	–
川崎市	1 905	–	–	–	–
相模原市	1 231	–	–	–	–
新潟市	3 812	–	–	–	100
静岡市	2 544	–	–	–	100
浜松市	2 749	–	–	–	–
名古屋市	6 334	–	–	–	326
京都市	4 247	–	–	–	–
大阪市	6 288	–	470	–	–
堺市	1 243	–	–	–	–
神戸市	4 941	–	–	–	100
岡山市	1 836	–	–	–	–
広島市	2 488	–	–	–	48
北九州市	2 750	–	–	–	–
福岡市	2 287	–	–	–	–
熊本市	2 045	–	–	–	–
中核市(再掲)					
旭川市	922	–	–	–	–
函館市	988	–	–	–	–
青森市	1 100	–	–	–	–
八戸市	730	–	–	–	–
盛岡市	828	–	–	–	100
秋田市	1 218	–	–	–	–
郡山市	660	–	–	–	–
いわき市	1 189	–	–	–	–
宇都宮市	709	–	–	–	100
前橋市	975	–	–	–	80
高崎市	1 146	–	–	–	–
川越市	600	–	–	–	–
越谷市	429	–	–	–	–
船橋市	1 315	–	–	–	–
柏市	920	–	100	–	–
八王子市	927	–	–	–	–
横須賀市	792	–	–	–	–
富山市	1 687	–	–	–	–
金沢市	1 209	–	–	–	–
長野市	1 209	–	–	–	–
岐阜市	1 295	–	–	–	–
豊橋市	536	–	–	–	–
豊田市	674	–	–	–	90
岡崎市	806	–	–	–	–
大津市	393	–	–	–	100
高槻市	642	–	–	–	–
東大阪市	1 061	–	–	–	–
豊中市	717	–	100	–	–
枚方市	888	–	–	–	–
姫路市	798	–	–	–	–
西宮市	947	–	100	–	–
尼崎市	1 104	–	–	–	–
奈良市	866	–	–	–	–
和歌山市	1 069	–	–	–	–
倉敷市	1 098	–	–	–	–
福山市	983	–	–	–	–
呉市	1 262	–	70	–	–
下関市	807	–	50	–	72
高松市	1 264	–	–	–	–
松山市	1 114	–	–	–	–
高知市	517	–	–	–	–
久留米市	700	–	–	–	90
長崎市	1 333	–	–	–	–
佐世保市	727	–	–	–	–
大分市	1 016	–	–	–	–
宮崎市	962	–	50	–	80
鹿児島市	1 320	–	–	–	–
那覇市	401	–	–	–	–

注：調査方法の変更等による回収率変動の影響を受けているため、数量を示す定員の実数は前年以前と単純に年次比較できない。

平成29年10月１日

医療法人	社会福祉協議会	社会福祉法人（社会福祉協議会以外）	社団・財団法人	その他の法人	その他
3 195	－	740	80	－	－
2 470	－	100	84	－	－
2 346	－	402	－	－	－
1 692	－	341	－	－	－
7 093	－	991	218	－	－
1 187	－	482	－	236	－
1 231	－	－	－	－	－
2 996	－	377	143	196	－
2 344	－	100	－	－	－
2 472	－	277	－	－	－
5 779	－	200	－	29	－
2 626	－	1 172	420	29	－
4 620	－	898	200	100	－
510	－	553	180	－	－
4 337	－	280	224	－	－
993	－	843	－	－	－
1 940	－	500	－	－	－
2 450	－	300	－	－	－
1 762	－	440	－	85	－
1 806	－	159	80	－	－
750	－	172	－	－	－
738	－	250	－	－	－
318	－	664	100	18	－
500	－	100	130	－	－
728	－	－	－	－	－
528	－	690	－	－	－
360	－	－	300	－	－
913	－	180	96	－	－
409	－	200	－	－	－
625	－	170	100	－	－
896	－	70	180	－	－
480	－	－	120	－	－
329	－	100	－	－	－
1 215	－	－	100	－	－
820	－	－	－	－	－
927	－	－	－	－	－
742	－	50	－	－	－
1 487	－	200	－	－	－
1 109	－	100	－	－	－
1 013	－	96	－	100	－
1 295	－	－	－	－	－
536	－	－	－	－	－
584	－	－	－	－	－
806	－	－	－	－	－
193	－	－	－	100	－
642	－	－	－	－	－
675	－	386	－	－	－
507	－	110	－	－	－
793	－	95	－	－	－
798	－	－	－	－	－
847	－	－	－	－	－
1 009	－	－	－	95	－
786	－	80	－	－	－
971	－	98	－	－	－
889	－	70	56	83	－
918	－	65	－	－	－
712	－	480	－	－	－
685	－	－	－	－	－
1 033	－	180	－	51	－
722	－	392	－	－	－
517	－	－	－	－	－
610	－	－	－	－	－
734	－	580	－	19	－
457	－	270	－	－	－
1 016	－	－	－	－	－
620	－	－	212	－	－
1 220	－	－	100	－	－
401	－	－	－	－	－

第18表　介護老人保健施設の療養室数，一般棟－認知症専門棟、定員階級、室定員別

平成29年10月１日

定員階級	総数	個室	２人室	３人室	４人室
総数	145 191	66 405	17 440	3 031	58 315
1 ～ 9人	35	33	－	－	2
10 ～ 19	686	445	107	52	82
20 ～ 29	3 349	2 627	251	133	338
30 ～ 39	1 549	1 317	78	44	110
40 ～ 49	3 340	2 647	179	71	443
50 ～ 59	7 060	3 229	1 034	235	2 562
60 ～ 69	5 900	2 898	757	193	2 052
70 ～ 79	6 697	2 614	1 042	178	2 863
80 ～ 89	18 687	8 194	2 473	457	7 563
90 ～ 99	10 750	3 487	1 590	349	5 324
100 ～ 109	62 370	28 797	7 098	700	25 775
110 ～ 119	2 297	951	368	30	948
120 ～ 129	4 861	2 579	435	104	1 743
130 ～ 139	1 922	637	249	101	935
140 ～ 149	2 225	641	318	46	1 220
150 人以上	13 463	5 309	1 461	338	6 355
一般棟	126 037	57 573	15 795	2 671	49 998
1 ～ 9人	35	33	－	－	2
10 ～ 19	686	445	107	52	82
20 ～ 29	3 315	2 600	250	133	332
30 ～ 39	1 508	1 278	78	44	108
40 ～ 49	3 210	2 563	178	55	414
50 ～ 59	6 705	3 049	982	231	2 443
60 ～ 69	5 415	2 663	694	180	1 878
70 ～ 79	5 942	2 247	947	167	2 581
80 ～ 89	16 259	7 128	2 210	382	6 539
90 ～ 99	9 408	2 933	1 484	320	4 671
100 ～ 109	52 969	24 272	6 344	571	21 782
110 ～ 119	1 972	804	341	30	797
120 ～ 129	4 270	2 335	401	103	1 431
130 ～ 139	1 585	480	218	96	791
140 ～ 149	1 932	534	294	41	1 063
150 人以上	10 826	4 209	1 267	266	5 084
認知症専門棟	19 154	8 832	1 645	360	8 317
1 ～ 9人	－	－	－	－	－
10 ～ 19	－	－	－	－	－
20 ～ 29	34	27	1	－	6
30 ～ 39	41	39	－	－	2
40 ～ 49	130	84	1	16	29
50 ～ 59	355	180	52	4	119
60 ～ 69	485	235	63	13	174
70 ～ 79	755	367	95	11	282
80 ～ 89	2 428	1 066	263	75	1 024
90 ～ 99	1 342	554	106	29	653
100 ～ 109	9 401	4 525	754	129	3 993
110 ～ 119	325	147	27	－	151
120 ～ 129	591	244	34	1	312
130 ～ 139	337	157	31	5	144
140 ～ 149	293	107	24	5	157
150 人以上	2 637	1 100	194	72	1 271

注：調査方法の変更等による回収率変動の影響を受けているため、数量を示す療養室数の実数は前年以前と単純に年次比較できない。

第19表　介護老人保健施設の療養室数，一般棟－認知症専門棟、開設主体、室定員別

平成29年10月１日

開設主体	総数	個室	２人室	３人室	４人室
総数	145 191	66 405	17 440	3 031	58 315
都道府県	15	2	2	-	11
市区町村	3 847	1 483	537	117	1 710
広域連合・一部事務組合	694	319	69	-	306
日本赤十字社・社会保険関係団体・独立行政法人	2 576	1 221	217	50	1 088
医療法人	109 722	49 805	12 930	2 380	44 607
社会福祉協議会	-	-	-	-	-
社会福祉法人(社会福祉協議会以外)	23 110	11 244	3 151	290	8 425
社団・財団法人	3 975	1 798	412	154	1 611
その他の法人	1 203	523	111	33	536
その他	49	10	11	7	21
一般棟	126 037	57 573	15 795	2 671	49 998
都道府県	15	2	2	-	11
市区町村	3 607	1 374	504	117	1 612
広域連合・一部事務組合	579	256	56	-	267
日本赤十字社・社会保険関係団体・独立行政法人	2 439	1 150	214	49	1 026
医療法人	94 942	43 199	11 719	2 112	37 912
社会福祉協議会	-	-	-	-	-
社会福祉法人(社会福祉協議会以外)	19 810	9 503	2 801	244	7 262
社団・財団法人	3 475	1 588	378	109	1 400
その他の法人	1 121	491	110	33	487
その他	49	10	11	7	21
認知症専門棟	19 154	8 832	1 645	360	8 317
都道府県	-	-	-	-	-
市区町村	240	109	33	-	98
広域連合・一部事務組合	115	63	13	-	39
日本赤十字社・社会保険関係団体・独立行政法人	137	71	3	1	62
医療法人	14 780	6 606	1 211	268	6 695
社会福祉協議会	-	-	-	-	-
社会福祉法人(社会福祉協議会以外)	3 300	1 741	350	46	1 163
社団・財団法人	500	210	34	45	211
その他の法人	82	32	1	-	49
その他	-	-	-	-	-

注：調査方法の変更等による回収率変動の影響を受けているため、数量を示す療養室数の実数は前年以前と単純に年次比較できない。

第20表　介護老人保健施設の常勤換算従事者数,

都道府県 指定都市 中核市	総数			医師			歯科医師		
	総数	常勤	非常勤	総数	常勤	非常勤	総数	常勤	非常勤
全国	207 721	182 315	25 406	4 261	3 616	645	19	9	9
北海道	9 494	8 742	752	179	162	17	1	–	1
青森	3 481	3 253	228	62	56	5	0	–	0
岩手	3 428	3 256	172	69	62	7	1	1	0
宮城	5 014	4 586	428	91	78	13	–	–	–
秋田	3 005	2 861	144	55	48	7	0	–	0
山形	2 581	2 429	152	50	39	11	0	–	0
福島	4 347	4 015	332	83	66	18	1	1	0
茨城	5 986	5 271	715	117	108	9	2	1	1
栃木	2 906	2 611	296	70	53	18	1	0	0
群馬	3 899	3 428	471	88	72	17	1	–	1
埼玉	9 791	8 291	1 500	194	160	34	0	–	0
千葉	9 042	7 559	1 482	172	148	25	–	–	–
東京	11 911	9 924	1 987	237	191	46	2	1	1
神奈川	10 283	8 221	2 062	199	158	42	1	1	–
新潟	5 867	5 372	495	116	101	15	0	0	0
富山	2 653	2 334	319	53	47	6	0	–	0
石川	2 010	1 837	173	44	39	5	–	–	–
福井	1 689	1 478	211	34	27	7	0	0	–
山梨	1 452	1 279	173	28	24	4	1	1	0
長野	4 363	3 785	578	88	68	20	0	0	0
岐阜	3 806	3 270	536	87	72	15	0	0	–
静岡	6 462	5 429	1 033	136	109	27	0	–	0
愛知	9 846	8 446	1 400	217	177	39	1	1	0
三重	3 943	3 439	504	86	71	15	0	–	0
滋賀	1 644	1 426	218	33	29	3	0	0	0
京都	4 245	3 610	635	84	69	15	–	–	–
大阪	10 318	8 885	1 433	224	191	32	0	0	0
兵庫	8 559	7 124	1 436	180	153	27	0	–	0
奈良	2 482	2 095	387	54	49	6	0	–	0
和歌山	1 865	1 600	265	41	35	6	–	–	–
鳥取	1 719	1 546	173	40	35	5	–	–	–
島根	1 733	1 553	179	40	31	9	0	–	0
岡山	3 442	3 108	333	85	69	16	1	–	1
広島	5 235	4 604	631	116	102	14	0	–	0
山口	2 868	2 655	214	63	55	8	0	–	0
徳島	2 165	1 889	276	52	47	5	0	0	0
香川	1 975	1 740	235	49	42	7	–	–	–
愛媛	2 998	2 701	297	59	54	5	–	–	–
高知	1 434	1 319	116	30	24	6	–	–	–
福岡	8 403	7 685	717	167	149	19	–	–	–
佐賀	1 780	1 659	121	39	37	2	–	–	–
長崎	2 955	2 612	343	56	49	7	–	–	–
熊本	3 808	3 464	344	79	70	9	0	–	0
大分	2 469	2 260	209	51	43	8	0	0	0
宮崎	2 252	2 110	142	47	41	6	–	–	–
鹿児島	3 848	3 496	351	79	71	8	1	1	1
沖縄	2 268	2 060	209	39	36	3	1	1	0

注：1）調査方法の変更等による回収率変動の影響を受けているため、数量を示す従事者数の実数は前年以前と単純に年次比較できない。
　　2）「0」は常勤換算従事者数が0.5未満の場合である。

都道府県－指定都市・中核市（再掲）、職種（常勤－非常勤）別（6－1）

平成29年10月1日

薬剤師			看護師			准看護師		
総数	常勤	非常勤	総数	常勤	非常勤	総数	常勤	非常勤
1 126	413	713	21 154	17 736	3 418	18 329	15 723	2 607
21	8	13	1 000	931	69	844	782	62
19	5	14	269	251	19	360	342	18
10	5	5	397	381	16	278	261	16
11	7	5	391	355	36	441	394	47
17	8	8	272	256	15	271	261	10
2	1	1	240	223	17	200	183	18
19	5	14	359	327	32	442	409	33
33	7	26	509	415	94	602	524	78
23	12	12	277	241	35	314	276	38
27	9	18	348	309	40	409	357	53
76	22	53	928	733	195	819	672	146
45	8	37	869	688	181	749	598	151
70	30	41	1 341	1 012	329	701	552	149
85	25	60	1 185	805	380	562	374	188
18	10	8	616	542	74	481	423	59
17	9	9	247	210	36	281	248	33
8	2	6	237	216	21	215	195	20
8	2	6	163	142	21	171	144	27
10	1	9	134	112	22	139	121	18
21	12	9	460	369	91	345	282	63
20	7	12	360	295	65	368	301	67
44	14	31	782	595	187	476	365	111
77	25	52	1 147	908	238	847	712	135
22	7	15	409	334	75	333	280	54
10	5	6	221	187	34	68	51	17
33	9	24	549	416	132	263	204	59
51	17	33	1 238	1 009	228	850	681	169
69	27	43	979	816	163	602	463	139
20	9	11	316	250	66	132	101	31
8	4	4	188	156	32	181	155	26
5	3	2	138	116	22	170	147	23
11	6	5	172	144	29	207	172	35
16	6	10	371	329	42	291	252	39
31	10	21	474	412	62	571	503	68
19	11	8	300	282	19	314	288	26
6	3	3	146	116	30	294	247	47
6	3	3	140	117	24	288	241	47
10	2	8	287	262	25	283	261	23
9	4	5	150	143	7	133	118	15
33	17	16	772	695	78	961	878	84
13	5	8	175	165	11	157	139	18
4	2	1	251	225	26	336	301	35
21	7	14	357	335	22	432	402	30
8	3	5	227	209	18	261	238	23
7	4	3	219	207	12	222	215	7
23	11	12	325	301	25	448	408	41
9	4	5	222	197	25	221	205	16

第20表　介護老人保健施設の常勤換算従事者数,

都道府県 指定都市 中核市	総数			医師			歯科医師		
	総数	常勤	非常勤	総数	常勤	非常勤	総数	常勤	非常勤
指定都市(再掲)									
札幌市	2 689	2 479	210	51	48	3	0	-	0
仙台市	1 799	1 694	104	32	28	4	-	-	-
さいたま市	1 704	1 465	239	36	30	6	0	-	0
千葉市	1 207	1 016	191	24	22	2	-	-	-
横浜市	5 152	4 070	1 082	99	73	26	-	-	-
川崎市	1 108	886	222	23	17	6	-	-	-
相模原市	783	610	173	15	13	2	-	-	-
新潟市	2 132	1 958	174	45	38	7	-	-	-
静岡市	1 428	1 184	244	30	24	7	-	-	-
浜松市	1 407	1 190	217	33	26	7	-	-	-
名古屋市	3 680	3 253	427	81	66	15	0	-	0
京都市	2 582	2 190	392	51	44	7	-	-	-
大阪市	3 479	3 094	385	73	63	10	0	-	0
堺市	770	644	126	16	15	2	-	-	-
神戸市	3 091	2 550	541	66	56	10	-	-	-
岡山市	1 111	1 005	106	26	21	4	0	-	0
広島市	1 435	1 240	195	32	28	4	-	-	-
北九州市	1 625	1 470	155	31	28	3	-	-	-
福岡市	1 332	1 237	95	30	26	4	-	-	-
熊本市	1 314	1 212	102	32	28	3	0	-	0
中核市(再掲)									
旭川市	596	556	40	11	9	2	-	-	-
函館市	538	502	36	10	10	1	-	-	-
青森市	801	723	78	14	14	0	-	-	-
八戸市	422	397	25	10	7	3	-	-	-
盛岡市	543	526	17	11	11	0	-	-	-
秋田市	739	699	39	13	11	1	0	-	0
郡山市	391	373	18	7	6	2	0	-	0
いわき市	652	596	57	13	11	2	-	-	-
宇都宮市	387	316	72	10	9	1	-	-	-
前橋市	616	573	43	14	11	2	0	-	0
高崎市	692	608	84	15	10	4	0	-	0
川越市	324	279	45	7	6	1	-	-	-
越谷市	297	269	28	7	6	1	-	-	-
船橋市	805	673	132	15	11	4	-	-	-
柏市	536	450	87	9	9	1	-	-	-
八王子市	615	496	119	11	8	3	-	-	-
横須賀市	478	339	139	10	8	2	-	-	-
富山市	1 018	923	95	19	17	2	0	-	0
金沢市	651	611	39	14	13	1	-	-	-
長野市	668	551	117	13	11	3	-	-	-
岐阜市	738	640	99	18	15	3	-	-	-
豊橋市	282	250	32	5	4	1	-	-	-
豊田市	453	376	77	9	8	2	-	-	-
岡崎市	435	354	81	11	9	2	-	-	-
大津市	225	196	29	6	5	1	0	0	0
高槻市	392	358	34	8	7	1	-	-	-
東大阪市	627	514	113	15	11	4	-	-	-
豊中市	490	425	65	10	9	1	-	-	-
枚方市	539	442	97	12	9	2	-	-	-
姫路市	493	422	71	9	8	2	-	-	-
西宮市	497	428	69	13	10	2	-	-	-
尼崎市	657	566	91	13	13	1	-	-	-
奈良市	515	424	91	14	12	2	0	-	0
和歌山市	584	527	57	14	12	3	-	-	-
倉敷市	628	569	59	16	11	5	0	-	0
福山市	655	592	63	15	13	2	-	-	-
呉市	760	657	102	19	18	2	0	-	0
下関市	498	455	43	11	9	3	0	-	0
高松市	730	645	85	19	16	3	-	-	-
松山市	642	577	65	14	12	2	-	-	-
高知市	372	342	30	7	5	2	-	-	-
久留米市	392	362	31	9	8	1	-	-	-
長崎市	862	776	86	16	13	3	-	-	-
佐世保市	466	406	60	9	8	1	-	-	-
大分市	676	619	56	13	12	1	0	-	0
宮崎市	619	580	39	15	13	2	-	-	-
鹿児島市	817	757	60	19	17	1	-	-	-
那覇市	245	214	30	4	4	-	0	-	0

注：1）調査方法の変更等による回収率変動の影響を受けているため、数量を示す従事者数の実数は前年以前と単純に年次比較できない。
　　2）「0」は常勤換算従事者数が0.5未満の場合である。

都道府県－指定都市・中核市（再掲）、職種（常勤－非常勤）別（６－２）

平成29年10月１日

薬剤師			看護師			准看護師		
総数	常勤	非常勤	総数	常勤	非常勤	総数	常勤	非常勤
8	2	6	316	298	18	198	181	17
4	1	3	170	158	13	126	115	11
16	5	11	189	152	37	138	114	25
4	1	2	139	109	30	89	69	21
41	13	28	593	379	214	267	176	92
11	5	6	133	91	42	49	34	15
6	1	5	73	59	14	59	38	21
5	3	2	229	201	28	191	173	18
11	3	8	152	106	46	101	75	25
12	6	6	190	142	48	114	83	31
30	10	21	418	348	71	289	247	42
21	7	14	342	255	87	149	113	35
21	7	13	436	365	71	273	236	38
4	1	3	102	86	16	70	57	13
28	11	17	349	286	63	187	150	37
3	1	2	113	99	14	91	76	15
12	5	7	142	117	25	146	129	17
5	4	1	147	131	16	178	162	16
4	3	1	157	139	18	118	101	17
7	2	4	138	130	8	128	124	5
2	－	2	66	62	4	50	50	1
1	－	1	53	48	6	72	67	5
4	1	3	62	55	7	76	73	3
3	0	3	34	31	3	47	45	2
2	1	1	76	74	2	46	46	－
5	1	4	81	76	5	52	50	2
1	－	1	36	33	3	41	41	1
4	1	3	30	27	3	86	77	9
4	3	1	39	34	5	39	26	13
4	1	3	68	63	6	51	44	8
5	2	3	61	52	9	73	62	11
1	－	1	22	18	4	36	29	7
3	1	2	28	27	1	27	22	5
6	0	6	93	71	22	43	29	14
2	1	2	58	46	12	45	34	11
3	0	2	61	45	16	39	26	12
4	1	3	47	25	22	36	14	22
5	2	3	93	85	8	117	104	13
3	1	3	81	75	6	58	56	2
4	3	1	84	61	22	56	39	17
5	3	2	66	50	17	91	71	20
2	1	1	36	32	4	23	17	6
4	1	3	54	39	15	34	31	3
4	－	4	57	40	18	33	21	12
2	1	1	32	29	3	12	11	1
1	0	1	56	54	2	22	20	2
5	0	5	41	26	15	87	64	23
2	－	2	64	56	8	26	21	5
2	1	1	72	57	15	47	33	15
3	2	2	62	55	7	28	23	5
5	3	2	66	60	6	38	29	9
5	2	3	74	68	6	38	29	9
5	2	3	57	45	12	28	23	5
4	2	2	70	64	6	47	39	9
5	2	3	80	73	7	53	47	6
4	1	3	51	46	5	73	64	9
5	1	4	61	49	12	84	72	11
4	1	3	47	43	4	66	58	8
3	1	2	51	41	10	100	85	15
1	－	1	62	56	7	62	56	7
2	2	1	43	40	3	29	26	3
2	1	2	40	39	2	40	35	5
1	1	0	86	78	9	79	73	7
0	－	0	33	31	2	51	48	3
3	1	2	68	66	3	60	58	3
3	2	1	96	90	6	34	32	2
6	3	2	83	77	6	82	72	10
2	1	1	23	17	6	26	24	2

第20表　介護老人保健施設の常勤換算従事者数,

都道府県 指定都市 中核市	介護職員			介護福祉士（再掲）			支援相談員		
	総数	常勤	非常勤	総数	常勤	非常勤	総数	常勤	非常勤
全国	109 212	98 437	10 775	72 774	68 729	4 045	6 516	6 394	122
北海道	5 113	4 749	364	3 912	3 770	142	306	304	2
青森	1 687	1 606	81	1 209	1 179	30	94	94	1
岩手	1 839	1 773	67	1 450	1 429	21	98	97	1
宮城	2 805	2 608	197	1 939	1 863	76	148	148	1
秋田	1 552	1 510	42	1 200	1 183	17	72	72	0
山形	1 449	1 393	57	1 092	1 071	21	67	67	-
福島	2 272	2 138	134	1 619	1 562	56	142	140	1
茨城	3 119	2 829	290	1 869	1 778	91	173	169	3
栃木	1 560	1 447	113	1 042	1 006	37	93	92	1
群馬	1 981	1 783	198	1 339	1 264	75	135	133	3
埼玉	5 190	4 534	656	3 249	3 008	241	333	330	3
千葉	4 709	4 117	593	3 033	2 799	235	281	272	9
東京	6 251	5 411	840	4 106	3 788	318	391	382	9
神奈川	5 598	4 716	883	3 770	3 394	376	352	345	7
新潟	3 232	3 045	187	2 526	2 436	91	161	159	1
富山	1 366	1 209	157	929	864	65	78	76	2
石川	1 065	992	73	782	752	31	57	56	2
福井	949	858	90	665	632	33	45	44	1
山梨	802	722	80	511	485	26	39	38	1
長野	2 373	2 118	255	1 687	1 572	115	135	133	3
岐阜	2 070	1 806	264	1 188	1 086	102	121	116	5
静岡	3 421	3 021	400	1 992	1 837	156	202	192	9
愛知	5 195	4 585	610	3 050	2 820	230	341	332	9
三重	2 155	1 955	200	1 290	1 221	69	122	118	4
滋賀	917	808	109	640	595	45	58	58	-
京都	2 275	2 039	236	1 522	1 439	83	132	129	4
大阪	5 455	4 819	636	3 506	3 252	254	370	364	6
兵庫	4 562	3 904	658	2 879	2 653	226	258	250	8
奈良	1 342	1 165	178	762	706	56	84	82	2
和歌山	993	886	107	623	591	33	58	57	1
鳥取	903	844	59	685	665	20	45	45	-
島根	827	765	61	606	585	21	42	39	2
岡山	1 817	1 680	137	1 256	1 195	61	107	107	0
広島	2 695	2 417	278	1 746	1 645	101	177	174	4
山口	1 470	1 385	85	962	932	30	83	83	1
徳島	1 064	970	94	601	574	26	66	65	1
香川	1 033	934	99	641	605	35	54	54	-
愛媛	1 619	1 474	146	1 101	1 051	51	99	99	1
高知	729	693	37	565	551	14	45	44	1
福岡	4 275	3 965	310	2 817	2 724	93	260	255	5
佐賀	831	786	45	542	527	15	64	63	1
長崎	1 398	1 272	126	943	902	41	80	79	1
熊本	1 826	1 676	150	1 249	1 193	56	120	118	2
大分	1 284	1 201	84	919	894	25	81	77	3
宮崎	1 056	995	61	752	730	22	65	64	1
鹿児島	1 877	1 729	148	1 205	1 155	51	115	115	-
沖縄	1 210	1 107	103	801	768	34	69	67	2

注：1）調査方法の変更等による回収率変動の影響を受けているため、数量を示す従事者数の実数は前年以前と単純に年次比較できない。
　　2）「0」は常勤換算従事者数が0.5未満の場合である。

平成29年10月1日

社会福祉士（再掲）			理学療法士			作業療法士		
総数	常勤	非常勤	総数	常勤	非常勤	総数	常勤	非常勤
2 595	2 543	52	7 564	7 020	544	5 220	4 780	441
141	139	2	251	238	13	256	247	10
26	26	-	64	60	3	129	127	3
33	33	-	88	85	3	92	88	4
50	50	-	186	176	10	137	127	10
18	17	0	47	44	3	96	93	2
21	21	-	52	51	1	89	86	3
61	61	0	148	143	5	111	107	4
48	47	2	256	235	21	145	134	11
39	39	1	77	71	6	72	66	6
53	52	1	179	166	12	77	69	8
140	139	2	408	378	29	222	201	21
83	79	4	377	348	30	189	169	20
196	193	3	495	457	38	363	331	33
122	119	4	366	318	48	289	256	33
78	76	1	184	178	6	128	124	4
33	32	1	81	81	1	80	73	8
26	25	1	50	47	3	52	47	5
17	17	-	40	37	3	35	30	5
13	13	-	50	42	8	42	40	3
64	62	2	167	154	14	110	96	14
48	47	1	164	158	6	80	68	11
70	67	3	235	211	24	143	117	26
171	169	3	386	357	29	219	192	27
47	44	3	169	156	13	67	57	10
24	24	-	61	58	3	43	38	4
48	46	2	183	176	7	85	72	12
156	152	3	496	442	53	225	202	23
98	95	3	333	304	29	238	216	22
24	22	2	117	107	10	59	56	3
10	10	-	64	58	5	23	21	2
16	16	-	72	68	4	49	47	2
15	14	1	59	57	2	54	53	1
51	51	0	114	101	13	101	88	13
90	88	2	175	155	20	148	119	29
38	37	1	92	89	4	79	74	5
9	9	-	70	62	8	62	60	1
14	14	-	52	50	2	57	54	3
47	47	-	83	75	8	88	76	13
17	16	1	59	58	2	31	30	2
118	116	3	276	263	13	256	248	8
28	28	-	70	69	1	45	42	3
18	18	-	110	104	6	42	41	1
56	55	1	163	159	4	76	71	6
47	45	2	88	81	7	52	52	0
20	20	-	78	76	2	57	55	2
33	33	-	153	147	6	86	80	6
22	22	-	79	71	8	45	42	3

第20表　介護老人保健施設の常勤換算従事者数,

都道府県 指定都市 中核市	介護職員			介護福祉士（再掲）			支援相談員		
	総数	常勤	非常勤	総数	常勤	非常勤	総数	常勤	非常勤
指定都市（再掲）									
札幌市	1 467	1 363	104	1 190	1 148	42	98	98	-
仙台市	1 031	988	43	733	719	14	55	55	-
さいたま市	877	775	102	519	477	42	59	59	-
千葉市	664	580	84	458	417	41	34	33	0
横浜市	2 833	2 382	451	1 935	1 734	201	178	173	5
川崎市	597	496	101	372	337	36	38	37	1
相模原市	423	327	96	253	218	35	23	23	-
新潟市	1 198	1 124	75	959	922	36	61	60	1
静岡市	739	651	88	460	422	38	46	43	3
浜松市	737	651	86	415	385	30	45	42	3
名古屋市	1 978	1 802	176	1 111	1 050	61	127	125	1
京都市	1 394	1 253	141	927	881	46	82	80	2
大阪市	1 875	1 691	184	1 249	1 187	62	121	119	3
堺市	394	345	49	234	217	17	26	26	-
神戸市	1 715	1 430	285	966	891	75	84	84	1
岡山市	595	562	34	393	377	16	36	35	0
広島市	755	673	82	534	507	27	44	43	1
北九州市	866	794	72	543	519	24	49	48	1
福岡市	695	655	40	504	493	11	41	41	1
熊本市	650	599	51	454	434	21	43	43	-
中核市（再掲）									
旭川市	325	308	18	251	243	9	16	15	1
函館市	280	259	22	192	188	4	18	18	-
青森市	372	343	29	291	280	11	18	18	-
八戸市	210	200	10	147	144	3	11	11	-
盛岡市	263	259	5	244	243	1	15	15	-
秋田市	389	378	11	325	321	4	19	19	-
郡山市	212	204	8	175	173	3	12	12	-
いわき市	358	337	21	228	219	9	19	19	-
宇都宮市	202	178	25	130	122	8	13	13	-
前橋市	351	333	18	267	260	7	20	19	1
高崎市	346	311	35	235	224	11	24	23	1
川越市	178	154	24	93	87	6	10	10	-
越谷市	151	138	13	97	91	6	12	12	-
船橋市	409	353	56	280	262	18	29	28	0
柏市	297	258	39	187	175	12	21	21	-
八王子市	330	283	48	201	175	27	19	18	2
横須賀市	239	199	40	141	128	13	18	18	-
富山市	501	459	42	346	329	17	30	28	2
金沢市	361	343	18	280	274	6	20	19	1
長野市	354	301	53	239	214	26	21	21	-
岐阜市	365	321	44	191	170	21	29	29	-
豊橋市	146	128	19	118	109	9	9	9	-
豊田市	234	200	34	140	123	17	16	14	2
岡崎市	219	194	26	135	124	11	13	13	-
大津市	116	100	16	80	73	7	8	8	-
高槻市	223	200	24	159	146	14	16	16	-
東大阪市	329	291	38	148	137	11	22	22	-
豊中市	269	237	32	185	169	16	18	18	-
枚方市	257	215	42	165	150	15	24	23	1
姫路市	283	238	45	204	192	12	16	15	1
西宮市	252	223	29	157	145	12	15	15	-
尼崎市	359	323	36	273	259	14	20	19	1
奈良市	287	240	47	154	138	17	16	16	-
和歌山市	335	309	26	201	195	6	18	17	1
倉敷市	350	321	29	270	259	10	16	16	-
福山市	341	311	30	222	210	12	20	19	1
呉市	384	341	42	198	183	14	32	32	-
下関市	242	227	15	137	133	4	15	15	-
高松市	382	344	38	228	219	9	22	22	-
松山市	359	325	34	253	245	8	22	22	-
高知市	200	189	11	168	162	6	12	12	-
久留米市	205	191	14	159	153	7	11	11	-
長崎市	407	382	25	281	272	9	26	26	1
佐世保市	232	211	21	159	151	8	17	17	-
大分市	348	333	15	277	269	8	26	25	0
宮崎市	277	261	16	217	206	11	21	21	-
鹿児島市	400	380	21	290	280	10	25	25	-
那覇市	140	128	12	98	93	5	5	5	-

注：1）調査方法の変更等による回収率変動の影響を受けているため、数量を示す従事者数の実数は前年以前と単純に年次比較できない。
　　2）「0」は常勤換算従事者数が0.5未満の場合である。

平成29年10月１日

社会福祉士（再掲）			理学療法士			作業療法士		
総数	常勤	非常勤	総数	常勤	非常勤	総数	常勤	非常勤
57	57	-	68	64	5	82	78	4
25	25	-	68	67	1	51	50	1
21	21	-	69	63	6	53	50	3
11	11	-	57	52	6	18	17	2
62	61	2	196	164	32	152	134	18
14	14	-	38	33	6	31	28	3
11	11	-	27	25	2	18	16	1
29	28	1	79	76	4	42	41	1
13	11	2	55	51	4	34	27	7
22	22	-	42	36	6	38	34	5
52	51	1	149	137	11	87	80	7
32	31	1	112	108	4	53	46	7
50	49	1	182	168	14	66	62	4
11	11	-	41	36	5	15	11	5
30	30	0	136	122	14	69	60	9
17	17	0	38	31	7	37	33	3
27	27	-	48	43	5	49	39	9
22	22	-	54	49	5	40	38	3
22	22	-	42	41	1	49	48	1
27	27	-	63	62	1	24	23	2
4	4	-	21	19	2	16	16	1
7	7	-	20	19	1	14	14	-
6	6	-	13	13	1	28	27	0
4	4	-	13	13	0	12	12	-
7	7	-	15	14	1	18	16	1
8	8	-	10	9	1	27	26	1
9	9	-	14	14	-	9	9	0
7	7	-	18	18	-	18	18	-
2	2	-	8	6	2	11	8	3
12	12	1	23	22	1	17	17	0
11	11	0	42	39	4	10	8	2
5	5	-	16	16	0	4	4	1
6	6	-	11	11	0	10	10	0
10	10	-	40	37	3	18	17	2
8	8	-	24	21	3	14	12	1
14	14	-	25	25	0	19	18	0
6	6	-	14	14	0	14	12	1
14	13	1	30	29	0	33	29	4
5	4	1	16	16	-	21	21	0
10	10	-	26	23	3	14	14	1
15	15	-	34	33	1	20	17	3
7	7	-	13	12	1	5	5	1
10	9	1	19	18	1	7	6	1
8	8	-	13	12	1	12	10	2
2	2	-	9	8	1	4	3	1
7	7	-	15	15	0	13	13	0
7	7	-	32	26	5	11	7	4
10	10	-	24	22	2	15	13	1
15	14	1	25	21	4	12	10	2
9	8	1	20	19	1	19	19	0
7	7	-	18	16	2	12	11	1
8	8	-	27	25	2	19	19	0
3	3	-	25	23	2	8	7	1
2	2	-	22	22	1	9	8	1
10	10	-	21	20	1	17	14	2
10	10	-	22	21	1	20	18	3
17	17	-	20	17	4	16	12	4
5	5	-	22	21	1	15	14	1
5	5	-	22	22	0	21	20	1
15	15	-	23	22	1	20	18	2
3	3	-	19	18	1	11	11	0
7	7	-	16	13	3	16	15	1
10	10	-	34	32	2	17	16	1
2	2	-	14	12	2	7	7	-
19	19	0	26	23	3	15	15	-
10	10	-	29	28	1	16	14	2
11	11	-	41	39	2	23	22	1
1	1	-	10	6	4	4	4	-

第20表　介護老人保健施設の常勤換算従事者数，

都道府県 指定都市 中核市	言語聴覚士			管理栄養士			栄養士		
	総数	常勤	非常勤	総数	常勤	非常勤	総数	常勤	非常勤
全国	1 080	924	156	4 153	4 086	68	906	870	36
北海道	55	50	5	167	166	1	15	14	1
青森	25	24	1	57	56	1	35	34	1
岩手	9	8	1	67	66	1	15	14	1
宮城	30	27	3	95	93	1	23	23	-
秋田	4	4	-	52	52	0	18	18	-
山形	7	7	0	41	39	2	17	17	-
福島	27	25	2	84	83	1	44	43	1
茨城	35	32	4	118	117	1	52	51	1
栃木	23	20	3	60	59	1	9	9	-
群馬	31	27	4	99	94	5	28	26	2
埼玉	65	59	6	184	183	2	34	32	3
千葉	43	33	10	157	153	3	41	40	1
東京	93	80	13	218	216	3	39	38	0
神奈川	72	57	15	180	172	7	23	20	3
新潟	45	43	2	106	105	1	10	10	-
富山	6	6	-	50	50	-	19	18	1
石川	6	5	2	37	36	1	13	13	-
福井	13	9	4	33	32	1	5	4	0
山梨	3	3	0	27	27	1	8	8	0
長野	23	17	5	88	87	1	19	17	3
岐阜	16	12	3	76	74	2	17	16	1
静岡	17	14	3	128	127	2	34	32	2
愛知	64	55	8	205	200	5	22	21	1
三重	12	11	2	87	83	4	14	14	-
滋賀	3	3	0	36	36	-	1	1	-
京都	28	25	3	78	76	1	15	14	1
大阪	45	38	7	205	205	0	19	18	1
兵庫	61	48	13	166	165	1	30	26	4
奈良	15	12	3	57	56	1	4	4	-
和歌山	3	2	1	32	32	0	15	15	-
鳥取	14	13	1	39	38	1	9	9	0
島根	13	13	-	45	45	0	14	14	-
岡山	8	6	2	95	92	2	22	21	1
広島	29	22	6	118	116	2	29	29	1
山口	6	6	1	61	59	1	18	17	1
徳島	2	2	0	58	57	1	21	20	1
香川	7	3	4	55	54	1	5	5	-
愛媛	8	4	4	56	55	0	20	18	3
高知	8	7	1	35	35	1	5	5	-
福岡	22	19	3	180	178	2	29	28	1
佐賀	10	8	2	40	40	1	21	19	2
長崎	11	10	1	66	64	2	14	13	1
熊本	12	11	1	89	88	1	19	19	1
大分	18	15	3	51	50	1	11	10	0
宮崎	5	5	0	51	50	1	16	16	-
鹿児島	16	14	2	84	84	0	14	13	1
沖縄	16	15	2	43	42	1	4	4	-

注：1）調査方法の変更等による回収率変動の影響を受けているため、数量を示す従事者数の実数は前年以前と単純に年次比較できない。
　　2）「0」は常勤換算従事者数が0.5未満の場合である。

都道府県－指定都市・中核市（再掲）、職種（常勤－非常勤）別（6－5）

平成29年10月１日

歯科衛生士			介護支援専門員			調理員			その他の職員		
総数	常勤	非常勤	総数	常勤	非常勤	総数	常勤	非常勤	総数	常勤	非常勤
315	203	112	6 070	5 901	169	6 196	4 683	1 514	15 598	11 520	4 078
11	8	3	296	290	7	216	161	55	764	633	131
6	5	2	79	79	1	196	180	16	398	336	63
5	4	1	82	82	0	126	119	7	254	210	44
11	8	2	142	139	3	144	123	22	359	280	79
10	8	2	70	70	－	125	106	19	346	311	35
2	1	1	74	73	2	105	98	7	185	152	33
7	5	2	130	128	2	165	139	26	314	257	57
6	3	2	164	158	6	215	178	37	442	310	133
2	1	1	88	87	2	31	18	13	208	160	48
11	8	3	121	119	2	112	81	31	253	175	78
11	8	4	277	269	8	210	126	84	840	584	256
4	3	1	226	221	6	285	169	116	895	596	300
9	4	5	340	332	9	235	143	91	1 127	744	383
8	5	3	310	299	11	134	79	54	920	592	328
5	3	2	161	156	5	172	140	32	432	334	98
4	3	1	81	79	2	102	88	14	189	139	51
－	－	－	52	51	1	35	27	8	138	111	26
1	1	0	38	37	2	40	26	14	116	86	30
4	4	0	33	32	1	44	31	13	87	73	14
10	4	6	132	128	5	115	92	23	277	209	68
8	7	1	108	99	9	71	61	10	241	177	64
24	14	9	176	171	6	207	154	53	436	293	143
9	6	4	323	306	17	207	163	44	588	407	182
3	3	0	113	112	1	79	46	33	272	192	80
2	2	1	45	44	0	23	13	10	123	94	30
7	3	4	118	114	4	134	82	52	262	181	81
9	6	3	313	305	8	99	69	31	721	518	203
8	4	4	236	228	8	233	126	107	604	395	210
10	4	6	83	81	2	16	6	10	172	114	58
4	2	2	59	56	3	56	31	25	142	91	51
9	6	3	50	50	－	73	52	21	102	72	30
4	3	1	54	54	0	100	81	18	91	76	16
5	3	1	113	111	2	106	78	28	191	165	26
9	4	5	185	180	5	154	108	45	325	252	73
2	1	1	86	82	3	111	94	18	165	131	34
8	4	4	73	71	2	103	73	31	140	93	47
4	3	1	57	55	1	58	34	24	112	92	20
5	2	3	100	97	3	79	62	17	202	162	41
5	5	－	47	46	1	53	45	9	95	64	31
9	4	5	239	233	6	351	290	60	574	465	109
4	3	1	57	56	1	114	105	9	140	122	18
3	1	2	77	75	2	244	189	55	264	185	79
10	7	2	120	118	2	190	157	33	292	225	67
8	6	3	86	80	6	93	69	24	151	127	23
4	4	1	72	71	1	161	149	12	193	160	34
13	11	2	125	120	4	191	150	41	298	243	55
5	4	2	61	59	2	87	73	14	159	135	24

第20表　介護老人保健施設の常勤換算従事者数，

都道府県 指定都市 中核市	言語聴覚士			管理栄養士			栄養士		
	総数	常勤	非常勤	総数	常勤	非常勤	総数	常勤	非常勤
指定都市(再掲)									
札幌市	18	15	3	46	46	–	3	3	–
仙台市	16	14	1	32	32	–	6	6	–
さいたま市	14	13	1	32	32	1	2	2	–
千葉市	3	2	1	21	21	–	8	8	–
横浜市	48	38	10	83	79	4	6	5	1
川崎市	8	7	1	22	19	2	2	2	–
相模原市	3	3	0	15	15	0	4	3	1
新潟市	22	22	0	38	37	1	2	2	–
静岡市	5	4	1	37	36	1	14	12	2
浜松市	5	4	1	25	25	0	3	3	0
名古屋市	25	24	1	74	73	1	7	7	0
京都市	18	15	3	48	46	1	6	6	–
大阪市	15	14	2	67	67	–	7	7	–
堺市	1	–	1	14	14	–	–	–	–
神戸市	23	18	5	57	57	–	6	6	1
岡山市	4	2	1	38	36	1	6	6	1
広島市	13	12	1	29	29	–	5	5	–
北九州市	5	4	1	39	39	–	3	3	–
福岡市	7	6	1	29	27	1	3	3	0
熊本市	5	4	1	36	36	–	7	7	–
中核市(再掲)									
旭川市	3	3	–	10	10	–	3	3	–
函館市	4	4	–	9	9	–	0	–	0
青森市	9	9	–	12	10	1	10	10	–
八戸市	3	3	0	9	9	–	2	2	–
盛岡市	1	–	1	10	10	0	1	1	–
秋田市	–	–	–	13	13	0	3	3	–
郡山市	2	2	0	7	7	–	–	–	–
いわき市	5	5	–	13	13	1	2	1	1
宇都宮市	4	2	2	9	9	–	1	1	–
前橋市	6	6	0	18	18	0	2	2	–
高崎市	6	5	1	15	15	0	8	7	1
川越市	1	1	–	8	8	–	3	3	–
越谷市	3	3	–	4	4	–	1	1	0
船橋市	6	5	1	17	17	–	3	3	–
柏市	3	1	2	8	8	–	–	–	–
八王子市	6	5	1	11	11	–	–	–	–
横須賀市	2	2	0	9	9	–	2	1	1
富山市	4	4	–	21	21	–	7	7	–
金沢市	2	1	0	8	8	–	2	2	–
長野市	2	1	1	14	14	–	2	1	1
岐阜市	3	3	–	16	15	1	9	9	–
豊橋市	1	0	0	8	8	–	1	1	–
豊田市	3	2	1	10	9	1	1	1	–
岡崎市	3	2	2	10	10	–	–	–	–
大津市	0	0	–	5	5	–	–	–	–
高槻市	3	1	1	8	8	–	–	–	–
東大阪市	4	4	0	13	13	–	–	–	–
豊中市	3	2	1	9	9	–	2	2	–
枚方市	4	3	1	12	12	–	6	6	–
姫路市	3	3	–	10	10	0	–	–	–
西宮市	3	3	0	9	9	–	3	3	0
尼崎市	4	4	0	11	11	–	2	2	–
奈良市	4	3	1	12	12	–	2	2	–
和歌山市	1	–	1	11	11	–	2	2	–
倉敷市	2	1	1	13	13	–	–	–	–
福山市	6	6	1	18	18	–	1	1	–
呉市	1	–	1	18	18	–	8	8	–
下関市	1	1	–	10	10	0	4	4	–
高松市	2	1	1	21	20	1	2	2	–
松山市	3	2	1	12	12	–	–	–	–
高知市	1	1	–	11	11	1	2	2	–
久留米市	0	–	0	6	6	–	–	–	–
長崎市	2	1	1	17	17	–	3	2	1
佐世保市	1	1	–	12	11	1	0	–	0
大分市	5	5	1	15	14	1	3	3	–
宮崎市	2	2	–	15	15	–	4	4	–
鹿児島市	5	4	1	18	18	–	4	4	–
那覇市	2	1	1	5	4	1	–	–	–

注：1）調査方法の変更等による回収率変動の影響を受けているため、数量を示す従事者数の実数は前年以前と単純に年次比較できない。
　　2）「0」は常勤換算従事者数が0.5未満の場合である。

平成29年10月１日

歯科衛生士			介護支援専門員			調理員			その他の職員		
総数	常勤	非常勤	総数	常勤	非常勤	総数	常勤	非常勤	総数	常勤	非常勤
1	－	1	79	76	3	39	25	14	216	184	32
7	6	1	55	54	1	25	22	3	122	98	24
－	－	－	52	50	2	28	16	12	138	104	34
0	0	－	32	32	－	29	14	15	85	57	28
4	2	2	154	145	8	35	22	13	465	286	178
－	－	－	29	29	0	19	11	8	110	79	31
－	－	－	24	24	－	16	14	2	79	50	29
2	1	1	59	58	1	25	17	8	136	107	29
5	2	3	43	43	1	50	36	14	108	71	37
12	9	3	43	40	3	50	49	1	59	41	18
2	2	0	120	116	4	79	62	17	213	154	59
2	－	2	71	69	2	82	42	40	153	106	47
0	－	0	111	109	2	30	25	6	202	162	40
－	－	－	21	21	1	6	3	3	61	31	30
4	3	1	83	80	3	69	38	31	217	150	66
3	3	－	37	36	1	25	15	11	60	49	11
1	－	1	43	40	3	33	22	11	83	53	30
1	－	1	50	50	1	58	38	20	99	83	15
1	1	－	33	32	2	47	43	4	77	72	5
7	5	2	43	42	1	53	46	7	80	61	18
2	1	1	16	16	－	17	11	6	40	35	5
1	1	－	17	17	－	10	10	－	29	28	1
4	3	1	19	19	－	64	56	8	96	72	24
1	1	－	9	9	－	14	14	－	45	41	4
1	1	－	11	11	－	28	28	－	45	39	5
2	1	1	17	17	－	22	14	8	88	82	6
－	－	－	11	11	－	6	6	－	32	29	3
0	－	0	18	18	－	15	13	2	51	37	14
－	－	－	11	11	1	10	－	10	27	18	9
3	2	1	15	15	0	7	5	1	17	15	2
3	3	－	25	25	－	21	18	3	38	27	11
－	－	－	9	9	－	6	3	3	23	19	4
0	0	－	10	10	0	12	10	2	18	16	2
0	－	0	19	18	1	29	22	7	78	60	17
－	－	－	15	15	－	－	－	－	42	25	17
1	－	1	16	15	1	20	10	10	57	33	24
1	1	－	13	13	0	23	10	14	49	15	34
3	2	1	26	26	－	69	63	7	61	47	14
－	－	－	18	18	0	2	－	2	44	37	7
3	2	1	23	23	－	8	3	5	43	33	10
2	2	－	23	20	3	25	23	1	34	30	4
1	1	－	13	13	－	11	11	－	9	9	－
－	－	－	19	18	1	6	4	2	37	25	12
1	－	1	13	12	1	19	16	3	27	17	10
1	1	－	5	5	－	－	－	－	25	20	5
－	－	－	10	10	－	－	－	－	18	15	3
1	1	1	19	19	－	6	1	5	42	30	12
－	－	－	10	10	－	9	6	3	31	20	10
1	－	1	14	14	1	16	16	1	36	23	13
－	－	－	12	11	1	4	4	－	23	16	7
0	0	0	14	14	－	3	－	3	46	33	13
0	0	－	20	19	1	－	－	－	64	34	31
2	2	0	19	19	－	12	2	10	26	17	8
1	－	1	19	17	1	－	－	－	33	26	7
1	－	1	22	21	1	7	5	2	27	25	2
5	3	2	21	20	1	13	9	4	47	44	3
－	－	－	29	28	1	38	26	11	45	35	11
－	－	－	19	19	－	15	14	1	28	21	7
1	1	－	23	23	－	27	15	12	36	33	3
－	－	－	17	17	－	15	11	5	31	25	6
1	1	－	13	13	－	8	5	3	13	8	5
1	1	－	10	10	－	－	－	－	36	32	3
1	1	－	21	20	1	62	52	10	92	64	28
2	－	2	16	16	－	18	11	6	55	33	22
2	2	1	21	20	1	33	13	20	38	32	6
－	－	－	21	21	－	53	47	6	34	31	4
3	3	0	25	25	－	39	31	8	46	38	8
－	－	－	7	7	－	9	8	1	9	6	3

第21表　介護老人保健施設の常勤換算従事者数,

職種	総数	都道府県	市区町村	広域連合・一部事務組合	日本赤十字社・社会保険関係団体・独立行政法人
総数	207 721	23	5 569	989	3 450
常勤	182 315	20	5 049	899	3 183
非常勤	25 406	4	520	90	268
医師	4 261	1	123	20	70
常勤	3 616	1	104	15	56
非常勤	645	-	19	4	15
歯科医師	19	-	0	-	0
常勤	9	-	-	-	0
非常勤	9	-	0	-	0
薬剤師	1 126	-	33	5	23
常勤	413	-	19	3	16
非常勤	713	-	14	3	7
看護師	21 154	8	801	161	627
常勤	17 736	8	746	156	593
非常勤	3 418	-	56	5	34
准看護師	18 329	1	370	36	98
常勤	15 723	-	326	33	83
非常勤	2 607	1	44	3	15
介護職員	109 212	7	3 006	560	1 811
常勤	98 437	6	2 744	500	1 686
非常勤	10 775	1	263	60	126
介護福祉士(再掲)	72 774	5	2 327	435	1 542
常勤	68 729	4	2 212	401	1 478
非常勤	4 045	1	115	34	64
支援相談員	6 516	1	172	30	121
常勤	6 394	1	170	29	119
非常勤	122	-	2	1	2
社会福祉士(再掲)	2 595	-	66	18	79
常勤	2 543	-	65	17	77
非常勤	52	-	1	1	2
理学療法士	7 564	1	175	36	143
常勤	7 020	1	166	35	137
非常勤	544	-	9	1	5
作業療法士	5 220	1	109	23	73
常勤	4 780	1	99	21	70
非常勤	441	-	9	2	3
言語聴覚士	1 080	0	10	1	10
常勤	924	-	9	1	10
非常勤	156	0	1	1	1
管理栄養士	4 153	1	115	19	70
常勤	4 086	-	113	19	68
非常勤	68	1	1	-	2
栄養士	906	-	14	-	7
常勤	870	-	13	-	7
非常勤	36	-	1	-	-
歯科衛生士	315	-	4	3	3
常勤	203	-	3	2	2
非常勤	112	-	0	0	1
介護支援専門員	6 070	1	188	26	102
常勤	5 901	1	183	26	99
非常勤	169	-	5	-	2
調理員	6 196	-	109	-	116
常勤	4 683	-	77	-	93
非常勤	1 514	-	33	-	24
その他の職員	15 598	4	342	70	176
常勤	11 520	3	278	60	144
非常勤	4 078	1	64	10	32

注：1）調査方法の変更等による回収率変動の影響を受けているため、数量を示す従事者数の実数は前年以前と単純に年次比較できない。
　　2）「0」は常勤換算従事者数が0.5未満の場合である。

職種（常勤－非常勤）、開設主体別

平成29年10月１日

医療法人	社会福祉協議会	社会福祉法人 (社会福祉協議会以外)	社団・財団法人	その他の法人	その他
157 354	-	32 341	6 083	1 810	102
137 935	-	27 998	5 557	1 590	85
19 419	-	4 344	526	220	17
3 262	-	625	117	39	5
2 754	-	553	96	34	4
508	-	73	21	5	1
13	-	4	1	0	-
5	-	4	-	-	-
8	-	1	1	0	-
884	-	138	32	11	1
321	-	35	14	6	1
563	-	104	18	5	0
15 692	-	2 805	768	282	9
12 999	-	2 275	695	255	9
2 693	-	530	73	28	-
14 374	-	2 911	413	107	21
12 339	-	2 452	376	92	21
2 034	-	458	37	15	-
82 366	-	17 295	3 164	969	32
74 228	-	15 454	2 938	859	23
8 138	-	1 842	226	110	9
53 743	-	11 420	2 528	767	8
50 698	-	10 772	2 433	724	8
3 045	-	648	95	42	1
4 918	-	1 012	198	63	2
4 820	-	999	195	60	2
98	-	14	3	3	0
1 909	-	373	112	39	-
1 867	-	369	110	38	-
42	-	4	2	1	-
5 844	-	1 058	237	69	3
5 427	-	966	224	63	2
417	-	92	13	6	1
3 969	-	828	174	45	-
3 629	-	753	164	43	-
339	-	75	10	2	-
879	-	133	38	8	-
755	-	111	33	6	-
124	-	23	5	2	-
3 175	-	616	119	38	1
3 126	-	608	116	35	1
50	-	8	3	3	-
714	-	151	17	2	2
686	-	146	16	1	1
29	-	4	1	0	1
251	-	46	8	2	-
159	-	29	5	2	-
92	-	17	2	0	-
4 651	-	874	177	48	4
4 516	-	853	175	46	3
136	-	21	3	2	1
4 614	-	1 153	158	38	8
3 502	-	856	133	17	6
1 112	-	297	26	20	3
11 747	-	2 691	463	91	14
8 668	-	1 905	377	72	13
3 078	-	786	86	19	1

第22表　介護老人保健施設の定員100人当たり常勤換算従事者数,

都道府県 指定都市 中核市	医師	歯科医師	薬剤師	看護師	准看護師	介護職員	介護福祉士（再掲）	支援相談員
全国	1.2	0.0	0.3	6.2	5.3	31.8	21.2	1.9
北海道	1.2	0.0	0.1	6.5	5.5	33.4	25.5	2.0
青森	1.2	0.0	0.4	5.0	6.7	31.4	22.5	1.8
岩手	1.2	0.0	0.2	6.7	4.7	31.0	24.4	1.7
宮城	1.2	-	0.1	5.0	5.7	36.0	24.9	1.9
秋田	1.1	0.0	0.3	5.5	5.5	31.4	24.2	1.5
山形	1.3	0.0	0.1	6.1	5.1	36.6	27.6	1.7
福島	1.2	0.0	0.3	5.1	6.2	32.1	22.9	2.0
茨城	1.2	0.0	0.3	5.1	6.0	31.0	18.6	1.7
栃木	1.4	0.0	0.4	5.4	6.1	30.4	20.3	1.8
群馬	1.4	0.0	0.4	5.6	6.6	31.9	21.5	2.2
埼玉	1.2	0.0	0.5	5.8	5.2	32.7	20.5	2.1
千葉	1.2	-	0.3	5.9	5.1	32.1	20.7	1.9
東京	1.2	0.0	0.4	6.9	3.6	32.1	21.1	2.0
神奈川	1.2	0.0	0.5	7.0	3.3	33.0	22.2	2.1
新潟	1.2	0.0	0.2	6.1	4.8	32.0	25.0	1.6
富山	1.2	0.0	0.4	5.6	6.4	31.1	21.1	1.8
石川	1.2	-	0.2	6.5	5.8	29.0	21.3	1.6
福井	1.2	0.0	0.3	5.7	6.0	33.2	23.3	1.6
山梨	1.0	0.0	0.4	4.9	5.1	29.5	18.8	1.4
長野	1.3	0.0	0.3	6.5	4.9	33.7	24.0	1.9
岐阜	1.3	0.0	0.3	5.4	5.5	30.9	17.7	1.8
静岡	1.2	0.0	0.4	6.6	4.0	29.0	16.9	1.7
愛知	1.3	0.0	0.4	6.6	4.9	30.1	17.7	2.0
三重	1.3	0.0	0.3	6.1	5.0	32.3	19.3	1.8
滋賀	1.3	0.0	0.4	8.5	2.6	35.4	24.7	2.2
京都	1.2	-	0.5	7.8	3.7	32.4	21.6	1.9
大阪	1.3	0.0	0.3	7.0	4.8	30.9	19.8	2.1
兵庫	1.3	0.0	0.5	6.9	4.2	32.2	20.3	1.8
奈良	1.3	0.0	0.5	7.7	3.2	32.6	18.5	2.0
和歌山	1.3	-	0.3	5.9	5.7	31.0	19.5	1.8
鳥取	1.5	-	0.2	5.2	6.4	34.2	25.9	1.7
島根	1.4	0.0	0.4	6.1	7.4	29.3	21.5	1.5
岡山	1.5	0.0	0.3	6.4	5.0	31.4	21.7	1.8
広島	1.4	0.0	0.4	5.6	6.7	31.6	20.5	2.1
山口	1.3	0.0	0.4	6.2	6.5	30.5	20.0	1.7
徳島	1.3	0.0	0.2	3.8	7.6	27.6	15.6	1.7
香川	1.4	-	0.2	4.0	8.2	29.4	18.2	1.5
愛媛	1.2	-	0.2	5.8	5.7	32.7	22.2	2.0
高知	1.3	-	0.4	6.7	6.0	32.6	25.3	2.0
福岡	1.2	-	0.2	5.6	7.0	31.0	20.4	1.9
佐賀	1.5	-	0.5	6.7	6.0	31.9	20.8	2.4
長崎	1.2	-	0.1	5.5	7.4	30.9	20.8	1.8
熊本	1.3	0.0	0.4	6.0	7.2	30.6	20.9	2.0
大分	1.3	0.0	0.2	5.8	6.7	32.8	23.5	2.1
宮崎	1.4	-	0.2	6.7	6.8	32.2	23.0	2.0
鹿児島	1.3	0.0	0.4	5.3	7.4	30.9	19.8	1.9
沖縄	1.1	0.0	0.2	6.3	6.3	34.4	22.8	1.9

注：1）調査方法の変更等による回収率変動の影響を受けているため、数量を示す従事者数の実数は前年以前と単純に年次比較できない。
　　2）「0.0」は常勤換算従事者数が0.05未満の場合である。

都道府県－指定都市・中核市（再掲）、職種別（２－１）

平成29年10月１日

社会福祉士（再掲）	理学療法士	作業療法士	言語聴覚士	管理栄養士	栄養士	歯科衛生士	介護支援専門員	調理員	その他の職員
0.8	2.2	1.5	0.3	1.2	0.3	0.1	1.8	1.8	4.5
0.9	1.6	1.7	0.4	1.1	0.1	0.1	1.9	1.4	5.0
0.5	1.2	2.4	0.5	1.1	0.6	0.1	1.5	3.7	7.4
0.6	1.5	1.5	0.1	1.1	0.2	0.1	1.4	2.1	4.3
0.6	2.4	1.8	0.4	1.2	0.3	0.1	1.8	1.9	4.6
0.4	0.9	1.9	0.1	1.1	0.4	0.2	1.4	2.5	7.0
0.5	1.3	2.2	0.2	1.0	0.4	0.1	1.9	2.6	4.7
0.9	2.1	1.6	0.4	1.2	0.6	0.1	1.8	2.3	4.4
0.5	2.5	1.4	0.4	1.2	0.5	0.1	1.6	2.1	4.4
0.8	1.5	1.4	0.4	1.2	0.2	0.0	1.7	0.6	4.1
0.9	2.9	1.2	0.5	1.6	0.4	0.2	1.9	1.8	4.1
0.9	2.6	1.4	0.4	1.2	0.2	0.1	1.7	1.3	5.3
0.6	2.6	1.3	0.3	1.1	0.3	0.0	1.5	1.9	6.1
1.0	2.5	1.9	0.5	1.1	0.2	0.0	1.7	1.2	5.8
0.7	2.2	1.7	0.4	1.1	0.1	0.0	1.8	0.8	5.4
0.8	1.8	1.3	0.4	1.0	0.1	0.0	1.6	1.7	4.3
0.7	1.9	1.8	0.1	1.1	0.4	0.1	1.8	2.3	4.3
0.7	1.4	1.4	0.2	1.0	0.4	−	1.4	1.0	3.8
0.6	1.4	1.2	0.4	1.1	0.2	0.0	1.3	1.4	4.0
0.5	1.8	1.6	0.1	1.0	0.3	0.2	1.2	1.6	3.2
0.9	2.4	1.6	0.3	1.2	0.3	0.1	1.9	1.6	3.9
0.7	2.5	1.2	0.2	1.1	0.3	0.1	1.6	1.1	3.6
0.6	2.0	1.2	0.1	1.1	0.3	0.2	1.5	1.8	3.7
1.0	2.2	1.3	0.4	1.2	0.1	0.1	1.9	1.2	3.4
0.7	2.5	1.0	0.2	1.3	0.2	0.0	1.7	1.2	4.1
0.9	2.4	1.6	0.1	1.4	0.0	0.1	1.7	0.9	4.8
0.7	2.6	1.2	0.4	1.1	0.2	0.1	1.7	1.9	3.7
0.9	2.8	1.3	0.3	1.2	0.1	0.0	1.8	0.6	4.1
0.7	2.3	1.7	0.4	1.2	0.2	0.1	1.7	1.6	4.3
0.6	2.8	1.4	0.4	1.4	0.1	0.2	2.0	0.4	4.2
0.3	2.0	0.7	0.1	1.0	0.5	0.1	1.8	1.8	4.4
0.6	2.7	1.9	0.5	1.5	0.3	0.3	1.9	2.8	3.9
0.5	2.1	1.9	0.5	1.6	0.5	0.1	1.9	3.5	3.2
0.9	2.0	1.7	0.1	1.6	0.4	0.1	1.9	1.8	3.3
1.1	2.0	1.7	0.3	1.4	0.3	0.1	2.2	1.8	3.8
0.8	1.9	1.6	0.1	1.3	0.4	0.0	1.8	2.3	3.4
0.2	1.8	1.6	0.1	1.5	0.5	0.2	1.9	2.7	3.6
0.4	1.5	1.6	0.2	1.6	0.1	0.1	1.6	1.6	3.2
0.9	1.7	1.8	0.2	1.1	0.4	0.1	2.0	1.6	4.1
0.8	2.7	1.4	0.4	1.6	0.2	0.2	2.1	2.4	4.3
0.9	2.0	1.9	0.2	1.3	0.2	0.1	1.7	2.5	4.2
1.1	2.7	1.7	0.4	1.5	0.8	0.1	2.2	4.4	5.4
0.4	2.4	0.9	0.2	1.4	0.3	0.1	1.7	5.4	5.8
0.9	2.7	1.3	0.2	1.5	0.3	0.2	2.0	3.2	4.9
1.2	2.2	1.3	0.5	1.3	0.3	0.2	2.2	2.4	3.8
0.6	2.4	1.7	0.2	1.5	0.5	0.1	2.2	4.9	5.9
0.5	2.5	1.4	0.3	1.4	0.2	0.2	2.0	3.1	4.9
0.6	2.3	1.3	0.5	1.2	0.1	0.1	1.7	2.5	4.5

第22表　介護老人保健施設の定員100人当たり常勤換算従事者数,

都道府県 指定都市 中核市	医師	歯科医師	薬剤師	看護師	准看護師	介護職員	介護福祉士 (再掲)	支援相談員
指定都市(再掲)								
札幌市	1.2	0.0	0.2	7.7	4.8	35.7	28.9	2.4
仙台市	1.1	-	0.2	6.2	4.6	37.4	26.6	2.0
さいたま市	1.2	0.0	0.6	6.4	4.7	29.7	17.6	2.0
千葉市	1.1	-	0.2	6.5	4.2	31.1	21.5	1.6
横浜市	1.2	-	0.5	7.1	3.2	33.8	23.1	2.1
川崎市	1.2	-	0.6	7.0	2.6	31.3	19.5	2.0
相模原市	1.2	-	0.5	5.9	4.8	34.4	20.6	1.9
新潟市	1.2	-	0.1	6.0	5.0	31.4	25.1	1.6
静岡市	1.2	-	0.4	6.0	4.0	29.0	18.1	1.8
浜松市	1.2	-	0.4	6.9	4.1	26.8	15.1	1.6
名古屋市	1.3	0.0	0.5	6.6	4.6	31.2	17.5	2.0
京都市	1.2	-	0.5	8.1	3.5	32.8	21.8	1.9
大阪市	1.2	0.0	0.3	6.9	4.3	29.8	19.9	1.9
堺市	1.3	-	0.3	8.2	5.6	31.7	18.8	2.1
神戸市	1.3	-	0.6	7.1	3.8	34.7	19.5	1.7
岡山市	1.4	0.0	0.2	6.1	5.0	32.4	21.4	1.9
広島市	1.3	-	0.5	5.7	5.9	30.4	21.5	1.8
北九州市	1.1	-	0.2	5.3	6.5	31.5	19.8	1.8
福岡市	1.3	-	0.2	6.9	5.2	30.4	22.0	1.8
熊本市	1.5	0.0	0.3	6.7	6.3	31.8	22.2	2.1
中核市(再掲)								
旭川市	1.1	-	0.2	7.1	5.5	35.3	27.3	1.7
函館市	1.0	-	0.1	5.4	7.2	28.4	19.4	1.8
青森市	1.3	-	0.4	5.6	6.9	33.8	26.4	1.6
八戸市	1.3	-	0.4	4.6	6.4	28.8	20.1	1.5
盛岡市	1.4	-	0.3	9.2	5.6	31.8	29.5	1.8
秋田市	1.0	0.0	0.4	6.6	4.3	31.9	26.7	1.5
郡山市	1.1	0.0	0.2	5.4	6.3	32.0	26.5	1.9
いわき市	1.1	-	0.4	2.6	7.2	30.1	19.2	1.6
宇都宮市	1.3	-	0.6	5.5	5.5	28.5	18.3	1.8
前橋市	1.4	0.0	0.4	7.0	5.3	36.0	27.4	2.0
高崎市	1.3	0.0	0.4	5.3	6.4	30.2	20.5	2.1
川越市	1.1	-	0.2	3.7	6.1	29.7	15.4	1.6
越谷市	1.6	-	0.7	6.6	6.2	35.2	22.6	2.8
船橋市	1.1	-	0.5	7.1	3.2	31.1	21.3	2.2
柏市	1.0	-	0.2	6.3	4.9	32.2	20.3	2.3
八王子市	1.2	-	0.3	6.6	4.2	35.6	21.7	2.1
横須賀市	1.2	-	0.5	5.9	4.5	30.1	17.8	2.2
富山市	1.1	0.0	0.3	5.5	6.9	29.7	20.5	1.8
金沢市	1.1	-	0.3	6.7	4.8	29.9	23.2	1.6
長野市	1.1	-	0.4	6.9	4.6	29.3	19.8	1.8
岐阜市	1.4	-	0.4	5.1	7.0	28.2	14.8	2.2
豊橋市	0.9	-	0.3	6.7	4.4	27.3	21.9	1.7
豊田市	1.4	-	0.6	8.0	5.0	34.7	20.7	2.3
岡崎市	1.3	-	0.5	7.1	4.0	27.2	16.7	1.6
大津市	1.6	0.1	0.4	8.1	3.1	29.4	20.4	2.1
高槻市	1.2	-	0.2	8.7	3.4	34.8	24.8	2.5
東大阪市	1.4	-	0.5	3.9	8.2	31.0	14.0	2.0
豊中市	1.3	-	0.3	8.9	3.6	37.5	25.7	2.5
枚方市	1.3	-	0.2	8.1	5.3	29.0	18.6	2.7
姫路市	1.2	-	0.4	7.8	3.6	35.4	25.6	2.0
西宮市	1.3	-	0.5	6.9	4.0	26.7	16.6	1.5
尼崎市	1.2	-	0.4	6.7	3.5	32.5	24.7	1.8
奈良市	1.6	0.0	0.6	6.5	3.3	33.1	17.8	1.8
和歌山市	1.3	-	0.3	6.5	4.4	31.3	18.8	1.7
倉敷市	1.4	0.0	0.4	7.3	4.8	31.8	24.5	1.5
福山市	1.5	-	0.4	5.2	7.4	34.7	22.6	2.0
呉市	1.5	0.0	0.4	4.8	6.6	30.4	15.7	2.5
下関市	1.4	0.0	0.4	5.8	8.2	30.0	17.0	1.9
高松市	1.5	-	0.2	4.0	7.9	30.2	18.1	1.7
松山市	1.2	-	0.1	5.6	5.6	32.2	22.7	2.0
高知市	1.4	-	0.4	8.4	5.6	38.7	32.4	2.2
久留米市	1.3	-	0.3	5.7	5.7	29.3	22.7	1.6
長崎市	1.2	-	0.1	6.5	5.9	30.5	21.1	2.0
佐世保市	1.2	-	0.0	4.5	7.0	31.9	21.9	2.3
大分市	1.3	0.0	0.3	6.7	5.9	34.3	27.3	2.5
宮崎市	1.5	-	0.3	9.9	3.5	28.8	22.5	2.1
鹿児島市	1.4	-	0.4	6.3	6.2	30.3	21.9	1.9
那覇市	1.0	0.0	0.4	5.7	6.4	34.9	24.4	1.3

注：1）調査方法の変更等による回収率変動の影響を受けているため、数量を示す従事者数の実数は前年以前と単純に年次比較できない。
　　2）「0.0」は常勤換算従事者数が0.05未満の場合である。

平成29年10月１日

社会福祉士（再掲）	理学療法士	作業療法士	言語聴覚士	管理栄養士	栄養士	歯科衛生士	介護支援専門員	調理員	その他の職員
1.4	1.7	2.0	0.4	1.1	0.1	0.0	1.9	0.9	5.2
0.9	2.5	1.9	0.6	1.2	0.2	0.3	2.0	0.9	4.4
0.7	2.3	1.8	0.5	1.1	0.1	－	1.8	1.0	4.7
0.5	2.7	0.9	0.2	1.0	0.4	0.0	1.5	1.4	4.0
0.7	2.3	1.8	0.6	1.0	0.1	0.0	1.8	0.4	5.5
0.7	2.0	1.6	0.4	1.1	0.1	－	1.5	1.0	5.8
0.9	2.2	1.4	0.2	1.2	0.4	－	1.9	1.3	6.4
0.8	2.1	1.1	0.6	1.0	0.0	0.0	1.5	0.7	3.6
0.5	2.2	1.3	0.2	1.4	0.5	0.2	1.7	1.9	4.2
0.8	1.5	1.4	0.2	0.9	0.1	0.4	1.6	1.8	2.1
0.8	2.3	1.4	0.4	1.2	0.1	0.0	1.9	1.2	3.4
0.8	2.6	1.3	0.4	1.1	0.1	0.0	1.7	1.9	3.6
0.8	2.9	1.0	0.2	1.1	0.1	0.0	1.8	0.5	3.2
0.9	3.3	1.2	0.1	1.1	－	－	1.7	0.4	4.9
0.6	2.7	1.4	0.5	1.2	0.1	0.1	1.7	1.4	4.4
0.9	2.1	2.0	0.2	2.0	0.3	0.2	2.0	1.4	3.3
1.1	1.9	1.9	0.5	1.2	0.2	0.0	1.7	1.3	3.3
0.8	2.0	1.5	0.2	1.4	0.1	0.0	1.8	2.1	3.6
1.0	1.8	2.1	0.3	1.3	0.1	0.0	1.5	2.1	3.3
1.3	3.1	1.2	0.3	1.8	0.4	0.3	2.1	2.6	3.9
0.4	2.3	1.8	0.3	1.1	0.3	0.2	1.7	1.8	4.3
0.7	2.0	1.4	0.4	0.9	0.0	0.1	1.7	1.0	3.0
0.5	1.2	2.5	0.8	1.1	0.9	0.4	1.7	5.8	8.7
0.5	1.8	1.7	0.4	1.2	0.3	0.2	1.2	1.9	6.1
0.8	1.8	2.1	0.1	1.2	0.1	0.1	1.4	3.3	5.4
0.7	0.8	2.2	－	1.1	0.3	0.1	1.4	1.8	7.2
1.3	2.1	1.4	0.3	1.1	－	－	1.6	0.9	4.9
0.5	1.5	1.5	0.4	1.1	0.1	0.0	1.5	1.2	4.3
0.3	1.1	1.6	0.5	1.3	0.1	－	1.6	1.4	3.8
1.2	2.4	1.7	0.6	1.9	0.2	0.3	1.6	0.7	1.8
1.0	3.7	0.9	0.5	1.3	0.7	0.3	2.2	1.8	3.3
0.8	2.7	0.7	0.2	1.3	0.5	－	1.5	1.0	3.9
1.4	2.6	2.3	0.6	1.0	0.3	0.0	2.4	2.9	4.1
0.7	3.1	1.4	0.4	1.3	0.2	0.0	1.4	2.2	5.9
0.9	2.6	1.5	0.3	0.9	－	－	1.6	－	4.5
1.5	2.7	2.0	0.6	1.2	－	0.1	1.7	2.1	6.1
0.8	1.8	1.7	0.3	1.1	0.2	0.1	1.7	2.9	6.2
0.8	1.8	2.0	0.2	1.3	0.4	0.2	1.5	4.1	3.6
0.4	1.3	1.8	0.1	0.7	0.2	－	1.5	0.2	3.6
0.9	2.2	1.2	0.2	1.2	0.1	0.3	1.9	0.6	3.5
1.2	2.6	1.5	0.2	1.2	0.7	0.2	1.8	1.9	2.6
1.3	2.4	1.0	0.1	1.4	0.2	0.3	2.3	2.0	1.7
1.5	2.8	1.1	0.5	1.4	0.1	－	2.8	0.9	5.5
1.0	1.7	1.5	0.4	1.2	－	0.1	1.7	2.4	3.3
0.6	2.2	0.9	0.1	1.3	－	0.3	1.3	－	6.5
1.1	2.3	2.1	0.4	1.2	－	－	1.5	－	2.8
0.7	3.0	1.1	0.3	1.2	－	0.1	1.7	0.6	4.0
1.4	3.3	2.1	0.4	1.3	0.2	－	1.4	1.3	4.3
1.7	2.8	1.3	0.4	1.3	0.7	0.1	1.6	1.8	4.1
1.1	2.5	2.4	0.4	1.2	－	－	1.5	0.5	2.9
0.8	1.9	1.3	0.3	1.0	0.3	0.0	1.5	0.3	4.8
0.7	2.4	1.7	0.4	1.0	0.2	0.0	1.8	－	5.8
0.3	2.9	0.9	0.5	1.3	0.2	0.2	2.2	1.4	3.0
0.1	2.1	0.8	0.1	1.0	0.2	0.1	1.7	－	3.1
0.9	1.9	1.5	0.2	1.2	－	0.1	2.0	0.6	2.4
1.0	2.2	2.1	0.7	1.8	0.1	0.5	2.1	1.3	4.8
1.3	1.6	1.3	0.1	1.4	0.6	－	2.3	3.0	3.6
0.6	2.7	1.8	0.1	1.3	0.5	－	2.4	1.9	3.4
0.4	1.7	1.6	0.1	1.6	0.2	0.1	1.8	2.1	2.9
1.3	2.1	1.8	0.3	1.1	－	－	1.5	1.4	2.8
0.5	3.8	2.2	0.1	2.1	0.3	0.1	2.6	1.6	2.5
1.0	2.3	2.3	0.0	0.8	－	0.1	1.4	－	5.1
0.8	2.5	1.2	0.1	1.2	0.2	0.1	1.6	4.6	6.9
0.2	1.9	1.0	0.1	1.6	0.0	0.2	2.2	2.4	7.5
1.9	2.5	1.5	0.5	1.5	0.3	0.2	2.1	3.3	3.7
1.0	3.0	1.6	0.2	1.6	0.4	－	2.2	5.5	3.6
0.8	3.1	1.7	0.3	1.4	0.3	0.2	1.9	3.0	3.4
0.2	2.4	1.1	0.6	1.3	－	－	1.6	2.1	2.3

第23表　介護老人保健施設の在所者数，都道府県－指定都市・

都道府県 指定都市 中核市	総数						
	総数	要介護１	要介護２	要介護３	要介護４	要介護５	その他
全国	308 271	35 435	58 148	75 038	82 441	56 240	969
北海道	13 913	2 229	2 974	3 065	3 219	2 384	42
青森	4 966	498	809	1 166	1 368	1 110	15
岩手	5 479	421	857	1 289	1 554	1 350	8
宮城	7 066	799	1 344	1 653	1 891	1 359	20
秋田	4 633	498	809	1 146	1 168	1 010	2
山形	3 653	432	662	821	955	773	10
福島	6 077	553	1 027	1 590	1 729	1 157	21
茨城	9 117	1 012	1 662	2 218	2 431	1 743	51
栃木	4 668	538	893	1 108	1 281	844	4
群馬	5 478	682	1 091	1 283	1 345	1 053	24
埼玉	14 112	1 811	2 691	3 389	3 661	2 476	84
千葉	12 981	1 337	2 189	3 204	3 682	2 524	45
東京	16 940	1 941	3 201	4 293	4 745	2 711	49
神奈川	15 223	1 695	3 056	3 858	4 112	2 424	78
新潟	9 301	861	1 860	2 288	2 447	1 821	24
富山	3 890	401	656	1 070	1 039	707	17
石川	3 417	341	647	861	842	723	3
福井	2 628	176	455	618	792	580	7
山梨	2 474	176	432	746	693	423	4
長野	5 983	640	988	1 455	1 655	1 193	52
岐阜	5 725	541	1 096	1 378	1 531	1 159	20
静岡	10 877	1 644	1 937	2 592	2 938	1 729	37
愛知	15 610	1 908	3 393	3 606	4 008	2 673	22
三重	6 116	691	1 092	1 509	1 643	1 171	10
滋賀	2 169	234	471	573	592	290	9
京都	6 349	443	1 241	2 016	1 668	949	32
大阪	15 718	1 563	3 012	3 748	4 635	2 699	61
兵庫	12 426	1 367	2 402	3 221	3 307	2 100	29
奈良	3 601	391	861	940	885	514	10
和歌山	2 859	255	519	651	778	652	4
鳥取	2 444	187	491	568	693	498	7
島根	2 455	259	441	573	665	503	14
岡山	5 125	538	995	1 164	1 337	1 066	25
広島	7 515	956	1 480	1 774	1 795	1 485	25
山口	4 369	820	978	1 060	973	527	11
徳島	3 567	237	559	829	1 109	824	9
香川	3 309	406	584	764	909	636	10
愛媛	4 414	519	686	1 010	1 126	1 059	14
高知	1 954	191	311	517	565	361	9
福岡	12 456	1 963	2 497	2 909	3 247	1 826	14
佐賀	2 381	357	468	606	523	424	3
長崎	4 245	527	774	1 059	1 139	734	12
熊本	5 308	702	1 048	1 366	1 378	810	4
大分	3 532	406	612	768	966	774	6
宮崎	2 918	386	523	698	720	585	6
鹿児島	5 549	724	968	1 252	1 497	1 103	5
沖縄	3 281	179	406	766	1 205	724	1

注：調査方法の変更等による回収率変動の影響を受けているため、数量を示す在所者数の実数は前年以前と単純に年次比較できない。

中核市（再掲）、一般棟－認知症専門棟、要介護度別（３－１）

平成29年９月末

一			般		棟	
総数	要介護１	要介護２	要介護３	要介護４	要介護５	その他
265 717	32 449	51 688	63 538	70 049	47 174	819
11 590	2 045	2 567	2 481	2 584	1 881	32
4 383	471	706	998	1 195	1 002	11
4 952	409	793	1 124	1 395	1 224	7
6 081	707	1 182	1 400	1 629	1 145	18
4 051	482	720	948	1 038	861	2
3 002	383	555	652	792	610	10
5 319	511	919	1 344	1 514	1 010	21
8 106	940	1 504	1 978	2 124	1 511	49
3 770	467	737	892	1 011	660	3
3 938	550	834	909	917	713	15
11 679	1 628	2 356	2 740	2 925	1 958	72
10 259	1 184	1 861	2 544	2 831	1 808	31
14 859	1 794	2 896	3 757	4 092	2 277	43
12 173	1 514	2 615	3 016	3 180	1 788	60
8 384	820	1 714	2 015	2 201	1 615	19
3 390	368	583	912	908	602	17
3 060	323	566	775	739	654	3
2 224	164	402	472	674	507	5
2 091	168	376	612	586	345	4
5 038	580	837	1 221	1 372	985	43
5 423	528	1 041	1 302	1 441	1 091	20
9 109	1 497	1 677	2 149	2 391	1 361	34
14 273	1 793	3 165	3 276	3 635	2 384	20
5 221	643	977	1 231	1 394	968	8
1 647	201	370	421	427	220	8
5 265	413	1 117	1 609	1 338	763	25
14 377	1 483	2 826	3 396	4 218	2 394	60
9 888	1 196	2 000	2 535	2 583	1 549	25
3 247	364	801	832	800	441	9
2 600	237	481	576	705	598	3
2 184	175	451	511	615	425	7
2 110	231	383	462	571	453	10
4 684	510	929	1 037	1 235	948	25
6 978	919	1 389	1 615	1 650	1 387	18
3 584	733	816	823	774	430	8
3 349	225	539	783	1 039	754	9
3 198	397	570	733	874	615	9
3 992	479	630	898	1 000	973	12
1 673	176	289	441	460	302	5
9 883	1 664	2 076	2 314	2 490	1 330	9
1 825	298	383	460	388	294	2
3 973	508	747	974	1 051	684	9
4 738	663	961	1 181	1 211	720	2
3 248	386	566	697	887	707	5
2 814	372	511	665	692	568	6
4 884	673	876	1 095	1 288	947	5
3 201	177	394	732	1 185	712	1

第23表　介護老人保健施設の在所者数，都道府県－指定都市・

都道府県 指定都市 中核市	総数						
	総数	要介護1	要介護2	要介護3	要介護4	要介護5	その他
指定都市(再掲)							
札幌市	3 705	618	738	779	949	602	19
仙台市	2 463	277	496	600	646	433	11
さいたま市	2 573	365	516	600	626	425	41
千葉市	1 757	184	316	432	478	345	2
横浜市	7 392	711	1 498	1 858	2 044	1 237	44
川崎市	1 690	243	344	409	451	240	3
相模原市	1 136	84	193	303	352	202	2
新潟市	3 544	247	772	898	881	739	7
静岡市	2 338	342	442	550	634	359	11
浜松市	2 584	468	444	541	676	440	15
名古屋市	5 745	613	1 361	1 431	1 418	918	4
京都市	3 800	236	697	1 237	1 030	577	23
大阪市	5 526	466	980	1 273	1 825	961	21
堺市	1 082	110	194	276	292	210	-
神戸市	4 284	339	916	1 150	1 150	726	3
岡山市	1 664	174	313	384	445	343	5
広島市	2 172	249	500	528	498	381	16
北九州市	2 515	407	523	607	653	318	7
福岡市	2 088	334	444	518	514	277	1
熊本市	1 774	215	325	405	483	342	4
中核市(再掲)							
旭川市	865	141	174	166	178	203	3
函館市	875	141	176	193	195	168	2
青森市	1 008	84	142	240	294	247	1
八戸市	676	34	86	181	199	173	3
盛岡市	764	44	84	159	244	230	3
秋田市	1 148	91	184	339	318	215	1
郡山市	587	67	100	131	184	98	7
いわき市	992	65	150	292	271	213	1
宇都宮市	629	67	160	158	166	78	-
前橋市	862	130	191	159	212	167	3
高崎市	1 030	127	185	205	292	215	6
川越市	504	49	82	136	128	108	1
越谷市	416	24	78	102	116	96	-
船橋市	1 119	119	174	285	308	233	-
柏市	845	82	136	195	252	179	1
八王子市	829	124	158	167	227	150	3
横須賀市	737	135	151	189	170	87	5
富山市	1 514	163	293	445	369	235	9
金沢市	1 146	153	234	304	265	190	-
長野市	1 088	114	140	227	370	230	7
岐阜市	1 098	69	205	270	283	261	10
豊橋市	469	81	84	99	121	84	-
豊田市	604	101	146	111	156	89	1
岡崎市	746	131	120	188	178	125	4
大津市	280	25	69	70	71	45	-
高槻市	544	65	131	109	136	100	3
東大阪市	962	91	178	256	272	162	3
豊中市	661	66	141	164	165	121	4
枚方市	804	45	196	208	201	153	1
姫路市	728	84	132	185	202	123	2
西宮市	844	127	159	211	194	153	-
尼崎市	970	67	149	339	266	147	2
奈良市	735	64	161	174	199	135	2
和歌山市	934	69	164	204	249	247	1
倉敷市	1 024	94	186	249	281	210	4
福山市	852	64	121	178	246	241	2
呉市	1 185	228	217	254	263	219	4
下関市	717	120	148	211	165	71	2
高松市	1 178	133	198	277	319	249	2
松山市	971	134	150	219	232	232	4
高知市	445	43	81	109	144	66	2
久留米市	602	83	118	160	156	82	3
長崎市	1 244	152	270	343	294	180	5
佐世保市	704	83	117	178	212	111	3
大分市	933	109	159	201	248	213	3
宮崎市	850	151	175	197	165	158	4
鹿児島市	1 191	176	203	288	283	241	-
那覇市	382	26	52	92	141	71	-

注：調査方法の変更等による回収率変動の影響を受けているため、数量を示す在所者数の実数は前年以前と単純に年次比較できない。

中核市（再掲）、一般棟－認知症専門棟、要介護度別（３－２）

平成29年９月末

一		般		棟		
総数	要介護１	要介護２	要介護３	要介護４	要介護５	その他
2 955	550	608	606	735	441	15
2 388	270	482	581	629	415	11
2 222	330	477	500	524	356	35
1 316	147	260	321	357	231	-
5 843	618	1 285	1 436	1 574	895	35
1 482	231	320	346	368	215	2
915	80	174	233	280	147	1
3 378	242	747	850	836	699	4
1 999	320	381	467	522	299	10
2 171	421	390	456	560	331	13
5 277	574	1 276	1 305	1 291	827	4
3 123	219	629	964	819	474	18
4 966	430	904	1 127	1 649	836	20
883	97	169	232	220	165	-
3 201	276	736	865	844	479	1
1 521	165	284	347	409	311	5
2 037	246	479	490	459	352	11
2 096	360	446	498	536	250	6
1 638	289	371	403	386	188	1
1 690	208	312	382	456	330	2
641	120	135	132	127	124	3
780	133	158	164	175	148	2
968	82	137	232	279	237	1
644	33	77	171	189	172	2
703	42	74	140	225	219	3
1 012	88	158	279	293	193	1
549	67	97	126	170	82	7
859	56	143	237	241	181	1
479	61	129	116	113	60	-
526	89	123	103	119	92	-
785	116	153	149	217	147	3
384	43	65	107	96	72	1
368	24	71	90	93	90	-
911	109	155	233	237	177	-
701	74	122	164	206	134	1
766	118	153	149	209	134	3
700	129	144	177	161	84	5
1 449	160	286	421	347	226	9
982	139	189	263	220	171	-
868	105	119	189	283	165	7
1 060	69	202	259	277	243	10
469	81	84	99	121	84	-
532	89	135	98	128	82	-
709	129	118	173	162	123	4
273	25	68	67	68	45	-
517	63	129	101	128	93	3
962	91	178	256	272	162	3
645	66	140	157	159	119	4
661	43	178	173	150	116	1
648	78	126	169	175	98	2
747	119	139	191	163	135	-
851	66	138	290	230	125	2
707	64	157	167	193	124	2
861	62	149	180	237	232	1
901	86	171	202	257	181	4
779	58	108	160	225	226	2
1 148	224	210	235	261	214	4
659	119	137	184	151	66	2
1 178	133	198	277	319	249	2
860	116	134	190	202	214	4
401	38	80	104	120	59	-
522	83	106	139	130	63	1
1 205	151	267	330	278	174	5
506	66	95	117	149	79	-
811	103	136	169	216	184	3
822	146	171	189	155	157	4
961	158	163	232	220	188	-
382	26	52	92	141	71	-

第23表　介護老人保健施設の在所者数，都道府県－指定都市・

都道府県 指定都市 中核市	認知症専門棟 総数	要介護1	要介護2	要介護3	要介護4	要介護5	その他
全国	42 554	2 986	6 460	11 500	12 392	9 066	150
北海道	2 323	184	407	584	635	503	10
青森	583	27	103	168	173	108	4
岩手	527	12	64	165	159	126	1
宮城	985	92	162	253	262	214	2
秋田	582	16	89	198	130	149	-
山形	651	49	107	169	163	163	-
福島	758	42	108	246	215	147	-
茨城	1 011	72	158	240	307	232	2
栃木	898	71	156	216	270	184	1
群馬	1 540	132	257	374	428	340	9
埼玉	2 433	183	335	649	736	518	12
千葉	2 722	153	328	660	851	716	14
東京	2 081	147	305	536	653	434	6
神奈川	3 050	181	441	842	932	636	18
新潟	917	41	146	273	246	206	5
富山	500	33	73	158	131	105	-
石川	357	18	81	86	103	69	-
福井	404	12	53	146	118	73	2
山梨	383	8	56	134	107	78	-
長野	945	60	151	234	283	208	9
岐阜	302	13	55	76	90	68	-
静岡	1 768	147	260	443	547	368	3
愛知	1 337	115	228	330	373	289	2
三重	895	48	115	278	249	203	2
滋賀	522	33	101	152	165	70	1
京都	1 084	30	124	407	330	186	7
大阪	1 341	80	186	352	417	305	1
兵庫	2 538	171	402	686	724	551	4
奈良	354	27	60	108	85	73	1
和歌山	259	18	38	75	73	54	1
鳥取	260	12	40	57	78	73	-
島根	345	28	58	111	94	50	4
岡山	441	28	66	127	102	118	-
広島	537	37	91	159	145	98	7
山口	785	87	162	237	199	97	3
徳島	218	12	20	46	70	70	-
香川	111	9	14	31	35	21	1
愛媛	422	40	56	112	126	86	2
高知	281	15	22	76	105	59	4
福岡	2 573	299	421	595	757	496	5
佐賀	556	59	85	146	135	130	1
長崎	272	19	27	85	88	50	3
熊本	570	39	87	185	167	90	2
大分	284	20	46	71	79	67	1
宮崎	104	14	12	33	28	17	-
鹿児島	665	51	92	157	209	156	-
沖縄	80	2	12	34	20	12	-

注：調査方法の変更等による回収率変動の影響を受けているため、数量を示す在所者数の実数は前年以前と単純に年次比較できない。

中核市（再掲）、一般棟－認知症専門棟、要介護度別（３－３）

平成29年９月末

都道府県 指定都市 中核市	認知症専門棟						
	総数	要介護１	要介護２	要介護３	要介護４	要介護５	その他
指定都市（再掲）							
札幌市	750	68	130	173	214	161	4
仙台市	75	7	14	19	17	18	－
さいたま市	351	35	39	100	102	69	6
千葉市	441	37	56	111	121	114	2
横浜市	1 549	93	213	422	470	342	9
川崎市	208	12	24	63	83	25	1
相模原市	221	4	19	70	72	55	1
新潟市	166	5	25	48	45	40	3
静岡市	339	22	61	83	112	60	1
浜松市	413	47	54	85	116	109	2
名古屋市	468	39	85	126	127	91	－
京都市	677	17	68	273	211	103	5
大阪市	560	36	76	146	176	125	1
堺市	199	13	25	44	72	45	－
神戸市	1 083	63	180	285	306	247	2
岡山市	143	9	29	37	36	32	－
広島市	135	3	21	38	39	29	5
北九州市	419	47	77	109	117	68	1
福岡市	450	45	73	115	128	89	－
熊本市	84	7	13	23	27	12	2
中核市（再掲）							
旭川市	224	21	39	34	51	79	－
函館市	95	8	18	29	20	20	－
青森市	40	2	5	8	15	10	－
八戸市	32	1	9	10	10	1	1
盛岡市	61	2	10	19	19	11	－
秋田市	136	3	26	60	25	22	－
郡山市	38	－	3	5	14	16	－
いわき市	133	9	7	55	30	32	－
宇都宮市	150	6	31	42	53	18	－
前橋市	336	41	68	56	93	75	3
高崎市	245	11	32	56	75	68	3
川越市	120	6	17	29	32	36	－
越谷市	48	－	7	12	23	6	－
船橋市	208	10	19	52	71	56	－
柏市	144	8	14	31	46	45	－
八王子市	63	6	5	18	18	16	－
横須賀市	37	6	7	12	9	3	－
富山市	65	3	7	24	22	9	－
金沢市	164	14	45	41	45	19	－
長野市	220	9	21	38	87	65	－
岐阜市	38	－	3	11	6	18	－
豊橋市	－	－	－	－	－	－	－
豊田市	72	12	11	13	28	7	1
岡崎市	37	2	2	15	16	2	－
大津市	7	－	1	3	3	－	－
高槻市	27	2	2	8	8	7	－
東大阪市	－	－	－	－	－	－	－
豊中市	16	－	1	7	6	2	－
枚方市	143	2	18	35	51	37	－
姫路市	80	6	6	16	27	25	－
西宮市	97	8	20	20	31	18	－
尼崎市	119	1	11	49	36	22	－
奈良市	28	－	4	7	6	11	－
和歌山市	73	7	15	24	12	15	－
倉敷市	123	8	15	47	24	29	－
福山市	73	6	13	18	21	15	－
呉市	37	4	7	19	2	5	－
下関市	58	1	11	27	14	5	－
高松市	－	－	－	－	－	－	－
松山市	111	18	16	29	30	18	－
高知市	44	5	1	5	24	7	2
久留米市	80	－	12	21	26	19	2
長崎市	39	1	3	13	16	6	－
佐世保市	198	17	22	61	63	32	3
大分市	122	6	23	32	32	29	－
宮崎市	28	5	4	8	10	1	－
鹿児島市	230	18	40	56	63	53	－
那覇市	－	－	－	－	－	－	－

第24表　介護療養型医療施設数,

都道府県 指定都市 中核市	総数	都道府県	市区町村	日本赤十字社・ 社会保険関係団体
全国	1 125	–	56	12
北海道	51	–	3	2
青森	16	–	1	–
岩手	13	–	1	–
宮城	9	–	3	–
秋田	7	–	–	–
山形	7	–	–	–
福島	15	–	1	–
茨城	19	–	–	–
栃木	7	–	–	–
群馬	10	–	1	–
埼玉	17	–	1	–
千葉	18	–	3	–
東京	53	–	–	–
神奈川	25	–	1	–
新潟	20	–	3	–
富山	32	–	1	–
石川	13	–	1	–
福井	16	–	–	–
山梨	6	–	3	–
長野	31	–	5	3
岐阜	20	–	1	1
静岡	21	–	1	–
愛知	34	–	1	3
三重	12	–	–	–
滋賀	5	–	–	–
京都	24	–	–	–
大阪	31	–	–	–
兵庫	28	–	–	–
奈良	7	–	–	–
和歌山	14	–	1	–
鳥取	6	–	3	–
島根	11	–	2	–
岡山	20	–	–	–
広島	52	–	–	–
山口	27	–	1	1
徳島	33	–	–	1
香川	22	–	3	–
愛媛	26	–	1	–
高知	39	–	3	–
福岡	73	–	1	1
佐賀	20	–	–	–
長崎	41	–	3	–
熊本	64	–	2	–
大分	38	–	2	–
宮崎	28	–	2	–
鹿児島	35	–	1	–
沖縄	9	–	–	–

注：調査方法の変更等による回収率変動の影響を受けているため、数量を示す施設数の実数は前年以前と単純に年次比較できない。

都道府県－指定都市・中核市（再掲）、開設主体別（２－１）

平成29年10月１日

社会福祉法人	医療法人	社団・財団法人	その他の法人	その他
12	938	26	7	74
1	44	－	－	1
－	13	－	－	2
－	10	－	－	2
－	5	1	－	－
－	7	－	－	－
－	5	－	－	2
－	11	3	－	－
－	17	1	－	1
－	7	－	－	－
－	9	－	－	－
－	15	－	1	－
－	13	－	－	2
4	44	3	2	－
1	21	1	－	1
1	16	－	－	－
－	29	－	－	2
－	12	－	－	－
－	16	－	－	－
－	2	－	－	1
1	19	－	1	2
－	16	－	－	2
－	19	1	－	－
1	25	1	－	3
－	11	－	－	1
－	5	－	－	－
－	19	4	－	1
2	25	－	－	4
－	23	－	－	5
－	7	－	－	－
－	12	1	－	－
－	3	－	－	－
－	5	2	－	2
－	16	3	－	1
－	45	2	－	5
－	25	－	－	－
－	29	－	－	3
－	18	－	－	1
－	22	－	2	1
－	36	－	－	－
1	59	1	1	9
－	20	－	－	－
－	33	－	－	5
－	57	1	－	4
－	29	－	－	7
－	26	－	－	－
－	31	1	－	2
－	7	－	－	2

第24表　介護療養型医療施設数,

都道府県 指定都市 中核市	総数	都道府県	市区町村	日本赤十字社・ 社会保険関係団体
指定都市(再掲)				
札幌市	10	–	–	–
仙台市	1	–	–	–
さいたま市	2	–	–	–
千葉市	–	–	–	–
横浜市	8	–	1	–
川崎市	4	–	–	–
相模原市	7	–	–	–
新潟市	4	–	–	–
静岡市	2	–	–	–
浜松市	8	–	1	–
名古屋市	8	–	1	–
京都市	17	–	–	–
大阪市	8	–	–	–
堺市	2	–	–	–
神戸市	8	–	–	–
岡山市	5	–	–	–
広島市	16	–	–	–
北九州市	11	–	–	–
福岡市	11	–	–	1
熊本市	18	–	–	–
中核市(再掲)				
旭川市	6	–	–	–
函館市	5	–	–	–
青森市	3	–	–	–
八戸市	4	–	–	–
盛岡市	5	–	–	–
秋田市	–	–	–	–
郡山市	4	–	1	–
いわき市	5	–	–	–
宇都宮市	3	–	–	–
前橋市	1	–	–	–
高崎市	1	–	–	–
川越市	1	–	–	–
越谷市	–	–	–	–
船橋市	–	–	–	–
柏市	–	–	–	–
八王子市	4	–	–	–
横須賀市	–	–	–	–
富山市	14	–	–	–
金沢市	5	–	–	–
長野市	4	–	–	–
岐阜市	5	–	–	–
豊橋市	3	–	–	–
豊田市	2	–	–	1
岡崎市	1	–	–	–
大津市	1	–	–	–
高槻市	–	–	–	–
東大阪市	3	–	–	–
豊中市	–	–	–	–
枚方市	2	–	–	–
姫路市	4	–	–	–
西宮市	2	–	–	–
尼崎市	–	–	–	–
奈良市	1	–	–	–
和歌山市	5	–	–	–
倉敷市	3	–	–	–
福山市	9	–	–	–
呉市	7	–	–	–
下関市	7	–	–	–
高松市	7	–	1	–
松山市	8	–	–	–
高知市	16	–	–	–
久留米市	4	–	–	–
長崎市	9	–	–	–
佐世保市	9	–	–	–
大分市	6	–	–	–
宮崎市	10	–	–	–
鹿児島市	11	–	–	–
那覇市	3	–	–	–

注：調査方法の変更等による回収率変動の影響を受けているため、数量を示す施設数の実数は前年以前と単純に年次比較できない。

平成29年10月１日

社会福祉法人	医療法人	社団・財団法人	その他の法人	その他
–	9	–	–	1
–	1	–	–	–
–	2	–	–	–
–	–	–	–	–
–	7	–	–	–
–	4	–	–	–
1	5	–	–	1
–	4	–	–	–
–	2	–	–	–
–	7	–	–	–
1	3	–	–	3
–	13	3	–	1
–	7	–	–	1
–	2	–	–	–
–	7	–	–	1
–	3	1	–	1
–	13	–	–	3
1	9	–	–	1
–	8	–	–	2
–	18	–	–	–
–	6	–	–	–
–	5	–	–	–
–	2	–	–	1
–	3	–	–	1
–	5	–	–	–
–	–	–	–	–
–	2	1	–	–
–	5	–	–	–
–	3	–	–	–
–	1	–	–	–
–	1	–	–	–
–	1	–	–	–
–	–	–	–	–
–	–	–	–	–
–	–	–	–	–
–	3	–	1	–
–	–	–	–	–
–	12	–	–	2
–	5	–	–	–
1	2	–	–	1
–	5	–	–	–
–	3	–	–	–
–	1	–	–	–
–	1	–	–	–
–	1	–	–	–
–	–	–	–	–
1	2	–	–	–
–	–	–	–	–
–	2	–	–	–
–	3	–	–	1
–	1	–	–	1
–	–	–	–	–
–	1	–	–	–
–	5	–	–	–
–	2	1	–	–
–	9	–	–	–
–	5	1	–	1
–	7	–	–	–
–	6	–	–	–
–	7	–	1	–
–	16	–	–	–
–	3	–	–	1
–	8	–	–	1
–	7	–	–	2
–	4	–	–	2
–	10	–	–	–
–	9	1	–	1
–	1	–	–	2

第25表　介護療養型医療施設数,

ユニットの状況 ユニット数	総数	都道府県	市区町村	日本赤十字社・ 社会保険関係団体
総数	1 125	–	56	12
ユニット有	3	–	–	–
総数				
1ユニット	–	–	–	–
2ユニット	–	–	–	–
3ユニット	–	–	–	–
4ユニット	2	–	–	–
5ユニット以上	1	–	–	–
療養病床				
0ユニット	–	–	–	–
1ユニット	–	–	–	–
2ユニット	–	–	–	–
3ユニット	–	–	–	–
4ユニット	2	–	–	–
5ユニット以上	1	–	–	–
老人性認知症疾患療養病棟				
0ユニット	3	–	–	–
1ユニット	–	–	–	–
2ユニット	–	–	–	–
3ユニット	–	–	–	–
4ユニット	–	–	–	–
5ユニット以上	–	–	–	–
ユニット無	1 122	–	56	12

注：調査方法の変更等による回収率変動の影響を受けているため、数量を示す施設数の実数は前年以前と単純に年次比較できない。

療養病床－老人性認知症疾患療養病棟、ユニットの状況、ユニット数、開設主体別

平成29年10月１日

社会福祉法人	医療法人	社団・財団法人	その他の法人	その他
12	938	26	7	74
-	3	-	-	-
-	-	-	-	-
-	-	-	-	-
-	-	-	-	-
-	2	-	-	-
-	1	-	-	-
-	-	-	-	-
-	-	-	-	-
-	-	-	-	-
-	-	-	-	-
-	2	-	-	-
-	1	-	-	-
-	3	-	-	-
-	-	-	-	-
-	-	-	-	-
-	-	-	-	-
-	-	-	-	-
-	-	-	-	-
12	935	26	7	74

第26表　介護療養型医療施設の病床数,

都道府県 指定都市 中核市	総数	都道府県	市区町村	日本赤十字社・ 社会保険関係団体
全国	50 325	-	1 172	369
北海道	2 507	-	32	32
青森	804	-	40	-
岩手	315	-	18	-
宮城	200	-	60	-
秋田	413	-	-	-
山形	220	-	-	-
福島	484	-	80	-
茨城	656	-	-	-
栃木	466	-	-	-
群馬	477	-	28	-
埼玉	1 433	-	20	-
千葉	1 060	-	81	-
東京	4 686	-	-	-
神奈川	1 603	-	12	-
新潟	1 451	-	118	-
富山	1 583	-	24	-
石川	716	-	16	-
福井	337	-	-	-
山梨	172	-	39	-
長野	1 150	-	114	106
岐阜	485	-	14	56
静岡	1 708	-	8	-
愛知	1 841	-	64	98
三重	465	-	-	-
滋賀	357	-	-	-
京都	2 647	-	-	-
大阪	1 846	-	-	-
兵庫	1 356	-	-	-
奈良	681	-	-	-
和歌山	508	-	18	-
鳥取	278	-	91	-
島根	281	-	23	-
岡山	593	-	-	-
広島	2 266	-	-	-
山口	1 571	-	6	12
徳島	984	-	-	50
香川	561	-	56	-
愛媛	741	-	16	-
高知	1 762	-	52	-
福岡	3 403	-	21	15
佐賀	699	-	-	-
長崎	599	-	44	-
熊本	1 767	-	30	-
大分	493	-	18	-
宮崎	661	-	24	-
鹿児島	760	-	5	-
沖縄	279	-	-	-

注：調査方法の変更等による回収率変動の影響を受けているため、数量を示す病床数の実数は前年以前と単純に年次比較できない。

都道府県－指定都市・中核市（再掲）、開設主体別（2－1）

平成29年10月1日

社会福祉法人	医療法人	社団・財団法人	その他の法人	その他
713	44 770	1 176	190	1 935
50	2 347	－	－	46
－	701	－	－	63
－	282	－	－	15
－	96	44	－	－
－	413	－	－	－
－	186	－	－	34
－	274	130	－	－
－	605	45	－	6
－	466	－	－	－
－	449	－	－	－
－	1 403	－	10	－
－	962	－	－	17
285	4 146	177	78	－
57	1 394	32	－	108
60	1 273	－	－	－
－	1 370	－	－	189
－	700	－	－	－
－	337	－	－	－
－	115	－	－	18
42	805	－	24	59
－	392	－	－	23
－	1 640	60	－	－
20	1 530	10	－	119
－	460	－	－	5
－	357	－	－	－
－	2 244	292	－	111
139	1 595	－	－	112
－	1 209	－	－	147
－	681	－	－	－
－	440	50	－	－
－	187	－	－	－
－	137	60	－	61
－	433	128	－	32
－	1 841	61	－	364
－	1 553	－	－	－
－	838	－	－	96
－	496	－	－	9
－	661	－	58	6
－	1 710	－	－	－
60	3 112	60	20	115
－	699	－	－	－
－	514	－	－	41
－	1 693	10	－	34
－	426	－	－	49
－	637	－	－	－
－	696	17	－	42
－	265	－	－	14

第26表　介護療養型医療施設の病床数,

都道府県 指定都市 中核市	総数	都道府県	市区町村	日本赤十字社・ 社会保険関係団体
指定都市（再掲）				
札幌市	628	-	-	-
仙台市	19	-	-	-
さいたま市	256	-	-	-
千葉市	-	-	-	-
横浜市	456	-	12	-
川崎市	303	-	-	-
相模原市	634	-	-	-
新潟市	350	-	-	-
静岡市	378	-	-	-
浜松市	628	-	8	-
名古屋市	390	-	64	-
京都市	2 415	-	-	-
大阪市	458	-	-	-
堺市	131	-	-	-
神戸市	427	-	-	-
岡山市	76	-	-	-
広島市	949	-	-	-
北九州市	447	-	-	-
福岡市	631	-	-	15
熊本市	645	-	-	-
中核市（再掲）				
旭川市	318	-	-	-
函館市	234	-	-	-
青森市	123	-	-	-
八戸市	216	-	-	-
盛岡市	222	-	-	-
秋田市	-	-	-	-
郡山市	160	-	80	-
いわき市	136	-	-	-
宇都宮市	318	-	-	-
前橋市	5	-	-	-
高崎市	14	-	-	-
川越市	61	-	-	-
越谷市	-	-	-	-
船橋市	-	-	-	-
柏市	-	-	-	-
八王子市	702	-	-	-
横須賀市	-	-	-	-
富山市	850	-	-	-
金沢市	243	-	-	-
長野市	249	-	-	-
岐阜市	152	-	-	-
豊橋市	365	-	-	-
豊田市	63	-	-	42
岡崎市	107	-	-	-
大津市	27	-	-	-
高槻市	-	-	-	-
東大阪市	122	-	-	-
豊中市	-	-	-	-
枚方市	49	-	-	-
姫路市	188	-	-	-
西宮市	44	-	-	-
尼崎市	-	-	-	-
奈良市	172	-	-	-
和歌山市	166	-	-	-
倉敷市	221	-	-	-
福山市	233	-	-	-
呉市	181	-	-	-
下関市	289	-	-	-
高松市	172	-	20	-
松山市	289	-	-	-
高知市	1 106	-	-	-
久留米市	219	-	-	-
長崎市	152	-	-	-
佐世保市	153	-	-	-
大分市	37	-	-	-
宮崎市	162	-	-	-
鹿児島市	209	-	-	-
那覇市	30	-	-	-

注：調査方法の変更等による回収率変動の影響を受けているため、数量を示す病床数の実数は前年以前と単純に年次比較できない。

都道府県－指定都市・中核市（再掲）、開設主体別（２－２）

平成29年10月１日

社会福祉法人	医療法人	社団・財団法人	その他の法人	その他
－	582	－	－	46
－	19	－	－	－
－	256	－	－	－
－	－	－	－	－
－	444	－	－	－
－	303	－	－	－
57	469	－	－	108
－	350	－	－	－
－	378	－	－	－
－	620	－	－	－
20	187	－	－	119
－	2 065	239	－	111
－	443	－	－	15
－	131	－	－	－
－	416	－	－	11
－	27	17	－	32
－	642	－	－	307
60	378	－	－	9
－	578	－	－	38
－	645	－	－	－
－	318	－	－	－
－	234	－	－	－
－	114	－	－	9
－	162	－	－	54
－	222	－	－	－
－	－	－	－	－
－	30	50	－	－
－	136	－	－	－
－	318	－	－	－
－	5	－	－	－
－	14	－	－	－
－	61	－	－	－
－	－	－	－	－
－	－	－	－	－
－	－	－	－	－
－	667	－	35	－
－	－	－	－	－
－	661	－	－	189
－	243	－	－	－
42	165	－	－	42
－	152	－	－	－
－	365	－	－	－
－	21	－	－	－
－	107	－	－	－
－	27	－	－	－
－	－	－	－	－
37	85	－	－	－
－	－	－	－	－
－	49	－	－	－
－	88	－	－	100
－	34	－	－	10
－	－	－	－	－
－	172	－	－	－
－	166	－	－	－
－	115	106	－	－
－	233	－	－	－
－	128	35	－	18
－	289	－	－	－
－	152	－	－	－
－	247	－	42	－
－	1 106	－	－	－
－	174	－	－	45
－	144	－	－	8
－	134	－	－	19
－	22	－	－	15
－	162	－	－	－
－	190	17	－	2
－	16	－	－	14

第27表　介護療養型医療施設の病床数,

都道府県 指定都市 中核市	総数	病院	療養病床	老人性認知症疾患療養病棟	診療所
全国	50 325	47 856	45 829	2 027	2 469
北海道	2 507	2 395	2 335	60	112
青森	804	760	536	224	44
岩手	315	265	265	-	50
宮城	200	162	162	-	38
秋田	413	403	403	-	10
山形	220	164	20	144	56
福島	484	450	450	-	34
茨城	656	604	604	-	52
栃木	466	442	442	-	24
群馬	477	472	472	-	5
埼玉	1 433	1 433	1 073	360	-
千葉	1 060	1 035	983	52	25
東京	4 686	4 680	4 380	300	6
神奈川	1 603	1 591	1 480	111	12
新潟	1 451	1 451	1 451	-	-
富山	1 583	1 583	1 583	-	-
石川	716	716	716	-	-
福井	337	294	294	-	43
山梨	172	154	154	-	18
長野	1 150	1 075	905	170	75
岐阜	485	384	384	-	101
静岡	1 708	1 684	1 632	52	24
愛知	1 841	1 797	1 797	-	44
三重	465	426	426	-	39
滋賀	357	357	357	-	-
京都	2 647	2 637	2 464	173	10
大阪	1 846	1 842	1 792	50	4
兵庫	1 356	1 296	1 246	50	60
奈良	681	665	665	-	16
和歌山	508	486	486	-	22
鳥取	278	278	218	60	-
島根	281	258	258	-	23
岡山	593	550	490	60	43
広島	2 266	2 158	2 107	51	108
山口	1 571	1 521	1 521	-	50
徳島	984	925	925	-	59
香川	561	478	478	-	83
愛媛	741	629	629	-	112
高知	1 762	1 750	1 750	-	12
福岡	3 403	3 276	3 216	60	127
佐賀	699	649	649	-	50
長崎	599	363	363	-	236
熊本	1 767	1 567	1 567	-	200
大分	493	273	273	-	220
宮崎	661	561	511	50	100
鹿児島	760	681	681	-	79
沖縄	279	236	236	-	43

注：1）調査方法の変更等による回収率変動の影響を受けているため、数量を示す病床数の実数は前年以前と単純に年次比較できない。
　　2）診療所には老人性認知症疾患療養病棟はない。

都道府県－指定都市・中核市（再掲）、病床の種類別

平成29年10月１日

都道府県 指定都市 中核市	総数	病院	療養病床	老人性認知症疾患療養病棟	診療所
指定都市（再掲）					
札幌市	628	628	628	－	－
仙台市	19	－	－	－	19
さいたま市	256	256	256	－	－
千葉市	－	－	－	－	－
横浜市	456	444	444	－	12
川崎市	303	303	192	111	－
相模原市	634	634	634	－	－
新潟市	350	350	350	－	－
静岡市	378	378	378	－	－
浜松市	628	620	568	52	8
名古屋市	390	372	372	－	18
京都市	2 415	2 415	2 295	120	－
大阪市	458	458	458	－	－
堺市	131	131	131	－	－
神戸市	427	417	417	－	10
岡山市	76	49	49	－	27
広島市	949	906	906	－	43
北九州市	447	400	400	－	47
福岡市	631	629	629	－	2
熊本市	645	604	604	－	41
中核市（再掲）					
旭川市	318	289	289	－	29
函館市	234	234	234	－	－
青森市	123	99	39	60	24
八戸市	216	216	52	164	－
盛岡市	222	216	216	－	6
秋田市	－	－	－	－	－
郡山市	160	150	150	－	10
いわき市	136	112	112	－	24
宇都宮市	318	318	318	－	－
前橋市	5	－	－	－	5
高崎市	14	14	14	－	－
川越市	61	61	61	－	－
越谷市	－	－	－	－	－
船橋市	－	－	－	－	－
柏市	－	－	－	－	－
八王子市	702	702	702	－	－
横須賀市	－	－	－	－	－
富山市	850	850	850	－	－
金沢市	243	243	243	－	－
長野市	249	233	113	120	16
岐阜市	152	119	119	－	33
豊橋市	365	365	365	－	－
豊田市	63	63	63	－	－
岡崎市	107	107	107	－	－
大津市	27	27	27	－	－
高槻市	－	－	－	－	－
東大阪市	122	122	122	－	－
豊中市	－	－	－	－	－
枚方市	49	49	49	－	－
姫路市	188	182	182	－	6
西宮市	44	34	34	－	10
尼崎市	－	－	－	－	－
奈良市	172	172	172	－	－
和歌山市	166	150	150	－	16
倉敷市	221	221	221	－	－
福山市	233	199	199	－	34
呉市	181	177	177	－	4
下関市	289	273	273	－	16
高松市	172	158	158	－	14
松山市	289	275	275	－	14
高知市	1 106	1 106	1 106	－	－
久留米市	219	219	219	－	－
長崎市	152	114	114	－	38
佐世保市	153	91	91	－	62
大分市	37	－	－	－	37
宮崎市	162	113	113	－	49
鹿児島市	209	186	186	－	23
那覇市	30	－	－	－	30

第28表　介護療養型医療施設の病室数，

病床数階級	総数	個室	2人室
総数	17 259	3 711	2 966
1 ～ 9床	488	114	168
10 ～ 19	1 178	361	283
20 ～ 29	975	247	203
30 ～ 39	1 286	241	220
40 ～ 49	1 718	433	245
50 ～ 59	1 966	365	307
60 ～ 69	1 795	392	287
70 ～ 79	406	55	65
80 ～ 89	445	44	101
90 ～ 99	1 198	286	197
100 ～ 109	645	112	106
110 ～ 119	792	111	142
120 ～ 129	697	76	100
130 ～ 139	193	46	39
140 ～ 149	195	39	36
150 床以上	3 282	789	467

注：調査方法の変更等による回収率変動の影響を受けているため、数量を示す病室数の実数は前年以前と単純に年次比較できない。

第29表　介護療養型医療施設の病室数，

開設主体	総数	個室	2人室
総数	17 259	3 711	2 966
都道府県	-	-	-
市区町村	388	87	50
日本赤十字社・社会保険関係団体	136	30	41
社会福祉法人	226	46	17
医療法人	15 385	3 323	2 673
社団・財団法人	389	72	66
その他の法人	58	9	5
その他	677	144	114

注：調査方法の変更等による回収率変動の影響を受けているため、数量を示す病室数の実数は前年以前と単純に年次比較できない。

病床数階級、室定員別

平成29年10月１日

３　　人　　室	４　　人　　室	５　人　以　上　室
1 667	8 894	21
90	116	－
115	419	－
133	392	－
196	629	－
198	842	－
119	1 175	－
157	959	－
65	221	－
15	285	－
153	562	－
77	350	－
64	475	－
69	452	－
14	94	－
14	106	－
188	1 817	21

開設主体、室定員別

平成29年10月１日

３　　人　　室	４　　人　　室	５　人　以　上　室
1 667	8 894	21
－	－	－
19	232	－
3	62	－
19	144	－
1 476	7 892	21
32	219	－
5	39	－
113	306	－

第30表　介護療養型医療施設の常勤換算従事者数,

都道府県 指定都市 中核市	総数			医師			歯科医師			薬剤師		
	総数	常勤	非常勤	総数	常勤	非常勤	総数	常勤	非常勤	総数	常勤	非常勤
全国	40 188	35 844	4 344	2 984	2 116	868	46	31	15	1 033	900	133
北海道	2 067	1 934	133	141	115	26	6	6	1	60	57	3
青森	581	567	13	29	27	2	-	-	-	14	13	1
岩手	330	312	19	31	24	6	-	-	-	11	10	1
宮城	139	120	19	10	9	1	-	-	-	2	2	-
秋田	268	250	18	12	9	2	-	-	-	6	5	0
山形	170	146	24	13	9	4	-	-	-	3	3	-
福島	374	347	27	22	13	9	0	0	-	10	9	1
茨城	431	388	44	26	18	8	1	1	0	13	12	1
栃木	357	275	82	31	14	17	-	-	-	8	6	2
群馬	339	301	38	23	15	8	-	-	-	9	8	1
埼玉	1 154	973	181	64	39	25	1	-	1	22	19	3
千葉	770	647	122	63	42	21	1	1	-	23	19	3
東京	3 301	2 790	511	219	130	89	5	4	1	94	80	14
神奈川	1 032	873	159	70	40	31	1	0	1	38	30	8
新潟	950	890	60	48	33	15	2	1	0	23	21	1
富山	1 520	1 352	168	96	64	32	0	0	-	47	38	10
石川	467	433	34	33	23	10	0	0	-	10	9	1
福井	299	257	42	16	11	6	-	-	-	5	4	0
山梨	138	127	12	8	7	1	-	-	-	2	2	-
長野	897	799	98	71	61	10	0	0	0	20	14	6
岐阜	589	496	93	48	31	17	-	-	-	14	13	1
静岡	1 153	996	157	79	43	36	0	0	0	27	23	4
愛知	1 623	1 426	198	176	123	53	0	-	0	44	36	8
三重	425	383	43	30	26	4	1	1	0	14	13	1
滋賀	243	227	16	15	12	3	-	-	-	5	5	0
京都	1 693	1 489	204	160	103	57	6	2	4	39	26	13
大阪	1 279	1 127	152	108	67	41	2	2	-	39	33	6
兵庫	1 016	888	129	80	57	23	-	-	-	36	33	4
奈良	441	412	29	22	17	5	1	1	-	7	7	0
和歌山	537	481	56	45	36	9	-	-	-	16	14	1
鳥取	352	325	27	41	33	9	1	1	0	14	13	1
島根	267	224	43	25	21	5	0	0	-	7	6	2
岡山	634	568	66	66	41	25	4	4	1	17	14	2
広島	1 803	1 638	165	101	84	17	3	-	3	41	36	5
山口	1 163	1 039	124	85	53	32	3	2	0	37	35	3
徳島	967	856	111	86	55	31	1	1	0	34	32	3
香川	488	425	62	32	23	8	0	0	-	7	7	1
愛媛	680	565	115	55	42	13	-	-	-	18	15	3
高知	1 526	1 437	89	116	84	32	1	1	1	42	36	5
福岡	2 650	2 404	246	212	141	72	3	2	1	65	59	6
佐賀	575	533	42	35	27	7	-	-	-	11	11	-
長崎	689	625	63	52	47	5	-	-	-	7	7	-
熊本	1 589	1 444	145	128	103	25	1	0	0	38	32	6
大分	497	458	39	44	40	3	-	-	-	5	5	0
宮崎	717	672	45	47	41	6	-	-	-	10	10	-
鹿児島	811	739	72	62	54	8	0	0	-	22	19	3
沖縄	195	186	9	11	10	1	1	1	-	2	2	0

注：1）調査方法の変更等による回収率変動の影響を受けているため、数量を示す従事者数の実数は前年以前と単純に年次比較できない。
　　2）「0」は常勤換算従事者数が0.5未満の場合である。

都道府県－指定都市・中核市（再掲）、職種（常勤－非常勤）別（4－1）

平成29年10月１日

看護師			准看護師			介護職員			介護福祉士（再掲）		
総数	常勤	非常勤	総数	常勤	非常勤	総数	常勤	非常勤	総数	常勤	非常勤
7 813	6 966	847	6 820	6 062	759	15 297	13 774	1 523	7 476	7 161	316
344	321	24	307	292	15	779	724	55	399	391	8
111	111	－	111	110	1	234	225	9	161	161	－
101	94	7	32	31	2	102	100	1	71	71	0
31	29	2	23	22	1	58	44	15	38	34	4
31	28	3	66	63	3	134	126	9	77	73	5
38	30	8	30	28	3	68	60	8	27	26	1
63	61	2	89	82	7	135	127	8	81	79	2
65	59	6	85	75	9	168	154	15	77	71	5
47	33	13	87	72	15	153	120	33	46	42	4
68	59	9	58	54	4	134	121	13	60	59	1
264	213	51	184	145	39	435	376	59	173	163	10
146	128	18	115	95	20	325	272	53	146	136	10
746	628	118	427	354	73	1 385	1 179	206	526	488	37
222	175	48	148	123	25	408	366	42	123	121	3
203	190	13	137	126	11	417	398	18	323	317	6
294	263	31	233	202	31	599	541	58	370	348	22
102	96	6	76	69	7	197	189	8	114	110	4
48	37	11	76	65	10	119	108	11	65	62	3
39	37	2	22	18	4	45	41	3	20	20	－
197	172	25	150	130	20	330	297	33	194	185	10
128	110	19	145	114	31	193	171	22	65	63	2
223	196	27	146	130	16	539	479	60	288	271	17
326	285	41	226	194	32	574	519	55	277	257	20
63	55	8	89	76	13	167	153	14	86	84	2
70	66	5	22	18	4	84	81	3	51	50	1
315	270	45	242	223	19	675	615	60	386	364	22
260	231	30	196	172	24	494	446	48	184	180	4
197	171	26	148	124	23	383	337	46	181	173	8
72	66	6	73	69	5	186	178	8	107	106	2
111	101	11	78	67	11	203	181	22	48	45	3
65	56	9	51	49	2	95	88	7	57	56	1
55	49	6	50	45	6	82	60	22	44	36	8
115	103	13	104	97	6	212	198	14	94	88	6
345	308	37	371	337	34	679	620	59	343	334	9
212	200	12	217	174	42	428	399	29	158	154	4
162	144	18	183	162	21	323	290	33	168	158	10
103	91	13	111	94	17	170	148	22	84	77	6
126	112	13	122	109	13	262	194	68	118	110	7
280	262	18	224	212	12	589	571	18	340	334	6
519	486	33	414	378	35	988	898	90	534	519	14
119	107	11	96	87	9	213	199	14	90	87	3
138	123	15	162	145	18	223	201	22	107	101	5
258	243	15	361	331	30	532	476	57	243	234	9
86	80	6	165	152	12	136	120	16	53	51	2
123	120	3	180	171	8	269	243	26	88	84	4
158	147	11	154	140	14	280	250	31	141	135	6
24	23	1	38	35	3	94	91	3	51	51	1

第30表　介護療養型医療施設の常勤換算従事者数,

都道府県 指定都市 中核市	総数			医師			歯科医師			薬剤師		
	総数	常勤	非常勤	総数	常勤	非常勤	総数	常勤	非常勤	総数	常勤	非常勤
指定都市(再掲)												
札幌市	588	552	36	40	33	7	2	2	–	26	25	1
仙台市	15	15	–	1	1	–	–	–	–	–	–	–
さいたま市	125	110	15	7	6	1	–	–	–	3	2	0
千葉市	–	–	–	–	–	–	–	–	–	–	–	–
横浜市	313	252	62	26	13	13	1	0	1	11	8	3
川崎市	212	188	24	15	7	8	–	–	–	9	5	4
相模原市	345	297	47	16	11	5	–	–	–	13	12	2
新潟市	214	201	13	10	9	2	–	–	–	5	4	0
静岡市	202	174	28	8	7	1	–	–	–	5	3	2
浜松市	463	403	60	37	18	19	–	–	–	12	9	3
名古屋市	314	270	44	27	17	10	0	–	0	10	9	1
京都市	1 497	1 325	172	144	94	49	6	2	4	34	22	12
大阪市	268	244	24	18	8	10	–	–	–	7	6	1
堺市	95	84	11	8	5	3	1	1	–	2	2	–
神戸市	345	310	36	30	20	10	–	–	–	14	14	0
岡山市	95	80	15	12	6	6	1	1	–	3	2	0
広島市	765	706	59	37	32	5	2	–	2	15	12	3
北九州市	333	310	22	29	26	4	1	1	–	7	5	2
福岡市	489	453	35	45	31	13	2	1	1	11	10	1
熊本市	487	440	47	35	29	6	0	0	–	12	11	1
中核市(再掲)												
旭川市	252	235	17	23	17	6	2	2	–	7	7	–
函館市	213	200	13	22	18	3	–	–	–	6	5	2
青森市	104	103	1	6	6	0	–	–	–	6	5	1
八戸市	139	137	2	3	3	–	–	–	–	2	2	–
盛岡市	236	227	9	22	17	5	–	–	–	10	9	1
秋田市	–	–	–	–	–	–	–	–	–	–	–	–
郡山市	131	122	10	8	5	4	0	0	–	3	3	–
いわき市	80	73	7	6	3	3	–	–	–	1	1	1
宇都宮市	263	187	76	28	11	17	–	–	–	6	4	2
前橋市	3	3	–	0	0	–	–	–	–	–	–	–
高崎市	26	22	3	4	4	0	–	–	–	1	1	–
川越市	49	34	16	5	3	3	–	–	–	1	1	0
越谷市	–	–	–	–	–	–	–	–	–	–	–	–
船橋市	–	–	–	–	–	–	–	–	–	–	–	–
柏市	–	–	–	–	–	–	–	–	–	–	–	–
八王子市	446	390	56	18	12	5	2	2	0	10	8	2
横須賀市	–	–	–	–	–	–	–	–	–	–	–	–
富山市	740	657	83	41	32	10	–	–	–	23	17	6
金沢市	140	136	4	8	5	2	–	–	–	2	2	1
長野市	155	138	17	12	8	4	–	–	–	5	2	3
岐阜市	259	219	40	21	17	4	–	–	–	5	5	–
豊橋市	245	216	30	16	11	5	–	–	–	6	5	2
豊田市	111	101	11	15	14	1	–	–	–	9	9	–
岡崎市	145	134	11	7	3	4	–	–	–	5	3	2
大津市	17	11	6	3	1	2	–	–	–	1	1	0
高槻市	–	–	–	–	–	–	–	–	–	–	–	–
東大阪市	91	76	15	9	3	5	–	–	–	2	1	1
豊中市	–	–	–	–	–	–	–	–	–	–	–	–
枚方市	46	37	9	7	4	3	–	–	–	2	2	0
姫路市	130	118	12	8	5	3	–	–	–	2	2	0
西宮市	57	50	8	7	7	–	–	–	–	4	4	–
尼崎市	–	–	–	–	–	–	–	–	–	–	–	–
奈良市	112	108	4	3	3	–	1	1	–	2	2	–
和歌山市	248	223	24	19	18	2	–	–	–	7	6	0
倉敷市	152	134	18	10	7	3	2	1	0	4	3	1
福山市	189	168	21	14	14	1	–	–	–	3	3	0
呉市	197	170	27	13	11	2	–	–	–	6	6	0
下関市	259	222	37	24	15	10	1	1	–	15	13	1
高松市	146	128	18	11	8	3	0	0	–	4	4	0
松山市	270	208	63	14	11	3	–	–	–	7	6	1
高知市	872	830	41	57	46	11	–	–	–	24	21	3
久留米市	162	139	23	9	4	5	–	–	–	4	4	–
長崎市	150	129	21	9	8	0	–	–	–	2	2	–
佐世保市	160	145	15	9	9	–	–	–	–	1	1	–
大分市	53	47	5	6	5	1	–	–	–	–	–	–
宮崎市	255	237	17	18	16	2	–	–	–	4	4	–
鹿児島市	274	253	21	21	18	3	0	0	–	10	9	2
那覇市	37	35	2	4	3	1	–	–	–	0	–	0

注：1）調査方法の変更等による回収率変動の影響を受けているため、数量を示す従事者数の実数は前年以前と単純に年次比較できない。
　　2）「0」は常勤換算従事者数が0.5未満の場合である。

平成29年10月１日

看護師			准看護師			介護職員			介護福祉士（再掲）		
総数	常勤	非常勤	総数	常勤	非常勤	総数	常勤	非常勤	総数	常勤	非常勤
91	83	8	53	50	3	200	186	14	111	110	1
2	2	－	3	3	－	6	6	－	6	6	－
38	31	7	11	9	2	52	48	4	29	27	2
－	－	－	－	－	－	－	－	－	－	－	－
72	56	16	29	23	6	124	102	22	44	43	1
52	47	5	23	21	2	82	77	5	34	34	－
56	42	14	77	64	13	137	126	11	18	17	1
45	42	2	32	29	3	102	97	5	86	84	2
53	45	8	21	20	1	106	89	17	61	55	6
77	72	5	62	57	5	210	188	22	123	118	5
89	81	8	38	32	6	118	102	16	31	29	2
266	227	39	217	201	15	597	550	47	346	331	15
59	56	3	45	40	5	116	110	6	42	42	－
24	21	3	9	8	1	29	24	5	14	13	1
76	69	7	40	35	5	117	104	13	44	42	2
24	19	5	15	15	－	26	24	2	9	9	1
179	169	11	152	141	12	280	258	21	163	158	5
43	43	1	57	53	5	135	124	11	69	68	1
104	99	5	66	61	5	161	152	10	100	99	2
82	76	6	105	94	11	175	155	20	78	75	3
35	34	2	53	50	3	85	79	6	51	49	3
24	24	1	26	25	1	66	62	4	29	29	1
23	23	－	24	24	－	35	35	－	27	27	－
33	33	－	20	20	0	54	53	1	32	32	－
67	66	2	22	22	1	70	69	1	57	57	－
－	－	－	－	－	－	－	－	－	－	－	－
30	30	1	30	27	3	37	36	2	31	30	1
9	8	1	24	22	2	33	31	2	17	16	1
35	23	12	57	44	13	113	82	31	29	25	4
1	1	－	1	1	－	1	1	－	－	－	－
3	3	0	6	6	0	8	6	2	2	2	－
12	8	4	7	3	4	18	15	4	－	－	－
－	－	－	－	－	－	－	－	－	－	－	－
－	－	－	－	－	－	－	－	－	－	－	－
－	－	－	－	－	－	－	－	－	－	－	－
96	86	10	53	49	4	205	172	33	135	121	14
－	－	－	－	－	－	－	－	－	－	－	－
145	131	14	116	94	22	289	260	29	165	157	9
30	29	1	21	21	－	63	63	－	28	28	－
34	31	4	25	21	4	59	56	3	16	15	1
55	41	14	72	59	13	81	71	10	14	13	1
40	33	7	35	29	6	101	96	6	46	45	1
20	15	5	7	5	2	35	32	3	21	19	2
39	37	2	27	26	1	50	48	2	36	36	－
2	1	2	3	3	0	7	5	2	2	2	－
－	－	－	－	－	－	－	－	－	－	－	－
16	14	2	16	13	3	32	28	4	14	14	－
－	－	－	－	－	－	－	－	－	－	－	－
7	6	1	6	5	1	15	12	3	9	9	－
21	19	2	24	22	2	56	53	3	28	27	1
8	6	2	12	9	3	16	13	3	2	2	－
－	－	－	－	－	－	－	－	－	－	－	－
20	18	2	15	15	－	45	43	2	10	10	－
57	50	7	36	32	5	86	76	11	10	10	－
28	25	3	23	20	3	62	56	6	39	36	3
31	24	8	39	35	3	72	63	9	32	31	1
40	32	8	39	37	2	73	59	13	19	18	1
34	31	4	55	46	9	85	72	13	37	36	1
31	27	4	31	28	3	53	46	7	19	19	0
62	54	8	33	27	6	115	73	42	45	43	2
152	144	9	134	126	8	341	332	9	203	201	2
39	35	4	22	18	4	67	58	9	45	44	1
38	29	9	29	24	5	55	49	7	32	31	1
30	27	3	41	34	7	50	48	2	22	22	1
6	5	1	24	22	2	9	7	2	3	3	1
42	41	1	70	65	6	85	78	7	36	35	1
71	68	4	44	40	4	90	84	7	36	34	2
3	3	0	11	10	1	17	17	0	2	2	0

第30表　介護療養型医療施設の常勤換算従事者数，

都道府県 指定都市 中核市	介護支援専門員			管理栄養士			栄養士			理学療法士		
	総数	常勤	非常勤	総数	常勤	非常勤	総数	常勤	非常勤	総数	常勤	非常勤
全国	1 214	1 163	50	1 019	995	24	278	265	13	1 974	1 921	54
北海道	63	62	1	53	53	0	5	3	1	149	147	3
青森	17	17	-	12	12	-	7	7	-	17	17	-
岩手	11	10	0	12	12	-	4	3	1	14	14	1
宮城	8	7	1	1	1	-	-	-	-	4	4	-
秋田	12	12	-	5	5	-	2	2	-	0	0	-
山形	5	5	1	3	3	0	-	-	-	-	-	-
福島	10	10	-	8	8	-	4	4	-	18	17	1
茨城	16	16	0	14	14	-	2	2	-	28	25	3
栃木	13	13	1	6	6	1	8	8	-	5	4	1
群馬	7	7	-	8	8	-	6	6	-	11	10	2
埼玉	21	20	2	19	19	0	6	6	-	59	58	1
千葉	23	22	1	18	15	3	3	3	-	32	30	2
東京	93	91	2	85	85	0	27	26	0	106	103	4
神奈川	43	41	3	26	26	-	17	17	-	32	31	1
新潟	27	27	-	16	16	-	0	0	-	40	39	1
富山	43	42	1	41	41	-	23	23	-	78	76	2
石川	16	15	1	12	12	0	4	3	1	14	14	0
福井	10	9	2	11	10	2	1	1	-	7	7	0
山梨	4	3	0	3	3	-	0	0	-	10	8	2
長野	34	33	1	21	20	1	4	4	-	43	42	1
岐阜	12	12	1	14	14	-	2	2	0	21	20	1
静岡	32	30	2	20	20	1	4	4	0	33	30	3
愛知	38	34	4	46	45	1	13	13	0	96	94	2
三重	15	15	1	11	11	0	3	3	-	20	20	-
滋賀	6	6	0	7	7	-	-	-	-	19	19	1
京都	47	46	1	46	45	1	11	11	-	73	71	2
大阪	37	35	2	33	32	0	3	3	-	68	68	0
兵庫	23	22	0	25	24	1	4	3	1	69	66	3
奈良	16	16	-	7	5	1	9	6	3	21	21	-
和歌山	14	13	1	13	13	1	5	4	1	41	41	-
鳥取	12	12	-	9	9	-	5	5	-	22	21	1
島根	10	8	2	10	9	1	2	1	1	12	12	-
岡山	18	17	2	20	20	-	2	2	-	34	34	0
広島	61	58	3	43	41	2	15	15	1	78	76	2
山口	34	33	1	39	39	-	3	3	0	58	56	2
徳島	26	24	2	35	34	1	5	5	-	66	63	3
香川	20	19	1	13	13	-	-	-	-	20	20	1
愛媛	23	23	0	22	20	2	3	3	-	32	32	-
高知	39	38	1	42	41	0	9	9	1	115	113	2
福岡	73	71	2	75	72	3	18	17	1	145	143	2
佐賀	18	18	0	13	13	-	5	5	-	36	36	-
長崎	34	32	2	16	14	2	5	5	0	36	36	0
熊本	58	53	5	42	41	1	11	10	1	96	93	4
大分	20	20	0	7	6	0	6	6	1	15	14	1
宮崎	19	18	1	18	18	0	6	5	0	32	31	1
鹿児島	28	25	3	21	21	1	7	7	-	43	42	1
沖縄	11	10	1	3	3	-	1	1	-	7	7	-

注：1）調査方法の変更等による回収率変動の影響を受けているため、数量を示す従事者数の実数は前年以前と単純に年次比較できない。
　　2）「0」は常勤換算従事者数が0.5未満の場合である。

都道府県－指定都市・中核市（再掲）、職種（常勤－非常勤）別（4－3）

平成29年10月1日

作業療法士			言語聴覚士			精神保健福祉士等			歯科衛生士		
総数	常勤	非常勤	総数	常勤	非常勤	総数	常勤	非常勤	総数	常勤	非常勤
1 023	998	25	469	452	17	96	94	2	122	106	16
98	97	1	45	43	3	1	1	–	15	14	1
22	21	1	3	3	–	5	5	–	–	–	–
9	9	–	4	4	–	–	–	–	1	1	–
1	1	–	1	1	–	–	–	–	–	–	–
0	0	–	0	0	–	–	–	–	–	–	–
5	4	1	1	1	–	3	3	–	1	1	–
8	8	0	4	4	–	–	–	–	3	3	–
6	6	1	7	7	–	–	–	–	2	2	–
1	1	–	–	–	–	–	–	–	–	–	–
8	8	–	6	6	–	1	1	–	1	0	0
45	44	0	21	21	–	14	14	–	1	1	–
15	15	–	5	5	1	1	1	–	0	0	–
63	61	3	38	37	1	6	6	–	8	8	0
13	12	1	8	7	1	3	3	–	3	3	–
19	18	0	16	16	0	2	1	0	2	2	–
46	44	2	18	18	1	1	–	1	2	1	1
3	3	–	1	1	0	–	–	–	0	0	–
4	3	0	2	2	–	–	–	–	–	–	–
4	4	–	2	2	–	–	–	–	–	–	–
18	17	1	6	6	0	3	3	–	2	1	0
8	8	–	4	4	–	–	–	–	0	–	0
23	21	2	13	12	1	5	4	1	8	5	3
53	52	1	28	27	1	–	–	–	3	3	–
6	6	–	4	3	1	–	–	–	3	2	1
7	7	0	6	6	–	2	2	–	–	–	–
36	36	0	19	18	1	12	12	–	12	10	2
20	20	1	9	9	0	3	3	–	8	8	–
38	36	2	14	14	0	1	1	–	–	–	–
14	13	1	9	9	–	–	–	–	5	4	1
6	6	–	5	5	–	–	–	–	0	–	0
19	19	–	6	6	–	10	10	–	3	3	–
9	9	–	5	5	–	–	–	–	1	1	–
22	22	1	7	7	0	2	2	–	10	8	2
43	42	1	12	11	1	5	5	–	7	6	1
29	28	1	14	12	1	–	–	–	6	6	–
33	33	–	11	11	–	2	2	–	1	1	0
6	6	–	3	3	–	–	–	–	1	0	1
12	12	0	5	3	2	–	–	–	0	–	0
49	49	–	19	19	–	2	2	–	1	1	–
88	87	2	39	38	1	7	7	–	5	4	1
18	18	–	12	12	–	–	–	–	1	1	–
11	11	0	2	2	–	–	–	–	3	2	1
42	41	1	18	17	1	4	4	–	2	2	0
8	8	–	7	7	–	–	–	–	–	–	–
10	10	–	2	2	–	3	3	–	0	0	–
23	23	1	10	10	1	1	1	0	2	1	0
2	2	–	1	1	–	–	–	–	1	1	–

第30表　介護療養型医療施設の常勤換算従事者数，

都道府県 指定都市 中核市	介護支援専門員			管理栄養士			栄養士			理学療法士		
	総数	常勤	非常勤	総数	常勤	非常勤	総数	常勤	非常勤	総数	常勤	非常勤
指定都市(再掲)												
札幌市	15	15	1	20	20	-	3	3	-	61	60	1
仙台市	1	1	-	0	0	-	-	-	-	2	2	-
さいたま市	3	3	-	3	3	-	-	-	-	4	4	-
千葉市	-	-	-	-	-	-	-	-	-	-	-	-
横浜市	18	17	1	8	8	-	6	6	-	9	9	-
川崎市	6	6	-	6	6	-	9	9	-	6	6	-
相模原市	14	13	2	8	8	-	1	1	-	12	11	0
新潟市	6	6	-	3	3	-	-	-	-	6	6	-
静岡市	4	4	-	2	2	-	-	-	-	2	2	-
浜松市	13	12	0	9	9	1	2	2	0	15	15	-
名古屋市	9	8	1	9	9	-	-	-	-	10	10	-
京都市	40	39	1	42	41	1	8	8	-	69	68	2
大阪市	9	9	-	6	6	-	1	1	-	8	7	0
堺市	2	2	-	4	4	-	-	-	-	10	10	-
神戸市	6	6	-	9	8	1	1	1	-	32	31	1
岡山市	5	3	2	4	4	-	-	-	-	4	4	-
広島市	22	22	0	18	17	1	6	6	-	24	23	2
北九州市	9	9	0	8	8	0	2	2	0	23	22	0
福岡市	14	14	-	12	12	-	4	4	0	31	31	-
熊本市	14	13	1	15	15	0	3	2	1	25	25	0
中核市(再掲)												
旭川市	10	10	-	5	5	-	0	-	0	16	16	-
函館市	5	5	-	5	5	-	-	-	-	26	25	1
青森市	3	3	-	2	2	-	1	1	-	2	2	-
八戸市	5	5	-	4	4	-	2	2	-	4	4	-
盛岡市	7	7	-	10	10	-	1	1	-	14	13	1
秋田市	-	-	-	-	-	-	-	-	-	-	-	-
郡山市	3	3	-	2	2	-	1	1	-	7	7	1
いわき市	4	4	-	1	1	-	0	0	-	3	3	-
宇都宮市	10	10	1	5	4	1	7	7	-	1	1	0
前橋市	0	0	-	0	0	-	-	-	-	-	-	-
高崎市	0	0	-	1	1	-	1	1	-	0	-	0
川越市	2	1	1	1	1	-	-	-	-	3	3	0
越谷市	-	-	-	-	-	-	-	-	-	-	-	-
船橋市	-	-	-	-	-	-	-	-	-	-	-	-
柏市	-	-	-	-	-	-	-	-	-	-	-	-
八王子市	11	11	-	7	7	-	-	-	-	12	12	0
横須賀市	-	-	-	-	-	-	-	-	-	-	-	-
富山市	17	16	1	21	21	-	19	19	-	36	36	0
金沢市	7	6	0	2	2	0	2	2	-	4	4	0
長野市	7	7	-	3	3	-	1	1	-	4	4	-
岐阜市	2	2	-	5	5	-	0	0	-	10	10	-
豊橋市	5	2	2	7	7	-	4	4	-	7	6	1
豊田市	1	1	0	6	6	-	-	-	-	13	13	-
岡崎市	1	1	-	1	1	-	-	-	-	8	8	0
大津市	1	1	0	1	1	-	-	-	-	-	-	-
高槻市	-	-	-	-	-	-	-	-	-	-	-	-
東大阪市	3	3	-	2	2	0	0	0	-	9	9	-
豊中市	-	-	-	-	-	-	-	-	-	-	-	-
枚方市	2	2	-	2	2	-	-	-	-	1	1	-
姫路市	3	3	-	3	3	-	-	-	-	8	6	2
西宮市	1	1	-	2	2	-	-	-	-	6	6	-
尼崎市	-	-	-	-	-	-	-	-	-	-	-	-
奈良市	6	6	-	1	1	-	-	-	-	7	7	-
和歌山市	6	6	0	4	4	-	0	0	-	26	26	-
倉敷市	3	3	-	4	4	-	-	-	-	5	5	-
福山市	6	6	0	4	4	-	3	3	-	10	10	-
呉市	4	4	0	4	4	-	1	1	0	13	13	0
下関市	12	12	1	15	15	-	-	-	-	10	10	-
高松市	6	6	0	5	5	-	-	-	-	5	5	0
松山市	8	8	-	9	8	1	-	-	-	18	18	-
高知市	21	21	1	19	18	0	5	5	1	68	67	1
久留米市	4	4	-	4	4	-	1	1	-	6	6	-
長崎市	5	4	1	3	3	-	-	-	-	7	7	-
佐世保市	4	3	1	5	3	1	2	2	-	10	10	-
大分市	3	3	0	1	1	-	1	1	-	5	5	-
宮崎市	6	6	-	6	6	0	3	3	0	13	13	1
鹿児島市	7	7	1	8	7	0	3	3	-	11	11	0
那覇市	2	2	-	-	-	-	-	-	-	-	-	-

注：1）調査方法の変更等による回収率変動の影響を受けているため、数量を示す従事者数の実数は前年以前と単純に年次比較できない。
　　2）「0」は常勤換算従事者数が0.5未満の場合である。

平成29年10月1日

作業療法士			言語聴覚士			精神保健福祉士等			歯科衛生士		
総数	常勤	非常勤	総数	常勤	非常勤	総数	常勤	非常勤	総数	常勤	非常勤
50	50	–	23	21	2	0	0	–	4	3	1
–	–	–	–	–	–	–	–	–	–	–	–
2	2	–	2	2	–	–	–	–	–	–	–
–	–	–	–	–	–	–	–	–	–	–	–
3	3	–	3	2	0	1	1	–	3	3	–
2	2	–	1	–	1	2	2	–	–	–	–
6	6	1	4	4	–	–	–	–	–	–	–
3	3	0	3	2	0	–	–	–	–	–	–
1	1	–	–	–	–	1	1	–	–	–	–
12	10	2	7	7	–	2	2	–	5	2	3
2	2	0	2	1	1	–	–	–	–	–	–
33	33	–	19	18	1	12	12	–	12	10	2
1	1	–	–	–	–	–	–	–	0	0	–
3	3	–	1	1	–	–	–	–	3	3	–
15	15	–	6	6	–	–	–	–	–	–	–
2	2	0	–	–	–	–	–	–	–	–	–
18	17	1	6	5	1	2	2	–	4	3	1
15	15	–	4	4	–	–	–	–	0	0	–
23	23	–	12	11	1	1	1	–	3	3	0
12	12	–	7	7	–	–	–	–	1	1	0
10	10	–	3	3	–	–	–	–	4	4	–
21	21	–	10	10	–	–	–	–	3	3	–
1	1	0	–	–	–	2	2	–	–	–	–
9	8	1	–	–	–	3	3	–	–	–	–
8	8	–	4	4	–	–	–	–	1	1	–
–	–	–	–	–	–	–	–	–	–	–	–
5	4	0	3	3	–	–	–	–	1	1	–
1	1	–	–	–	–	–	–	–	–	–	–
1	1	–	–	–	–	–	–	–	–	–	–
–	–	–	–	–	–	–	–	–	–	–	–
–	–	–	–	–	–	–	–	–	–	–	–
–	–	–	–	–	–	–	–	–	–	–	–
–	–	–	–	–	–	–	–	–	–	–	–
–	–	–	–	–	–	–	–	–	–	–	–
–	–	–	–	–	–	–	–	–	–	–	–
13	13	–	13	13	–	1	1	–	6	6	0
–	–	–	–	–	–	–	–	–	–	–	–
21	21	0	10	10	–	1	–	1	1	1	–
1	1	–	0	0	–	–	–	–	–	–	–
3	3	–	–	–	–	2	2	–	0	–	0
5	5	–	3	3	–	–	–	–	–	–	–
17	17	1	5	5	1	–	–	–	2	2	–
6	6	–	2	2	–	–	–	–	–	–	–
4	4	–	2	2	–	–	–	–	–	–	–
–	–	–	–	–	–	–	–	–	–	–	–
–	–	–	–	–	–	–	–	–	–	–	–
3	3	–	–	–	–	–	–	–	–	–	–
–	–	–	–	–	–	–	–	–	–	–	–
3	3	–	0	–	0	2	2	–	–	–	–
4	4	0	1	1	0	–	–	–	–	–	–
1	1	0	1	1	0	–	–	–	–	–	–
–	–	–	–	–	–	–	–	–	–	–	–
5	5	–	3	3	–	–	–	–	5	4	1
3	3	–	2	2	–	–	–	–	–	–	–
5	5	0	3	3	0	–	–	–	5	3	2
5	5	–	1	1	–	–	–	–	1	1	–
5	5	–	1	1	–	–	–	–	–	–	–
2	2	–	1	1	–	–	–	–	5	5	–
–	–	–	–	–	–	–	–	–	0	–	0
4	4	–	2	0	1	–	–	–	0	–	0
32	32	–	17	17	–	2	2	–	–	–	–
6	5	1	0	–	0	1	1	–	–	–	–
3	3	–	–	–	–	–	–	–	–	–	–
4	4	0	2	2	–	–	–	–	3	2	1
–	–	–	–	–	–	–	–	–	–	–	–
5	5	–	0	0	–	1	1	–	–	–	–
5	4	1	3	2	0	1	1	–	1	1	–
0	0	–	–	–	–	–	–	–	–	–	–

第31表　介護療養型医療施設の病床100床当たり常勤換算従事者数，

都道府県 指定都市 中核市	医師	歯科医師	薬剤師	看護師	准看護師	介護職員	介護福祉士（再掲）
全国	5.9	0.1	2.1	15.5	13.6	30.4	14.9
北海道	5.6	0.2	2.4	13.7	12.2	31.1	15.9
青森	3.6	-	1.7	13.8	13.7	29.1	20.0
岩手	9.7	-	3.5	31.9	10.2	32.2	22.6
宮城	5.0	-	0.9	15.5	11.4	29.2	19.0
秋田	2.8	-	1.3	7.5	16.0	32.5	18.7
山形	5.9	-	1.4	17.2	13.8	30.7	12.3
福島	4.6	0.1	2.0	13.0	18.3	27.9	16.8
茨城	4.0	0.1	2.0	9.9	12.9	25.6	11.7
栃木	6.6	-	1.6	10.0	18.6	32.8	9.8
群馬	4.8	-	1.9	14.3	12.2	28.2	12.5
埼玉	4.5	0.1	1.5	18.5	12.8	30.3	12.1
千葉	5.9	0.1	2.1	13.8	10.9	30.6	13.8
東京	4.7	0.1	2.0	15.9	9.1	29.5	11.2
神奈川	4.4	0.1	2.4	13.9	9.2	25.5	7.7
新潟	3.3	0.1	1.6	14.0	9.4	28.7	22.3
富山	6.0	0.0	3.0	18.6	14.7	37.8	23.4
石川	4.6	0.0	1.4	14.2	10.6	27.5	15.9
福井	4.9	-	1.3	14.3	22.4	35.3	19.2
山梨	4.4	-	1.4	22.9	13.0	25.9	11.9
長野	6.1	0.0	1.7	17.1	13.1	28.7	16.9
岐阜	10.0	-	2.9	26.5	29.9	39.8	13.4
静岡	4.6	0.0	1.6	13.1	8.5	31.6	16.9
愛知	9.6	0.0	2.4	17.7	12.3	31.2	15.0
三重	6.5	0.3	3.0	13.5	19.2	35.9	18.4
滋賀	4.2	-	1.3	19.7	6.2	23.6	14.3
京都	6.1	0.2	1.5	11.9	9.1	25.5	14.6
大阪	5.8	0.1	2.1	14.1	10.6	26.7	10.0
兵庫	5.9	-	2.7	14.5	10.9	28.3	13.4
奈良	3.2	0.1	1.0	10.5	10.7	27.3	15.8
和歌山	8.8	-	3.1	21.9	15.3	40.0	9.5
鳥取	14.9	0.4	5.0	23.2	18.3	34.1	20.5
島根	9.0	0.0	2.6	19.6	17.9	29.2	15.7
岡山	11.1	0.7	2.8	19.5	17.5	35.7	15.8
広島	4.5	0.1	1.8	15.2	16.4	30.0	15.1
山口	5.4	0.2	2.4	13.5	13.8	27.2	10.0
徳島	8.8	0.1	3.5	16.4	18.6	32.8	17.1
香川	5.6	0.0	1.3	18.4	19.8	30.3	14.9
愛媛	7.4	-	2.4	17.0	16.4	35.4	15.9
高知	6.6	0.1	2.4	15.9	12.7	33.4	19.3
福岡	6.2	0.1	1.9	15.2	12.2	29.0	15.7
佐賀	4.9	-	1.5	17.0	13.7	30.4	12.9
長崎	8.6	-	1.2	23.0	27.1	37.3	17.8
熊本	7.2	0.0	2.1	14.6	20.4	30.1	13.7
大分	8.8	-	1.0	17.3	33.4	27.6	10.8
宮崎	7.2	-	1.5	18.6	27.2	40.7	13.4
鹿児島	8.1	0.1	2.9	20.7	20.3	36.9	18.6
沖縄	3.9	0.2	0.8	8.5	13.7	33.8	18.3

注：1）調査方法の変更等による回収率変動の影響を受けているため、数量を示す従事者数の実数は前年以前と単純に年次比較できない。
　　2）「0.0」は常勤換算従事者数が0.05未満の場合である。

平成29年10月１日

介護支援専門員	管理栄養士	栄養士	理学療法士	作業療法士	言語聴覚士	精神保健福祉士等	歯科衛生士
2.4	2.0	0.6	3.9	2.0	0.9	0.2	0.2
2.5	2.1	0.2	6.0	3.9	1.8	0.1	0.6
2.1	1.5	0.8	2.1	2.8	0.3	0.6	-
3.4	3.7	1.2	4.5	2.7	1.3	-	0.3
4.1	0.7	-	2.2	0.5	0.3	-	-
2.9	1.2	0.6	0.0	0.0	0.0	-	-
2.4	1.4	-	-	2.2	0.5	1.4	0.5
2.1	1.6	0.8	3.7	1.6	0.9	-	0.5
2.4	2.1	0.2	4.3	1.0	1.1	-	0.2
2.8	1.4	1.7	1.0	0.2	-	-	-
1.4	1.6	1.3	2.3	1.6	1.2	0.2	0.1
1.5	1.3	0.4	4.1	3.1	1.4	1.0	0.1
2.2	1.7	0.3	3.0	1.4	0.5	0.1	0.0
2.0	1.8	0.6	2.3	1.4	0.8	0.1	0.2
2.7	1.6	1.1	2.0	0.8	0.5	0.2	0.2
1.9	1.1	0.0	2.8	1.3	1.1	0.1	0.1
2.7	2.6	1.4	4.9	2.9	1.1	0.0	0.1
2.2	1.7	0.5	2.0	0.4	0.1	-	0.0
3.0	3.3	0.4	2.1	1.1	0.6	-	-
2.0	1.5	0.1	5.5	2.4	1.3	-	-
2.9	1.8	0.4	3.7	1.6	0.5	0.3	0.1
2.5	2.8	0.4	4.3	1.6	0.8	-	0.0
1.9	1.2	0.3	2.0	1.4	0.7	0.3	0.5
2.0	2.5	0.7	5.2	2.9	1.5	-	0.2
3.2	2.3	0.6	4.2	1.3	0.8	-	0.6
1.7	2.0	-	5.4	1.9	1.5	0.4	-
1.8	1.7	0.4	2.8	1.4	0.7	0.4	0.4
2.0	1.8	0.2	3.7	1.1	0.5	0.2	0.4
1.7	1.8	0.3	5.1	2.8	1.0	0.1	-
2.4	1.0	1.3	3.1	2.1	1.4	-	0.7
2.7	2.6	0.9	8.1	1.2	1.0	-	0.1
4.3	3.1	1.8	7.8	6.9	2.3	3.4	1.2
3.4	3.6	0.7	4.1	3.1	1.6	-	0.2
3.1	3.4	0.4	5.8	3.8	1.2	0.3	1.8
2.7	1.9	0.7	3.4	1.9	0.5	0.2	0.3
2.1	2.5	0.2	3.7	1.8	0.9	-	0.4
2.6	3.5	0.5	6.7	3.3	1.1	0.2	0.1
3.6	2.3	-	3.6	1.1	0.6	-	0.2
3.1	3.0	0.4	4.4	1.6	0.6	-	0.0
2.2	2.4	0.5	6.5	2.8	1.1	0.1	0.1
2.1	2.2	0.5	4.3	2.6	1.2	0.2	0.1
2.6	1.9	0.7	5.1	2.6	1.7	-	0.2
5.6	2.6	0.8	6.0	1.8	0.4	-	0.4
3.3	2.3	0.6	5.4	2.4	1.0	0.2	0.1
4.1	1.3	1.3	2.9	1.6	1.3	-	-
2.9	2.7	0.8	4.8	1.5	0.4	0.4	0.0
3.7	2.8	0.9	5.7	3.1	1.3	0.2	0.2
3.8	1.0	0.4	2.5	0.6	0.2	-	0.4

第31表　介護療養型医療施設の病床100床当たり常勤換算従事者数，

都道府県 指定都市 中核市	医師	歯科医師	薬剤師	看護師	准看護師	介護職員	介護福祉士（再掲）
指定都市（再掲）							
札幌市	6.4	0.3	4.1	14.5	8.4	31.9	17.7
仙台市	5.3	-	-	10.5	15.8	31.6	31.6
さいたま市	2.8	-	1.1	15.0	4.4	20.5	11.3
千葉市	-	-	-	-	-	-	-
横浜市	5.6	0.2	2.4	15.8	6.4	27.1	9.6
川崎市	5.0	-	2.9	17.1	7.6	27.0	11.1
相模原市	2.6	-	2.1	8.8	12.2	21.5	2.8
新潟市	2.9	-	1.3	12.7	9.2	29.1	24.6
静岡市	2.1	-	1.2	13.9	5.6	28.0	16.0
浜松市	5.8	-	1.9	12.2	9.9	33.4	19.6
名古屋市	7.0	0.1	2.6	22.8	9.8	30.2	7.9
京都市	5.9	0.2	1.4	11.0	9.0	24.7	14.3
大阪市	3.9	-	1.6	12.8	9.8	25.2	9.3
堺市	5.7	0.8	1.8	17.9	7.2	22.1	10.3
神戸市	7.0	-	3.3	17.8	9.3	27.4	10.4
岡山市	16.3	1.3	3.3	31.4	19.2	34.1	12.1
広島市	3.9	0.2	1.5	18.9	16.0	29.5	17.2
北九州市	6.6	0.2	1.5	9.7	12.8	30.2	15.3
福岡市	7.1	0.3	1.8	16.5	10.4	25.5	15.9
熊本市	5.5	0.1	1.9	12.7	16.2	27.1	12.1
中核市（再掲）							
旭川市	7.3	0.6	2.2	11.1	16.5	26.6	16.1
函館市	9.2	-	2.6	10.4	11.2	28.1	12.4
青森市	4.8	-	4.5	18.6	19.5	28.5	22.0
八戸市	1.4	-	0.9	15.3	9.4	25.0	14.8
盛岡市	10.0	-	4.5	30.2	9.9	31.4	25.8
秋田市	-	-	-	-	-	-	-
郡山市	5.2	0.1	1.9	18.9	18.8	23.3	19.1
いわき市	4.5	-	1.0	6.3	17.4	24.1	12.4
宇都宮市	8.7	-	1.8	10.9	18.0	35.6	9.1
前橋市	2.0	-	-	20.0	20.0	20.0	-
高崎市	31.4	-	7.1	24.3	45.7	56.4	14.3
川越市	8.9	-	2.1	19.2	11.6	29.8	-
越谷市	-	-	-	-	-	-	-
船橋市	-	-	-	-	-	-	-
柏市	-	-	-	-	-	-	-
八王子市	2.5	0.3	1.4	13.7	7.5	29.2	19.2
横須賀市	-	-	-	-	-	-	-
富山市	4.8	-	2.8	17.1	13.7	34.0	19.5
金沢市	3.2	-	0.9	12.2	8.7	26.0	11.4
長野市	4.9	-	1.9	13.7	10.0	23.6	6.3
岐阜市	13.9	-	3.4	36.1	47.3	53.0	9.1
豊橋市	4.4	-	1.7	10.8	9.6	27.8	12.6
豊田市	24.0	-	13.5	31.4	10.8	54.8	32.7
岡崎市	6.4	-	4.9	36.8	25.0	46.5	33.6
大津市	9.6	-	2.6	7.8	12.6	24.1	8.9
高槻市	-	-	-	-	-	-	-
東大阪市	7.1	-	1.6	12.7	13.3	25.9	11.5
豊中市	-	-	-	-	-	-	-
枚方市	13.9	-	4.5	13.5	12.7	29.8	18.4
姫路市	4.5	-	1.1	11.2	12.7	29.8	14.6
西宮市	15.9	-	9.1	17.3	26.8	35.2	4.5
尼崎市	-	-	-	-	-	-	-
奈良市	1.7	0.6	1.2	11.5	8.7	26.0	5.8
和歌山市	11.7	-	3.9	34.5	21.7	52.0	6.2
倉敷市	4.4	0.8	1.7	12.7	10.2	27.8	17.8
福山市	6.2	-	1.5	13.3	16.6	30.8	13.6
呉市	7.1	-	3.3	21.9	21.6	40.1	10.6
下関市	8.4	0.4	5.0	11.9	19.1	29.2	12.9
高松市	6.3	0.1	2.3	17.7	18.0	30.9	11.1
松山市	4.9	-	2.5	21.4	11.3	39.7	15.5
高知市	5.2	-	2.2	13.8	12.1	30.8	18.3
久留米市	4.0	-	1.8	17.9	10.1	30.5	20.5
長崎市	5.6	-	1.1	25.2	19.0	36.3	20.9
佐世保市	5.9	-	0.7	19.5	26.8	32.4	14.5
大分市	14.9	-	-	15.1	64.6	23.0	8.1
宮崎市	11.0	-	2.6	26.0	43.5	52.5	22.5
鹿児島市	9.9	0.1	5.0	34.2	21.0	43.2	17.2
那覇市	13.3	-	0.3	11.3	35.7	57.3	7.3

注：1）調査方法の変更等による回収率変動の影響を受けているため、数量を示す従事者数の実数は前年以前と単純に年次比較できない。
　　2）「0.0」は常勤換算従事者数が0.05未満の場合である。

平成29年10月１日

介護支援専門員	管理栄養士	栄養士	理学療法士	作業療法士	言語聴覚士	精神保健福祉士等	歯科衛生士
2.4	3.2	0.5	9.7	7.9	3.7	0.0	0.6
5.3	0.5	-	12.1	-	-	-	-
1.1	1.0	-	1.6	0.8	0.8	-	-
-	-	-	-	-	-	-	-
3.9	1.8	1.4	2.0	0.7	0.6	0.1	0.7
2.0	2.1	3.0	1.8	0.7	0.2	0.7	-
2.2	1.2	0.2	1.8	1.0	0.6	-	-
1.7	0.9	-	1.6	0.9	0.7	-	-
1.1	0.5	-	0.5	0.3	-	0.3	-
2.0	1.5	0.4	2.4	1.8	1.1	0.3	0.8
2.4	2.2	-	2.5	0.5	0.4	-	-
1.6	1.7	0.3	2.9	1.4	0.8	0.5	0.5
2.0	1.4	0.2	1.6	0.2	-	-	0.0
1.5	2.7	-	7.7	2.3	0.8	-	2.3
1.5	2.1	0.2	7.5	3.4	1.4	-	-
6.1	5.0	-	5.5	3.0	-	-	-
2.3	1.9	0.7	2.6	1.9	0.6	0.2	0.4
2.0	1.8	0.4	5.0	3.2	0.9	-	0.0
2.1	1.9	0.7	4.9	3.6	1.9	0.2	0.5
2.2	2.4	0.5	3.9	1.9	1.1	-	0.1
3.1	1.6	0.1	5.0	3.0	0.9	-	1.3
2.1	2.0	-	11.0	9.0	4.1	-	1.3
2.1	1.6	0.4	1.6	1.1	-	1.6	-
2.3	1.9	0.9	1.9	4.1	-	1.4	-
3.2	4.6	0.5	6.2	3.6	1.8	-	0.5
-	-	-	-	-	-	-	-
2.0	1.3	0.6	4.6	2.8	2.1	-	0.6
2.6	0.7	0.1	1.8	0.4	-	-	-
3.1	1.5	2.2	0.3	0.3	-	-	-
2.0	2.0	-	-	-	-	-	-
1.4	7.1	7.1	1.4	-	-	-	-
2.6	1.5	-	4.6	-	-	-	-
-	-	-	-	-	-	-	-
-	-	-	-	-	-	-	-
-	-	-	-	-	-	-	-
1.5	1.0	-	1.7	1.8	1.8	0.1	0.8
-	-	-	-	-	-	-	-
2.0	2.5	2.2	4.2	2.4	1.2	0.1	0.1
2.7	0.9	0.8	1.8	0.4	0.1	-	-
2.6	1.3	0.4	1.7	1.2	-	0.8	0.1
1.5	3.4	0.2	6.3	3.3	2.0	-	-
1.2	1.8	1.0	2.0	4.8	1.5	-	0.5
1.9	8.7	-	19.8	8.7	3.2	-	-
0.9	0.9	-	7.7	4.1	2.2	-	-
2.6	2.2	-	-	-	-	-	-
-	-	-	-	-	-	-	-
2.7	1.6	0.2	7.0	2.0	-	-	-
-	-	-	-	-	-	-	-
3.1	4.1	-	1.0	6.1	0.8	4.1	-
1.4	1.6	-	4.0	2.1	0.7	-	-
2.5	3.4	-	13.6	2.7	3.0	-	-
-	-	-	-	-	-	-	-
3.5	0.6	-	4.1	2.9	1.7	-	2.8
3.7	2.7	0.2	15.9	1.5	1.3	-	-
1.4	1.7	-	2.3	2.1	1.4	-	2.3
2.5	1.8	1.3	4.4	2.2	0.3	-	0.3
2.4	2.0	0.6	7.2	2.8	0.3	-	-
4.3	5.1	-	3.6	0.7	0.2	-	1.7
3.4	2.6	-	2.9	-	-	-	0.2
2.6	3.1	-	6.3	1.2	0.6	-	0.0
1.9	1.7	0.5	6.1	2.9	1.5	0.1	-
1.8	1.6	0.5	2.7	2.7	0.0	0.2	-
3.2	2.2	-	4.5	1.6	-	-	-
2.5	3.1	1.0	6.6	2.7	1.4	-	1.7
7.3	1.4	2.7	13.5	-	-	-	-
3.5	4.0	2.1	8.1	3.1	0.2	0.6	-
3.5	3.6	1.2	5.3	2.2	1.2	0.2	0.6
5.7	-	-	-	0.7	-	-	-

都道府県 指定都市 中核市	総数						
	総数	要介護1	要介護2	要介護3	要介護4	要介護5	その他
全国	45 359	532	1 136	3 842	16 095	23 525	229
北海道	2 252	39	41	129	671	1 365	7
青森	771	31	46	94	297	296	7
岩手	275	2	9	27	90	147	－
宮城	167	3	4	11	52	97	－
秋田	395	－	7	37	122	228	1
山形	201	5	9	39	68	80	－
福島	432	4	5	31	188	204	－
茨城	563	4	8	37	154	355	5
栃木	450	－	－	17	142	291	－
群馬	434	9	14	38	138	235	－
埼玉	1 280	30	47	113	363	719	8
千葉	920	22	43	107	328	416	4
東京	4 303	30	72	223	1 369	2 589	20
神奈川	1 418	12	17	66	481	830	12
新潟	1 336	5	31	122	434	740	4
富山	1 485	4	9	112	542	804	14
石川	625	5	14	63	246	296	1
福井	308	3	3	47	137	116	2
山梨	140	－	3	15	60	61	1
長野	951	6	19	67	304	534	21
岐阜	388	10	10	24	110	234	－
静岡	1 614	49	69	196	691	592	17
愛知	1 686	21	52	173	710	720	10
三重	421	4	13	27	165	212	－
滋賀	342	2	1	22	115	202	－
京都	2 544	14	48	289	847	1 337	9
大阪	1 662	21	36	98	646	844	17
兵庫	1 234	4	11	66	411	741	1
奈良	609	6	9	56	266	261	11
和歌山	439	－	1	20	145	270	3
鳥取	237	3	5	13	86	130	－
島根	204	－	3	10	78	113	－
岡山	537	1	13	29	213	280	1
広島	1 956	10	45	171	659	1 058	13
山口	1 474	41	77	197	598	556	5
徳島	857	5	27	75	373	371	6
香川	471	7	19	40	191	214	－
愛媛	687	6	25	56	180	418	2
高知	1 658	4	19	118	593	923	1
福岡	3 111	20	77	307	1 197	1 503	7
佐賀	618	20	34	86	189	287	2
長崎	457	12	31	51	176	186	1
熊本	1 546	14	36	143	657	688	8
大分	393	12	24	46	136	174	1
宮崎	560	16	28	56	131	323	6
鹿児島	694	13	16	54	212	398	1
沖縄	254	3	6	24	134	87	－

注：1）調査方法の変更等による回収率変動の影響を受けているため、数量を示す在院者数の実数は前年以前と単純に年次比較できない。
　　2）診療所には老人性認知症疾患療養病棟はない。

指定都市・中核市（再掲）、病床の種類、要介護度別（５－１）

平成29年９月末

病					院	
総数	要介護１	要介護２	要介護３	要介護４	要介護５	その他
43 583	468	1 032	3 641	15 514	22 707	221
2 188	39	40	126	649	1 327	7
731	31	46	93	289	268	4
230	-	3	18	79	130	-
133	1	1	5	45	81	-
386	-	7	34	120	224	1
152	3	6	35	55	53	-
401	3	5	30	175	188	-
513	3	4	29	138	334	5
427	-	-	15	131	281	-
429	9	14	38	137	231	-
1 280	30	47	113	363	719	8
908	22	43	106	325	408	4
4 297	30	72	223	1 368	2 584	20
1 406	12	17	66	479	820	12
1 336	5	31	122	434	740	4
1 485	4	9	112	542	804	14
625	5	14	63	246	296	1
277	3	2	43	122	105	2
128	-	2	15	55	55	1
893	6	18	61	285	502	21
317	5	7	19	83	203	-
1 599	47	67	194	685	589	17
1 650	18	52	168	700	702	10
387	3	13	25	151	195	-
342	2	1	22	115	202	-
2 539	14	48	286	847	1 335	9
1 662	21	36	98	646	844	17
1 195	2	8	59	403	722	1
594	6	9	55	261	252	11
418	-	1	19	141	255	2
237	3	5	13	86	130	-
189	-	3	10	72	104	-
518	1	13	28	204	271	1
1 894	5	44	167	638	1 028	12
1 439	40	76	192	587	539	5
819	5	26	73	363	346	6
435	7	18	37	179	194	-
598	4	18	43	161	370	2
1 651	4	19	118	590	919	1
3 030	15	71	291	1 165	1 481	7
581	18	26	79	177	279	2
304	4	11	26	121	141	1
1 377	4	25	125	597	619	7
235	3	12	26	82	111	1
492	15	25	49	115	284	4
637	13	11	49	192	371	1
219	3	6	23	116	71	-

都道府県 指定都市 中核市	総					数	
	総数	要介護1	要介護2	要介護3	要介護4	要介護5	その他
指定都市(再掲)							
札幌市	572	10	11	34	218	295	4
仙台市	15	2	3	5	2	3	-
さいたま市	226	1	-	12	58	151	4
千葉市	-	-	-	-	-	-	-
横浜市	404	1	7	22	150	214	10
川崎市	252	6	4	16	88	136	2
相模原市	580	-	4	19	194	363	-
新潟市	326	-	3	17	71	235	-
静岡市	373	6	6	19	175	158	9
浜松市	573	31	35	77	248	177	5
名古屋市	341	2	3	20	123	191	2
京都市	2 332	13	44	269	785	1 212	9
大阪市	412	2	3	14	174	214	5
堺市	118	4	6	15	47	46	-
神戸市	357	1	3	16	126	211	-
岡山市	47	-	-	3	17	27	-
広島市	801	2	5	59	326	402	7
北九州市	426	5	9	55	180	176	1
福岡市	567	-	7	30	179	351	-
熊本市	550	3	18	42	205	279	3
中核市(再掲)							
旭川市	248	-	-	6	42	197	3
函館市	222	-	2	3	55	162	-
青森市	116	1	6	18	33	57	1
八戸市	211	26	31	43	59	50	2
盛岡市	205	-	4	16	72	113	-
秋田市	-	-	-	-	-	-	-
郡山市	145	2	4	11	69	59	-
いわき市	119	1	-	9	54	55	-
宇都宮市	303	-	-	15	87	201	-
前橋市	5	-	-	-	1	4	-
高崎市	10	-	-	1	5	4	-
川越市	54	-	3	3	17	31	-
越谷市	-	-	-	-	-	-	-
船橋市	-	-	-	-	-	-	-
柏市	-	-	-	-	-	-	-
八王子市	670	10	18	47	199	392	4
横須賀市	-	-	-	-	-	-	-
富山市	777	4	7	76	256	423	11
金沢市	185	-	-	11	91	82	1
長野市	206	-	-	7	88	107	4
岐阜市	112	3	3	12	29	65	-
豊橋市	364	8	19	48	136	152	1
豊田市	50	-	3	9	14	24	-
岡崎市	95	5	8	26	32	24	-
大津市	22	-	-	3	7	12	-
高槻市	-	-	-	-	-	-	-
東大阪市	113	-	-	1	40	72	-
豊中市	-	-	-	-	-	-	-
枚方市	36	-	-	3	19	14	-
姫路市	182	-	4	4	48	126	-
西宮市	34	-	-	1	9	24	-
尼崎市	-	-	-	-	-	-	-
奈良市	132	-	1	7	62	54	8
和歌山市	132	-	-	4	36	91	1
倉敷市	214	-	9	17	87	101	-
福山市	193	7	6	13	39	127	1
呉市	154	-	2	10	31	110	1
下関市	272	7	10	42	126	86	1
高松市	137	2	7	11	50	67	-
松山市	263	2	12	15	71	163	-
高知市	1 053	-	9	62	358	623	1
久留米市	201	3	13	30	59	96	-
長崎市	110	-	9	11	27	63	-
佐世保市	133	3	5	10	61	54	-
大分市	33	-	1	4	13	15	-
宮崎市	121	9	9	18	16	67	2
鹿児島市	188	4	1	19	42	121	1
那覇市	28	-	-	1	15	12	-

注：1）調査方法の変更等による回収率変動の影響を受けているため、数量を示す在院者数の実数は前年以前と単純に年次比較できない。
　　2）診療所には老人性認知症疾患療養病棟はない。

指定都市・中核市（再掲）、病床の種類、要介護度別（５－２）

平成29年９月末

病院						
総数	要介護１	要介護２	要介護３	要介護４	要介護５	その他
572	10	11	34	218	295	4
-	-	-	-	-	-	-
226	1	-	12	58	151	4
-	-	-	-	-	-	-
392	1	7	22	148	204	10
252	6	4	16	88	136	2
580	-	4	19	194	363	-
326	-	3	17	71	235	-
373	6	6	19	175	158	9
573	31	35	77	248	177	5
327	-	3	18	120	184	2
2 332	13	44	269	785	1 212	9
412	2	3	14	174	214	5
118	4	6	15	47	46	-
349	-	1	16	124	208	-
37	-	-	2	14	21	-
774	2	5	58	320	383	6
389	2	6	45	168	167	1
565	-	7	28	179	351	-
522	3	14	38	199	265	3
226	-	-	5	34	184	3
222	-	2	3	55	162	-
95	1	6	18	31	39	-
211	26	31	43	59	50	2
200	-	3	15	69	113	-
-	-	-	-	-	-	-
135	1	4	11	66	53	-
98	1	-	8	44	45	-
303	-	-	15	87	201	-
-	-	-	-	-	-	-
10	-	-	1	5	4	-
54	-	3	3	17	31	-
-	-	-	-	-	-	-
-	-	-	-	-	-	-
-	-	-	-	-	-	-
670	10	18	47	199	392	4
-	-	-	-	-	-	-
777	4	7	76	256	423	11
185	-	-	11	91	82	1
197	-	-	5	85	103	4
93	3	3	10	24	53	-
364	8	19	48	136	152	1
50	-	3	9	14	24	-
95	5	8	26	32	24	-
22	-	-	3	7	12	-
-	-	-	-	-	-	-
113	-	-	1	40	72	-
-	-	-	-	-	-	-
36	-	-	3	19	14	-
182	-	4	4	48	126	-
31	-	-	1	8	22	-
-	-	-	-	-	-	-
132	-	1	7	62	54	8
116	-	-	3	32	81	-
214	-	9	17	87	101	-
168	2	5	11	29	120	1
152	-	2	9	31	109	1
263	6	9	39	122	86	1
135	2	7	11	49	66	-
261	2	12	15	70	162	-
1 053	-	9	62	358	623	1
201	3	13	30	59	96	-
93	-	5	7	23	58	-
87	2	-	7	42	36	-
-	-	-	-	-	-	-
89	8	6	14	12	48	1
167	4	-	16	39	107	1
-	-	-	-	-	-	-

第32表　介護療養型医療施設の在院者数，都道府県－

都道府県 指定都市 中核市	療養病床						
	総数	要介護1	要介護2	要介護3	要介護4	要介護5	その他
全国	41 728	401	922	3 323	14 924	21 948	210
北海道	2 129	34	35	116	633	1 304	7
青森	509	4	12	40	221	230	2
岩手	230	-	3	18	79	130	-
宮城	133	1	1	5	45	81	-
秋田	386	-	7	34	120	224	1
山形	20	1	1	3	7	8	-
福島	401	3	5	30	175	188	-
茨城	513	3	4	29	138	334	5
栃木	427	-	-	15	131	281	-
群馬	429	9	14	38	137	231	-
埼玉	954	26	32	70	278	540	8
千葉	861	17	37	97	315	391	4
東京	4 031	24	57	184	1 284	2 466	16
神奈川	1 308	7	14	52	457	768	10
新潟	1 336	5	31	122	434	740	4
富山	1 485	4	9	112	542	804	14
石川	625	5	14	63	246	296	1
福井	277	3	2	43	122	105	2
山梨	128	-	2	15	55	55	1
長野	751	5	14	40	224	450	18
岐阜	317	5	7	19	83	203	-
静岡	1 555	44	58	189	668	579	17
愛知	1 650	18	52	168	700	702	10
三重	387	3	13	25	151	195	-
滋賀	342	2	1	22	115	202	-
京都	2 370	9	41	221	801	1 289	9
大阪	1 626	21	34	93	630	831	17
兵庫	1 145	1	7	51	385	700	1
奈良	594	6	9	55	261	252	11
和歌山	418	-	1	19	141	255	2
鳥取	180	2	5	13	66	94	-
島根	189	-	3	10	72	104	-
岡山	459	1	13	26	186	232	1
広島	1 850	5	42	163	617	1 011	12
山口	1 439	40	76	192	587	539	5
徳島	819	5	26	73	363	346	6
香川	435	7	18	37	179	194	-
愛媛	598	4	18	43	161	370	2
高知	1 651	4	19	118	590	919	1
福岡	2 972	15	69	287	1 143	1 451	7
佐賀	581	18	26	79	177	279	2
長崎	304	4	11	26	121	141	1
熊本	1 377	4	25	125	597	619	7
大分	235	3	12	26	82	111	1
宮崎	446	13	25	45	97	262	4
鹿児島	637	13	11	49	192	371	1
沖縄	219	3	6	23	116	71	-

注：1）調査方法の変更等による回収率変動の影響を受けているため、数量を示す在院者数の実数は前年以前と単純に年次比較できない。
　　2）診療所には老人性認知症疾患療養病棟はない。

平成29年9月末

老人性認知症疾患療養病棟						
総数	要介護1	要介護2	要介護3	要介護4	要介護5	その他
1 855	67	110	318	590	759	11
59	5	5	10	16	23	－
222	27	34	53	68	38	2
－	－	－	－	－	－	－
－	－	－	－	－	－	－
－	－	－	－	－	－	－
132	2	5	32	48	45	－
－	－	－	－	－	－	－
－	－	－	－	－	－	－
－	－	－	－	－	－	－
－	－	－	－	－	－	－
326	4	15	43	85	179	－
47	5	6	9	10	17	－
266	6	15	39	84	118	4
98	5	3	14	22	52	2
－	－	－	－	－	－	－
－	－	－	－	－	－	－
－	－	－	－	－	－	－
－	－	－	－	－	－	－
－	－	－	－	－	－	－
142	1	4	21	61	52	3
－	－	－	－	－	－	－
44	3	9	5	17	10	－
－	－	－	－	－	－	－
－	－	－	－	－	－	－
－	－	－	－	－	－	－
169	5	7	65	46	46	－
36	－	2	5	16	13	－
50	1	1	8	18	22	－
－	－	－	－	－	－	－
－	－	－	－	－	－	－
57	1	－	－	20	36	－
－	－	－	－	－	－	－
59	－	－	2	18	39	－
44	－	2	4	21	17	－
－	－	－	－	－	－	－
－	－	－	－	－	－	－
－	－	－	－	－	－	－
－	－	－	－	－	－	－
－	－	－	－	－	－	－
58	－	2	4	22	30	－
－	－	－	－	－	－	－
－	－	－	－	－	－	－
－	－	－	－	－	－	－
－	－	－	－	－	－	－
46	2	－	4	18	22	－
－	－	－	－	－	－	－
－	－	－	－	－	－	－

第32表　介護療養型医療施設の在院者数，都道府県－

都道府県 指定都市 中核市	療養病床 総数	要介護1	要介護2	要介護3	要介護4	要介護5	その他
指定都市(再掲)							
札幌市	572	10	11	34	218	295	4
仙台市	-	-	-	-	-	-	-
さいたま市	226	1	-	12	58	151	4
千葉市	-	-	-	-	-	-	-
横浜市	392	1	7	22	148	204	10
川崎市	154	1	1	2	66	84	-
相模原市	580	-	4	19	194	363	-
新潟市	326	-	3	17	71	235	-
静岡市	373	6	6	19	175	158	9
浜松市	529	28	26	72	231	167	5
名古屋市	327	-	3	18	120	184	2
京都市	2 215	9	38	212	754	1 193	9
大阪市	412	2	3	14	174	214	5
堺市	118	4	6	15	47	46	-
神戸市	349	-	1	16	124	208	-
岡山市	37	-	-	2	14	21	-
広島市	774	2	5	58	320	383	6
北九州市	389	2	6	45	168	167	1
福岡市	565	-	7	28	179	351	-
熊本市	522	3	14	38	199	265	3
中核市(再掲)							
旭川市	226	-	-	5	34	184	3
函館市	222	-	2	3	55	162	-
青森市	37	-	1	4	8	24	-
八戸市	47	-	2	4	14	27	-
盛岡市	200	-	3	15	69	113	-
秋田市	-	-	-	-	-	-	-
郡山市	135	1	4	11	66	53	-
いわき市	98	1	-	8	44	45	-
宇都宮市	303	-	-	15	87	201	-
前橋市	-	-	-	-	-	-	-
高崎市	10	-	-	1	5	4	-
川越市	54	-	3	3	17	31	-
越谷市	-	-	-	-	-	-	-
船橋市	-	-	-	-	-	-	-
柏市	-	-	-	-	-	-	-
八王子市	670	10	18	47	199	392	4
横須賀市	-	-	-	-	-	-	-
富山市	777	4	7	76	256	423	11
金沢市	185	-	-	11	91	82	1
長野市	102	-	-	2	40	59	1
岐阜市	93	3	3	10	24	53	-
豊橋市	364	8	19	48	136	152	1
豊田市	50	-	3	9	14	24	-
岡崎市	95	5	8	26	32	24	-
大津市	22	-	-	3	7	12	-
高槻市	-	-	-	-	-	-	-
東大阪市	113	-	-	1	40	72	-
豊中市	-	-	-	-	-	-	-
枚方市	36	-	-	3	19	14	-
姫路市	182	-	4	4	48	126	-
西宮市	31	-	-	1	8	22	-
尼崎市	-	-	-	-	-	-	-
奈良市	132	-	1	7	62	54	8
和歌山市	116	-	-	3	32	81	-
倉敷市	214	-	9	17	87	101	-
福山市	168	2	5	11	29	120	1
呉市	152	-	2	9	31	109	1
下関市	263	6	9	39	122	86	1
高松市	135	2	7	11	49	66	-
松山市	261	2	12	15	70	162	-
高知市	1 053	-	9	62	358	623	1
久留米市	201	3	13	30	59	96	-
長崎市	93	-	5	7	23	58	-
佐世保市	87	2	-	7	42	36	-
大分市	-	-	-	-	-	-	-
宮崎市	89	8	6	14	12	48	1
鹿児島市	167	4	-	16	39	107	1
那覇市	-	-	-	-	-	-	-

注：1）調査方法の変更等による回収率変動の影響を受けているため、数量を示す在院者数の実数は前年以前と単純に年次比較できない。
　　2）診療所には老人性認知症疾患療養病棟はない。

指定都市・中核市（再掲）、病床の種類、要介護度別（5－4）

平成29年9月末

老人性認知症疾患療養病棟						
総数	要介護1	要介護2	要介護3	要介護4	要介護5	その他
−	−	−	−	−	−	−
−	−	−	−	−	−	−
−	−	−	−	−	−	−
−	−	−	−	−	−	−
−	−	−	−	−	−	−
98	5	3	14	22	52	2
−	−	−	−	−	−	−
−	−	−	−	−	−	−
−	−	−	−	−	−	−
44	3	9	5	17	10	−
−	−	−	−	−	−	−
117	4	6	57	31	19	−
−	−	−	−	−	−	−
−	−	−	−	−	−	−
−	−	−	−	−	−	−
−	−	−	−	−	−	−
−	−	−	−	−	−	−
−	−	−	−	−	−	−
−	−	−	−	−	−	−
−	−	−	−	−	−	−
−	−	−	−	−	−	−
−	−	−	−	−	−	−
58	1	5	14	23	15	−
164	26	29	39	45	23	2
−	−	−	−	−	−	−
−	−	−	−	−	−	−
−	−	−	−	−	−	−
−	−	−	−	−	−	−
−	−	−	−	−	−	−
−	−	−	−	−	−	−
−	−	−	−	−	−	−
−	−	−	−	−	−	−
−	−	−	−	−	−	−
−	−	−	−	−	−	−
−	−	−	−	−	−	−
−	−	−	−	−	−	−
−	−	−	−	−	−	−
−	−	−	−	−	−	−
−	−	−	−	−	−	−
95	−	−	3	45	44	3
−	−	−	−	−	−	−
−	−	−	−	−	−	−
−	−	−	−	−	−	−
−	−	−	−	−	−	−
−	−	−	−	−	−	−
−	−	−	−	−	−	−
−	−	−	−	−	−	−
−	−	−	−	−	−	−
−	−	−	−	−	−	−
−	−	−	−	−	−	−
−	−	−	−	−	−	−
−	−	−	−	−	−	−
−	−	−	−	−	−	−
−	−	−	−	−	−	−
−	−	−	−	−	−	−
−	−	−	−	−	−	−
−	−	−	−	−	−	−
−	−	−	−	−	−	−
−	−	−	−	−	−	−
−	−	−	−	−	−	−
−	−	−	−	−	−	−
−	−	−	−	−	−	−
−	−	−	−	−	−	−
−	−	−	−	−	−	−
−	−	−	−	−	−	−
−	−	−	−	−	−	−
−	−	−	−	−	−	−
−	−	−	−	−	−	−

第32表　介護療養型医療施設の在院者数，都道府県－

都道府県 指定都市 中核市	診療所						
	総数	要介護1	要介護2	要介護3	要介護4	要介護5	その他
全国	1 776	64	104	201	581	818	8
北海道	64	－	1	3	22	38	－
青森	40	－	－	1	8	28	3
岩手	45	2	6	9	11	17	－
宮城	34	2	3	6	7	16	－
秋田	9	－	－	3	2	4	－
山形	49	2	3	4	13	27	－
福島	31	1	－	1	13	16	－
茨城	50	1	4	8	16	21	－
栃木	23	－	－	2	11	10	－
群馬	5	－	－	－	1	4	－
埼玉	－	－	－	－	－	－	－
千葉	12	－	－	1	3	8	－
東京	6	－	－	－	1	5	－
神奈川	12	－	－	－	2	10	－
新潟	－	－	－	－	－	－	－
富山	－	－	－	－	－	－	－
石川	－	－	－	－	－	－	－
福井	31	－	1	4	15	11	－
山梨	12	－	1	－	5	6	－
長野	58	－	1	6	19	32	－
岐阜	71	5	3	5	27	31	－
静岡	15	2	2	2	6	3	－
愛知	36	3	－	5	10	18	－
三重	34	1	－	2	14	17	－
滋賀	－	－	－	－	－	－	－
京都	5	－	－	3	－	2	－
大阪	－	－	－	－	－	－	－
兵庫	39	2	3	7	8	19	－
奈良	15	－	－	1	5	9	－
和歌山	21	－	－	1	4	15	1
鳥取	－	－	－	－	－	－	－
島根	15	－	－	－	6	9	－
岡山	19	－	－	1	9	9	－
広島	62	5	1	4	21	30	1
山口	35	1	1	5	11	17	－
徳島	38	－	1	2	10	25	－
香川	36	－	1	3	12	20	－
愛媛	89	2	7	13	19	48	－
高知	7	－	－	－	3	4	－
福岡	81	5	6	16	32	22	－
佐賀	37	2	8	7	12	8	－
長崎	153	8	20	25	55	45	－
熊本	169	10	11	18	60	69	1
大分	158	9	12	20	54	63	－
宮崎	68	1	3	7	16	39	2
鹿児島	57	－	5	5	20	27	－
沖縄	35	－	－	1	18	16	－

注：1）調査方法の変更等による回収率変動の影響を受けているため、数量を示す在院者数の実数は前年以前と単純に年次比較できない。
　　2）診療所には老人性認知症疾患療養病棟はない。

指定都市・中核市（再掲）、病床の種類、要介護度別（５－５）

平成29年９月末

都道府県 指定都市 中核市	診療所						
	総数	要介護１	要介護２	要介護３	要介護４	要介護５	その他
指定都市(再掲)							
札幌市	-	-	-	-	-	-	-
仙台市	15	2	3	5	2	3	-
さいたま市	-	-	-	-	-	-	-
千葉市	-	-	-	-	-	-	-
横浜市	12	-	-	-	2	10	-
川崎市	-	-	-	-	-	-	-
相模原市	-	-	-	-	-	-	-
新潟市	-	-	-	-	-	-	-
静岡市	-	-	-	-	-	-	-
浜松市	-	-	-	-	-	-	-
名古屋市	14	2	-	2	3	7	-
京都市	-	-	-	-	-	-	-
大阪市	-	-	-	-	-	-	-
堺市	-	-	-	-	-	-	-
神戸市	8	1	2	-	2	3	-
岡山市	10	-	-	1	3	6	-
広島市	27	-	-	1	6	19	1
北九州市	37	3	3	10	12	9	-
福岡市	2	-	-	2	-	-	-
熊本市	28	-	4	4	6	14	-
中核市(再掲)							
旭川市	22	-	-	1	8	13	-
函館市	-	-	-	-	-	-	-
青森市	21	-	-	-	2	18	1
八戸市	-	-	-	-	-	-	-
盛岡市	5	-	1	1	3	-	-
秋田市	-	-	-	-	-	-	-
郡山市	10	1	-	-	3	6	-
いわき市	21	-	-	1	10	10	-
宇都宮市	-	-	-	-	-	-	-
前橋市	5	-	-	-	1	4	-
高崎市	-	-	-	-	-	-	-
川越市	-	-	-	-	-	-	-
越谷市	-	-	-	-	-	-	-
船橋市	-	-	-	-	-	-	-
柏市	-	-	-	-	-	-	-
八王子市	-	-	-	-	-	-	-
横須賀市	-	-	-	-	-	-	-
富山市	-	-	-	-	-	-	-
金沢市	-	-	-	-	-	-	-
長野市	9	-	-	2	3	4	-
岐阜市	19	-	-	2	5	12	-
豊橋市	-	-	-	-	-	-	-
豊田市	-	-	-	-	-	-	-
岡崎市	-	-	-	-	-	-	-
大津市	-	-	-	-	-	-	-
高槻市	-	-	-	-	-	-	-
東大阪市	-	-	-	-	-	-	-
豊中市	-	-	-	-	-	-	-
枚方市	-	-	-	-	-	-	-
姫路市	-	-	-	-	-	-	-
西宮市	3	-	-	-	1	2	-
尼崎市	-	-	-	-	-	-	-
奈良市	-	-	-	-	-	-	-
和歌山市	16	-	-	1	4	10	1
倉敷市	-	-	-	-	-	-	-
福山市	25	5	1	2	10	7	-
呉市	2	-	-	1	-	1	-
下関市	9	1	1	3	4	-	-
高松市	2	-	-	-	1	1	-
松山市	2	-	-	-	1	1	-
高知市	-	-	-	-	-	-	-
久留米市	-	-	-	-	-	-	-
長崎市	17	-	4	4	4	5	-
佐世保市	46	1	5	3	19	18	-
大分市	33	-	1	4	13	15	-
宮崎市	32	1	3	4	4	19	1
鹿児島市	21	-	1	3	3	14	-
那覇市	28	-	-	1	15	12	-

〈詳　細　票〉

第２章　居宅サービス事業所

第1表　居宅サービスの事業所数，都道府県－指定都市・中核市（再掲）、

都道府県 指定都市 中核市	通所リハビリテーション			短期入所療養介護			特定施設入居者生活介護				
	総数	介護老人保健施設	医療施設	総数	介護老人保健施設	医療施設	総数	軽費老人ホーム	有料老人ホーム	養護老人ホーム	サービス付き高齢者向け住宅
全国	7 261	3 406	3 855	4 915	3 804	1 111	4 499	473	3 341	405	268
北海道	228	159	69	219	175	44	248	46	138	42	20
青森	83	53	30	78	63	15	16	3	6	6	1
岩手	109	56	53	80	67	13	29	12	7	7	3
宮城	101	72	29	91	79	12	46	12	26	6	2
秋田	51	48	3	56	53	3	54	9	15	12	18
山形	84	42	42	49	42	7	35	3	22	8	2
福島	130	66	64	93	79	14	49	5	37	5	2
茨城	137	99	38	127	112	15	59	3	49	2	4
栃木	92	54	38	64	59	5	58	17	26	7	8
群馬	110	72	38	97	87	10	54	4	41	7	2
埼玉	248	140	108	179	155	24	381	15	321	6	35
千葉	251	142	109	167	149	18	179	4	162	6	7
東京	354	176	178	218	178	40	613	14	571	1	26
神奈川	226	149	77	181	162	19	442	13	410	11	8
新潟	126	92	34	115	101	14	67	7	46	8	6
富山	71	44	27	76	44	32	6	2	2	-	2
石川	75	33	42	53	40	13	36	17	12	6	1
福井	65	28	37	47	31	16	28	9	7	8	4
山梨	60	28	32	38	30	8	8	-	5	2	1
長野	126	74	52	115	84	31	74	6	48	16	4
岐阜	138	61	77	87	69	18	30	6	21	1	2
静岡	166	97	69	137	114	23	108	16	84	4	4
愛知	419	156	263	199	169	30	197	14	170	4	9
三重	99	52	47	82	71	11	50	7	27	11	4
滋賀	55	28	27	33	30	3	12	-	7	5	-
京都	140	59	81	88	69	19	55	5	32	15	3
大阪	488	171	317	218	190	28	304	24	244	16	19
兵庫	330	148	182	195	162	33	208	35	134	25	14
奈良	79	43	36	58	48	10	53	12	30	8	2
和歌山	75	32	43	52	38	14	23	4	7	7	5
鳥取	52	32	20	46	46	-	16	4	6	4	2
島根	50	29	21	41	34	7	40	4	17	17	2
岡山	166	66	100	89	69	20	102	21	68	10	3
広島	241	93	148	160	103	57	111	13	63	21	14
山口	111	56	55	84	62	22	45	13	19	13	-
徳島	95	36	59	89	48	41	4	1	3	-	-
香川	106	47	59	75	49	26	41	10	24	-	6
愛媛	157	59	98	88	62	26	77	15	60	-	2
高知	68	30	38	68	34	34	25	11	13	1	-
福岡	448	145	303	236	162	74	197	20	174	1	2
佐賀	82	33	49	60	32	28	30	2	26	2	-
長崎	173	46	127	98	53	45	70	14	30	20	6
熊本	201	75	126	161	84	77	46	1	26	8	11
大分	134	41	93	101	59	42	38	3	25	9	1
宮崎	109	39	70	62	40	22	62	9	33	20	-
鹿児島	251	71	180	124	80	44	49	1	30	17	1
沖縄	101	34	67	41	37	4	24	7	17	-	-

注：1）調査方法の変更等による回収率変動の影響を受けているため、数量を示す事業所数の実数は前年以前と単純に年次比較できない。
　　2）「総数」には不詳を含む。

居宅サービスの種類（通所リハビリテーション－短期入所療養介護－特定施設入居者生活介護）別

平成29年10月１日

都道府県 指定都市 中核市	通所リハビリテーション			短期入所療養介護			特定施設入居者生活介護				
	総数	介護老人保健施設	医療施設	総数	介護老人保健施設	医療施設	総数	軽費老人ホーム	有料老人ホーム	養護老人ホーム	サービス付き高齢者向け住宅
指定都市（再掲）											
札幌市	54	39	15	53	45	8	69	9	55	3	2
仙台市	43	24	19	28	27	1	31	5	23	2	1
さいたま市	35	22	13	28	26	2	120	2	103	2	10
千葉市	43	21	22	23	22	1	47	2	45	－	－
横浜市	101	67	34	81	77	4	156	3	152	－	1
川崎市	26	16	10	20	17	3	86	2	83	1	－
相模原市	15	11	4	17	13	4	33	2	27	2	2
新潟市	48	33	15	41	40	1	15	2	12	1	－
静岡市	30	19	11	26	24	2	23	2	19	－	2
浜松市	39	20	19	33	23	10	17	2	11	3	1
名古屋市	134	62	72	70	66	4	89	－	87	－	2
京都市	77	35	42	54	41	13	37	3	23	8	3
大阪市	181	59	122	71	65	6	121	1	104	3	13
堺市	41	11	30	16	14	2	19	3	15	1	－
神戸市	88	49	39	64	57	7	90	19	64	7	－
岡山市	59	19	40	23	17	6	42	7	31	3	1
広島市	83	25	58	49	27	22	45	3	34	7	1
北九州市	71	30	41	45	34	11	43	8	35	－	－
福岡市	112	23	89	35	23	12	52	2	50	－	－
熊本市	64	22	42	54	27	27	30	－	19	3	8
中核市（再掲）											
旭川市	18	10	8	16	11	5	23	5	15	2	1
函館市	10	7	3	9	7	2	13	1	9	1	－
青森市	20	12	8	18	15	3	2	1	－	1	－
八戸市	15	6	9	11	7	4	3	－	3	－	－
盛岡市	33	6	27	12	8	4	12	3	5	2	2
秋田市	12	11	1	12	12	－	26	2	8	3	13
郡山市	20	7	13	11	7	4	9	－	8	－	1
いわき市	26	10	16	16	12	4	13	1	10	1	1
宇都宮市	13	7	6	7	6	1	14	9	4	1	－
前橋市	19	11	8	13	12	1	9	－	7	2	－
高崎市	19	13	6	18	17	1	9	－	6	3	－
川越市	15	7	8	10	7	3	6	－	6	－	－
越谷市	11	4	7	5	5	－	23	－	19	1	3
船橋市	19	13	6	14	13	1	14	－	14	－	－
柏市	13	9	4	9	9	－	8	－	8	－	－
八王子市	13	8	5	12	8	4	22	－	21	1	－
横須賀市	9	7	2	7	7	－	19	－	16	2	1
富山市	28	17	11	26	16	10	5	2	1	－	2
金沢市	27	8	19	13	10	3	15	6	7	2	－
長野市	21	10	11	15	12	3	9	1	6	2	－
岐阜市	29	12	17	17	14	3	4	－	3	1	－
豊橋市	21	5	16	7	4	3	7	－	7	－	－
豊田市	43	6	37	10	8	2	5	－	5	－	－
岡崎市	23	7	16	7	6	1	9	1	6	1	1
大津市	13	5	8	7	6	1	6	－	4	2	－
高槻市	15	7	8	8	7	1	11	2	6	2	1
東大阪市	30	10	20	13	12	1	11	1	8	1	1
豊中市	22	8	14	9	9	－	17	2	14	1	－
枚方市	23	7	16	10	8	2	18	2	15	1	－
姫路市	26	9	17	12	9	3	8	－	8	－	－
西宮市	22	7	15	10	9	1	15	－	14	－	1
尼崎市	31	11	20	12	12	－	9	－	8	1	－
奈良市	17	7	10	10	9	1	12	3	8	1	－
和歌山市	34	11	23	19	12	7	11	1	6	2	2
倉敷市	41	11	30	14	11	3	29	2	23	2	2
福山市	44	12	32	22	13	9	17	2	10	1	4
呉市	24	12	12	22	17	5	8	1	3	2	2
下関市	25	9	16	18	11	7	5	－	3	2	－
高松市	39	17	22	27	18	9	19	4	14	－	－
松山市	56	13	43	20	12	8	47	6	39	－	2
高知市	27	8	19	21	9	12	12	1	10	1	－
久留米市	31	7	24	11	8	3	12	2	10	－	－
長崎市	55	13	42	26	16	10	13	2	8	2	1
佐世保市	27	7	20	20	9	11	28	7	15	4	2
大分市	52	13	39	29	16	13	10	1	9	－	－
宮崎市	31	11	20	19	11	8	24	6	12	6	－
鹿児島市	75	15	60	33	18	15	14	1	12	1	－
那覇市	22	5	17	7	5	2	6	1	5	－	－

第2表　介護予防サービスの事業所数，都道府県－指定都市・中核市（再掲）、介護予防サービスの

都道府県 指定都市 中核市	介護予防通所リハビリテーション			介護予防短期入所療養介護			介護予防特定施設入居者生活介護				
	総数	介護老人保健施設	医療施設	総数	介護老人保健施設	医療施設	総数	軽費老人ホーム	有料老人ホーム	養護老人ホーム	サービス付き高齢者向け住宅
全国	7 196	3 372	3 824	4 788	3 744	1 044	4 175	446	3 104	365	249
北海道	229	159	70	215	173	42	244	46	135	42	19
青森	82	51	31	76	62	14	14	3	4	6	1
岩手	110	56	54	77	65	12	23	10	6	5	2
宮城	98	70	28	86	77	9	44	12	25	5	2
秋田	50	47	3	56	53	3	48	9	13	8	18
山形	82	42	40	46	39	7	35	3	22	8	2
福島	131	66	65	92	78	14	44	5	33	5	1
茨城	136	99	37	126	112	14	51	3	41	2	4
栃木	89	54	35	64	59	5	58	17	26	7	8
群馬	110	72	38	97	87	10	51	4	39	6	2
埼玉	250	136	114	176	150	26	379	15	320	6	34
千葉	245	140	105	161	146	15	168	4	153	4	7
東京	350	174	176	214	177	37	542	8	509	1	23
神奈川	215	140	75	176	159	17	370	12	348	1	8
新潟	124	91	33	115	101	14	67	7	46	8	6
富山	70	43	27	76	44	32	4	2	2	－	－
石川	76	33	43	53	40	13	31	14	11	5	1
福井	66	28	38	42	30	12	23	9	7	4	3
山梨	55	28	27	36	30	6	7	－	5	2	－
長野	125	73	52	104	80	24	63	3	42	14	4
岐阜	136	60	76	83	67	16	28	4	21	1	2
静岡	165	96	69	136	113	23	103	16	81	2	4
愛知	414	155	259	199	169	30	182	14	156	3	9
三重	97	51	46	80	69	11	43	5	24	9	4
滋賀	55	28	27	31	28	3	12	－	7	5	－
京都	137	59	78	84	66	18	36	5	15	15	1
大阪	489	171	318	207	186	21	292	22	236	15	19
兵庫	328	148	180	192	160	32	205	35	131	25	14
奈良	80	43	37	58	48	10	53	12	30	8	2
和歌山	74	32	42	50	38	12	23	4	7	7	5
鳥取	49	31	18	44	44	－	16	4	6	4	2
島根	48	28	20	39	33	6	39	4	17	16	2
岡山	165	66	99	87	68	19	102	21	68	10	3
広島	238	91	147	151	99	52	109	13	62	20	14
山口	110	55	55	83	62	21	44	12	19	13	－
徳島	95	37	58	87	47	40	4	1	3	－	－
香川	105	47	58	73	48	25	28	9	18	－	1
愛媛	154	58	96	84	61	23	77	15	60	－	2
高知	67	30	37	64	33	31	21	9	11	1	－
福岡	448	145	303	235	161	74	190	19	168	1	2
佐賀	82	33	49	60	32	28	30	2	26	2	－
長崎	172	46	126	95	53	42	69	14	30	19	6
熊本	199	75	124	158	84	74	43	1	24	8	10
大分	135	41	94	101	59	42	36	3	25	7	1
宮崎	109	39	70	61	40	21	59	9	32	18	－
鹿児島	251	71	180	121	79	42	47	1	28	17	1
沖縄	101	34	67	37	35	2	18	6	12	－	－

注：1）調査方法の変更等による回収率変動の影響を受けているため、数量を示す事業所数の実数は前年以前と単純に年次比較できない。
　　2）「総数」には不詳を含む。

種類（介護予防通所リハビリテーション－介護予防短期入所療養介護－介護予防特定施設入居者生活介護）別

平成29年10月１日

都道府県 指定都市 中核市	介護予防通所リハビリテーション			介護予防短期入所療養介護			介護予防特定施設入居者生活介護				
	総数	介護老人保健施設	医療施設	総数	介護老人保健施設	医療施設	総数	軽費老人ホーム	有料老人ホーム	養護老人ホーム	サービス付き高齢者向け住宅
指定都市（再掲）											
札幌市	53	39	14	53	45	8	68	9	54	3	2
仙台市	42	24	18	27	26	1	31	5	23	2	1
さいたま市	34	21	13	28	26	2	120	2	103	2	10
千葉市	43	21	22	22	22	－	40	2	38	－	－
横浜市	95	63	32	77	75	2	114	2	111	－	1
川崎市	24	14	10	19	16	3	73	2	70	－	－
相模原市	15	11	4	17	13	4	29	2	24	1	2
新潟市	47	33	14	41	40	1	15	2	12	1	－
静岡市	30	19	11	26	24	2	23	2	19	－	2
浜松市	39	20	19	33	23	10	15	2	11	1	1
名古屋市	130	62	68	70	66	4	80	－	78	－	2
京都市	76	35	41	50	38	12	18	3	6	8	1
大阪市	181	59	122	68	64	4	121	1	104	3	13
堺市	41	11	30	15	13	2	19	3	15	1	－
神戸市	88	49	39	63	56	7	90	19	64	7	－
岡山市	59	19	40	23	17	6	42	7	31	3	1
広島市	83	25	58	45	26	19	44	3	33	7	1
北九州市	71	30	41	45	34	11	43	8	35	－	－
福岡市	113	23	90	35	23	12	52	2	50	－	－
熊本市	64	22	42	53	27	26	29	－	19	3	7
中核市（再掲）											
旭川市	18	10	8	15	11	4	23	5	15	2	1
函館市	10	7	3	9	7	2	13	1	9	1	－
青森市	20	12	8	18	15	3	2	1	－	1	－
八戸市	15	6	9	11	7	4	2	－	2	－	－
盛岡市	33	6	27	12	8	4	10	2	5	2	1
秋田市	11	10	1	12	12	－	23	2	7	1	13
郡山市	20	7	13	11	7	4	4	－	4	－	－
いわき市	27	10	17	16	12	4	13	1	10	1	1
宇都宮市	12	7	5	7	6	1	14	9	4	1	－
前橋市	19	11	8	13	12	1	8	－	7	1	－
高崎市	19	13	6	18	17	1	8	－	5	3	－
川越市	15	7	8	10	7	3	6	－	6	－	－
越谷市	12	4	8	5	5	－	23	－	19	1	3
船橋市	19	13	6	14	13	1	13	－	13	－	－
柏市	13	9	4	9	9	－	8	－	8	－	－
八王子市	13	8	5	11	8	3	20	－	19	1	－
横須賀市	9	7	2	7	7	－	17	－	16	－	1
富山市	28	17	11	26	16	10	3	2	1	－	－
金沢市	27	8	19	13	10	3	10	3	6	1	－
長野市	21	10	11	14	11	3	9	1	6	2	－
岐阜市	28	12	16	16	14	2	4	－	3	1	－
豊橋市	21	5	16	7	4	3	7	－	7	－	－
豊田市	43	5	38	10	8	2	5	－	5	－	－
岡崎市	23	7	16	7	6	1	8	1	6	－	1
大津市	13	5	8	6	5	1	6	－	4	2	－
高槻市	15	7	8	8	7	1	11	2	6	2	1
東大阪市	30	10	20	12	11	1	9	1	6	1	1
豊中市	22	8	14	9	9	－	16	2	13	1	－
枚方市	23	7	16	9	8	1	17	2	14	1	－
姫路市	26	9	17	11	8	3	8	－	8	－	－
西宮市	22	7	15	10	9	1	15	－	14	－	1
尼崎市	31	11	20	12	12	－	7	－	6	1	－
奈良市	17	7	10	10	9	1	12	3	8	1	－
和歌山市	33	11	22	19	12	7	11	1	6	2	2
倉敷市	40	11	29	14	11	3	29	2	23	2	2
福山市	43	12	31	22	13	9	17	2	10	1	4
呉市	24	12	12	20	15	5	8	1	3	2	2
下関市	25	9	16	18	11	7	5	－	3	2	－
高松市	38	17	21	25	17	8	16	4	12	－	－
松山市	55	12	43	20	12	8	47	6	39	－	2
高知市	26	8	18	18	8	10	11	1	9	1	－
久留米市	31	7	24	11	8	3	11	2	9	－	－
長崎市	55	13	42	26	16	10	13	2	8	2	1
佐世保市	27	7	20	20	9	11	28	7	15	4	2
大分市	52	13	39	29	16	13	10	1	9	－	－
宮崎市	31	11	20	19	11	8	23	6	12	5	－
鹿児島市	75	15	60	32	18	14	13	1	11	1	－
那覇市	22	5	17	5	4	1	5	1	4	－	－

第3表　居宅サービスの事業所数，都道府県－指定都市・中核市（再掲）、

都道府県 指定都市 中核市	訪問介護									
	総数	地方公共団体	社会福祉協議会	社会福祉法人（社会福祉協議会以外）	医療法人	社団・財団法人	協同組合	営利法人	特定非営利活動法人（NPO）	その他
全国	28 147	76	1 493	3 629	1 752	396	636	18 645	1 419	101
北海道	1 385	15	129	141	88	25	9	886	84	8
青森	451	-	38	96	26	2	5	273	11	-
岩手	290	-	30	59	17	3	13	149	19	-
宮城	402	-	33	37	21	11	5	278	17	-
秋田	223	-	27	49	13	2	6	118	4	4
山形	197	-	22	44	11	1	12	90	16	1
福島	398	-	47	42	26	6	22	235	20	-
茨城	411	1	36	54	28	4	9	261	14	4
栃木	289	-	21	49	20	-	7	177	13	2
群馬	421	1	32	70	29	5	15	245	24	-
埼玉	1 062	1	45	111	51	4	30	758	57	5
千葉	1 140	3	25	101	54	19	20	854	57	7
東京	2 368	4	14	202	46	21	36	1 875	159	11
神奈川	1 590	-	22	147	52	21	51	1 134	156	7
新潟	350	4	49	67	15	4	7	194	10	-
富山	194	4	12	48	14	-	8	100	8	-
石川	191	-	12	34	21	7	5	102	10	-
福井	139	-	16	20	10	5	15	67	5	1
山梨	138	2	15	19	8	9	1	82	2	-
長野	431	8	86	69	35	2	19	177	32	3
岐阜	359	2	36	23	37	5	9	230	16	1
静岡	555	-	33	113	20	9	3	349	26	2
愛知	1 372	-	66	81	69	13	41	1 041	61	-
三重	449	3	38	58	25	6	10	281	28	-
滋賀	254	1	23	40	17	7	8	138	19	1
京都	495	1	25	87	37	19	10	288	27	1
大阪	3 899	1	16	344	165	52	47	3 111	157	6
兵庫	1 529	2	43	190	77	28	39	1 051	89	10
奈良	413	2	28	48	31	5	-	276	22	1
和歌山	419	1	29	47	24	2	12	290	13	1
鳥取	97	-	14	25	13	-	1	43	1	-
島根	195	1	23	58	13	1	11	79	8	1
岡山	380	2	27	73	35	11	8	200	22	2
広島	639	1	34	111	67	12	23	369	20	2
山口	326	2	25	72	40	2	9	163	13	-
徳島	270	-	16	51	34	4	2	144	18	1
香川	240	5	15	37	17	3	5	148	9	1
愛媛	397	2	34	36	36	10	13	249	17	-
高知	177	2	23	27	24	3	8	88	2	-
福岡	1 234	-	37	133	101	19	29	861	50	4
佐賀	146	-	8	47	25	-	-	60	6	-
長崎	328	2	43	89	28	7	6	147	6	-
熊本	555	1	41	92	68	6	10	321	16	-
大分	373	1	26	77	47	5	11	183	18	5
宮崎	361	-	22	67	22	5	5	219	15	6
鹿児島	379	1	42	111	59	5	18	127	13	3
沖縄	236	-	15	33	36	6	3	134	9	-

注：調査方法の変更等による回収率変動の影響を受けているため、数量を示す事業所数の実数は前年以前と単純に年次比較できない。

居宅サービスの種類、開設（経営）主体別（13－１）

平成29年10月１日

都道府県 指定都市 中核市	訪問介護 総数	地方公共団体	社会福祉協議会	社会福祉法人（社会福祉協議会以外）	医療法人	社団・財団法人	協同組合	営利法人	特定非営利活動法人（NPO）	その他
指定都市(再掲)										
札幌市	470	－	8	32	35	10	2	344	39	－
仙台市	184	－	－	15	4	6	－	151	8	－
さいたま市	191	－	1	19	5	1	5	151	8	1
千葉市	187	－	－	18	7	1	5	145	8	3
横浜市	659	－	－	78	21	8	15	467	69	1
川崎市	239	－	7	6	6	－	15	181	22	2
相模原市	127	－	－	12	3	1	6	95	9	1
新潟市	126	－	8	18	7	2	1	84	6	－
静岡市	118	－	2	23	－	－	－	87	6	－
浜松市	102	－	2	24	5	－	1	66	4	－
名古屋市	636	－	16	20	24	8	14	533	21	－
京都市	309	1	－	36	19	11	6	222	13	1
大阪市	1 673	－	－	107	61	13	21	1 406	60	5
堺市	392	－	－	34	10	5	7	317	19	－
神戸市	474	－	－	46	22	10	8	348	38	2
岡山市	155	－	1	30	11	8	5	89	10	1
広島市	278	－	－	34	35	4	11	185	8	1
北九州市	256	－	－	31	17	7	3	189	8	1
福岡市	331	－	－	25	24	2	5	258	16	1
熊本市	210	－	1	32	33	5	1	132	6	－
中核市(再掲)										
旭川市	162	－	1	9	8	－	2	137	4	1
函館市	68	－	2	9	4	－	1	49	3	－
青森市	102	－	2	16	7	1	2	70	4	－
八戸市	60	－	1	14	6	1	1	36	1	－
盛岡市	85	－	1	5	5	2	3	64	5	－
秋田市	71	－	1	18	9	1	－	39	－	3
郡山市	45	－	2	8	5	－	2	27	1	－
いわき市	102	－	1	5	8	－	3	82	3	－
宇都宮市	75	－	1	10	3	－	2	57	1	1
前橋市	77	－	1	15	4	2	3	49	3	－
高崎市	65	－	3	10	5	1	2	42	2	－
川越市	54	－	－	3	8	－	1	40	2	－
越谷市	33	－	1	3	1	－	1	26	1	－
船橋市	98	－	－	7	2	4	3	80	1	1
柏市	73	－	－	8	2	3	1	56	3	－
八王子市	95	－	－	4	－	－	1	79	9	2
横須賀市	73	－	－	10	2	3	1	52	5	－
富山市	90	－	－	22	8	－	3	55	2	－
金沢市	93	－	－	11	8	5	2	60	7	－
長野市	74	1	8	11	3	－	5	43	2	1
岐阜市	103	－	1	6	14	1	2	75	3	1
豊橋市	38	－	1	3	3	－	2	27	2	－
豊田市	46	－	4	8	2	1	1	29	1	－
岡崎市	45	－	2	7	2	－	3	29	2	－
大津市	86	－	－	15	10	2	1	53	5	－
高槻市	68	－	－	14	7	1	－	41	5	－
東大阪市	230	－	－	21	6	2	3	188	10	－
豊中市	136	－	1	9	4	4	1	112	4	1
枚方市	146	－	1	8	8	2	2	115	10	－
姫路市	128	－	2	13	8	－	7	89	7	2
西宮市	123	－	－	10	4	1	1	99	7	1
尼崎市	237	－	1	17	7	3	2	195	8	4
奈良市	111	－	1	14	12	2	－	74	8	－
和歌山市	184	－	1	18	14	－	3	144	4	－
倉敷市	76	－	1	10	10	1	2	46	6	－
福山市	78	－	2	10	6	1	3	55	1	－
呉市	62	－	4	15	9	1	1	28	3	1
下関市	63	－	5	17	9	－	1	27	4	－
高松市	107	－	2	16	8	－	2	75	4	－
松山市	156	－	－	13	19	8	4	104	8	－
高知市	74	－	2	8	13	2	4	45	－	－
久留米市	64	－	1	5	9	1	3	39	5	1
長崎市	116	－	2	25	14	4	1	69	1	－
佐世保市	37	－	5	10	3	－	1	17	1	－
大分市	125	－	2	24	18	1	3	69	5	3
宮崎市	134	－	2	21	8	1	－	93	6	3
鹿児島市	120	－	1	27	24	1	4	59	4	－
那覇市	33	－	－	3	7	1	1	21	－	－

第3表　居宅サービスの事業所数，都道府県－指定都市・中核市（再掲）、

都道府県 指定都市 中核市	訪問入浴介護									
	総数	地方公共団体	社会福祉協議会	社会福祉法人（社会福祉協議会以外）	医療法人	社団・財団法人	協同組合	営利法人	特定非営利活動法人（ＮＰＯ）	その他
全国	1 593	1	330	225	30	10	10	981	6	－
北海道	39	－	16	4	－	－	－	19	－	－
青森	40	－	12	18	1	1	－	8	－	－
岩手	41	－	19	12	2	－	－	8	－	－
宮城	45	－	8	2	1	－	－	34	－	－
秋田	27	－	14	6	－	－	－	7	－	－
山形	25	－	7	4	－	1	－	12	1	－
福島	42	－	12	2	2	－	－	26	－	－
茨城	40	－	6	5	1	1	－	27	－	－
栃木	24	－	2	2	－	－	1	19	－	－
群馬	24	－	11	2	4	－	1	6	－	－
埼玉	62	1	－	2	4	－	－	55	－	－
千葉	83	－	1	8	－	－	－	74	－	－
東京	121	－	1	6	1	－	－	113	－	－
神奈川	104	－	－	7	－	－	－	97	－	－
新潟	25	－	8	1	－	1	－	15	－	－
富山	14	－	1	4	－	－	－	9	－	－
石川	18	－	3	11	1	－	－	3	－	－
福井	15	－	7	4	－	－	－	4	－	－
山梨	14	－	1	1	－	1	－	11	－	－
長野	39	－	14	6	－	－	－	17	2	－
岐阜	35	－	9	2	1	1	1	21	－	－
静岡	56	－	10	7	－	－	－	39	－	－
愛知	67	－	1	6	1	－	1	57	1	－
三重	26	－	7	3	－	－	－	16	－	－
滋賀	23	－	4	1	－	－	－	18	－	－
京都	41	－	7	10	－	1	－	23	－	－
大阪	78	－	－	9	2	－	1	65	1	－
兵庫	62	－	14	8	1	1	3	35	－	－
奈良	23	－	1	5	1	－	－	16	－	－
和歌山	12	－	8	1	－	－	－	3	－	－
鳥取	8	－	4	1	－	－	－	3	－	－
島根	12	－	4	6	－	－	1	1	－	－
岡山	15	－	4	1	－	－	－	10	－	－
広島	34	－	4	7	－	－	－	23	－	－
山口	22	－	7	5	－	－	－	10	－	－
徳島	10	－	3	3	－	－	－	4	－	－
香川	12	－	5	－	－	－	－	7	－	－
愛媛	18	－	11	－	－	1	－	6	－	－
高知	18	－	14	3	－	－	－	1	－	－
福岡	44	－	4	6	3	1	－	30	－	－
佐賀	8	－	2	2	1	－	－	3	－	－
長崎	19	－	9	7	1	－	－	2	－	－
熊本	24	－	14	3	－	－	－	7	－	－
大分	16	－	5	5	1	－	－	5	－	－
宮崎	23	－	10	6	1	－	－	6	－	－
鹿児島	39	－	24	10	－	－	1	4	－	－
沖縄	6	－	2	1	－	－	－	2	1	－

注：調査方法の変更等による回収率変動の影響を受けているため、数量を示す事業所数の実数は前年以前と単純に年次比較できない。

居宅サービスの種類、開設（経営）主体別（13－２）

平成29年10月１日

都道府県 指定都市 中核市	訪問入浴介護									
	総数	地方公共団体	社会福祉協議会	社会福祉法人（社会福祉協議会以外）	医療法人	社団・財団法人	協同組合	営利法人	特定非営利活動法人（ＮＰＯ）	その他
指定都市(再掲)										
札幌市	3	－	－	－	－	－	－	3	－	－
仙台市	11	－	－	－	－	－	－	11	－	－
さいたま市	10	－	－	－	－	－	－	10	－	－
千葉市	11	－	－	1	－	－	－	10	－	－
横浜市	44	－	－	4	－	－	－	40	－	－
川崎市	12	－	－	－	－	－	－	12	－	－
相模原市	7	－	－	－	－	－	－	7	－	－
新潟市	5	－	－	－	－	－	－	5	－	－
静岡市	10	－	1	－	－	－	－	9	－	－
浜松市	9	－	1	2	－	－	－	6	－	－
名古屋市	23	－	－	1	－	－	－	22	－	－
京都市	16	－	－	2	－	－	－	14	－	－
大阪市	28	－	－	－	－	－	1	27	－	－
堺市	9	－	－	1	－	－	－	7	1	－
神戸市	11	－	－	－	－	－	－	11	－	－
岡山市	5	－	－	－	－	－	－	5	－	－
広島市	13	－	－	4	－	－	－	9	－	－
北九州市	11	－	－	－	1	1	－	9	－	－
福岡市	9	－	－	－	－	－	－	9	－	－
熊本市	4	－	－	－	－	－	－	4	－	－
中核市(再掲)										
旭川市	3	－	－	－	－	－	－	3	－	－
函館市	4	－	1	2	－	－	－	1	－	－
青森市	5	－	－	1	1	－	－	3	－	－
八戸市	4	－	－	1	－	1	－	2	－	－
盛岡市	2	－	－	－	－	－	－	2	－	－
秋田市	－	－	－	－	－	－	－	－	－	－
郡山市	6	－	1	－	－	－	－	5	－	－
いわき市	4	－	1	－	－	－	－	3	－	－
宇都宮市	4	－	－	－	－	－	－	4	－	－
前橋市	4	－	1	－	－	－	－	3	－	－
高崎市	2	－	－	－	1	－	－	1	－	－
川越市	3	－	－	－	－	－	－	3	－	－
越谷市	2	－	－	－	－	－	－	2	－	－
船橋市	5	－	－	－	－	－	－	5	－	－
柏市	3	－	－	－	－	－	－	3	－	－
八王子市	5	－	－	－	－	－	－	5	－	－
横須賀市	8	－	－	－	－	－	－	8	－	－
富山市	4	－	－	－	－	－	－	4	－	－
金沢市	2	－	－	－	－	－	－	2	－	－
長野市	5	－	－	1	－	－	－	3	1	－
岐阜市	6	－	1	1	－	－	－	4	－	－
豊橋市	1	－	－	－	－	－	－	1	－	－
豊田市	2	－	－	－	－	－	－	2	－	－
岡崎市	3	－	－	－	－	－	－	3	－	－
大津市	4	－	－	－	－	－	－	4	－	－
高槻市	3	－	－	1	－	－	－	2	－	－
東大阪市	6	－	－	3	－	－	－	3	－	－
豊中市	4	－	－	－	－	－	－	4	－	－
枚方市	3	－	－	－	1	－	－	2	－	－
姫路市	4	－	－	－	－	－	1	3	－	－
西宮市	4	－	－	－	－	－	－	4	－	－
尼崎市	5	－	－	2	－	－	－	3	－	－
奈良市	2	－	－	－	－	－	－	2	－	－
和歌山市	2	－	－	－	－	－	－	2	－	－
倉敷市	3	－	－	－	－	－	－	3	－	－
福山市	3	－	－	－	－	－	－	3	－	－
呉市	5	－	－	－	－	－	－	5	－	－
下関市	5	－	2	2	－	－	－	1	－	－
高松市	4	－	1	－	－	－	－	3	－	－
松山市	4	－	－	－	－	1	－	3	－	－
高知市	－	－	－	－	－	－	－	－	－	－
久留米市	4	－	－	1	1	－	－	2	－	－
長崎市	3	－	－	2	－	－	－	1	－	－
佐世保市	5	－	1	2	1	－	－	1	－	－
大分市	7	－	－	4	1	－	－	2	－	－
宮崎市	3	－	－	－	－	－	－	3	－	－
鹿児島市	13	－	1	7	－	－	1	4	－	－
那覇市	2	－	－	1	－	－	－	1	－	－

第3表　居宅サービスの事業所数，都道府県－指定都市・中核市（再掲）、

都道府県 指定都市 中核市	訪問看護ステーション 総数	地方公共団体	日本赤十字社・社会保険関係団体・独立行政法人	医療法人	社会福祉法人	医師会	看護協会	社団・財団法人	協同組合	営利法人	特定非営利活動法人（NPO）	その他の法人
全国	9 445	194	185	2 583	633	267	131	376	181	4 688	155	52
北海道	432	10	12	137	31	－	－	62	2	169	8	1
青森	116	6	－	21	20	1	1	7	4	55	－	1
岩手	100	4	－	33	3	2	4	2	1	48	2	1
宮城	133	5	1	34	11	4	8	9	1	59	－	1
秋田	59	－	10	12	5	2	3	1	－	26	－	－
山形	61	7	－	17	2	2	4	2	1	23	3	－
福島	114	5	6	35	6	1	2	20	7	29	3	－
茨城	139	1	3	50	10	13	3	7	1	50	－	1
栃木	80	－	4	18	4	1	7	2	1	40	1	2
群馬	162	5	3	42	6	4	6	7	6	78	4	1
埼玉	359	3	3	108	11	17	6	8	14	182	5	2
千葉	301	10	2	107	17	3	1	4	1	147	7	2
東京	916	1	6	221	50	30	2	20	25	545	15	1
神奈川	600	2	10	126	59	27	8	21	9	324	9	5
新潟	123	6	13	44	16	2	4	2	3	33	－	－
富山	59	4	2	11	3	5	2	－	2	29	－	1
石川	90	1	2	16	7	－	－	21	－	42	1	－
福井	70	1	3	24	9	2	1	1	3	26	－	－
山梨	50	5	－	13	4	－	7	9	－	11	1	－
長野	157	15	23	46	15	1	5	2	3	41	5	1
岐阜	181	7	7	48	10	5	2	2	1	85	2	12
静岡	190	5	10	45	22	2	4	8	1	90	3	－
愛知	548	7	11	119	10	3	1	22	11	356	7	1
三重	131	4	8	29	11	7	1	2	3	61	5	－
滋賀	90	8	3	24	9	－	1	7	1	30	6	1
京都	243	7	3	71	20	5	3	15	－	113	4	2
大阪	977	2	2	209	51	23	－	18	16	639	14	3
兵庫	553	12	6	149	49	3	3	18	19	283	8	3
奈良	122	2	2	48	5	1	3	6	－	54	1	－
和歌山	107	5	－	26	14	－	－	1	1	59	－	1
鳥取	50	4	－	18	5	1	1	1	2	17	1	－
島根	67	6	－	10	13	3	4	－	3	24	4	－
岡山	136	5	－	52	7	4	2	10	6	48	2	－
広島	248	4	6	85	19	20	6	2	6	95	3	2
山口	121	2	7	42	12	5	3	2	3	44	1	－
徳島	73	－	3	23	7	4	4	1	2	26	3	－
香川	72	6	3	11	5	1	1	2	3	40	－	－
愛媛	127	2	1	30	7	6	2	8	6	63	1	1
高知	57	1	－	27	4	2	1	－	1	20	1	－
福岡	461	－	3	133	14	21	2	24	3	252	6	3
佐賀	66	3	－	32	4	1	1	1	－	21	3	－
長崎	101	2	3	35	9	5	3	3	－	36	3	2
熊本	173	5	－	61	9	11	2	1	－	80	4	－
大分	103	2	3	38	9	7	1	3	1	36	3	－
宮崎	101	1	1	25	7	3	3	5	2	52	2	－
鹿児島	131	1	－	50	8	6	1	3	5	53	4	－
沖縄	95	－	－	28	4	1	2	4	1	54	－	1

注：調査方法の変更等による回収率変動の影響を受けているため、数量を示す事業所数の実数は前年以前と単純に年次比較できない。

平成29年10月１日

都道府県 指定都市 中核市	訪問看護ステーション										
	総数	地方公共団体	日本赤十字社・社会保険関係団体・独立行政法人	医療法人	社会福祉法人	医師会	看護協会	社団・財団法人	協同組合	営利法人	特定非営利活動法人（NPO）	その他の法人
指定都市(再掲)												
札幌市	182	－	－	64	11	－	－	10	2	91	3	1
仙台市	77	－	1	17	8	－	3	5	－	43	－	－
さいたま市	62	－	1	15	2	－	1	3	1	38	1	－
千葉市	55	－	1	20	1	1	1	－	－	28	3	－
横浜市	273	－	1	55	38	18	1	12	1	141	6	－
川崎市	76	1	－	19	6	－	4	1	3	40	－	2
相模原市	42	－	5	7	1	1	－	－	1	26	1	－
新潟市	46	－	3	22	5	－	1	－	2	13	－	－
静岡市	43	－	3	9	5	－	1	－	－	24	1	－
浜松市	40	－	4	10	11	－	－	－	1	13	1	－
名古屋市	246	－	1	33	1	－	1	19	8	181	2	－
京都市	149	－	2	43	7	2	－	10	－	82	2	1
大阪市	330	－	－	65	15	12	－	8	9	218	3	－
堺市	114	－	－	17	6	4	－	2	1	83	1	－
神戸市	173	－	1	50	7	－	1	10	3	98	2	1
岡山市	63	1	－	18	4	1	2	4	2	30	1	－
広島市	119	－	2	43	6	3	4	2	4	55	－	－
北九州市	89	－	－	21	3	5	－	4	1	54	－	1
福岡市	137	－	2	35	1	3	－	11	1	82	2	－
熊本市	67	－	－	24	2	1	1	1	－	38	－	－
中核市(再掲)												
旭川市	31	1	2	13	1	－	－	1	－	13	－	－
函館市	18	－	－	6	3	－	－	1	－	8	－	－
青森市	21	－	－	2	3	－	1	1	2	12	－	－
八戸市	26	－	－	7	1	1	－	1	1	15	－	－
盛岡市	37	－	－	11	－	1	1	－	1	22	－	1
秋田市	20	－	1	6	2	1	1	－	－	9	－	－
郡山市	24	－	－	6	1	1	－	6	1	9	－	－
いわき市	13	－	－	4	1	－	－	2	1	4	1	－
宇都宮市	23	－	－	3	2	－	1	－	1	15	1	－
前橋市	35	－	1	6	2	1	3	3	2	17	－	－
高崎市	31	－	－	10	－	－	1	1	1	14	3	1
川越市	19	－	－	7	－	1	－	－	－	10	－	1
越谷市	14	－	－	4	－	1	－	1	－	8	－	－
船橋市	27	－	－	9	1	－	－	－	－	17	－	－
柏市	20	－	－	5	2	－	－	2	－	9	2	－
八王子市	20	－	－	7	－	－	－	2	1	10	－	－
横須賀市	29	－	1	2	7	－	－	1	1	17	－	－
富山市	26	－	－	6	2	－	1	－	2	15	－	－
金沢市	42	－	2	6	4	－	－	3	－	26	1	－
長野市	24	－	3	6	4	－	－	－	1	9	－	1
岐阜市	55	－	－	16	2	1	－	1	－	33	－	2
豊橋市	18	－	－	8	－	1	－	－	1	8	－	－
豊田市	18	－	3	1	－	－	－	1	－	13	－	－
岡崎市	20	－	－	5	1	－	－	－	－	14	－	－
大津市	24	－	2	8	1	－	－	－	－	12	－	1
高槻市	25	－	1	10	1	－	－	－	－	11	1	1
東大阪市	50	－	－	10	3	2	－	－	1	34	－	－
豊中市	41	－	－	9	2	－	－	2	－	27	1	－
枚方市	37	－	1	7	1	－	－	1	－	26	1	－
姫路市	59	－	1	15	2	1	－	－	7	32	1	－
西宮市	42	－	－	9	7	－	－	1	－	25	－	－
尼崎市	57	－	－	16	2	－	1	1	6	31	－	－
奈良市	34	－	－	18	2	－	－	1	－	12	1	－
和歌山市	45	－	－	10	3	－	－	－	1	30	－	1
倉敷市	30	－	－	12	1	－	－	3	2	11	1	－
福山市	31	－	－	12	2	3	－	－	1	13	－	－
呉市	15	－	1	2	2	1	2	－	－	7	－	－
下関市	25	－	2	8	6	－	－	－	－	9	－	－
高松市	38	1	2	4	1	－	1	2	1	26	－	－
松山市	57	－	－	13	2	1	1	3	2	34	1	－
高知市	30	－	－	14	1	－	1	－	1	12	1	－
久留米市	33	－	－	11	－	－	1	1	1	18	1	－
長崎市	42	－	－	12	4	1	1	2	－	20	1	1
佐世保市	11	－	－	5	－	1	－	－	－	4	－	1
大分市	40	－	1	15	5	1	1	1	1	15	－	－
宮崎市	41	－	1	11	1	－	2	4	1	20	1	－
鹿児島市	52	－	－	21	3	－	1	2	2	22	1	－
那覇市	20	－	－	4	2	－	－	1	1	11	－	1

第３表　居宅サービスの事業所数，都道府県－指定都市・中核市（再掲）、

都道府県 指定都市 中核市	通所介護									
	総数	地方公共団体	社会福祉協議会	社会福祉法人（社会福祉協議会以外）	医療法人	社団・財団法人	協同組合	営利法人	特定非営利活動法人（NPO）	その他
全国	20 439	107	1 148	6 784	1 691	121	325	9 912	323	28
北海道	671	15	45	227	56	9	2	307	9	1
青森	263	－	26	146	18	3	4	65	1	－
岩手	278	2	24	108	－	1	8	119	16	－
宮城	373	－	37	114	17	2	5	191	7	－
秋田	194	4	32	72	5	－	3	75	1	2
山形	267	－	12	89	12	－	9	137	6	2
福島	361	－	48	104	41	5	14	144	5	－
茨城	447	2	12	180	33	－	5	211	3	1
栃木	341	－	9	129	22	－	17	155	9	－
群馬	528	－	30	137	41	3	12	296	9	－
埼玉	901	3	12	271	42	5	7	549	10	2
千葉	710	6	7	267	34	3	4	387	2	－
東京	1 300	15	6	420	52	7	6	771	21	2
神奈川	873	－	20	343	25	1	17	457	8	2
新潟	484	5	71	208	16	3	7	173	1	－
富山	228	3	7	86	15	－	11	97	7	2
石川	228	－	7	98	14	2	2	104	1	－
福井	166	－	20	60	11	1	9	63	1	1
山梨	159	2	23	50	15	3	－	65	1	－
長野	380	12	102	112	13	1	9	118	13	－
岐阜	402	5	47	97	47	9	6	185	6	－
静岡	703	3	23	225	53	－	4	381	12	2
愛知	1 005	1	41	257	87	2	21	581	15	－
三重	411	3	38	129	25	5	8	188	13	2
滋賀	239	－	35	70	16	3	3	99	13	－
京都	389	1	25	165	46	9	－	138	5	－
大阪	1 284	－	7	417	126	4	16	688	25	1
兵庫	838	2	46	315	75	3	19	372	6	－
奈良	228	－	8	83	12	1	－	123	1	－
和歌山	227	3	18	81	27	2	8	85	2	1
鳥取	135	－	22	50	10	－	1	52	－	－
島根	151	1	15	70	10	－	8	43	4	－
岡山	381	1	24	117	63	7	5	155	9	－
広島	520	2	17	187	90	1	10	208	4	1
山口	293	1	5	98	29	－	7	148	5	－
徳島	188	1	16	72	32	1	1	60	5	－
香川	206	3	7	80	24	1	－	86	5	－
愛媛	310	4	23	74	23	2	14	166	4	－
高知	138	3	16	36	24	－	1	57	1	－
福岡	1 007	－	13	265	115	7	23	572	10	2
佐賀	228	1	9	58	34	2	－	115	9	－
長崎	301	－	38	108	41	4	－	105	5	－
熊本	414	1	24	143	40	2	7	187	10	－
大分	312	1	24	90	39	2	2	144	10	－
宮崎	314	－	19	91	28	3	2	166	3	2
鹿児島	280	1	24	116	33	1	3	95	6	1
沖縄	383	－	14	69	60	1	5	229	4	1

注：調査方法の変更等による回収率変動の影響を受けているため、数量を示す事業所数の実数は前年以前と単純に年次比較できない。

居宅サービスの種類、開設（経営）主体別（13－4）

平成29年10月１日

都道府県 指定都市 中核市	通所介護									
	総数	地方公共団体	社会福祉協議会	社会福祉法人（社会福祉協議会以外）	医療法人	社団・財団法人	協同組合	営利法人	特定非営利活動法人（NPO）	その他
指定都市(再掲)										
札幌市	203	–	7	62	20	1	–	112	1	–
仙台市	96	–	2	31	7	1	–	55	–	–
さいたま市	131	–	–	33	9	–	2	87	–	–
千葉市	92	–	–	37	5	–	–	50	–	–
横浜市	337	–	14	148	8	–	3	161	1	2
川崎市	125	–	1	35	6	1	4	77	1	–
相模原市	71	–	–	32	2	–	1	33	3	–
新潟市	162	–	9	63	7	1	2	80	–	–
静岡市	185	3	2	33	8	–	–	134	5	–
浜松市	129	–	1	56	14	–	1	53	3	1
名古屋市	273	–	8	76	23	1	4	157	4	–
京都市	215	–	12	73	23	4	–	101	2	–
大阪市	366	–	1	107	45	1	7	199	5	1
堺市	129	–	–	43	6	1	2	75	2	–
神戸市	224	–	3	76	20	–	1	124	–	–
岡山市	133	–	2	34	23	6	2	62	4	–
広島市	203	–	–	59	46	–	3	93	2	–
北九州市	220	–	–	50	20	1	2	144	2	1
福岡市	202	–	–	41	22	2	2	134	1	–
熊本市	127	–	–	34	16	1	–	74	2	–
中核市(再掲)										
旭川市	49	–	–	14	7	–	1	27	–	–
函館市	44	–	2	11	3	–	–	27	1	–
青森市	35	–	2	18	–	1	2	12	–	–
八戸市	38	–	1	21	7	–	1	8	–	–
盛岡市	63	–	1	15	–	–	1	42	4	–
秋田市	45	–	2	17	2	–	–	23	–	1
郡山市	57	–	–	17	9	1	3	25	2	–
いわき市	81	–	–	12	9	1	3	56	–	–
宇都宮市	70	–	–	26	2	–	2	39	1	–
前橋市	104	–	1	27	9	1	3	63	–	–
高崎市	85	–	2	17	7	2	4	51	2	–
川越市	41	–	–	12	3	1	–	25	–	–
越谷市	33	–	–	7	–	–	–	26	–	–
船橋市	55	–	–	18	5	–	1	31	–	–
柏市	42	–	–	16	–	2	–	24	–	–
八王子市	66	–	–	18	2	–	2	44	–	–
横須賀市	53	–	–	24	2	–	1	26	–	–
富山市	96	1	–	31	5	–	5	50	4	–
金沢市	90	–	1	29	4	2	–	54	–	–
長野市	74	3	8	25	4	–	4	29	1	–
岐阜市	81	–	–	15	25	–	–	40	1	–
豊橋市	45	–	1	9	2	–	1	32	–	–
豊田市	44	–	6	12	3	–	2	21	–	–
岡崎市	55	–	–	16	1	–	–	38	–	–
大津市	45	–	–	12	8	1	–	22	2	–
高槻市	46	–	–	15	4	–	–	20	7	–
東大阪市	72	–	–	20	7	–	1	44	–	–
豊中市	57	–	2	20	7	–	–	28	–	–
枚方市	53	–	–	17	7	–	1	27	1	–
姫路市	92	–	2	36	7	–	5	42	–	–
西宮市	36	–	–	13	5	–	–	18	–	–
尼崎市	78	–	–	23	6	–	6	43	–	–
奈良市	60	–	–	15	2	1	–	41	1	–
和歌山市	85	–	–	29	13	–	3	38	1	1
倉敷市	79	–	1	25	17	–	1	35	–	–
福山市	89	–	–	34	11	–	4	39	–	1
呉市	32	–	–	16	8	–	–	8	–	–
下関市	55	–	–	17	2	–	1	33	2	–
高松市	86	–	3	29	6	–	–	46	2	–
松山市	99	–	–	22	8	2	2	64	1	–
高知市	57	–	3	10	11	–	1	31	1	–
久留米市	54	–	1	16	7	–	2	28	–	–
長崎市	82	–	1	29	14	3	–	35	–	–
佐世保市	34	–	6	12	7	1	–	8	–	–
大分市	126	–	1	32	19	1	2	68	3	–
宮崎市	91	–	2	28	11	2	1	46	–	1
鹿児島市	81	–	2	24	14	–	1	38	1	1
那覇市	72	–	–	10	14	–	2	44	1	1

第３表　居宅サービスの事業所数，都道府県－指定都市・中核市（再掲）、

都道府県 指定都市 中核市	通所リハビリテーション（介護老人保健施設） 総数	地方公共団体	日本赤十字社・社会保険関係団体・独立行政法人	社会福祉法人	医療法人	社団・財団法人	営利法人	個人	その他の法人
全国	3 406	119	67	551	2 532	105	－	1	31
北海道	159	14	1	37	104	3	－	－	－
青森	53	2	－	24	22	5	－	－	－
岩手	56	1	－	4	50	1	－	－	－
宮城	72	3	1	5	60	3	－	－	－
秋田	48	3	1	19	24	1	－	－	－
山形	42	3	－	10	26	3	－	－	－
福島	66	1	4	12	35	13	－	－	1
茨城	99	－	1	11	84	3	－	－	－
栃木	54	－	2	6	43	2	－	－	1
群馬	72	4	1	7	52	6	－	－	2
埼玉	140	－	1	26	106	4	－	－	3
千葉	142	4	1	10	123	3	－	－	1
東京	176	4	3	19	141	7	－	－	2
神奈川	149	－	1	17	123	5	－	－	3
新潟	92	2	8	21	57	1	－	－	3
富山	44	1	－	6	37	－	－	－	－
石川	33	－	－	4	28	1	－	－	－
福井	28	3	2	6	17	－	－	－	－
山梨	28	5	－	4	18	1	－	－	－
長野	74	7	7	19	37	1	－	－	3
岐阜	61	5	2	3	51	－	－	－	－
静岡	97	3	2	5	86	1	－	－	－
愛知	156	－	6	7	142	－	－	－	1
三重	52	3	3	18	27	1	－	－	－
滋賀	28	3	1	7	12	4	－	－	1
京都	59	2	－	13	39	5	－	－	－
大阪	171	10	1	34	121	4	－	－	1
兵庫	148	8	2	15	116	4	－	1	2
奈良	43	2	－	9	31	1	－	－	－
和歌山	32	－	－	7	25	－	－	－	－
鳥取	32	－	－	11	21	－	－	－	－
島根	29	2	－	7	18	1	－	－	1
岡山	66	3	1	16	42	3	－	－	1
広島	93	2	2	19	67	3	－	－	－
山口	56	5	4	6	41	－	－	－	－
徳島	36	－	－	5	31	－	－	－	－
香川	47	3	－	14	29	－	－	－	1
愛媛	59	4	1	15	38	1	－	－	－
高知	30	1	1	3	25	－	－	－	－
福岡	145	1	1	30	109	2	－	－	2
佐賀	33	－	1	5	27	－	－	－	－
長崎	46	－	－	16	30	－	－	－	－
熊本	75	3	1	8	61	2	－	－	－
大分	41	－	3	－	34	4	－	－	－
宮崎	39	1	1	1	34	2	－	－	－
鹿児島	71	1	－	5	60	4	－	－	1
沖縄	34	－	－	5	28	－	－	－	1

注：調査方法の変更等による回収率変動の影響を受けているため、数量を示す事業所数の実数は前年以前と単純に年次比較できない。

平成29年10月１日

都道府県 指定都市 中核市	通所リハビリテーション（介護老人保健施設） 総数	地方公共団体	日本赤十字社・社会保険関係団体・独立行政法人	社会福祉法人	医療法人	社団・財団法人	営利法人	個人	その他の法人
指定都市(再掲)									
札幌市	39	–	1	8	29	1	–	–	–
仙台市	24	–	1	1	21	1	–	–	–
さいたま市	22	–	1	4	17	–	–	–	–
千葉市	21	–	1	3	17	–	–	–	–
横浜市	67	–	–	8	56	3	–	–	–
川崎市	16	–	–	5	9	–	–	–	2
相模原市	11	–	–	–	11	–	–	–	–
新潟市	33	–	1	4	25	1	–	–	2
静岡市	19	–	–	1	18	–	–	–	–
浜松市	20	–	–	2	18	–	–	–	–
名古屋市	62	–	3	2	56	–	–	–	1
京都市	35	–	–	9	22	4	–	–	–
大阪市	59	5	–	7	44	2	–	–	1
堺市	11	–	–	6	3	2	–	–	–
神戸市	49	–	1	3	42	3	–	–	–
岡山市	19	–	–	8	11	–	–	–	–
広島市	25	–	1	5	19	–	–	–	–
北九州市	30	–	–	3	27	–	–	–	–
福岡市	23	–	–	2	20	–	–	–	1
熊本市	22	–	–	1	20	1	–	–	–
中核市(再掲)									
旭川市	10	–	–	2	8	–	–	–	–
函館市	7	–	–	2	5	–	–	–	–
青森市	12	–	–	7	4	1	–	–	–
八戸市	6	–	–	1	4	1	–	–	–
盛岡市	6	–	–	–	6	–	–	–	–
秋田市	11	–	–	7	4	–	–	–	–
郡山市	7	–	–	–	4	3	–	–	–
いわき市	10	–	–	2	7	1	–	–	–
宇都宮市	7	–	1	2	4	–	–	–	–
前橋市	11	–	1	2	7	1	–	–	–
高崎市	13	–	–	1	10	2	–	–	–
川越市	7	–	–	–	6	1	–	–	–
越谷市	4	–	–	1	3	–	–	–	–
船橋市	13	–	–	–	12	1	–	–	–
柏市	9	1	–	–	8	–	–	–	–
八王子市	8	–	–	–	8	–	–	–	–
横須賀市	7	–	–	1	6	–	–	–	–
富山市	17	–	–	2	15	–	–	–	–
金沢市	8	–	–	–	8	–	–	–	–
長野市	10	–	–	1	8	–	–	–	1
岐阜市	12	–	–	–	12	–	–	–	–
豊橋市	5	–	–	–	5	–	–	–	–
豊田市	6	–	1	–	5	–	–	–	–
岡崎市	7	–	–	–	7	–	–	–	–
大津市	5	–	1	–	3	–	–	–	1
高槻市	7	–	–	–	7	–	–	–	–
東大阪市	10	–	–	3	7	–	–	–	–
豊中市	8	1	–	2	5	–	–	–	–
枚方市	7	–	–	1	6	–	–	–	–
姫路市	9	–	–	–	9	–	–	–	–
西宮市	7	1	–	–	6	–	–	–	–
尼崎市	11	–	–	–	10	–	–	–	1
奈良市	7	–	–	1	6	–	–	–	–
和歌山市	11	–	–	1	10	–	–	–	–
倉敷市	11	–	–	1	8	1	–	–	1
福山市	12	–	–	1	11	–	–	–	–
呉市	12	–	–	7	5	–	–	–	–
下関市	9	–	1	1	7	–	–	–	–
高松市	17	–	–	2	14	–	–	–	1
松山市	13	–	–	5	8	–	–	–	–
高知市	8	–	–	–	8	–	–	–	–
久留米市	7	–	1	–	6	–	–	–	–
長崎市	13	–	–	6	7	–	–	–	–
佐世保市	7	–	–	3	4	–	–	–	–
大分市	13	–	–	–	13	–	–	–	–
宮崎市	11	1	1	–	8	1	–	–	–
鹿児島市	15	–	–	–	14	1	–	–	–
那覇市	5	–	–	–	5	–	–	–	–

第3表　居宅サービスの事業所数，都道府県－指定都市・中核市（再掲）、

都道府県 指定都市 中核市	通所リハビリテーション（医療施設） 総数	地方公共団体	日本赤十字社・社会保険関係団体・独立行政法人	社会福祉法人	医療法人	社団・財団法人	営利法人	個人	その他の法人
全国	3 855	77	27	55	3 084	89	4	354	165
北海道	69	3	1	3	61	-	-	1	-
青森	30	1	-	2	14	2	-	6	5
岩手	53	3	-	-	33	2	-	13	2
宮城	29	1	-	-	18	8	-	2	-
秋田	3	-	-	-	3	-	-	-	-
山形	42	3	-	-	26	1	-	6	6
福島	64	1	-	1	45	9	-	1	7
茨城	38	-	-	-	37	-	-	1	-
栃木	38	-	-	1	34	-	-	2	1
群馬	38	3	-	-	28	-	-	3	4
埼玉	108	1	-	3	85	1	-	5	13
千葉	109	4	-	-	98	2	-	5	-
東京	178	1	1	-	147	6	-	14	9
神奈川	77	-	2	5	64	2	-	4	-
新潟	34	1	1	1	23	-	-	5	3
富山	27	1	-	-	21	-	-	2	3
石川	42	6	1	-	30	4	-	-	1
福井	37	3	-	-	28	1	-	4	1
山梨	32	1	-	-	22	4	-	4	1
長野	52	2	8	-	36	-	-	1	5
岐阜	77	1	1	1	45	-	-	28	1
静岡	69	-	2	1	60	1	1	4	-
愛知	263	1	2	4	188	-	-	54	14
三重	47	2	1	2	36	-	1	2	3
滋賀	27	-	-	-	22	-	-	4	1
京都	81	1	1	3	54	6	-	12	4
大阪	317	2	-	9	250	1	1	28	26
兵庫	182	2	1	3	145	1	-	21	9
奈良	36	-	-	1	30	-	-	5	-
和歌山	43	-	-	-	36	1	-	3	3
鳥取	20	4	-	1	14	-	-	-	1
島根	21	1	1	1	13	1	-	3	1
岡山	100	3	-	1	86	3	-	2	5
広島	148	1	1	-	128	3	-	11	4
山口	55	2	-	2	48	1	-	2	-
徳島	59	2	-	-	50	-	-	3	4
香川	59	3	-	1	49	2	-	1	3
愛媛	98	1	-	-	64	2	-	24	7
高知	38	4	-	-	32	-	-	1	1
福岡	303	-	1	2	260	16	1	22	1
佐賀	49	2	-	-	45	-	-	2	-
長崎	127	3	1	1	108	1	-	12	1
熊本	126	1	-	1	117	-	-	7	-
大分	93	-	1	2	83	-	-	4	3
宮崎	70	3	-	-	61	5	-	1	-
鹿児島	180	2	-	3	155	3	-	8	9
沖縄	67	1	-	-	52	-	-	11	3

注：調査方法の変更等による回収率変動の影響を受けているため、数量を示す事業所数の実数は前年以前と単純に年次比較できない。

平成29年10月1日

都道府県 指定都市 中核市	通所リハビリテーション（医療施設）								
	総数	地方公共団体	日本赤十字社・社会保険関係団体・独立行政法人	社会福祉法人	医療法人	社団・財団法人	営利法人	個人	その他の法人
指定都市(再掲)									
札幌市	15	－	－	－	14	－	－	1	－
仙台市	19	－	－	－	16	2	－	1	－
さいたま市	13	－	－	－	13	－	－	－	－
千葉市	22	－	－	－	19	1	－	2	－
横浜市	34	－	－	2	28	2	－	2	－
川崎市	10	－	－	－	8	－	－	2	－
相模原市	4	－	1	－	3	－	－	－	－
新潟市	15	－	－	1	11	－	－	2	1
静岡市	11	－	1	－	10	－	－	－	－
浜松市	19	－	－	－	17	－	－	2	－
名古屋市	72	1	1	3	50	－	－	8	9
京都市	42	－	－	2	28	5	－	6	1
大阪市	122	－	－	4	86	1	1	16	14
堺市	30	－	－	－	29	－	－	－	1
神戸市	39	－	－	－	30	1	－	5	3
岡山市	40	－	－	1	37	1	－	－	1
広島市	58	－	－	－	52	－	－	3	3
北九州市	41	－	－	－	38	3	－	－	－
福岡市	89	－	－	－	70	5	1	13	－
熊本市	42	－	－	1	39	－	－	2	－
中核市(再掲)									
旭川市	8	－	－	－	8	－	－	－	－
函館市	3	－	－	－	3	－	－	－	－
青森市	8	－	－	1	1	2	－	1	3
八戸市	9	－	－	－	6	－	－	2	1
盛岡市	27	－	－	－	17	－	－	9	1
秋田市	1	－	－	－	1	－	－	－	－
郡山市	13	1	－	－	8	3	－	－	1
いわき市	16	－	－	1	14	－	－	－	1
宇都宮市	6	－	－	－	4	－	－	1	1
前橋市	8	－	－	－	6	－	－	－	2
高崎市	6	－	－	－	5	－	－	－	1
川越市	8	－	－	－	7	－	－	－	1
越谷市	7	－	－	－	5	－	－	2	－
船橋市	6	2	－	－	4	－	－	－	－
柏市	4	－	－	－	3	－	－	1	－
八王子市	5	－	－	－	3	－	－	1	1
横須賀市	2	－	－	1	1	－	－	－	－
富山市	11	－	－	－	8	－	－	1	2
金沢市	19	－	1	－	14	3	－	－	1
長野市	11	－	2	－	6	－	－	－	3
岐阜市	17	－	－	－	14	－	－	3	－
豊橋市	16	－	－	－	13	－	－	3	－
豊田市	37	－	－	－	12	－	－	25	－
岡崎市	16	－	－	－	14	－	－	2	－
大津市	8	－	－	－	6	－	－	2	－
高槻市	8	－	－	－	7	－	－	－	1
東大阪市	20	1	－	－	14	－	－	1	4
豊中市	14	－	－	－	10	－	－	3	1
枚方市	16	－	－	1	13	－	－	2	－
姫路市	17	－	－	－	14	－	－	1	2
西宮市	15	－	－	－	10	－	－	5	－
尼崎市	20	－	－	1	13	－	－	3	3
奈良市	10	－	－	－	9	－	－	1	－
和歌山市	23	－	－	－	19	－	－	1	3
倉敷市	30	－	－	－	24	1	－	1	4
福山市	32	－	－	－	31	－	－	1	－
呉市	12	－	－	－	11	1	－	－	－
下関市	16	1	－	－	14	1	－	－	－
高松市	22	－	－	－	19	2	－	－	1
松山市	43	－	－	－	28	－	－	13	2
高知市	19	－	－	－	17	－	－	1	1
久留米市	24	－	－	－	22	－	－	2	－
長崎市	42	－	－	1	35	1	－	4	1
佐世保市	20	－	－	－	19	－	－	1	－
大分市	39	－	－	－	37	－	－	1	1
宮崎市	20	1	－	－	17	2	－	－	－
鹿児島市	60	－	－	1	50	2	－	2	5
那覇市	17	－	－	－	8	－	－	7	2

第3表　居宅サービスの事業所数，都道府県－指定都市・中核市（再掲）、

都道府県 指定都市 中核市	短期入所生活介護									
	総数	地方公共団体	社会福祉協議会	社会福祉法人（社会福祉協議会以外）	医療法人	社団・財団法人	協同組合	営利法人	特定非営利活動法人（NPO）	その他
全国	10 198	176	102	8 407	357	11	41	1 046	42	16
北海道	418	28	8	348	5	1	4	23	1	－
青森	145	1	6	128	2	－	2	6	－	－
岩手	181	1	3	149	6	－	1	20	－	1
宮城	211	－	6	176	8	－	－	21	－	－
秋田	282	9	7	117	14	－	3	128	2	2
山形	144	－	3	120	4	－	4	12	1	－
福島	181	－	－	156	7	－	－	17	1	－
茨城	277	1	1	238	7	－	－	30	－	－
栃木	210	－	－	159	14	－	1	34	2	－
群馬	213	－	－	171	18	－	2	22	－	－
埼玉	475	－	－	363	11	－	－	97	1	3
千葉	420	5	－	338	11	－	－	63	1	2
東京	541	12	－	476	6	－	－	45	1	1
神奈川	398	－	－	365	1	－	1	30	1	－
新潟	361	4	7	279	11	1	1	58	－	－
富山	119	－	－	84	4	－	3	20	8	－
石川	106	1	－	87	5	1	－	12	－	－
福井	102	1	2	89	2	－	2	6	－	－
山梨	113	1	－	85	11	－	－	14	2	－
長野	245	30	23	153	9	－	4	20	6	－
岐阜	208	5	2	145	9	－	1	42	3	1
静岡	261	1	－	219	10	－	1	30	－	－
愛知	381	2	1	301	19	1	1	56	－	－
三重	219	11	－	176	4	2	2	19	5	－
滋賀	96	－	1	85	4	－	－	5	1	－
京都	184	－	1	170	9	－	－	3	1	－
大阪	472	2	－	436	9	－	3	21	1	－
兵庫	396	－	－	373	4	－	2	17	－	－
奈良	112	1	4	98	4	－	－	5	－	－
和歌山	105	9	－	92	2	－	－	2	－	－
鳥取	45	－	1	39	3	－	－	2	－	－
島根	98	－	10	80	2	－	2	4	－	－
岡山	211	3	2	189	5	－	－	11	1	－
広島	431	2	2	368	21	1	1	35	1	－
山口	137	－	－	127	7	－	－	3	－	－
徳島	94	4	－	72	10	－	－	8	－	－
香川	117	3	－	99	4	－	－	11	－	－
愛媛	166	13	1	108	10	1	－	33	－	－
高知	69	15	1	48	4	－	－	1	－	－
福岡	364	1	3	313	13	1	－	30	－	3
佐賀	60	1	－	53	4	－	－	2	－	－
長崎	190	1	1	148	19	2	－	17	1	1
熊本	176	3	－	169	2	－	－	2	－	－
大分	122	1	2	103	15	－	－	1	－	－
宮崎	106	－	1	100	3	－	－	2	－	－
鹿児島	173	4	3	156	3	－	－	5	1	1
沖縄	63	－	－	59	2	－	－	1	－	1

注：調査方法の変更等による回収率変動の影響を受けているため、数量を示す事業所数の実数は前年以前と単純に年次比較できない。

平成29年10月１日

都道府県 指定都市 中核市	短期入所生活介護 総数	地方公共団体	社会福祉協議会	社会福祉法人（社会福祉協議会以外）	医療法人	社団・財団法人	協同組合	営利法人	特定非営利活動法人（NPO）	その他
指定都市(再掲)										
札幌市	76	－	－	70	－	－	－	6	－	－
仙台市	76	－	－	61	4	－	－	11	－	－
さいたま市	76	－	－	55	2	－	－	19	－	－
千葉市	53	－	－	43	2	－	－	8	－	－
横浜市	151	－	－	143	－	－	－	7	1	－
川崎市	54	－	－	50	－	－	－	4	－	－
相模原市	35	－	－	33	－	－	－	2	－	－
新潟市	125	－	－	96	4	1	1	23	－	－
静岡市	46	1	－	31	1	－	－	13	－	－
浜松市	61	－	－	50	5	－	1	5	－	－
名古屋市	112	1	－	96	3	－	－	12	－	－
京都市	84	－	1	76	4	－	－	3	－	－
大阪市	129	－	－	119	3	－	－	7	－	－
堺市	45	－	－	42	－	－	－	2	1	－
神戸市	92	－	－	90	－	－	－	2	－	－
岡山市	66	－	－	62	2	－	－	2	－	－
広島市	133	－	－	102	12	－	1	17	1	－
北九州市	63	1	－	50	1	－	－	10	－	1
福岡市	85	－	－	76	3	－	－	6	－	－
熊本市	37	－	－	36	－	－	－	1	－	－
中核市(再掲)										
旭川市	23	－	－	19	－	－	1	3	－	－
函館市	29	－	－	16	3	－	－	9	1	－
青森市	20	－	－	18	－	－	1	1	－	－
八戸市	13	－	－	13	－	－	－	－	－	－
盛岡市	32	－	－	21	3	－	1	7	－	－
秋田市	69	－	－	28	3	－	－	37	－	1
郡山市	29	－	－	21	3	－	－	5	－	－
いわき市	25	－	－	22	1	－	－	2	－	－
宇都宮市	34	－	－	27	2	－	－	5	－	－
前橋市	30	－	－	25	－	－	1	4	－	－
高崎市	48	－	－	36	4	－	1	7	－	－
川越市	20	－	－	13	1	－	－	6	－	－
越谷市	11	－	－	7	－	－	－	4	－	－
船橋市	28	1	－	22	2	－	－	3	－	－
柏市	21	－	－	19	－	－	－	2	－	－
八王子市	28	－	－	24	－	－	－	4	－	－
横須賀市	23	－	－	21	－	－	－	2	－	－
富山市	45	－	－	29	1	－	2	8	5	－
金沢市	41	－	－	28	2	1	－	10	－	－
長野市	44	3	2	33	3	－	1	2	－	－
岐阜市	34	－	－	22	1	－	－	11	－	－
豊橋市	18	1	－	10	1	－	1	5	－	－
豊田市	16	－	－	15	－	－	－	1	－	－
岡崎市	18	－	－	12	1	1	－	4	－	－
大津市	22	－	－	16	3	－	－	3	－	－
高槻市	10	－	－	10	－	－	－	－	－	－
東大阪市	24	－	－	22	－	－	2	－	－	－
豊中市	19	－	－	19	－	－	－	－	－	－
枚方市	17	－	－	17	－	－	－	－	－	－
姫路市	40	－	－	36	1	－	1	2	－	－
西宮市	19	－	－	15	－	－	－	4	－	－
尼崎市	23	－	－	21	1	－	－	1	－	－
奈良市	27	－	－	23	2	－	－	2	－	－
和歌山市	28	－	－	27	－	－	－	1	－	－
倉敷市	42	－	－	33	2	－	－	6	1	－
福山市	69	－	－	59	4	－	－	6	－	－
呉市	35	－	－	30	1	1	－	3	－	－
下関市	30	－	－	28	2	－	－	－	－	－
高松市	48	－	－	38	3	－	－	7	－	－
松山市	52	－	－	27	6	－	－	19	－	－
高知市	17	－	－	14	3	－	－	－	－	－
久留米市	26	－	－	20	3	－	－	2	－	1
長崎市	65	－	－	47	5	1	－	11	－	1
佐世保市	30	－	－	24	4	－	－	2	－	－
大分市	30	－	－	25	5	－	－	－	－	－
宮崎市	28	－	－	27	－	－	－	1	－	－
鹿児島市	36	－	－	34	1	－	－	－	－	1
那覇市	7	－	－	5	1	－	－	－	－	1

都道府県 指定都市 中核市	短期入所療養介護（介護老人保健施設）								
	総数	地方公共団体	日本赤十字社・社会保険関係団体・独立行政法人	社会福祉法人	医療法人	社団・財団法人	営利法人	個人	その他の法人
全国	3 804	133	69	581	2 866	117	－	1	37
北海道	175	18	1	37	116	3	－	－	－
青森	63	5	－	27	25	5	－	－	1
岩手	67	2	－	4	60	1	－	－	－
宮城	79	3	1	5	67	3	－	－	－
秋田	53	2	1	19	29	2	－	－	－
山形	42	2	－	11	25	3	－	－	1
福島	79	1	4	12	45	16	－	－	1
茨城	112	－	1	13	95	3	－	－	－
栃木	59	－	2	5	49	2	－	－	1
群馬	87	4	1	10	63	7	－	－	2
埼玉	155	－	1	29	118	4	－	－	3
千葉	149	4	1	10	130	3	－	－	1
東京	178	4	4	21	140	7	－	－	2
神奈川	162	－	1	19	134	5	－	－	3
新潟	101	2	8	21	65	1	－	－	4
富山	44	1	－	6	37	－	－	－	－
石川	40	1	－	6	32	1	－	－	－
福井	31	3	2	5	21	－	－	－	－
山梨	30	5	－	4	20	1	－	－	－
長野	84	7	7	21	44	1	－	－	4
岐阜	69	7	2	4	56	－	－	－	－
静岡	114	3	3	5	102	1	－	－	－
愛知	169	－	6	7	156	－	－	－	－
三重	71	3	3	20	44	1	－	－	－
滋賀	30	3	1	7	14	4	－	－	1
京都	69	3	－	13	46	6	－	－	1
大阪	190	10	1	39	135	4	－	－	1
兵庫	162	8	2	16	128	5	－	1	2
奈良	48	2	－	9	36	1	－	－	－
和歌山	38	－	－	7	31	－	－	－	－
鳥取	46	1	－	14	30	－	－	－	1
島根	34	2	－	9	20	2	－	－	1
岡山	69	3	1	12	49	3	－	－	1
広島	103	3	2	20	75	3	－	－	－
山口	62	5	4	6	47	－	－	－	－
徳島	48	－	－	6	41	－	－	－	1
香川	49	4	－	14	30	－	－	－	1
愛媛	62	4	1	14	42	1	－	－	－
高知	34	2	1	3	28	－	－	－	－
福岡	162	1	1	29	127	2	－	－	2
佐賀	32	－	1	5	26	－	－	－	－
長崎	53	－	－	16	37	－	－	－	－
熊本	84	3	1	10	68	2	－	－	－
大分	59	－	3	－	50	6	－	－	－
宮崎	40	1	1	1	34	3	－	－	－
鹿児島	80	1	－	5	68	5	－	－	1
沖縄	37	－	－	5	31	－	－	－	1

注：調査方法の変更等による回収率変動の影響を受けているため、数量を示す事業所数の実数は前年以前と単純に年次比較できない。

居宅サービスの種類、開設（経営）主体別（13－8）

平成29年10月1日

都道府県 指定都市 中核市	短期入所療養介護（介護老人保健施設） 総数	地方公共団体	日本赤十字社・社会保険関係団体・独立行政法人	社会福祉法人	医療法人	社団・財団法人	営利法人	個人	その他の法人
指定都市(再掲)									
札幌市	45	–	1	8	35	1	–	–	–
仙台市	27	–	1	1	24	1	–	–	–
さいたま市	26	–	1	5	20	–	–	–	–
千葉市	22	–	1	3	18	–	–	–	–
横浜市	77	–	–	10	64	3	–	–	–
川崎市	17	–	–	5	10	–	–	–	2
相模原市	13	–	–	–	13	–	–	–	–
新潟市	40	–	1	4	31	1	–	–	3
静岡市	24	–	1	1	22	–	–	–	–
浜松市	23	–	–	2	21	–	–	–	–
名古屋市	66	–	3	2	61	–	–	–	–
京都市	41	–	–	9	26	5	–	–	1
大阪市	65	5	–	8	49	2	–	–	1
堺市	14	–	–	7	5	2	–	–	–
神戸市	57	–	1	3	49	4	–	–	–
岡山市	17	–	–	5	12	–	–	–	–
広島市	27	–	1	5	21	–	–	–	–
北九州市	34	–	–	3	31	–	–	–	–
福岡市	23	–	–	2	20	–	–	–	1
熊本市	27	–	–	2	24	1	–	–	–
中核市(再掲)									
旭川市	11	–	–	2	9	–	–	–	–
函館市	7	–	–	2	5	–	–	–	–
青森市	15	–	–	9	4	1	–	–	1
八戸市	7	–	–	1	5	1	–	–	–
盛岡市	8	–	–	–	8	–	–	–	–
秋田市	12	–	–	7	5	–	–	–	–
郡山市	7	–	–	–	4	3	–	–	–
いわき市	12	–	–	2	9	1	–	–	–
宇都宮市	6	–	1	1	4	–	–	–	–
前橋市	12	–	1	2	8	1	–	–	–
高崎市	17	–	–	2	13	2	–	–	–
川越市	7	–	–	–	6	1	–	–	–
越谷市	5	–	–	1	4	–	–	–	–
船橋市	13	–	–	–	12	1	–	–	–
柏市	9	1	–	–	8	–	–	–	–
八王子市	8	–	–	–	8	–	–	–	–
横須賀市	7	–	–	1	6	–	–	–	–
富山市	16	–	–	2	14	–	–	–	–
金沢市	10	–	–	1	9	–	–	–	–
長野市	12	–	–	1	10	–	–	–	1
岐阜市	14	–	–	–	14	–	–	–	–
豊橋市	4	–	–	–	4	–	–	–	–
豊田市	8	–	1	–	7	–	–	–	–
岡崎市	6	–	–	–	6	–	–	–	–
大津市	6	–	1	–	4	–	–	–	1
高槻市	7	–	–	–	7	–	–	–	–
東大阪市	12	–	–	5	7	–	–	–	–
豊中市	9	1	–	2	6	–	–	–	–
枚方市	8	–	–	1	7	–	–	–	–
姫路市	9	–	–	–	9	–	–	–	–
西宮市	9	1	–	–	8	–	–	–	–
尼崎市	12	–	–	–	11	–	–	–	1
奈良市	9	–	–	1	8	–	–	–	–
和歌山市	12	–	–	1	11	–	–	–	–
倉敷市	11	–	–	–	9	1	–	–	1
福山市	13	–	–	1	12	–	–	–	–
呉市	17	–	–	8	9	–	–	–	–
下関市	11	–	1	1	9	–	–	–	–
高松市	18	–	–	2	15	–	–	–	1
松山市	12	–	–	4	8	–	–	–	–
高知市	9	–	–	–	9	–	–	–	–
久留米市	8	–	1	–	7	–	–	–	–
長崎市	16	–	–	6	10	–	–	–	–
佐世保市	9	–	–	3	6	–	–	–	–
大分市	16	–	–	–	16	–	–	–	–
宮崎市	11	1	1	–	8	1	–	–	–
鹿児島市	18	–	–	–	17	1	–	–	–
那覇市	5	–	–	–	5	–	–	–	–

第3表　居宅サービスの事業所数，都道府県－指定都市・中核市（再掲）、

都道府県 指定都市 中核市	短期入所療養介護（医療施設） 総数	地方公共団体	日本赤十字社・社会保険関係団体・独立行政法人	社会福祉法人	医療法人	社団・財団法人	営利法人	個人	その他の法人
全国	1 111	54	12	5	948	25	-	60	7
北海道	44	4	2	-	37	-	-	1	-
青森	15	1	-	-	12	-	-	2	-
岩手	13	1	-	-	11	-	-	1	-
宮城	12	4	-	-	7	1	-	-	-
秋田	3	-	-	-	3	-	-	-	-
山形	7	-	-	-	7	-	-	-	-
福島	14	1	-	-	11	2	-	-	-
茨城	15	-	-	-	14	-	-	1	-
栃木	5	-	-	-	5	-	-	-	-
群馬	10	1	-	-	9	-	-	-	-
埼玉	24	1	-	-	19	1	-	1	2
千葉	18	3	-	-	14	-	-	1	-
東京	40	-	-	-	36	3	-	-	1
神奈川	19	-	-	-	16	2	-	1	-
新潟	14	-	1	1	12	-	-	-	-
富山	32	1	-	-	30	-	-	1	-
石川	13	4	-	-	7	1	-	1	-
福井	16	1	-	-	15	-	-	-	-
山梨	8	3	-	-	3	-	-	2	-
長野	31	5	3	-	20	-	-	2	1
岐阜	18	1	1	-	14	-	-	2	-
静岡	23	1	-	-	21	1	-	-	-
愛知	30	1	3	-	25	1	-	-	-
三重	11	-	-	-	10	-	-	1	-
滋賀	3	-	-	-	3	-	-	-	-
京都	19	-	-	-	14	4	-	1	-
大阪	28	-	-	1	24	1	-	2	-
兵庫	33	-	-	-	28	-	-	5	-
奈良	10	-	-	-	10	-	-	-	-
和歌山	14	1	-	-	12	1	-	-	-
鳥取	-	-	-	-	-	-	-	-	-
島根	7	2	-	1	4	-	-	-	-
岡山	20	-	-	-	17	3	-	-	-
広島	57	-	-	-	50	1	-	6	-
山口	22	1	-	-	21	-	-	-	-
徳島	41	-	1	-	37	-	-	3	-
香川	26	3	-	-	22	-	-	1	-
愛媛	26	1	-	-	22	-	-	1	2
高知	34	3	-	-	31	-	-	-	-
福岡	74	1	1	1	60	1	-	9	1
佐賀	28	-	-	1	26	-	-	1	-
長崎	45	3	-	-	39	-	-	3	-
熊本	77	2	-	-	70	1	-	4	-
大分	42	2	-	-	36	-	-	4	-
宮崎	22	2	-	-	20	-	-	-	-
鹿児島	44	-	-	-	41	1	-	2	-
沖縄	4	-	-	-	3	-	-	1	-

注：調査方法の変更等による回収率変動の影響を受けているため、数量を示す事業所数の実数は前年以前と単純に年次比較できない。

居宅サービスの種類、開設（経営）主体別（13－9）

平成29年10月1日

都道府県 指定都市 中核市	短期入所療養介護（医療施設） 総数	地方公共団体	日本赤十字社・社会保険関係団体・独立行政法人	社会福祉法人	医療法人	社団・財団法人	営利法人	個人	その他の法人
指定都市(再掲)									
札幌市	8	－	－	－	7	－	－	1	－
仙台市	1	－	－	－	1	－	－	－	－
さいたま市	2	－	－	－	2	－	－	－	－
千葉市	1	－	－	－	1	－	－	－	－
横浜市	4	－	－	－	3	1	－	－	－
川崎市	3	－	－	－	3	－	－	－	－
相模原市	4	－	－	－	3	－	－	1	－
新潟市	1	－	－	－	1	－	－	－	－
静岡市	2	－	－	－	2	－	－	－	－
浜松市	10	1	－	－	9	－	－	－	－
名古屋市	4	1	－	－	3	－	－	－	－
京都市	13	－	－	－	9	3	－	1	－
大阪市	6	－	－	－	6	－	－	－	－
堺市	2	－	－	－	2	－	－	－	－
神戸市	7	－	－	－	6	－	－	1	－
岡山市	6	－	－	－	5	1	－	－	－
広島市	22	－	－	－	19	－	－	3	－
北九州市	11	－	－	1	9	－	－	1	－
福岡市	12	－	1	－	10	－	－	1	－
熊本市	27	－	－	－	27	－	－	－	－
中核市(再掲)									
旭川市	5	－	－	－	5	－	－	－	－
函館市	2	－	－	－	2	－	－	－	－
青森市	3	－	－	－	2	－	－	1	－
八戸市	4	－	－	－	3	－	－	1	－
盛岡市	4	－	－	－	4	－	－	－	－
秋田市	－	－	－	－	－	－	－	－	－
郡山市	4	1	－	－	2	1	－	－	－
いわき市	4	－	－	－	4	－	－	－	－
宇都宮市	1	－	－	－	1	－	－	－	－
前橋市	1	－	－	－	1	－	－	－	－
高崎市	1	－	－	－	1	－	－	－	－
川越市	3	－	－	－	3	－	－	－	－
越谷市	－	－	－	－	－	－	－	－	－
船橋市	1	－	－	－	1	－	－	－	－
柏市	－	－	－	－	－	－	－	－	－
八王子市	4	－	－	－	3	－	－	－	1
横須賀市	－	－	－	－	－	－	－	－	－
富山市	10	－	－	－	9	－	－	1	－
金沢市	3	－	－	－	2	1	－	－	－
長野市	3	－	－	－	2	－	－	1	－
岐阜市	3	－	－	－	3	－	－	－	－
豊橋市	3	－	－	－	3	－	－	－	－
豊田市	2	－	1	－	1	－	－	－	－
岡崎市	1	－	－	－	1	－	－	－	－
大津市	1	－	－	－	1	－	－	－	－
高槻市	1	－	－	－	1	－	－	－	－
東大阪市	1	－	－	－	1	－	－	－	－
豊中市	－	－	－	－	－	－	－	－	－
枚方市	2	－	－	－	2	－	－	－	－
姫路市	3	－	－	－	2	－	－	1	－
西宮市	1	－	－	－	－	－	－	1	－
尼崎市	－	－	－	－	－	－	－	－	－
奈良市	1	－	－	－	1	－	－	－	－
和歌山市	7	－	－	－	7	－	－	－	－
倉敷市	3	－	－	－	2	1	－	－	－
福山市	9	－	－	－	9	－	－	－	－
呉市	5	－	－	－	4	－	－	1	－
下関市	7	－	－	－	7	－	－	－	－
高松市	9	1	－	－	8	－	－	－	－
松山市	8	－	－	－	7	－	－	－	1
高知市	12	－	－	－	12	－	－	－	－
久留米市	3	－	－	－	2	－	－	1	－
長崎市	10	－	－	－	9	－	－	1	－
佐世保市	11	－	－	－	10	－	－	1	－
大分市	13	－	－	－	11	－	－	2	－
宮崎市	8	－	－	－	8	－	－	－	－
鹿児島市	15	－	－	－	13	1	－	1	－
那覇市	2	－	－	－	1	－	－	1	－

都道府県 指定都市 中核市	特定施設入居者生活介護									
	総数	地方公共団体	社会福祉協議会	社会福祉法人（社会福祉協議会以外）	医療法人	社団・財団法人	協同組合	営利法人	特定非営利活動法人（NPO）	その他
全国	4 499	34	10	1 059	279	25	17	3 032	16	27
北海道	248	7	3	85	16	1	1	134	−	1
青森	16	−	−	15	−	−	−	−	1	−
岩手	29	−	−	19	3	−	−	7	−	−
宮城	46	−	−	21	1	−	−	24	−	−
秋田	54	1	3	17	6	−	1	25	1	−
山形	35	−	−	13	2	−	−	20	−	−
福島	49	−	−	11	10	1	−	26	1	−
茨城	59	1	−	12	5	1	−	40	−	−
栃木	58	−	−	25	7	−	−	25	1	−
群馬	54	2	−	12	11	−	−	29	−	−
埼玉	381	−	−	23	14	−	1	343	−	−
千葉	179	−	−	15	12	3	−	141	−	8
東京	613	−	−	20	18	−	−	571	−	4
神奈川	442	−	−	38	5	4	−	390	−	5
新潟	67	3	−	17	1	−	1	45	−	−
富山	6	−	−	1	2	−	−	3	−	−
石川	36	−	−	21	3	−	−	11	1	−
福井	28	−	1	20	2	−	1	3	1	−
山梨	8	−	−	3	−	−	−	5	−	−
長野	74	4	1	29	3	−	−	36	1	−
岐阜	30	−	−	7	3	1	−	17	1	1
静岡	108	−	−	23	6	3	−	76	−	−
愛知	197	−	−	29	11	−	1	155	−	1
三重	50	2	−	17	7	−	−	23	1	−
滋賀	12	−	−	5	−	−	−	7	−	−
京都	55	−	−	22	6	1	−	26	−	−
大阪	304	−	−	68	16	2	7	211	−	−
兵庫	208	1	1	68	5	4	1	126	−	2
奈良	53	2	1	18	5	1	−	26	−	−
和歌山	23	4	−	8	3	−	2	5	1	−
鳥取	16	−	−	9	−	−	−	7	−	−
島根	40	1	−	20	4	−	−	13	2	−
岡山	102	2	−	40	6	1	−	51	2	−
広島	111	−	−	39	15	−	−	56	−	1
山口	45	2	−	32	3	−	−	8	−	−
徳島	4	−	−	1	1	−	−	2	−	−
香川	41	−	−	15	5	−	−	21	−	−
愛媛	77	−	−	24	9	−	−	43	1	−
高知	25	−	−	16	2	−	−	6	−	1
福岡	197	−	−	34	12	1	−	148	−	2
佐賀	30	−	−	11	3	−	−	16	−	−
長崎	70	2	−	42	9	−	−	16	1	−
熊本	46	−	−	15	9	−	1	21	−	−
大分	38	−	−	16	1	1	−	20	−	−
宮崎	62	−	−	33	5	−	−	24	−	−
鹿児島	49	−	−	22	7	−	−	20	−	−
沖縄	24	−	−	8	5	−	−	10	−	1

注：調査方法の変更等による回収率変動の影響を受けているため、数量を示す事業所数の実数は前年以前と単純に年次比較できない。

平成29年10月１日

都道府県 指定都市 中核市	特定施設入居者生活介護									
	総数	地方公共団体	社会福祉協議会	社会福祉法人（社会福祉協議会以外）	医療法人	社団・財団法人	協同組合	営利法人	特定非営利活動法人（NPO）	その他
指定都市（再掲）										
札幌市	69	－	1	14	2	－	1	50	－	1
仙台市	31	－	－	11	－	－	－	20	－	－
さいたま市	120	－	－	5	2	－	－	113	－	－
千葉市	47	－	－	2	4	－	－	37	－	4
横浜市	156	－	－	5	2	1	－	146	－	2
川崎市	86	－	－	4	－	－	－	81	－	1
相模原市	33	－	－	3	1	－	－	28	－	1
新潟市	15	－	－	5	1	－	－	9	－	－
静岡市	23	－	－	2	－	－	－	21	－	－
浜松市	17	－	－	6	2	1	－	8	－	－
名古屋市	89	－	－	6	2	－	1	80	－	－
京都市	37	－	－	13	6	－	－	18	－	－
大阪市	121	－	－	18	9	1	－	93	－	－
堺市	19	－	－	8	－	－	1	10	－	－
神戸市	90	－	－	29	1	3	－	57	－	－
岡山市	42	－	－	16	1	－	－	24	1	－
広島市	45	－	－	11	5	－	－	28	－	1
北九州市	43	－	－	11	3	－	－	29	－	－
福岡市	52	－	－	3	1	－	－	48	－	－
熊本市	30	－	－	7	9	－	－	14	－	－
中核市（再掲）										
旭川市	23	－	－	6	1	－	－	16	－	－
函館市	13	－	1	2	1	－	－	9	－	－
青森市	2	－	－	2	－	－	－	－	－	－
八戸市	3	－	－	3	－	－	－	－	－	－
盛岡市	12	－	－	5	2	－	－	5	－	－
秋田市	26	－	－	6	3	－	－	17	－	－
郡山市	9	－	－	1	4	－	－	4	－	－
いわき市	13	－	－	2	1	－	－	10	－	－
宇都宮市	14	－	－	10	1	－	－	3	－	－
前橋市	9	－	－	4	2	－	－	3	－	－
高崎市	9	－	－	5	－	－	－	4	－	－
川越市	6	－	－	－	－	－	－	6	－	－
越谷市	23	－	－	1	－	－	－	22	－	－
船橋市	14	－	－	－	－	－	－	13	－	1
柏市	8	－	－	－	－	－	－	8	－	－
八王子市	22	－	－	2	1	－	－	18	－	1
横須賀市	19	－	－	2	－	－	－	16	－	1
富山市	5	－	－	1	2	－	－	2	－	－
金沢市	15	－	－	7	2	－	－	6	－	－
長野市	9	1	－	3	－	－	－	5	－	－
岐阜市	4	－	－	1	－	－	－	3	－	－
豊橋市	7	－	－	1	－	－	－	6	－	－
豊田市	5	－	－	－	－	－	－	5	－	－
岡崎市	9	－	－	4	1	－	－	4	－	－
大津市	6	－	－	2	－	－	－	4	－	－
高槻市	11	－	－	4	1	－	－	6	－	－
東大阪市	11	－	－	2	－	－	－	9	－	－
豊中市	17	－	－	4	1	－	－	12	－	－
枚方市	18	－	－	5	3	－	－	10	－	－
姫路市	8	－	－	－	－	－	－	8	－	－
西宮市	15	－	－	－	－	1	－	14	－	－
尼崎市	9	－	－	1	－	－	－	7	－	1
奈良市	12	－	－	5	1	－	－	6	－	－
和歌山市	11	－	－	4	1	－	2	3	1	－
倉敷市	29	－	－	7	4	1	－	17	－	－
福山市	17	－	－	4	3	－	－	10	－	－
呉市	8	－	－	3	4	－	－	1	－	－
下関市	5	－	－	4	1	－	－	－	－	－
高松市	19	－	－	5	1	－	－	13	－	－
松山市	47	－	－	14	7	－	－	25	1	－
高知市	12	－	－	6	1	－	－	4	－	1
久留米市	12	－	－	3	1	－	－	8	－	－
長崎市	13	－	－	6	1	－	－	6	－	－
佐世保市	28	－	－	15	5	－	－	8	－	－
大分市	10	－	－	2	1	－	－	7	－	－
宮崎市	24	－	－	13	1	－	－	10	－	－
鹿児島市	14	－	－	3	5	－	－	6	－	－
那覇市	6	－	－	1	1	－	－	4	－	－

第3表　居宅サービスの事業所数，都道府県－指定都市・中核市（再掲）、

都道府県 指定都市 中核市	福祉用具貸与									
	総数	地方公共団体	社会福祉協議会	社会福祉法人（社会福祉協議会以外）	医療法人	社団・財団法人	協同組合	営利法人	特定非営利活動法人（NPO）	その他
全国	6 278	2	42	102	79	25	97	5 868	45	18
北海道	252	－	3	4	1	4	－	238	1	1
青森	100	－	2	4	3	1	1	86	1	2
岩手	71	－	－	－	－	－	2	69	－	－
宮城	110	－	5	1	1	－	4	98	－	1
秋田	61	－	－	1	1	1	4	54	－	－
山形	77	－	－	－	－	－	7	70	－	－
福島	136	－	－	－	1	－	5	129	－	1
茨城	97	－	1	4	1	1	－	90	－	－
栃木	85	－	－	1	3	－	3	75	1	2
群馬	91	－	1	2	2	－	3	82	1	－
埼玉	267	－	－	5	3	1	－	253	3	2
千葉	221	－	－	3	2	－	－	215	1	－
東京	515	1	－	3	6	1	3	496	5	－
神奈川	287	－	－	8	4	4	6	260	4	1
新潟	123	－	－	2	－	1	3	117	－	－
富山	62	－	1	2	2	－	－	57	－	－
石川	58	－	－	1	1	－	－	53	1	2
福井	37	－	2	－	－	－	1	34	－	－
山梨	39	－	－	1	1	－	1	36	－	－
長野	116	－	4	3	1	－	5	103	－	－
岐阜	111	－	1	1	3	1	3	100	1	1
静岡	164	－	－	5	－	－	－	158	1	－
愛知	339	－	－	4	－	2	7	323	3	－
三重	121	－	1	2	1	1	4	109	2	1
滋賀	58	－	－	1	1	－	1	54	1	－
京都	80	－	－	－	1	－	－	79	－	－
大阪	703	－	－	13	15	1	5	658	9	2
兵庫	315	－	4	7	6	－	9	285	4	－
奈良	104	－	1	1	2	1	－	99	－	－
和歌山	82	－	－	－	－	－	2	79	1	－
鳥取	37	－	1	2	－	－	1	33	－	－
島根	62	－	2	－	－	－	2	58	－	－
岡山	70	－	－	－	－	－	－	69	－	1
広島	144	－	4	4	1	1	4	128	2	－
山口	86	－	－	2	1	－	－	83	－	－
徳島	56	－	－	1	－	－	－	55	－	－
香川	67	－	1	－	－	－	－	66	－	－
愛媛	80	－	2	－	1	－	3	74	－	－
高知	28	－	－	－	－	－	－	28	－	－
福岡	254	－	－	5	8	3	3	235	－	－
佐賀	36	－	－	－	－	－	－	36	－	－
長崎	92	－	2	2	1	－	－	87	－	－
熊本	123	－	－	－	2	1	－	120	－	－
大分	71	1	1	3	2	－	5	57	1	1
宮崎	61	－	－	2	－	－	－	58	1	－
鹿児島	74	－	3	－	－	－	－	70	1	－
沖縄	55	－	－	2	1	－	－	52	－	－

注：調査方法の変更等による回収率変動の影響を受けているため、数量を示す事業所数の実数は前年以前と単純に年次比較できない。

居宅サービスの種類、開設（経営）主体別（13－11）

平成29年10月１日

都道府県 指定都市 中核市	福祉用具貸与 総数	地方公共団体	社会福祉協議会	社会福祉法人（社会福祉協議会以外）	医療法人	社団・財団法人	協同組合	営利法人	特定非営利活動法人（NPO）	その他
指定都市（再掲）										
札幌市	60	－	－	－	－	2	－	58	－	－
仙台市	43	－	－	1	1	－	－	41	－	－
さいたま市	49	－	－	－	－	1	－	47	1	－
千葉市	41	－	－	2	－	－	－	38	1	－
横浜市	123	－	－	5	1	2	3	108	3	1
川崎市	30	－	－	－	1	1	－	28	－	－
相模原市	35	－	－	－	1	－	1	33	－	－
新潟市	40	－	－	－	－	1	－	39	－	－
静岡市	41	－	－	－	－	－	－	40	1	－
浜松市	37	－	－	2	－	－	－	35	－	－
名古屋市	139	－	－	1	－	2	3	130	3	－
京都市	49	－	－	－	－	－	－	49	－	－
大阪市	279	－	－	5	6	1	3	262	1	1
堺市	88	－	－	1	－	－	－	86	－	1
神戸市	91	－	－	－	2	－	3	85	1	－
岡山市	29	－	－	－	－	－	－	29	－	－
広島市	49	－	－	1	1	－	2	45	－	－
北九州市	56	－	－	－	3	2	－	51	－	－
福岡市	76	－	－	1	4	－	－	71	－	－
熊本市	51	－	－	－	2	1	－	48	－	－
中核市（再掲）										
旭川市	30	－	－	－	1	1	－	28	－	－
函館市	20	－	－	1	－	1	－	17	1	－
青森市	26	－	－	－	－	1	－	24	－	1
八戸市	23	－	－	1	－	－	－	21	1	－
盛岡市	14	－	－	－	－	－	－	14	－	－
秋田市	23	－	－	－	－	－	－	23	－	－
郡山市	29	－	－	－	－	－	1	27	－	1
いわき市	25	－	－	－	－	－	－	25	－	－
宇都宮市	23	－	－	－	－	－	－	22	－	1
前橋市	18	－	－	1	－	－	1	16	－	－
高崎市	13	－	－	－	－	－	－	12	1	－
川越市	16	－	－	－	－	－	－	16	－	－
越谷市	10	－	－	－	－	－	－	9	1	－
船橋市	20	－	－	－	1	－	－	19	－	－
柏市	19	－	－	－	－	－	－	19	－	－
八王子市	28	－	－	－	－	－	1	27	－	－
横須賀市	12	－	－	1	－	－	－	11	－	－
富山市	29	－	－	－	2	－	－	27	－	－
金沢市	31	－	－	－	－	－	－	31	－	－
長野市	24	－	－	－	－	－	－	24	－	－
岐阜市	31	－	－	－	－	－	－	31	－	－
豊橋市	13	－	－	－	－	－	1	12	－	－
豊田市	10	－	－	1	－	－	1	8	－	－
岡崎市	16	－	－	－	－	－	1	15	－	－
大津市	13	－	－	1	1	－	－	11	－	－
高槻市	14	－	－	2	－	－	－	11	1	－
東大阪市	38	－	－	－	2	－	－	35	1	－
豊中市	26	－	－	1	－	－	－	24	1	－
枚方市	24	－	－	1	1	－	－	22	－	－
姫路市	35	－	1	－	－	－	3	31	－	－
西宮市	24	－	－	2	1	－	－	20	1	－
尼崎市	30	－	－	4	－	－	1	24	1	－
奈良市	21	－	－	－	1	－	－	20	－	－
和歌山市	50	－	－	－	－	－	－	49	1	－
倉敷市	16	－	－	－	－	－	－	16	－	－
福山市	31	－	－	2	－	－	1	26	2	－
呉市	10	－	－	－	－	－	－	10	－	－
下関市	21	－	－	1	1	－	－	19	－	－
高松市	40	－	－	－	－	－	－	40	－	－
松山市	28	－	－	－	1	－	－	27	－	－
高知市	18	－	－	－	－	－	－	18	－	－
久留米市	19	－	－	－	－	1	1	17	－	－
長崎市	29	－	－	2	1	－	－	26	－	－
佐世保市	18	－	－	－	－	－	－	18	－	－
大分市	22	－	－	1	－	－	－	20	1	－
宮崎市	24	－	－	1	－	－	－	23	－	－
鹿児島市	25	－	－	－	－	－	－	25	－	－
那覇市	11	－	－	2	－	－	－	9	－	－

第３表　居宅サービスの事業所数，都道府県－指定都市・中核市（再掲）、

都道府県 指定都市 中核市	特定福祉用具販売 総数	地方公共団体	社会福祉協議会	社会福祉法人（社会福祉協議会以外）	医療法人	社団・財団法人	協同組合	営利法人	特定非営利活動法人（NPO）	その他
全国	6 305	－	22	89	62	24	94	5 956	42	16
北海道	261	－	2	4	1	4	－	248	1	1
青森	97	－	－	2	2	2	1	87	1	2
岩手	70	－	－	－	－	－	2	68	－	－
宮城	109	－	3	1	1	－	2	101	－	1
秋田	68	－	1	1	1	1	4	60	－	－
山形	77	－	－	－	－	－	7	70	－	－
福島	140	－	－	－	1	－	5	133	－	1
茨城	95	－	1	4	－	－	－	90	－	－
栃木	85	－	－	－	2	－	3	77	1	2
群馬	86	－	－	2	1	－	3	79	1	－
埼玉	263	－	－	1	3	1	－	254	2	2
千葉	223	－	－	3	2	－	－	217	1	－
東京	513	－	－	1	4	1	3	499	5	－
神奈川	295	－	－	8	4	4	6	268	4	1
新潟	136	－	－	2	－	1	3	130	－	－
富山	59	－	－	1	1	－	－	57	－	－
石川	58	－	－	1	1	－	－	55	1	－
福井	34	－	1	－	－	－	－	33	－	－
山梨	42	－	－	－	1	－	1	40	－	－
長野	117	－	－	3	－	－	5	109	－	－
岐阜	111	－	1	1	2	1	3	102	1	－
静岡	162	－	－	8	－	－	－	153	1	－
愛知	340	－	－	3	－	2	6	326	3	－
三重	120	－	1	2	1	1	4	109	1	1
滋賀	56	－	－	1	1	－	1	52	1	－
京都	79	－	－	－	1	－	－	78	－	－
大阪	699	－	－	11	13	1	5	659	8	2
兵庫	308	－	2	6	4	－	9	283	4	－
奈良	112	－	1	1	2	1	－	107	－	－
和歌山	82	－	－	－	－	－	2	79	1	－
鳥取	38	－	－	2	－	－	1	35	－	－
島根	60	－	1	－	－	－	2	57	－	－
岡山	74	－	－	－	－	－	－	73	－	1
広島	146	－	2	4	－	－	4	134	2	－
山口	87	－	－	2	1	－	－	84	－	－
徳島	61	－	－	－	－	－	－	61	－	－
香川	67	－	－	－	－	－	－	67	－	－
愛媛	79	－	2	－	－	－	3	74	－	－
高知	28	－	－	－	－	－	－	28	－	－
福岡	255	－	－	5	7	3	3	237	－	－
佐賀	36	－	－	－	－	－	－	36	－	－
長崎	93	－	1	2	－	－	－	90	－	－
熊本	122	－	－	－	2	1	1	118	－	－
大分	72	－	－	3	2	－	5	60	1	1
宮崎	61	－	－	2	－	－	－	57	1	1
鹿児島	75	－	3	－	－	－	－	71	1	－
沖縄	54	－	－	2	1	－	－	51	－	－

注：調査方法の変更等による回収率変動の影響を受けているため、数量を示す事業所数の実数は前年以前と単純に年次比較できない。

平成29年10月１日

都道府県 指定都市 中核市	特定福祉用具販売									
	総数	地方公共団体	社会福祉協議会	社会福祉法人（社会福祉協議会以外）	医療法人	社団・財団法人	協同組合	営利法人	特定非営利活動法人（NPO）	その他
指定都市（再掲）										
札幌市	64	－	－	－	－	2	－	62	－	－
仙台市	43	－	－	1	1	－	－	41	－	－
さいたま市	48	－	－	－	－	1	－	47	－	－
千葉市	42	－	－	2	－	－	－	39	1	－
横浜市	127	－	－	5	1	2	3	112	3	1
川崎市	31	－	－	－	1	1	－	29	－	－
相模原市	36	－	－	－	1	－	1	34	－	－
新潟市	43	－	－	－	－	1	－	42	－	－
静岡市	40	－	－	－	－	－	－	39	1	－
浜松市	38	－	－	5	－	－	－	33	－	－
名古屋市	143	－	－	－	－	2	3	135	3	－
京都市	46	－	－	－	－	－	－	46	－	－
大阪市	274	－	－	4	4	1	3	261	－	1
堺市	89	－	－	1	－	－	－	87	－	1
神戸市	84	－	－	－	2	－	3	78	1	－
岡山市	29	－	－	－	－	－	－	29	－	－
広島市	45	－	－	1	－	－	2	42	－	－
北九州市	57	－	－	－	3	2	－	52	－	－
福岡市	77	－	－	1	3	－	－	73	－	－
熊本市	50	－	－	－	2	1	－	47	－	－
中核市（再掲）										
旭川市	31	－	－	－	1	1	－	29	－	－
函館市	20	－	－	1	－	1	－	17	1	－
青森市	24	－	－	－	－	1	－	22	－	1
八戸市	23	－	－	1	－	－	－	21	1	－
盛岡市	14	－	－	－	－	－	－	14	－	－
秋田市	24	－	－	－	－	－	－	24	－	－
郡山市	29	－	－	－	－	－	1	27	－	1
いわき市	26	－	－	－	－	－	－	26	－	－
宇都宮市	23	－	－	－	－	－	－	22	－	1
前橋市	17	－	－	1	－	－	1	15	－	－
高崎市	13	－	－	－	－	－	－	12	1	－
川越市	16	－	－	－	－	－	－	16	－	－
越谷市	10	－	－	－	－	－	－	9	1	－
船橋市	19	－	－	－	1	－	－	18	－	－
柏市	19	－	－	－	－	－	－	19	－	－
八王子市	29	－	－	－	－	－	1	28	－	－
横須賀市	12	－	－	1	－	－	－	11	－	－
富山市	28	－	－	－	1	－	－	27	－	－
金沢市	29	－	－	－	－	－	－	29	－	－
長野市	26	－	－	－	－	－	－	26	－	－
岐阜市	33	－	－	－	－	－	－	33	－	－
豊橋市	13	－	－	－	－	－	1	12	－	－
豊田市	11	－	－	1	－	－	1	9	－	－
岡崎市	16	－	－	－	－	－	1	15	－	－
大津市	13	－	－	1	1	－	－	11	－	－
高槻市	14	－	－	2	－	－	－	11	1	－
東大阪市	34	－	－	－	2	－	－	31	1	－
豊中市	27	－	－	1	－	－	－	25	1	－
枚方市	24	－	－	1	1	－	－	22	－	－
姫路市	36	－	1	－	－	－	3	32	－	－
西宮市	25	－	－	2	－	－	－	22	1	－
尼崎市	29	－	－	3	－	－	1	24	1	－
奈良市	23	－	－	－	1	－	－	22	－	－
和歌山市	50	－	－	－	－	－	－	49	1	－
倉敷市	18	－	－	－	－	－	－	18	－	－
福山市	32	－	－	2	－	－	1	27	2	－
呉市	13	－	－	－	－	－	－	13	－	－
下関市	24	－	－	1	1	－	－	22	－	－
高松市	39	－	－	－	－	－	－	39	－	－
松山市	26	－	－	－	－	－	－	26	－	－
高知市	19	－	－	－	－	－	－	19	－	－
久留米市	19	－	－	－	－	1	1	17	－	－
長崎市	29	－	－	2	－	－	－	27	－	－
佐世保市	18	－	－	－	－	－	－	18	－	－
大分市	25	－	－	1	－	－	－	23	1	－
宮崎市	25	－	－	1	－	－	－	24	－	－
鹿児島市	26	－	－	－	－	－	－	26	－	－
那覇市	10	－	－	2	－	－	－	8	－	－

第3表　居宅サービスの事業所数，都道府県－指定都市・中核市（再掲）、

都道府県 指定都市 中核市	居宅介護支援									
	総数	地方公共団体	社会福祉協議会	社会福祉法人（社会福祉協議会以外）	医療法人	社団・財団法人	協同組合	営利法人	特定非営利活動法人（NPO）	その他
全国	35 571	278	1 689	7 234	5 684	836	782	17 734	1 130	204
北海道	1 420	65	114	265	235	50	10	631	40	10
青森	493	5	39	160	54	17	9	205	4	－
岩手	422	2	35	108	66	8	14	169	19	1
宮城	584	6	43	124	92	22	7	266	19	5
秋田	364	2	46	98	32	7	8	158	7	6
山形	343	4	29	102	49	12	14	121	11	1
福島	580	4	52	121	80	26	30	250	13	4
茨城	759	1	40	197	138	21	12	334	12	4
栃木	505	－	19	138	72	9	13	224	25	5
群馬	667	4	41	140	95	14	18	322	28	5
埼玉	1 643	3	50	304	229	25	36	942	46	8
千葉	1 630	9	27	291	218	17	17	981	49	21
東京	3 005	5	14	405	281	55	33	2 080	122	10
神奈川	2 050	1	40	435	218	49	50	1 142	106	9
新潟	684	10	65	218	75	7	21	282	5	1
富山	310	7	13	94	58	1	8	106	20	3
石川	304	2	16	72	58	17	5	124	10	－
福井	249	5	18	66	50	8	17	75	6	4
山梨	286	6	19	59	32	16	2	142	10	－
長野	613	25	90	118	78	13	37	190	55	7
岐阜	565	7	56	84	109	13	15	247	18	16
静岡	982	4	38	219	136	20	9	516	31	9
愛知	1 619	5	74	240	271	27	55	897	44	6
三重	560	8	44	134	61	10	16	252	33	2
滋賀	404	4	29	84	49	8	9	185	35	1
京都	666	6	30	180	127	31	10	254	26	2
大阪	3 211	2	33	487	381	49	52	2 113	86	8
兵庫	1 619	7	59	335	267	35	48	803	51	14
奈良	470	3	27	94	76	10	－	250	10	－
和歌山	435	6	32	75	69	21	16	209	5	2
鳥取	157	3	20	46	33	1	2	47	5	－
島根	266	－	23	82	33	8	12	91	15	2
岡山	558	5	28	124	152	24	12	195	16	2
広島	817	5	28	194	192	30	28	326	11	3
山口	452	4	25	95	92	3	15	205	11	2
徳島	298	2	19	71	82	10	4	100	9	1
香川	327	9	20	79	62	6	7	136	7	1
愛媛	480	6	30	72	100	13	18	225	14	2
高知	233	8	20	39	63	2	6	90	4	1
福岡	1 422	1	37	260	302	40	29	715	26	12
佐賀	231	2	11	60	70	4	1	74	8	1
長崎	487	3	41	136	124	16	3	152	8	4
熊本	683	5	40	160	178	18	8	257	16	1
大分	402	3	30	78	115	11	12	137	13	3
宮崎	395	3	23	92	72	10	6	178	9	2
鹿児島	547	－	48	130	177	12	25	144	9	2
沖縄	374	1	14	69	81	10	3	192	3	1

注：調査方法の変更等による回収率変動の影響を受けているため、数量を示す事業所数の実数は前年以前と単純に年次比較できない。

居宅サービスの種類、開設（経営）主体別（13－13）

平成29年10月１日

都道府県 指定都市 中核市	居宅介護支援									
	総数	地方公共団体	社会福祉協議会	社会福祉法人（社会福祉協議会以外）	医療法人	社団・財団法人	協同組合	営利法人	特定非営利活動法人（NPO）	その他
指定都市(再掲)										
札幌市	407	－	9	68	85	10	5	210	17	3
仙台市	221	－	4	46	39	7	－	116	6	3
さいたま市	298	－	3	48	42	2	5	191	5	2
千葉市	261	－	－	38	36	5	5	166	4	7
横浜市	848	－	14	226	86	23	15	437	46	1
川崎市	311	1	7	39	30	6	11	202	13	2
相模原市	172	－	－	29	16	1	7	109	8	2
新潟市	250	－	8	72	34	3	6	124	2	1
静岡市	224	1	3	38	20	4	2	145	8	3
浜松市	190	－	4	51	38	1	2	85	6	3
名古屋市	602	－	16	67	92	16	20	369	20	2
京都市	371	－	7	82	69	21	6	177	8	1
大阪市	1 220	－	15	155	124	19	21	852	29	5
堺市	313	－	－	43	27	6	8	220	9	－
神戸市	415	－	3	78	77	15	9	213	17	3
岡山市	195	－	1	38	51	13	5	79	7	1
広島市	319	－	－	60	82	8	11	154	2	2
北九州市	318	－	－	50	55	8	4	194	4	3
福岡市	375	－	－	47	72	10	4	231	8	3
熊本市	221	－	1	44	65	5	－	102	4	－
中核市(再掲)										
旭川市	117	－	1	17	23	1	－	72	2	1
函館市	86	－	3	12	12	2	－	55	2	－
青森市	107	－	2	26	13	6	4	55	1	－
八戸市	73	－	1	22	9	4	1	36	－	－
盛岡市	107	－	1	12	17	3	3	69	2	－
秋田市	109	－	3	31	11	2	1	57	1	3
郡山市	81	－	2	14	12	9	3	39	1	1
いわき市	147	－	1	19	20	2	3	101	1	－
宇都宮市	111	－	1	27	4	1	3	69	4	2
前橋市	108	－	1	25	14	4	5	56	1	2
高崎市	117	－	4	20	16	3	3	62	9	－
川越市	79	－	1	10	15	1	1	48	3	－
越谷市	55	－	1	6	5	1	1	40	1	－
船橋市	142	－	－	22	17	1	2	98	2	－
柏市	101	－	－	19	8	2	1	64	6	1
八王子市	125	－	－	16	12	1	1	88	5	2
横須賀市	117	－	－	27	10	3	2	67	7	1
富山市	121	－	1	32	25	1	4	52	5	1
金沢市	124	－	－	21	21	7	2	69	4	－
長野市	114	3	10	29	13	1	7	42	7	2
岐阜市	131	－	3	12	37	2	－	70	2	5
豊橋市	58	－	1	9	9	－	4	35	－	－
豊田市	64	－	6	17	6	1	3	29	1	1
岡崎市	75	－	1	15	12	－	3	43	1	－
大津市	119	－	－	16	18	－	2	78	4	1
高槻市	69	－	－	14	19	－	－	29	6	1
東大阪市	201	－	－	24	24	3	7	139	4	－
豊中市	127	－	2	17	16	3	1	87	1	－
枚方市	126	1	－	16	19	－	1	84	5	－
姫路市	143	－	2	37	22	1	7	69	2	3
西宮市	107	－	－	18	15	1	2	66	4	1
尼崎市	197	－	2	18	24	3	10	131	7	2
奈良市	112	－	2	21	19	1	－	66	3	－
和歌山市	176	－	1	23	34	12	5	97	3	1
倉敷市	98	－	1	20	33	5	3	34	2	－
福山市	127	－	1	29	31	3	4	57	2	－
呉市	63	－	4	20	12	5	1	19	2	－
下関市	89	－	5	20	18	－	1	41	3	1
高松市	143	－	5	30	26	4	4	70	4	－
松山市	174	－	－	22	38	7	4	96	7	－
高知市	100	－	3	11	29	1	3	51	1	1
久留米市	89	－	2	15	23	1	2	42	2	2
長崎市	158	－	2	43	39	6	－	63	3	2
佐世保市	69	－	5	18	21	2	1	21	－	1
大分市	123	－	3	23	39	3	3	48	4	－
宮崎市	114	1	2	33	16	5	2	52	1	2
鹿児島市	167	－	2	30	59	6	10	55	3	2
那覇市	54	－	－	10	13	－	－	30	－	1

第４表　介護予防サービスの事業所数，都道府県－指定都市・中核市（再掲）、

都道府県 指定都市 中核市	介護予防訪問介護 総数	地方公共団体	社会福祉協議会	社会福祉法人（社会福祉協議会以外）	医療法人	社団・財団法人	協同組合	営利法人	特定非営利活動法人（NPO）	その他
全国	27 331	72	1 486	3 577	1 732	384	635	18 036	1 313	96
北海道	1 355	15	129	141	88	21	9	864	80	8
青森	442	－	38	96	26	2	5	265	10	－
岩手	278	－	30	58	17	3	13	139	18	－
宮城	383	－	33	34	19	11	5	266	15	－
秋田	210	－	27	46	13	1	6	109	4	4
山形	191	－	22	44	10	1	12	86	15	1
福島	390	－	47	41	26	6	22	232	16	－
茨城	395	1	36	53	28	4	9	245	15	4
栃木	278	－	21	49	20	－	7	167	13	1
群馬	416	1	32	70	29	5	15	240	24	－
埼玉	1 032	1	45	111	51	4	30	740	45	5
千葉	1 094	3	25	101	53	19	20	814	53	6
東京	2 300	2	14	198	46	20	36	1 825	148	11
神奈川	1 500	－	22	137	50	21	48	1 076	139	7
新潟	344	4	49	67	15	4	7	189	9	－
富山	190	4	12	48	14	－	8	97	7	－
石川	185	－	12	34	21	7	5	95	11	－
福井	136	－	16	19	10	5	15	66	4	1
山梨	135	2	15	18	8	9	1	80	2	－
長野	410	6	85	68	34	2	21	164	27	3
岐阜	339	2	35	23	37	5	9	213	15	－
静岡	545	－	33	113	20	8	3	341	25	2
愛知	1 315	－	66	81	69	13	41	986	59	－
三重	443	3	38	57	25	6	10	277	27	－
滋賀	248	1	23	40	17	7	8	136	15	1
京都	480	1	25	86	36	18	10	277	26	1
大阪	3 840	1	14	337	165	50	47	3 070	150	6
兵庫	1 504	2	42	187	77	28	39	1 036	84	9
奈良	406	2	27	48	30	5	－	273	20	1
和歌山	414	1	29	47	24	2	12	286	12	1
鳥取	96	－	14	25	12	－	1	43	1	－
島根	191	1	23	58	13	1	11	76	7	1
岡山	372	2	27	73	34	11	8	193	22	2
広島	626	1	34	109	67	12	23	361	17	2
山口	314	2	25	73	39	2	9	154	10	－
徳島	274	－	18	51	33	4	2	146	19	1
香川	214	5	15	36	15	3	5	127	7	1
愛媛	385	2	34	36	36	10	13	241	13	－
高知	172	2	22	25	23	3	8	87	2	－
福岡	1 218	－	36	133	100	19	29	848	49	4
佐賀	143	－	8	47	25	－	－	57	6	－
長崎	321	2	43	88	27	7	6	142	6	－
熊本	532	1	41	91	67	5	10	301	16	－
大分	353	1	26	77	46	4	11	166	17	5
宮崎	325	－	22	61	22	5	5	192	13	5
鹿児島	372	1	42	109	59	5	18	123	12	3
沖縄	225	－	14	33	36	6	3	125	8	－

注：調査方法の変更等による回収率変動の影響を受けているため、数量を示す事業所数の実数は前年以前と単純に年次比較できない。

介護予防サービスの種類、開設（経営）主体別（13－１）

平成29年10月１日

都道府県 指定都市 中核市	介護予防訪問介護									
	総数	地方公共団体	社会福祉協議会	社会福祉法人（社会福祉協議会以外）	医療法人	社団・財団法人	協同組合	営利法人	特定非営利活動法人（NPO）	その他
指定都市(再掲)										
札幌市	453	－	8	32	35	9	2	331	36	－
仙台市	171	－	－	14	4	6	－	140	7	－
さいたま市	187	－	1	19	5	1	5	147	8	1
千葉市	182	－	－	18	7	1	5	140	8	3
横浜市	631	－	－	74	21	8	15	450	62	1
川崎市	223	－	7	5	5	－	14	172	18	2
相模原市	119	－	－	11	3	1	6	89	8	1
新潟市	125	－	8	18	7	2	1	84	5	－
静岡市	114	－	2	23	－	－	－	83	6	－
浜松市	101	－	2	24	5	－	1	65	4	－
名古屋市	600	－	16	20	24	8	14	497	21	－
京都市	297	1	－	35	19	11	6	212	12	1
大阪市	1 647	－	－	106	61	13	21	1 384	57	5
堺市	385	－	－	32	10	4	7	313	19	－
神戸市	464	－	－	45	22	10	8	340	37	2
岡山市	154	－	1	30	11	8	5	88	10	1
広島市	270	－	－	33	35	4	11	180	6	1
北九州市	254	－	－	31	17	7	3	187	8	1
福岡市	327	－	－	25	24	2	5	255	15	1
熊本市	201	－	1	32	32	4	1	125	6	－
中核市(再掲)										
旭川市	162	－	1	9	8	－	2	137	4	1
函館市	67	－	2	9	4	－	1	48	3	－
青森市	96	－	2	16	7	1	2	64	4	－
八戸市	59	－	1	14	6	1	1	35	1	－
盛岡市	77	－	1	5	5	2	3	57	4	－
秋田市	64	－	1	16	9	－	－	35	－	3
郡山市	45	－	2	8	5	－	2	27	1	－
いわき市	101	－	1	5	8	－	3	81	3	－
宇都宮市	69	－	1	10	3	－	2	51	1	1
前橋市	76	－	1	15	4	2	3	48	3	－
高崎市	64	－	3	10	5	1	2	41	2	－
川越市	53	－	－	3	8	－	1	40	1	－
越谷市	33	－	1	3	1	－	1	26	1	－
船橋市	94	－	－	7	2	4	3	76	1	1
柏市	68	－	－	8	1	3	1	52	3	－
八王子市	89	－	－	3	－	－	1	74	9	2
横須賀市	66	－	－	10	2	3	1	46	4	－
富山市	89	－	－	22	8	－	3	54	2	－
金沢市	89	－	－	11	8	5	2	56	7	－
長野市	70	1	8	11	3	－	5	40	1	1
岐阜市	95	－	1	6	14	1	2	69	2	－
豊橋市	38	－	1	3	3	－	2	27	2	－
豊田市	44	－	4	8	2	1	1	27	1	－
岡崎市	43	－	2	7	2	－	3	27	2	－
大津市	85	－	－	15	10	2	1	52	5	－
高槻市	68	－	－	14	7	1	－	41	5	－
東大阪市	230	－	－	21	6	2	3	188	10	－
豊中市	133	－	1	9	4	3	1	110	4	1
枚方市	143	－	－	8	8	2	2	115	8	－
姫路市	128	－	2	13	8	－	7	89	7	2
西宮市	121	－	－	10	4	1	1	98	6	1
尼崎市	232	－	1	16	7	3	2	192	8	3
奈良市	107	－	1	14	11	2	－	73	6	－
和歌山市	181	－	1	18	14	－	3	142	3	－
倉敷市	74	－	1	10	10	1	2	44	6	－
福山市	76	－	2	10	6	1	3	53	1	－
呉市	62	－	4	15	9	1	1	28	3	1
下関市	62	－	5	17	9	－	1	27	3	－
高松市	90	－	2	15	7	－	2	61	3	－
松山市	149	－	－	13	19	8	4	99	6	－
高知市	72	－	2	8	12	2	4	44	－	－
久留米市	63	－	1	5	8	1	3	39	5	1
長崎市	114	－	2	25	14	4	1	67	1	－
佐世保市	35	－	5	9	3	－	1	16	1	－
大分市	117	－	2	24	18	－	3	62	5	3
宮崎市	113	－	2	19	8	1	－	76	5	2
鹿児島市	117	－	1	27	24	1	4	57	3	－
那覇市	32	－	－	3	7	1	1	20	－	－

第4表　介護予防サービスの事業所数，都道府県－指定都市・中核市（再掲）、

都道府県 指定都市 中核市	介護予防訪問入浴介護									
	総数	地方公共団体	社会福祉協議会	社会福祉法人（社会福祉協議会以外）	医療法人	社団・財団法人	協同組合	営利法人	特定非営利活動法人（NPO）	その他
全国	1 486	1	279	195	30	8	10	960	3	-
北海道	38	-	14	4	1	-	-	19	-	-
青森	39	-	13	16	1	1	-	8	-	-
岩手	37	-	19	10	1	-	-	7	-	-
宮城	45	-	8	2	1	-	-	34	-	-
秋田	26	-	13	6	-	-	-	7	-	-
山形	25	-	7	4	-	1	-	12	1	-
福島	42	-	12	2	2	-	-	26	-	-
茨城	38	-	5	5	1	1	-	26	-	-
栃木	24	-	2	2	-	-	1	19	-	-
群馬	20	-	8	2	4	-	1	5	-	-
埼玉	60	1	-	2	4	-	-	53	-	-
千葉	82	-	1	7	-	-	-	74	-	-
東京	121	-	1	6	1	-	-	113	-	-
神奈川	100	-	-	7	-	-	-	93	-	-
新潟	24	-	8	1	-	1	-	14	-	-
富山	14	-	1	4	-	-	-	9	-	-
石川	16	-	2	10	1	-	-	3	-	-
福井	14	-	7	3	-	-	-	4	-	-
山梨	10	-	-	-	-	1	-	9	-	-
長野	32	-	13	4	-	-	-	15	-	-
岐阜	31	-	7	1	1	1	1	20	-	-
静岡	53	-	8	6	-	-	-	39	-	-
愛知	65	-	1	6	1	-	1	55	1	-
三重	24	-	7	1	-	-	-	16	-	-
滋賀	22	-	3	1	-	-	-	18	-	-
京都	39	-	7	8	-	-	-	24	-	-
大阪	76	-	-	7	2	-	1	65	1	-
兵庫	55	-	11	5	1	1	3	34	-	-
奈良	23	-	1	5	1	-	-	16	-	-
和歌山	12	-	8	1	-	-	-	3	-	-
鳥取	7	-	3	1	-	-	-	3	-	-
島根	10	-	3	5	-	-	1	1	-	-
岡山	15	-	4	1	-	-	-	10	-	-
広島	33	-	3	7	-	-	-	23	-	-
山口	21	-	7	4	-	-	-	10	-	-
徳島	9	-	3	3	-	-	-	3	-	-
香川	8	-	2	-	-	-	-	6	-	-
愛媛	17	-	10	-	-	1	-	6	-	-
高知	6	-	3	2	-	-	-	1	-	-
福岡	44	-	5	6	3	-	-	30	-	-
佐賀	7	-	1	2	1	-	-	3	-	-
長崎	15	-	6	7	1	-	-	1	-	-
熊本	22	-	13	2	-	-	-	7	-	-
大分	16	-	5	5	1	-	-	5	-	-
宮崎	15	-	7	2	1	-	-	5	-	-
鹿児島	31	-	17	9	-	-	1	4	-	-
沖縄	3	-	-	1	-	-	-	2	-	-

注：調査方法の変更等による回収率変動の影響を受けているため、数量を示す事業所数の実数は前年以前と単純に年次比較できない。

介護予防サービスの種類、開設（経営）主体別（13－２）

平成29年10月１日

都道府県 指定都市 中核市	介護予防訪問入浴介護									
	総数	地方公共団体	社会福祉協議会	社会福祉法人（社会福祉協議会以外）	医療法人	社団・財団法人	協同組合	営利法人	特定非営利活動法人（NPO）	その他
指定都市(再掲)										
札幌市	3	－	－	－	－	－	－	3	－	－
仙台市	11	－	－	－	－	－	－	11	－	－
さいたま市	9	－	－	－	－	－	－	9	－	－
千葉市	11	－	－	1	－	－	－	10	－	－
横浜市	44	－	－	4	－	－	－	40	－	－
川崎市	11	－	－	－	－	－	－	11	－	－
相模原市	6	－	－	－	－	－	－	6	－	－
新潟市	5	－	－	－	－	－	－	5	－	－
静岡市	10	－	1	－	－	－	－	9	－	－
浜松市	8	－	1	1	－	－	－	6	－	－
名古屋市	23	－	－	1	－	－	－	22	－	－
京都市	16	－	－	1	－	－	－	15	－	－
大阪市	28	－	－	－	－	－	1	27	－	－
堺市	9	－	－	1	－	－	－	7	1	－
神戸市	11	－	－	－	－	－	－	11	－	－
岡山市	5	－	－	－	－	－	－	5	－	－
広島市	13	－	－	4	－	－	－	9	－	－
北九州市	10	－	－	－	1	－	－	9	－	－
福岡市	9	－	－	－	－	－	－	9	－	－
熊本市	4	－	－	－	－	－	－	4	－	－
中核市(再掲)										
旭川市	3	－	－	－	－	－	－	3	－	－
函館市	4	－	1	2	－	－	－	1	－	－
青森市	5	－	－	1	1	－	－	3	－	－
八戸市	5	－	1	1	－	1	－	2	－	－
盛岡市	1	－	－	－	－	－	－	1	－	－
秋田市	－	－	－	－	－	－	－	－	－	－
郡山市	6	－	1	－	－	－	－	5	－	－
いわき市	4	－	1	－	－	－	－	3	－	－
宇都宮市	4	－	－	－	－	－	－	4	－	－
前橋市	3	－	1	－	－	－	－	2	－	－
高崎市	2	－	－	－	1	－	－	1	－	－
川越市	3	－	－	－	－	－	－	3	－	－
越谷市	2	－	－	－	－	－	－	2	－	－
船橋市	5	－	－	－	－	－	－	5	－	－
柏市	3	－	－	－	－	－	－	3	－	－
八王子市	5	－	－	－	－	－	－	5	－	－
横須賀市	8	－	－	－	－	－	－	8	－	－
富山市	4	－	－	－	－	－	－	4	－	－
金沢市	2	－	－	－	－	－	－	2	－	－
長野市	4	－	－	1	－	－	－	3	－	－
岐阜市	6	－	1	1	－	－	－	4	－	－
豊橋市	1	－	－	－	－	－	－	1	－	－
豊田市	2	－	－	－	－	－	－	2	－	－
岡崎市	3	－	－	－	－	－	－	3	－	－
大津市	4	－	－	－	－	－	－	4	－	－
高槻市	3	－	－	1	－	－	－	2	－	－
東大阪市	6	－	－	3	－	－	－	3	－	－
豊中市	4	－	－	－	－	－	－	4	－	－
枚方市	3	－	－	－	1	－	－	2	－	－
姫路市	4	－	－	－	－	－	1	3	－	－
西宮市	4	－	－	－	－	－	－	4	－	－
尼崎市	4	－	－	1	－	－	－	3	－	－
奈良市	2	－	－	－	－	－	－	2	－	－
和歌山市	2	－	－	－	－	－	－	2	－	－
倉敷市	3	－	－	－	－	－	－	3	－	－
福山市	3	－	－	－	－	－	－	3	－	－
呉市	5	－	－	－	－	－	－	5	－	－
下関市	5	－	2	2	－	－	－	1	－	－
高松市	2	－	－	－	－	－	－	2	－	－
松山市	4	－	－	－	－	1	－	3	－	－
高知市	－	－	－	－	－	－	－	－	－	－
久留米市	4	－	－	1	1	－	－	2	－	－
長崎市	3	－	－	2	－	－	－	1	－	－
佐世保市	3	－	－	2	1	－	－	－	－	－
大分市	7	－	－	4	1	－	－	2	－	－
宮崎市	3	－	－	－	－	－	－	3	－	－
鹿児島市	13	－	1	7	－	－	1	4	－	－
那覇市	2	－	－	1	－	－	－	1	－	－

第４表　介護予防サービスの事業所数，都道府県－指定都市・中核市（再掲）、

都道府県 指定都市 中核市	介護予防訪問看護ステーション											
	総数	地方公共団体	日本赤十字社・社会保険関係団体・独立行政法人	医療法人	社会福祉法人	医師会	看護協会	社団・財団法人	協同組合	営利法人	特定非営利活動法人（NPO）	その他の法人
全国	9 298	190	182	2 529	627	267	130	369	181	4 625	148	50
北海道	422	9	12	133	30	－	－	61	2	166	8	1
青森	114	6	－	21	20	1	1	7	4	53	－	1
岩手	88	4	－	24	3	2	4	2	1	46	2	－
宮城	132	5	1	33	11	4	8	9	1	59	－	1
秋田	58	－	9	12	5	2	3	1	－	26	－	－
山形	60	7	－	17	2	2	4	2	1	22	3	－
福島	113	4	6	35	6	1	2	20	7	29	3	－
茨城	138	1	3	49	10	13	3	7	1	50	－	1
栃木	80	－	4	18	4	1	7	2	1	40	1	2
群馬	158	5	3	42	6	4	6	7	6	74	4	1
埼玉	358	3	3	108	11	17	6	8	14	181	5	2
千葉	291	10	2	100	16	3	－	4	1	145	8	2
東京	906	－	5	218	50	30	2	20	25	543	12	1
神奈川	593	1	10	124	59	27	8	21	9	321	8	5
新潟	123	6	13	44	16	2	4	2	3	33	－	－
富山	59	4	2	11	3	5	2	－	2	29	－	1
石川	90	1	2	16	7	－	－	21	－	42	1	－
福井	67	1	3	22	8	2	1	1	3	26	－	－
山梨	50	5	－	13	4	－	7	9	－	11	1	－
長野	155	15	23	45	15	1	5	2	3	40	5	1
岐阜	175	7	7	48	10	5	2	2	1	79	2	12
静岡	186	5	10	44	22	2	4	8	1	87	3	－
愛知	533	7	11	115	10	3	1	22	11	345	7	1
三重	126	4	7	26	11	7	1	2	3	60	5	－
滋賀	89	8	3	24	9	－	1	6	1	30	6	1
京都	240	7	3	68	20	5	3	15	－	113	4	2
大阪	965	2	2	202	51	23	－	18	16	635	13	3
兵庫	546	12	6	147	48	3	3	18	19	281	7	2
奈良	122	2	2	48	5	1	3	6	－	54	1	－
和歌山	107	5	－	26	14	－	－	1	1	59	－	1
鳥取	49	4	－	17	5	1	1	1	2	17	1	－
島根	67	6	－	10	13	3	4	－	3	24	4	－
岡山	136	5	－	52	7	4	2	10	6	48	2	－
広島	248	4	6	84	19	20	6	2	6	96	3	2
山口	119	2	7	42	12	5	3	2	3	42	1	－
徳島	72	－	3	23	7	4	4	1	2	25	3	－
香川	70	6	3	10	4	1	1	2	3	40	－	－
愛媛	124	2	1	30	7	6	2	6	6	62	1	1
高知	57	1	－	27	4	2	1	－	1	20	1	－
福岡	460	－	3	133	14	21	2	24	3	251	6	3
佐賀	66	3	－	32	4	1	1	1	－	21	3	－
長崎	101	2	3	35	9	5	3	3	－	36	3	2
熊本	168	5	－	60	9	11	2	1	－	77	3	－
大分	100	2	3	38	9	7	1	2	1	34	3	－
宮崎	97	1	1	24	7	3	3	5	2	49	2	－
鹿児島	128	1	－	50	7	6	1	2	5	53	3	－
沖縄	92	－	－	29	4	1	2	3	1	51	－	1

注：調査方法の変更等による回収率変動の影響を受けているため、数量を示す事業所数の実数は前年以前と単純に年次比較できない。

介護予防サービスの種類、開設（経営）主体別（13－３）

平成29年10月１日

都道府県 指定都市 中核市	介護予防訪問看護ステーション											
	総数	地方公共団体	日本赤十字社・社会保険関係団体・独立行政法人	医療法人	社会福祉法人	医師会	看護協会	社団・財団法人	協同組合	営利法人	特定非営利活動法人（NPO）	その他の法人
指定都市(再掲)												
札幌市	179	–	–	63	11	–	–	10	2	89	3	1
仙台市	77	–	1	17	8	–	3	5	–	43	–	–
さいたま市	62	–	1	15	2	–	1	3	1	38	1	–
千葉市	53	–	1	19	1	1	–	–	–	28	3	–
横浜市	269	–	1	55	38	18	1	12	1	138	5	–
川崎市	74	–	–	18	6	–	4	1	3	40	–	2
相模原市	42	–	5	7	1	1	–	–	1	26	1	–
新潟市	46	–	3	22	5	–	1	–	2	13	–	–
静岡市	41	–	3	8	5	–	1	–	–	23	1	–
浜松市	40	–	4	10	11	–	–	–	1	13	1	–
名古屋市	240	–	1	33	1	–	1	19	8	175	2	–
京都市	147	–	2	41	7	2	–	10	–	82	2	1
大阪市	324	–	–	62	15	12	–	8	9	215	3	–
堺市	114	–	–	17	6	4	–	2	1	83	1	–
神戸市	173	–	1	50	7	–	1	10	3	98	2	1
岡山市	63	1	–	18	4	1	2	4	2	30	1	–
広島市	120	–	2	43	6	3	4	2	4	56	–	–
北九州市	88	–	–	21	3	5	–	4	1	53	–	1
福岡市	137	–	2	35	1	3	–	11	1	82	2	–
熊本市	64	–	–	23	2	1	1	1	–	36	–	–
中核市(再掲)												
旭川市	30	1	2	13	–	–	–	1	–	13	–	–
函館市	18	–	–	6	3	–	–	1	–	8	–	–
青森市	21	–	–	2	3	–	1	1	2	12	–	–
八戸市	25	–	–	7	1	1	–	1	1	14	–	–
盛岡市	29	–	–	7	–	1	1	–	1	19	–	–
秋田市	20	–	1	6	2	1	1	–	–	9	–	–
郡山市	24	–	–	6	1	1	–	6	1	9	–	–
いわき市	13	–	–	4	1	–	–	2	1	4	1	–
宇都宮市	23	–	–	3	2	–	1	–	1	15	1	–
前橋市	34	–	1	6	2	1	3	3	2	16	–	–
高崎市	31	–	–	10	–	–	1	1	1	14	3	1
川越市	19	–	–	7	–	1	–	–	–	10	–	1
越谷市	14	–	–	4	–	1	–	1	–	8	–	–
船橋市	26	–	–	8	1	–	–	–	–	17	–	–
柏市	19	–	–	5	1	–	–	2	–	9	2	–
八王子市	20	–	–	7	–	–	–	2	1	10	–	–
横須賀市	29	–	1	2	7	–	–	1	1	17	–	–
富山市	26	–	–	6	2	–	1	–	2	15	–	–
金沢市	42	–	2	6	4	–	–	3	–	26	1	–
長野市	23	–	3	5	4	–	–	–	1	9	–	1
岐阜市	51	–	–	16	2	1	–	1	–	29	–	2
豊橋市	17	–	–	7	–	1	–	–	1	8	–	–
豊田市	18	–	3	1	–	–	–	1	–	13	–	–
岡崎市	20	–	–	5	1	–	–	–	–	14	–	–
大津市	24	–	2	8	1	–	–	–	–	12	–	1
高槻市	25	–	1	10	1	–	–	–	–	11	1	1
東大阪市	50	–	–	10	3	2	–	–	1	34	–	–
豊中市	41	–	–	9	2	–	–	2	–	27	1	–
枚方市	37	–	1	7	1	–	–	1	–	26	1	–
姫路市	59	–	1	15	2	1	–	–	7	32	1	–
西宮市	41	–	–	9	6	–	–	1	–	25	–	–
尼崎市	56	–	–	15	2	–	1	1	6	31	–	–
奈良市	34	–	–	18	2	–	–	1	–	12	1	–
和歌山市	45	–	–	10	3	–	–	–	1	30	–	1
倉敷市	30	–	–	12	1	–	–	3	2	11	1	–
福山市	30	–	–	11	2	3	–	–	1	13	–	–
呉市	15	–	1	2	2	1	2	–	–	7	–	–
下関市	25	–	2	8	6	–	–	–	–	9	–	–
高松市	37	1	2	3	1	–	1	2	1	26	–	–
松山市	56	–	–	13	2	1	1	3	2	33	1	–
高知市	30	–	–	14	1	–	1	–	1	12	1	–
久留米市	33	–	–	11	–	–	1	1	1	18	1	–
長崎市	42	–	–	12	4	1	1	2	–	20	1	1
佐世保市	11	–	–	5	–	1	–	–	–	4	–	1
大分市	37	–	1	15	5	1	1	–	1	13	–	–
宮崎市	38	–	1	11	1	–	2	4	1	17	1	–
鹿児島市	51	–	–	21	2	–	1	2	2	22	1	–
那覇市	19	–	–	5	2	–	–	–	1	10	–	1

第４表　介護予防サービスの事業所数，都道府県－指定都市・中核市（再掲）、

都道府県 指定都市 中核市	介護予防通所介護									
	総数	地方公共団体	社会福祉協議会	社会福祉法人（社会福祉協議会以外）	医療法人	社団・財団法人	協同組合	営利法人	特定非営利活動法人（NPO）	その他
全国	35 357	152	1 477	8 355	2 275	246	512	20 917	1 319	104
北海道	1 381	32	72	326	93	22	8	781	41	6
青森	384	－	30	183	21	3	5	140	2	－
岩手	439	2	32	130	3	5	10	216	39	2
宮城	669	－	45	144	27	3	7	400	39	4
秋田	334	7	38	98	9	－	3	165	6	8
山形	339	－	14	99	16	－	10	186	12	2
福島	577	－	52	140	50	5	19	292	18	1
茨城	750	2	19	230	40	－	7	435	15	2
栃木	556	－	15	168	24	1	18	293	37	－
群馬	765	1	37	155	45	4	13	478	31	1
埼玉	1 498	3	18	317	60	10	10	1 041	29	10
千葉	1 386	6	7	324	45	6	7	956	31	4
東京	2 514	17	7	464	75	22	13	1 819	85	12
神奈川	1 790	1	25	414	51	7	35	1 184	61	12
新潟	649	5	81	239	22	4	8	283	7	－
富山	384	3	11	104	21	1	13	181	43	7
石川	341	－	7	117	14	10	3	181	9	－
福井	228	1	26	76	15	4	12	88	5	1
山梨	326	2	28	77	20	4	1	186	8	－
長野	745	13	125	149	23	2	21	309	103	－
岐阜	608	7	55	122	62	12	7	321	22	－
静岡	1 073	3	26	253	64	1	5	673	44	4
愛知	1 789	3	50	294	113	4	31	1 228	66	－
三重	716	3	46	158	34	7	17	400	48	3
滋賀	428	－	41	90	20	3	4	220	49	1
京都	551	1	24	178	59	10	3	257	19	－
大阪	2 584	－	21	523	173	19	31	1 745	70	2
兵庫	1 613	4	55	377	91	19	24	978	62	3
奈良	403	－	18	100	17	3	－	257	8	－
和歌山	403	3	26	98	32	2	11	219	9	3
鳥取	219	－	25	65	16	1	4	105	3	－
島根	291	1	21	104	12	－	11	132	10	－
岡山	654	1	34	146	89	10	12	336	26	－
広島	846	3	22	225	118	2	15	442	16	3
山口	567	1	20	139	45	1	11	330	20	－
徳島	271	3	18	85	44	1	3	103	14	－
香川	326	4	9	96	29	1	2	172	13	－
愛媛	498	11	34	95	35	2	21	291	9	－
高知	271	5	19	51	33	1	4	149	9	－
福岡	1 705	－	21	330	147	11	38	1 116	38	4
佐賀	372	1	13	69	42	2	4	199	42	－
長崎	519	－	51	160	55	6	1	231	14	1
熊本	650	1	34	180	63	3	10	338	21	－
大分	375	1	34	110	43	4	3	164	14	2
宮崎	500	－	24	117	40	3	4	296	13	3
鹿児島	576	1	32	156	63	3	8	285	27	1
沖縄	494	－	15	80	62	2	5	316	12	2

注：調査方法の変更等による回収率変動の影響を受けているため、数量を示す事業所数の実数は前年以前と単純に年次比較できない。

介護予防サービスの種類、開設（経営）主体別（13－４）

平成29年10月１日

都道府県 指定都市 中核市	介護予防通所介護									
	総数	地方公共団体	社会福祉協議会	社会福祉法人（社会福祉協議会以外）	医療法人	社団・財団法人	協同組合	営利法人	特定非営利活動法人（NPO）	その他
指定都市(再掲)										
札幌市	450	－	7	77	33	5	1	315	11	1
仙台市	214	－	2	42	12	2	1	148	7	－
さいたま市	215	－	－	43	9	－	2	159	－	2
千葉市	194	－	－	44	9	2	－	136	1	2
横浜市	661	－	14	168	19	2	8	429	15	6
川崎市	240	－	1	43	7	3	6	170	9	1
相模原市	162	－	－	35	3	1	4	112	6	1
新潟市	240	－	10	71	11	2	2	141	3	－
静岡市	198	3	2	35	9	－	－	142	7	－
浜松市	217	－	1	67	18	－	2	123	5	1
名古屋市	568	－	8	85	32	1	6	412	24	－
京都市	321	－	12	80	29	5	3	187	5	－
大阪市	834	－	13	132	58	10	17	585	18	1
堺市	254	－	－	53	10	2	2	179	8	－
神戸市	412	－	3	93	23	9	2	272	9	1
岡山市	243	－	2	44	32	9	5	142	9	－
広島市	333	－	－	71	58	－	5	191	7	1
北九州市	406	－	－	65	29	3	6	294	7	2
福岡市	405	－	－	59	31	3	7	296	8	1
熊本市	218	－	－	48	26	2	－	137	5	－
中核市(再掲)										
旭川市	97	－	－	18	8	－	1	69	1	－
函館市	74	－	2	15	4	－	1	48	4	－
青森市	73	－	2	25	1	1	3	41	－	－
八戸市	56	－	1	27	7	－	1	20	－	－
盛岡市	106	－	1	17	－	4	1	79	4	－
秋田市	81	－	2	22	2	－	－	51	－	4
郡山市	90	－	－	23	12	1	4	47	2	1
いわき市	143	－	－	15	10	1	4	112	1	－
宇都宮市	114	－	1	41	3	－	2	62	5	－
前橋市	151	－	3	30	9	1	3	99	5	1
高崎市	131	－	3	24	7	3	5	83	6	－
川越市	67	－	－	15	6	1	－	45	－	－
越谷市	59	－	1	8	1	1	－	47	1	－
船橋市	115	－	－	25	7	－	2	79	2	－
柏市	82	－	－	18	1	2	－	60	1	－
八王子市	136	－	－	22	3	1	2	100	7	1
横須賀市	94	－	－	25	4	－	2	63	－	－
富山市	169	1	－	38	8	－	7	102	13	－
金沢市	159	－	1	39	4	8	1	104	2	－
長野市	143	3	9	30	4	－	5	83	9	－
岐阜市	137	－	－	21	35	1	－	77	3	－
豊橋市	96	1	1	11	2	－	2	78	1	－
豊田市	82	－	7	17	6	－	2	46	4	－
岡崎市	102	－	－	18	3	1	2	77	1	－
大津市	111	－	－	21	9	1	2	72	6	－
高槻市	81	－	－	19	8	－	－	45	9	－
東大阪市	159	－	－	30	8	1	1	117	2	－
豊中市	98	－	2	21	8	－	－	66	－	1
枚方市	115	－	－	23	9	－	1	78	4	－
姫路市	178	－	2	41	8	－	6	114	7	－
西宮市	94	－	－	17	7	－	－	67	3	－
尼崎市	155	－	－	25	7	1	6	112	3	1
奈良市	106	－	3	22	3	1	－	73	4	－
和歌山市	166	－	－	34	14	－	4	109	4	1
倉敷市	127	－	1	30	25	－	3	65	3	－
福山市	163	－	－	40	14	－	4	100	4	1
呉市	43	－	2	17	10	－	1	12	1	－
下関市	138	－	4	24	6	－	2	95	7	－
高松市	143	－	3	34	8	－	2	91	5	－
松山市	153	－	－	25	12	2	3	107	4	－
高知市	129	－	3	18	15	1	3	85	4	－
久留米市	92	－	1	17	7	－	2	64	1	－
長崎市	166	－	4	52	19	4	－	83	3	1
佐世保市	65	－	7	14	11	1	－	31	1	－
大分市	139	－	1	33	20	2	3	75	4	1
宮崎市	154	－	2	41	18	2	2	86	1	2
鹿児島市	216	－	2	36	32	1	3	132	9	1
那覇市	88	－	－	11	14	1	2	58	1	1

第4表　介護予防サービスの事業所数，都道府県－指定都市・中核市（再掲）、

都道府県 指定都市 中核市	介護予防通所リハビリテーション（介護老人保健施設）								
	総数	地方公共団体	日本赤十字社・社会保険関係団体・独立行政法人	社会福祉法人	医療法人	社団・財団法人	営利法人	個人	その他の法人
全国	3 372	117	66	543	2 510	104	－	1	31
北海道	159	14	1	37	104	3	－	－	－
青森	51	－	－	24	22	5	－	－	－
岩手	56	1	－	4	50	1	－	－	－
宮城	70	3	1	5	58	3	－	－	－
秋田	47	3	1	18	24	1	－	－	－
山形	42	3	－	10	26	3	－	－	－
福島	66	1	4	12	35	13	－	－	1
茨城	99	－	1	11	84	3	－	－	－
栃木	54	－	2	6	43	2	－	－	1
群馬	72	4	1	7	52	6	－	－	2
埼玉	136	－	1	25	103	4	－	－	3
千葉	140	4	1	9	122	3	－	－	1
東京	174	4	3	18	140	7	－	－	2
神奈川	140	－	1	16	116	4	－	－	3
新潟	91	2	8	21	56	1	－	－	3
富山	43	1	－	5	37	－	－	－	－
石川	33	－	－	4	28	1	－	－	－
福井	28	3	2	6	17	－	－	－	－
山梨	28	5	－	4	18	1	－	－	－
長野	73	7	7	18	37	1	－	－	3
岐阜	60	5	2	3	50	－	－	－	－
静岡	96	3	2	5	85	1	－	－	－
愛知	155	－	5	7	142	－	－	－	1
三重	51	3	3	18	26	1	－	－	－
滋賀	28	3	1	7	12	4	－	－	1
京都	59	2	－	13	39	5	－	－	－
大阪	171	10	1	34	121	4	－	－	1
兵庫	148	8	2	15	116	4	－	1	2
奈良	43	2	－	9	31	1	－	－	－
和歌山	32	－	－	7	25	－	－	－	－
鳥取	31	－	－	10	21	－	－	－	－
島根	28	2	－	7	17	1	－	－	1
岡山	66	3	1	16	42	3	－	－	1
広島	91	2	2	19	65	3	－	－	－
山口	55	5	4	6	40	－	－	－	－
徳島	37	－	－	5	32	－	－	－	－
香川	47	3	－	14	29	－	－	－	1
愛媛	58	4	1	15	37	1	－	－	－
高知	30	1	1	3	25	－	－	－	－
福岡	145	1	1	30	109	2	－	－	2
佐賀	33	－	1	5	27	－	－	－	－
長崎	46	－	－	16	30	－	－	－	－
熊本	75	3	1	8	61	2	－	－	－
大分	41	－	3	－	34	4	－	－	－
宮崎	39	1	1	1	34	2	－	－	－
鹿児島	71	1	－	5	60	4	－	－	1
沖縄	34	－	－	5	28	－	－	－	1

注：調査方法の変更等による回収率変動の影響を受けているため、数量を示す事業所数の実数は前年以前と単純に年次比較できない。

平成29年10月１日

都道府県 指定都市 中核市	介護予防通所リハビリテーション（介護老人保健施設）								
	総数	地方公共団体	日本赤十字社・社会保険関係団体・独立行政法人	社会福祉法人	医療法人	社団・財団法人	営利法人	個人	その他の法人
指定都市(再掲)									
札幌市	39	－	1	8	29	1	－	－	－
仙台市	24	－	1	1	21	1	－	－	－
さいたま市	21	－	1	4	16	－	－	－	－
千葉市	21	－	1	3	17	－	－	－	－
横浜市	63	－	－	7	54	2	－	－	－
川崎市	14	－	－	5	7	－	－	－	2
相模原市	11	－	－	－	11	－	－	－	－
新潟市	33	－	1	4	25	1	－	－	2
静岡市	19	－	－	1	18	－	－	－	－
浜松市	20	－	－	2	18	－	－	－	－
名古屋市	62	－	3	2	56	－	－	－	1
京都市	35	－	－	9	22	4	－	－	－
大阪市	59	5	－	7	44	2	－	－	1
堺市	11	－	－	6	3	2	－	－	－
神戸市	49	－	1	3	42	3	－	－	－
岡山市	19	－	－	8	11	－	－	－	－
広島市	25	－	1	5	19	－	－	－	－
北九州市	30	－	－	3	27	－	－	－	－
福岡市	23	－	－	2	20	－	－	－	1
熊本市	22	－	－	1	20	1	－	－	－
中核市(再掲)									
旭川市	10	－	－	2	8	－	－	－	－
函館市	7	－	－	2	5	－	－	－	－
青森市	12	－	－	7	4	1	－	－	－
八戸市	6	－	－	1	4	1	－	－	－
盛岡市	6	－	－	－	6	－	－	－	－
秋田市	10	－	－	6	4	－	－	－	－
郡山市	7	－	－	－	4	3	－	－	－
いわき市	10	－	－	2	7	1	－	－	－
宇都宮市	7	－	1	2	4	－	－	－	－
前橋市	11	－	1	2	7	1	－	－	－
高崎市	13	－	－	1	10	2	－	－	－
川越市	7	－	－	－	6	1	－	－	－
越谷市	4	－	－	1	3	－	－	－	－
船橋市	13	－	－	－	12	1	－	－	－
柏市	9	1	－	－	8	－	－	－	－
八王子市	8	－	－	－	8	－	－	－	－
横須賀市	7	－	－	1	6	－	－	－	－
富山市	17	－	－	2	15	－	－	－	－
金沢市	8	－	－	－	8	－	－	－	－
長野市	10	－	－	1	8	－	－	－	1
岐阜市	12	－	－	－	12	－	－	－	－
豊橋市	5	－	－	－	5	－	－	－	－
豊田市	5	－	1	－	4	－	－	－	－
岡崎市	7	－	－	－	7	－	－	－	－
大津市	5	－	1	－	3	－	－	－	1
高槻市	7	－	－	－	7	－	－	－	－
東大阪市	10	－	－	3	7	－	－	－	－
豊中市	8	1	－	2	5	－	－	－	－
枚方市	7	－	－	1	6	－	－	－	－
姫路市	9	－	－	－	9	－	－	－	－
西宮市	7	1	－	－	6	－	－	－	－
尼崎市	11	－	－	－	10	－	－	－	1
奈良市	7	－	－	1	6	－	－	－	－
和歌山市	11	－	－	1	10	－	－	－	－
倉敷市	11	－	－	1	8	1	－	－	1
福山市	12	－	－	1	11	－	－	－	－
呉市	12	－	－	7	5	－	－	－	－
下関市	9	－	1	1	7	－	－	－	－
高松市	17	－	－	2	14	－	－	－	1
松山市	12	－	－	5	7	－	－	－	－
高知市	8	－	－	－	8	－	－	－	－
久留米市	7	－	1	－	6	－	－	－	－
長崎市	13	－	－	6	7	－	－	－	－
佐世保市	7	－	－	3	4	－	－	－	－
大分市	13	－	－	－	13	－	－	－	－
宮崎市	11	1	1	－	8	1	－	－	－
鹿児島市	15	－	－	－	14	1	－	－	－
那覇市	5	－	－	－	5	－	－	－	－

第4表　介護予防サービスの事業所数，都道府県－指定都市・中核市（再掲）、

都道府県 指定都市 中核市	介護予防通所リハビリテーション（医療施設）								
	総数	地方公共団体	日本赤十字社・社会保険関係団体・独立行政法人	社会福祉法人	医療法人	社団・財団法人	営利法人	個人	その他の法人
全国	3 824	76	26	54	3 062	86	4	351	165
北海道	70	4	1	4	60	-	-	1	-
青森	31	1	-	2	15	2	-	6	5
岩手	54	3	-	-	34	2	-	13	2
宮城	28	1	-	-	17	8	-	2	-
秋田	3	-	-	-	3	-	-	-	-
山形	40	2	-	-	26	1	-	5	6
福島	65	1	-	1	47	8	-	1	7
茨城	37	-	-	-	36	-	-	1	-
栃木	35	-	-	1	31	-	-	2	1
群馬	38	3	-	-	28	-	-	3	4
埼玉	114	1	-	3	91	1	-	5	13
千葉	105	4	-	-	94	2	-	5	-
東京	176	1	1	-	144	6	-	15	9
神奈川	75	-	2	5	62	2	-	4	-
新潟	33	1	1	1	22	-	-	5	3
富山	27	1	-	-	21	-	-	2	3
石川	43	6	1	-	31	4	-	-	1
福井	38	3	-	-	29	1	-	4	1
山梨	27	-	-	-	21	2	-	3	1
長野	52	2	8	-	36	-	-	1	5
岐阜	76	1	-	1	44	-	-	29	1
静岡	69	-	2	1	60	1	1	4	-
愛知	259	1	2	4	187	-	-	53	12
三重	46	2	1	1	36	-	1	2	3
滋賀	27	-	-	-	22	-	-	4	1
京都	78	1	1	3	52	6	-	11	4
大阪	318	2	-	9	249	1	1	28	28
兵庫	180	2	1	2	144	1	-	21	9
奈良	37	-	-	1	31	-	-	5	-
和歌山	42	-	-	-	35	1	-	3	3
鳥取	18	4	-	1	12	-	-	-	1
島根	20	1	1	1	12	1	-	3	1
岡山	99	3	-	1	85	3	-	2	5
広島	147	1	1	-	127	3	-	11	4
山口	55	2	-	2	48	1	-	2	-
徳島	58	2	-	-	49	-	-	3	4
香川	58	3	-	1	48	2	-	1	3
愛媛	96	1	-	-	63	2	-	23	7
高知	37	4	-	-	31	-	-	1	1
福岡	303	-	1	2	260	16	1	22	1
佐賀	49	2	-	-	45	-	-	2	-
長崎	126	3	1	1	107	1	-	12	1
熊本	124	1	-	1	115	-	-	7	-
大分	94	-	1	2	84	-	-	4	3
宮崎	70	3	-	-	61	5	-	1	-
鹿児島	180	2	-	3	155	3	-	8	9
沖縄	67	1	-	-	52	-	-	11	3

注：調査方法の変更等による回収率変動の影響を受けているため、数量を示す事業所数の実数は前年以前と単純に年次比較できない。

介護予防サービスの種類、開設（経営）主体別（13－6）

平成29年10月1日

都道府県 指定都市 中核市	介護予防通所リハビリテーション（医療施設）								
	総数	地方公共団体	日本赤十字社・社会保険関係団体・独立行政法人	社会福祉法人	医療法人	社団・財団法人	営利法人	個人	その他の法人
指定都市(再掲)									
札幌市	14	－	－	－	13	－	－	1	－
仙台市	18	－	－	－	15	2	－	1	－
さいたま市	13	－	－	－	13	－	－	－	－
千葉市	22	－	－	－	19	1	－	2	－
横浜市	32	－	－	2	26	2	－	2	－
川崎市	10	－	－	－	8	－	－	2	－
相模原市	4	－	1	－	3	－	－	－	－
新潟市	14	－	－	1	10	－	－	2	1
静岡市	11	－	1	－	10	－	－	－	－
浜松市	19	－	－	－	17	－	－	2	－
名古屋市	68	1	1	3	50	－	－	6	7
京都市	41	－	－	2	27	5	－	6	1
大阪市	122	－	－	4	84	1	1	16	16
堺市	30	－	－	－	29	－	－	－	1
神戸市	39	－	－	－	30	1	－	5	3
岡山市	40	－	－	1	37	1	－	－	1
広島市	58	－	－	－	52	－	－	3	3
北九州市	41	－	－	－	38	3	－	－	－
福岡市	90	－	－	－	71	5	1	13	－
熊本市	42	－	－	1	39	－	－	2	－
中核市(再掲)									
旭川市	8	－	－	－	8	－	－	－	－
函館市	3	－	－	－	3	－	－	－	－
青森市	8	－	－	1	1	2	－	1	3
八戸市	9	－	－	－	6	－	－	2	1
盛岡市	27	－	－	－	17	－	－	9	1
秋田市	1	－	－	－	1	－	－	－	－
郡山市	13	1	－	－	8	3	－	－	1
いわき市	17	－	－	1	15	－	－	－	1
宇都宮市	5	－	－	－	3	－	－	1	1
前橋市	8	－	－	－	6	－	－	－	2
高崎市	6	－	－	－	5	－	－	－	1
川越市	8	－	－	－	7	－	－	－	1
越谷市	8	－	－	－	6	－	－	2	－
船橋市	6	2	－	－	4	－	－	－	－
柏市	4	－	－	－	3	－	－	1	－
八王子市	5	－	－	－	3	－	－	1	1
横須賀市	2	－	－	1	1	－	－	－	－
富山市	11	－	－	－	8	－	－	1	2
金沢市	19	－	1	－	14	3	－	－	1
長野市	11	－	2	－	6	－	－	－	3
岐阜市	16	－	－	－	13	－	－	3	－
豊橋市	16	－	－	－	13	－	－	3	－
豊田市	38	－	－	－	13	－	－	25	－
岡崎市	16	－	－	－	14	－	－	2	－
大津市	8	－	－	－	6	－	－	2	－
高槻市	8	－	－	－	7	－	－	－	1
東大阪市	20	1	－	－	14	－	－	1	4
豊中市	14	－	－	－	10	－	－	3	1
枚方市	16	－	－	1	13	－	－	2	－
姫路市	17	－	－	－	14	－	－	1	2
西宮市	15	－	－	－	10	－	－	5	－
尼崎市	20	－	－	1	13	－	－	3	3
奈良市	10	－	－	－	9	－	－	1	－
和歌山市	22	－	－	－	18	－	－	1	3
倉敷市	29	－	－	－	23	1	－	1	4
福山市	31	－	－	－	30	－	－	1	－
呉市	12	－	－	－	11	1	－	－	－
下関市	16	1	－	－	14	1	－	－	－
高松市	21	－	－	－	18	2	－	－	1
松山市	43	－	－	－	28	－	－	13	2
高知市	18	－	－	－	16	－	－	1	1
久留米市	24	－	－	－	22	－	－	2	－
長崎市	42	－	－	1	35	1	－	4	1
佐世保市	20	－	－	－	19	－	－	1	－
大分市	39	－	－	－	37	－	－	1	1
宮崎市	20	1	－	－	17	2	－	－	－
鹿児島市	60	－	－	1	50	2	－	2	5
那覇市	17	－	－	－	8	－	－	7	2

第4表　介護予防サービスの事業所数，都道府県－指定都市・中核市（再掲）、

都道府県 指定都市 中核市	介護予防短期入所生活介護									
	総数	地方公共団体	社会福祉協議会	社会福祉法人（社会福祉協議会以外）	医療法人	社団・財団法人	協同組合	営利法人	特定非営利活動法人（NPO）	その他
全国	9 769	162	100	8 027	347	11	41	1 029	38	14
北海道	404	28	8	334	5	1	4	23	1	－
青森	139	－	6	123	2	－	2	6	－	－
岩手	172	1	3	140	6	－	1	20	－	1
宮城	195	－	5	161	8	－	－	21	－	－
秋田	273	7	7	113	14	－	3	125	2	2
山形	142	－	3	119	4	－	4	11	1	－
福島	176	－	－	151	7	－	－	17	1	－
茨城	272	1	1	234	6	－	－	30	－	－
栃木	208	－	－	157	14	－	1	34	2	－
群馬	204	－	－	165	15	－	2	22	－	－
埼玉	448	－	－	336	11	－	－	97	1	3
千葉	385	4	－	305	11	－	－	63	1	1
東京	516	12	－	455	5	－	－	42	1	1
神奈川	381	－	－	349	1	－	1	29	1	－
新潟	356	4	7	274	11	1	1	58	－	－
富山	117	－	－	82	4	－	3	20	8	－
石川	105	1	－	86	5	1	－	12	－	－
福井	94	1	2	81	2	－	2	6	－	－
山梨	102	1	－	74	11	－	－	14	2	－
長野	224	29	22	139	9	－	4	17	4	－
岐阜	192	4	2	135	8	－	1	40	2	－
静岡	254	1	－	213	10	－	1	29	－	－
愛知	374	1	1	295	19	1	1	56	－	－
三重	204	7	－	166	4	2	2	19	4	－
滋賀	86	－	1	75	4	－	－	5	1	－
京都	174	－	1	162	7	－	－	3	1	－
大阪	439	2	－	402	9	－	3	22	1	－
兵庫	387	－	－	364	4	－	2	17	－	－
奈良	110	1	4	96	4	－	－	5	－	－
和歌山	102	8	－	90	2	－	－	2	－	－
鳥取	44	－	1	38	3	－	－	2	－	－
島根	94	－	10	76	2	－	2	4	－	－
岡山	207	3	2	185	5	－	－	11	1	－
広島	397	2	2	334	21	1	1	35	1	－
山口	137	－	－	127	7	－	－	3	－	－
徳島	91	3	－	70	10	－	－	8	－	－
香川	110	3	－	96	3	－	－	8	－	－
愛媛	160	13	1	102	10	1	－	33	－	－
高知	69	15	1	48	4	－	－	1	－	－
福岡	357	1	3	307	12	1	－	30	－	3
佐賀	60	1	－	53	4	－	－	2	－	－
長崎	185	1	1	144	19	2	－	16	1	1
熊本	172	2	－	166	2	－	－	2	－	－
大分	121	1	2	102	15	－	－	1	－	－
宮崎	99	－	1	93	3	－	－	2	－	－
鹿児島	168	4	3	151	3	－	－	5	1	1
沖縄	63	－	－	59	2	－	－	1	－	1

注：調査方法の変更等による回収率変動の影響を受けているため、数量を示す事業所数の実数は前年以前と単純に年次比較できない。

平成29年10月１日

都道府県 指定都市 中核市	介護予防短期入所生活介護									
	総数	地方公共団体	社会福祉協議会	社会福祉法人（社会福祉協議会以外）	医療法人	社団・財団法人	協同組合	営利法人	特定非営利活動法人（NPO）	その他
指定都市(再掲)										
札幌市	72	－	－	66	－	－	－	6	－	－
仙台市	72	－	－	57	4	－	－	11	－	－
さいたま市	71	－	－	50	2	－	－	19	－	－
千葉市	46	－	－	36	2	－	－	8	－	－
横浜市	140	－	－	133	－	－	－	6	1	－
川崎市	52	－	－	48	－	－	－	4	－	－
相模原市	34	－	－	32	－	－	－	2	－	－
新潟市	124	－	－	95	4	1	1	23	－	－
静岡市	44	1	－	29	1	－	－	13	－	－
浜松市	60	－	－	49	5	－	1	5	－	－
名古屋市	111	－	－	96	3	－	－	12	－	－
京都市	81	－	1	73	4	－	－	3	－	－
大阪市	116	－	－	106	3	－	－	7	－	－
堺市	42	－	－	39	－	－	－	2	1	－
神戸市	88	－	－	86	－	－	－	2	－	－
岡山市	66	－	－	62	2	－	－	2	－	－
広島市	124	－	－	93	12	－	1	17	1	－
北九州市	61	1	－	48	1	－	－	10	－	1
福岡市	84	－	－	76	2	－	－	6	－	－
熊本市	37	－	－	36	－	－	－	1	－	－
中核市(再掲)										
旭川市	23	－	－	19	－	－	1	3	－	－
函館市	27	－	－	14	3	－	－	9	1	－
青森市	19	－	－	17	－	－	1	1	－	－
八戸市	13	－	－	13	－	－	－	－	－	－
盛岡市	29	－	－	18	3	－	1	7	－	－
秋田市	65	－	－	27	3	－	－	34	－	1
郡山市	29	－	－	21	3	－	－	5	－	－
いわき市	25	－	－	22	1	－	－	2	－	－
宇都宮市	32	－	－	25	2	－	－	5	－	－
前橋市	30	－	－	25	－	－	1	4	－	－
高崎市	46	－	－	34	4	－	1	7	－	－
川越市	19	－	－	12	1	－	－	6	－	－
越谷市	10	－	－	6	－	－	－	4	－	－
船橋市	27	1	－	21	2	－	－	3	－	－
柏市	20	－	－	18	－	－	－	2	－	－
八王子市	25	－	－	21	－	－	－	4	－	－
横須賀市	23	－	－	21	－	－	－	2	－	－
富山市	45	－	－	29	1	－	2	8	5	－
金沢市	40	－	－	27	2	1	－	10	－	－
長野市	42	3	2	31	3	－	1	2	－	－
岐阜市	33	－	－	21	1	－	－	11	－	－
豊橋市	18	1	－	10	1	－	1	5	－	－
豊田市	15	－	－	14	－	－	－	1	－	－
岡崎市	18	－	－	12	1	1	－	4	－	－
大津市	21	－	－	15	3	－	－	3	－	－
高槻市	10	－	－	10	－	－	－	－	－	－
東大阪市	23	－	－	21	－	－	2	－	－	－
豊中市	17	－	－	17	－	－	－	－	－	－
枚方市	16	－	－	16	－	－	－	－	－	－
姫路市	40	－	－	36	1	－	1	2	－	－
西宮市	18	－	－	14	－	－	－	4	－	－
尼崎市	23	－	－	21	1	－	－	1	－	－
奈良市	27	－	－	23	2	－	－	2	－	－
和歌山市	28	－	－	27	－	－	－	1	－	－
倉敷市	40	－	－	31	2	－	－	6	1	－
福山市	64	－	－	54	4	－	－	6	－	－
呉市	33	－	－	28	1	1	－	3	－	－
下関市	30	－	－	28	2	－	－	－	－	－
高松市	42	－	－	35	2	－	－	5	－	－
松山市	52	－	－	27	6	－	－	19	－	－
高知市	17	－	－	14	3	－	－	－	－	－
久留米市	25	－	－	19	3	－	－	2	－	1
長崎市	64	－	－	47	5	1	－	10	－	1
佐世保市	29	－	－	23	4	－	－	2	－	－
大分市	30	－	－	25	5	－	－	－	－	－
宮崎市	28	－	－	27	－	－	－	1	－	－
鹿児島市	36	－	－	34	1	－	－	－	－	1
那覇市	7	－	－	5	1	－	－	－	－	1

第4表　介護予防サービスの事業所数，都道府県－指定都市・中核市（再掲）、

都道府県 指定都市 中核市	介護予防短期入所療養介護（介護老人保健施設）								
	総数	地方公共団体	日本赤十字社・社会保険関係団体・独立行政法人	社会福祉法人	医療法人	社団・財団法人	営利法人	個人	その他の法人
全国	3 744	130	68	567	2 828	114	-	1	36
北海道	173	18	1	37	114	3	-	-	-
青森	62	4	-	27	25	5	-	-	1
岩手	65	1	-	4	59	1	-	-	-
宮城	77	3	1	5	65	3	-	-	-
秋田	53	2	1	19	29	2	-	-	-
山形	39	2	-	9	24	3	-	-	1
福島	78	1	4	12	45	15	-	-	1
茨城	112	-	1	13	95	3	-	-	-
栃木	59	-	2	5	49	2	-	-	1
群馬	87	4	1	10	63	7	-	-	2
埼玉	150	-	1	27	115	4	-	-	3
千葉	146	4	1	9	128	3	-	-	1
東京	177	4	4	20	140	7	-	-	2
神奈川	159	-	1	19	132	4	-	-	3
新潟	101	2	8	21	65	1	-	-	4
富山	44	1	-	6	37	-	-	-	-
石川	40	1	-	6	32	1	-	-	-
福井	30	3	2	5	20	-	-	-	-
山梨	30	5	-	4	20	1	-	-	-
長野	80	7	7	20	41	1	-	-	4
岐阜	67	7	2	4	54	-	-	-	-
静岡	113	3	3	5	101	1	-	-	-
愛知	169	-	5	6	158	-	-	-	-
三重	69	3	3	20	42	1	-	-	-
滋賀	28	2	1	7	13	4	-	-	1
京都	66	3	-	13	44	5	-	-	1
大阪	186	10	1	36	134	4	-	-	1
兵庫	160	8	2	16	126	5	-	1	2
奈良	48	2	-	9	36	1	-	-	-
和歌山	38	-	-	7	31	-	-	-	-
鳥取	44	1	-	13	29	-	-	-	1
島根	33	2	-	9	19	2	-	-	1
岡山	68	3	1	11	49	3	-	-	1
広島	99	3	2	20	71	3	-	-	-
山口	62	5	4	6	47	-	-	-	-
徳島	47	-	-	6	40	-	-	-	1
香川	48	4	-	14	29	-	-	-	1
愛媛	61	4	1	14	41	1	-	-	-
高知	33	2	1	3	27	-	-	-	-
福岡	161	1	1	28	127	2	-	-	2
佐賀	32	-	1	5	26	-	-	-	-
長崎	53	-	-	16	37	-	-	-	-
熊本	84	3	1	10	68	2	-	-	-
大分	59	-	3	-	50	6	-	-	-
宮崎	40	1	1	1	34	3	-	-	-
鹿児島	79	1	-	5	67	5	-	-	1
沖縄	35	-	-	5	30	-	-	-	-

注：調査方法の変更等による回収率変動の影響を受けているため、数量を示す事業所数の実数は前年以前と単純に年次比較できない。

平成29年10月１日

都道府県 指定都市 中核市	介護予防短期入所療養介護（介護老人保健施設）								
	総数	地方公共団体	日本赤十字社・社会保険関係団体・独立行政法人	社会福祉法人	医療法人	社団・財団法人	営利法人	個人	その他の法人
指定都市(再掲)									
札幌市	45	－	1	8	35	1	－	－	－
仙台市	26	－	1	1	23	1	－	－	－
さいたま市	26	－	1	5	20	－	－	－	－
千葉市	22	－	1	3	18	－	－	－	－
横浜市	75	－	－	10	63	2	－	－	－
川崎市	16	－	－	5	9	－	－	－	2
相模原市	13	－	－	－	13	－	－	－	－
新潟市	40	－	1	4	31	1	－	－	3
静岡市	24	－	1	1	22	－	－	－	－
浜松市	23	－	－	2	21	－	－	－	－
名古屋市	66	－	3	2	61	－	－	－	－
京都市	38	－	－	9	24	4	－	－	1
大阪市	64	5	－	7	49	2	－	－	1
堺市	13	－	－	7	4	2	－	－	－
神戸市	56	－	1	3	48	4	－	－	－
岡山市	17	－	－	5	12	－	－	－	－
広島市	26	－	1	5	20	－	－	－	－
北九州市	34	－	－	3	31	－	－	－	－
福岡市	23	－	－	2	20	－	－	－	1
熊本市	27	－	－	2	24	1	－	－	－
中核市(再掲)									
旭川市	11	－	－	2	9	－	－	－	－
函館市	7	－	－	2	5	－	－	－	－
青森市	15	－	－	9	4	1	－	－	1
八戸市	7	－	－	1	5	1	－	－	－
盛岡市	8	－	－	－	8	－	－	－	－
秋田市	12	－	－	7	5	－	－	－	－
郡山市	7	－	－	－	4	3	－	－	－
いわき市	12	－	－	2	9	1	－	－	－
宇都宮市	6	－	1	1	4	－	－	－	－
前橋市	12	－	1	2	8	1	－	－	－
高崎市	17	－	－	2	13	2	－	－	－
川越市	7	－	－	－	6	1	－	－	－
越谷市	5	－	－	1	4	－	－	－	－
船橋市	13	－	－	－	12	1	－	－	－
柏市	9	1	－	－	8	－	－	－	－
八王子市	8	－	－	－	8	－	－	－	－
横須賀市	7	－	－	1	6	－	－	－	－
富山市	16	－	－	2	14	－	－	－	－
金沢市	10	－	－	1	9	－	－	－	－
長野市	11	－	－	1	9	－	－	－	1
岐阜市	14	－	－	－	14	－	－	－	－
豊橋市	4	－	－	－	4	－	－	－	－
豊田市	8	－	1	－	7	－	－	－	－
岡崎市	6	－	－	－	6	－	－	－	－
大津市	5	－	1	－	3	－	－	－	1
高槻市	7	－	－	－	7	－	－	－	－
東大阪市	11	－	－	4	7	－	－	－	－
豊中市	9	1	－	2	6	－	－	－	－
枚方市	8	－	－	1	7	－	－	－	－
姫路市	8	－	－	－	8	－	－	－	－
西宮市	9	1	－	－	8	－	－	－	－
尼崎市	12	－	－	－	11	－	－	－	1
奈良市	9	－	－	1	8	－	－	－	－
和歌山市	12	－	－	1	11	－	－	－	－
倉敷市	11	－	－	－	9	1	－	－	1
福山市	13	－	－	1	12	－	－	－	－
呉市	15	－	－	8	7	－	－	－	－
下関市	11	－	1	1	9	－	－	－	－
高松市	17	－	－	2	14	－	－	－	1
松山市	12	－	－	4	8	－	－	－	－
高知市	8	－	－	－	8	－	－	－	－
久留米市	8	－	1	－	7	－	－	－	－
長崎市	16	－	－	6	10	－	－	－	－
佐世保市	9	－	－	3	6	－	－	－	－
大分市	16	－	－	－	16	－	－	－	－
宮崎市	11	1	1	－	8	1	－	－	－
鹿児島市	18	－	－	－	17	1	－	－	－
那覇市	4	－	－	－	4	－	－	－	－

第4表　介護予防サービスの事業所数，都道府県－指定都市・中核市（再掲）、

都道府県 指定都市 中核市	介護予防短期入所療養介護（医療施設）								
	総数	地方公共団体	日本赤十字社・社会保険関係団体・独立行政法人	社会福祉法人	医療法人	社団・財団法人	営利法人	個人	その他の法人
全国	1 044	49	10	5	897	23	−	55	5
北海道	42	4	2	−	35	−	−	1	−
青森	14	1	−	−	11	−	−	2	−
岩手	12	1	−	−	10	−	−	1	−
宮城	9	3	−	−	5	1	−	−	−
秋田	3	−	−	−	3	−	−	−	−
山形	7	−	−	−	7	−	−	−	−
福島	14	1	−	−	11	2	−	−	−
茨城	14	−	−	−	13	−	−	1	−
栃木	5	−	−	−	5	−	−	−	−
群馬	10	1	−	−	9	−	−	−	−
埼玉	26	1	−	−	22	1	−	−	2
千葉	15	2	−	−	12	−	−	1	−
東京	37	−	−	−	34	3	−	−	−
神奈川	17	−	−	−	14	2	−	1	−
新潟	14	−	1	1	12	−	−	−	−
富山	32	1	−	−	30	−	−	1	−
石川	13	4	−	−	7	1	−	1	−
福井	12	−	−	−	12	−	−	−	−
山梨	6	3	−	−	2	−	−	1	−
長野	24	5	2	−	16	−	−	1	−
岐阜	16	1	−	−	13	−	−	2	−
静岡	23	1	−	−	21	1	−	−	−
愛知	30	1	3	−	25	1	−	−	−
三重	11	−	−	−	10	−	−	1	−
滋賀	3	−	−	−	3	−	−	−	−
京都	18	−	−	−	13	4	−	1	−
大阪	21	−	−	1	17	1	−	2	−
兵庫	32	−	−	−	26	−	−	6	−
奈良	10	−	−	−	10	−	−	−	−
和歌山	12	−	−	−	12	−	−	−	−
鳥取	−	−	−	−	−	−	−	−	−
島根	6	2	−	1	3	−	−	−	−
岡山	19	−	−	−	16	3	−	−	−
広島	52	−	−	−	46	1	−	5	−
山口	21	1	−	−	20	−	−	−	−
徳島	40	−	1	−	36	−	−	3	−
香川	25	3	−	−	21	−	−	1	−
愛媛	23	1	−	−	19	−	−	1	2
高知	31	3	−	−	28	−	−	−	−
福岡	74	1	1	1	60	1	−	9	1
佐賀	28	−	−	1	26	−	−	1	−
長崎	42	3	−	−	36	−	−	3	−
熊本	74	2	−	−	67	1	−	4	−
大分	42	2	−	−	37	−	−	3	−
宮崎	21	1	−	−	20	−	−	−	−
鹿児島	42	−	−	−	40	−	−	2	−
沖縄	2	−	−	−	2	−	−	−	−

注：調査方法の変更等による回収率変動の影響を受けているため、数量を示す事業所数の実数は前年以前と単純に年次比較できない。

介護予防サービスの種類、開設（経営）主体別（13－９）

平成29年10月１日

都道府県 指定都市 中核市	介護予防短期入所療養介護（医療施設） 総数	地方公共団体	日本赤十字社・社会保険関係団体・独立行政法人	社会福祉法人	医療法人	社団・財団法人	営利法人	個人	その他の法人
指定都市(再掲)									
札幌市	8	－	－	－	7	－	－	1	－
仙台市	1	－	－	－	1	－	－	－	－
さいたま市	2	－	－	－	2	－	－	－	－
千葉市	－	－	－	－	－	－	－	－	－
横浜市	2	－	－	－	1	1	－	－	－
川崎市	3	－	－	－	3	－	－	－	－
相模原市	4	－	－	－	3	－	－	1	－
新潟市	1	－	－	－	1	－	－	－	－
静岡市	2	－	－	－	2	－	－	－	－
浜松市	10	1	－	－	9	－	－	－	－
名古屋市	4	1	－	－	3	－	－	－	－
京都市	12	－	－	－	8	3	－	1	－
大阪市	4	－	－	－	4	－	－	－	－
堺市	2	－	－	－	2	－	－	－	－
神戸市	7	－	－	－	6	－	－	1	－
岡山市	6	－	－	－	5	1	－	－	－
広島市	19	－	－	－	17	－	－	2	－
北九州市	11	－	－	1	9	－	－	1	－
福岡市	12	－	1	－	10	－	－	1	－
熊本市	26	－	－	－	26	－	－	－	－
中核市(再掲)									
旭川市	4	－	－	－	4	－	－	－	－
函館市	2	－	－	－	2	－	－	－	－
青森市	3	－	－	－	2	－	－	1	－
八戸市	4	－	－	－	3	－	－	1	－
盛岡市	4	－	－	－	4	－	－	－	－
秋田市	－	－	－	－	－	－	－	－	－
郡山市	4	1	－	－	2	1	－	－	－
いわき市	4	－	－	－	4	－	－	－	－
宇都宮市	1	－	－	－	1	－	－	－	－
前橋市	1	－	－	－	1	－	－	－	－
高崎市	1	－	－	－	1	－	－	－	－
川越市	3	－	－	－	3	－	－	－	－
越谷市	－	－	－	－	－	－	－	－	－
船橋市	1	－	－	－	1	－	－	－	－
柏市	－	－	－	－	－	－	－	－	－
八王子市	3	－	－	－	3	－	－	－	－
横須賀市	－	－	－	－	－	－	－	－	－
富山市	10	－	－	－	9	－	－	1	－
金沢市	3	－	－	－	2	1	－	－	－
長野市	3	－	－	－	2	－	－	1	－
岐阜市	2	－	－	－	2	－	－	－	－
豊橋市	3	－	－	－	3	－	－	－	－
豊田市	2	－	1	－	1	－	－	－	－
岡崎市	1	－	－	－	1	－	－	－	－
大津市	1	－	－	－	1	－	－	－	－
高槻市	1	－	－	－	1	－	－	－	－
東大阪市	1	－	－	－	1	－	－	－	－
豊中市	－	－	－	－	－	－	－	－	－
枚方市	1	－	－	－	1	－	－	－	－
姫路市	3	－	－	－	2	－	－	1	－
西宮市	1	－	－	－	－	－	－	1	－
尼崎市	－	－	－	－	－	－	－	－	－
奈良市	1	－	－	－	1	－	－	－	－
和歌山市	7	－	－	－	7	－	－	－	－
倉敷市	3	－	－	－	2	1	－	－	－
福山市	9	－	－	－	9	－	－	－	－
呉市	5	－	－	－	4	－	－	1	－
下関市	7	－	－	－	7	－	－	－	－
高松市	8	1	－	－	7	－	－	－	－
松山市	8	－	－	－	7	－	－	－	1
高知市	10	－	－	－	10	－	－	－	－
久留米市	3	－	－	－	2	－	－	1	－
長崎市	10	－	－	－	9	－	－	1	－
佐世保市	11	－	－	－	10	－	－	1	－
大分市	13	－	－	－	11	－	－	2	－
宮崎市	8	－	－	－	8	－	－	－	－
鹿児島市	14	－	－	－	13	－	－	1	－
那覇市	1	－	－	－	1	－	－	－	－

第４表　介護予防サービスの事業所数，都道府県－指定都市・中核市（再掲）、

都道府県 指定都市 中核市	介護予防特定施設入居者生活介護									
	総数	地方公共団体	社会福祉協議会	社会福祉法人（社会福祉協議会以外）	医療法人	社団・財団法人	協同組合	営利法人	特定非営利活動法人（NPO）	その他
全国	4 175	33	9	985	239	25	14	2 829	15	26
北海道	244	7	3	85	15	1	1	131	-	1
青森	14	-	-	13	-	-	-	-	1	-
岩手	23	-	-	15	1	-	-	7	-	-
宮城	44	-	-	20	1	-	-	23	-	-
秋田	48	1	2	14	5	-	1	24	1	-
山形	35	-	-	13	2	-	-	20	-	-
福島	44	-	-	10	7	1	-	25	1	-
茨城	51	1	-	11	5	1	-	33	-	-
栃木	58	-	-	25	7	-	-	25	1	-
群馬	51	2	-	11	11	-	-	27	-	-
埼玉	379	-	-	23	14	-	1	341	-	-
千葉	168	-	-	14	10	3	-	134	-	7
東京	542	-	-	14	14	-	-	510	-	4
神奈川	370	-	-	27	3	4	-	331	-	5
新潟	67	3	-	17	1	-	1	45	-	-
富山	4	-	-	1	2	-	-	1	-	-
石川	31	-	-	18	2	-	-	10	1	-
福井	23	-	1	16	2	-	-	3	1	-
山梨	7	-	-	3	-	-	-	4	-	-
長野	63	4	1	23	3	-	-	32	-	-
岐阜	28	-	-	5	3	1	-	17	1	1
静岡	103	-	-	21	4	3	-	75	-	-
愛知	182	-	-	27	10	-	-	144	-	1
三重	43	2	-	14	4	-	-	22	1	-
滋賀	12	-	-	5	-	-	-	7	-	-
京都	36	-	-	22	1	1	-	12	-	-
大阪	292	-	-	65	13	2	6	206	-	-
兵庫	205	1	1	68	5	4	1	123	-	2
奈良	53	2	1	18	5	1	-	26	-	-
和歌山	23	4	-	8	3	-	2	5	1	-
鳥取	16	-	-	9	-	-	-	7	-	-
島根	39	1	-	19	4	-	-	13	2	-
岡山	102	2	-	40	6	1	-	51	2	-
広島	109	-	-	38	15	-	-	55	-	1
山口	44	2	-	31	3	-	-	8	-	-
徳島	4	-	-	1	1	-	-	2	-	-
香川	28	-	-	10	2	-	-	16	-	-
愛媛	77	-	-	24	9	-	-	43	1	-
高知	21	-	-	14	1	-	-	5	-	1
福岡	190	-	-	33	10	1	-	144	-	2
佐賀	30	-	-	11	3	-	-	16	-	-
長崎	69	1	-	42	9	-	-	16	1	-
熊本	43	-	-	14	8	-	1	20	-	-
大分	36	-	-	14	1	1	-	20	-	-
宮崎	59	-	-	31	5	-	-	23	-	-
鹿児島	47	-	-	21	6	-	-	20	-	-
沖縄	18	-	-	7	3	-	-	7	-	1

注：調査方法の変更等による回収率変動の影響を受けているため、数量を示す事業所数の実数は前年以前と単純に年次比較できない。

介護予防サービスの種類、開設（経営）主体別（13−10）

平成29年10月１日

都道府県 指定都市 中核市	介護予防特定施設入居者生活介護									
	総数	地方公共団体	社会福祉協議会	社会福祉法人（社会福祉協議会以外）	医療法人	社団・財団法人	協同組合	営利法人	特定非営利活動法人（NPO）	その他
指定都市(再掲)										
札幌市	68	−	1	14	2	−	1	49	−	1
仙台市	31	−	−	11	−	−	−	20	−	−
さいたま市	120	−	−	5	2	−	−	113	−	−
千葉市	40	−	−	2	2	−	−	32	−	4
横浜市	114	−	−	4	1	1	−	106	−	2
川崎市	73	−	−	3	−	−	−	69	−	1
相模原市	29	−	−	2	1	−	−	25	−	1
新潟市	15	−	−	5	1	−	−	9	−	−
静岡市	23	−	−	2	−	−	−	21	−	−
浜松市	15	−	−	4	2	1	−	8	−	−
名古屋市	80	−	−	5	2	−	−	73	−	−
京都市	18	−	−	13	1	−	−	4	−	−
大阪市	121	−	−	18	9	1	−	93	−	−
堺市	19	−	−	8	−	−	1	10	−	−
神戸市	90	−	−	29	1	3	−	57	−	−
岡山市	42	−	−	16	1	−	−	24	1	−
広島市	44	−	−	11	5	−	−	27	−	1
北九州市	43	−	−	11	3	−	−	29	−	−
福岡市	52	−	−	3	1	−	−	48	−	−
熊本市	29	−	−	7	8	−	−	14	−	−
中核市(再掲)										
旭川市	23	−	−	6	1	−	−	16	−	−
函館市	13	−	1	2	1	−	−	9	−	−
青森市	2	−	−	2	−	−	−	−	−	−
八戸市	2	−	−	2	−	−	−	−	−	−
盛岡市	10	−	−	4	1	−	−	5	−	−
秋田市	23	−	−	4	3	−	−	16	−	−
郡山市	4	−	−	−	1	−	−	3	−	−
いわき市	13	−	−	2	1	−	−	10	−	−
宇都宮市	14	−	−	10	1	−	−	3	−	−
前橋市	8	−	−	3	2	−	−	3	−	−
高崎市	8	−	−	5	−	−	−	3	−	−
川越市	6	−	−	−	−	−	−	6	−	−
越谷市	23	−	−	1	−	−	−	22	−	−
船橋市	13	−	−	−	−	−	−	12	−	1
柏市	8	−	−	−	−	−	−	8	−	−
八王子市	20	−	−	2	1	−	−	16	−	1
横須賀市	17	−	−	−	−	−	−	16	−	1
富山市	3	−	−	1	2	−	−	−	−	−
金沢市	10	−	−	4	1	−	−	5	−	−
長野市	9	1	−	3	−	−	−	5	−	−
岐阜市	4	−	−	1	−	−	−	3	−	−
豊橋市	7	−	−	1	−	−	−	6	−	−
豊田市	5	−	−	−	−	−	−	5	−	−
岡崎市	8	−	−	3	1	−	−	4	−	−
大津市	6	−	−	2	−	−	−	4	−	−
高槻市	11	−	−	4	1	−	−	6	−	−
東大阪市	9	−	−	2	−	−	−	7	−	−
豊中市	16	−	−	4	−	−	−	12	−	−
枚方市	17	−	−	5	2	−	−	10	−	−
姫路市	8	−	−	−	−	−	−	8	−	−
西宮市	15	−	−	−	−	1	−	14	−	−
尼崎市	7	−	−	1	−	−	−	5	−	1
奈良市	12	−	−	5	1	−	−	6	−	−
和歌山市	11	−	−	4	1	−	2	3	1	−
倉敷市	29	−	−	7	4	1	−	17	−	−
福山市	17	−	−	4	3	−	−	10	−	−
呉市	8	−	−	3	4	−	−	1	−	−
下関市	5	−	−	4	1	−	−	−	−	−
高松市	16	−	−	4	1	−	−	11	−	−
松山市	47	−	−	14	7	−	−	25	1	−
高知市	11	−	−	6	−	−	−	4	−	1
久留米市	11	−	−	3	1	−	−	7	−	−
長崎市	13	−	−	6	1	−	−	6	−	−
佐世保市	28	−	−	15	5	−	−	8	−	−
大分市	10	−	−	2	1	−	−	7	−	−
宮崎市	23	−	−	12	1	−	−	10	−	−
鹿児島市	13	−	−	3	4	−	−	6	−	−
那覇市	5	−	−	1	1	−	−	3	−	−

第４表　介護予防サービスの事業所数，都道府県－指定都市・中核市（再掲）、

都道府県 指定都市 中核市	介護予防福祉用具貸与									
	総数	地方公共団体	社会福祉協議会	社会福祉法人（社会福祉協議会以外）	医療法人	社団・財団法人	協同組合	営利法人	特定非営利活動法人（NPO）	その他
全国	6 234	2	41	102	79	25	96	5 826	45	18
北海道	249	－	3	4	1	4	－	235	1	1
青森	99	－	2	4	3	1	1	85	1	2
岩手	71	－	－	－	－	－	2	69	－	－
宮城	109	－	5	1	1	－	3	98	－	1
秋田	61	－	－	1	1	1	4	54	－	－
山形	76	－	－	－	－	－	7	69	－	－
福島	136	－	－	－	1	－	5	129	－	1
茨城	95	－	1	4	1	1	－	88	－	－
栃木	85	－	－	1	3	－	3	75	1	2
群馬	89	－	－	2	2	－	3	81	1	－
埼玉	264	－	－	5	3	1	－	250	3	2
千葉	217	－	－	3	2	－	－	211	1	－
東京	512	1	－	3	6	1	3	493	5	－
神奈川	281	－	－	8	4	4	6	254	4	1
新潟	123	－	－	2	－	1	3	117	－	－
富山	62	－	1	2	2	－	－	57	－	－
石川	58	－	－	1	1	－	－	53	1	2
福井	36	－	2	－	－	－	1	33	－	－
山梨	39	－	－	1	1	－	1	36	－	－
長野	117	－	4	3	1	－	5	103	－	1
岐阜	109	－	1	1	3	1	3	99	1	－
静岡	164	－	－	5	－	－	－	158	1	－
愛知	335	－	－	4	－	2	7	319	3	－
三重	121	－	1	2	1	1	4	109	2	1
滋賀	58	－	－	1	1	－	1	54	1	－
京都	78	－	－	－	1	－	－	77	－	－
大阪	701	－	－	13	15	1	5	656	9	2
兵庫	312	－	4	7	6	－	9	282	4	－
奈良	104	－	1	1	2	1	－	99	－	－
和歌山	82	－	－	－	－	－	2	79	1	－
鳥取	37	－	1	2	－	－	1	33	－	－
島根	62	－	2	－	－	－	2	58	－	－
岡山	70	－	－	－	－	－	－	69	－	1
広島	144	－	4	4	1	1	4	128	2	－
山口	86	－	－	2	1	－	－	83	－	－
徳島	55	－	－	1	－	－	－	54	－	－
香川	67	－	1	－	－	－	－	66	－	－
愛媛	80	－	2	－	1	－	3	74	－	－
高知	27	－	－	－	－	－	－	27	－	－
福岡	254	－	－	5	8	3	3	235	－	－
佐賀	36	－	－	－	－	－	－	36	－	－
長崎	92	－	2	2	1	－	－	87	－	－
熊本	122	－	－	－	2	1	－	119	－	－
大分	70	1	1	3	2	－	5	56	1	1
宮崎	60	－	－	2	－	－	－	57	1	－
鹿児島	75	－	3	－	－	－	－	71	1	－
沖縄	54	－	－	2	1	－	－	51	－	－

注：調査方法の変更等による回収率変動の影響を受けているため、数量を示す事業所数の実数は前年以前と単純に年次比較できない。

介護予防サービスの種類、開設（経営）主体別（13−11）

平成29年10月１日

都道府県 指定都市 中核市	介護予防福祉用具貸与									
	総数	地方公共団体	社会福祉協議会	社会福祉法人（社会福祉協議会以外）	医療法人	社団・財団法人	協同組合	営利法人	特定非営利活動法人（NPO）	その他
指定都市（再掲）										
札幌市	57	−	−	−	−	2	−	55	−	−
仙台市	43	−	−	1	1	−	−	41	−	−
さいたま市	49	−	−	−	−	1	−	47	1	−
千葉市	41	−	−	2	−	−	−	38	1	−
横浜市	120	−	−	5	1	2	3	105	3	1
川崎市	29	−	−	−	1	1	−	27	−	−
相模原市	35	−	−	−	1	−	1	33	−	−
新潟市	40	−	−	−	−	1	−	39	−	−
静岡市	41	−	−	−	−	−	−	40	1	−
浜松市	37	−	−	2	−	−	−	35	−	−
名古屋市	139	−	−	1	−	2	3	130	3	−
京都市	47	−	−	−	−	−	−	47	−	−
大阪市	278	−	−	5	6	1	3	261	1	1
堺市	88	−	−	1	−	−	−	86	−	1
神戸市	89	−	−	−	2	−	3	83	1	−
岡山市	29	−	−	−	−	−	−	29	−	−
広島市	49	−	−	1	1	−	2	45	−	−
北九州市	56	−	−	−	3	2	−	51	−	−
福岡市	76	−	−	1	4	−	−	71	−	−
熊本市	51	−	−	−	2	1	−	48	−	−
中核市（再掲）										
旭川市	30	−	−	−	1	1	−	28	−	−
函館市	20	−	−	1	−	1	−	17	1	−
青森市	26	−	−	−	−	1	−	24	−	1
八戸市	23	−	−	1	−	−	−	21	1	−
盛岡市	14	−	−	−	−	−	−	14	−	−
秋田市	23	−	−	−	−	−	−	23	−	−
郡山市	29	−	−	−	−	−	1	27	−	1
いわき市	25	−	−	−	−	−	−	25	−	−
宇都宮市	23	−	−	−	−	−	−	22	−	1
前橋市	18	−	−	1	−	−	1	16	−	−
高崎市	13	−	−	−	−	−	−	12	1	−
川越市	16	−	−	−	−	−	−	16	−	−
越谷市	10	−	−	−	−	−	−	9	1	−
船橋市	20	−	−	−	1	−	−	19	−	−
柏市	19	−	−	−	−	−	−	19	−	−
八王子市	28	−	−	−	−	−	1	27	−	−
横須賀市	12	−	−	1	−	−	−	11	−	−
富山市	29	−	−	−	2	−	−	27	−	−
金沢市	31	−	−	−	−	−	−	31	−	−
長野市	25	−	−	−	−	−	−	24	−	1
岐阜市	31	−	−	−	−	−	−	31	−	−
豊橋市	13	−	−	−	−	−	1	12	−	−
豊田市	10	−	−	1	−	−	1	8	−	−
岡崎市	16	−	−	−	−	−	1	15	−	−
大津市	13	−	−	1	1	−	−	11	−	−
高槻市	14	−	−	2	−	−	−	11	1	−
東大阪市	38	−	−	−	2	−	−	35	1	−
豊中市	26	−	−	1	−	−	−	24	1	−
枚方市	24	−	−	1	1	−	−	22	−	−
姫路市	35	−	1	−	−	−	3	31	−	−
西宮市	24	−	−	2	1	−	−	20	1	−
尼崎市	30	−	−	4	−	−	1	24	1	−
奈良市	21	−	−	−	1	−	−	20	−	−
和歌山市	50	−	−	−	−	−	−	49	1	−
倉敷市	16	−	−	−	−	−	−	16	−	−
福山市	31	−	−	2	−	−	1	26	2	−
呉市	10	−	−	−	−	−	−	10	−	−
下関市	21	−	−	1	1	−	−	19	−	−
高松市	40	−	−	−	−	−	−	40	−	−
松山市	28	−	−	−	1	−	−	27	−	−
高知市	18	−	−	−	−	−	−	18	−	−
久留米市	19	−	−	−	−	1	1	17	−	−
長崎市	29	−	−	2	1	−	−	26	−	−
佐世保市	18	−	−	−	−	−	−	18	−	−
大分市	22	−	−	1	−	−	−	20	1	−
宮崎市	24	−	−	1	−	−	−	23	−	−
鹿児島市	26	−	−	−	−	−	−	26	−	−
那覇市	11	−	−	2	−	−	−	9	−	−

第4表　介護予防サービスの事業所数，都道府県－指定都市・中核市（再掲）、

都道府県 指定都市 中核市	特定介護予防福祉用具販売									
	総数	地方公共団体	社会福祉協議会	社会福祉法人（社会福祉協議会以外）	医療法人	社団・財団法人	協同組合	営利法人	特定非営利活動法人（NPO）	その他
全国	6 286	-	22	89	62	24	94	5 937	42	16
北海道	259	-	2	4	1	4	-	246	1	1
青森	97	-	-	2	2	2	1	87	1	2
岩手	70	-	-	-	-	-	2	68	-	-
宮城	109	-	3	1	1	-	2	101	-	1
秋田	68	-	1	1	1	1	4	60	-	-
山形	77	-	-	-	-	-	7	70	-	-
福島	140	-	-	-	1	-	5	133	-	1
茨城	94	-	1	4	-	-	-	89	-	-
栃木	85	-	-	-	2	-	3	77	1	2
群馬	86	-	-	2	1	-	3	79	1	-
埼玉	261	-	-	1	3	1	-	252	2	2
千葉	221	-	-	3	2	-	-	215	1	-
東京	512	-	-	1	4	1	3	498	5	-
神奈川	291	-	-	8	4	4	6	264	4	1
新潟	136	-	-	2	-	1	3	130	-	-
富山	59	-	-	1	1	-	-	57	-	-
石川	58	-	-	1	1	-	-	55	1	-
福井	34	-	1	-	-	-	-	33	-	-
山梨	42	-	-	-	1	-	1	40	-	-
長野	117	-	-	3	-	-	5	109	-	-
岐阜	111	-	1	1	2	1	3	102	1	-
静岡	162	-	-	8	-	-	-	153	1	-
愛知	339	-	-	3	-	2	6	325	3	-
三重	120	-	1	2	1	1	4	109	1	1
滋賀	56	-	-	1	1	-	1	52	1	-
京都	79	-	-	-	1	-	-	78	-	-
大阪	698	-	-	11	13	1	5	658	8	2
兵庫	305	-	2	6	4	-	9	280	4	-
奈良	112	-	1	1	2	1	-	107	-	-
和歌山	82	-	-	-	-	-	2	79	1	-
鳥取	38	-	-	2	-	-	1	35	-	-
島根	60	-	1	-	-	-	2	57	-	-
岡山	74	-	-	-	-	-	-	73	-	1
広島	146	-	2	4	-	-	4	134	2	-
山口	87	-	-	2	1	-	-	84	-	-
徳島	61	-	-	-	-	-	-	61	-	-
香川	67	-	-	-	-	-	-	67	-	-
愛媛	79	-	2	-	-	-	3	74	-	-
高知	28	-	-	-	-	-	-	28	-	-
福岡	255	-	-	5	7	3	3	237	-	-
佐賀	36	-	-	-	-	-	-	36	-	-
長崎	93	-	1	2	-	-	-	90	-	-
熊本	121	-	-	-	2	1	1	117	-	-
大分	72	-	-	3	2	-	5	60	1	1
宮崎	60	-	-	2	-	-	-	56	1	1
鹿児島	75	-	3	-	-	-	-	71	1	-
沖縄	54	-	-	2	1	-	-	51	-	-

注：調査方法の変更等による回収率変動の影響を受けているため、数量を示す事業所数の実数は前年以前と単純に年次比較できない。

介護予防サービスの種類、開設（経営）主体別（13－12）

平成29年10月１日

都道府県 指定都市 中核市	特定介護予防福祉用具販売									
	総数	地方公共団体	社会福祉協議会	社会福祉法人（社会福祉協議会以外）	医療法人	社団・財団法人	協同組合	営利法人	特定非営利活動法人（NPO）	その他
指定都市（再掲）										
札幌市	62	–	–	–	–	2	–	60	–	–
仙台市	43	–	–	1	1	–	–	41	–	–
さいたま市	48	–	–	–	–	1	–	47	–	–
千葉市	43	–	–	2	–	–	–	40	1	–
横浜市	125	–	–	5	1	2	3	110	3	1
川崎市	30	–	–	–	1	1	–	28	–	–
相模原市	36	–	–	–	1	–	1	34	–	–
新潟市	43	–	–	–	–	1	–	42	–	–
静岡市	40	–	–	–	–	–	–	39	1	–
浜松市	38	–	–	5	–	–	–	33	–	–
名古屋市	143	–	–	–	–	2	3	135	3	–
京都市	46	–	–	–	–	–	–	46	–	–
大阪市	273	–	–	4	4	1	3	260	–	1
堺市	89	–	–	1	–	–	–	87	–	1
神戸市	84	–	–	–	2	–	3	78	1	–
岡山市	29	–	–	–	–	–	–	29	–	–
広島市	45	–	–	1	–	–	2	42	–	–
北九州市	57	–	–	–	3	2	–	52	–	–
福岡市	77	–	–	1	3	–	–	73	–	–
熊本市	50	–	–	–	2	1	–	47	–	–
中核市（再掲）										
旭川市	31	–	–	–	1	1	–	29	–	–
函館市	20	–	–	1	–	1	–	17	1	–
青森市	24	–	–	–	–	1	–	22	–	1
八戸市	23	–	–	1	–	–	–	21	1	–
盛岡市	14	–	–	–	–	–	–	14	–	–
秋田市	24	–	–	–	–	–	–	24	–	–
郡山市	29	–	–	–	–	–	1	27	–	1
いわき市	26	–	–	–	–	–	–	26	–	–
宇都宮市	23	–	–	–	–	–	–	22	–	1
前橋市	17	–	–	1	–	–	1	15	–	–
高崎市	13	–	–	–	–	–	–	12	1	–
川越市	16	–	–	–	–	–	–	16	–	–
越谷市	10	–	–	–	–	–	–	9	1	–
船橋市	19	–	–	–	1	–	–	18	–	–
柏市	18	–	–	–	–	–	–	18	–	–
八王子市	29	–	–	–	–	–	1	28	–	–
横須賀市	12	–	–	1	–	–	–	11	–	–
富山市	28	–	–	–	1	–	–	27	–	–
金沢市	29	–	–	–	–	–	–	29	–	–
長野市	26	–	–	–	–	–	–	26	–	–
岐阜市	33	–	–	–	–	–	–	33	–	–
豊橋市	13	–	–	–	–	–	1	12	–	–
豊田市	11	–	–	1	–	–	1	9	–	–
岡崎市	16	–	–	–	–	–	1	15	–	–
大津市	13	–	–	1	1	–	–	11	–	–
高槻市	14	–	–	2	–	–	–	11	1	–
東大阪市	34	–	–	–	2	–	–	31	1	–
豊中市	27	–	–	1	–	–	–	25	1	–
枚方市	24	–	–	1	1	–	–	22	–	–
姫路市	36	–	1	–	–	–	3	32	–	–
西宮市	25	–	–	2	–	–	–	22	1	–
尼崎市	29	–	–	3	–	–	1	24	1	–
奈良市	23	–	–	–	1	–	–	22	–	–
和歌山市	50	–	–	–	–	–	–	49	1	–
倉敷市	18	–	–	–	–	–	–	18	–	–
福山市	32	–	–	2	–	–	1	27	2	–
呉市	13	–	–	–	–	–	–	13	–	–
下関市	24	–	–	1	1	–	–	22	–	–
高松市	39	–	–	–	–	–	–	39	–	–
松山市	26	–	–	–	–	–	–	26	–	–
高知市	19	–	–	–	–	–	–	19	–	–
久留米市	19	–	–	–	–	1	1	17	–	–
長崎市	29	–	–	2	–	–	–	27	–	–
佐世保市	18	–	–	–	–	–	–	18	–	–
大分市	25	–	–	1	–	–	–	23	1	–
宮崎市	25	–	–	1	–	–	–	24	–	–
鹿児島市	26	–	–	–	–	–	–	26	–	–
那覇市	10	–	–	2	–	–	–	8	–	–

第４表　介護予防サービスの事業所数，都道府県－指定都市・中核市（再掲）、

都道府県 指定都市 中核市	介護予防支援									
	総数	地方公共団体	社会福祉協議会	社会福祉法人（社会福祉協議会以外）	医療法人	社団・財団法人	協同組合	営利法人	特定非営利活動法人（NPO）	その他
全国	4 666	1 144	630	1 945	634	157	49	69	26	12
北海道	267	146	27	43	47	3	-	-	-	1
青森	58	29	7	16	2	2	2	-	-	-
岩手	50	24	10	11	4	-	1	-	-	-
宮城	108	24	18	45	9	1	-	11	-	-
秋田	58	26	8	18	6	-	-	-	-	-
山形	67	18	14	29	5	1	-	-	-	-
福島	119	16	34	40	10	9	2	-	8	-
茨城	63	27	14	16	4	1	-	1	-	-
栃木	90	18	12	47	9	1	2	-	-	1
群馬	98	29	7	35	19	5	3	-	-	-
埼玉	270	32	29	126	55	4	4	18	1	1
千葉	177	37	5	96	32	3	-	4	-	-
東京	373	17	18	248	63	13	-	10	3	1
神奈川	328	6	32	249	29	4	5	1	2	-
新潟	116	18	24	57	12	1	2	2	-	-
富山	59	8	3	34	8	1	1	3	-	1
石川	50	13	3	15	18	1	-	-	-	-
福井	33	12	5	7	5	3	1	-	-	-
山梨	32	22	2	4	3	1	-	-	-	-
長野	118	65	18	13	12	1	6	2	-	1
岐阜	84	30	15	24	13	-	-	-	-	2
静岡	139	14	20	82	16	1	-	5	-	1
愛知	207	8	65	74	41	7	10	1	-	1
三重	52	14	18	12	5	2	1	-	-	-
滋賀	46	26	6	8	1	3	-	1	1	-
京都	112	18	12	63	12	7	-	-	-	-
大阪	241	15	46	144	26	4	-	4	2	-
兵庫	181	25	23	98	19	7	4	3	1	1
奈良	58	21	10	16	9	2	-	-	-	-
和歌山	47	27	5	10	5	-	-	-	-	-
鳥取	28	18	2	6	2	-	-	-	-	-
島根	26	14	12	-	-	-	-	-	-	-
岡山	56	16	8	12	10	9	1	-	-	-
広島	95	17	10	42	14	9	2	-	1	-
山口	57	15	7	23	9	2	1	-	-	-
徳島	36	12	8	12	2	2	-	-	-	-
香川	17	15	2	-	-	-	-	-	-	-
愛媛	32	16	4	5	7	-	-	-	-	-
高知	32	27	5	-	-	-	-	-	-	-
福岡	178	72	5	43	20	32	-	-	6	-
佐賀	39	16	2	15	4	-	-	1	-	1
長崎	46	16	1	14	10	5	-	-	-	-
熊本	81	22	21	16	18	3	-	-	1	-
大分	57	8	9	26	12	2	-	-	-	-
宮崎	65	10	21	23	7	4	-	-	-	-
鹿児島	61	39	2	18	1	1	-	-	-	-
沖縄	59	26	1	10	19	-	1	2	-	-

注：調査方法の変更等による回収率変動の影響を受けているため、数量を示す事業所数の実数は前年以前と単純に年次比較できない。

介護予防サービスの種類、開設（経営）主体別（13－13）

平成29年10月１日

都道府県 指定都市 中核市	介護予防支援									
	総数	地方公共団体	社会福祉協議会	社会福祉法人（社会福祉協議会以外）	医療法人	社団・財団法人	協同組合	営利法人	特定非営利活動法人（NPO）	その他
指定都市（再掲）										
札幌市	27	－	8	10	9	－	－	－	－	－
仙台市	40	－	4	23	3	1	－	9	－	－
さいたま市	24	－	2	16	5	－	－	－	－	1
千葉市	23	－	－	15	8	－	－	－	－	－
横浜市	128	－	13	115	－	－	－	－	－	－
川崎市	48	－	3	34	6	－	4	－	1	－
相模原市	27	－	－	21	5	－	1	－	－	－
新潟市	26	－	4	13	6	1	－	2	－	－
静岡市	23	－	4	17	－	－	－	2	－	－
浜松市	22	－	－	15	7	－	－	－	－	－
名古屋市	30	－	18	3	3	5	－	1	－	－
京都市	50	－	3	36	7	4	－	－	－	－
大阪市	62	1	23	36	1	－	－	－	1	－
堺市	21	－	－	19	1	1	－	－	－	－
神戸市	59	－	2	40	9	3	2	1	1	1
岡山市	6	－	－	－	－	6	－	－	－	－
広島市	39	－	－	30	6	1	2	－	－	－
北九州市	31	31	－	－	－	－	－	－	－	－
福岡市	57	－	－	22	3	31	－	－	1	－
熊本市	26	－	1	8	14	2	－	－	1	－
中核市（再掲）										
旭川市	11	－	1	4	6	－	－	－	－	－
函館市	9	－	1	1	7	－	－	－	－	－
青森市	11	－	1	6	2	1	1	－	－	－
八戸市	1	1	－	－	－	－	－	－	－	－
盛岡市	8	－	1	4	2	－	1	－	－	－
秋田市	17	－	3	9	5	－	－	－	－	－
郡山市	16	－	－	4	5	5	1	－	1	－
いわき市	7	－	－	－	－	－	－	－	7	－
宇都宮市	23	－	2	15	4	－	1	－	－	1
前橋市	10	1	1	6	－	1	1	－	－	－
高崎市	27	1	1	12	10	2	1	－	－	－
川越市	8	－	－	4	3	1	－	－	－	－
越谷市	11	－	1	6	3	－	－	1	－	－
船橋市	9	5	－	4	－	－	－	－	－	－
柏市	8	－	1	3	2	1	－	1	－	－
八王子市	16	－	－	6	9	1	－	－	－	－
横須賀市	12	－	－	11	－	1	－	－	－	－
富山市	32	－	－	20	6	1	1	3	－	1
金沢市	18	－	－	6	11	1	－	－	－	－
長野市	16	2	2	6	3	－	2	1	－	－
岐阜市	17	－	1	6	10	－	－	－	－	－
豊橋市	14	－	2	6	4	－	2	－	－	－
豊田市	24	－	5	14	1	1	2	－	－	1
岡崎市	21	－	1	15	4	－	1	－	－	－
大津市	8	7	－	1	－	－	－	－	－	－
高槻市	11	－	－	6	5	－	－	－	－	－
東大阪市	18	－	2	15	1	－	－	－	－	－
豊中市	8	－	1	4	1	1	－	1	－	－
枚方市	11	－	2	6	2	－	－	－	1	－
姫路市	21	－	4	12	3	－	1	1	－	－
西宮市	13	－	－	12	1	－	－	－	－	－
尼崎市	8	－	－	7	－	－	1	－	－	－
奈良市	12	－	－	6	5	1	－	－	－	－
和歌山市	14	－	－	9	5	－	－	－	－	－
倉敷市	23	－	1	8	10	3	1	－	－	－
福山市	14	－	－	5	4	4	－	－	1	－
呉市	8	－	2	4	1	1	－	－	－	－
下関市	12	1	3	5	2	1	－	－	－	－
高松市	1	1	－	－	－	－	－	－	－	－
松山市	9	－	－	5	4	－	－	－	－	－
高知市	5	5	－	－	－	－	－	－	－	－
久留米市	5	－	－	－	－	－	－	－	5	－
長崎市	19	－	－	11	6	2	－	－	－	－
佐世保市	6	－	1	2	3	－	－	－	－	－
大分市	22	－	2	13	6	1	－	－	－	－
宮崎市	19	－	5	8	3	3	－	－	－	－
鹿児島市	18	1	－	17	－	－	－	－	－	－
那覇市	12	－	－	3	8	－	1	－	－	－

第5表　定員，都道府県－指定都市・中核市（再掲）、

都道府県 指定都市 中核市	通所介護 総数	地方公共団体	社会福祉協議会	社会福祉法人（社会福祉協議会以外）	医療法人	社団・財団法人	協同組合	営利法人	特定非営利活動法人（NPO）	その他
全国	645 210	2 874	36 140	223 612	56 089	3 562	10 055	303 651	8 494	733
北海道	21 697	391	1 286	7 629	1 937	259	70	9 883	217	25
青森	8 619	-	849	4 822	770	80	132	1 936	30	-
岩手	8 217	50	739	3 239	-	28	262	3 481	418	-
宮城	11 220	-	1 232	3 420	525	54	148	5 668	173	-
秋田	5 746	125	942	2 103	222	-	95	2 204	30	25
山形	8 341	-	360	2 825	345	-	290	4 318	153	50
福島	10 977	-	1 479	3 050	1 394	234	438	4 237	145	-
茨城	12 485	45	323	5 314	878	-	154	5 674	74	23
栃木	10 287	-	280	4 002	659	-	505	4 584	257	-
群馬	16 281	-	873	4 457	1 365	54	392	8 881	259	-
埼玉	28 929	75	380	9 017	1 546	138	194	17 197	328	54
千葉	22 213	150	210	8 207	1 138	95	120	12 243	50	-
東京	41 535	375	215	14 468	1 655	178	168	23 813	606	57
神奈川	27 568	-	679	11 520	673	20	495	13 949	207	25
新潟	14 518	158	2 061	6 345	481	90	222	5 136	25	-
富山	7 447	88	211	3 195	440	-	370	2 903	195	45
石川	7 310	-	165	3 162	465	44	55	3 394	25	-
福井	5 692	-	770	1 878	404	25	323	2 253	20	19
山梨	5 010	55	790	1 622	465	137	-	1 913	28	-
長野	11 767	318	3 268	3 446	459	35	288	3 627	326	-
岐阜	12 212	130	1 468	2 960	1 441	338	214	5 503	158	-
静岡	21 337	60	761	7 596	1 783	-	114	10 714	262	47
愛知	31 956	50	1 235	8 453	2 863	38	650	18 285	382	-
三重	13 135	95	1 203	4 470	862	189	231	5 684	333	68
滋賀	7 487	-	1 085	2 305	506	84	90	3 039	378	-
京都	12 328	30	790	5 469	1 574	228	-	4 083	154	-
大阪	40 887	-	220	14 195	4 100	105	424	21 160	648	35
兵庫	27 326	70	1 470	10 681	2 631	95	647	11 577	155	-
奈良	6 877	-	215	2 731	374	30	-	3 497	30	-
和歌山	6 811	95	565	2 688	802	60	268	2 244	70	19
鳥取	4 320	-	807	1 679	370	-	40	1 424	-	-
島根	4 490	20	443	2 156	344	-	255	1 173	99	-
岡山	12 055	25	718	3 785	1 930	206	152	5 081	158	-
広島	17 273	48	521	6 496	2 911	30	329	6 800	102	36
山口	9 829	29	160	3 595	976	-	189	4 762	118	-
徳島	5 713	25	478	2 168	1 135	20	25	1 761	101	-
香川	6 406	80	254	2 623	685	20	-	2 625	119	-
愛媛	10 302	90	812	2 755	994	65	419	5 065	102	-
高知	4 199	80	519	1 195	629	-	25	1 751	-	-
福岡	32 345	-	505	8 977	4 051	196	740	17 494	317	65
佐賀	7 094	20	290	1 871	1 089	50	-	3 537	237	-
長崎	9 662	-	1 213	3 519	1 614	105	-	3 098	113	-
熊本	12 556	30	760	4 639	1 170	52	185	5 477	243	-
大分	10 564	37	768	3 204	1 342	40	73	4 805	295	-
宮崎	10 228	-	610	2 961	877	100	65	5 465	75	75
鹿児島	8 925	30	728	4 115	934	20	75	2 840	158	25
沖縄	13 034	-	430	2 605	2 281	20	124	7 413	121	40

注：調査方法の変更等による回収率変動の影響を受けているため、数量を示す定員の実数は前年以前と単純に年次比較できない。

居宅サービスの種類、開設（経営）主体別（５－１）

平成29年10月１日

都道府県 指定都市 中核市	通所介護 総数	地方公共団体	社会福祉協議会	社会福祉法人（社会福祉協議会以外）	医療法人	社団・財団法人	協同組合	営利法人	特定非営利活動法人（NPO）	その他
指定都市(再掲)										
札幌市	6 877	-	185	2 434	701	19	-	3 514	24	-
仙台市	3 077	-	70	915	175	35	-	1 882	-	-
さいたま市	4 365	-	-	1 080	466	-	59	2 760	-	-
千葉市	2 852	-	-	1 080	152	-	-	1 620	-	-
横浜市	10 925	-	499	5 133	196	-	113	4 939	20	25
川崎市	3 699	-	35	1 104	169	20	96	2 256	19	-
相模原市	2 155	-	-	966	85	-	25	1 004	75	-
新潟市	4 990	-	292	2 069	216	29	58	2 326	-	-
静岡市	4 376	60	80	1 174	220	-	-	2 792	50	-
浜松市	4 482	-	35	1 886	493	-	25	1 906	110	27
名古屋市	8 665	-	271	2 477	779	19	113	4 911	95	-
京都市	6 975	-	402	2 508	840	110	-	3 071	44	-
大阪市	11 131	-	25	3 488	1 335	25	189	5 893	141	35
堺市	4 403	-	-	1 563	171	22	55	2 542	50	-
神戸市	7 391	-	120	2 670	622	-	20	3 959	-	-
岡山市	4 153	-	53	1 102	614	176	68	2 030	110	-
広島市	6 737	-	-	2 092	1 474	-	90	3 021	60	-
北九州市	7 633	-	-	1 788	869	35	44	4 835	42	20
福岡市	6 552	-	-	1 364	758	42	65	4 283	40	-
熊本市	4 165	-	-	1 183	497	30	-	2 400	55	-
中核市(再掲)										
旭川市	1 725	-	-	458	289	-	40	938	-	-
函館市	1 532	-	40	425	100	-	-	943	24	-
青森市	1 151	-	65	622	-	30	62	372	-	-
八戸市	1 218	-	25	660	275	-	30	228	-	-
盛岡市	1 754	-	25	420	-	-	45	1 152	112	-
秋田市	1 387	-	62	510	77	-	-	738	-	-
郡山市	1 591	-	-	489	312	25	85	625	55	-
いわき市	2 325	-	-	374	227	25	93	1 606	-	-
宇都宮市	2 228	-	-	854	52	-	60	1 242	20	-
前橋市	3 112	-	35	903	268	-	100	1 806	-	-
高崎市	2 770	-	55	552	250	54	127	1 677	55	-
川越市	1 601	-	-	484	95	30	-	992	-	-
越谷市	1 137	-	-	285	-	-	-	852	-	-
船橋市	1 737	-	-	499	158	-	38	1 042	-	-
柏市	1 318	-	-	467	-	75	-	776	-	-
八王子市	2 151	-	-	573	68	-	70	1 440	-	-
横須賀市	1 731	-	-	806	37	-	-	888	-	-
富山市	3 101	23	-	1 128	150	-	195	1 503	102	-
金沢市	2 870	-	19	848	115	44	-	1 844	-	-
長野市	2 232	80	260	772	145	-	138	818	19	-
岐阜市	2 399	-	-	445	741	-	-	1 193	20	-
豊橋市	1 478	-	30	305	55	-	26	1 062	-	-
豊田市	1 434	-	187	432	120	-	60	635	-	-
岡崎市	1 683	-	-	475	34	-	-	1 174	-	-
大津市	1 459	-	-	385	238	19	-	742	75	-
高槻市	1 406	-	-	564	141	-	-	530	171	-
東大阪市	2 252	-	-	613	205	-	20	1 414	-	-
豊中市	1 849	-	75	778	213	-	-	783	-	-
枚方市	1 743	-	-	587	189	-	20	914	33	-
姫路市	3 229	-	65	1 407	280	-	214	1 263	-	-
西宮市	1 137	-	-	428	138	-	-	571	-	-
尼崎市	2 446	-	-	783	171	-	183	1 309	-	-
奈良市	1 903	-	-	487	54	30	-	1 302	30	-
和歌山市	2 592	-	-	1 064	400	-	88	986	35	19
倉敷市	2 939	-	40	977	581	-	29	1 312	-	-
福山市	3 333	-	-	1 283	430	-	150	1 434	-	36
呉市	1 061	-	-	539	279	-	-	243	-	-
下関市	1 966	-	-	644	65	-	30	1 167	60	-
高松市	2 825	-	115	1 045	200	-	-	1 425	40	-
松山市	3 405	-	-	963	489	65	54	1 810	24	-
高知市	1 689	-	110	385	310	-	25	859	-	-
久留米市	1 679	-	40	540	202	-	70	827	-	-
長崎市	2 698	-	40	1 081	434	75	-	1 068	-	-
佐世保市	1 278	-	235	365	440	30	-	208	-	-
大分市	4 769	-	30	1 449	715	20	73	2 389	93	-
宮崎市	2 855	-	70	851	361	70	30	1 443	-	30
鹿児島市	2 730	-	55	1 005	362	-	25	1 233	25	25
那覇市	2 713	-	-	360	556	-	59	1 661	37	40

第5表　定員，都道府県－指定都市・中核市（再掲）、

都道府県 指定都市 中核市	通所リハビリテーション（介護老人保健施設） 総数	地方公共団体	日本赤十字社・社会保険関係団体・独立行政法人	社会福祉法人	医療法人	社団・財団法人	営利法人	個人	その他の法人
全国	135 561	3 193	2 531	21 186	103 233	4 162	－	10	1 246
北海道	6 773	199	60	1 519	4 880	115	－	－	－
青森	2 832	30	－	1 504	988	310	－	－	－
岩手	1 786	25	－	97	1 634	30	－	－	－
宮城	2 801	110	40	140	2 401	110	－	－	－
秋田	1 183	70	40	469	589	15	－	－	－
山形	1 747	73	－	320	1 244	110	－	－	－
福島	2 219	10	108	377	1 236	438	－	－	50
茨城	4 101	－	60	490	3 381	170	－	－	－
栃木	1 941	－	110	154	1 588	40	－	－	49
群馬	2 740	115	50	240	2 028	237	－	－	70
埼玉	6 747	－	30	1 223	5 059	175	－	－	260
千葉	5 559	85	30	338	4 956	120	－	－	30
東京	7 104	150	120	759	5 745	285	－	－	45
神奈川	5 288	－	40	496	4 554	128	－	－	70
新潟	2 485	33	160	696	1 536	5	－	－	55
富山	1 634	20	－	195	1 419	－	－	－	－
石川	1 205	－	－	70	1 090	45	－	－	－
福井	1 119	86	60	265	708	－	－	－	－
山梨	731	104	－	77	530	20	－	－	－
長野	2 809	175	365	812	1 317	25	－	－	115
岐阜	2 134	104	80	105	1 845	－	－	－	－
静岡	4 391	135	80	251	3 865	60	－	－	－
愛知	6 715	－	270	298	6 127	－	－	－	20
三重	2 068	52	63	622	1 291	40	－	－	－
滋賀	896	45	40	243	433	115	－	－	20
京都	2 356	70	－	472	1 581	233	－	－	－
大阪	6 966	429	80	1 277	4 970	170	－	－	40
兵庫	5 290	205	58	511	4 276	130	－	10	100
奈良	2 018	88	－	325	1 558	47	－	－	－
和歌山	1 405	－	－	445	960	－	－	－	－
鳥取	1 324	－	－	360	964	－	－	－	－
島根	1 010	50	－	220	660	45	－	－	35
岡山	2 845	85	35	614	1 877	170	－	－	64
広島	3 803	60	50	791	2 777	125	－	－	－
山口	2 335	125	137	185	1 888	－	－	－	－
徳島	1 141	－	－	216	925	－	－	－	－
香川	1 616	90	－	550	953	－	－	－	23
愛媛	2 295	90	30	670	1 465	40	－	－	－
高知	1 231	30	50	125	1 026	－	－	－	－
福岡	6 101	40	45	1 240	4 546	110	－	－	120
佐賀	1 330	－	40	155	1 135	－	－	－	－
長崎	2 120	－	－	660	1 460	－	－	－	－
熊本	3 730	130	40	305	3 135	120	－	－	－
大分	1 820	－	110	－	1 576	134	－	－	－
宮崎	1 418	20	50	55	1 238	55	－	－	－
鹿児島	2 834	60	－	100	2 444	190	－	－	40
沖縄	1 565	－	－	150	1 375	－	－	－	40

注：調査方法の変更等による回収率変動の影響を受けているため、数量を示す定員の実数は前年以前と単純に年次比較できない。

平成29年10月１日

都道府県 指定都市 中核市	通所リハビリテーション（介護老人保健施設） 総数	地方公共団体	日本赤十字社・社会保険関係団体・独立行政法人	社会福祉法人	医療法人	社団・財団法人	営利法人	個人	その他の法人
指定都市(再掲)									
札幌市	2 396	-	60	387	1 889	60	-	-	-
仙台市	1 119	-	40	20	1 019	40	-	-	-
さいたま市	1 047	-	30	139	878	-	-	-	-
千葉市	820	-	30	85	705	-	-	-	-
横浜市	2 439	-	-	259	2 120	60	-	-	-
川崎市	558	-	-	115	403	-	-	-	40
相模原市	326	-	-	-	326	-	-	-	-
新潟市	883	-	20	175	633	5	-	-	50
静岡市	878	-	-	40	838	-	-	-	-
浜松市	822	-	-	115	707	-	-	-	-
名古屋市	2 283	-	140	73	2 050	-	-	-	20
京都市	1 384	-	-	350	851	183	-	-	-
大阪市	2 280	234	-	217	1 699	90	-	-	40
堺市	537	-	-	277	180	80	-	-	-
神戸市	1 664	-	40	110	1 424	90	-	-	-
岡山市	849	-	-	339	510	-	-	-	-
広島市	965	-	20	235	710	-	-	-	-
北九州市	1 014	-	-	110	904	-	-	-	-
福岡市	891	-	-	70	781	-	-	-	40
熊本市	1 312	-	-	20	1 192	100	-	-	-
中核市(再掲)									
旭川市	400	-	-	75	325	-	-	-	-
函館市	303	-	-	73	230	-	-	-	-
青森市	734	-	-	479	135	120	-	-	-
八戸市	368	-	-	50	218	100	-	-	-
盛岡市	184	-	-	-	184	-	-	-	-
秋田市	324	-	-	170	154	-	-	-	-
郡山市	198	-	-	-	115	83	-	-	-
いわき市	312	-	-	52	230	30	-	-	-
宇都宮市	240	-	30	60	150	-	-	-	-
前橋市	480	-	50	80	290	60	-	-	-
高崎市	545	-	-	20	425	100	-	-	-
川越市	320	-	-	-	280	40	-	-	-
越谷市	265	-	-	25	240	-	-	-	-
船橋市	548	-	-	-	498	50	-	-	-
柏市	357	25	-	-	332	-	-	-	-
八王子市	296	-	-	-	296	-	-	-	-
横須賀市	180	-	-	12	168	-	-	-	-
富山市	664	-	-	65	599	-	-	-	-
金沢市	360	-	-	-	360	-	-	-	-
長野市	280	-	-	20	205	-	-	-	55
岐阜市	528	-	-	-	528	-	-	-	-
豊橋市	320	-	-	-	320	-	-	-	-
豊田市	330	-	40	-	290	-	-	-	-
岡崎市	350	-	-	-	350	-	-	-	-
大津市	163	-	40	-	103	-	-	-	20
高槻市	325	-	-	-	325	-	-	-	-
東大阪市	347	-	-	82	265	-	-	-	-
豊中市	303	35	-	125	143	-	-	-	-
枚方市	398	-	-	30	368	-	-	-	-
姫路市	361	-	-	-	361	-	-	-	-
西宮市	220	40	-	-	180	-	-	-	-
尼崎市	373	-	-	-	333	-	-	-	40
奈良市	380	-	-	30	350	-	-	-	-
和歌山市	497	-	-	120	377	-	-	-	-
倉敷市	733	-	-	30	559	80	-	-	64
福山市	546	-	-	50	496	-	-	-	-
呉市	415	-	-	255	160	-	-	-	-
下関市	357	-	32	35	290	-	-	-	-
高松市	603	-	-	80	500	-	-	-	23
松山市	475	-	-	215	260	-	-	-	-
高知市	330	-	-	-	330	-	-	-	-
久留米市	296	-	45	-	251	-	-	-	-
長崎市	640	-	-	240	400	-	-	-	-
佐世保市	410	-	-	190	220	-	-	-	-
大分市	641	-	-	-	641	-	-	-	-
宮崎市	363	20	50	-	258	35	-	-	-
鹿児島市	579	-	-	-	529	50	-	-	-
那覇市	255	-	-	-	255	-	-	-	-

都道府県 指定都市 中核市	通所リハビリテーション（医療施設） 総数	地方公共団体	日本赤十字社・社会保険関係団体・独立行政法人	社会福祉法人	医療法人	社団・財団法人	営利法人	個人	その他の法人
全国	119 703	1 728	814	2 005	101 079	3 014	86	6 105	4 872
北海道	2 115	40	26	95	1 934	-	-	20	-
青森	1 065	40	-	166	470	90	-	119	180
岩手	1 358	20	-	-	1 135	42	-	91	70
宮城	944	10	-	-	691	193	-	50	-
秋田	118	-	-	-	118	-	-	-	-
山形	1 164	114	-	-	760	40	-	-	250
福島	2 006	69	-	50	1 360	306	-	30	191
茨城	1 294	-	-	-	1 286	-	-	8	-
栃木	1 297	-	-	40	1 170	-	-	77	10
群馬	1 334	70	-	-	980	-	-	100	184
埼玉	3 763	15	-	117	3 111	30	-	50	440
千葉	3 522	106	-	-	3 222	40	-	154	-
東京	4 939	6	10	-	4 252	195	-	279	197
神奈川	2 387	-	110	132	1 997	60	-	88	-
新潟	956	10	25	20	738	-	-	58	105
富山	809	35	-	-	665	-	-	14	95
石川	1 305	115	60	-	955	145	-	-	30
福井	1 021	65	-	-	830	15	-	71	40
山梨	800	8	-	-	617	101	-	50	24
長野	1 509	39	236	-	1 021	-	-	48	165
岐阜	1 413	40	20	10	1 174	-	-	154	15
静岡	2 661	-	50	60	2 391	20	-	140	-
愛知	8 292	80	42	143	6 806	-	-	901	320
三重	1 319	30	40	76	1 008	-	28	19	118
滋賀	896	-	-	-	831	-	-	40	25
京都	1 951	20	20	65	1 346	156	-	286	58
大阪	8 978	30	-	331	7 074	-	15	701	827
兵庫	5 268	20	30	83	4 570	60	-	315	190
奈良	1 008	-	-	125	806	-	-	77	-
和歌山	1 153	-	-	-	930	35	-	90	98
鳥取	632	109	-	40	443	-	-	-	40
島根	614	15	20	6	438	40	-	65	30
岡山	3 072	88	-	8	2 718	120	-	40	98
広島	4 555	20	25	-	4 025	150	-	282	53
山口	1 792	32	-	44	1 666	20	-	30	-
徳島	2 166	60	-	-	1 840	-	-	119	147
香川	2 383	60	-	40	1 994	185	-	-	104
愛媛	1 541	-	-	-	1 235	40	-	35	231
高知	1 213	78	-	-	1 086	-	-	24	25
福岡	10 305	-	50	80	9 165	524	43	413	30
佐賀	2 261	100	-	-	2 125	-	-	36	-
長崎	4 659	74	-	40	4 078	80	-	357	30
熊本	4 364	25	-	20	4 176	-	-	143	-
大分	3 029	-	50	130	2 690	-	-	109	50
宮崎	2 300	35	-	-	2 020	235	-	10	-
鹿児島	5 646	10	-	84	5 114	92	-	80	266
沖縄	2 526	40	-	-	2 018	-	-	332	136

注：調査方法の変更等による回収率変動の影響を受けているため、数量を示す定員の実数は前年以前と単純に年次比較できない。

平成29年10月１日

都道府県 指定都市 中核市	通所リハビリテーション（医療施設） 総数	地方公共団体	日本赤十字社・社会保険関係団体・独立行政法人	社会福祉法人	医療法人	社団・財団法人	営利法人	個人	その他の法人
指定都市(再掲)									
札幌市	559	－	－	－	539	－	－	20	－
仙台市	625	－	－	－	545	50	－	30	－
さいたま市	530	－	－	－	530	－	－	－	－
千葉市	713	－	－	－	653	10	－	50	－
横浜市	1 079	－	－	71	893	60	－	55	－
川崎市	296	－	－	－	263	－	－	33	－
相模原市	252	－	90	－	162	－	－	－	－
新潟市	458	－	－	20	363	－	－	55	20
静岡市	426	－	20	－	406	－	－	－	－
浜松市	818	－	－	－	748	－	－	70	－
名古屋市	2 325	80	2	123	1 700	－	－	184	236
京都市	1 007	－	－	40	688	136	－	128	15
大阪市	3 239	－	－	148	2 197	－	15	431	448
堺市	1 039	－	－	－	999	－	－	－	40
神戸市	929	－	－	－	722	60	－	72	75
岡山市	1 161	－	－	8	1 063	60	－	－	30
広島市	1 984	－	－	－	1 871	－	－	70	43
北九州市	1 661	－	－	－	1 580	81	－	－	－
福岡市	2 467	－	－	－	2 141	108	43	175	－
熊本市	1 695	－	－	20	1 615	－	－	60	－
中核市(再掲)									
旭川市	240	－	－	－	240	－	－	－	－
函館市	110	－	－	－	110	－	－	－	－
青森市	300	－	－	40	10	90	－	40	120
八戸市	350	－	－	－	280	－	－	30	40
盛岡市	676	－	－	－	578	－	－	58	40
秋田市	40	－	－	－	40	－	－	－	－
郡山市	464	69	－	－	235	130	－	－	30
いわき市	497	－	－	50	407	－	－	－	40
宇都宮市	151	－	－	－	119	－	－	22	10
前橋市	228	－	－	－	128	－	－	－	100
高崎市	168	－	－	－	144	－	－	－	24
川越市	228	－	－	－	223	－	－	－	5
越谷市	153	－	－	－	151	－	－	2	－
船橋市	196	76	－	－	120	－	－	－	－
柏市	143	－	－	－	123	－	－	20	－
八王子市	219	－	－	－	176	－	－	20	23
横須賀市	28	－	－	13	15	－	－	－	－
富山市	319	－	－	－	250	－	－	4	65
金沢市	639	－	60	－	434	115	－	－	30
長野市	215	－	50	－	70	－	－	－	95
岐阜市	424	－	－	－	404	－	－	20	－
豊橋市	558	－	－	－	483	－	－	75	－
豊田市	121	－	－	－	105	－	－	16	－
岡崎市	671	－	－	－	485	－	－	186	－
大津市	344	－	－	－	304	－	－	40	－
高槻市	247	－	－	－	207	－	－	－	40
東大阪市	587	20	－	－	427	－	－	－	140
豊中市	250	－	－	－	191	－	－	40	19
枚方市	595	－	－	46	496	－	－	53	－
姫路市	524	－	－	－	444	－	－	40	40
西宮市	383	－	－	－	343	－	－	40	－
尼崎市	422	－	－	60	252	－	－	55	55
奈良市	252	－	－	－	242	－	－	10	－
和歌山市	621	－	－	－	503	－	－	20	98
倉敷市	935	－	－	－	815	40	－	12	68
福山市	959	－	－	－	939	－	－	20	－
呉市	326	－	－	－	286	40	－	－	－
下関市	484	12	－	－	452	20	－	－	－
高松市	877	－	－	－	632	185	－	－	60
松山市	560	－	－	－	490	－	－	20	50
高知市	598	－	－	－	549	－	－	24	25
久留米市	897	－	－	－	819	－	－	78	－
長崎市	1 631	－	－	40	1 384	80	－	97	30
佐世保市	734	－	－	－	724	－	－	10	－
大分市	1 149	－	－	－	1 099	－	－	40	10
宮崎市	596	20	－	－	491	85	－	－	－
鹿児島市	1 838	－	－	24	1 602	52	－	30	130
那覇市	622	－	－	－	308	－	－	214	100

都道府県 指定都市 中核市	短期入所生活介護									
	総数	地方公共団体	社会福祉協議会	社会福祉法人（社会福祉協議会以外）	医療法人	社団・財団法人	協同組合	営利法人	特定非営利活動法人（NPO）	その他
全国	136 126	1 639	998	99 721	7 292	215	870	24 504	697	190
北海道	3 867	192	78	2 951	111	20	32	463	20	－
青森	2 167	4	46	1 751	30	－	72	264	－	－
岩手	2 142	15	34	1 409	150	－	42	486	－	6
宮城	2 934	－	103	2 268	136	－	－	427	－	－
秋田	6 628	97	95	2 028	396	－	70	3 817	63	62
山形	2 210	－	55	1 680	124	－	124	207	20	－
福島	2 600	－	－	2 072	132	－	－	372	24	－
茨城	3 549	－	10	2 763	160	－	－	616	－	－
栃木	2 940	－	－	1 770	293	－	10	827	40	－
群馬	2 611	－	－	1 654	406	－	40	511	－	－
埼玉	5 756	－	－	3 263	250	－	－	2 188	20	35
千葉	5 590	78	－	3 864	283	－	－	1 351	6	8
東京	5 755	128	－	4 594	115	－	－	888	20	10
神奈川	5 324	－	－	4 632	30	－	24	618	20	－
新潟	6 621	62	86	4 235	248	20	39	1 931	－	－
富山	1 674	－	－	1 306	77	－	59	195	37	－
石川	1 522	21	－	1 037	113	20	－	331	－	－
福井	1 260	12	30	988	38	－	48	144	－	－
山梨	1 931	4	－	1 314	216	－	－	325	72	－
長野	2 574	248	168	1 544	189	－	62	307	56	－
岐阜	3 335	100	32	1 897	213	－	24	1 039	27	3
静岡	4 292	3	－	3 343	150	－	24	772	－	－
愛知	6 148	4	9	4 219	458	20	20	1 418	－	－
三重	3 166	128	－	2 313	93	40	32	445	115	－
滋賀	1 409	－	20	1 195	70	－	－	104	20	－
京都	2 316	－	40	2 061	165	－	－	40	10	－
大阪	5 993	7	－	5 143	275	－	30	518	20	－
兵庫	5 251	－	－	4 838	74	－	44	295	－	－
奈良	1 290	4	19	1 145	64	－	－	58	－	－
和歌山	1 386	84	－	1 193	47	－	－	62	－	－
鳥取	499	－	8	422	29	－	－	40	－	－
島根	978	－	49	768	50	－	37	74	－	－
岡山	2 684	10	8	2 255	104	－	－	277	30	－
広島	5 165	－	10	3 895	428	10	37	765	20	－
山口	1 742	－	－	1 557	115	－	－	70	－	－
徳島	1 471	21	－	970	251	－	－	229	－	－
香川	2 191	17	－	1 809	89	－	－	276	－	－
愛媛	2 258	162	8	1 186	231	19	－	652	－	－
高知	669	146	6	494	20	－	－	3	－	－
福岡	4 047	1	17	3 302	230	22	－	428	－	47
佐賀	993	8	－	902	53	－	－	30	－	－
長崎	2 689	6	21	1 904	225	44	－	441	36	12
熊本	1 738	26	－	1 656	26	－	－	30	－	－
大分	1 421	6	23	1 182	186	－	－	24	－	－
宮崎	1 009	－	3	901	65	－	－	40	－	－
鹿児島	1 807	45	20	1 580	53	－	－	86	21	2
沖縄	524	－	－	468	31	－	－	20	－	5

注：1）調査方法の変更等による回収率変動の影響を受けているため、数量を示す定員の実数は前年以前と単純に年次比較できない。
　　2）短期入所生活介護は空床利用型の定員を含まない。

居宅サービスの種類、開設（経営）主体別（５－４）

平成29年10月１日

都道府県 指定都市 中核市	短期入所生活介護 総数	地方公共団体	社会福祉協議会	社会福祉法人（社会福祉協議会以外）	医療法人	社団・財団法人	協同組合	営利法人	特定非営利活動法人（NPO）	その他
指定都市（再掲）										
札幌市	919	–	–	761	–	–	–	158	–	–
仙台市	1 307	–	–	966	87	–	–	254	–	–
さいたま市	890	–	–	446	40	–	–	404	–	–
千葉市	955	–	–	715	40	–	–	200	–	–
横浜市	2 080	–	–	1 946	–	–	–	114	20	–
川崎市	571	–	–	465	–	–	–	106	–	–
相模原市	413	–	–	378	–	–	–	35	–	–
新潟市	2 651	–	–	1 701	127	20	39	764	–	–
静岡市	801	3	–	513	20	–	–	265	–	–
浜松市	1 009	–	–	744	82	–	24	159	–	–
名古屋市	1 731	–	–	1 298	75	–	–	358	–	–
京都市	1 010	–	40	857	73	–	–	40	–	–
大阪市	1 592	–	–	1 334	88	–	–	170	–	–
堺市	602	–	–	522	–	–	–	60	20	–
神戸市	1 249	–	–	1 209	–	–	–	40	–	–
岡山市	896	–	–	816	40	–	–	40	–	–
広島市	1 705	–	–	996	290	–	37	362	20	–
北九州市	709	1	–	511	18	–	–	159	–	20
福岡市	978	–	–	829	77	–	–	72	–	–
熊本市	400	–	–	390	–	–	–	10	–	–
中核市（再掲）										
旭川市	190	–	–	150	–	–	6	34	–	–
函館市	482	–	–	167	86	–	–	209	20	–
青森市	284	–	–	228	–	–	34	22	–	–
八戸市	156	–	–	156	–	–	–	–	–	–
盛岡市	396	–	–	133	52	–	42	169	–	–
秋田市	1 868	–	–	580	117	–	–	1 139	–	32
郡山市	464	–	–	247	60	–	–	157	–	–
いわき市	437	–	–	390	20	–	–	27	–	–
宇都宮市	415	–	–	255	40	–	–	120	–	–
前橋市	364	–	–	270	–	–	20	74	–	–
高崎市	572	–	–	266	90	–	20	196	–	–
川越市	264	–	–	128	20	–	–	116	–	–
越谷市	163	–	–	75	–	–	–	88	–	–
船橋市	407	20	–	252	40	–	–	95	–	–
柏市	224	–	–	184	–	–	–	40	–	–
八王子市	179	–	–	131	–	–	–	48	–	–
横須賀市	356	–	–	316	–	–	–	40	–	–
富山市	608	–	–	437	20	–	39	91	21	–
金沢市	688	–	–	326	56	20	–	286	–	–
長野市	573	30	20	347	80	–	44	52	–	–
岐阜市	611	–	–	307	38	–	–	266	–	–
豊橋市	308	4	–	124	27	–	20	133	–	–
豊田市	295	–	–	275	–	–	–	20	–	–
岡崎市	304	–	–	184	19	20	–	81	–	–
大津市	358	–	–	233	61	–	–	64	–	–
高槻市	124	–	–	124	–	–	–	–	–	–
東大阪市	216	–	–	196	–	–	20	–	–	–
豊中市	242	–	–	242	–	–	–	–	–	–
枚方市	176	–	–	176	–	–	–	–	–	–
姫路市	587	–	–	500	21	–	24	42	–	–
西宮市	177	–	–	137	–	–	–	40	–	–
尼崎市	392	–	–	341	20	–	–	31	–	–
奈良市	353	–	–	290	38	–	–	25	–	–
和歌山市	415	–	–	395	–	–	–	20	–	–
倉敷市	728	–	–	473	39	–	–	186	30	–
福山市	1 066	–	–	859	55	–	–	152	–	–
呉市	333	–	–	217	20	10	–	86	–	–
下関市	406	–	–	363	43	–	–	–	–	–
高松市	1 096	–	–	879	69	–	–	148	–	–
松山市	891	–	–	325	141	–	–	425	–	–
高知市	174	–	–	160	14	–	–	–	–	–
久留米市	291	–	–	205	48	–	–	31	–	7
長崎市	1 047	–	–	621	93	20	–	301	–	12
佐世保市	300	–	–	277	15	–	–	8	–	–
大分市	390	–	–	344	46	–	–	–	–	–
宮崎市	237	–	–	217	–	–	–	20	–	–
鹿児島市	420	–	–	406	12	–	–	–	–	2
那覇市	79	–	–	59	15	–	–	–	–	5

第５表　定員，都道府県－指定都市・中核市（再掲），

都道府県 指定都市 中核市	特定施設入居者生活介護									
	総数	地方公共団体	社会福祉協議会	社会福祉法人（社会福祉協議会以外）	医療法人	社団・財団法人	協同組合	営利法人	特定非営利活動法人（NPO）	その他
全国	259 176	1 916	340	50 124	13 992	4 327	888	183 263	388	3 938
北海道	13 572	305	110	4 130	717	36	75	8 091	-	108
青森	648	-	-	633	-	-	-	-	15	-
岩手	991	-	-	654	159	-	-	178	-	-
宮城	2 270	-	-	819	20	-	-	1 431	-	-
秋田	2 048	30	105	587	234	-	40	1 032	20	-
山形	1 484	-	-	528	69	-	-	887	-	-
福島	2 844	-	-	689	417	70	-	1 653	15	-
茨城	3 046	50	-	440	290	142	-	2 124	-	-
栃木	2 470	-	-	1 172	293	-	-	987	18	-
群馬	2 963	60	-	675	684	-	-	1 544	-	-
埼玉	23 071	-	-	1 195	885	-	30	20 961	-	-
千葉	12 948	-	-	1 022	898	813	-	9 740	-	475
東京	39 591	-	-	964	1 020	-	-	36 830	-	777
神奈川	30 744	-	-	2 465	317	486	-	25 840	-	1 636
新潟	3 380	320	-	808	90	-	35	2 127	-	-
富山	169	-	-	24	55	-	-	90	-	-
石川	1 907	-	-	983	188	-	-	706	30	-
福井	823	-	40	632	38	-	10	81	22	-
山梨	376	-	-	170	-	-	-	206	-	-
長野	3 455	230	25	1 361	164	-	-	1 645	30	-
岐阜	1 225	-	-	304	93	29	-	722	30	47
静岡	6 819	-	-	1 518	328	767	-	4 206	-	-
愛知	9 996	-	-	1 273	616	-	80	7 977	-	50
三重	2 379	72	-	733	346	-	-	1 198	30	-
滋賀	1 156	-	-	322	-	-	-	834	-	-
京都	3 927	-	-	1 381	278	520	-	1 748	-	-
大阪	17 544	-	-	2 952	964	110	387	13 131	-	-
兵庫	16 098	30	30	3 936	227	581	72	10 778	-	444
奈良	3 440	80	30	797	266	598	-	1 669	-	-
和歌山	1 258	298	-	386	157	-	145	246	26	-
鳥取	764	-	-	384	-	-	-	380	-	-
島根	1 797	60	-	980	174	-	-	537	46	-
岡山	4 583	120	-	1 747	241	54	-	2 363	58	-
広島	5 951	-	-	1 505	763	-	-	3 493	-	190
山口	2 443	140	-	1 625	206	-	-	472	-	-
徳島	136	-	-	30	18	-	-	88	-	-
香川	1 623	-	-	585	167	-	-	871	-	-
愛媛	3 437	-	-	1 132	393	-	-	1 879	33	-
高知	1 281	-	-	926	83	-	-	227	-	45
福岡	10 905	-	-	1 506	628	21	-	8 634	-	116
佐賀	1 177	-	-	489	89	-	-	599	-	-
長崎	3 011	121	-	1 924	398	-	-	553	15	-
熊本	1 948	-	-	635	312	-	14	987	-	-
大分	1 624	-	-	591	21	100	-	912	-	-
宮崎	2 379	-	-	1 194	161	-	-	1 024	-	-
鹿児島	2 031	-	-	938	169	-	-	924	-	-
沖縄	1 444	-	-	380	356	-	-	658	-	50

注：調査方法の変更等による回収率変動の影響を受けているため、数量を示す定員の実数は前年以前と単純に年次比較できない。

平成29年10月１日

都道府県 指定都市 中核市	特定施設入居者生活介護									
	総数	地方公共団体	社会福祉協議会	社会福祉法人（社会福祉協議会以外）	医療法人	社団・財団法人	協同組合	営利法人	特定非営利活動法人（NPO）	その他
指定都市(再掲)										
札幌市	4 923	-	12	721	81	-	75	3 926	-	108
仙台市	1 678	-	-	489	-	-	-	1 189	-	-
さいたま市	6 879	-	-	348	79	-	-	6 452	-	-
千葉市	2 884	-	-	80	255	-	-	2 308	-	241
横浜市	11 778	-	-	324	124	92	-	10 384	-	854
川崎市	5 812	-	-	314	-	-	-	5 260	-	238
相模原市	1 935	-	-	70	43	-	-	1 590	-	232
新潟市	622	-	-	173	90	-	-	359	-	-
静岡市	1 027	-	-	62	-	-	-	965	-	-
浜松市	1 439	-	-	613	69	319	-	438	-	-
名古屋市	4 867	-	-	266	89	-	80	4 432	-	-
京都市	2 380	-	-	1 010	278	-	-	1 092	-	-
大阪市	7 152	-	-	829	495	30	-	5 798	-	-
堺市	999	-	-	367	-	-	57	575	-	-
神戸市	7 770	-	-	1 597	64	543	-	5 566	-	-
岡山市	1 816	-	-	729	19	-	-	1 038	30	-
広島市	2 897	-	-	516	293	-	-	1 898	-	190
北九州市	2 637	-	-	545	230	-	-	1 862	-	-
福岡市	3 409	-	-	137	24	-	-	3 248	-	-
熊本市	1 345	-	-	284	312	-	-	749	-	-
中核市(再掲)										
旭川市	1 047	-	-	369	17	-	-	661	-	-
函館市	615	-	18	73	10	-	-	514	-	-
青森市	85	-	-	85	-	-	-	-	-	-
八戸市	129	-	-	129	-	-	-	-	-	-
盛岡市	414	-	-	166	96	-	-	152	-	-
秋田市	1 107	-	-	265	123	-	-	719	-	-
郡山市	461	-	-	51	229	-	-	181	-	-
いわき市	898	-	-	110	30	-	-	758	-	-
宇都宮市	710	-	-	515	45	-	-	150	-	-
前橋市	580	-	-	280	100	-	-	200	-	-
高崎市	587	-	-	240	-	-	-	347	-	-
川越市	294	-	-	-	-	-	-	294	-	-
越谷市	1 392	-	-	49	-	-	-	1 343	-	-
船橋市	1 000	-	-	-	-	-	-	926	-	74
柏市	501	-	-	-	-	-	-	501	-	-
八王子市	2 005	-	-	117	86	-	-	1 370	-	432
横須賀市	1 350	-	-	58	-	-	-	980	-	312
富山市	145	-	-	24	55	-	-	66	-	-
金沢市	978	-	-	408	138	-	-	432	-	-
長野市	410	100	-	182	-	-	-	128	-	-
岐阜市	225	-	-	90	-	-	-	135	-	-
豊橋市	334	-	-	72	-	-	-	262	-	-
豊田市	147	-	-	-	-	-	-	147	-	-
岡崎市	353	-	-	119	39	-	-	195	-	-
大津市	752	-	-	82	-	-	-	670	-	-
高槻市	706	-	-	130	35	-	-	541	-	-
東大阪市	512	-	-	100	-	-	-	412	-	-
豊中市	1 209	-	-	262	100	-	-	847	-	-
枚方市	1 110	-	-	299	199	-	-	612	-	-
姫路市	380	-	-	-	-	-	-	380	-	-
西宮市	872	-	-	-	-	38	-	834	-	-
尼崎市	732	-	-	30	-	-	-	528	-	174
奈良市	737	-	-	330	56	-	-	351	-	-
和歌山市	571	-	-	188	60	-	145	152	26	-
倉敷市	1 600	-	-	390	193	54	-	963	-	-
福山市	729	-	-	216	118	-	-	395	-	-
呉市	312	-	-	80	196	-	-	36	-	-
下関市	365	-	-	299	66	-	-	-	-	-
高松市	711	-	-	168	21	-	-	522	-	-
松山市	2 211	-	-	770	313	-	-	1 095	33	-
高知市	513	-	-	302	33	-	-	133	-	45
久留米市	479	-	-	110	28	-	-	341	-	-
長崎市	539	-	-	287	54	-	-	198	-	-
佐世保市	1 263	-	-	774	204	-	-	285	-	-
大分市	461	-	-	70	21	-	-	370	-	-
宮崎市	767	-	-	294	25	-	-	448	-	-
鹿児島市	643	-	-	89	121	-	-	433	-	-
那覇市	300	-	-	50	62	-	-	188	-	-

第6表　従事者数，居宅サービスの種類、都道府県－指定都市・

訪問介護

都道府県 指定都市 中核市	総数				訪問介護員							
									介護福祉士（再掲）			
	総数	常勤		非常勤	総数	常勤		非常勤	総数	常勤		非常勤
		専従	兼務			専従	兼務			専従	兼務	
全国	457 910	88 890	73 788	295 232	432 976	81 917	60 239	290 820	175 599	49 770	35 903	89 926
北海道	20 513	5 351	3 938	11 224	19 300	5 022	3 268	11 010	9 230	2 920	1 954	4 356
青森	7 143	2 668	2 087	2 388	6 682	2 527	1 839	2 316	3 220	1 427	1 019	774
岩手	4 092	1 066	1 108	1 918	3 813	1 005	946	1 862	1 836	665	543	628
宮城	6 166	1 512	1 148	3 506	5 800	1 395	947	3 458	2 620	866	588	1 166
秋田	3 109	912	762	1 435	2 925	864	649	1 412	1 401	541	378	482
山形	2 685	681	862	1 142	2 488	636	725	1 127	1 221	412	438	371
福島	5 785	1 344	1 199	3 242	5 421	1 232	982	3 207	2 163	748	532	883
茨城	5 326	1 267	978	3 081	4 962	1 184	754	3 024	1 811	609	408	794
栃木	3 896	818	682	2 396	3 644	750	531	2 363	1 379	456	263	660
群馬	5 851	1 140	1 178	3 533	5 512	1 075	940	3 497	2 307	655	557	1 095
埼玉	16 567	3 203	1 967	11 397	15 658	2 956	1 477	11 225	6 257	1 711	950	3 596
千葉	19 301	4 017	3 045	12 239	18 224	3 716	2 467	12 041	7 151	2 187	1 372	3 592
東京	46 645	6 991	5 532	34 122	44 468	6 419	4 327	33 722	16 778	4 183	2 839	9 756
神奈川	33 006	3 260	5 287	24 459	31 445	2 976	4 388	24 081	11 521	1 872	2 711	6 938
新潟	5 592	1 155	1 398	3 039	5 270	1 089	1 172	3 009	2 753	813	781	1 159
富山	2 775	757	523	1 495	2 540	672	428	1 440	1 192	438	264	490
石川	2 930	642	731	1 557	2 751	606	609	1 536	1 414	409	386	619
福井	1 718	366	455	897	1 555	330	346	879	780	215	265	300
山梨	2 179	426	324	1 429	2 066	405	245	1 416	791	244	149	398
長野	6 019	1 593	1 099	3 327	5 616	1 471	892	3 253	2 901	1 041	607	1 253
岐阜	5 628	1 164	909	3 555	5 276	1 065	729	3 482	2 286	638	443	1 205
静岡	7 726	1 494	1 256	4 976	7 259	1 373	976	4 910	3 220	878	537	1 805
愛知	25 462	4 450	3 565	17 447	24 206	4 107	2 914	17 185	9 912	2 608	1 577	5 727
三重	6 083	1 514	811	3 758	5 718	1 389	626	3 703	2 425	811	400	1 214
滋賀	3 608	730	553	2 325	3 366	676	397	2 293	1 529	464	289	776
京都	9 000	1 988	1 100	5 912	8 533	1 868	848	5 817	3 902	1 236	610	2 056
大阪	67 205	12 453	8 911	45 841	64 005	11 272	7 488	45 245	22 630	6 059	4 222	12 349
兵庫	26 847	4 566	3 095	19 186	25 505	4 153	2 421	18 931	9 884	2 643	1 686	5 555
奈良	5 581	1 173	809	3 599	5 284	1 082	665	3 537	2 036	630	369	1 037
和歌山	7 059	1 576	1 040	4 443	6 640	1 481	832	4 327	2 489	839	465	1 185
鳥取	1 394	455	381	558	1 337	440	342	555	724	276	229	219
島根	2 790	691	848	1 251	2 592	649	710	1 233	1 206	436	393	377
岡山	5 029	855	828	3 346	4 768	788	668	3 312	2 112	494	431	1 187
広島	10 996	1 980	1 585	7 431	10 409	1 812	1 284	7 313	4 636	1 103	979	2 554
山口	4 942	727	1 106	3 109	4 669	684	928	3 057	2 088	476	612	1 000
徳島	3 368	848	679	1 841	3 174	784	568	1 822	1 328	463	322	543
香川	3 768	589	603	2 576	3 526	540	481	2 505	1 494	331	263	900
愛媛	6 988	1 307	793	4 888	6 660	1 196	614	4 850	2 698	790	391	1 517
高知	2 156	562	311	1 283	2 020	519	229	1 272	868	354	168	346
福岡	19 074	3 999	3 125	11 950	17 854	3 631	2 492	11 731	6 656	2 067	1 361	3 228
佐賀	1 836	391	293	1 152	1 709	356	240	1 113	721	276	135	310
長崎	4 855	872	947	3 036	4 559	797	770	2 992	2 060	552	511	997
熊本	7 181	1 570	2 130	3 481	6 765	1 452	1 878	3 435	2 858	916	846	1 096
大分	5 488	1 071	1 019	3 398	5 218	984	879	3 355	2 206	583	419	1 204
宮崎	4 768	1 011	1 293	2 464	4 475	909	1 143	2 423	1 695	479	548	668
鹿児島	4 709	983	898	2 828	4 423	912	715	2 796	1 991	595	404	992
沖縄	3 071	702	597	1 772	2 886	668	470	1 748	1 219	361	289	569

注：1）調査方法の変更等による回収率変動の影響を受けているため、数量を示す従事者数の実数は前年以前と単純に年次比較できない。
　　2）介護予防サービスを一体的に行っている事業所の従事者を含む。
　　3）介護予防サービスのみ行っている事業所は対象外とした。

中核市（再掲）、職種（常勤（専従－兼務）－非常勤）別（39－１）

平成29年10月１日

実務者研修修了者（再掲）				旧介護職員基礎研修課程修了者（再掲）				旧ホームヘルパー１級研修課程修了者（再掲）			
総数	常勤		非常勤	総数	常勤		非常勤	総数	常勤		非常勤
	専従	兼務			専従	兼務			専従	兼務	
17 578	5 986	4 027	7 565	7 165	1 633	1 248	4 284	12 409	2 225	1 938	8 246
775	290	181	304	206	44	37	125	599	154	128	317
438	179	151	108	151	55	36	60	238	52	69	117
137	49	42	46	49	15	13	21	116	23	20	73
178	68	50	60	90	18	17	55	214	39	75	100
78	31	25	22	48	8	9	31	77	10	12	55
59	20	22	17	41	7	22	12	70	17	17	36
140	46	49	45	102	24	13	65	177	44	37	96
154	65	36	53	96	28	24	44	155	47	26	82
90	38	11	41	56	15	10	31	116	16	20	80
182	56	54	72	97	25	12	60	163	31	27	105
655	272	107	276	211	58	44	109	432	96	39	297
656	251	148	257	249	63	45	141	379	83	54	242
1 615	597	341	677	587	110	67	410	1 015	130	142	743
1 205	247	384	574	641	102	134	405	656	50	85	521
94	31	35	28	33	5	11	17	105	20	20	65
97	29	26	42	56	7	14	35	83	26	7	50
116	37	28	51	42	26	3	13	80	13	8	59
42	18	14	10	17	3	3	11	23	-	5	18
71	19	23	29	35	8	4	23	56	13	7	36
144	57	16	71	48	11	7	30	109	22	16	71
161	57	33	71	44	17	6	21	95	15	10	70
239	92	44	103	57	28	7	22	137	26	15	96
899	280	201	418	437	86	53	298	548	96	85	367
177	83	35	59	76	22	6	48	174	39	23	112
119	44	17	58	83	14	5	64	93	17	10	66
358	135	46	177	150	26	16	108	166	43	11	112
3 688	1 287	764	1 637	1 501	340	281	880	1 439	240	202	997
989	339	159	491	348	62	46	240	778	129	79	570
170	74	36	60	47	17	10	20	206	44	33	129
205	104	36	65	117	39	23	55	234	51	29	154
59	20	21	18	7	2	1	4	10	2	1	7
111	48	45	18	27	8	2	17	52	3	22	27
208	47	41	120	58	17	15	26	180	30	28	122
351	94	65	192	107	22	23	62	253	52	28	173
136	14	47	75	89	10	12	67	296	28	44	224
143	42	39	62	64	18	15	31	150	33	26	91
108	24	23	61	53	8	11	34	209	23	32	154
127	42	14	71	86	27	6	53	268	54	30	184
92	25	9	58	24	8	4	12	42	13	8	21
858	298	190	370	336	106	68	162	849	187	146	516
72	20	21	31	31	4	5	22	84	9	10	65
227	61	47	119	82	14	10	58	199	18	20	161
352	102	128	122	109	15	44	50	231	45	70	116
251	58	65	128	199	49	14	136	208	29	40	139
215	68	84	63	72	17	18	37	290	54	66	170
179	71	51	57	61	12	13	36	274	45	45	184
158	57	23	78	45	13	9	23	81	14	11	56

訪問介護

都道府県 指定都市 中核市	総数				訪問介護員							
									介護福祉士（再掲）			
	総数	常勤		非常勤	総数	常勤		非常勤	総数	常勤		非常勤
		専従	兼務			専従	兼務			専従	兼務	
指定都市（再掲）												
札幌市	7 676	1 829	1 245	4 602	7 332	1 728	1 047	4 557	3 699	1 008	653	2 038
仙台市	3 360	644	602	2 114	3 191	590	512	2 089	1 445	376	313	756
さいたま市	3 054	580	363	2 111	2 875	532	270	2 073	1 128	289	171	668
千葉市	3 182	655	574	1 953	2 999	608	482	1 909	1 148	339	260	549
横浜市	15 380	1 308	2 256	11 816	14 721	1 205	1 880	11 636	5 146	792	1 190	3 164
川崎市	4 773	503	737	3 533	4 547	454	604	3 489	1 671	257	355	1 059
相模原市	2 434	249	365	1 820	2 327	229	297	1 801	869	149	206	514
新潟市	2 270	382	471	1 417	2 155	349	402	1 404	995	235	281	479
静岡市	1 943	375	302	1 266	1 827	340	248	1 239	810	200	136	474
浜松市	1 357	275	264	818	1 279	257	211	811	548	171	77	300
名古屋市	12 943	2 361	1 611	8 971	12 378	2 194	1 310	8 874	4 703	1 330	689	2 684
京都市	5 777	1 401	658	3 718	5 466	1 309	509	3 648	2 387	834	333	1 220
大阪市	27 231	5 245	3 917	18 069	25 859	4 739	3 324	17 796	8 547	2 359	1 763	4 425
堺市	7 008	1 345	807	4 856	6 738	1 233	689	4 816	2 308	672	385	1 251
神戸市	9 025	1 558	828	6 639	8 618	1 429	641	6 548	3 096	935	433	1 728
岡山市	2 298	316	412	1 570	2 178	289	343	1 546	940	168	204	568
広島市	5 462	996	740	3 726	5 200	913	620	3 667	2 235	534	452	1 249
北九州市	4 599	840	600	3 159	4 295	753	447	3 095	1 434	421	273	740
福岡市	5 545	1 327	885	3 333	5 219	1 214	740	3 265	2 093	696	420	977
熊本市	3 102	721	768	1 613	2 958	676	688	1 594	1 276	429	336	511
中核市（再掲）												
旭川市	2 912	913	849	1 150	2 776	876	782	1 118	1 259	459	410	390
函館市	1 072	124	198	750	1 000	113	167	720	402	73	113	216
青森市	1 987	557	640	790	1 871	522	586	763	874	307	308	259
八戸市	1 035	400	305	330	981	379	275	327	508	207	163	138
盛岡市	1 372	392	316	664	1 289	372	282	635	628	224	173	231
秋田市	1 055	284	189	582	999	267	161	571	484	175	102	207
郡山市	666	184	120	362	624	170	96	358	277	102	53	122
いわき市	1 451	335	238	878	1 365	307	193	865	432	173	96	163
宇都宮市	1 182	234	208	740	1 127	219	179	729	404	117	95	192
前橋市	1 127	234	200	693	1 064	218	156	690	463	137	103	223
高崎市	1 018	212	212	594	964	201	176	587	429	129	104	196
川越市	763	153	68	542	722	137	49	536	291	91	38	162
越谷市	683	186	72	425	657	180	59	418	227	59	34	134
船橋市	2 152	464	348	1 340	2 056	437	291	1 328	899	256	145	498
柏市	1 410	342	233	835	1 341	319	194	828	538	174	103	261
八王子市	2 112	247	185	1 680	2 047	231	147	1 669	673	135	101	437
横須賀市	1 542	179	221	1 142	1 446	163	177	1 106	512	86	118	308
富山市	1 258	362	246	650	1 161	336	200	625	520	194	114	212
金沢市	1 681	315	372	994	1 603	295	323	985	797	200	203	394
長野市	1 090	255	145	690	1 042	235	122	685	487	167	93	227
岐阜市	1 818	404	321	1 093	1 722	365	277	1 080	606	173	149	284
豊橋市	795	139	74	582	765	137	58	570	342	90	32	220
豊田市	671	117	131	423	616	105	102	409	239	68	39	132
岡崎市	973	140	75	758	930	126	54	750	359	93	36	230
大津市	1 353	266	189	898	1 270	241	143	886	528	158	101	269
高槻市	1 417	213	145	1 059	1 360	198	112	1 050	537	129	87	321
東大阪市	3 785	723	565	2 497	3 574	662	462	2 450	1 196	350	248	598
豊中市	2 909	547	369	1 993	2 777	490	320	1 967	1 000	265	179	556
枚方市	2 877	431	370	2 076	2 741	377	307	2 057	1 119	236	181	702
姫路市	2 398	368	300	1 730	2 288	330	240	1 718	932	184	186	562
西宮市	2 466	450	227	1 789	2 323	397	174	1 752	856	246	121	489
尼崎市	3 779	762	438	2 579	3 600	697	353	2 550	1 240	369	239	632
奈良市	2 055	382	296	1 377	1 960	344	266	1 350	765	215	135	415
和歌山市	3 292	650	522	2 120	3 120	605	430	2 085	1 035	330	225	480
倉敷市	1 128	214	174	740	1 072	198	139	735	481	126	86	269
福山市	1 223	176	182	865	1 151	153	147	851	511	89	119	303
呉市	970	174	167	629	911	160	131	620	389	78	96	215
下関市	1 055	125	211	719	1 001	115	173	713	438	78	123	237
高松市	2 044	284	240	1 520	1 925	260	198	1 467	796	152	103	541
松山市	3 155	514	298	2 343	3 013	470	214	2 329	1 175	319	143	713
高知市	995	278	133	584	937	260	98	579	395	172	67	156
久留米市	882	168	173	541	832	153	145	534	370	97	90	183
長崎市	2 124	361	332	1 431	2 014	330	273	1 411	857	225	200	432
佐世保市	550	65	136	349	511	62	109	340	200	39	66	95
大分市	2 076	398	423	1 255	1 995	370	381	1 244	909	223	186	500
宮崎市	2 060	447	631	982	1 940	399	581	960	754	196	273	285
鹿児島市	1 743	414	312	1 017	1 665	393	265	1 007	771	245	153	373
那覇市	492	68	110	314	469	64	92	313	226	48	61	117

注：1）調査方法の変更等による回収率変動の影響を受けているため、数量を示す従事者数の実数は前年以前と単純に年次比較できない。
　　2）介護予防サービスを一体的に行っている事業所の従事者を含む。
　　3）介護予防サービスのみ行っている事業所は対象外とした。

中核市（再掲）、職種（常勤（専従－兼務）－非常勤）別（39－２）

平成29年10月１日

実務者研修修了者（再掲）				旧介護職員基礎研修課程修了者（再掲）				旧ホームヘルパー１級研修課程修了者（再掲）			
総数	常勤		非常勤	総数	常勤		非常勤	総数	常勤		非常勤
	専従	兼務			専従	兼務			専従	兼務	
409	131	100	178	99	18	18	63	186	48	35	103
113	42	33	38	44	6	7	31	127	12	60	55
118	51	19	48	43	9	15	19	68	13	6	49
127	56	34	37	46	17	11	18	70	12	12	46
568	98	183	287	300	26	52	222	353	32	33	288
166	41	59	66	119	28	32	59	87	7	19	61
67	17	19	31	37	12	5	20	24	－	4	20
46	12	20	14	16	3	7	6	38	11	9	18
44	27	4	13	23	12	4	7	21	2	4	15
50	22	6	22	20	12	－	8	32	8	1	23
507	181	106	220	234	59	30	145	295	47	42	206
267	111	33	123	124	22	13	89	102	36	5	61
1 645	627	377	641	684	170	146	368	703	119	99	485
304	103	68	133	130	31	25	74	108	19	16	73
386	132	45	209	102	13	9	80	315	52	30	233
135	21	26	88	35	10	7	18	100	14	15	71
225	58	37	130	67	10	14	43	87	21	15	51
174	49	34	91	62	18	12	32	148	37	11	100
325	125	67	133	110	36	23	51	252	61	60	131
158	52	56	50	45	7	19	19	96	19	25	52
105	46	24	35	33	9	9	15	96	26	34	36
16	2	4	10	6	－	4	2	38	5	11	22
161	54	54	53	64	23	24	17	75	14	22	39
64	32	24	8	13	5	3	5	36	2	7	27
79	29	24	26	31	12	9	10	28	9	5	14
32	15	4	13	32	6	6	20	29	3	4	22
13	2	5	6	10	1	2	7	21	5	1	15
30	10	11	9	20	9	1	10	38	14	6	18
40	13	6	21	18	2	2	14	26	3	4	19
29	9	11	9	16	6	4	6	11	4	1	6
53	15	14	24	3	1	－	2	31	3	1	27
29	18	－	11	4	3	－	1	16	6	3	7
43	17	4	22	10	2	2	6	10	5	－	5
65	31	15	19	17	3	7	7	20	7	3	10
61	23	16	22	10	4	－	6	22	4	1	17
57	21	14	22	34	5	5	24	44	23	3	18
58	17	13	28	21	10	8	3	24	3	1	20
54	17	13	24	23	5	9	9	43	11	5	27
78	23	19	36	15	8	2	5	42	9	2	31
35	15	2	18	6	1	2	3	17	4	2	11
61	20	20	21	16	4	1	11	21	6	1	14
37	9	6	22	68	2	1	65	10	2	3	5
43	5	9	29	10	2	1	7	22	4	3	15
27	9	4	14	1	－	－	1	24	4	5	15
51	21	9	21	43	7	2	34	23	4	4	15
82	20	10	52	54	11	1	42	45	10	－	35
281	97	61	123	72	16	21	35	80	11	16	53
167	62	30	75	99	19	10	70	55	15	9	31
148	33	25	90	60	11	17	32	59	6	8	45
68	21	10	37	52	2	6	44	68	7	7	54
92	34	10	48	41	8	11	22	44	12	4	28
188	73	34	81	62	20	12	30	149	29	19	101
69	20	18	31	14	5	6	3	58	9	6	43
98	49	17	32	53	17	12	24	109	24	14	71
35	12	8	15	13	3	6	4	33	6	7	20
41	11	8	22	10	5	1	4	48	7	3	38
26	9	9	8	11	2	2	7	32	4	2	26
31	3	5	23	41	2	6	33	58	1	2	55
75	14	9	52	39	6	7	26	81	11	14	56
61	17	5	39	45	17	2	26	129	22	7	100
66	17	5	44	14	6	3	5	28	9	7	12
45	12	7	26	10	4	－	6	21	5	3	13
86	28	22	36	42	10	3	29	49	8	11	30
23	4	7	12	7	1	2	4	53	4	1	48
143	24	41	78	68	11	4	53	77	8	11	58
115	36	53	26	36	8	8	20	153	39	42	72
82	33	31	18	30	3	3	24	95	17	18	60
20	6	5	9	8	1	3	4	20	1	2	17

第6表　従事者数，居宅サービスの種類、都道府県－指定都市・

訪問介護

都道府県 指定都市 中核市	訪問介護員 初任者研修修了者（再掲） 総数	常勤 専従	常勤 兼務	非常勤	その他の職員 総数	常勤 専従	常勤 兼務	非常勤	訪問介護員のうちサテライト事業所の従事者（再掲） 総数	常勤 専従	常勤 兼務	非常勤
全国	216 637	21 088	16 272	179 277	24 934	6 973	13 549	4 412	2 653	423	294	1 936
北海道	8 295	1 546	916	5 833	1 213	329	670	214	100	17	10	73
青森	2 574	800	545	1 229	461	141	248	72	109	77	7	25
岩手	1 640	237	321	1 082	279	61	162	56	43	6	10	27
宮城	2 657	386	202	2 069	366	117	201	48	47	14	－	33
秋田	1 286	261	221	804	184	48	113	23	62	24	4	34
山形	1 072	173	219	680	197	45	137	15	－	－	－	－
福島	2 789	350	341	2 098	364	112	217	35	104	18	6	80
茨城	2 690	416	251	2 023	364	83	224	57	48	23	9	16
栃木	1 959	206	217	1 536	252	68	151	33	47	7	－	40
群馬	2 710	293	269	2 148	339	65	238	36	2	1	1	－
埼玉	7 984	781	316	6 887	909	247	490	172	21	1	－	20
千葉	9 655	1 084	820	7 751	1 077	301	578	198	77	17	－	60
東京	24 232	1 307	874	22 051	2 177	572	1 205	400	299	13	67	219
神奈川	17 281	671	1 045	15 565	1 561	284	899	378	73	1	－	72
新潟	2 259	209	319	1 731	322	66	226	30	66	7	40	19
富山	1 085	164	108	813	235	85	95	55	73	12	25	36
石川	1 078	116	182	780	179	36	122	21	13	－	4	9
福井	666	87	52	527	163	36	109	18	10	1	5	4
山梨	1 094	113	56	925	113	21	79	13	－	－	－	－
長野	2 324	318	226	1 780	403	122	207	74	96	38	1	57
岐阜	2 632	318	219	2 095	352	99	180	73	92	8	16	68
静岡	3 553	331	369	2 853	467	121	280	66	74	6	1	67
愛知	12 184	974	940	10 270	1 256	343	651	262	216	5	3	208
三重	2 796	409	148	2 239	365	125	185	55	93	10	3	80
滋賀	1 503	124	68	1 311	242	54	156	32	54	－	5	49
京都	3 913	413	160	3 340	467	120	252	95	34	1	2	31
大阪	34 244	3 139	1 901	29 204	3 200	1 181	1 423	596	211	40	10	161
兵庫	13 279	894	409	11 976	1 342	413	674	255	95	5	15	75
奈良	2 789	303	209	2 277	297	91	144	62	8	－	－	8
和歌山	3 537	432	266	2 839	419	95	208	116	84	22	7	55
鳥取	526	132	87	307	57	15	39	3	－	－	－	－
島根	1 157	147	230	780	198	42	138	18	63	5	11	47
岡山	2 163	185	144	1 834	261	67	160	34	19	3	7	9
広島	4 987	513	181	4 293	587	168	301	118	45	2	1	42
山口	2 022	146	197	1 679	273	43	178	52	7	－	3	4
徳島	1 451	216	155	1 080	194	64	111	19	13	2	5	6
香川	1 623	148	146	1 329	242	49	122	71	32	－	4	28
愛媛	3 447	273	167	3 007	328	111	179	38	86	20	1	65
高知	976	109	39	828	136	43	82	11	5	1	－	4
福岡	8 980	915	691	7 374	1 220	368	633	219	66	4	5	57
佐賀	787	42	64	681	127	35	53	39	9	－	－	9
長崎	1 958	145	173	1 640	296	75	177	44	11	3	－	8
熊本	3 130	344	764	2 022	416	118	252	46	14	5	1	8
大分	2 306	253	328	1 725	270	87	140	43	16	－	4	12
宮崎	2 131	272	396	1 463	293	102	150	41	4	－	－	4
鹿児島	1 882	180	192	1 510	286	71	183	32	9	3	1	5
沖縄	1 351	213	129	1 009	185	34	127	24	3	1	－	2

注：1）調査方法の変更等による回収率変動の影響を受けているため、数量を示す従事者数の実数は前年以前と単純に年次比較できない。
　　2）介護予防サービスを一体的に行っている事業所の従事者を含む。
　　3）介護予防サービスのみ行っている事業所は対象外とした。

平成29年10月１日

都道府県 指定都市 中核市	訪問介護員 初任者研修修了者（再掲） 総数	常勤 専従	常勤 兼務	非常勤	その他の職員 総数	常勤 専従	常勤 兼務	非常勤	訪問介護員のうちサテライト事業所の従事者（再掲） 総数	常勤 専従	常勤 兼務	非常勤
指定都市（再掲）												
札幌市	2 879	498	231	2 150	344	101	198	45	25	－	－	25
仙台市	1 441	145	90	1 206	169	54	90	25	18	－	－	18
さいたま市	1 495	164	57	1 274	179	48	93	38	17	1	－	16
千葉市	1 585	177	158	1 250	183	47	92	44	9	9	－	－
横浜市	8 298	244	411	7 643	659	103	376	180	44	1	－	43
川崎市	2 481	117	136	2 228	226	49	133	44	7	－	－	7
相模原市	1 313	45	60	1 208	107	20	68	19	－	－	－	－
新潟市	1 044	83	81	880	115	33	69	13	5	－	5	－
静岡市	917	96	99	722	116	35	54	27	28	3	－	25
浜松市	617	39	127	451	78	18	53	7	4	1	－	3
名古屋市	6 537	540	419	5 578	565	167	301	97	164	3	3	158
京都市	2 557	296	120	2 141	311	92	149	70	14	－	－	14
大阪市	14 071	1 390	886	11 795	1 372	506	593	273	108	27	－	81
堺市	3 831	379	187	3 265	270	112	118	40	38	－	－	38
神戸市	4 640	268	106	4 266	407	129	187	91	3	－	－	3
岡山市	939	71	86	782	120	27	69	24	15	3	7	5
広島市	2 553	275	98	2 180	262	83	120	59	33	1	－	32
北九州市	2 445	222	110	2 113	304	87	153	64	18	1	1	16
福岡市	2 391	277	165	1 949	326	113	145	68	9	1	－	8
熊本市	1 351	153	247	951	144	45	80	19	4	3	－	1
中核市（再掲）												
旭川市	1 252	324	292	636	136	37	67	32	2	－	－	2
函館市	534	32	32	470	72	11	31	30	8	2	2	4
青森市	685	123	174	388	116	35	54	27	10	2	2	6
八戸市	348	131	73	144	54	21	30	3	－	－	－	－
盛岡市	510	93	71	346	83	20	34	29	21	2	－	19
秋田市	411	66	43	302	56	17	28	11	9	4	－	5
郡山市	297	58	34	205	42	14	24	4	36	8	－	28
いわき市	823	92	77	654	86	28	45	13	8	－	－	8
宇都宮市	630	81	69	480	55	15	29	11	12	2	－	10
前橋市	535	60	35	440	63	16	44	3	－	－	－	－
高崎市	442	52	53	337	54	11	36	7	－	－	－	－
川越市	375	18	8	349	41	16	19	6	－	－	－	－
越谷市	363	95	17	251	26	6	13	7	－	－	－	－
船橋市	1 045	137	118	790	96	27	57	12	35	7	－	28
柏市	703	114	72	517	69	23	39	7	－	－	－	－
八王子市	1 232	45	23	1 164	65	16	38	11	－	－	－	－
横須賀市	828	47	36	745	96	16	44	36	10	－	－	10
富山市	507	107	54	346	97	26	46	25	21	3	－	18
金沢市	656	52	96	508	78	20	49	9	13	－	4	9
長野市	475	41	21	413	48	20	23	5	2	－	－	2
岐阜市	1 004	156	102	746	96	39	44	13	－	－	－	－
豊橋市	298	34	13	251	30	2	16	12	－	－	－	－
豊田市	298	23	50	225	55	12	29	14	－	－	－	－
岡崎市	515	20	8	487	43	14	21	8	－	－	－	－
大津市	602	45	20	537	83	25	46	12	21	－	－	21
高槻市	630	20	11	599	57	15	33	9	－	－	－	－
東大阪市	1 920	179	107	1 634	211	61	103	47	47	9	9	29
豊中市	1 437	122	88	1 227	132	57	49	26	－	－	－	－
枚方市	1 337	85	72	1 180	136	54	63	19	－	－	－	－
姫路市	1 158	113	28	1 017	110	38	60	12	2	－	－	2
西宮市	1 277	92	24	1 161	143	53	53	37	－	－	－	－
尼崎市	1 920	186	45	1 689	179	65	85	29	27	－	1	26
奈良市	1 043	89	101	853	95	38	30	27	7	－	－	7
和歌山市	1 785	174	152	1 459	172	45	92	35	25	1	6	18
倉敷市	506	49	30	427	56	16	35	5	－	－	－	－
福山市	535	38	16	481	72	23	35	14	－	－	－	－
呉市	442	62	21	359	59	14	36	9	－	－	－	－
下関市	426	30	32	364	54	10	38	6	－	－	－	－
高松市	910	73	63	774	119	24	42	53	30	－	4	26
松山市	1 587	90	55	1 442	142	44	84	14	27	7	－	20
高知市	428	52	16	360	58	18	35	5	－	－	－	－
久留米市	377	33	43	301	50	15	28	7	－	－	－	－
長崎市	970	55	33	882	110	31	59	20	9	3	－	6
佐世保市	222	12	29	181	39	3	27	9	－	－	－	－
大分市	778	98	133	547	81	28	42	11	14	－	4	10
宮崎市	861	115	197	549	120	48	50	22	－	－	－	－
鹿児島市	676	90	57	529	78	21	47	10	－	－	－	－
那覇市	190	8	20	162	23	4	18	1	－	－	－	－

第６表　従事者数，居宅サービスの種類、都道府県－指定都市・

訪問入浴介護

都道府県 指定都市 中核市	総数				介護職員							
									介護福祉士（再掲）			
	総数	常勤		非常勤	総数	常勤		非常勤	総数	常勤		非常勤
		専従	兼務			専従	兼務			専従	兼務	
全国	19 306	3 838	3 558	11 910	10 664	2 630	2 157	5 877	4 167	1 131	1 253	1 783
北海道	444	89	90	265	266	61	50	155	124	29	30	65
青森	350	66	136	148	213	45	93	75	95	16	64	15
岩手	294	48	152	94	189	27	105	57	117	18	76	23
宮城	655	212	140	303	410	157	86	167	180	67	53	60
秋田	252	61	101	90	157	39	62	56	55	17	27	11
山形	237	46	101	90	142	26	62	54	84	13	46	25
福島	471	171	90	210	286	100	53	133	84	37	23	24
茨城	439	85	110	244	248	53	61	134	122	31	43	48
栃木	224	48	58	118	121	29	33	59	48	12	19	17
群馬	234	48	54	132	141	33	33	75	58	12	23	23
埼玉	1 022	222	107	693	531	152	65	314	199	76	39	84
千葉	1 032	270	115	647	525	188	55	282	143	64	20	59
東京	2 318	434	204	1 680	1 204	327	138	739	393	123	74	196
神奈川	1 539	346	197	996	742	245	145	352	228	84	64	80
新潟	295	84	63	148	168	56	30	82	82	30	21	31
富山	101	51	13	37	61	35	5	21	26	17	4	5
石川	116	20	47	49	67	15	27	25	35	7	20	8
福井	129	9	63	57	84	7	43	34	53	6	31	16
山梨	148	26	30	92	74	17	16	41	23	3	7	13
長野	357	69	78	210	196	43	35	118	81	18	25	38
岐阜	447	48	70	329	238	26	40	172	88	11	23	54
静岡	527	88	146	293	316	70	106	140	112	21	39	52
愛知	1 065	184	112	769	587	120	82	385	215	45	45	125
三重	298	50	40	208	170	33	24	113	59	11	17	31
滋賀	429	21	38	370	233	12	22	199	94	7	17	70
京都	486	78	87	321	255	54	43	158	109	25	29	55
大阪	962	248	172	542	522	182	111	229	195	80	59	56
兵庫	756	131	122	503	388	102	77	209	154	55	40	59
奈良	207	35	66	106	125	24	42	59	54	9	26	19
和歌山	123	7	38	78	70	5	23	42	31	2	15	14
鳥取	73	26	19	28	47	17	10	20	21	9	6	6
島根	107	21	48	38	62	16	23	23	30	10	15	5
岡山	157	17	23	117	85	11	13	61	36	6	7	23
広島	421	59	50	312	242	39	33	170	106	23	19	64
山口	226	16	42	168	122	11	22	89	46	6	12	28
徳島	69	11	30	28	40	7	17	16	20	5	11	4
香川	110	25	24	61	55	18	7	30	23	7	5	11
愛媛	225	38	38	149	149	28	19	102	74	21	10	43
高知	118	10	37	71	76	2	23	51	33	2	14	17
福岡	655	89	108	458	342	52	60	230	126	26	30	70
佐賀	82	14	20	48	42	9	9	24	22	7	9	6
長崎	216	33	45	138	157	24	26	107	68	13	16	39
熊本	227	47	72	108	123	30	42	51	51	10	28	13
大分	112	27	27	58	62	18	12	32	25	9	5	11
宮崎	158	58	22	78	96	37	9	50	32	13	6	13
鹿児島	333	39	98	196	203	19	58	126	106	16	39	51
沖縄	60	13	15	32	32	9	7	16	7	2	2	3

注：１）調査方法の変更等による回収率変動の影響を受けているため、数量を示す従事者数の実数は前年以前と単純に年次比較できない。
　　２）介護予防サービスを一体的に行っている事業所の従事者を含む。
　　３）介護予防サービスのみ行っている事業所は対象外とした。

中核市（再掲）、職種（常勤（専従－兼務）－非常勤）別（39－4）

平成29年10月１日

実務者研修修了者（再掲）				旧介護職員基礎研修課程修了者（再掲）				旧ホームヘルパー１級研修課程修了者（再掲）				初任者研修修了者（再掲）			
総数	常勤		非常勤	総数	常勤		非常勤	総数	常勤		非常勤	総数	常勤		非常勤
	専従	兼務			専従	兼務			専従	兼務			専従	兼務	
347	141	70	136	83	26	12	45	171	32	35	104	2 768	654	385	1 729
7	2	1	4	2	－	1	1	11	1	3	7	98	24	7	67
16	8	5	3	1	－	－	1	5	1	4	－	56	9	17	30
2	－	－	2	1	－	－	1	2	－	－	2	45	4	25	16
25	12	11	2	5	3	1	1	5	2	1	2	129	40	10	79
3	2	1	－	1	－	1	－	4	1	3	－	67	16	22	29
5	2	－	3	2	2	－	－	－	－	－	－	30	4	8	18
7	3	1	3	－	－	－	－	9	4	1	4	122	35	20	67
3	1	1	1	－	－	－	－	4	2	－	2	85	13	12	60
3	－	－	3	－	－	－	－	2	－	－	2	45	16	7	22
－	－	－	－	1	－	－	1	8	－	1	7	50	16	4	30
8	5	2	1	4	2	1	1	7	2	1	4	109	27	10	72
12	10	2	－	－	－	－	－	4	3	－	1	136	50	11	75
41	27	8	6	7	3	3	1	7	3	－	4	268	78	26	164
36	15	6	15	4	3	1	－	13	3	1	9	138	40	28	70
3	1	2	－	2	1	－	1	1	－	－	1	58	16	1	41
5	4	－	1	－	－	－	－	－	－	－	－	12	6	1	5
－	－	－	－	－	－	－	－	－	－	－	－	18	3	2	13
－	－	－	－	5	－	－	5	2	－	1	1	17	1	7	9
2	－	2	－	－	－	－	－	1	－	－	1	36	12	4	20
6	3	1	2	2	－	－	2	2	－	－	2	80	13	4	63
3	1	－	2	3	－	－	3	1	－	－	1	46	3	4	39
10	2	5	3	－	－	－	－	4	－	2	2	79	18	11	50
14	4	－	10	－	－	－	－	2	－	－	2	93	24	15	54
－	－	－	－	－	－	－	－	－	－	－	－	41	15	1	25
4	1	－	3	4	－	－	4	1	－	－	1	52	4	2	46
18	4	2	12	1	－	－	1	2	－	1	1	63	15	3	45
22	10	8	4	4	4	－	－	2	－	－	2	132	45	24	63
20	11	2	7	3	1	1	1	8	2	1	5	95	23	13	59
2	1	1	－	3	2	1	－	3	3	－	－	32	7	10	15
－	－	－	－	－	－	－	－	－	－	－	－	28	2	5	21
1	－	－	1	－	－	－	－	7	1	2	4	10	3	－	7
－	－	－	－	－	－	－	－	6	－	4	2	12	4	1	7
3	－	－	3	1	－	－	1	2	－	－	2	17	2	3	12
8	2	－	6	－	－	－	－	1	1	－	－	45	6	5	34
1	－	1	－	1	－	－	1	1	1	－	－	41	3	4	34
2	1	－	1	－	－	－	－	2	－	1	1	15	1	4	10
2	－	1	1	－	－	－	－	－	－	－	－	18	7	－	11
1	1	－	－	－	－	－	－	8	－	1	7	35	2	4	29
3	－	－	3	1	－	1	－	7	－	3	4	20	－	2	18
18	2	2	14	6	1	－	5	4	1	1	2	83	17	16	50
4	－	－	4	4	－	－	4	－	－	－	－	2	－	－	2
12	2	3	7	－	－	－	－	5	－	－	5	48	5	4	39
6	2	－	4	－	－	－	－	2	1	－	1	41	10	9	22
1	－	－	1	－	－	－	－	－	－	－	－	21	5	5	11
6	1	1	4	4	－	－	4	3	－	－	3	28	7	1	20
2	1	1	－	2	1	－	1	13	－	3	10	59	－	9	50
－	－	－	－	9	3	1	5	－	－	－	－	13	3	4	6

訪問入浴介護

都道府県 指定都市 中核市	総数				介護職員							
									介護福祉士（再掲）			
	総数	常勤		非常勤	総数	常勤		非常勤	総数	常勤		非常勤
		専従	兼務			専従	兼務			専従	兼務	
指定都市（再掲）												
札幌市	92	39	4	49	58	26	2	30	28	12	2	14
仙台市	221	87	30	104	141	69	19	53	53	30	11	12
さいたま市	228	31	17	180	116	28	10	78	46	17	9	20
千葉市	128	19	22	87	58	17	9	32	17	6	3	8
横浜市	647	156	83	408	309	110	65	134	102	38	34	30
川崎市	177	24	27	126	74	18	18	38	27	10	6	11
相模原市	102	29	7	66	61	21	5	35	18	7	－	11
新潟市	72	22	9	41	38	15	4	19	14	5	4	5
静岡市	103	27	32	44	64	21	23	20	26	3	14	9
浜松市	57	8	12	37	31	7	8	16	10	2	3	5
名古屋市	393	78	29	286	200	58	23	119	72	20	11	41
京都市	220	51	25	144	124	37	10	77	50	16	5	29
大阪市	354	104	44	206	185	80	27	78	58	33	10	15
堺市	105	35	11	59	66	27	9	30	12	7	2	3
神戸市	196	60	16	120	98	50	10	38	42	25	7	10
岡山市	54	1	10	43	28	1	6	21	14	1	4	9
広島市	128	13	17	98	73	7	12	54	35	5	7	23
北九州市	131	23	15	93	63	14	6	43	17	7	2	8
福岡市	260	22	21	217	146	15	11	120	46	7	4	35
熊本市	77	20	5	52	32	12	2	18	13	7	1	5
中核市（再掲）												
旭川市	37	11	5	21	21	8	3	10	10	5	－	5
函館市	31	10	9	12	15	6	1	8	6	4	－	2
青森市	60	22	20	18	38	13	18	7	16	4	12	－
八戸市	53	11	10	32	30	7	8	15	12	4	4	4
盛岡市	21	1	2	18	11	－	2	9	5	－	1	4
秋田市	－	－	－	－	－	－	－	－	－	－	－	－
郡山市	68	28	12	28	41	19	7	15	15	7	4	4
いわき市	56	20	14	22	33	14	7	12	7	3	2	2
宇都宮市	53	14	4	35	27	9	2	16	11	4	2	5
前橋市	55	16	6	33	30	11	4	15	10	3	2	5
高崎市	26	19	2	5	16	14	1	1	8	7	1	－
川越市	33	12	4	17	23	10	4	9	9	5	3	1
越谷市	68	21	3	44	26	9	1	16	9	5	－	4
船橋市	105	26	4	75	54	20	2	32	10	4	－	6
柏市	60	7	1	52	32	6	1	25	15	5	－	10
八王子市	128	11	9	108	67	10	6	51	10	1	2	7
横須賀市	143	31	17	95	73	25	13	35	17	10	4	3
富山市	30	23	－	7	19	16	－	3	7	7	－	－
金沢市	30	4	2	24	18	4	1	13	4	1	－	3
長野市	34	12	4	18	23	9	3	11	7	2	2	3
岐阜市	85	13	9	63	42	7	5	30	10	3	1	6
豊橋市	19	－	2	17	9	－	1	8	5	－	1	4
豊田市	51	2	3	46	26	1	3	22	8	－	3	5
岡崎市	40	2	4	34	23	1	1	21	14	1	－	13
大津市	102	1	7	94	51	－	2	49	11	－	1	10
高槻市	44	2	6	36	23	1	4	18	10	1	3	6
東大阪市	81	3	43	35	41	3	23	15	14	－	13	1
豊中市	63	23	16	24	34	12	12	10	21	5	10	6
枚方市	29	8	9	12	21	6	6	9	9	2	3	4
姫路市	45	8	7	30	22	6	4	12	11	2	2	7
西宮市	51	15	6	30	27	12	3	12	11	6	2	3
尼崎市	55	5	12	38	33	4	8	21	8	2	2	4
奈良市	26	1	1	24	13	－	1	12	4	－	－	4
和歌山市	27	5	3	19	14	4	1	9	5	2	1	2
倉敷市	45	5	4	36	28	4	2	22	13	2	1	10
福山市	53	13	6	34	28	7	2	19	13	3	1	9
呉市	69	15	8	46	42	10	6	26	11	3	1	7
下関市	71	2	7	62	33	1	2	30	14	－	1	13
高松市	23	2	2	19	12	2	1	9	5	－	1	4
松山市	38	8	9	21	23	6	5	12	8	4	3	1
高知市	－	－	－	－	－	－	－	－	－	－	－	－
久留米市	59	11	16	32	27	7	9	11	14	5	5	4
長崎市	36	11	4	21	28	7	1	20	14	3	1	10
佐世保市	45	8	13	24	29	5	9	15	15	2	7	6
大分市	51	13	9	29	26	9	5	12	13	7	2	4
宮崎市	25	9	2	14	16	5	2	9	7	3	2	2
鹿児島市	112	21	33	58	58	13	22	23	36	11	16	9
那覇市	23	6	4	13	10	5	1	4	3	2	1	－

注：1）調査方法の変更等による回収率変動の影響を受けているため、数量を示す従事者数の実数は前年以前と単純に年次比較できない。
　　2）介護予防サービスを一体的に行っている事業所の従事者を含む。
　　3）介護予防サービスのみ行っている事業所は対象外とした。

平成29年10月１日

実務者研修修了者（再掲）				旧介護職員基礎研修課程修了者（再掲）				旧ホームヘルパー１級研修課程修了者（再掲）				初任者研修修了者（再掲）			
総数	常勤		非常勤	総数	常勤		非常勤	総数	常勤		非常勤	総数	常勤		非常勤
	専従	兼務			専従	兼務			専従	兼務			専従	兼務	
1	－	－	1	－	－	－	－	1	－	－	1	23	12	－	11
13	7	4	2	4	3	1	－	2	1	－	1	50	20	－	30
1	－	－	1	－	－	－	－	－	－	－	－	24	6	－	18
1	1	－	－	－	－	－	－	－	－	－	－	16	5	1	10
17	10	2	5	3	2	1	－	4	1	－	3	68	21	13	34
2	－	1	1	－	－	－	－	－	－	－	－	15	5	3	7
2	1	－	1	－	－	－	－	－	－	－	－	11	5	－	6
1	1	－	－	1	1	－	－	－	－	－	－	17	3	－	14
1	1	－	－	－	－	－	－	－	－	－	－	6	3	－	3
－	－	－	－	－	－	－	－	1	－	－	1	6	3	－	3
3	2	－	1	－	－	－	－	－	－	－	－	27	11	3	13
7	3	2	2	1	－	－	1	－	－	－	－	24	9	－	15
10	6	2	2	1	1	－	－	－	－	－	－	44	15	11	18
2	2	－	－	1	1	－	－	－	－	－	－	29	12	3	14
7	5	1	1	1	1	－	－	4	2	－	2	23	13	2	8
2	－	－	2	－	－	－	－	－	－	－	－	2	－	1	1
－	－	－	－	－	－	－	－	－	－	－	－	13	2	2	9
1	－	－	1	1	－	－	1	－	－	－	－	23	6	2	15
6	1	－	5	－	－	－	－	2	－	1	1	30	4	1	25
6	2	－	4	－	－	－	－	1	－	－	1	2	1	1	－
－	－	－	－	1	－	1	－	－	－	－	－	8	3	－	5
1	1	－	－	1	－	－	1	4	－	－	4	1	1	－	－
5	4	1	－	－	－	－	－	－	－	－	－	16	5	5	6
6	2	2	2	－	－	－	－	2	－	2	－	10	1	－	9
－	－	－	－	1	－	－	1	－	－	－	－	5	－	1	4
－	－	－	－	－	－	－	－	－	－	－	－	－	－	－	－
－	－	－	－	－	－	－	－	－	－	－	－	16	4	2	10
－	－	－	－	－	－	－	－	7	4	－	3	10	2	5	3
2	－	－	2	－	－	－	－	－	－	－	－	8	5	－	3
－	－	－	－	－	－	－	－	－	－	－	－	16	7	1	8
－	－	－	－	－	－	－	－	－	－	－	－	5	4	－	1
1	－	1	－	－	－	－	－	1	1	－	－	4	1	－	3
2	2	－	－	－	－	－	－	1	1	－	－	5	1	－	4
－	－	－	－	－	－	－	－	－	－	－	－	16	7	1	8
－	－	－	－	－	－	－	－	－	－	－	－	14	－	－	14
2	2	－	－	－	－	－	－	－	－	－	－	13	1	3	9
3	－	3	－	－	－	－	－	－	－	－	－	13	5	2	6
2	2	－	－	－	－	－	－	－	－	－	－	1	1	－	－
－	－	－	－	－	－	－	－	－	－	－	－	12	3	－	9
4	3	－	1	－	－	－	－	－	－	－	－	10	3	－	7
1	1	－	－	3	－	－	3	－	－	－	－	2	－	－	2
1	－	－	1	－	－	－	－	－	－	－	－	2	－	－	2
－	－	－	－	－	－	－	－	1	－	－	1	1	－	－	1
3	－	－	3	－	－	－	－	－	－	－	－	3	－	－	3
－	－	－	－	－	－	－	－	－	－	－	－	4	－	－	4
1	－	－	1	－	－	－	－	－	－	－	－	5	－	－	5
－	－	－	－	－	－	－	－	－	－	－	－	13	2	6	5
1	－	1	－	－	－	－	－	－	－	－	－	5	4	－	1
3	－	3	－	－	－	－	－	－	－	－	－	1	－	－	1
2	2	－	－	－	－	－	－	－	－	－	－	5	－	1	4
2	2	－	－	－	－	－	－	－	－	－	－	9	4	1	4
－	－	－	－	1	－	1	－	1	－	1	－	10	1	3	6
－	－	－	－	－	－	－	－	－	－	－	－	－	－	－	－
－	－	－	－	－	－	－	－	－	－	－	－	5	2	－	3
1	－	－	1	1	－	－	1	2	－	－	2	3	1	－	2
2	1	－	1	－	－	－	－	－	－	－	－	7	3	1	3
2	1	－	1	－	－	－	－	1	1	－	－	9	－	1	8
－	－	－	－	－	－	－	－	1	1	－	－	9	－	－	9
－	－	－	－	－	－	－	－	－	－	－	－	1	1	－	－
1	1	－	－	－	－	－	－	－	－	－	－	6	－	2	4
－	－	－	－	－	－	－	－	－	－	－	－	－	－	－	－
4	1	1	2	2	－	－	2	－	－	－	－	5	1	2	2
1	1	－	－	－	－	－	－	－	－	－	－	9	－	－	9
1	1	－	－	－	－	－	－	－	－	－	－	11	2	2	7
1	－	－	1	－	－	－	－	－	－	－	－	3	－	2	1
－	－	－	－	4	－	－	4	－	－	－	－	2	1	－	1
2	1	1	－	1	－	－	1	－	－	－	－	5	－	2	3
－	－	－	－	6	3	－	3	－	－	－	－	1	－	－	1

訪問入浴介護

都道府県 指定都市 中核市	看護師				准看護師				その他の職員			
	総数	常勤		非常勤	総数	常勤		非常勤	総数	常勤		非常勤
		専従	兼務			専従	兼務			専従	兼務	
全国	4 131	484	315	3 332	3 280	502	325	2 453	1 231	222	761	248
北海道	68	12	4	52	64	12	8	44	46	4	28	14
青森	32	6	4	22	83	12	23	48	22	3	16	3
岩手	49	10	21	18	32	6	10	16	24	5	16	3
宮城	98	17	19	62	118	30	15	73	29	8	20	1
秋田	26	8	9	9	53	12	16	25	16	2	14	-
山形	41	8	10	23	31	11	7	13	23	1	22	-
福島	56	18	6	32	95	40	12	43	34	13	19	2
茨城	102	15	16	71	55	14	7	34	34	3	26	5
栃木	35	5	7	23	47	11	8	28	21	3	10	8
群馬	28	5	1	22	42	8	5	29	23	2	15	6
埼玉	226	22	4	200	218	36	9	173	47	12	29	6
千葉	217	22	11	184	212	41	12	159	78	19	37	22
東京	614	55	12	547	426	28	7	391	74	24	47	3
神奈川	554	57	11	486	176	24	7	145	67	20	34	13
新潟	57	12	10	35	40	11	3	26	30	5	20	5
富山	21	8	2	11	11	6	2	3	8	2	4	2
石川	29	3	9	17	11	1	3	7	9	1	8	-
福井	12	-	2	10	17	2	9	6	16	-	9	7
山梨	34	5	5	24	27	3	-	24	13	1	9	3
長野	73	11	7	55	38	12	5	21	50	3	31	16
岐阜	96	9	11	76	72	8	4	60	41	5	15	21
静岡	123	9	18	96	57	5	2	50	31	4	20	7
愛知	282	38	8	236	164	18	5	141	32	8	17	7
三重	66	6	4	56	45	8	5	32	17	3	7	7
滋賀	130	5	2	123	47	1	3	43	19	3	11	5
京都	132	11	11	110	63	5	10	48	36	8	23	5
大阪	217	33	11	173	163	18	9	136	60	15	41	4
兵庫	168	9	12	147	143	15	6	122	57	5	27	25
奈良	49	6	9	34	17	4	5	8	16	1	10	5
和歌山	23	-	5	18	22	1	6	15	8	1	4	3
鳥取	16	5	5	6	6	2	2	2	4	2	2	-
島根	13	-	10	3	21	5	7	9	11	-	8	3
岡山	34	4	1	29	26	1	1	24	12	1	8	3
広島	62	4	1	57	98	12	3	83	19	4	13	2
山口	30	1	-	29	50	3	6	41	24	1	14	9
徳島	14	1	4	9	11	2	6	3	4	1	3	-
香川	19	1	3	15	23	4	3	16	13	2	11	-
愛媛	38	5	4	29	26	2	7	17	12	3	8	1
高知	10	3	1	6	21	3	5	13	11	2	8	1
福岡	76	13	5	58	196	17	14	165	41	7	29	5
佐賀	15	1	5	9	20	3	3	14	5	1	3	1
長崎	13	1	1	11	31	7	6	18	15	1	12	2
熊本	34	3	3	28	56	10	17	29	14	4	10	-
大分	19	3	2	14	21	4	5	12	10	2	8	-
宮崎	27	5	3	19	25	13	3	9	10	3	7	-
鹿児島	41	8	5	28	49	9	11	29	40	3	24	13
沖縄	12	1	1	10	11	2	3	6	5	1	4	-

注：1）調査方法の変更等による回収率変動の影響を受けているため、数量を示す従事者数の実数は前年以前と単純に年次比較できない。
　　2）介護予防サービスを一体的に行っている事業所の従事者を含む。
　　3）介護予防サービスのみ行っている事業所は対象外とした。

中核市（再掲）、職種（常勤（専従－兼務）－非常勤）別（39－６）

平成29年10月１日

都道府県 指定都市 中核市	看護師				准看護師				その他の職員			
	総数	常勤		非常勤	総数	常勤		非常勤	総数	常勤		非常勤
		専従	兼務			専従	兼務			専従	兼務	
指定都市(再掲)												
札幌市	18	8	－	10	13	5	－	8	3	－	2	1
仙台市	36	5	－	31	33	11	2	20	11	2	9	－
さいたま市	56	1	－	55	49	1	1	47	7	1	6	－
千葉市	41	2	4	35	19	－	1	18	10	－	8	2
横浜市	219	26	5	188	97	17	2	78	22	3	11	8
川崎市	78	3	3	72	15	1	1	13	10	2	5	3
相模原市	30	6	－	24	8	1	－	7	3	1	2	－
新潟市	17	4	－	13	13	3	1	9	4	－	4	－
静岡市	27	4	7	16	10	2	－	8	2	－	2	－
浜松市	17	－	1	16	7	1	1	5	2	－	2	－
名古屋市	137	11	－	126	45	8	－	37	11	1	6	4
京都市	54	4	5	45	27	3	3	21	15	7	7	1
大阪市	93	12	3	78	58	8	1	49	18	4	13	1
堺市	14	1	1	12	18	3	－	15	7	4	1	2
神戸市	45	4	－	41	41	6	－	35	12	－	6	6
岡山市	15	－	－	15	7	－	－	7	4	－	4	－
広島市	21	1	－	20	28	3	1	24	6	2	4	－
北九州市	20	4	－	16	40	3	3	34	8	2	6	－
福岡市	31	3	3	25	76	3	1	72	7	1	6	－
熊本市	22	2	1	19	20	4	1	15	3	2	1	－
中核市(再掲)												
旭川市	7	1	－	6	7	1	1	5	2	1	1	－
函館市	4	1	1	2	6	3	1	2	6	－	6	－
青森市	7	3	－	4	13	5	1	7	2	1	1	－
八戸市	10	2	1	7	11	2	－	9	2	－	1	1
盛岡市	9	－	－	9	－	－	－	－	1	1	－	－
秋田市	－	－	－	－	－	－	－	－	－	－	－	－
郡山市	11	2	－	9	12	7	1	4	4	－	4	－
いわき市	5	－	1	4	15	5	4	6	3	1	2	－
宇都宮市	7	－	1	6	13	3	－	10	6	2	1	3
前橋市	7	1	1	5	12	2	－	10	6	2	1	3
高崎市	5	3	－	2	5	2	1	2	－	－	－	－
川越市	6	－	－	6	4	2	－	2	－	－	－	－
越谷市	22	－	－	22	16	10	－	6	4	2	2	－
船橋市	22	2	－	20	24	1	－	23	5	3	2	－
柏市	16	－	－	16	11	－	－	11	1	1	－	－
八王子市	33	1	－	32	25	－	－	25	3	－	3	－
横須賀市	59	5	1	53	7	－	－	7	4	1	3	－
富山市	6	4	－	2	4	2	－	2	1	1	－	－
金沢市	10	－	－	10	1	－	－	1	1	－	1	－
長野市	7	1	－	6	3	2	－	1	1	－	1	－
岐阜市	17	2	1	14	13	1	－	12	13	3	3	7
豊橋市	7	－	－	7	2	－	－	2	1	－	1	－
豊田市	6	－	－	6	18	－	－	18	1	1	－	－
岡崎市	8	－	1	7	5	－	－	5	4	1	2	1
大津市	38	1	1	36	10	－	2	8	3	－	2	1
高槻市	12	－	－	12	7	－	1	6	2	1	1	－
東大阪市	9	－	2	7	18	－	6	12	13	－	12	1
豊中市	16	8	1	7	8	1	－	7	5	2	3	－
枚方市	5	2	2	1	2	－	－	2	1	－	1	－
姫路市	10	－	－	10	10	2	－	8	3	－	3	－
西宮市	7	3	－	4	14	－	－	14	3	－	3	－
尼崎市	8	－	－	8	12	1	2	9	2	－	2	－
奈良市	12	－	－	12	1	1	－	－	－	－	－	－
和歌山市	7	－	2	5	6	1	－	5	－	－	－	－
倉敷市	6	1	－	5	9	－	－	9	2	－	2	－
福山市	4	－	－	4	17	5	1	11	4	1	3	－
呉市	12	1	－	11	11	3	－	8	4	1	2	1
下関市	6	－	－	6	24	－	2	22	8	1	3	4
高松市	6	－	－	6	4	－	－	4	1	－	1	－
松山市	10	1	1	8	2	1	－	1	3	－	3	－
高知市	－	－	－	－	－	－	－	－	－	－	－	－
久留米市	7	2	2	3	19	2	1	16	6	－	4	2
長崎市	2	1	－	1	5	3	2	－	1	－	1	－
佐世保市	7	－	－	7	4	2	－	2	5	1	4	－
大分市	13	2	－	11	9	2	1	6	3	－	3	－
宮崎市	7	2	－	5	2	2	－	－	－	－	－	－
鹿児島市	23	2	4	17	18	5	3	10	13	1	4	8
那覇市	7	－	－	7	4	1	1	2	2	－	2	－

訪問看護ステーション

都道府県 指定都市 中核市	総数				保健師				助産師			
	総数	常勤 専従	常勤 兼務	非常勤	総数	常勤 専従	常勤 兼務	非常勤	総数	常勤 専従	常勤 兼務	非常勤
全国	92 902	41 334	16 681	34 887	1 221	568	221	432	94	15	20	59
北海道	3 872	1 589	819	1 464	132	47	22	63	1	-	-	1
青森	941	511	230	200	8	6	2	-	-	-	-	-
岩手	670	345	156	169	22	9	2	11	-	-	-	-
宮城	1 325	660	273	392	7	3	1	3	-	-	-	-
秋田	400	217	66	117	11	7	2	2	1	-	1	-
山形	498	288	108	102	12	8	3	1	-	-	-	-
福島	924	556	228	140	39	31	5	3	2	1	1	-
茨城	1 237	548	328	361	15	7	7	1	-	-	-	-
栃木	835	402	157	276	14	7	4	3	-	-	-	-
群馬	1 517	564	362	591	11	4	5	2	1	-	-	1
埼玉	3 578	1 650	525	1 403	27	16	2	9	3	-	1	2
千葉	2 816	1 386	436	994	68	26	10	32	11	1	-	10
東京	10 473	4 834	1 625	4 014	189	102	32	55	9	2	3	4
神奈川	6 325	2 259	1 486	2 580	81	27	26	28	3	-	-	3
新潟	1 020	564	182	274	24	19	-	5	1	-	1	-
富山	526	267	81	178	14	10	1	3	1	-	1	-
石川	884	349	166	369	9	3	2	4	2	-	-	2
福井	736	294	262	180	25	11	10	4	-	-	-	-
山梨	490	164	140	186	9	4	3	2	1	-	-	1
長野	1 513	577	456	480	12	8	2	2	1	1	-	-
岐阜	1 572	674	317	581	19	8	6	5	-	-	-	-
静岡	1 734	768	286	680	26	6	2	18	5	2	1	2
愛知	5 765	2 217	914	2 634	51	20	9	22	17	2	4	11
三重	1 196	476	191	529	5	3	-	2	-	-	-	-
滋賀	931	393	152	386	22	7	1	14	3	-	-	3
京都	2 070	1 024	364	682	24	12	5	7	1	-	-	1
大阪	11 248	4 958	1 364	4 926	82	38	15	29	3	1	-	2
兵庫	5 791	2 543	709	2 539	52	26	4	22	2	-	1	1
奈良	1 254	515	206	533	6	3	1	2	1	-	-	1
和歌山	1 077	453	232	392	9	2	3	4	2	1	1	-
鳥取	416	217	97	102	2	-	1	1	-	-	-	-
島根	608	277	151	180	2	1	1	-	1	-	-	1
岡山	1 273	642	217	414	18	13	1	4	1	1	-	-
広島	2 603	1 206	366	1 031	34	9	2	23	-	-	-	-
山口	972	426	210	336	19	9	7	3	-	-	-	-
徳島	704	277	174	253	3	1	1	1	-	-	-	-
香川	605	229	102	274	12	5	5	2	1	-	-	1
愛媛	1 074	573	184	317	7	4	2	1	-	-	-	-
高知	464	242	85	137	7	5	1	1	-	-	-	-
福岡	4 387	2 116	784	1 487	38	17	4	17	4	2	2	-
佐賀	549	231	179	139	2	-	1	1	4	-	-	4
長崎	856	453	153	250	11	7	1	3	2	-	1	1
熊本	1 486	649	419	418	7	2	2	3	1	-	1	-
大分	985	438	178	369	7	3	1	3	6	-	1	5
宮崎	809	453	179	177	6	3	-	3	-	-	-	-
鹿児島	1 187	506	258	423	16	6	4	6	3	1	-	2
沖縄	706	354	124	228	5	3	-	2	-	-	-	-

注：1）調査方法の変更等による回収率変動の影響を受けているため、数量を示す従事者数の実数は前年以前と単純に年次比較できない。
　　2）介護予防サービスを一体的に行っている事業所の従事者を含む。
　　3）介護予防サービスのみ行っている事業所は対象外とした。

中核市（再掲）、職種（常勤（専従－兼務）－非常勤）別（39－７）

平成29年10月１日

看護師				准看護師				理学療法士				作業療法士			
総数	常勤		非常勤	総数	常勤		非常勤	総数	常勤		非常勤	総数	常勤		非常勤
	専従	兼務			専従	兼務			専従	兼務			専従	兼務	
55 261	25 954	8 577	20 730	6 504	2 617	830	3 057	14 643	6 281	2 633	5 729	6 292	2 871	1 118	2 303
2 487	1 067	453	967	369	135	42	192	350	165	100	85	213	101	61	51
570	327	116	127	183	95	43	45	50	27	14	9	39	23	11	5
448	249	84	115	34	17	4	13	60	31	19	10	55	22	24	9
796	410	147	239	85	50	11	24	195	102	39	54	101	56	16	29
278	160	38	80	29	13	1	15	28	13	6	9	13	8	1	4
287	169	67	51	46	20	5	21	75	54	4	17	36	26	5	5
543	358	108	77	79	52	19	8	106	57	27	22	69	33	20	16
786	349	178	259	84	49	12	23	148	70	35	43	73	36	21	16
532	262	80	190	48	34	3	11	96	42	25	29	52	25	9	18
873	369	170	334	204	64	59	81	220	70	61	89	84	29	16	39
2 265	1 100	280	885	224	92	25	107	544	223	76	245	197	101	22	74
1 579	819	218	542	168	87	6	75	482	232	68	182	196	104	23	69
5 873	2 672	961	2 240	333	155	22	156	2 113	982	218	913	820	430	74	316
3 821	1 318	800	1 703	183	63	25	95	1 041	413	242	386	476	186	104	186
677	414	94	169	42	25	3	14	122	59	32	31	59	20	19	20
354	188	36	130	37	19	1	17	45	22	13	10	22	12	5	5
578	226	97	255	56	18	7	31	95	51	17	27	61	30	8	23
386	184	90	112	44	25	7	12	126	39	69	18	53	14	25	14
338	129	89	120	13	7	1	5	40	8	7	25	40	9	11	20
950	504	131	315	47	17	9	21	219	14	146	59	131	9	84	38
931	404	158	369	121	49	16	56	278	136	58	84	80	36	18	26
1 099	480	156	463	70	25	10	35	251	125	41	85	122	75	17	30
3 467	1 428	441	1 598	498	127	72	299	897	387	157	353	329	104	64	161
733	320	107	306	120	41	12	67	161	52	19	90	64	26	5	33
668	307	75	286	19	5	2	12	87	29	33	25	36	11	8	17
1 396	746	218	432	107	55	10	42	269	109	55	105	100	43	18	39
6 088	2 823	736	2 529	1 049	395	91	563	2 257	911	226	1 120	744	346	59	339
3 365	1 498	381	1 486	312	112	14	186	1 144	529	124	491	398	179	41	178
742	352	84	306	40	10	6	24	244	76	54	114	81	31	13	37
535	244	112	179	117	45	22	50	248	102	50	96	72	31	10	31
240	141	37	62	32	18	4	10	73	28	25	20	37	15	16	6
407	198	72	137	45	20	14	11	66	25	28	13	45	20	13	12
748	385	112	251	58	21	8	29	194	88	42	64	159	104	17	38
1 461	677	205	579	301	140	19	142	380	205	29	146	198	112	16	70
597	296	106	195	73	35	6	32	106	41	29	36	63	24	15	24
369	173	73	123	93	37	17	39	116	23	34	59	80	30	29	21
335	136	48	151	82	30	7	45	72	23	18	31	59	22	10	27
593	331	102	160	67	34	5	28	174	111	15	48	125	71	8	46
259	158	37	64	27	16	3	8	93	38	19	36	25	9	4	12
2 709	1 380	406	923	353	144	47	162	555	263	105	187	340	169	58	113
342	176	84	82	41	10	9	22	57	16	30	11	30	10	16	4
523	311	76	136	77	37	6	34	103	49	17	37	40	22	3	15
860	444	152	264	155	51	49	55	240	91	98	51	102	33	48	21
601	308	93	200	100	34	18	48	110	35	19	56	51	26	5	20
524	327	97	100	70	29	19	22	103	46	24	33	34	16	11	7
765	380	104	281	103	28	30	45	137	38	54	45	66	20	33	13
483	257	68	158	66	32	9	25	73	31	12	30	22	12	4	6

訪問看護ステーション

都道府県 指定都市 中核市	総数				保健師				助産師			
	総数	常勤		非常勤	総数	常勤		非常勤	総数	常勤		非常勤
		専従	兼務			専従	兼務			専従	兼務	
指定都市(再掲)												
札幌市	1 936	803	407	726	70	29	11	30	1	–	–	1
仙台市	722	369	155	198	2	1	1	–	–	–	–	–
さいたま市	724	363	109	252	6	3	–	3	1	–	–	1
千葉市	580	305	73	202	21	10	–	11	3	1	–	2
横浜市	3 063	1 030	743	1 290	38	11	9	18	1	–	–	1
川崎市	919	333	277	309	11	3	6	2	1	–	–	1
相模原市	386	142	72	172	6	3	1	2	1	–	–	1
新潟市	447	224	76	147	12	12	–	–	–	–	–	–
静岡市	407	178	68	161	17	2	–	15	–	–	–	–
浜松市	412	157	69	186	5	3	1	1	1	–	1	–
名古屋市	2 919	1 090	369	1 460	34	13	5	16	–	–	–	–
京都市	1 277	662	207	408	21	11	4	6	1	–	–	1
大阪市	3 894	1 655	503	1 736	33	9	8	16	1	1	–	–
堺市	1 402	565	181	656	8	6	2	–	–	–	–	–
神戸市	1 852	820	196	836	18	8	1	9	1	–	1	–
岡山市	555	286	82	187	11	8	–	3	1	1	–	–
広島市	1 384	742	159	483	17	6	2	9	–	–	–	–
北九州市	836	383	132	321	1	–	–	1	–	–	–	–
福岡市	1 440	684	246	510	22	11	3	8	3	1	2	–
熊本市	678	280	186	212	3	1	2	–	–	–	–	–
中核市(再掲)												
旭川市	327	162	71	94	9	3	2	4	–	–	–	–
函館市	130	76	15	39	1	–	–	1	–	–	–	–
青森市	209	117	49	43	4	3	1	–	–	–	–	–
八戸市	237	130	45	62	–	–	–	–	–	–	–	–
盛岡市	268	158	52	58	8	6	–	2	–	–	–	–
秋田市	165	100	23	42	4	3	1	–	–	–	–	–
郡山市	197	135	34	28	17	16	1	–	–	–	–	–
いわき市	97	57	25	15	–	–	–	–	–	–	–	–
宇都宮市	280	144	41	95	7	3	4	–	–	–	–	–
前橋市	398	134	85	179	6	3	1	2	1	–	–	1
高崎市	257	99	62	96	2	1	1	–	–	–	–	–
川越市	242	101	37	104	1	1	–	–	–	–	–	–
越谷市	136	72	7	57	–	–	–	–	–	–	–	–
船橋市	280	154	34	92	6	2	1	3	–	–	–	–
柏市	201	107	22	72	5	2	3	–	1	–	–	1
八王子市	215	113	28	74	4	3	–	1	–	–	–	–
横須賀市	203	91	41	71	1	–	–	1	–	–	–	–
富山市	247	125	44	78	5	4	–	1	1	–	1	–
金沢市	470	214	70	186	2	–	–	2	–	–	–	–
長野市	207	93	56	58	2	1	–	1	1	1	–	–
岐阜市	502	222	104	176	7	5	2	–	–	–	–	–
豊橋市	159	58	47	54	–	–	–	–	–	–	–	–
豊田市	177	62	28	87	1	–	–	1	–	–	–	–
岡崎市	180	72	25	83	–	–	–	–	–	–	–	–
大津市	218	105	35	78	4	3	–	1	3	–	–	3
高槻市	328	157	26	145	2	1	1	–	–	–	–	–
東大阪市	572	268	59	245	2	1	–	1	–	–	–	–
豊中市	627	277	78	272	6	2	2	2	1	–	–	1
枚方市	400	163	67	170	7	5	–	2	–	–	–	–
姫路市	629	293	83	253	3	2	–	1	–	–	–	–
西宮市	535	302	43	190	11	8	–	3	–	–	–	–
尼崎市	556	241	63	252	5	3	1	1	–	–	–	–
奈良市	403	185	41	177	1	–	–	1	–	–	–	–
和歌山市	455	166	87	202	4	–	1	3	–	–	–	–
倉敷市	382	174	78	130	–	–	–	–	–	–	–	–
福山市	289	122	74	93	–	–	–	–	–	–	–	–
呉市	136	46	25	65	5	1	–	4	–	–	–	–
下関市	205	78	36	91	2	1	1	–	–	–	–	–
高松市	338	125	45	168	1	1	–	–	1	–	–	1
松山市	556	317	79	160	2	1	1	–	–	–	–	–
高知市	252	140	43	69	5	4	1	–	–	–	–	–
久留米市	285	145	57	83	4	–	1	3	–	–	–	–
長崎市	369	205	59	105	7	5	1	1	1	–	–	1
佐世保市	109	74	16	19	–	–	–	–	–	–	–	–
大分市	476	215	84	177	2	–	–	2	6	–	1	5
宮崎市	405	232	99	74	1	1	–	–	–	–	–	–
鹿児島市	526	211	103	212	7	2	1	4	1	1	–	–
那覇市	189	90	30	69	1	1	–	–	–	–	–	–

注：1）調査方法の変更等による回収率変動の影響を受けているため、数量を示す従事者数の実数は前年以前と単純に年次比較できない。
　　2）介護予防サービスを一体的に行っている事業所の従事者を含む。
　　3）介護予防サービスのみ行っている事業所は対象外とした。

中核市（再掲）、職種（常勤（専従－兼務）－非常勤）別（39－８）

平成29年10月１日

看護師 総数	看護師 常勤 専従	看護師 常勤 兼務	看護師 非常勤	准看護師 総数	准看護師 常勤 専従	准看護師 常勤 兼務	准看護師 非常勤	理学療法士 総数	理学療法士 常勤 専従	理学療法士 常勤 兼務	理学療法士 非常勤	作業療法士 総数	作業療法士 常勤 専従	作業療法士 常勤 兼務	作業療法士 非常勤
1 177	489	223	465	166	53	16	97	229	112	61	56	136	74	32	30
453	235	88	130	30	17	9	4	102	56	17	29	55	35	8	12
472	229	59	184	22	8	2	12	113	62	22	29	41	29	3	9
316	165	40	111	24	14	1	9	108	69	8	31	35	19	－	16
1 819	585	413	821	82	32	8	42	544	203	125	216	235	93	48	94
492	176	117	199	22	6	2	14	185	66	68	51	97	38	35	24
230	93	33	104	16	4	4	8	77	29	15	33	23	5	4	14
283	164	41	78	9	6	－	3	63	26	12	25	33	6	9	18
239	97	34	108	15	6	3	6	72	40	15	17	31	23	3	5
288	108	36	144	10	－	2	8	53	25	11	17	30	13	7	10
1 773	683	186	904	260	66	22	172	403	188	58	157	190	62	22	106
851	466	124	261	64	30	8	26	172	85	34	53	70	35	9	26
2 195	970	283	942	416	162	39	215	704	268	77	359	204	92	20	92
755	348	85	322	137	49	3	85	270	91	41	138	79	24	12	43
1 050	479	100	471	71	29	2	40	402	180	39	183	149	60	15	74
349	181	42	126	25	11	2	12	78	36	20	22	56	39	5	12
753	388	96	269	145	80	8	57	227	141	8	78	121	85	3	33
564	279	66	219	68	26	10	32	74	30	14	30	46	23	5	18
858	411	135	312	108	43	20	45	204	107	29	68	132	62	18	52
391	190	63	138	55	14	15	26	130	46	54	30	56	21	23	12
195	107	30	58	61	32	10	19	21	10	9	2	22	5	13	4
104	65	8	31	11	4	4	3	6	4	－	2	1	1	－	－
115	71	21	23	34	17	7	10	16	10	3	3	15	8	3	4
167	90	28	49	29	20	4	5	13	7	3	3	6	4	2	－
180	118	25	37	13	2	3	8	28	15	10	3	26	12	10	4
114	73	11	30	6	4	－	2	13	6	3	4	5	4	－	1
119	89	17	13	5	4	1	－	21	12	2	7	13	6	1	6
69	43	12	14	5	2	3	－	10	7	3	－	4	3	1	－
176	95	23	58	15	11	1	3	29	13	5	11	22	9	3	10
234	92	37	105	56	12	16	28	52	17	13	22	17	4	5	8
162	71	28	63	47	17	14	16	23	6	10	7	8	2	1	5
136	64	16	56	27	11	4	12	51	17	8	26	11	3	3	5
91	47	5	39	12	4	－	8	12	8	－	4	9	8	－	1
149	93	16	40	12	4	－	8	59	32	4	23	26	13	3	10
114	57	13	44	12	8	1	3	37	23	－	14	12	7	1	4
116	54	13	49	11	4	1	6	37	22	6	9	23	17	4	2
150	64	29	57	7	2	1	4	10	8	1	1	13	6	2	5
159	83	20	56	20	10	－	10	27	14	9	4	11	4	4	3
297	135	39	123	21	6	2	13	68	36	13	19	41	21	2	18
147	81	23	43	6	1	1	4	21	2	13	6	13	2	11	－
279	123	48	108	41	23	7	11	95	45	19	31	26	10	6	10
107	45	17	45	10	6	3	1	19	2	11	6	11	－	11	－
114	45	17	52	23	2	9	12	23	8	2	13	9	4	－	5
113	48	10	55	11	2	2	7	33	17	6	10	8	4	1	3
153	77	13	63	7	1	1	5	18	9	9	－	9	6	2	1
206	100	12	94	25	6	5	14	44	23	3	18	27	17	1	9
283	152	25	106	49	25	2	22	158	49	18	91	29	13	2	14
310	137	37	136	33	11	－	22	161	69	16	76	50	28	4	18
202	82	28	92	27	14	5	8	99	41	17	41	24	4	7	13
333	146	42	145	32	17	2	13	145	88	8	49	51	27	3	21
269	143	25	101	18	6	－	12	133	82	7	44	46	30	1	15
356	164	39	153	47	17	－	30	85	30	11	44	24	7	3	14
217	118	14	85	9	2	1	6	91	36	10	45	37	13	3	21
232	107	50	75	40	14	6	20	113	23	16	74	28	10	3	15
197	94	37	66	16	6	－	10	65	23	17	25	77	45	11	21
168	75	38	55	35	14	7	14	47	22	11	14	19	7	6	6
95	33	16	46	11	7	－	4	9	2	－	7	－	－	－	－
118	61	20	37	21	5	－	16	20	3	1	16	16	6	－	10
180	69	21	90	55	18	4	33	46	16	9	21	32	15	3	14
294	167	46	81	24	11	3	10	105	72	2	31	71	50	2	19
142	92	17	33	15	11	－	4	51	21	11	19	9	4	－	5
192	104	34	54	19	14	2	3	26	12	8	6	24	10	2	12
221	130	28	63	30	18	－	12	48	29	7	12	20	12	1	7
71	50	9	12	5	2	1	2	14	12	－	2	5	4	－	1
299	155	45	99	35	10	7	18	48	16	11	21	27	16	4	7
259	166	51	42	20	7	3	10	59	26	19	14	24	11	11	2
367	171	47	149	44	8	20	16	47	11	15	21	18	3	8	7
132	65	15	52	12	4	3	5	21	8	3	10	6	6	－	－

訪問看護ステーション

都道府県 指定都市 中核市	言語聴覚士				その他の職員				サテライト事業所の従事者（再掲）			
	総数	常勤		非常勤	総数	常勤		非常勤	総数	常勤		非常勤
		専従	兼務			専従	兼務			専従	兼務	
全国	1 679	484	447	748	7 208	2 544	2 835	1 829	3 455	1 848	468	1 139
北海道	29	8	9	12	291	66	132	93	119	35	21	63
青森	5	1	3	1	86	32	41	13	69	40	15	14
岩手	5	1	1	3	46	16	22	8	11	3	5	3
宮城	18	5	6	7	123	34	53	36	66	49	3	14
秋田	2	－	－	2	38	16	17	5	5	2	1	2
山形	2	－	－	2	40	11	24	5	30	19	3	8
福島	18	3	10	5	68	21	38	9	57	45	10	2
茨城	10	2	5	3	121	35	70	16	29	13	3	13
栃木	19	4	4	11	74	28	32	14	8	3	4	1
群馬	22	3	4	15	102	25	47	30	10	3	6	1
埼玉	52	18	9	25	266	100	110	56	34	29	2	3
千葉	48	13	13	22	264	104	98	62	121	79	6	36
東京	254	101	41	112	882	390	274	218	841	529	61	251
神奈川	113	36	38	39	607	216	251	140	115	43	45	27
新潟	18	7	4	7	77	20	29	28	12	6	4	2
富山	15	7	5	3	38	9	19	10	21	10	－	11
石川	14	3	5	6	69	18	30	21	47	28	1	18
福井	17	2	8	7	85	19	53	13	37	11	19	7
山梨	8	－	4	4	41	7	25	9	39	10	17	12
長野	37	－	26	11	116	24	58	34	114	42	45	27
岐阜	30	4	11	15	113	37	50	26	36	12	5	19
静岡	10	3	4	3	151	52	55	44	55	26	3	26
愛知	141	42	36	63	365	107	131	127	50	40	4	6
三重	14	4	1	9	99	30	47	22	24	6	6	12
滋賀	11	1	2	8	85	33	31	21	58	32	3	23
京都	25	11	2	12	148	48	56	44	7	5	－	2
大阪	226	86	26	114	799	358	211	230	815	406	68	341
兵庫	133	43	29	61	385	156	115	114	258	146	23	89
奈良	34	4	17	13	106	39	31	36	11	3	1	7
和歌山	18	3	4	11	76	25	30	21	－	－	－	－
鳥取	10	5	5	－	22	10	9	3	33	9	21	3
島根	9	－	7	2	33	13	16	4	20	5	11	4
岡山	17	3	5	9	78	27	32	19	81	59	2	20
広島	50	12	9	29	179	51	86	42	12	4	1	7
山口	21	1	6	14	93	20	41	32	11	5	1	5
徳島	8	－	4	4	35	13	16	6	6	4	－	2
香川	7	－	2	5	37	13	12	12	－	－	－	－
愛媛	20	7	4	9	88	15	48	25	3	3	－	－
高知	14	1	4	9	39	15	17	7	2	1	1	－
福岡	66	18	23	25	322	123	139	60	17	11	3	3
佐賀	6	－	4	2	67	19	35	13	－	－	－	－
長崎	15	5	5	5	85	22	44	19	24	16	2	6
熊本	31	7	20	4	90	21	49	20	20	12	5	3
大分	18	1	3	14	92	31	38	23	35	25	1	9
宮崎	4	1	3	－	68	31	25	12	16	1	10	5
鹿児島	25	4	13	8	72	29	20	23	76	18	26	32
沖縄	10	4	3	3	47	15	28	4	－	－	－	－

注：1）調査方法の変更等による回収率変動の影響を受けているため、数量を示す従事者数の実数は前年以前と単純に年次比較できない。
　　2）介護予防サービスを一体的に行っている事業所の従事者を含む。
　　3）介護予防サービスのみ行っている事業所は対象外とした。

中核市（再掲）、職種（常勤（専従－兼務）－非常勤）別（39－9）

平成29年10月1日

都道府県 指定都市 中核市	言語聴覚士				その他の職員				サテライト事業所の従事者（再掲）			
	総数	常勤		非常勤	総数	常勤		非常勤	総数	常勤		非常勤
		専従	兼務			専従	兼務			専従	兼務	
指定都市（再掲）												
札幌市	21	7	6	8	136	39	58	39	37	12	6	19
仙台市	12	5	4	3	68	20	28	20	2	2	-	-
さいたま市	12	6	2	4	57	26	21	10	31	26	2	3
千葉市	8	2	-	6	65	25	24	16	34	26	4	4
横浜市	53	14	15	24	291	92	125	74	13	13	-	-
川崎市	31	11	14	6	80	33	35	12	68	18	40	10
相模原市	2	-	2	-	31	8	13	10	6	3	1	2
新潟市	11	3	2	6	36	7	12	17	-	-	-	-
静岡市	5	1	3	1	28	9	10	9	23	9	-	14
浜松市	-	-	-	-	25	8	11	6	10	-	2	8
名古屋市	78	24	19	35	181	54	57	70	22	17	1	4
京都市	18	8	2	8	80	27	26	27	-	-	-	-
大阪市	63	17	8	38	278	136	68	74	404	164	24	216
堺市	36	7	6	23	117	40	32	45	95	52	11	32
神戸市	39	16	7	16	122	48	31	43	86	50	9	27
岡山市	7	1	2	4	28	9	11	8	33	23	1	9
広島市	31	10	4	17	90	32	38	20	-	-	-	-
北九州市	10	2	1	7	73	23	36	14	1	-	1	-
福岡市	22	9	5	8	91	40	34	17	16	11	2	3
熊本市	15	2	12	1	28	6	17	5	6	3	-	3
中核市（再掲）												
旭川市	4	-	2	2	15	5	5	5	4	-	1	3
函館市	-	-	-	-	7	2	3	2	-	-	-	-
青森市	4	-	3	1	21	8	11	2	15	15	-	-
八戸市	1	1	-	-	21	8	8	5	18	15	2	1
盛岡市	3	1	-	2	10	4	4	2	-	-	-	-
秋田市	1	-	-	1	22	10	8	4	-	-	-	-
郡山市	3	-	3	-	19	8	9	2	23	21	2	-
いわき市	1	-	1	-	8	2	5	1	-	-	-	-
宇都宮市	8	1	1	6	23	12	4	7	-	-	-	-
前橋市	2	-	1	1	30	6	12	12	-	-	-	-
高崎市	3	-	1	2	12	2	7	3	2	2	-	-
川越市	7	2	2	3	9	3	4	2	-	-	-	-
越谷市	5	1	-	4	7	4	2	1	-	-	-	-
船橋市	3	-	2	1	25	10	8	7	21	14	1	6
柏市	6	3	-	3	14	7	4	3	9	6	1	2
八王子市	8	4	1	3	16	9	3	4	-	-	-	-
横須賀市	1	-	-	1	21	11	8	2	3	1	2	-
富山市	9	6	1	2	15	4	9	2	6	3	-	3
金沢市	10	3	2	5	31	13	12	6	28	17	-	11
長野市	1	-	-	1	16	5	8	3	3	-	-	3
岐阜市	12	2	5	5	42	14	17	11	-	-	-	-
豊橋市	-	-	-	-	12	5	5	2	-	-	-	-
豊田市	3	1	-	2	4	2	-	2	1	1	-	-
岡崎市	6	1	1	4	9	-	5	4	-	-	-	-
大津市	2	1	1	-	22	8	9	5	-	-	-	-
高槻市	5	1	-	4	19	9	4	6	12	5	1	6
東大阪市	11	7	-	4	40	21	12	7	40	15	6	19
豊中市	21	12	4	5	45	18	15	12	35	21	5	9
枚方市	6	2	2	2	35	15	8	12	11	1	8	2
姫路市	20	3	8	9	45	10	20	15	5	5	-	-
西宮市	19	12	1	6	39	21	9	9	32	23	1	8
尼崎市	7	1	1	5	32	19	8	5	9	5	-	4
奈良市	12	2	5	5	36	14	8	14	-	-	-	-
和歌山市	10	2	1	7	28	10	10	8	-	-	-	-
倉敷市	8	-	3	5	19	6	10	3	34	22	1	11
福山市	7	1	3	3	13	3	9	1	-	-	-	-
呉市	-	-	-	-	16	3	9	4	10	2	1	7
下関市	8	1	-	7	20	1	14	5	-	-	-	-
高松市	4	-	1	3	19	6	7	6	-	-	-	-
松山市	16	7	2	7	44	9	23	12	-	-	-	-
高知市	9	1	3	5	21	7	11	3	-	-	-	-
久留米市	3	2	1	-	17	3	9	5	-	-	-	-
長崎市	9	2	5	2	33	9	17	7	9	7	2	-
佐世保市	2	2	-	-	12	4	6	2	5	5	-	-
大分市	11	-	2	9	48	18	14	16	33	24	1	8
宮崎市	4	1	3	-	38	20	12	6	3	1	-	2
鹿児島市	10	2	4	4	32	13	8	11	44	3	17	24
那覇市	5	2	1	2	12	4	8	-	-	-	-	-

通所介護

都道府県 指定都市 中核市	総数				医師				看護師			
	総数	常勤 専従	常勤 兼務	非常勤	総数	常勤 専従	常勤 兼務	非常勤	総数	常勤 専従	常勤 兼務	非常勤
全国	393 840	98 151	113 716	181 973	253	29	75	149	29 824	3 160	6 304	20 360
北海道	11 695	3 417	3 163	5 115	6	-	2	4	901	89	167	645
青森	5 095	1 608	2 153	1 334	2	-	1	1	221	35	101	85
岩手	5 173	1 748	1 807	1 618	3	-	-	3	410	64	135	211
宮城	7 043	2 151	2 542	2 350	1	-	-	1	418	54	107	257
秋田	3 425	1 168	1 235	1 022	2	-	-	2	241	29	93	119
山形	5 433	1 475	2 411	1 547	2	-	1	1	326	31	117	178
福島	6 526	2 034	2 554	1 938	4	2	1	1	367	69	143	155
茨城	7 616	2 118	2 122	3 376	8	2	1	5	475	50	110	315
栃木	5 997	1 742	1 867	2 388	2	-	-	2	374	46	116	212
群馬	10 070	2 065	3 884	4 121	6	-	1	5	561	75	171	315
埼玉	17 347	4 192	3 656	9 499	16	1	2	13	1 350	127	171	1 052
千葉	13 786	3 289	3 088	7 409	7	-	-	7	1 014	79	148	787
東京	27 100	5 839	6 193	15 068	8	-	2	6	2 631	205	300	2 126
神奈川	20 538	2 387	4 910	13 241	8	-	-	8	2 005	71	222	1 712
新潟	10 765	2 753	4 008	4 004	5	-	1	4	736	52	263	421
富山	4 289	1 457	1 020	1 812	6	2	-	4	302	63	68	171
石川	3 892	1 139	1 317	1 436	2	-	-	2	304	30	99	175
福井	3 464	871	1 212	1 381	3	-	3	-	181	31	45	105
山梨	3 011	920	868	1 223	1	-	1	-	236	38	53	145
長野	8 294	1 878	2 497	3 919	8	-	6	2	717	97	164	456
岐阜	7 655	1 811	2 066	3 778	14	-	8	6	581	64	126	391
静岡	12 185	3 057	3 025	6 103	10	2	4	4	1 108	109	178	821
愛知	21 730	3 598	5 613	12 519	2	-	-	2	1 775	119	289	1 367
三重	8 300	1 946	2 089	4 265	7	-	-	7	654	77	134	443
滋賀	4 953	1 125	1 112	2 716	4	-	-	4	510	43	93	374
京都	7 696	2 093	1 986	3 617	9	-	2	7	767	81	137	549
大阪	23 674	6 082	4 734	12 858	13	3	2	8	2 073	240	256	1 577
兵庫	15 908	3 786	3 481	8 641	13	-	2	11	1 474	133	232	1 109
奈良	4 346	1 145	759	2 442	2	-	1	1	386	30	47	309
和歌山	4 015	963	1 345	1 707	3	1	2	-	261	13	64	184
鳥取	2 652	790	1 021	841	1	-	1	-	155	37	46	72
島根	3 441	757	1 434	1 250	-	-	-	-	202	14	77	111
岡山	7 080	1 840	2 174	3 066	7	4	3	-	575	64	172	339
広島	9 890	2 434	2 851	4 605	12	6	5	1	581	46	153	382
山口	6 556	1 166	2 397	2 993	5	-	3	2	419	39	121	259
徳島	3 154	936	1 062	1 156	2	1	1	-	219	29	51	139
香川	3 836	935	1 420	1 481	3	-	-	3	229	25	75	129
愛媛	5 954	1 642	2 006	2 306	1	-	-	1	381	48	124	209
高知	2 392	759	859	774	1	-	1	-	147	23	56	68
福岡	17 149	4 915	5 434	6 800	13	-	3	10	1 230	172	346	712
佐賀	4 263	1 235	1 620	1 408	7	1	4	2	255	64	82	109
長崎	5 574	1 474	1 989	2 111	4	3	1	-	301	33	94	174
熊本	7 175	1 873	3 095	2 207	3	-	2	1	388	56	142	190
大分	6 179	1 567	1 636	2 976	4	-	1	3	305	39	96	170
宮崎	5 266	1 752	1 874	1 640	2	-	2	-	281	78	86	117
鹿児島	5 013	1 443	1 820	1 750	5	-	2	3	280	51	104	125
沖縄	7 245	2 776	2 307	2 162	6	1	3	2	517	98	130	289

注：1）調査方法の変更等による回収率変動の影響を受けているため、数量を示す従事者数の実数は前年以前と単純に年次比較できない。
　　2）介護予防サービスを一体的に行っている事業所の従事者を含む。
　　3）介護予防サービスのみ行っている事業所は対象外とした。

平成29年10月１日

准看護師				機能訓練指導員											
								理学療法士（再掲）				作業療法士（再掲）			
総数	常勤		非常勤	総数	常勤		非常勤	総数	常勤		非常勤	総数	常勤		非常勤
	専従	兼務			専従	兼務			専従	兼務			専従	兼務	
24 587	2 916	7 593	14 078	47 674	8 151	13 645	25 878	5 524	2 100	1 082	2 342	2 729	1 099	542	1 088
715	55	197	463	1 619	315	409	895	116	36	29	51	98	41	20	37
417	63	220	134	605	136	284	185	32	16	1	15	29	20	2	7
312	57	121	134	537	81	238	218	27	11	8	8	23	12	6	5
509	68	194	247	790	156	291	343	77	36	17	24	44	24	12	8
238	33	112	93	395	46	194	155	8	2	5	1	7	4	3	-
346	34	159	153	584	105	243	236	40	23	7	10	43	24	8	11
512	82	246	184	768	157	377	234	47	30	7	10	23	12	8	3
559	54	181	324	973	127	276	570	103	27	12	64	42	10	8	24
486	74	184	228	660	84	258	318	41	12	5	24	21	10	3	8
836	87	311	438	1 112	135	420	557	87	37	21	29	44	14	6	24
1 012	121	197	694	1 888	343	343	1 202	291	88	24	179	101	32	13	56
810	75	194	541	1 638	242	348	1 048	177	64	23	90	70	27	13	30
1 051	98	156	797	3 381	548	524	2 309	471	130	68	273	218	63	23	132
775	28	107	640	2 617	192	441	1 984	165	35	42	88	62	14	9	39
711	64	270	377	1 324	150	526	648	136	53	50	33	69	25	13	31
257	66	48	143	364	106	113	145	32	19	4	9	22	8	8	6
242	32	86	124	483	108	185	190	67	26	18	23	39	16	3	20
255	36	82	137	435	94	179	162	117	39	47	31	55	17	25	13
169	25	47	97	315	53	93	169	39	13	9	17	17	7	3	7
468	68	146	254	937	157	301	479	72	39	11	22	54	22	14	18
511	69	132	310	891	172	240	479	122	45	24	53	52	20	9	23
582	57	126	399	1 387	318	310	759	189	99	31	59	111	56	15	40
1 105	71	271	763	2 756	311	602	1 843	322	91	85	146	124	36	25	63
550	57	127	366	1 070	139	260	671	121	46	19	56	50	18	8	24
206	21	37	148	579	69	138	372	49	14	11	24	27	9	6	12
335	41	81	213	902	182	222	498	100	33	29	38	23	12	4	7
1 239	139	199	901	2 808	580	471	1 757	330	102	51	177	112	32	26	54
814	86	139	589	1 897	322	391	1 184	254	89	32	133	89	19	18	52
195	25	24	146	515	84	78	353	106	25	12	69	26	8	1	17
304	21	95	188	554	52	174	328	75	11	12	52	17	3	8	6
185	32	70	83	289	67	125	97	50	23	10	17	25	12	8	5
273	29	112	132	415	58	193	164	41	14	22	5	32	19	10	3
384	46	129	209	943	160	290	493	95	40	12	43	73	31	16	26
760	59	231	470	1 282	187	378	717	134	57	23	54	63	29	11	23
474	43	186	245	830	103	340	387	54	25	20	9	49	26	15	8
259	41	70	148	435	98	121	216	98	38	20	40	55	19	15	21
339	42	132	165	532	62	211	259	51	10	10	31	32	9	13	10
437	69	187	181	823	162	285	376	113	47	8	58	78	31	6	41
197	37	67	93	307	64	113	130	60	33	14	13	12	8	-	4
1 282	172	471	639	2 168	547	707	914	402	211	76	115	241	131	39	71
360	64	159	137	416	102	171	143	30	23	3	4	21	11	2	8
451	61	191	199	702	142	277	283	86	38	19	29	40	19	6	15
624	71	327	226	1 001	192	482	327	177	73	66	38	88	32	32	24
551	68	196	287	743	136	240	367	55	23	12	20	51	25	10	16
507	112	203	192	564	156	231	177	82	51	15	16	43	29	9	5
498	74	189	235	662	152	269	241	74	43	18	13	57	24	20	13
485	89	184	212	778	199	283	296	109	60	20	29	57	29	10	18

通所介護

都道府県 指定都市 中核市	総数				医師				看護師			
	総数	常勤		非常勤	総数	常勤		非常勤	総数	常勤		非常勤
		専従	兼務			専従	兼務			専従	兼務	
指定都市(再掲)												
札幌市	3 584	1 174	841	1 569	1	−	1	−	354	37	43	274
仙台市	1 708	500	573	635	−	−	−	−	147	17	35	95
さいたま市	2 513	643	503	1 367	2	−	1	1	225	20	18	187
千葉市	1 728	437	339	952	−	−	−	−	167	11	21	135
横浜市	8 888	848	1 982	6 058	5	−	−	5	900	31	87	782
川崎市	2 333	324	663	1 346	2	−	−	2	220	6	30	184
相模原市	1 606	287	310	1 009	−	−	−	−	156	9	16	131
新潟市	3 454	820	1 216	1 418	2	−	−	2	240	8	86	146
静岡市	2 368	586	538	1 244	3	1	1	1	212	13	28	171
浜松市	2 522	554	651	1 317	5	1	3	1	254	17	46	191
名古屋市	5 640	1 054	1 319	3 267	−	−	−	−	521	43	68	410
京都市	4 243	1 234	1 102	1 907	1	−	−	1	458	56	76	326
大阪市	6 127	1 698	1 296	3 133	4	1	1	2	581	76	74	431
堺市	2 505	693	481	1 331	−	−	−	−	220	28	27	165
神戸市	4 202	955	849	2 398	4	−	−	4	440	39	68	333
岡山市	2 384	629	743	1 012	5	2	3	−	215	20	59	136
広島市	3 622	927	1 033	1 662	7	4	3	−	244	22	58	164
北九州市	4 107	1 099	1 155	1 853	−	−	−	−	327	43	75	209
福岡市	3 365	1 027	1 105	1 233	4	−	−	4	284	40	94	150
熊本市	2 204	549	855	800	−	−	−	−	147	16	45	86
中核市(再掲)												
旭川市	896	243	234	419	1	−	−	1	56	3	9	44
函館市	703	256	178	269	−	−	−	−	42	5	6	31
青森市	640	257	214	169	−	−	−	−	30	3	15	12
八戸市	831	252	324	255	1	−	−	1	39	6	14	19
盛岡市	1 096	315	367	414	−	−	−	−	98	13	24	61
秋田市	742	278	232	232	2	−	−	2	58	9	16	33
郡山市	951	274	366	311	1	−	−	1	64	9	19	36
いわき市	1 275	439	412	424	2	2	−	−	52	7	25	20
宇都宮市	1 335	357	414	564	1	−	−	1	100	8	26	66
前橋市	1 941	394	764	783	4	−	1	3	131	12	46	73
高崎市	1 732	365	663	704	−	−	−	−	89	17	29	43
川越市	875	246	153	476	1	−	−	1	78	7	8	63
越谷市	672	162	124	386	−	−	−	−	40	4	5	31
船橋市	1 101	248	194	659	−	−	−	−	103	7	12	84
柏市	795	187	142	466	1	−	−	1	59	7	5	47
八王子市	1 447	248	268	931	−	−	−	−	119	9	7	103
横須賀市	1 219	112	298	809	−	−	−	−	125	2	12	111
富山市	1 746	590	376	780	3	−	−	3	138	25	31	82
金沢市	1 513	392	447	674	1	−	−	1	142	14	39	89
長野市	1 455	344	344	767	−	−	−	−	134	14	22	98
岐阜市	1 318	346	363	609	5	−	3	2	106	16	27	63
豊橋市	980	146	286	548	1	−	−	1	66	1	17	48
豊田市	1 046	127	247	672	−	−	−	−	92	2	17	73
岡崎市	1 106	174	282	650	−	−	−	−	79	7	11	61
大津市	895	189	210	496	2	−	−	2	99	5	12	82
高槻市	975	169	195	611	3	−	−	3	101	8	13	80
東大阪市	1 246	336	279	631	−	−	−	−	83	10	14	59
豊中市	1 027	294	226	507	−	−	−	−	99	13	20	66
枚方市	1 068	250	199	619	1	1	−	−	89	11	6	72
姫路市	1 899	438	340	1 121	1	−	−	1	155	17	19	119
西宮市	684	197	175	312	−	−	−	−	65	13	9	43
尼崎市	1 377	392	258	727	1	−	−	1	104	14	14	76
奈良市	1 216	312	228	676	1	−	1	−	111	7	10	94
和歌山市	1 431	317	434	680	−	−	−	−	101	2	18	81
倉敷市	1 809	406	531	872	1	1	−	−	137	8	42	87
福山市	1 921	416	503	1 002	1	−	1	−	76	5	23	48
呉市	592	169	205	218	−	−	−	−	33	5	11	17
下関市	1 318	224	427	667	1	−	−	1	73	3	19	51
高松市	1 659	382	595	682	2	−	−	2	108	12	35	61
松山市	1 777	508	577	692	−	−	−	−	134	17	39	78
高知市	1 019	333	369	317	1	−	1	−	66	11	24	31
久留米市	959	286	324	349	−	−	−	−	53	5	16	32
長崎市	1 492	408	508	576	1	1	−	−	90	5	24	61
佐世保市	681	195	269	217	1	1	−	−	27	2	11	14
大分市	2 782	760	705	1 317	2	−	−	2	152	23	48	81
宮崎市	1 583	492	569	522	1	−	1	−	102	28	29	45
鹿児島市	1 535	449	503	583	−	−	−	−	95	17	28	50
那覇市	1 461	634	446	381	1	−	−	1	106	25	27	54

注：1）調査方法の変更等による回収率変動の影響を受けているため、数量を示す従事者数の実数は前年以前と単純に年次比較できない。
　　2）介護予防サービスを一体的に行っている事業所の従事者を含む。
　　3）介護予防サービスのみ行っている事業所は対象外とした。

中核市（再掲）、職種（常勤（専従－兼務）－非常勤）別（39－11）

平成29年10月１日

准看護師				機能訓練指導員											
								理学療法士（再掲）				作業療法士（再掲）			
総数	常勤		非常勤	総数	常勤		非常勤	総数	常勤		非常勤	総数	常勤		非常勤
	専従	兼務			専従	兼務			専従	兼務			専従	兼務	
133	12	27	94	585	162	95	328	58	21	11	26	63	32	10	21
72	8	35	29	186	65	55	66	25	15	4	6	18	16	－	2
122	14	19	89	303	59	52	192	38	15	3	20	26	7	8	11
68	2	15	51	205	48	31	126	20	15	1	4	6	5	1	－
301	16	38	247	1 140	84	152	904	59	12	15	32	27	4	3	20
102	6	19	77	314	21	74	219	15	4	4	7	6	2	2	2
70	1	9	60	183	11	23	149	8	2	1	5	4	1	2	1
248	15	84	149	484	46	178	260	63	17	25	21	28	8	5	15
116	12	23	81	269	66	50	153	36	19	7	10	16	10	1	5
113	9	22	82	382	79	89	214	72	26	14	32	46	20	9	17
245	23	29	193	709	91	105	513	76	23	19	34	28	11	5	12
154	23	40	91	516	116	127	273	56	17	18	21	13	7	2	4
307	36	48	223	695	145	119	431	93	29	18	46	33	7	7	19
124	21	19	84	297	79	48	170	40	12	9	19	11	5	1	5
162	15	26	121	520	89	107	324	62	20	12	30	23	5	2	16
104	10	35	59	341	57	104	180	33	18	7	8	28	10	11	7
270	22	72	176	495	93	134	268	51	26	10	15	28	15	6	7
259	33	90	136	517	122	158	237	109	56	21	32	57	22	10	25
211	27	76	108	440	134	147	159	90	53	23	14	53	34	5	14
174	20	70	84	351	76	138	137	95	42	27	26	50	16	18	16
61	3	15	43	131	31	30	70	11	6	2	3	9	2	1	6
55	7	14	34	88	20	21	47	7	3	1	3	－	－	－	－
56	12	25	19	82	26	45	11	5	2	1	2	4	3	1	－
53	8	22	23	96	20	37	39	12	7	－	5	7	3	－	4
51	6	16	29	120	23	45	52	12	6	4	2	8	2	2	4
45	7	16	22	85	14	31	40	－	－	－	－	1	1	－	－
63	4	30	29	145	35	59	51	15	9	1	5	6	4	1	1
121	26	39	56	141	28	63	50	3	3	－	－	－	－	－	－
88	9	40	39	154	13	59	82	3	1	－	2	3	－	1	2
152	7	57	88	216	23	84	109	25	9	7	9	10	3	2	5
143	14	51	78	180	37	66	77	18	14	3	1	10	2	1	7
35	5	6	24	117	27	16	74	17	4	3	10	11	6	1	4
35	4	7	24	60	16	11	33	7	1	3	3	2	－	1	1
49	2	5	42	124	26	17	81	7	3	1	3	3	1	－	2
38	2	7	29	81	11	15	55	7	3	2	2	1	1	－	－
74	4	8	62	162	24	18	120	13	6	2	5	6	1	1	4
47	－	6	41	143	9	24	110	9	3	3	3	3	－	1	2
82	17	21	44	172	53	51	68	17	9	2	6	12	4	4	4
66	4	20	42	189	45	60	84	32	12	7	13	14	5	1	8
65	9	14	42	174	33	36	105	15	9	3	3	10	4	3	3
95	10	23	62	172	41	53	78	29	9	6	14	10	4	4	2
72	3	25	44	122	8	40	74	9	－	6	3	3	－	1	2
45	2	11	32	135	8	28	99	8	4	1	3	6	－	－	6
76	2	21	53	136	9	40	87	12	1	6	5	6	2	2	2
46	4	11	31	127	23	24	80	10	3	2	5	7	4	1	2
51	4	6	41	133	20	23	90	7	1	－	6	7	3	2	2
78	8	16	54	161	42	41	78	14	11	－	3	5	1	2	2
41	1	13	27	134	36	28	70	21	11	2	8	1	1	－	－
62	3	6	53	127	15	11	101	20	2	2	16	3	2	－	1
103	12	17	74	200	40	26	134	36	15	－	21	7	3	1	3
25	4	4	17	84	23	16	45	9	4	1	4	3	－	2	1
110	14	11	85	181	42	25	114	18	6	1	11	2	1	－	1
55	8	3	44	146	30	17	99	31	12	－	19	7	3	－	4
97	8	24	65	180	20	44	116	19	3	4	12	2	2	－	－
93	7	30	56	221	35	74	112	18	9	1	8	22	10	4	8
138	11	38	89	223	29	62	132	35	13	5	17	11	4	2	5
42	2	12	28	68	9	23	36	3	1	－	2	6	2	2	2
111	9	40	62	161	22	58	81	12	10	2	－	10	5	2	3
141	12	60	69	246	29	90	127	17	2	4	11	17	5	9	3
97	19	37	41	248	53	74	121	43	14	3	26	23	14	2	7
71	12	29	30	143	37	53	53	38	24	10	4	9	6	－	3
76	14	22	40	137	44	30	63	40	21	3	16	18	13	－	5
112	15	37	60	218	46	66	106	39	18	9	12	23	8	4	11
58	7	29	22	86	12	43	31	9	3	3	3	5	2	1	2
205	23	73	109	307	74	86	147	29	12	8	9	33	17	5	11
121	19	60	42	210	58	82	70	40	26	8	6	18	14	2	2
132	20	35	77	208	63	67	78	34	21	10	3	15	9	4	2
95	21	37	37	152	60	45	47	35	21	10	4	15	8	4	3

第６表　従事者数，居宅サービスの種類、都道府県－指定都市・

通所介護

都道府県 指定都市 中核市	機能訓練											
	言語聴覚士（再掲）				看護師（再掲）				准看護師（再掲）			
	総数	常勤		非常勤	総数	常勤		非常勤	総数	常勤		非常勤
		専従	兼務			専従	兼務			専従	兼務	
全国	435	84	94	257	18 862	1 286	5 299	12 277	15 095	1 293	5 827	7 975
北海道	20	4	3	13	681	54	150	477	479	31	166	282
青森	4	2	2	－	164	21	91	52	270	31	178	61
岩手	2	1	－	1	243	15	121	107	184	15	95	74
宮城	4	1	2	1	260	22	95	143	286	21	132	133
秋田	－	－	－	－	168	9	77	82	173	13	100	60
山形	6	1	1	4	239	18	110	111	221	22	114	85
福島	4	2	－	2	268	30	148	90	312	27	187	98
茨城	18	2	2	14	331	25	98	208	387	29	148	210
栃木	6	1	2	3	254	16	96	142	284	25	140	119
群馬	7	－	2	5	384	28	151	205	522	34	230	258
埼玉	16	5	2	9	717	52	133	532	530	55	144	331
千葉	7	－	3	4	658	24	131	503	518	29	155	334
東京	45	5	5	35	1 538	57	239	1 242	578	32	110	436
神奈川	11	－	4	7	1 525	41	211	1 273	550	26	98	426
新潟	14	5	4	5	528	15	222	291	520	25	227	268
富山	1	－	－	1	139	22	52	65	114	30	38	46
石川	2	－	－	2	168	20	82	66	152	13	74	65
福井	11	2	7	2	83	6	36	41	139	15	58	66
山梨	3	1	1	1	141	18	45	78	96	10	31	55
長野	8	3	－	5	459	30	152	277	278	29	115	134
岐阜	8	2	－	6	338	33	91	214	281	32	106	143
静岡	16	6	4	6	569	38	137	394	273	20	87	166
愛知	44	6	14	24	1 217	58	228	931	759	50	213	496
三重	14	3	2	9	439	27	115	297	361	19	107	235
滋賀	4	－	－	4	335	16	88	231	119	3	31	85
京都	3	1	2	－	433	39	106	288	187	15	61	111
大阪	12	1	1	10	1 139	73	179	887	672	67	141	464
兵庫	20	1	3	16	844	54	192	598	424	34	95	295
奈良	12	3	－	9	183	8	33	142	106	5	26	75
和歌山	2	－	1	1	208	7	58	143	212	8	86	118
鳥取	2	－	2	－	78	10	36	32	121	12	68	41
島根	4	4	－	－	152	9	65	78	178	8	94	76
岡山	5	－	2	3	433	30	144	259	278	31	104	143
広島	10	2	2	6	465	34	145	286	518	29	182	307
山口	4	1	2	1	337	22	123	192	354	16	173	165
徳島	3	－	2	1	109	12	38	59	129	19	39	71
香川	2	－	1	1	171	15	81	75	228	14	98	116
愛媛	5	－	2	3	276	19	116	141	301	40	149	112
高知	4	1	－	3	106	10	49	47	118	10	49	59
福岡	22	6	1	15	667	65	247	355	747	95	323	329
佐賀	2	1	－	1	129	26	56	47	215	31	107	77
長崎	4	2	－	2	218	22	83	113	305	40	153	112
熊本	4	1	3	－	262	25	117	120	447	50	260	137
大分	8	2	2	4	234	31	78	125	357	37	135	185
宮崎	11	3	1	7	149	26	71	52	263	39	133	91
鹿児島	6	1	4	1	176	28	83	65	301	35	136	130
沖縄	15	2	3	10	247	26	100	121	248	22	131	95

注：1）調査方法の変更等による回収率変動の影響を受けているため、数量を示す従事者数の実数は前年以前と単純に年次比較できない。
　　2）介護予防サービスを一体的に行っている事業所の従事者を含む。
　　3）介護予防サービスのみ行っている事業所は対象外とした。

中核市（再掲）、職種（常勤（専従－兼務）－非常勤）別（39－12）

平成29年10月１日

指導員								調理員				管理栄養士			
柔道整復師（再掲）				あん摩マッサージ指圧師（再掲）											
総数	常勤		非常勤	総数	常勤		非常勤	総数	常勤		非常勤	総数	常勤		非常勤
	専従	兼務			専従	兼務			専従	兼務			専従	兼務	
3 277	1 726	596	955	1 752	563	205	984	19 178	2 610	2 823	13 745	2 035	369	1 355	311
202	135	39	28	23	14	2	7	405	44	75	286	51	10	36	5
66	29	9	28	40	17	1	22	353	76	118	159	23	3	20	-
32	18	5	9	26	9	3	14	351	74	61	216	21	2	18	1
82	43	30	9	37	9	3	25	392	66	46	280	38	9	25	4
25	11	7	7	14	7	2	5	226	46	51	129	7	1	4	2
22	15	2	5	13	2	1	10	282	57	83	142	39	2	37	-
93	48	26	19	21	8	1	12	278	41	51	186	33	9	22	2
36	17	4	15	56	17	4	35	379	58	43	278	56	12	34	10
31	10	9	12	23	10	3	10	345	42	45	258	31	7	17	7
42	18	8	16	26	4	2	20	439	77	122	240	69	15	49	5
151	82	19	50	82	29	8	45	707	58	85	564	81	20	53	8
123	68	17	38	85	30	6	49	890	86	128	676	99	19	64	16
345	204	52	89	186	57	27	102	1 052	78	132	842	133	28	71	34
142	42	39	61	162	34	38	90	1 188	59	105	1 024	91	6	67	18
33	20	6	7	24	7	4	13	517	72	139	306	85	6	73	6
45	23	10	12	11	4	1	6	175	31	27	117	28	8	20	-
37	24	7	6	18	9	1	8	145	31	22	92	21	2	18	1
14	10	3	1	16	5	3	8	199	10	67	122	30	6	23	1
6	3	3	-	13	1	1	11	193	30	39	124	20	5	12	3
52	26	8	18	14	8	1	5	513	57	66	390	41	5	25	11
60	28	7	25	30	12	3	15	341	29	27	285	43	7	20	16
127	64	25	38	102	35	11	56	541	57	77	407	69	6	56	7
175	43	23	109	115	27	14	74	972	78	52	842	102	15	55	32
46	14	7	25	39	12	2	25	382	45	35	302	32	10	16	6
26	22	2	2	19	5	-	14	284	17	11	256	16	3	13	-
108	61	13	34	48	21	7	20	296	39	33	224	37	6	30	1
468	278	67	123	75	27	6	42	962	86	97	779	86	16	56	14
214	104	47	63	52	21	4	27	719	71	107	541	89	18	59	12
62	33	5	24	20	2	1	17	231	25	18	188	39	13	18	8
31	19	7	5	9	4	2	3	144	28	20	96	14	1	12	1
3	3	-	-	10	7	1	2	148	33	10	105	11	4	7	-
2	1	1	-	6	3	1	2	268	38	54	176	18	1	11	6
31	18	8	5	28	10	4	14	394	57	45	292	40	10	28	2
52	28	9	15	40	8	6	26	349	63	39	247	55	18	21	16
17	10	5	2	15	3	2	10	324	26	57	241	32	3	24	5
13	5	3	5	28	5	4	19	151	41	34	76	23	2	19	2
11	6	4	1	37	8	4	25	145	27	40	78	31	4	26	1
31	20	4	7	19	5	-	14	340	41	54	245	32	1	22	9
1	1	-	-	6	1	1	4	121	15	23	83	13	3	10	-
48	23	14	11	41	16	7	18	581	99	48	434	53	17	32	4
5	2	2	1	14	8	1	5	323	89	61	173	21	2	13	6
36	16	15	5	13	5	1	7	452	66	101	285	27	2	20	5
9	8	1	-	14	3	3	8	421	80	106	235	51	6	38	7
19	11	2	6	19	7	1	11	250	61	28	161	23	6	11	6
8	2	1	5	8	6	1	1	365	86	95	184	37	8	23	6
12	6	5	1	36	15	3	18	299	81	25	193	34	8	24	2
83	54	16	13	19	6	3	10	346	139	21	186	10	4	3	3

通所介護

都道府県 指定都市 中核市	機能訓練 言語聴覚士（再掲） 総数	常勤 専従	常勤 兼務	非常勤	看護師（再掲） 総数	常勤 専従	常勤 兼務	非常勤	准看護師（再掲） 総数	常勤 専従	常勤 兼務	非常勤
指定都市(再掲)												
札幌市	17	3	2	12	258	23	40	195	87	6	17	64
仙台市	1	-	-	1	70	8	27	35	29	4	14	11
さいたま市	4	2	-	2	134	12	21	101	67	5	15	47
千葉市	-	-	-	-	103	3	14	86	47	2	13	32
横浜市	5	-	1	4	699	24	67	608	229	9	32	188
川崎市	1	-	-	1	183	3	40	140	71	4	18	49
相模原市	-	-	-	-	120	7	14	99	43	-	3	40
新潟市	9	3	2	4	182	6	75	101	185	3	69	113
静岡市	5	1	2	2	101	8	18	75	37	2	11	24
浜松市	4	-	1	3	154	7	41	106	56	5	14	37
名古屋市	16	2	4	10	348	19	44	285	170	14	23	133
京都市	3	1	2	-	236	19	57	160	82	5	33	44
大阪市	2	-	-	2	260	13	42	205	153	9	33	111
堺市	-	-	-	-	116	12	18	86	70	10	15	45
神戸市	5	-	1	4	246	11	57	178	92	7	21	64
岡山市	1	-	1	-	161	7	50	104	82	4	30	48
広島市	5	2	1	2	186	21	57	108	174	8	49	117
北九州市	7	-	-	7	182	18	66	98	140	18	55	67
福岡市	4	-	-	4	142	14	64	64	131	21	52	58
熊本市	4	1	3	-	88	5	33	50	107	7	56	44
中核市(再掲)												
旭川市	-	-	-	-	41	3	7	31	43	4	13	26
函館市	-	-	-	-	31	2	6	23	31	5	12	14
青森市	2	-	2	-	24	3	15	6	38	10	25	3
八戸市	-	-	-	-	26	3	13	10	39	2	21	16
盛岡市	2	1	-	1	51	1	24	26	22	-	10	12
秋田市	-	-	-	-	38	3	13	22	37	4	16	17
郡山市	2	1	-	1	47	4	24	19	42	-	23	19
いわき市	-	-	-	-	44	6	20	18	75	11	35	29
宇都宮市	4	1	1	2	74	4	22	48	55	2	30	23
前橋市	-	-	-	-	80	5	29	46	88	2	40	46
高崎市	1	-	-	1	65	8	28	29	72	5	33	34
川越市	4	-	-	4	42	2	6	34	26	10	5	11
越谷市	-	-	-	-	23	4	2	17	14	2	4	8
船橋市	-	-	-	-	58	2	10	46	27	3	3	21
柏市	-	-	-	-	41	2	6	33	25	1	6	18
八王子市	3	1	-	2	68	5	7	56	49	1	7	41
横須賀市	1	-	-	1	73	1	8	64	43	-	5	38
富山市	-	-	-	-	68	8	27	33	48	20	14	14
金沢市	1	-	-	1	69	10	29	30	48	2	19	27
長野市	1	-	-	1	91	4	20	67	45	8	10	27
岐阜市	3	1	-	2	50	6	20	24	52	8	19	25
豊橋市	2	-	2	-	46	-	10	36	54	6	20	28
豊田市	-	-	-	-	81	2	17	62	36	2	9	25
岡崎市	7	1	4	2	54	2	13	39	54	1	15	38
大津市	1	-	-	1	73	5	11	57	22	-	10	12
高槻市	-	-	-	-	63	5	14	44	37	1	4	32
東大阪市	-	-	-	-	45	4	11	30	60	5	21	34
豊中市	5	-	1	4	61	3	16	42	22	1	7	14
枚方市	-	-	-	-	48	1	1	46	26	1	3	22
姫路市	-	-	-	-	98	8	15	75	43	6	9	28
西宮市	1	-	1	-	36	8	6	22	16	3	2	11
尼崎市	3	1	-	2	63	7	12	44	52	3	6	43
奈良市	2	-	-	2	55	2	11	42	27	3	4	20
和歌山市	1	-	1	-	74	3	12	59	66	2	22	42
倉敷市	3	-	1	2	108	7	34	67	57	5	30	22
福山市	5	-	1	4	63	1	21	41	96	7	30	59
呉市	-	-	-	-	25	2	10	13	29	1	11	17
下関市	-	-	-	-	63	2	18	43	72	4	36	32
高松市	1	-	1	-	82	9	38	35	99	2	36	61
松山市	2	-	2	-	90	4	39	47	65	9	27	29
高知市	2	-	-	2	51	7	22	22	39	-	21	18
久留米市	3	3	-	-	32	1	12	19	39	4	15	20
長崎市	3	2	-	1	62	3	15	44	65	3	28	34
佐世保市	-	-	-	-	18	1	11	6	49	5	26	18
大分市	4	1	-	3	103	19	34	50	118	13	37	68
宮崎市	5	-	1	4	59	8	25	26	84	8	46	30
鹿児島市	1	-	-	1	64	12	21	31	74	9	29	36
那覇市	1	-	1	-	36	10	6	20	39	7	17	15

注：1）調査方法の変更等による回収率変動の影響を受けているため、数量を示す従事者数の実数は前年以前と単純に年次比較できない。
　　2）介護予防サービスを一体的に行っている事業所の従事者を含む。
　　3）介護予防サービスのみ行っている事業所は対象外とした。

中核市（再掲）、職種（常勤（専従－兼務）－非常勤）別（39－13）

平成29年10月１日

指導員								調理員				管理栄養士			
柔道整復師（再掲）				あん摩マッサージ指圧師（再掲）											
総数	常勤		非常勤	総数	常勤		非常勤	総数	常勤		非常勤	総数	常勤		非常勤
	専従	兼務			専従	兼務			専従	兼務			専従	兼務	
95	73	15	7	7	4	－	3	57	2	8	47	14	8	3	3
30	20	9	1	13	2	1	10	84	11	8	65	13	5	8	－
26	15	5	6	8	3	－	5	104	13	4	87	11	4	6	1
20	17	1	2	9	6	1	2	115	16	12	87	8	1	5	2
79	26	21	32	42	9	13	20	487	13	34	440	28	1	17	10
11	2	3	6	27	6	7	14	114	12	10	92	13	1	12	－
6	－	3	3	2	1	－	1	104	8	6	90	8	4	4	－
11	8	2	1	6	1	－	5	124	11	20	93	28	1	25	2
41	21	7	13	33	5	4	24	139	27	23	89	14	2	10	2
31	13	8	10	19	8	2	9	63	2	4	57	7	－	7	－
41	15	7	19	30	7	3	20	281	28	24	229	29	6	19	4
89	52	9	28	37	15	6	16	148	20	12	116	14	3	11	－
137	81	18	38	17	6	1	10	178	14	17	147	8	2	5	1
57	40	5	12	3	－	－	3	124	8	14	102	18	4	11	3
71	35	12	24	21	11	2	8	188	23	29	136	27	8	12	7
19	11	5	3	17	7	－	10	118	17	14	87	13	3	9	1
27	16	6	5	24	5	5	14	118	16	4	98	12	6	3	3
17	5	5	7	5	3	1	1	159	16	5	138	13	4	7	2
13	10	－	3	7	2	3	2	80	18	16	46	13	4	9	－
5	5	－	－	2	－	1	1	93	14	16	63	8	1	3	4
23	14	6	3	4	2	1	1	45	7	6	32	5	1	4	－
15	7	2	6	4	3	－	1	12	2	2	8	－	－	－	－
5	4	1	－	4	4	－	－	50	17	2	31	1	－	1	－
7	2	3	2	5	3	－	2	40	8	9	23	8	－	8	－
20	10	4	6	5	3	1	1	76	9	18	49	3	－	2	1
8	6	2	－	1	－	－	1	43	8	5	30	1	－	1	－
31	15	10	6	2	2	－	－	27	1	1	25	7	4	3	－
16	7	8	1	3	1	－	2	58	16	2	40	1	1	－	－
10	3	5	2	5	2	－	3	87	10	3	74	4	2	2	－
12	4	5	3	1	－	1	－	76	9	32	35	13	1	11	1
13	8	1	4	1	－	－	1	75	12	14	49	8	3	4	1
11	4	1	6	6	1	－	5	28	－	1	27	3	1	1	1
8	5	－	3	6	4	1	1	33	6	－	27	2	2	－	－
21	15	3	3	8	2	－	6	88	9	15	64	7	3	2	2
5	2	1	2	2	2	－	－	48	3	6	39	4	1	2	1
12	8	－	4	11	2	1	8	106	8	10	88	5	1	2	2
4	2	2	－	10	3	5	2	52	1	－	51	3	－	3	－
22	12	4	6	5	－	－	5	75	14	6	55	8	2	6	－
23	14	4	5	2	2	－	－	51	5	3	43	6	1	4	1
9	6	－	3	3	2	－	1	60	12	1	47	6	1	3	2
15	7	2	6	13	6	2	5	40	6	－	34	4	－	2	2
2	1	－	1	6	1	1	4	57	3	4	50	2	1	1	－
2	－	－	2	2	－	1	1	37	1	1	35	6	－	4	2
－	－	－	－	3	2	－	1	68	10	－	58	8	3	3	2
8	8	－	－	6	3	－	3	44	2	1	41	3	1	2	－
17	9	3	5	2	1	－	1	33	－	－	33	1	－	－	1
34	20	5	9	3	1	2	－	36	－	1	35	3	－	3	－
21	18	2	1	3	2	－	1	33	1	1	31	2	2	－	－
13	5	3	5	17	4	2	11	47	－	7	40	7	3	4	－
10	6	1	3	6	2	－	4	73	8	4	61	7	－	7	－
17	7	4	6	2	1	－	1	26	2	－	24	3	－	3	－
40	24	6	10	3	－	－	3	44	5	4	35	6	2	4	－
19	10	2	7	5	－	－	5	51	2	3	46	7	1	5	1
15	9	5	1	3	1	－	2	29	6	1	22	1	1	－	－
6	3	1	2	7	1	3	3	78	9	3	66	6	2	3	1
7	4	2	1	6	－	1	5	58	13	4	41	15	4	6	5
4	3	－	1	1	－	－	1	28	2	9	17	4	1	3	－
1	－	－	1	3	1	－	2	61	6	5	50	7	1	5	1
7	5	1	1	23	6	1	16	60	11	9	40	8	－	8	－
13	10	1	2	12	2	－	10	78	8	21	49	8	－	6	2
－	－	－	－	4	－	－	4	42	5	8	29	4	－	4	－
2	2	－	－	3	－	－	3	38	7	－	31	1	－	－	1
21	9	9	3	5	3	1	1	86	13	14	59	6	－	6	－
2	－	2	－	3	1	－	2	37	7	9	21	9	－	7	2
13	7	2	4	7	5	－	2	115	37	12	66	7	3	2	2
1	－	－	1	3	2	－	1	109	22	29	58	20	4	13	3
6	4	1	1	14	8	2	4	88	19	1	68	9	5	4	－
18	12	5	1	8	2	2	4	78	35	5	38	1	1	－	－

第6表　従事者数，居宅サービスの種類、都道府県－指定都市・

通所介護

都道府県 指定都市 中核市	栄養士 総数	栄養士 常勤 専従	栄養士 常勤 兼務	栄養士 非常勤	歯科衛生士 総数	歯科衛生士 常勤 専従	歯科衛生士 常勤 兼務	歯科衛生士 非常勤	生活相談員 総数	生活相談員 常勤 専従	生活相談員 常勤 兼務	生活相談員 非常勤
全国	1 366	417	570	379	566	34	153	379	48 603	13 183	29 413	6 007
北海道	30	3	22	5	13	－	4	9	1 430	459	821	150
青森	45	14	23	8	5	2	2	1	638	146	471	21
岩手	39	13	20	6	5	1	1	3	630	209	369	52
宮城	25	6	18	1	1	－	－	1	1 003	245	701	57
秋田	23	7	12	4	6	1	2	3	425	110	285	30
山形	24	6	17	1	13	－	7	6	720	148	540	32
福島	39	15	17	7	10	2	2	6	894	245	596	53
茨城	43	15	16	12	8	1	2	5	917	294	502	121
栃木	35	17	10	8	5	1	2	2	772	256	434	82
群馬	30	4	19	7	10	1	6	3	1 415	281	915	219
埼玉	69	22	27	20	9	2	3	4	2 016	612	1 087	317
千葉	57	16	26	15	13	－	5	8	1 511	568	764	179
東京	61	20	20	21	41	1	3	37	3 313	831	1 963	519
神奈川	34	6	12	16	33	1	4	28	2 095	435	1 394	266
新潟	28	8	12	8	32	1	16	15	1 314	293	950	71
富山	20	7	8	5	13	1	2	10	511	194	263	54
石川	11	6	3	2	1	－	－	1	473	129	313	31
福井	20	7	10	3	10	1	5	4	404	111	270	23
山梨	20	7	5	8	1	－	－	1	376	114	229	33
長野	47	14	24	9	13	－	7	6	1 086	282	691	113
岐阜	28	6	8	14	8	－	3	5	936	251	555	130
静岡	48	11	20	17	16	－	5	11	1 485	446	866	173
愛知	31	7	3	21	52	－	10	42	2 763	615	1 492	656
三重	23	4	11	8	11	－	1	10	1 028	253	620	155
滋賀	4	1	2	1	17	1	1	15	512	157	300	55
京都	25	9	11	5	26	2	－	24	932	290	561	81
大阪	30	2	15	13	14	－	3	11	2 724	855	1 443	426
兵庫	39	8	13	18	19	－	3	16	1 754	574	971	209
奈良	13	3	7	3	7	3	1	3	463	197	209	57
和歌山	9	2	2	5	8	－	5	3	511	118	347	46
鳥取	11	5	3	3	5	1	4	－	403	103	278	22
島根	18	10	6	2	9	1	5	3	433	86	323	24
岡山	25	9	5	11	14	2	5	7	913	215	574	124
広島	34	17	8	9	20	2	5	13	1 297	308	797	192
山口	17	3	9	5	9	－	－	9	877	142	609	126
徳島	7	3	4	－	14	1	4	9	413	126	253	34
香川	13	3	8	2	7	－	2	5	508	121	326	61
愛媛	28	8	12	8	8	1	2	5	759	181	494	84
高知	9	3	4	2	2	1	1	－	324	75	226	23
福岡	49	24	9	16	18	－	4	14	2 251	597	1 374	280
佐賀	24	9	9	6	4	－	2	2	616	189	355	72
長崎	28	9	15	4	8	1	3	4	755	193	469	93
熊本	59	17	25	17	7	－	3	4	980	251	643	86
大分	19	7	6	6	7	1	3	3	709	191	354	164
宮崎	36	8	19	9	4	－	1	3	668	224	401	43
鹿児島	25	10	9	6	4	1	1	2	689	220	390	79
沖縄	14	6	6	2	6	－	3	3	957	243	625	89

注：1）調査方法の変更等による回収率変動の影響を受けているため、数量を示す従事者数の実数は前年以前と単純に年次比較できない。
　　2）介護予防サービスを一体的に行っている事業所の従事者を含む。
　　3）介護予防サービスのみ行っている事業所は対象外とした。

平成29年10月１日

社会福祉士（再掲）				介護職員				介護福祉士（再掲）				その他の職員			
総数	常勤		非常勤	総数	常勤		非常勤	総数	常勤		非常勤	総数	常勤		非常勤
	専従	兼務			専従	兼務			専従	兼務			専従	兼務	
4 589	1 680	2 423	486	182 310	61 977	36 749	83 584	71 465	28 014	20 250	23 201	37 444	5 305	15 036	17 103
149	66	69	14	5 452	2 278	900	2 274	2 480	1 210	571	699	1 073	164	530	379
27	8	17	2	2 297	1 051	649	597	1 211	610	394	207	489	82	264	143
68	27	37	4	2 268	1 138	556	574	1 066	616	278	172	597	109	288	200
86	29	51	6	3 227	1 425	843	959	1 186	563	401	222	639	122	317	200
39	12	22	5	1 538	859	302	377	782	462	187	133	324	36	180	108
65	22	41	2	2 567	1 045	883	639	1 243	561	486	196	530	47	324	159
53	24	28	1	2 961	1 339	783	839	1 248	617	435	196	660	73	316	271
87	32	44	11	3 522	1 423	598	1 501	1 224	554	313	357	676	82	359	235
111	37	61	13	2 709	1 148	507	1 054	1 027	516	221	290	578	67	294	217
89	26	51	12	4 963	1 301	1 454	2 208	1 629	521	624	484	629	89	416	124
169	73	71	25	8 185	2 599	1 077	4 509	2 720	981	589	1 150	2 014	287	611	1 116
152	65	70	17	6 210	2 009	882	3 319	2 106	817	437	852	1 537	195	529	813
384	129	209	46	12 273	3 580	2 078	6 615	4 523	1 357	1 278	1 888	3 156	450	944	1 762
159	34	118	7	9 306	1 398	1 813	6 095	3 314	607	969	1 738	2 386	191	745	1 450
259	54	192	13	4 914	2 020	1 276	1 618	2 785	1 297	840	648	1 099	87	482	530
63	35	27	1	2 131	894	354	883	953	437	225	291	482	85	117	280
35	19	12	4	1 794	764	374	656	883	409	259	215	416	37	217	162
44	21	20	3	1 552	540	380	632	748	290	240	218	375	35	148	192
35	13	20	2	1 321	589	264	468	555	275	137	143	359	59	125	175
87	38	41	8	3 647	1 104	764	1 779	1 745	577	532	636	817	94	303	420
80	32	40	8	3 568	1 130	697	1 741	1 435	519	385	531	734	83	250	401
142	49	81	12	5 572	1 885	914	2 773	2 159	846	509	804	1 367	166	469	732
228	76	103	49	10 114	2 120	2 133	5 861	3 670	775	1 267	1 628	2 058	262	706	1 090
87	34	38	15	3 819	1 199	655	1 965	1 399	479	385	535	724	162	230	332
57	28	23	6	2 214	741	315	1 158	887	364	196	327	607	72	202	333
101	39	55	7	3 610	1 348	616	1 646	1 691	686	435	570	757	95	293	369
222	81	107	34	11 350	3 700	1 481	6 169	3 915	1 562	829	1 524	2 375	461	711	1 203
205	86	91	28	7 404	2 356	968	4 080	2 953	1 189	557	1 207	1 686	218	596	872
40	23	13	4	2 030	691	200	1 139	762	321	130	311	465	74	156	235
25	6	19	-	1 965	698	457	810	734	300	240	194	242	29	167	46
31	12	18	1	1 245	470	390	385	607	249	243	115	199	38	87	74
21	9	9	3	1 448	479	502	467	664	232	282	150	357	41	151	165
149	47	88	14	3 110	1 203	659	1 248	1 305	619	305	381	675	70	264	341
139	49	73	17	4 655	1 573	921	2 161	1 936	719	584	633	845	155	293	397
71	26	43	2	3 109	763	837	1 509	1 050	295	399	356	460	44	211	205
20	9	10	1	1 412	557	379	476	567	260	197	110	219	37	126	56
51	14	32	5	1 765	620	446	699	740	295	240	205	264	31	154	79
73	21	41	11	2 668	1 080	592	996	1 030	481	312	237	477	51	234	192
18	7	11	-	1 101	502	287	312	485	258	150	77	170	36	71	63
267	111	128	28	8 144	3 031	1 745	3 368	2 915	1 271	802	842	1 360	256	695	409
37	19	15	3	1 961	650	644	667	746	263	324	159	276	65	120	91
48	16	25	7	2 519	911	623	985	1 081	396	369	316	327	53	195	79
77	28	44	5	3 125	1 141	1 003	981	1 197	474	502	221	516	59	324	133
93	34	40	19	3 222	978	531	1 713	1 074	464	195	415	346	80	170	96
44	22	22	-	2 451	990	612	849	922	430	274	218	351	90	201	60
36	18	16	2	2 203	781	614	808	886	359	322	205	314	65	193	56
66	20	37	9	3 689	1 876	791	1 022	1 227	631	401	195	437	121	258	58

通所介護

都道府県 指定都市 中核市	栄養士				歯科衛生士				生活相談員			
	総数	常勤		非常勤	総数	常勤		非常勤	総数	常勤		非常勤
		専従	兼務			専従	兼務			専従	兼務	
指定都市(再掲)												
札幌市	3	–	3	–	1	–	1	–	415	148	232	35
仙台市	7	2	5	–	–	–	–	–	241	61	164	16
さいたま市	14	5	4	5	2	–	2	–	289	90	157	42
千葉市	5	3	2	–	–	–	–	–	198	77	90	31
横浜市	11	–	3	8	14	–	1	13	897	181	599	117
川崎市	2	1	1	–	2	–	1	1	264	57	172	35
相模原市	3	1	–	2	6	1	1	4	162	44	102	16
新潟市	5	–	2	3	6	–	3	3	420	95	297	28
静岡市	15	2	9	4	5	–	1	4	277	88	157	32
浜松市	5	1	–	4	6	–	1	5	313	74	204	35
名古屋市	11	4	3	4	15	–	1	14	736	177	381	178
京都市	8	3	3	2	18	1	–	17	513	165	313	35
大阪市	3	1	–	2	2	–	1	1	756	234	403	119
堺市	4	1	2	1	3	–	1	2	283	82	148	53
神戸市	3	–	1	2	1	–	1	–	464	156	229	79
岡山市	2	1	1	–	3	–	3	–	315	63	207	45
広島市	7	2	3	2	3	–	–	3	508	131	310	67
北九州市	14	8	2	4	1	–	1	–	495	132	301	62
福岡市	12	6	2	4	2	–	–	2	455	120	277	58
熊本市	17	3	12	2	–	–	–	–	295	73	191	31
中核市(再掲)												
旭川市	3	1	1	1	3	–	–	3	108	31	61	16
函館市	2	1	1	–	1	–	–	1	87	30	52	5
青森市	2	1	–	1	–	–	–	–	80	27	51	2
八戸市	3	–	3	–	–	–	–	–	106	15	88	3
盛岡市	11	5	4	2	1	–	–	1	135	37	79	19
秋田市	4	1	1	2	1	–	–	1	96	31	60	5
郡山市	9	3	5	1	2	–	1	1	136	35	87	14
いわき市	4	1	–	3	–	–	–	–	170	58	100	12
宇都宮市	5	3	1	1	2	–	–	2	162	44	102	16
前橋市	6	–	5	1	–	–	–	–	263	52	172	39
高崎市	4	–	1	3	5	–	2	3	244	43	170	31
川越市	1	–	1	–	–	–	–	–	86	28	51	7
越谷市	4	2	–	2	3	–	–	3	75	22	41	12
船橋市	4	2	–	2	–	–	–	–	120	47	57	16
柏市	2	–	1	1	1	–	–	1	88	40	36	12
八王子市	6	1	1	4	1	–	–	1	166	42	90	34
横須賀市	2	2	–	–	5	–	1	4	129	13	96	20
富山市	4	1	2	1	4	1	–	3	206	80	96	30
金沢市	6	2	2	2	1	–	–	1	188	55	110	23
長野市	3	1	2	–	2	–	–	2	180	56	102	22
岐阜市	1	–	1	–	1	–	1	–	166	56	84	26
豊橋市	2	–	–	2	2	–	1	1	131	24	65	42
豊田市	6	2	–	4	–	–	–	–	138	26	66	46
岡崎市	2	1	–	1	13	–	2	11	153	36	74	43
大津市	1	–	1	–	1	–	–	1	101	27	65	9
高槻市	–	–	–	–	1	–	–	1	107	33	61	13
東大阪市	5	–	1	4	–	–	–	–	156	50	90	16
豊中市	–	–	–	–	1	–	1	–	137	48	68	21
枚方市	2	–	1	1	4	–	–	4	109	34	65	10
姫路市	7	4	–	3	3	–	–	3	185	64	103	18
西宮市	2	–	1	1	–	–	–	–	89	24	53	12
尼崎市	1	1	–	–	1	–	–	1	152	52	83	17
奈良市	5	1	3	1	4	2	1	1	145	52	69	24
和歌山市	1	–	–	1	2	–	2	–	178	43	112	23
倉敷市	4	1	–	3	4	1	–	3	215	43	138	34
福山市	5	3	–	2	4	–	1	3	238	51	135	52
呉市	2	2	–	–	–	–	–	–	75	15	58	2
下関市	1	–	–	1	–	–	–	–	180	13	116	51
高松市	4	–	3	1	2	–	–	2	212	50	137	25
松山市	7	3	3	1	4	–	1	3	228	57	154	17
高知市	3	2	1	–	1	–	1	–	157	26	117	14
久留米市	4	1	–	3	4	–	–	4	133	32	90	11
長崎市	6	1	5	–	4	1	–	3	204	50	135	19
佐世保市	3	1	1	1	2	–	2	–	92	25	61	6
大分市	8	3	3	2	5	1	1	3	297	77	154	66
宮崎市	6	2	4	–	–	–	–	–	203	57	128	18
鹿児島市	4	4	–	–	–	–	–	–	221	73	124	24
那覇市	3	3	–	–	–	–	–	–	185	54	121	10

注：1）調査方法の変更等による回収率変動の影響を受けているため、数量を示す従事者数の実数は前年以前と単純に年次比較できない。
　　2）介護予防サービスを一体的に行っている事業所の従事者を含む。
　　3）介護予防サービスのみ行っている事業所は対象外とした。

平成29年10月１日

社会福祉士（再掲）総数	社会福祉士（再掲）常勤専従	社会福祉士（再掲）常勤兼務	社会福祉士（再掲）非常勤	介護職員 総数	介護職員 常勤専従	介護職員 常勤兼務	介護職員 非常勤	介護福祉士（再掲）総数	介護福祉士（再掲）常勤専従	介護福祉士（再掲）常勤兼務	介護福祉士（再掲）非常勤	その他の職員 総数	その他の職員 常勤専従	その他の職員 常勤兼務	その他の職員 非常勤
64	30	30	4	1 737	761	279	697	787	425	163	199	284	44	149	91
31	12	18	1	755	298	177	280	296	127	85	84	203	33	86	84
28	12	12	4	1 161	399	146	616	394	150	76	168	280	39	94	147
15	8	6	1	794	255	102	437	262	100	54	108	168	24	61	83
78	17	58	3	4 045	450	759	2 836	1 501	201	406	894	1 060	72	292	696
22	5	14	3	1 080	195	262	623	344	69	137	138	220	25	82	113
14	1	13	－	720	187	91	442	246	73	60	113	194	21	58	115
95	20	70	5	1 511	614	349	548	790	380	182	228	386	30	172	184
30	12	17	1	1 077	341	161	575	394	142	90	162	241	34	75	132
38	10	27	1	1 130	353	183	594	434	152	102	180	244	18	92	134
57	19	27	11	2 610	593	496	1 521	911	241	305	365	483	89	193	201
69	29	36	4	2 002	785	369	848	881	381	248	252	411	62	151	198
69	28	34	7	2 965	1 050	425	1 490	967	398	224	345	628	139	203	286
14	7	4	3	1 211	433	132	646	392	167	74	151	221	37	79	105
61	20	30	11	1 941	575	231	1 135	748	300	105	343	452	50	145	257
47	13	27	7	1 066	426	219	421	453	212	98	143	202	30	89	83
73	32	37	4	1 636	583	329	724	710	277	215	218	322	48	117	157
70	28	30	12	1 994	685	354	955	678	285	174	219	328	56	162	110
55	26	23	6	1 584	615	351	618	593	270	152	171	280	63	133	84
31	14	15	2	955	324	279	352	340	126	121	93	164	22	101	41
8	2	3	3	409	156	71	182	180	80	35	65	74	10	37	27
11	4	6	1	349	175	57	117	161	99	40	22	67	16	25	26
10	4	6	－	277	153	52	72	153	107	25	21	62	18	23	21
1	－	1	－	387	178	93	116	226	118	67	41	98	17	50	31
19	5	13	1	488	196	132	160	193	94	56	43	113	26	47	40
8	2	3	3	329	201	59	69	189	123	40	26	78	7	43	28
12	6	6	－	410	174	119	117	176	80	61	35	87	9	42	36
6	2	4	－	595	285	127	183	174	87	56	31	131	15	56	60
24	9	12	3	589	246	113	230	195	103	44	48	143	22	68	53
21	5	14	2	946	275	268	403	304	106	119	79	134	15	88	31
14	3	10	1	877	223	265	389	272	73	109	90	107	16	61	30
9	5	3	1	432	152	40	240	161	59	29	73	94	26	29	39
3	－	2	1	338	96	39	203	118	32	22	64	82	10	21	51
15	7	5	3	491	137	56	298	168	54	23	91	115	15	30	70
7	2	5	－	346	107	34	205	107	46	16	45	127	16	36	75
15	5	7	3	665	142	88	435	212	52	46	114	143	17	44	82
10	1	9	－	555	75	116	364	192	24	54	114	158	10	40	108
21	13	8	－	878	355	126	397	323	162	60	101	176	42	37	97
17	11	4	2	723	251	142	330	305	123	85	97	140	15	67	58
13	4	6	3	656	194	114	348	272	86	73	113	175	24	50	101
13	7	6	－	610	194	129	287	219	80	75	64	118	23	40	55
8	3	3	2	446	100	110	236	154	30	55	69	79	6	23	50
22	3	7	12	453	75	93	285	154	23	43	88	134	11	27	96
7	3	3	1	476	97	94	285	170	30	53	87	95	9	37	49
12	6	4	2	390	115	60	215	151	53	43	55	81	12	34	35
6	2	3	1	487	89	72	326	166	37	53	76	58	15	20	23
10	1	8	1	593	203	68	322	183	74	43	66	131	23	45	63
20	6	5	9	479	174	60	245	163	71	31	61	101	19	35	47
12	6	4	2	510	162	70	278	194	71	39	84	110	21	29	60
16	8	6	2	966	264	101	601	347	110	55	182	199	29	63	107
14	5	6	3	328	118	59	151	131	60	33	38	62	13	30	19
19	11	5	3	635	234	74	327	211	97	44	70	142	28	43	71
12	5	7	－	540	184	70	286	193	76	47	70	151	25	46	80
5	1	4	－	752	231	171	350	268	90	89	89	90	6	62	22
48	11	34	3	833	280	178	375	335	162	78	95	217	19	63	135
24	3	15	6	975	265	183	527	348	112	111	125	188	35	50	103
7	5	1	1	292	118	67	107	94	37	36	21	48	15	22	11
7	1	5	1	639	161	146	332	145	33	64	48	84	9	38	37
21	7	12	2	767	256	191	320	293	114	99	80	109	12	62	35
25	6	16	3	813	328	176	309	330	159	97	74	160	23	66	71
8	3	5	－	467	219	108	140	207	104	61	42	64	21	23	20
14	3	11	－	445	166	138	141	177	71	67	39	68	17	28	23
17	6	9	2	661	268	160	233	283	103	105	75	104	8	61	35
6	3	2	1	319	127	78	114	171	72	54	45	47	13	28	6
53	20	25	8	1 516	476	248	792	493	231	93	169	168	43	78	47
15	9	6	－	717	278	171	268	283	120	84	79	94	24	52	18
12	6	6	－	675	224	193	258	270	104	108	58	103	24	51	28
9	6	3	－	767	411	171	185	265	142	77	46	73	24	40	9

第6表　従事者数，居宅サービスの種類、都道府県－指定都市・

通所リハビリテーション（介護老人保健施設）

都道府県 指定都市 中核市	総数 総数	総数 常勤 専従	総数 常勤 兼務	総数 非常勤	医師 総数	医師 常勤 専従	医師 常勤 兼務	医師 非常勤	看護師 総数	看護師 常勤 専従	看護師 常勤 兼務	看護師 非常勤
全国	60 835	28 776	17 650	14 409	4 754	1 124	2 582	1 048	3 230	1 246	667	1 317
北海道	2 746	1 404	903	439	192	70	100	22	146	65	32	49
青森	1 085	613	305	167	63	14	40	9	47	26	11	10
岩手	826	414	327	85	81	11	51	19	32	13	11	8
宮城	1 287	710	362	215	98	27	47	24	52	24	13	15
秋田	542	316	160	66	51	18	25	8	18	9	3	6
山形	789	418	256	115	72	14	33	25	28	11	10	7
福島	1 061	484	420	157	122	12	64	46	62	16	25	21
茨城	1 779	900	497	382	116	42	65	9	81	28	18	35
栃木	957	431	290	236	82	11	49	22	37	26	5	6
群馬	1 208	484	456	268	121	23	69	29	74	31	21	22
埼玉	3 090	1 388	766	936	199	62	82	55	149	41	33	75
千葉	2 545	1 238	651	656	157	48	98	11	139	46	24	69
東京	3 501	1 701	808	992	246	62	120	64	270	85	71	114
神奈川	2 979	976	1 039	964	204	47	109	48	169	29	35	105
新潟	1 428	626	599	203	110	13	84	13	84	20	27	37
富山	704	357	199	148	65	9	35	21	29	14	4	11
石川	498	258	148	92	38	11	25	2	25	11	7	7
福井	441	200	145	96	39	4	32	3	20	9	6	5
山梨	396	156	158	82	36	7	18	11	20	12	4	4
長野	1 145	569	253	323	101	22	52	27	83	34	21	28
岐阜	984	389	311	284	86	17	56	13	69	34	7	28
静岡	1 630	782	307	541	151	43	63	45	90	26	9	55
愛知	3 239	1 286	1 041	912	236	50	119	67	184	61	27	96
三重	963	442	211	310	77	29	21	27	44	20	7	17
滋賀	456	225	98	133	31	7	19	5	41	20	3	18
京都	1 129	508	289	332	79	26	38	15	64	21	7	36
大阪	3 416	1 599	962	855	238	85	99	54	226	76	65	85
兵庫	2 687	1 122	692	873	192	51	108	33	166	67	22	77
奈良	940	367	279	294	57	16	36	5	50	11	5	34
和歌山	574	233	183	158	48	6	33	9	37	8	11	18
鳥取	604	310	188	106	43	9	27	7	21	9	3	9
島根	505	227	177	101	47	5	23	19	13	5	2	6
岡山	1 187	566	260	361	149	25	56	68	65	34	7	24
広島	1 646	793	394	459	123	29	65	29	76	39	9	28
山口	986	484	326	176	84	21	57	6	51	28	11	12
徳島	475	204	181	90	51	12	28	11	11	4	3	4
香川	652	281	224	147	84	10	48	26	17	5	4	8
愛媛	1 009	538	227	244	62	17	38	7	42	18	6	18
高知	453	253	142	58	57	3	35	19	26	17	6	3
福岡	2 351	1 249	690	412	213	44	131	38	123	59	21	43
佐賀	490	277	138	75	35	10	22	3	22	13	6	3
長崎	819	430	233	156	66	18	32	16	27	12	6	9
熊本	1 489	785	468	236	115	15	78	22	68	43	10	15
大分	740	410	196	134	56	6	33	17	31	11	6	14
宮崎	652	348	226	78	54	13	32	9	37	15	14	8
鹿児島	1 135	669	323	143	86	23	58	5	40	27	5	8
沖縄	617	356	142	119	41	7	29	5	24	13	4	7

注：1）調査方法の変更等による回収率変動の影響を受けているため、数量を示す従事者数の実数は前年以前と単純に年次比較できない。
　　2）介護予防サービスを一体的に行っている事業所の従事者を含む。
　　3）介護予防サービスのみ行っている事業所は対象外とした。

中核市（再掲）、職種（常勤（専従－兼務）－非常勤）別（39－16）

平成29年10月１日

准看護師				介護職員							
								介護福祉士（再掲）			
総数	常勤		非常勤	総数	常勤		非常勤	総数	常勤		非常勤
	専従	兼務			専従	兼務			専従	兼務	
2 410	1 116	404	890	31 338	21 168	1 826	8 344	19 163	14 768	1 165	3 230
94	51	20	23	1 401	1 061	77	263	967	813	50	104
54	26	23	5	626	480	34	112	427	357	26	44
29	13	10	6	426	334	54	38	302	242	46	14
48	30	-	18	681	517	46	118	425	360	34	31
16	5	6	5	295	239	20	36	202	175	10	17
19	9	2	8	417	314	46	57	269	224	31	14
46	22	19	5	489	380	52	57	343	282	40	21
74	32	12	30	936	645	70	221	516	398	46	72
43	24	1	18	529	321	56	152	280	202	37	41
62	27	15	20	542	339	61	142	330	242	37	51
128	38	26	64	1 683	993	92	598	974	675	64	235
98	42	19	37	1 324	927	36	361	786	613	24	149
110	38	20	52	1 853	1 203	49	601	1 103	838	27	238
55	15	7	33	1 465	786	146	533	888	589	80	219
68	23	25	20	715	505	106	104	510	378	93	39
34	16	5	13	375	261	23	91	233	180	15	38
15	7	1	7	275	202	14	59	183	140	12	31
27	13	7	7	227	157	6	64	156	122	2	32
20	4	11	5	189	108	41	40	104	77	18	9
37	19	5	13	627	394	17	216	394	279	14	101
51	20	9	22	470	269	15	186	274	192	10	72
39	12	6	21	847	526	21	300	483	365	13	105
95	45	8	42	1 557	989	73	495	884	621	28	235
22	12	2	8	499	296	16	187	236	176	10	50
14	8	-	6	251	157	4	90	154	116	3	35
47	12	13	22	594	364	5	225	341	258	3	80
121	41	23	57	1 735	1 161	100	474	1 085	834	55	196
87	21	7	59	1 375	784	58	533	807	561	31	215
35	10	6	19	476	303	6	167	258	187	5	66
31	10	3	18	289	190	15	84	181	142	11	28
24	11	3	10	321	247	9	65	201	169	6	26
32	12	2	18	233	157	29	47	147	118	11	18
43	16	7	20	617	383	50	184	409	282	36	91
77	37	3	37	874	586	29	259	534	408	24	102
30	23	1	6	510	356	25	129	312	253	19	40
21	14	4	3	219	149	19	51	117	90	14	13
33	24	4	5	314	214	19	81	182	141	13	28
53	39	1	13	560	414	16	130	359	298	11	50
16	7	-	9	227	192	12	23	163	155	1	7
131	73	22	36	1 173	902	54	217	724	625	28	71
30	17	9	4	266	187	35	44	158	119	17	22
40	28	3	9	440	316	30	94	259	200	22	37
73	51	10	12	751	556	46	149	466	392	26	48
47	30	6	11	400	301	25	74	265	216	18	31
41	23	10	8	323	238	39	46	195	161	24	10
76	56	4	16	574	476	14	84	372	330	9	33
24	10	4	10	368	289	16	63	205	173	11	21

通所リハビリテーション（介護老人保健施設）

都道府県 指定都市 中核市	総数				医師				看護師			
	総数	常勤		非常勤	総数	常勤		非常勤	総数	常勤		非常勤
		専従	兼務			専従	兼務			専従	兼務	
指定都市(再掲)												
札幌市	897	480	265	152	54	23	22	9	53	29	6	18
仙台市	488	275	144	69	33	9	15	9	22	12	3	7
さいたま市	511	259	130	122	36	15	11	10	33	14	2	17
千葉市	379	170	79	130	22	5	16	1	26	2	6	18
横浜市	1 528	494	501	533	98	24	51	23	97	12	22	63
川崎市	326	111	125	90	25	4	12	9	14	7	2	5
相模原市	186	70	81	35	12	3	8	1	9	3	4	2
新潟市	443	212	159	72	40	2	33	5	22	5	1	16
静岡市	306	163	64	79	27	8	11	8	13	6	2	5
浜松市	349	123	74	152	34	9	15	10	20	4	3	13
名古屋市	1 118	442	391	285	97	17	47	33	68	17	17	34
京都市	671	323	169	179	47	17	21	9	41	14	5	22
大阪市	1 093	542	295	256	75	27	32	16	85	29	27	29
堺市	232	76	80	76	14	2	11	1	18	6	8	4
神戸市	865	358	228	279	61	11	39	11	53	22	4	27
岡山市	349	190	53	106	40	9	14	17	16	10	－	6
広島市	392	181	103	108	32	10	15	7	34	17	4	13
北九州市	442	218	123	101	51	7	34	10	18	8	2	8
福岡市	339	187	115	37	41	6	29	6	24	13	3	8
熊本市	508	312	128	68	36	6	23	7	35	26	2	7
中核市(再掲)												
旭川市	160	104	32	24	11	7	3	1	8	4	1	3
函館市	135	56	63	16	7	1	6	－	5	2	－	3
青森市	260	170	44	46	13	5	7	1	9	5	－	4
八戸市	148	76	47	25	6	3	1	2	5	1	1	3
盛岡市	115	45	57	13	8	1	5	2	9	2	6	1
秋田市	137	73	44	20	11	4	7	－	5	2	1	2
郡山市	111	53	37	21	17	1	6	10	7	4	2	1
いわき市	128	66	42	20	16	1	10	5	4	3	－	1
宇都宮市	131	33	34	64	13	5	3	5	6	2	2	2
前橋市	232	91	98	43	22	2	15	5	18	8	6	4
高崎市	246	89	94	63	23	3	15	5	17	7	6	4
川越市	138	64	34	40	8	1	6	1	3	1	1	1
越谷市	120	48	35	37	5	2	2	1	14	1	11	2
船橋市	200	91	73	36	15	5	9	1	12	4	1	7
柏市	167	84	34	49	9	4	5	－	15	6	1	8
八王子市	138	44	43	51	12	3	5	4	5	1	－	4
横須賀市	111	38	45	28	7	2	5	－	2	－	2	－
富山市	249	144	63	42	25	6	13	6	10	7	－	3
金沢市	144	75	54	15	8	1	7	－	7	5	1	1
長野市	141	56	32	53	10	2	8	－	7	2	2	3
岐阜市	226	78	73	75	13	4	7	2	12	4	1	7
豊橋市	135	54	46	35	5	1	3	1	7	4	－	3
豊田市	136	47	45	44	7	3	2	2	8	1	2	5
岡崎市	165	61	42	62	11	5	3	3	10	4	－	6
大津市	68	33	10	25	5	2	2	1	7	3	1	3
高槻市	154	88	40	26	8	2	5	1	10	5	3	2
東大阪市	174	81	57	36	15	5	6	4	6	2	－	4
豊中市	190	86	73	31	12	6	3	3	13	5	4	4
枚方市	184	72	61	51	12	4	6	2	11	3	3	5
姫路市	176	67	68	41	12	1	11	－	7	3	2	2
西宮市	111	49	40	22	11	2	8	1	7	3	2	2
尼崎市	203	109	19	75	15	8	4	3	13	8	1	4
奈良市	183	73	46	64	13	4	6	3	11	1	－	10
和歌山市	174	59	59	56	15	3	10	2	15	1	3	11
倉敷市	315	139	64	112	41	4	10	27	23	11	1	11
福山市	269	119	72	78	20	7	7	6	2	1	－	1
呉市	176	95	46	35	15	4	8	3	5	4	1	－
下関市	152	88	43	21	10	1	9	－	6	5	1	－
高松市	259	118	78	63	30	5	16	9	7	2	1	4
松山市	219	109	46	64	13	4	7	2	16	5	2	9
高知市	129	74	39	16	12	－	8	4	8	8	－	－
久留米市	113	63	30	20	7	5	2	－	1	1	－	－
長崎市	242	142	59	41	16	5	7	4	9	4	－	5
佐世保市	158	72	51	35	11	－	8	3	4	3	1	－
大分市	258	151	67	40	18	2	9	7	14	4	6	4
宮崎市	155	83	56	16	21	4	14	3	10	5	3	2
鹿児島市	269	160	82	27	18	7	10	1	15	10	2	3
那覇市	111	51	22	38	7	－	6	1	3	1	－	2

注：1）調査方法の変更等による回収率変動の影響を受けているため、数量を示す従事者数の実数は前年以前と単純に年次比較できない。
　　2）介護予防サービスを一体的に行っている事業所の従事者を含む。
　　3）介護予防サービスのみ行っている事業所は対象外とした。

平成29年10月１日

准看護師				介護職員							
								介護福祉士（再掲）			
総数	常勤		非常勤	総数	常勤		非常勤	総数	常勤		非常勤
	専従	兼務			専従	兼務			専従	兼務	
21	14	2	5	472	365	19	88	336	288	15	33
12	9	－	3	256	201	8	47	159	141	7	11
17	8	1	8	262	178	13	71	168	123	11	34
14	2	3	9	200	127	4	69	132	96	1	35
26	7	2	17	730	384	63	283	457	294	35	128
6	3	－	3	158	85	25	48	84	67	5	12
－	－	－	－	89	60	11	18	61	43	9	9
12	7	3	2	216	165	17	34	151	129	13	9
8	2	1	5	148	101	4	43	83	70	2	11
9	2	1	6	181	86	10	85	92	59	5	28
25	8	5	12	511	334	34	143	276	199	16	61
29	6	10	13	349	229	1	119	217	169	1	47
36	17	4	15	561	413	7	141	370	313	5	52
7	－	4	3	131	57	18	56	61	38	13	10
23	9	1	13	434	261	15	158	264	187	10	67
13	4	3	6	179	124	3	52	121	94	3	24
24	10	－	14	189	126	10	53	127	94	9	24
17	11	1	5	217	160	3	54	137	117	3	17
16	13	2	1	154	131	8	15	95	90	1	4
12	8	2	2	258	208	4	46	173	158	2	13
8	6	－	2	82	66	1	15	60	52	1	7
5	4	－	1	69	48	10	11	53	39	8	6
12	8	1	3	156	127	－	29	111	102	－	9
12	3	8	1	79	59	3	17	57	44	3	10
10	3	4	3	59	34	23	2	55	31	23	1
4	1	2	1	74	55	6	13	49	39	2	8
4	1	1	2	47	43	2	2	38	36	2	－
7	6	－	1	62	45	6	11	39	30	4	5
5	－	－	5	73	21	6	46	32	16	2	14
11	2	5	4	108	75	10	23	81	61	6	14
13	4	3	6	121	65	17	39	72	46	9	17
8	1	－	7	81	44	11	26	45	29	5	11
2	－	－	2	68	37	－	31	46	32	－	14
2	2	－	－	92	63	11	18	61	42	10	9
11	7	－	4	75	54	1	20	40	35	1	4
4	－	1	3	76	31	9	36	47	23	8	16
2	1	－	1	51	31	1	19	31	20	1	10
12	7	3	2	135	99	8	28	92	75	5	12
3	3	－	－	78	63	3	12	50	41	2	7
2	1	－	1	84	39	1	44	53	34	1	18
10	1	1	8	118	63	－	55	71	46	－	25
5	3	－	2	63	44	－	19	41	27	－	14
6	3	－	3	64	34	5	25	24	14	1	9
4	2	－	2	75	47	－	28	49	32	－	17
2	－	－	2	39	24	－	15	24	17	－	7
2	1	－	1	84	66	1	17	55	49	1	5
6	5	－	1	78	61	－	17	42	42	－	－
5	2	－	3	105	58	29	18	50	32	7	11
11	2	2	7	91	46	13	32	59	37	8	14
4	1	－	3	100	56	13	31	47	34	3	10
3	1	1	1	50	37	1	12	31	26	1	4
13	4	1	8	112	53	1	58	70	42	1	27
14	4	4	6	92	56	1	35	48	38	－	10
10	3	1	6	84	49	10	25	51	37	6	8
12	7	－	5	174	91	23	60	114	70	14	30
16	7	2	7	142	83	8	51	83	58	8	17
6	4	－	2	89	77	－	12	44	40	－	4
5	4	－	1	86	67	1	18	42	37	1	4
12	10	1	1	131	89	3	39	67	55	－	12
6	4	－	2	114	87	3	24	73	64	1	8
7	2	－	5	67	53	9	5	44	43	1	－
5	4	－	1	67	47	5	15	43	34	4	5
10	7	－	3	131	106	3	22	83	73	1	9
4	4	－	－	92	62	4	26	53	42	3	8
19	11	5	3	138	105	14	19	104	82	12	10
7	4	1	2	68	52	8	8	41	36	3	2
18	12	2	4	129	117	2	10	92	87	2	3
6	2	－	4	62	46	2	14	30	22	2	6

通所リハビリテーション（介護老人保健施設）

都道府県 指定都市 中核市	理学療法士				作業療法士				言語聴覚士			
	総数	常勤		非常勤	総数	常勤		非常勤	総数	常勤		非常勤
		専従	兼務			専従	兼務			専従	兼務	
全国	9 410	2 008	5 973	1 429	5 753	1 118	3 793	842	1 347	117	909	321
北海道	384	45	312	27	321	53	240	28	79	6	58	15
青森	86	22	47	17	135	24	101	10	27	6	20	1
岩手	100	23	73	4	102	13	80	9	12	－	11	1
宮城	190	55	119	16	129	33	83	13	25	6	17	2
秋田	55	15	36	4	86	22	59	5	4	1	3	－
山形	96	35	59	2	99	27	67	5	18	－	13	5
福島	166	25	131	10	104	17	79	8	23	2	16	5
茨城	287	67	168	52	159	47	89	23	51	5	36	10
栃木	118	21	76	21	98	17	67	14	28	3	23	2
群馬	217	28	162	27	93	12	69	12	33	2	24	7
埼玉	518	148	284	86	235	62	141	32	82	8	57	17
千葉	462	93	264	105	196	41	115	40	55	5	34	16
東京	502	164	256	82	298	91	163	44	88	15	50	23
神奈川	535	44	348	143	357	23	263	71	94	11	59	24
新潟	224	37	172	15	126	19	98	9	54	4	47	3
富山	78	22	53	3	78	15	55	8	6	－	6	－
石川	67	12	48	7	54	7	41	6	8	－	6	2
福井	42	5	32	5	49	10	35	4	17	－	12	5
山梨	61	13	29	19	47	5	40	2	3	－	2	1
長野	144	56	77	11	92	30	44	18	18	4	8	6
岐阜	174	27	129	18	79	13	53	13	17	－	15	2
静岡	268	104	104	60	137	29	64	44	20	1	7	12
愛知	609	77	432	100	328	29	227	72	104	5	73	26
三重	187	44	104	39	81	20	39	22	15	2	8	5
滋賀	65	21	37	7	37	7	25	5	2	－	1	1
京都	173	46	113	14	98	21	65	12	28	3	18	7
大阪	644	118	408	118	268	54	170	44	64	5	40	19
兵庫	413	84	240	89	246	52	152	42	86	6	51	29
奈良	187	19	127	41	72	3	54	15	26	－	16	10
和歌山	115	11	84	20	20	3	12	5	9	－	6	3
鳥取	86	15	68	3	68	12	48	8	12	－	11	1
島根	76	16	55	5	53	12	37	4	12	1	11	－
岡山	126	54	53	19	110	32	46	32	15	1	6	8
広島	213	37	128	48	173	29	104	40	30	－	20	10
山口	126	22	97	7	114	17	87	10	14	－	11	3
徳島	85	14	57	14	66	8	52	6	4	－	4	－
香川	88	10	63	15	86	11	67	8	8	－	4	4
愛媛	123	18	77	28	125	21	70	34	12	－	4	8
高知	65	16	48	1	28	7	19	2	8	1	7	－
福岡	344	79	231	34	242	58	164	20	32	1	18	13
佐賀	58	22	25	11	40	10	22	8	7	3	4	－
長崎	141	30	94	17	55	12	38	5	12	－	11	1
熊本	262	75	169	18	120	21	87	12	24	2	18	4
大分	95	28	60	7	43	19	23	1	22	4	14	4
宮崎	85	25	55	5	67	23	43	1	7	1	6	－
鹿児島	176	41	121	14	101	21	70	10	20	1	16	3
沖縄	94	25	48	21	38	6	26	6	12	2	7	3

注：1）調査方法の変更等による回収率変動の影響を受けているため、数量を示す従事者数の実数は前年以前と単純に年次比較できない。
2）介護予防サービスを一体的に行っている事業所の従事者を含む。
3）介護予防サービスのみ行っている事業所は対象外とした。

中核市（再掲）、職種（常勤（専従－兼務）－非常勤）別（39－18）

平成29年10月１日

歯科衛生士 総数	歯科衛生士 常勤 専従	歯科衛生士 常勤 兼務	歯科衛生士 非常勤	管理栄養士 総数	管理栄養士 常勤 専従	管理栄養士 常勤 兼務	管理栄養士 非常勤	栄養士 総数	栄養士 常勤 専従	栄養士 常勤 兼務	栄養士 非常勤
232	16	108	108	1 943	712	1 170	61	418	151	218	49
15	3	3	9	102	48	54	－	12	2	7	3
3	－	1	2	31	12	18	1	13	3	10	－
5	－	5	－	35	6	29	－	4	1	3	－
2	－	2	－	44	14	29	1	18	4	6	8
4	－	3	1	8	5	2	1	5	2	3	－
3	－	－	3	26	6	17	3	11	2	9	－
7	－	4	3	32	8	23	1	10	2	7	1
3	1	1	1	53	24	29	－	19	9	9	1
1	－	－	1	21	8	13	－	－	－	－	－
12	1	7	4	41	15	21	5	13	6	7	－
7	－	3	4	73	26	46	1	16	10	2	4
4	－	4	－	74	30	41	3	36	6	16	14
12	1	3	8	100	34	64	2	22	8	12	2
4	－	3	1	90	20	66	4	6	1	3	2
4	－	2	2	36	4	32	－	7	1	6	－
5	1	3	1	26	12	14	－	8	7	1	－
－	－	－	－	13	6	5	2	3	2	1	－
－	－	－	－	15	2	11	2	5	－	4	1
2	1	1	－	16	5	11	－	2	1	1	－
8	－	4	4	28	6	22	－	7	4	3	－
2	－	2	－	32	8	22	2	4	1	3	－
8	1	4	3	53	30	22	1	17	10	7	－
14	－	6	8	110	30	75	5	2	－	1	1
3	－	－	3	28	18	9	1	7	1	5	1
2	－	1	1	13	5	8	－	－	－	－	－
2	－	1	1	38	15	23	－	6	－	6	－
6	2	2	2	106	52	53	1	8	5	2	1
10	－	3	7	97	48	47	2	15	9	4	2
6	－	5	1	28	4	22	2	3	1	2	－
3	－	2	1	14	3	11	－	8	2	6	－
5	－	3	2	20	6	13	1	4	1	3	－
4	－	2	2	27	13	14	－	8	6	2	－
5	－	1	4	43	16	26	1	14	5	8	1
10	2	3	5	57	26	28	3	13	8	5	－
1	－	1	－	44	13	28	3	12	4	8	－
2	－	2	－	16	3	12	1	－	－	－	－
2	－	2	－	16	5	11	－	4	2	2	－
3	－	－	3	25	11	13	1	4	－	2	2
3	1	2	－	20	8	11	1	3	1	2	－
10	－	3	7	70	31	37	2	13	2	9	2
1	－	－	1	18	9	9	－	13	6	6	1
3	－	1	2	28	10	16	2	7	4	2	1
6	－	3	3	62	20	41	1	8	2	6	－
7	1	2	4	30	8	21	1	9	2	6	1
2	－	2	－	26	7	18	1	10	3	7	－
9	1	6	2	45	18	26	1	8	5	3	－
2	－	－	2	13	4	7	2	1	－	1	－

通所リハビリテーション（介護老人保健施設）

都道府県 指定都市 中核市	理学療法士				作業療法士				言語聴覚士			
	総数	常勤		非常勤	総数	常勤		非常勤	総数	常勤		非常勤
		専従	兼務			専従	兼務			専従	兼務	
指定都市(再掲)												
札幌市	122	11	100	11	108	17	79	12	31	4	20	7
仙台市	79	27	52	－	50	12	36	2	16	3	12	1
さいたま市	79	19	50	10	51	13	34	4	17	3	12	2
千葉市	71	19	30	22	25	5	11	9	4	1	1	2
横浜市	294	31	169	94	175	14	125	36	53	9	31	13
川崎市	57	5	39	13	35	2	29	4	18	2	9	7
相模原市	43	1	32	10	21	2	17	2	6	－	5	1
新潟市	79	22	48	9	37	8	26	3	19	2	16	1
静岡市	52	21	24	7	25	10	8	7	4	1	1	2
浜松市	58	14	19	25	37	5	20	12	3	－	2	1
名古屋市	214	34	146	34	119	17	84	18	37	4	26	7
京都市	101	30	64	7	60	16	40	4	17	1	11	5
大阪市	203	29	139	35	81	9	57	15	21	1	15	5
堺市	43	7	29	7	13	3	6	4	1	－	－	1
神戸市	160	24	92	44	65	10	44	11	29	3	12	14
岡山市	38	19	13	6	33	13	10	10	7	－	2	5
広島市	43	3	33	7	51	9	29	13	8	－	7	1
北九州市	78	16	53	9	36	8	21	7	7	－	2	5
福岡市	46	11	32	3	38	10	26	2	7	－	6	1
熊本市	93	40	48	5	40	15	24	1	8	1	7	－
中核市(再掲)												
旭川市	23	10	12	1	17	7	9	1	2	－	2	－
函館市	19	－	19	－	19	－	19	－	5	－	5	－
青森市	21	10	8	3	28	7	18	3	8	3	5	－
八戸市	16	3	12	1	18	3	15	－	5	2	2	1
盛岡市	9	3	4	2	14	2	9	3	－	－	－	－
秋田市	11	－	10	1	26	8	16	2	－	－	－	－
郡山市	16	1	14	1	15	1	11	3	3	－	1	2
いわき市	18	6	12	－	13	3	9	1	4	1	3	－
宇都宮市	11	1	8	2	16	1	12	3	4	－	3	1
前橋市	37	2	31	4	14	－	12	2	8	1	6	1
高崎市	45	5	34	6	11	3	7	1	5	－	3	2
川越市	25	13	7	5	6	4	2	－	3	－	3	－
越谷市	14	3	11	－	12	5	7	－	2	－	2	－
船橋市	53	12	34	7	13	2	10	1	5	－	4	1
柏市	35	6	15	14	15	5	9	1	2	－	1	1
八王子市	17	2	13	2	20	7	11	2	2	－	2	－
横須賀市	20	1	15	4	20	2	15	3	3	－	2	1
富山市	21	9	10	2	25	7	17	1	3	－	3	－
金沢市	22	1	21	－	17	－	17	－	5	－	3	2
長野市	18	5	9	4	12	5	7	－	2	2	－	－
岐阜市	39	1	36	2	21	3	17	1	6	－	6	－
豊橋市	33	2	25	6	13	－	10	3	2	－	1	1
豊田市	26	3	21	2	14	－	10	4	7	－	5	2
岡崎市	29	1	19	9	22	－	15	7	8	－	2	6
大津市	6	3	2	1	5	－	2	3	－	－	－	－
高槻市	24	10	13	1	14	3	9	2	5	－	3	2
東大阪市	48	4	39	5	11	2	5	4	4	－	3	1
豊中市	28	7	19	2	18	4	13	1	2	－	2	－
枚方市	32	10	21	1	15	5	7	3	4	－	3	1
姫路市	25	3	20	2	21	2	16	3	4	－	4	－
西宮市	19	2	12	5	9	1	7	1	4	－	4	－
尼崎市	23	19	3	1	15	12	2	1	5	－	5	－
奈良市	29	4	21	4	14	2	8	4	4	－	2	2
和歌山市	37	1	29	7	4	－	3	1	4	－	1	3
倉敷市	30	13	14	3	23	6	12	5	4	1	2	1
福山市	38	9	26	3	26	2	20	4	7	－	5	2
呉市	24	3	12	9	26	2	16	8	1	－	－	1
下関市	21	5	16	－	14	3	10	1	2	－	1	1
高松市	34	2	29	3	33	5	23	5	4	－	2	2
松山市	23	3	13	7	33	4	12	17	4	－	2	2
高知市	15	4	10	1	9	3	6	－	2	－	2	－
久留米市	17	4	11	2	15	2	12	1	－	－	－	－
長崎市	44	13	28	3	21	5	13	3	2	－	2	－
佐世保市	26	2	20	4	12	1	11	－	2	－	2	－
大分市	25	12	11	2	18	11	7	－	7	3	3	1
宮崎市	24	10	13	1	12	4	8	－	2	－	2	－
鹿児島市	37	6	27	4	25	4	18	3	7	－	6	1
那覇市	23	2	9	12	4	－	4	－	3	－	－	3

注：1）調査方法の変更等による回収率変動の影響を受けているため、数量を示す従事者数の実数は前年以前と単純に年次比較できない。
　　2）介護予防サービスを一体的に行っている事業所の従事者を含む。
　　3）介護予防サービスのみ行っている事業所は対象外とした。

中核市（再掲）、職種（常勤（専従－兼務）－非常勤）別（39－19）

平成29年10月１日

歯科衛生士				管理栄養士				栄養士			
総数	常勤		非常勤	総数	常勤		非常勤	総数	常勤		非常勤
	専従	兼務			専従	兼務			専従	兼務	
1	－	－	1	34	17	17	－	1	－	－	1
1	－	1	－	14	2	12	－	5	－	5	－
－	－	－	－	14	8	6	－	2	1	1	－
1	－	1	－	11	6	5	－	5	3	2	－
3	－	2	1	50	12	36	2	2	1	－	1
－	－	－	－	12	3	8	1	1	－	1	－
－	－	－	－	6	1	4	1	－	－	－	－
3	－	1	2	12	－	12	－	3	1	2	－
4	－	2	2	18	9	9	－	7	5	2	－
1	－	1	－	5	3	2	－	1	－	1	－
3	－	2	1	42	11	29	2	2	－	1	1
－	－	－	－	24	10	14	－	3	－	3	－
－	－	－	－	30	16	14	－	1	1	－	－
－	－	－	－	5	1	4	－	－	－	－	－
1	－	1	－	35	16	19	－	4	2	1	1
3	－	－	3	15	6	8	1	5	5	－	－
－	－	－	－	9	5	4	－	2	1	1	－
1	－	－	1	15	7	7	1	2	1	－	1
1	－	1	－	9	3	6	－	3	－	2	1
1	－	1	－	21	7	14	－	4	1	3	－
1	－	－	1	7	4	3	－	1	－	1	－
1	－	1	－	4	1	3	－	1	－	－	1
2	－	－	2	8	3	4	1	3	2	1	－
1	－	1	－	4	2	2	－	2	－	2	－
－	－	－	－	5	－	5	－	1	－	1	－
1	－	－	1	4	2	2	－	1	1	－	－
－	－	－	－	2	2	－	－	－	－	－	－
－	－	－	－	3	1	2	－	1	－	－	1
－	－	－	－	3	3	－	－	－	－	－	－
2	－	2	－	10	1	9	－	2	－	2	－
3	－	3	－	7	2	5	－	1	－	1	－
－	－	－	－	4	－	4	－	－	－	－	－
1	－	1	－	1	－	1	－	1	－	－	1
－	－	－	－	8	3	4	1	－	－	－	－
－	－	－	－	4	2	1	1	1	－	1	－
－	－	－	－	2	－	2	－	－	－	－	－
－	－	－	－	5	1	4	－	1	－	1	－
3	1	2	－	12	6	6	－	3	2	1	－
－	－	－	－	4	2	2	－	－	－	－	－
3	－	2	1	3	－	3	－	－	－	－	－
－	－	－	－	7	2	5	－	－	－	－	－
2	－	2	－	5	－	5	－	－	－	－	－
－	－	－	－	4	3	－	1	－	－	－	－
1	－	－	1	5	2	3	－	－	－	－	－
－	－	－	－	4	1	3	－	－	－	－	－
－	－	－	－	7	1	6	－	－	－	－	－
1	－	1	－	4	1	3	－	1	1	－	－
－	－	－	－	5	3	2	－	2	1	1	－
－	－	－	－	8	2	6	－	－	－	－	－
－	－	－	－	3	1	2	－	－	－	－	－
1	－	1	－	6	3	3	－	1	－	1	－
1	－	1	－	5	4	1	－	1	1	－	－
－	－	－	－	4	1	3	－	2	1	1	－
1	－	－	1	3	1	2	－	1	1	－	－
－	－	－	－	8	6	2	－	－	－	－	－
7	2	1	4	11	8	3	－	－	－	－	－
－	－	－	－	6	1	5	－	4	－	4	－
－	－	－	－	6	1	5	－	2	2	－	－
－	－	－	－	6	3	3	－	2	2	－	－
－	－	－	－	10	2	7	1	－	－	－	－
1	－	1	－	7	4	2	1	1	－	1	－
－	－	－	－	1	－	－	1	－	－	－	－
1	－	1	－	6	2	4	－	2	－	1	1
2	－	－	2	5	－	5	－	－	－	－	－
4	－	1	3	12	2	9	1	3	1	2	－
－	－	－	－	8	3	5	－	3	1	2	－
5	－	4	1	12	3	9	－	3	1	2	－
－	－	－	－	3	－	1	2	－	－	－	－

第６表　従事者数，居宅サービスの種類、都道府県－指定都市・

通所リハビリテーション（医療施設）

都道府県 指定都市 中核市	総数				医師				看護師			
	総数	常勤		非常勤	総数	常勤		非常勤	総数	常勤		非常勤
		専従	兼務			専従	兼務			専従	兼務	
全国	49 824	22 839	13 412	13 573	5 399	1 074	3 521	804	3 838	1 508	989	1 341
北海道	877	453	235	189	83	15	68	-	53	25	13	15
青森	452	247	110	95	44	7	31	6	32	10	11	11
岩手	489	276	160	53	61	16	38	7	40	19	15	6
宮城	406	203	137	66	40	17	21	2	21	9	7	5
秋田	47	25	10	12	3	-	3	-	3	2	1	-
山形	498	286	130	82	65	11	40	14	36	18	10	8
福島	744	426	195	123	92	13	61	18	68	31	29	8
茨城	631	287	170	174	52	5	39	8	42	10	5	27
栃木	544	265	110	169	51	9	33	9	52	24	13	15
群馬	577	258	153	166	78	5	54	19	37	14	10	13
埼玉	1 643	685	420	538	161	32	107	22	128	38	33	57
千葉	1 649	702	451	496	181	35	105	41	130	38	43	49
東京	2 136	745	734	657	337	56	192	89	166	31	81	54
神奈川	1 296	418	420	458	133	13	87	33	117	22	26	69
新潟	481	221	143	117	52	3	31	18	41	10	16	15
富山	320	181	88	51	32	5	24	3	25	12	4	9
石川	487	256	123	108	53	1	46	6	33	19	4	10
福井	391	192	123	76	45	3	31	11	21	4	9	8
山梨	408	191	127	90	44	7	27	10	22	9	5	8
長野	657	352	167	138	66	17	44	5	58	30	10	18
岐阜	652	263	155	234	70	18	39	13	39	15	4	20
静岡	1 038	551	199	288	97	28	52	17	77	38	13	26
愛知	3 504	1 144	1 234	1 126	302	51	225	26	274	78	92	104
三重	522	247	131	144	62	17	38	7	41	24	3	14
滋賀	381	174	84	123	42	3	30	9	40	14	11	15
京都	1 017	358	246	413	110	28	61	21	114	29	28	57
大阪	3 984	1 528	1 030	1 426	427	131	214	82	352	97	124	131
兵庫	2 531	985	760	786	258	55	176	27	188	63	43	82
奈良	495	147	97	251	53	9	31	13	57	14	8	35
和歌山	452	174	161	117	51	4	43	4	20	9	4	7
鳥取	288	161	67	60	28	5	19	4	19	8	3	8
島根	245	111	106	28	33	4	26	3	18	6	10	2
岡山	1 251	593	292	366	179	39	119	21	112	54	16	42
広島	1 943	820	409	714	186	46	121	19	155	58	29	68
山口	685	328	199	158	95	23	49	23	40	20	13	7
徳島	798	345	264	189	105	19	62	24	47	21	10	16
香川	812	370	231	211	87	15	61	11	51	21	16	14
愛媛	701	348	99	254	75	21	40	14	58	24	6	28
高知	444	302	106	36	64	10	49	5	23	13	7	3
福岡	3 914	2 062	970	882	415	95	283	37	297	145	75	77
佐賀	816	422	206	188	73	10	54	9	40	18	11	11
長崎	1 757	956	451	350	186	31	134	21	121	74	19	28
熊本	1 635	930	419	286	163	22	133	8	113	75	13	25
大分	1 094	629	201	264	109	25	72	12	88	45	16	27
宮崎	841	519	195	127	95	27	57	11	68	47	11	10
鹿児島	2 289	1 123	688	478	248	51	176	21	177	90	29	58
沖縄	1 002	580	206	216	113	17	75	21	84	33	30	21

注：1）調査方法の変更等による回収率変動の影響を受けているため、数量を示す従事者数の実数は前年以前と単純に年次比較できない。
　　2）介護予防サービスを一体的に行っている事業所の従事者を含む。
　　3）介護予防サービスのみ行っている事業所は対象外とした。

平成29年10月１日

准看護師				介護職員							
								介護福祉士（再掲）			
総数	常勤		非常勤	総数	常勤		非常勤	総数	常勤		非常勤
	専従	兼務			専従	兼務			専従	兼務	
2 095	916	489	690	23 080	13 931	1 601	7 548	12 016	8 840	667	2 509
47	20	9	18	450	290	27	133	254	198	13	43
32	19	7	6	224	159	9	56	144	119	3	22
17	6	6	5	212	157	30	25	149	117	23	9
17	8	5	4	185	123	19	43	105	88	5	12
3	－	2	1	23	17	3	3	11	9	2	－
24	13	6	5	246	196	13	37	164	147	8	9
43	19	14	10	362	266	31	65	204	171	18	15
38	18	9	11	308	202	16	90	168	132	6	30
24	7	9	8	268	167	13	88	160	126	5	29
29	11	5	13	278	174	24	80	150	116	12	22
44	17	11	16	745	392	45	308	391	265	24	102
41	20	9	12	690	388	25	277	313	216	13	84
40	17	7	16	859	418	104	337	426	243	43	140
23	2	6	15	559	266	67	226	284	178	34	72
14	5	2	7	206	154	11	41	127	102	8	17
14	9	3	2	155	121	1	33	103	88	1	14
17	11	1	5	248	170	14	64	165	133	6	26
17	9	6	2	193	138	17	38	125	100	6	19
20	5	8	7	165	115	6	44	83	73	2	8
20	11	3	6	266	184	5	77	176	134	1	41
34	9	4	21	335	156	32	147	147	87	16	44
23	10	7	6	524	339	20	165	248	190	11	47
131	41	47	43	1 465	664	148	653	703	420	43	240
18	5	6	7	219	125	4	90	115	75	2	38
12	1	3	8	190	118	4	68	112	77	1	34
25	6	9	10	495	235	24	236	280	170	10	100
150	44	45	61	1 854	890	155	809	812	542	42	228
81	28	17	36	1 162	596	115	451	610	382	59	169
9	－	1	8	254	101	9	144	113	60	5	48
24	10	6	8	216	119	18	79	96	68	5	23
12	5	－	7	147	107	13	27	84	67	11	6
17	9	5	3	85	57	11	17	61	43	7	11
35	18	5	12	574	339	17	218	275	199	3	73
86	31	14	41	920	507	56	357	465	331	14	120
40	18	13	9	290	190	11	89	155	122	2	31
36	11	14	11	356	218	32	106	157	107	18	32
44	17	7	20	366	213	55	98	178	129	19	30
55	27	11	17	338	208	6	124	145	111	3	31
17	16	1	－	227	199	2	26	144	138	－	6
201	92	50	59	1 792	1 146	125	521	907	714	45	148
44	18	7	19	424	277	19	128	198	169	9	20
76	43	9	24	878	622	55	201	509	408	37	64
96	61	18	17	827	601	47	179	436	364	20	52
57	32	15	10	540	398	18	124	313	265	5	43
48	34	8	6	402	295	40	67	214	184	15	15
154	76	27	51	1 045	719	62	264	566	435	22	109
46	27	12	7	513	395	23	95	271	228	10	33

第6表　従事者数，居宅サービスの種類、都道府県－指定都市・

通所リハビリテーション（医療施設）

都道府県 指定都市 中核市	総数				医師				看護師			
	総数	常勤		非常勤	総数	常勤		非常勤	総数	常勤		非常勤
		専従	兼務			専従	兼務			専従	兼務	
指定都市(再掲)												
札幌市	218	126	53	39	23	1	22	-	19	13	4	2
仙台市	268	149	84	35	28	13	13	2	15	6	6	3
さいたま市	216	96	61	59	26	4	17	5	9	3	2	4
千葉市	405	158	113	134	38	9	14	15	40	11	12	17
横浜市	628	179	197	252	71	7	38	26	63	11	8	44
川崎市	189	35	66	88	13	2	9	2	20	3	9	8
相模原市	104	46	40	18	9	-	8	1	2	-	-	2
新潟市	185	90	36	59	16	1	11	4	13	6	4	3
静岡市	145	77	25	43	12	6	5	1	13	5	1	7
浜松市	342	168	51	123	29	10	13	6	25	13	2	10
名古屋市	1 066	379	338	349	102	17	76	9	98	27	37	34
京都市	521	213	107	201	57	18	33	6	54	19	9	26
大阪市	1 369	517	370	482	163	49	76	38	126	35	54	37
堺市	417	157	140	120	42	9	29	4	50	8	23	19
神戸市	450	177	111	162	50	15	32	3	41	16	6	19
岡山市	502	242	115	145	75	21	48	6	39	19	7	13
広島市	882	335	178	369	74	21	46	7	82	22	16	44
北九州市	624	338	161	125	66	15	49	2	42	21	8	13
福岡市	1 035	438	335	262	111	25	73	13	92	40	30	22
熊本市	611	352	141	118	59	7	49	3	41	28	2	11
中核市(再掲)												
旭川市	129	70	34	25	12	3	9	-	11	3	3	5
函館市	43	25	9	9	4	1	3	-	1	-	1	-
青森市	128	77	24	27	12	1	10	1	15	5	6	4
八戸市	160	89	30	41	13	4	8	1	12	2	5	5
盛岡市	231	136	71	24	29	7	19	3	22	11	9	2
秋田市	8	4	2	2	1	-	1	-	-	-	-	-
郡山市	171	111	37	23	19	3	16	-	20	12	5	3
いわき市	184	108	49	27	25	4	15	6	18	11	7	-
宇都宮市	78	32	31	15	7	-	7	-	12	3	9	-
前橋市	84	36	35	13	11	-	10	1	4	1	3	-
高崎市	82	12	37	33	10	1	4	5	6	2	2	2
川越市	122	40	44	38	14	1	11	2	11	3	2	6
越谷市	72	23	27	22	6	2	4	-	10	2	2	6
船橋市	113	48	39	26	17	3	10	4	11	4	3	4
柏市	67	33	2	32	5	3	1	1	3	1	-	2
八王子市	76	35	19	22	13	2	7	4	6	2	-	4
横須賀市	18	10	5	3	2	1	1	-	2	1	1	-
富山市	144	63	53	28	15	-	12	3	9	5	1	3
金沢市	200	102	59	39	22	-	21	1	20	12	3	5
長野市	91	52	20	19	11	2	9	-	12	6	2	4
岐阜市	174	87	31	56	18	7	9	2	13	7	1	5
豊橋市	238	48	123	67	19	3	11	5	7	2	3	2
豊田市	85	28	31	26	13	5	8	-	11	5	4	2
岡崎市	182	54	64	64	18	2	13	3	14	1	5	8
大津市	137	72	27	38	17	1	9	7	15	8	2	5
高槻市	122	47	21	54	12	4	5	3	8	6	-	2
東大阪市	290	103	52	135	34	7	15	12	18	4	7	7
豊中市	143	55	49	39	21	7	10	4	15	2	7	6
枚方市	282	120	58	104	29	8	11	10	27	10	3	14
姫路市	210	71	54	85	24	4	16	4	8	5	1	2
西宮市	213	69	79	65	22	5	17	-	20	4	5	11
尼崎市	188	86	54	48	25	11	8	6	9	3	4	2
奈良市	121	41	27	53	17	1	9	7	13	2	5	6
和歌山市	217	86	91	40	26	2	23	1	10	5	3	2
倉敷市	360	168	77	115	59	10	38	11	36	19	2	15
福山市	365	173	75	117	40	10	24	6	30	12	1	17
呉市	147	74	29	44	15	7	8	-	12	7	3	2
下関市	225	119	48	58	43	7	16	20	6	4	-	2
高松市	296	132	79	85	33	8	20	5	23	8	10	5
松山市	253	103	35	115	28	7	15	6	22	4	4	14
高知市	216	157	43	16	30	7	22	1	9	6	2	1
久留米市	324	189	40	95	31	14	11	6	20	10	5	5
長崎市	622	349	176	97	66	6	48	12	45	30	10	5
佐世保市	286	153	62	71	31	5	25	1	18	8	2	8
大分市	413	229	79	105	45	12	27	6	33	11	8	14
宮崎市	236	147	47	42	27	6	16	5	20	11	6	3
鹿児島市	750	367	191	192	79	21	52	6	68	29	11	28
那覇市	208	109	36	63	23	5	13	5	13	6	2	5

注：1）調査方法の変更等による回収率変動の影響を受けているため、数量を示す従事者数の実数は前年以前と単純に年次比較できない。
2）介護予防サービスを一体的に行っている事業所の従事者を含む。
3）介護予防サービスのみ行っている事業所は対象外とした。

中核市（再掲）、職種（常勤（専従－兼務）－非常勤）別（39－21）

平成29年10月１日

准看護師				介護職員							
								介護福祉士（再掲）			
総数	常勤		非常勤	総数	常勤		非常勤	総数	常勤		非常勤
	専従	兼務			専従	兼務			専従	兼務	
5	1	2	2	102	75	4	23	59	50	2	7
13	6	5	2	116	89	9	18	71	61	3	7
8	3	5	-	100	58	5	37	51	42	1	8
11	6	2	3	176	84	10	82	89	47	6	36
10	-	2	8	255	107	37	111	135	71	21	43
4	-	2	2	96	21	21	54	28	9	9	10
3	1	-	2	50	33	4	13	31	29	1	1
4	2	-	2	78	52	2	24	48	37	1	10
5	4	1	-	70	39	2	29	22	20	-	2
4	2	1	1	175	111	4	60	87	66	4	17
44	13	16	15	425	199	24	202	203	125	8	70
12	5	2	5	275	138	10	127	156	97	6	53
53	14	19	20	575	284	50	241	234	153	9	72
11	4	2	5	173	96	12	65	91	63	3	25
18	2	4	12	186	90	15	81	86	51	7	28
18	11	3	4	224	131	12	81	93	70	1	22
31	11	1	19	412	200	33	179	213	137	10	66
21	11	4	6	290	188	25	77	136	101	16	19
52	13	18	21	431	237	27	167	184	139	5	40
23	10	4	9	304	223	13	68	164	137	8	19
9	3	1	5	68	48	8	12	40	34	2	4
5	5	-	-	22	14	-	8	15	12	-	3
9	7	-	2	65	49	1	15	47	43	-	4
11	7	2	2	91	60	2	29	56	39	2	15
11	5	3	3	94	64	20	10	70	51	15	4
-	-	-	-	5	3	-	2	3	3	-	-
9	4	2	3	82	67	1	14	49	44	1	4
16	6	8	2	87	69	4	14	35	33	-	2
6	-	4	2	31	16	6	9	12	9	-	3
5	2	1	2	31	20	3	8	20	17	1	2
7	-	3	4	36	5	15	16	21	4	10	7
4	2	-	2	36	8	9	19	23	6	8	9
2	2	-	-	21	11	-	10	11	9	-	2
-	-	-	-	24	16	3	5	15	10	3	2
1	-	1	-	28	16	-	12	8	5	-	3
-	-	-	-	29	22	-	7	21	16	-	5
-	-	-	-	4	1	-	3	3	1	-	2
3	2	-	1	67	47	-	20	42	33	-	9
5	1	1	3	94	66	10	18	63	53	3	7
4	1	2	1	29	18	1	10	24	15	-	9
9	2	1	6	82	49	1	32	22	14	-	8
8	-	6	2	90	30	20	40	32	18	3	11
7	-	5	2	32	6	9	17	21	3	7	11
5	1	3	1	74	31	1	42	32	20	-	12
5	-	1	4	71	52	-	19	34	29	-	5
7	5	-	2	72	23	8	41	29	20	5	4
19	2	6	11	154	75	5	74	53	46	-	7
8	2	5	1	66	26	17	23	24	16	5	3
7	3	1	3	147	74	7	66	74	49	6	19
5	1	-	4	98	41	1	56	51	29	1	21
1	1	-	-	103	40	23	40	56	23	15	18
11	5	5	1	72	41	6	25	23	21	-	2
1	-	1	-	69	31	6	32	32	18	2	12
7	4	2	1	103	67	9	27	53	43	2	8
8	4	-	4	163	92	2	69	97	68	1	28
22	8	2	12	165	110	3	52	92	72	2	18
4	-	4	-	81	45	3	33	27	22	-	5
10	8	-	2	92	63	1	28	43	35	1	7
17	4	3	10	107	68	11	28	49	39	2	8
16	4	7	5	112	61	1	50	44	31	-	13
10	9	1	-	116	101	1	14	88	83	-	5
17	8	1	8	150	93	3	54	93	72	-	21
24	10	4	10	303	229	28	46	174	143	22	9
20	13	2	5	160	107	3	50	94	72	-	22
22	16	4	2	191	136	10	45	118	91	5	22
15	12	1	2	108	84	5	19	64	54	2	8
58	24	11	23	322	221	13	88	184	146	2	36
10	5	2	3	125	76	8	41	66	45	4	17

通所リハビリテーション（医療施設）

都道府県 指定都市 中核市	理学療法士				作業療法士				言語聴覚士			
	総数	常勤		非常勤	総数	常勤		非常勤	総数	常勤		非常勤
		専従	兼務			専従	兼務			専従	兼務	
全国	10 050	3 770	4 243	2 037	3 365	1 349	1 286	730	965	129	614	222
北海道	131	60	60	11	76	36	32	8	15	4	10	1
青森	53	27	22	4	44	24	13	7	10	-	7	3
岩手	88	47	35	6	60	30	27	3	2	-	2	-
宮城	81	32	42	7	38	13	21	4	17	1	15	1
秋田	10	5	1	4	5	1	-	4	-	-	-	-
山形	72	29	32	11	41	15	21	5	6	2	2	2
福島	96	56	32	8	58	36	17	5	12	3	4	5
茨城	124	39	59	26	41	11	21	9	12	1	10	1
栃木	100	38	28	34	29	15	6	8	10	3	4	3
群馬	105	39	41	25	36	13	13	10	8	2	3	3
埼玉	393	154	144	95	106	37	40	29	31	8	17	6
千葉	426	153	186	87	114	58	43	13	41	7	26	8
東京	505	169	233	103	145	43	59	43	59	8	40	11
神奈川	302	81	148	73	103	24	45	34	42	9	26	7
新潟	90	27	41	22	48	17	25	6	15	4	6	5
富山	45	19	26	-	28	13	14	1	7	1	6	-
石川	70	31	28	11	43	24	14	5	8	-	5	3
福井	65	19	35	11	28	17	8	3	4	1	3	-
山梨	106	36	57	13	35	17	13	5	11	1	7	3
長野	152	76	56	20	64	32	22	10	19	2	15	2
岐阜	120	47	53	20	24	10	5	9	3	-	3	-
静岡	198	94	65	39	79	32	18	29	14	2	8	4
愛知	920	236	505	179	252	53	117	82	100	10	64	26
三重	117	52	45	20	40	20	16	4	13	3	9	1
滋賀	69	31	23	15	23	7	9	7	1	-	1	-
京都	201	46	87	68	56	13	27	16	3	-	1	2
大阪	924	311	347	266	171	40	68	63	55	6	39	10
兵庫	575	180	251	144	140	52	61	27	68	6	56	6
奈良	84	18	31	35	28	4	9	15	6	-	6	-
和歌山	109	26	70	13	17	3	12	2	6	-	3	3
鳥取	41	17	21	3	24	15	5	4	4	2	-	2
島根	58	22	34	2	19	12	7	-	6	1	4	1
岡山	207	92	73	42	93	39	32	22	16	-	12	4
広島	355	105	110	140	149	58	41	50	46	6	13	27
山口	136	53	70	13	57	21	23	13	12	1	8	3
徳島	159	54	84	21	59	21	33	5	12	-	12	-
香川	149	68	48	33	76	34	16	26	15	1	10	4
愛媛	90	38	17	35	45	19	7	19	12	5	-	7
高知	79	52	26	1	19	12	7	-	6	-	5	1
福岡	776	398	270	108	300	165	82	53	65	8	42	15
佐賀	148	67	72	9	60	28	25	7	10	2	5	3
長崎	329	140	146	43	94	36	45	13	34	3	24	7
熊本	271	121	115	35	92	43	39	10	33	2	27	4
大分	187	84	44	59	72	38	16	18	20	3	8	9
宮崎	134	77	37	20	54	31	18	5	11	3	5	3
鹿児島	428	123	252	53	135	45	81	9	45	6	32	7
沖縄	172	81	41	50	45	22	13	10	20	2	9	9

注：1）調査方法の変更等による回収率変動の影響を受けているため、数量を示す従事者数の実数は前年以前と単純に年次比較できない。
　　2）介護予防サービスを一体的に行っている事業所の従事者を含む。
　　3）介護予防サービスのみ行っている事業所は対象外とした。

中核市（再掲）、職種（常勤（専従－兼務）－非常勤）別（39－22）

平成29年10月１日

歯科衛生士				管理栄養士				栄養士			
総数	常勤		非常勤	総数	常勤		非常勤	総数	常勤		非常勤
	専従	兼務			専従	兼務			専従	兼務	
164	29	81	54	681	84	496	101	187	49	92	46
2	−	1	1	17	2	14	1	3	1	1	1
−	−	−	−	10	−	8	2	3	1	2	−
1	1	−	−	6	−	5	1	2	−	2	−
−	−	−	−	7	−	7	−	−	−	−	−
−	−	−	−	−	−	−	−	−	−	−	−
−	−	−	−	6	−	6	−	2	2	−	−
1	−	1	−	8	1	6	1	4	1	−	3
−	−	−	−	13	1	11	1	1	−	−	1
−	−	−	−	4	1	1	2	6	1	3	2
2	−	1	1	2	−	2	−	2	−	−	2
8	1	5	2	23	5	16	2	4	1	2	1
5	−	1	4	15	2	12	1	6	1	1	4
3	−	3	−	18	2	13	3	4	1	2	1
2	−	1	1	14	1	13	−	1	−	1	−
2	−	1	1	10	1	7	2	3	−	3	−
3	−	1	2	6	−	6	−	5	1	3	1
1	−	1	−	10	−	9	1	4	−	1	3
2	−	1	1	13	1	10	2	3	−	3	−
−	−	−	−	4	−	4	−	1	1	−	−
5	−	5	−	6	−	6	−	1	−	1	−
18	7	10	1	5	−	4	1	4	1	1	2
5	2	3	−	17	4	11	2	4	2	2	−
10	3	5	2	42	4	28	10	8	4	3	1
2	−	2	−	9	1	7	1	1	−	1	−
2	−	1	1	1	−	1	−	1	−	1	−
4	−	3	1	7	1	5	1	2	−	1	1
7	2	5	−	39	7	28	4	5	−	5	−
7	1	1	5	39	3	29	7	13	1	11	1
1	−	−	1	2	1	1	−	1	−	1	−
3	−	2	1	4	1	3	−	2	2	−	−
2	−	1	1	9	2	4	3	2	−	1	1
7	−	7	−	1	−	1	−	1	−	1	−
5	1	3	1	24	8	13	3	6	3	2	1
7	1	3	3	33	5	20	8	6	3	2	1
1	−	1	−	14	2	11	1	−	−	−	−
3	−	2	1	20	1	14	5	1	−	1	−
7	−	4	3	13	−	13	−	4	1	1	2
8	3	−	5	18	2	11	5	2	1	1	−
1	−	1	−	8	−	8	−	−	−	−	−
11	1	3	7	41	7	31	3	16	5	9	2
2	1	−	1	12	1	10	1	3	−	3	−
7	4	−	3	26	1	17	8	6	2	2	2
4	1	2	1	24	3	18	3	12	1	7	4
1	−	−	1	16	2	11	3	4	2	1	1
−	−	−	−	23	3	17	3	6	2	2	2
1	−	−	1	39	8	23	8	17	5	6	6
1	−	−	1	3	−	1	2	5	3	2	−

通所リハビリテーション（医療施設）

都道府県 指定都市 中核市	理学療法士				作業療法士				言語聴覚士			
	総数	常勤		非常勤	総数	常勤		非常勤	総数	常勤		非常勤
		専従	兼務			専従	兼務			専従	兼務	
指定都市(再掲)												
札幌市	35	18	8	9	20	13	4	3	5	2	3	－
仙台市	49	25	19	5	28	9	15	4	14	1	12	1
さいたま市	56	20	26	10	10	5	2	3	3	－	3	－
千葉市	110	40	57	13	23	7	12	4	4	－	4	－
横浜市	146	35	72	39	57	12	25	20	20	7	10	3
川崎市	43	6	19	18	10	3	3	4	2	－	2	－
相模原市	23	10	13	－	9	2	7	－	5	－	5	－
新潟市	43	16	9	18	15	9	3	3	11	4	3	4
静岡市	32	17	13	2	5	2	－	3	1	－	1	－
浜松市	59	22	13	24	39	9	11	19	5	－	3	2
名古屋市	271	93	121	57	75	24	28	23	36	4	26	6
京都市	94	29	37	28	25	4	14	7	1	－	－	1
大阪市	363	120	125	118	49	9	18	22	22	2	15	5
堺市	116	34	61	21	16	5	8	3	5	1	2	2
神戸市	115	46	30	39	21	8	8	5	8	－	5	3
岡山市	87	39	23	25	34	14	10	10	8	－	5	3
広島市	180	48	54	78	74	28	17	29	19	2	5	12
北九州市	137	82	40	15	46	18	19	9	17	3	12	2
福岡市	230	86	119	25	82	36	35	11	19	1	16	2
熊本市	118	56	45	17	33	23	5	5	19	2	15	2
中核市(再掲)												
旭川市	17	9	8	－	8	4	3	1	2	－	1	1
函館市	6	3	2	1	3	2	1	－	1	－	1	－
青森市	10	8	1	1	12	7	3	2	－	－	－	－
八戸市	17	7	9	1	12	8	3	1	3	－	1	2
盛岡市	41	29	8	4	28	19	8	1	1	－	1	－
秋田市	2	1	1	－	－	－	－	－	－	－	－	－
郡山市	22	14	7	1	13	8	4	1	3	2	1	－
いわき市	22	13	7	2	11	5	4	2	1	－	1	－
宇都宮市	12	7	3	2	7	4	1	2	3	2	1	－
前橋市	22	7	14	1	10	6	3	1	1	－	1	－
高崎市	16	3	9	4	3	1	2	－	1	－	1	－
川越市	30	13	10	7	14	8	5	1	6	4	2	－
越谷市	18	4	10	4	12	2	8	2	3	－	3	－
船橋市	30	15	9	6	17	7	9	1	8	2	4	2
柏市	24	9	－	15	3	3	－	－	1	1	－	－
八王子市	21	7	8	6	4	2	1	1	2	－	2	－
横須賀市	9	6	3	－	1	1	－	－	－	－	－	－
富山市	20	5	15	－	15	4	11	－	5	－	5	－
金沢市	29	12	16	1	17	11	2	4	5	－	2	3
長野市	17	13	3	1	14	10	1	3	2	2	－	－
岐阜市	45	20	16	9	7	2	3	2	－	－	－	－
豊橋市	88	10	67	11	19	2	11	6	4	－	3	1
豊田市	10	6	2	2	4	1	－	3	1	－	1	－
岡崎市	46	15	29	2	16	3	8	5	5	1	4	－
大津市	21	8	11	2	7	3	3	1	1	－	1	－
高槻市	13	7	2	4	5	－	3	2	－	－	－	－
東大阪市	48	13	11	24	13	2	4	7	2	－	2	－
豊中市	19	14	4	1	10	4	2	4	2	－	2	－
枚方市	52	19	26	7	13	4	6	3	2	1	1	－
姫路市	46	17	18	11	14	2	9	3	9	1	8	－
西宮市	48	14	25	9	12	4	3	5	6	1	5	－
尼崎市	56	20	23	13	8	5	2	1	3	1	2	－
奈良市	17	6	6	5	4	1	－	3	－	－	－	－
和歌山市	58	8	42	8	5	－	5	－	3	－	2	1
倉敷市	53	28	19	6	30	13	8	9	6	－	6	－
福山市	61	21	23	17	24	6	13	5	7	2	2	3
呉市	18	7	6	5	13	7	2	4	－	－	－	－
下関市	41	22	17	2	24	13	9	2	5	1	2	2
高松市	71	30	22	19	27	12	2	13	7	1	5	1
松山市	45	19	6	20	19	7	1	11	4	－	－	4
高知市	37	27	10	－	10	7	3	－	－	－	－	－
久留米市	78	44	16	18	15	14	1	－	3	2	1	－
長崎市	115	54	50	11	44	16	21	7	13	1	8	4
佐世保市	39	18	18	3	6	－	6	－	6	－	6	－
大分市	80	39	14	27	26	14	7	5	9	1	3	5
宮崎市	40	24	9	7	13	7	5	1	5	1	2	2
鹿児島市	164	57	75	32	34	10	18	6	10	2	5	3
那覇市	22	14	2	6	8	3	5	－	6	－	4	2

注：１）調査方法の変更等による回収率変動の影響を受けているため、数量を示す従事者数の実数は前年以前と単純に年次比較できない。
　　２）介護予防サービスを一体的に行っている事業所の従事者を含む。
　　３）介護予防サービスのみ行っている事業所は対象外とした。

平成29年10月１日

歯科衛生士				管理栄養士				栄養士			
総数	常勤		非常勤	総数	常勤		非常勤	総数	常勤		非常勤
	専従	兼務			専従	兼務			専従	兼務	
1	－	1	－	7	2	5	－	1	1	－	－
－	－	－	－	5	－	5	－	－	－	－	－
－	－	－	－	3	2	1	－	1	1	－	－
－	－	－	－	3	1	2	－	－	－	－	－
1	－	－	1	5	－	5	－	－	－	－	－
－	－	－	－	1	－	1	－	－	－	－	－
－	－	－	－	3	－	3	－	－	－	－	－
－	－	－	－	4	－	3	1	1	－	1	－
1	1	－	－	4	1	2	1	2	2	－	－
－	－	－	－	5	1	3	1	1	－	1	－
1	－	－	1	14	2	10	2	－	－	－	－
1	－	－	1	2	－	2	－	－	－	－	－
2	－	2	－	15	4	10	1	1	－	1	－
－	－	－	－	4	－	3	1	－	－	－	－
－	－	－	－	7	－	7	－	4	－	4	－
2	－	1	1	12	6	4	2	3	1	2	－
－	－	－	－	9	2	6	1	1	1	－	－
2	－	2	－	2	－	2	－	1	－	－	1
－	－	－	－	10	－	9	1	8	－	8	－
2	1	－	1	10	1	7	2	2	1	1	－
－	－	－	－	2	－	1	1	－	－	－	－
－	－	－	－	1	－	1	－	－	－	－	－
－	－	－	－	4	－	2	2	1	－	1	－
－	－	－	－	－	－	－	－	1	1	－	－
1	1	－	－	4	－	3	1	－	－	－	－
－	－	－	－	－	－	－	－	－	－	－	－
－	－	－	－	2	1	1	－	1	－	－	1
－	－	－	－	3	－	3	－	1	－	－	1
－	－	－	－	－	－	－	－	－	－	－	－
－	－	－	－	－	－	－	－	－	－	－	－
1	－	1	－	－	－	－	－	2	－	－	2
3	1	1	1	4	－	4	－	－	－	－	－
－	－	－	－	－	－	－	－	－	－	－	－
－	－	－	－	1	－	1	－	5	1	－	4
2	－	－	2	－	－	－	－	－	－	－	－
－	－	－	－	1	－	1	－	－	－	－	－
－	－	－	－	－	－	－	－	－	－	－	－
1	－	1	－	5	－	5	－	4	－	3	1
1	－	1	－	3	－	2	1	4	－	1	3
1	－	1	－	1	－	1	－	－	－	－	－
－	－	－	－	－	－	－	－	－	－	－	－
－	－	－	－	2	－	2	－	1	1	－	－
3	3	－	－	3	1	2	－	1	1	－	－
1	－	－	1	2	－	1	1	1	－	－	1
－	－	－	－	－	－	－	－	－	－	－	－
1	1	－	－	4	1	3	－	－	－	－	－
1	－	1	－	－	－	－	－	1	－	1	－
－	－	－	－	2	－	2	－	－	－	－	－
2	1	1	－	1	－	－	1	2	－	2	－
3	－	－	3	3	－	1	2	－	－	－	－
－	－	－	－	1	－	1	－	－	－	－	－
－	－	－	－	4	－	4	－	－	－	－	－
－	－	－	－	－	－	－	－	－	－	－	－
2	－	2	－	3	－	3	－	－	－	－	－
－	－	－	－	5	2	2	1	－	－	－	－
3	1	1	1	11	2	5	4	2	1	1	－
1	－	1	－	2	－	2	－	1	1	－	－
－	－	－	－	4	1	3	－	－	－	－	－
4	－	1	3	5	－	5	－	2	1	－	1
2	1	－	1	5	－	1	4	－	－	－	－
－	－	－	－	4	－	4	－	－	－	－	－
4	－	－	4	4	2	2	－	2	2	－	－
3	2	－	1	9	1	7	1	－	－	－	－
2	1	－	1	2	－	－	2	2	1	－	1
1	－	－	1	5	－	5	－	1	－	1	－
－	－	－	－	6	1	3	2	2	1	－	1
1	－	－	1	7	－	5	2	7	3	1	3
－	－	－	－	1	－	－	1	－	－	－	－

第6表　従事者数，居宅サービスの種類、都道府県－指定都市・

短期入所生活介護

都道府県 指定都市 中核市	総数				医師				看護師			
	総数	常勤		非常勤	総数	常勤		非常勤	総数	常勤		非常勤
		専従	兼務			専従	兼務			専従	兼務	
全国	310 505	104 580	123 433	82 492	11 118	154	573	10 391	16 573	4 937	6 458	5 178
北海道	14 522	5 181	6 490	2 851	419	4	26	389	609	225	271	113
青森	5 227	1 732	2 643	852	166	-	13	153	196	69	94	33
岩手	4 828	1 812	2 347	669	168	1	9	158	264	87	142	35
宮城	5 445	2 451	2 100	894	220	2	8	210	264	99	123	42
秋田	7 616	3 715	2 674	1 227	292	1	10	281	401	162	173	66
山形	3 882	1 043	2 216	623	159	1	10	148	178	53	97	28
福島	5 699	1 927	2 955	817	178	3	7	168	245	78	134	33
茨城	8 354	3 720	2 609	2 025	292	7	20	265	414	124	153	137
栃木	5 088	2 046	1 791	1 251	244	1	9	234	240	74	100	66
群馬	5 907	1 719	2 768	1 420	220	1	14	205	272	74	129	69
埼玉	12 396	3 579	4 706	4 111	429	7	14	408	591	136	191	264
千葉	12 313	3 816	4 416	4 081	434	9	18	407	646	150	217	279
東京	20 694	6 665	6 427	7 602	774	17	34	723	1 302	366	392	544
神奈川	17 752	2 330	8 916	6 506	491	2	18	471	1 158	115	509	534
新潟	8 662	2 805	3 971	1 886	321	1	10	310	501	117	254	130
富山	2 867	1 109	943	815	132	2	3	127	144	62	51	31
石川	3 142	1 180	1 389	573	104	1	4	99	176	74	64	38
福井	2 722	1 010	1 102	610	97	1	6	90	124	47	38	39
山梨	2 754	1 048	1 079	627	118	2	10	106	136	36	58	42
長野	7 328	1 893	3 556	1 879	248	1	15	232	462	90	214	158
岐阜	5 254	1 572	1 825	1 857	203	-	7	196	304	83	110	111
静岡	7 741	2 366	2 986	2 389	261	-	8	253	502	111	184	207
愛知	12 895	3 962	4 640	4 293	441	4	25	412	738	224	213	301
三重	4 770	1 876	1 569	1 325	206	2	5	199	289	96	77	116
滋賀	2 585	757	1 022	806	97	1	6	90	155	41	56	58
京都	5 460	2 155	1 807	1 498	243	3	33	207	367	132	114	121
大阪	18 458	6 856	5 310	6 292	703	16	28	659	1 126	380	354	392
兵庫	12 863	4 497	3 966	4 400	462	9	18	435	739	238	206	295
奈良	3 329	1 014	1 209	1 106	114	3	3	108	214	44	74	96
和歌山	3 651	1 500	1 299	852	128	2	9	117	205	73	78	54
鳥取	1 353	442	660	251	56	-	3	53	54	24	22	8
島根	3 349	1 007	1 518	824	115	-	7	108	159	48	71	40
岡山	5 883	2 603	1 832	1 448	237	5	11	221	374	134	115	125
広島	10 385	4 446	3 117	2 822	350	10	17	323	470	201	142	127
山口	4 708	1 536	2 071	1 101	158	3	9	146	194	69	89	36
徳島	3 053	1 064	1 364	625	109	1	11	97	127	49	45	33
香川	3 361	1 269	1 401	691	139	2	6	131	159	65	54	40
愛媛	4 175	1 346	1 842	987	208	1	8	199	185	59	99	27
高知	2 417	607	1 465	345	79	-	2	77	117	26	79	12
福岡	9 639	3 653	4 044	1 942	370	6	21	343	547	204	221	122
佐賀	2 046	460	1 203	383	76	3	6	67	79	24	43	12
長崎	5 366	1 302	2 938	1 126	198	5	22	171	254	52	154	48
熊本	4 930	1 219	2 745	966	171	2	14	155	213	48	136	29
大分	3 574	862	1 973	739	125	3	16	106	162	40	98	24
宮崎	3 533	1 345	1 653	535	112	1	5	106	140	54	78	8
鹿児島	6 293	3 106	2 090	1 097	182	6	10	166	271	133	98	40
沖縄	2 236	977	786	473	69	2	5	62	106	47	44	15

注：1）調査方法の変更等による回収率変動の影響を受けているため、数量を示す従事者数の実数は前年以前と単純に年次比較できない。
　　2）介護予防サービスを一体的に行っている事業所の従事者を含む。
　　3）介護予防サービスのみ行っている事業所は対象外とした。
　　4）短期入所生活介護は空床利用型の従事者を含まない。

中核市（再掲）、職種（常勤（専従－兼務）－非常勤）別（39－24）

平成29年10月１日

准看護師				機能訓練指導員											
								理学療法士（再掲）				作業療法士（再掲）			
総数	常勤		非常勤	総数	常勤		非常勤	総数	常勤		非常勤	総数	常勤		非常勤
	専従	兼務			専従	兼務			専従	兼務			専従	兼務	
13 358	3 423	6 079	3 856	10 490	1 854	5 613	3 023	1 603	338	590	675	834	215	380	239
647	193	320	134	437	73	276	88	34	18	8	8	34	14	14	6
294	84	178	32	182	33	118	31	14	2	2	10	11	1	3	7
152	39	88	25	162	24	110	28	14	6	5	3	9	4	3	2
259	70	138	51	196	37	119	40	26	10	9	7	21	4	12	5
289	102	140	47	281	61	161	59	12	4	7	1	10	5	4	1
151	15	111	25	183	17	137	29	30	3	23	4	20	4	13	3
272	69	166	37	203	37	149	17	17	4	11	2	7	1	6	－
462	132	173	157	295	43	141	111	54	4	9	41	24	2	7	15
302	70	167	65	215	29	121	65	14	3	2	9	9	2	3	4
309	56	175	78	213	27	145	41	18	5	10	3	13	2	7	4
539	119	203	217	430	53	189	188	53	8	12	33	18	2	5	11
580	101	236	243	437	53	209	175	77	16	19	42	31	5	10	16
585	144	169	272	654	145	240	269	172	29	46	97	77	15	29	33
553	47	248	258	488	36	249	203	89	8	21	60	27	7	15	5
359	67	200	92	411	58	238	115	55	9	33	13	34	7	19	8
102	26	41	35	93	18	53	22	9	3	5	1	9	－	8	1
113	28	53	32	101	19	53	29	25	5	12	8	12	5	4	3
121	27	59	35	104	19	63	22	21	4	12	5	11	4	7	－
137	47	63	27	118	19	56	43	13	－	5	8	11	2	3	6
237	49	119	69	248	39	142	67	24	5	9	10	22	7	10	5
242	52	95	95	206	35	100	71	25	6	10	9	14	3	6	5
299	50	133	116	245	43	126	76	26	6	8	12	17	5	9	3
545	131	224	190	434	67	187	180	94	12	37	45	36	8	13	15
221	67	76	78	198	28	94	76	18	4	8	6	9	5	3	1
88	11	44	33	113	6	55	52	6	1	2	3	2	1	1	－
187	47	64	76	157	31	66	60	24	9	5	10	13	2	3	8
653	207	227	219	519	131	219	169	95	23	29	43	33	14	9	10
485	133	163	189	342	68	172	102	40	5	16	19	25	4	13	8
151	27	59	65	93	14	46	33	14	1	5	8	3	1	1	1
206	60	82	64	109	25	58	26	26	5	11	10	4	1	2	1
56	14	28	14	40	9	23	8	9	2	6	1	7	1	6	－
152	37	78	37	105	21	63	21	12	4	7	1	23	7	15	1
257	69	111	77	217	40	102	75	31	12	8	11	20	8	6	6
552	197	191	164	379	107	168	104	42	15	6	21	33	13	9	11
225	58	123	44	140	29	87	24	16	5	5	6	4	1	3	－
141	40	63	38	93	21	57	15	33	4	22	7	14	5	7	2
183	69	78	36	123	18	86	19	15	3	6	6	6	2	2	2
197	61	89	47	173	25	104	44	30	4	10	16	16	4	4	8
81	16	48	17	83	11	54	18	22	4	13	5	7	－	3	4
501	154	251	96	339	89	185	65	87	26	44	17	45	13	23	9
86	20	51	15	59	9	39	11	9	－	5	4	4	－	4	－
296	50	191	55	236	41	154	41	41	15	15	11	23	3	15	5
244	56	152	36	166	37	111	18	31	8	21	2	16	3	10	3
230	45	138	47	139	16	97	26	28	1	16	11	17	1	16	－
187	68	106	13	98	30	58	10	14	6	3	5	10	6	4	－
331	149	141	41	175	44	105	26	26	5	5	16	16	6	10	－
99	50	26	23	58	19	28	11	18	6	7	5	7	5	1	1

短期入所生活介護

都道府県 指定都市 中核市	総数				医師				看護師			
	総数	常勤 専従	常勤 兼務	非常勤	総数	常勤 専従	常勤 兼務	非常勤	総数	常勤 専従	常勤 兼務	非常勤
指定都市(再掲)												
札幌市	2 858	1 369	872	617	75	－	4	71	195	82	64	49
仙台市	1 866	918	631	317	75	1	6	68	102	41	46	15
さいたま市	1 551	332	682	537	58	－	3	55	77	8	24	45
千葉市	1 247	299	575	373	57	1	4	52	68	23	20	25
横浜市	7 820	993	3 950	2 877	196	－	10	186	536	51	241	244
川崎市	1 932	242	1 115	575	67	1	2	64	127	13	64	50
相模原市	1 225	319	449	457	37	－	－	37	78	15	26	37
新潟市	2 921	1 040	1 201	680	105	1	2	102	162	46	74	42
静岡市	1 664	611	499	554	44	－	－	44	96	19	31	46
浜松市	1 889	596	668	625	57	－	1	56	126	28	45	53
名古屋市	3 607	992	1 507	1 108	132	1	7	124	183	55	49	79
京都市	2 560	1 145	689	726	105	2	4	99	182	78	44	60
大阪市	6 345	2 326	2 110	1 909	206	7	11	188	352	117	136	99
堺市	1 674	569	486	619	61	1	－	60	114	43	29	42
神戸市	2 667	980	727	960	109	4	7	98	146	58	43	45
岡山市	2 059	1 041	513	505	91	2	6	83	145	50	44	51
広島市	3 326	1 450	934	942	115	5	4	106	166	71	50	45
北九州市	1 979	545	932	502	67	－	2	65	121	30	55	36
福岡市	2 450	1 113	860	477	95	3	3	89	164	67	59	38
熊本市	1 179	170	758	251	40	1	3	36	51	6	42	3
中核市(再掲)												
旭川市	661	229	284	148	20	－	1	19	34	13	11	10
函館市	899	366	371	162	36	1	2	33	30	11	13	6
青森市	749	395	234	120	21	－	2	19	29	15	9	5
八戸市	487	102	297	88	16	－	2	14	17	2	11	4
盛岡市	739	253	385	101	30	－	3	27	38	13	22	3
秋田市	1 752	1 058	403	291	71	－	4	67	105	56	30	19
郡山市	884	358	383	143	28	1	1	26	39	18	12	9
いわき市	619	323	185	111	25	－	1	24	17	5	8	4
宇都宮市	956	379	340	237	40	－	－	40	40	9	23	8
前橋市	969	263	431	275	36	－	1	35	61	13	31	17
高崎市	1 152	241	624	287	48	－	7	41	46	11	22	13
川越市	399	139	101	159	18	－	－	18	32	5	8	19
越谷市	291	65	113	113	10	1	－	9	19	3	4	12
船橋市	955	313	286	356	23	－	1	22	83	15	19	49
柏市	599	212	138	249	21	－	－	21	33	8	7	18
八王子市	945	284	304	357	36	－	4	32	58	21	17	20
横須賀市	994	134	545	315	27	1	1	25	71	9	35	27
富山市	1 072	471	278	323	55	－	2	53	58	26	17	15
金沢市	1 048	466	395	187	36	－	2	34	70	25	15	30
長野市	1 229	235	629	365	46	－	1	45	108	17	40	51
岐阜市	818	232	312	274	35	－	－	35	50	12	16	22
豊橋市	604	185	257	162	19	1	2	16	35	8	11	16
豊田市	488	142	173	173	22	－	－	22	25	11	4	10
岡崎市	675	96	355	224	19	－	3	16	45	4	25	16
大津市	695	251	198	246	22	1	1	20	50	14	15	21
高槻市	612	204	117	291	23	1	－	22	46	10	5	31
東大阪市	798	295	253	250	33	1	2	30	49	17	16	16
豊中市	671	294	135	242	31	－	1	30	40	19	11	10
枚方市	696	291	177	228	26	－	4	22	56	22	11	23
姫路市	1 074	359	358	357	43	1	1	41	68	17	20	31
西宮市	584	239	170	175	19	－	－	19	44	12	11	21
尼崎市	669	210	162	297	27	1	1	25	32	6	7	19
奈良市	657	214	215	228	27	1	2	24	61	7	21	33
和歌山市	966	372	362	232	33	1	4	28	50	20	22	8
倉敷市	1 257	489	403	365	44	1	－	43	72	36	17	19
福山市	1 392	691	350	351	53	1	5	47	59	25	9	25
呉市	1 038	424	310	304	30	3	－	27	47	23	12	12
下関市	975	341	407	227	33	－	1	32	47	15	21	11
高松市	1 347	610	466	271	61	1	2	58	69	29	20	20
松山市	1 262	510	386	366	70	1	－	69	54	18	29	7
高知市	568	195	293	80	16	－	2	14	28	7	17	4
久留米市	650	218	316	116	25	1	3	21	41	15	16	10
長崎市	1 644	450	829	365	70	1	4	65	92	15	59	18
佐世保市	817	189	482	146	31	2	7	22	31	10	14	7
大分市	928	212	551	165	33	1	5	27	54	10	38	6
宮崎市	905	361	388	156	30	－	1	29	57	16	37	4
鹿児島市	1 327	778	362	187	42	2	2	38	66	44	16	6
那覇市	303	182	81	40	7	－	1	6	13	6	5	2

注：1）調査方法の変更等による回収率変動の影響を受けているため、数量を示す従事者数の実数は前年以前と単純に年次比較できない。
2）介護予防サービスを一体的に行っている事業所の従事者を含む。
3）介護予防サービスのみ行っている事業所は対象外とした。
4）短期入所生活介護は空床利用型の従事者を含まない。

中核市（再掲）、職種（常勤（専従－兼務）－非常勤）別（39－25）

平成29年10月１日

准看護師				機能訓練指導員											
								理学療法士（再掲）				作業療法士（再掲）			
総数	常勤		非常勤	総数	常勤		非常勤	総数	常勤		非常勤	総数	常勤		非常勤
	専従	兼務			専従	兼務			専従	兼務			専従	兼務	
85	33	24	28	90	26	33	31	19	10	3	6	18	7	7	4
75	22	44	9	63	14	33	16	16	6	7	3	14	2	8	4
62	15	19	28	55	3	25	27	3	1	－	2	－	－	－	－
49	1	24	24	44	3	22	19	8	2	1	5	2	1	1	－
222	15	106	101	164	14	105	45	32	6	13	13	13	3	9	1
72	8	36	28	64	5	32	27	7	－	－	7	3	1	2	－
43	10	8	25	25	5	8	12	3	1	－	2	1	1	－	－
128	29	63	36	160	23	90	47	31	4	20	7	14	3	5	6
53	18	13	22	41	10	16	15	5	1	2	2	3	－	3	－
69	13	36	20	57	9	28	20	8	1	1	6	6	2	3	1
162	27	70	65	109	18	45	46	23	1	12	10	9	3	3	3
83	27	21	35	66	21	23	22	10	8	－	2	2	－	2	－
211	75	81	55	151	39	76	36	38	7	19	12	8	3	4	1
43	8	17	18	49	11	21	17	9	1	3	5	6	3	2	1
72	30	19	23	67	8	40	19	7	－	2	5	6	1	3	2
65	28	18	19	74	18	31	25	16	5	4	7	6	4	1	1
167	57	58	52	115	38	46	31	15	5	2	8	9	4	1	4
113	25	59	29	64	14	36	14	23	4	13	6	9	2	5	2
110	43	50	17	91	32	44	15	19	9	10	－	11	7	2	2
55	8	39	8	42	4	29	9	11	1	10	－	3	－	1	2
27	11	8	8	19	8	8	3	3	2	1	－	4	2	1	1
53	24	21	8	29	7	17	5	2	－	2	－	2	2	－	－
49	22	21	6	23	7	10	6	4	1	－	3	4	1	1	2
24	5	10	9	16	2	8	6	1	－	1	－	3	－	－	3
28	6	16	6	26	3	20	3	4	1	3	－	1	1	－	－
67	32	24	11	57	20	30	7	2	－	2	－	6	4	2	－
32	14	10	8	35	8	20	7	5	1	3	1	2	1	1	－
34	8	23	3	17	7	9	1	－	－	－	－	－	－	－	－
63	16	34	13	39	4	23	12	1	－	1	－	－	－	－	－
55	5	32	18	42	2	32	8	4	－	4	－	2	－	－	2
58	6	37	15	52	10	32	10	8	3	5	－	4	1	3	－
12	3	4	5	22	7	5	10	2	－	1	1	－	－	－	－
6	－	6	－	10	1	2	7	1	1	－	－	1	－	1	－
39	5	11	23	24	6	7	11	6	1	1	4	1	－	1	－
26	4	7	15	28	3	12	13	7	1	4	2	－	－	－	－
39	7	11	21	38	6	7	25	9	1	－	8	2	－	1	1
33	2	13	18	42	2	23	17	6	－	－	6	－	－	－	－
37	14	10	13	40	12	16	12	3	1	1	1	3	－	2	1
45	13	17	15	46	9	20	17	13	1	6	6	6	3	－	3
35	6	16	13	36	6	16	14	3	2	1	－	5	1	3	1
46	3	23	20	29	4	17	8	1	1	－	－	1	1	－	－
34	10	11	13	30	4	19	7	15	1	10	4	3	－	2	1
18	5	10	3	13	－	10	3	2	－	－	2	2	－	1	1
31	3	19	9	25	4	9	12	2	1	－	1	3	1	1	1
18	2	8	8	34	5	9	20	1	1	－	－	2	1	1	－
30	10	4	16	12	6	4	2	2	2	－	－	2	1	－	1
43	15	12	16	22	6	13	3	1	－	1	－	－	－	－	－
14	6	3	5	15	6	6	3	3	1	2	－	－	－	－	－
26	6	8	12	21	2	8	11	3	2	－	1	2	－	－	2
48	10	17	21	25	10	11	4	3	－	1	2	1	－	1	－
20	8	5	7	29	5	7	17	1	－	－	1	2	1	1	－
28	7	12	9	28	2	13	13	3	1	1	1	－	－	－	－
27	8	7	12	19	3	12	4	3	－	2	1	－	－	－	－
57	20	16	21	26	7	13	6	2	－	1	1	－	－	－	－
50	13	18	19	48	9	16	23	5	2	1	2	6	1	1	4
87	36	30	21	52	19	21	12	10	6	－	4	6	2	3	1
54	26	22	6	26	12	6	8	4	－	－	4	5	3	2	－
63	13	34	16	27	4	12	11	10	2	3	5	－	－	－	－
65	28	22	15	44	9	26	9	8	1	3	4	2	－	1	1
59	24	21	14	64	8	33	23	9	1	2	6	9	1	2	6
19	3	11	5	23	4	12	7	4	2	2	－	2	－	－	2
26	6	18	2	25	6	17	2	8	2	6	－	10	1	7	2
76	12	45	19	83	13	50	20	15	7	4	4	13	1	8	4
47	9	35	3	35	7	22	6	9	－	5	4	1	－	1	－
45	11	31	3	32	3	22	7	11	1	6	4	4	－	4	－
40	10	26	4	29	10	14	5	10	4	3	3	5	4	1	－
53	32	15	6	38	12	14	12	10	1	1	8	2	－	2	－
14	7	5	2	8	4	4	－	3	2	1	－	1	－	1	－

短期入所生活介護

都道府県 指定都市 中核市	機能訓練：言語聴覚士（再掲）：総数	言語聴覚士：常勤：専従	言語聴覚士：常勤：兼務	言語聴覚士：非常勤	看護師（再掲）：総数	看護師：常勤：専従	看護師：常勤：兼務	看護師：非常勤	准看護師（再掲）：総数	准看護師：常勤：専従	准看護師：常勤：兼務	准看護師：非常勤
全国	160	26	70	64	3 225	409	1 802	1 014	3 613	492	2 299	822
北海道	10	3	4	3	132	10	89	33	187	12	141	34
青森	4	-	4	-	46	8	33	5	88	11	72	5
岩手	-	-	-	-	72	4	56	12	57	5	43	9
宮城	1	-	1	-	54	7	38	9	84	10	58	16
秋田	-	-	-	-	120	18	77	25	119	25	72	22
山形	2	-	2	-	60	6	42	12	64	3	54	7
福島	2	-	2	-	56	4	47	5	95	18	68	9
茨城	6	-	3	3	78	10	48	20	110	16	67	27
栃木	2	1	1	-	77	8	48	21	98	10	63	25
群馬	2	-	1	1	57	5	41	11	108	12	79	17
埼玉	-	-	-	-	168	19	69	80	153	13	85	55
千葉	8	2	2	4	143	10	76	57	150	12	91	47
東京	13	3	3	7	129	10	46	73	52	4	16	32
神奈川	7	1	4	2	195	11	99	85	103	3	64	36
新潟	10	3	4	3	148	13	83	52	147	18	92	37
富山	-	-	-	-	33	5	19	9	27	6	14	7
石川	1	-	-	1	26	5	16	5	29	4	18	7
福井	4	-	2	2	23	2	13	8	36	5	25	6
山梨	2	-	-	2	48	7	24	17	38	8	22	8
長野	2	-	2	-	119	17	71	31	68	7	45	16
岐阜	1	-	-	1	58	14	26	18	90	12	50	28
静岡	3	-	-	3	72	9	33	30	70	7	42	21
愛知	6	1	1	4	126	19	52	55	121	13	66	42
三重	2	1	-	1	72	4	34	34	83	11	44	28
滋賀	-	-	-	-	56	1	23	32	40	-	24	16
京都	1	-	-	1	58	8	26	24	46	7	24	15
大阪	5	2	1	2	149	16	68	65	119	16	70	33
兵庫	6	1	1	4	117	22	62	33	112	25	55	32
奈良	2	-	-	2	44	7	22	15	23	2	14	7
和歌山	-	-	-	-	23	3	14	6	43	9	26	8
鳥取	2	-	1	1	4	1	3	-	16	5	5	6
島根	1	-	1	-	26	2	14	10	40	8	23	9
岡山	3	-	3	-	79	9	39	31	75	5	45	25
広島	7	3	2	2	107	29	50	28	172	37	97	38
山口	4	1	-	3	33	8	19	6	80	13	58	9
徳島	-	-	-	-	19	6	11	2	25	6	15	4
香川	-	-	-	-	39	6	28	5	60	7	47	6
愛媛	2	-	1	1	43	9	29	5	77	6	59	12
高知	2	1	-	1	21	3	16	2	27	3	18	6
福岡	11	1	6	4	75	17	44	14	94	20	60	14
佐賀	-	-	-	-	18	2	13	3	25	7	14	4
長崎	1	-	-	1	62	9	42	11	101	12	77	12
熊本	5	-	5	-	35	6	24	5	77	20	49	8
大分	13	-	9	4	30	3	24	3	46	8	30	8
宮崎	3	-	3	-	23	4	18	1	46	12	30	4
鹿児島	2	1	-	1	40	10	26	4	78	17	58	3
沖縄	2	1	1	-	12	3	7	2	14	2	10	2

注：1）調査方法の変更等による回収率変動の影響を受けているため、数量を示す従事者数の実数は前年以前と単純に年次比較できない。
　　2）介護予防サービスを一体的に行っている事業所の従事者を含む。
　　3）介護予防サービスのみ行っている事業所は対象外とした。
　　4）短期入所生活介護は空床利用型の従事者を含まない。

中核市（再掲）、職種（常勤（専従－兼務）－非常勤）別（39－26）

平成29年10月１日

指導員 柔道整復師（再掲） 総数	常勤 専従	常勤 兼務	非常勤	あん摩マッサージ指圧師（再掲） 総数	常勤 専従	常勤 兼務	非常勤	調理員 総数	常勤 専従	常勤 兼務	非常勤	管理栄養士 総数	常勤 専従	常勤 兼務	非常勤
565	224	254	87	490	150	218	122	17 519	3 955	6 538	7 026	6 328	2 070	3 893	365
27	11	14	2	13	5	6	2	695	138	314	243	250	94	152	4
10	5	2	3	9	6	2	1	499	147	256	96	66	24	40	2
5	5	－	－	5	－	3	2	327	90	175	62	63	15	47	1
6	4	1	1	4	2	－	2	206	72	77	57	136	41	85	10
10	5	－	5	10	4	1	5	628	215	238	175	82	37	39	6
5	1	1	3	2	－	2	－	242	44	154	44	96	7	87	2
17	8	9	－	9	2	6	1	237	81	110	46	124	38	84	2
12	4	4	4	11	7	3	1	503	137	197	169	177	73	100	4
7	2	2	3	8	3	2	3	326	107	95	124	109	38	65	6
10	2	5	3	5	1	2	2	376	92	156	128	127	34	82	11
20	7	8	5	18	4	10	4	592	93	194	305	228	67	136	25
17	6	6	5	11	2	5	4	741	105	229	407	243	69	150	24
70	28	37	5	141	56	63	22	906	176	219	511	380	146	211	23
30	3	22	5	37	3	24	10	910	67	302	541	342	47	268	27
13	7	4	2	4	1	3	－	426	94	186	146	194	26	157	11
11	3	5	3	4	1	2	1	194	73	55	66	60	15	40	5
2	－	2	－	6	－	1	5	153	37	63	53	57	18	39	－
4	1	3	－	5	3	1	1	186	53	102	31	72	17	52	3
4	2	2	－	2	－	－	2	125	38	49	38	60	15	39	6
6	1	3	2	7	2	2	3	349	48	140	161	140	40	94	6
8	－	3	5	10	－	5	5	239	40	33	166	112	26	71	15
26	9	15	2	31	7	19	5	263	59	84	120	169	43	115	11
25	9	9	7	26	5	9	12	568	105	136	327	289	88	168	33
8	3	2	3	6	－	3	3	229	47	60	122	117	44	62	11
4	2	2	－	5	1	3	1	94	9	34	51	57	7	48	2
10	3	5	2	5	2	3	－	187	52	74	61	121	37	81	3
93	51	32	10	25	9	10	6	684	144	130	410	373	188	174	11
32	8	22	2	10	3	3	4	650	109	198	343	280	107	152	21
6	3	3	－	1	－	1	－	152	24	39	89	68	28	39	1
10	6	3	1	3	1	2	－	209	73	65	71	73	26	44	3
－	－	－	－	2	－	2	－	121	20	65	36	32	13	18	1
－	－	－	－	3	－	3	－	319	59	156	104	57	22	34	1
5	4	1	－	4	2	－	2	310	79	104	127	170	80	84	6
9	8	－	1	9	2	4	3	688	232	128	328	216	117	75	24
1	－	1	－	2	1	1	－	337	52	151	134	98	30	63	5
－	－	－	－	2	－	2	－	301	80	123	98	76	24	50	2
3	－	3	－	－	－	－	－	248	72	90	86	82	27	52	3
1	－	－	1	4	2	1	1	236	38	115	83	88	21	59	8
2	－	2	－	2	－	2	－	168	22	117	29	48	13	35	－
13	6	6	1	14	6	2	6	472	116	203	153	215	85	122	8
3	－	3	－	－	－	－	－	188	27	121	40	47	11	36	－
7	2	4	1	1	－	1	－	518	79	241	198	93	12	73	8
1	－	1	－	1	－	1	－	433	94	197	142	110	23	85	2
4	3	1	－	1	－	1	－	181	35	93	53	78	19	57	2
1	1	－	－	1	1	－	－	394	116	205	73	70	30	38	2
4	－	4	－	9	5	2	2	526	191	197	138	140	66	71	3
3	1	2	－	2	1	－	1	183	74	68	41	43	22	20	1

短期入所生活介護

都道府県 指定都市 中核市	機能訓練											
	言語聴覚士（再掲）				看護師（再掲）				准看護師（再掲）			
	総数	常勤		非常勤	総数	常勤		非常勤	総数	常勤		非常勤
		専従	兼務			専従	兼務			専従	兼務	
指定都市（再掲）												
札幌市	4	1	2	1	22	1	9	12	15	2	5	8
仙台市	1	－	1	－	14	2	6	6	15	2	10	3
さいたま市	－	－	－	－	27	1	10	16	20	－	11	9
千葉市	1	－	1	－	13	－	7	6	18	－	11	7
横浜市	3	－	3	－	50	2	30	18	31	－	26	5
川崎市	－	－	－	－	34	3	19	12	17	－	9	8
相模原市	1	－	－	1	13	2	4	7	4	1	1	2
新潟市	7	1	4	2	46	5	26	15	55	7	33	15
静岡市	－	－	－	－	13	1	5	7	7	1	1	5
浜松市	3	－	－	3	19	4	8	7	16	2	11	3
名古屋市	3	1	－	2	31	3	12	16	28	3	16	9
京都市	1	－	－	1	25	5	12	8	24	4	9	11
大阪市	2	－	1	1	39	－	21	18	23	2	19	2
堺市	1	1	－	－	11	1	6	4	13	2	6	5
神戸市	1	－	－	1	26	2	20	4	22	5	13	4
岡山市	3	－	3	－	28	3	14	11	18	3	9	6
広島市	3	2	1	－	39	15	14	10	42	8	26	8
北九州市	3	－	2	1	12	5	5	2	14	1	10	3
福岡市	4	－	1	3	23	5	14	4	15	3	12	－
熊本市	2	－	2	－	8	－	7	1	17	3	8	6
中核市（再掲）												
旭川市	4	2	－	2	4	－	4	－	4	2	2	－
函館市	1	－	1	－	6	2	4	－	15	1	9	5
青森市	－	－	－	－	3	－	2	1	9	2	7	－
八戸市	－	－	－	－	3	－	2	1	6	－	4	2
盛岡市	－	－	－	－	11	－	10	1	9	－	7	2
秋田市	－	－	－	－	20	6	9	5	26	9	17	－
郡山市	－	－	－	－	8	－	5	3	12	3	6	3
いわき市	－	－	－	－	2	－	2	－	13	6	6	1
宇都宮市	1	1	－	－	15	2	8	5	20	－	14	6
前橋市	1	－	－	1	15	－	13	2	15	2	12	1
高崎市	－	－	－	－	10	1	5	4	24	3	17	4
川越市	－	－	－	－	15	5	3	7	4	1	1	2
越谷市	－	－	－	－	7	－	1	6	1	－	－	1
船橋市	1	－	－	1	9	1	4	4	2	－	1	1
柏市	－	－	－	－	8	1	3	4	11	－	5	6
八王子市	1	－	－	1	16	2	2	12	1	－	1	－
横須賀市	－	－	－	－	26	2	17	7	6	－	3	3
富山市	－	－	－	－	20	4	10	6	8	4	2	2
金沢市	1	－	－	1	13	4	4	5	12	1	9	2
長野市	1	－	1	－	18	2	6	10	7	1	3	3
岐阜市	－	－	－	－	7	1	4	2	16	1	11	4
豊橋市	1	－	1	－	5	2	2	1	6	1	4	1
豊田市	－	－	－	－	3	－	3	－	6	－	6	－
岡崎市	－	－	－	－	13	1	4	8	7	1	4	2
大津市	－	－	－	－	19	1	3	15	8	－	3	5
高槻市	－	－	－	－	3	－	3	－	2	－	1	1
東大阪市	－	－	－	－	10	4	4	2	7	2	4	1
豊中市	1	－	－	1	5	1	2	2	1	1	－	－
枚方市	－	－	－	－	7	－	2	5	2	－	1	1
姫路市	－	－	－	－	10	5	4	1	10	4	5	1
西宮市	－	－	－	－	14	2	4	8	10	2	1	7
尼崎市	－	－	－	－	15	－	5	10	8	－	6	2
奈良市	－	－	－	－	13	3	8	2	3	－	2	1
和歌山市	－	－	－	－	9	1	6	2	11	5	3	3
倉敷市	－	－	－	－	19	4	6	9	17	2	8	7
福山市	4	1	1	2	8	1	3	4	21	6	14	1
呉市	－	－	－	－	7	5	1	1	6	4	2	－
下関市	1	－	－	1	1	－	－	1	15	2	9	4
高松市	－	－	－	－	18	4	11	3	16	4	11	1
松山市	－	－	－	－	19	4	12	3	23	1	16	6
高知市	－	－	－	－	6	1	5	－	10	1	4	5
久留米市	1	－	1	－	3	1	2	－	2	1	1	－
長崎市	1	－	－	1	25	2	16	7	26	2	21	3
佐世保市	－	－	－	－	9	2	6	1	13	5	7	1
大分市	3	－	2	1	5	－	5	－	9	2	5	2
宮崎市	－	－	－	－	10	1	8	1	4	1	2	1
鹿児島市	1	－	－	1	13	5	6	2	7	3	4	－
那覇市	1	1	－	－	2	－	2	－	－	－	－	－

注：1）調査方法の変更等による回収率変動の影響を受けているため、数量を示す従事者数の実数は前年以前と単純に年次比較できない。
　　2）介護予防サービスを一体的に行っている事業所の従事者を含む。
　　3）介護予防サービスのみ行っている事業所は対象外とした。
　　4）短期入所生活介護は空床利用型の従事者を含まない。

平成29年10月１日

指導員								調理員				管理栄養士			
柔道整復師（再掲）				あん摩マッサージ指圧師（再掲）											
総数	常勤		非常勤	総数	常勤		非常勤	総数	常勤		非常勤	総数	常勤		非常勤
	専従	兼務			専従	兼務			専従	兼務			専従	兼務	
11	5	6	－	1	－	1	－	61	12	18	31	51	26	25	－
1	－	1	－	2	2	－	－	42	15	11	16	54	14	36	4
3	1	2	－	2	－	2	－	33	3	7	23	25	3	18	4
－	－	－	－	2	－	1	1	43	3	12	28	25	3	20	2
20	2	14	4	15	1	10	4	341	26	115	200	141	22	111	8
3	1	2	－	－	－	－	－	57	11	25	21	44	6	35	3
1	－	1	－	2	－	2	－	60	3	20	37	36	6	22	8
6	3	1	2	1	－	1	－	64	13	15	36	58	6	48	4
7	3	4	－	6	4	1	1	73	15	17	41	31	10	15	6
5	－	5	－	－	－	－	－	40	8	4	28	40	13	24	3
6	4	1	1	9	3	1	5	122	18	50	54	84	22	57	5
2	2	－	－	2	2	－	－	57	14	17	26	52	25	25	2
34	24	8	2	7	3	4	－	121	27	35	59	126	66	56	4
6	2	4	－	3	1	－	2	97	12	17	68	35	20	14	1
2	－	2	－	3	－	－	3	64	9	19	36	61	21	35	5
2	2	－	－	1	1	－	－	69	20	10	39	63	32	30	1
2	2	－	－	5	2	2	1	165	64	23	78	76	39	25	12
3	2	1	－	－	－	－	－	101	23	42	36	48	15	30	3
9	4	4	1	10	4	1	5	50	9	17	24	57	24	31	2
－	－	－	－	1	－	1	－	53	3	27	23	27	6	21	－
－	－	－	－	－	－	－	－	35	8	13	14	14	5	7	2
1	1	－	－	2	1	1	－	36	14	9	13	16	6	9	1
2	2	－	－	1	1	－	－	44	22	11	11	12	8	3	1
1	1	－	－	2	1	1	－	53	6	39	8	9	－	8	1
1	1	－	－	－	－	－	－	59	15	27	17	12	1	11	－
2	1	－	1	1	－	－	1	71	26	29	16	24	10	9	5
4	3	1	－	4	－	4	－	38	11	17	10	18	9	9	－
2	1	1	－	－	－	－	－	37	32	2	3	13	3	10	－
1	1	－	－	1	－	－	1	60	20	7	33	24	12	12	－
5	－	3	2	－	－	－	－	54	5	29	20	20	5	13	2
4	2	2	－	2	－	－	2	53	7	24	22	28	6	16	6
－	－	－	－	1	1	－	－	25	2	4	19	6	2	4	－
－	－	－	－	－	－	－	－	6	－	4	2	6	2	3	1
3	3	－	－	2	1	－	1	27	4	8	15	16	8	8	－
1	－	－	1	1	1	－	－	30	1	10	19	11	4	6	1
2	1	－	1	7	2	3	2	29	4	13	12	13	4	8	1
－	－	－	－	4	－	3	1	24	－	11	13	15	1	14	－
5	2	1	2	1	1	－	－	109	38	22	49	23	7	12	4
1	－	1	－	－	－	－	－	36	11	13	12	13	5	8	－
1	－	1	－	1	－	1	－	29	－	13	16	28	6	20	2
1	－	－	1	3	－	2	1	5	4	－	1	19	5	11	3
－	－	－	－	－	－	－	－	40	7	20	13	14	3	11	－
－	－	－	－	－	－	－	－	26	9	3	14	12	4	7	1
－	－	－	－	－	－	－	－	23	6	7	10	11	2	8	1
4	2	2	－	－	－	－	－	18	2	2	14	11	3	6	2
2	2	－	－	1	1	－	－	23	－	－	23	13	5	8	－
2	－	2	－	2	－	2	－	8	5	－	3	17	9	8	－
3	2	1	－	2	1	1	－	40	6	5	29	14	6	7	1
5	－	5	－	2	－	－	2	12	3	4	5	11	5	6	－
1	1	－	－	－	－	－	－	80	12	26	42	24	9	14	1
2	－	1	1	－	－	－	－	16	5	－	11	11	5	6	－
2	1	1	－	－	－	－	－	32	4	4	24	18	6	8	4
－	－	－	－	－	－	－	－	27	3	12	12	12	5	7	－
3	1	2	－	1	－	1	－	36	10	15	11	19	7	11	1
－	－	－	－	1	－	－	1	54	8	10	36	34	18	12	4
3	3	－	－	－	－	－	－	87	24	25	38	34	19	10	5
1	－	－	1	3	－	1	2	118	38	27	53	17	8	6	3
－	－	－	－	－	－	－	－	85	2	49	34	21	4	16	1
－	－	－	－	－	－	－	－	108	24	48	36	30	11	17	2
1	－	－	1	3	1	1	1	79	7	35	37	25	7	17	1
1	－	1	－	－	－	－	－	25	2	17	6	9	2	7	－
－	－	－	－	1	1	－	－	14	－	4	10	19	7	10	2
3	1	1	1	－	－	－	－	102	7	39	56	28	4	22	2
2	－	2	－	1	－	1	－	54	8	36	10	21	1	17	3
－	－	－	－	－	－	－	－	36	5	29	2	21	6	14	1
－	－	－	－	－	－	－	－	77	19	39	19	25	9	15	1
1	－	1	－	4	3	－	1	92	35	38	19	39	20	18	1
1	1	－	－	－	－	－	－	20	6	10	4	8	4	3	1

第6表　従事者数，居宅サービスの種類、都道府県－指定都市・

短期入所生活介護

都道府県 指定都市 中核市	栄養士				介護支援専門員				生活相談員			
	総数	常勤		非常勤	総数	常勤		非常勤	総数	常勤		非常勤
		専従	兼務			専従	兼務			専従	兼務	
全国	2 642	825	1 340	477	6 637	1 627	4 813	197	12 508	4 783	7 351	374
北海道	111	29	60	22	428	92	328	8	593	196	387	10
青森	88	26	52	10	142	18	118	6	192	53	133	6
岩手	75	25	44	6	114	28	85	1	214	87	126	1
宮城	51	15	29	7	132	36	96	－	293	117	175	1
秋田	146	64	58	24	106	17	88	1	374	172	193	9
山形	33	4	24	5	82	2	80	－	178	44	133	1
福島	63	17	37	9	147	26	119	2	242	86	155	1
茨城	104	44	51	9	211	70	134	7	349	135	206	8
栃木	91	42	32	17	95	42	48	5	248	104	135	9
群馬	63	21	29	13	139	30	107	2	246	71	169	6
埼玉	135	37	67	31	220	53	160	7	533	203	312	18
千葉	125	39	60	26	182	44	123	15	492	218	256	18
東京	76	35	22	19	409	129	267	13	725	336	365	24
神奈川	54	9	32	13	318	41	260	17	605	141	435	29
新潟	71	18	36	17	70	16	54	－	471	186	269	16
富山	41	16	20	5	52	12	36	4	151	54	90	7
石川	26	9	14	3	57	12	44	1	127	54	71	2
福井	31	8	22	1	112	8	101	3	122	36	83	3
山梨	31	11	13	7	45	11	31	3	123	52	69	2
長野	60	10	32	18	193	37	149	7	308	81	212	15
岐阜	47	10	13	24	89	11	73	5	252	70	165	17
静岡	63	14	32	17	111	16	91	4	369	169	190	10
愛知	74	29	21	24	161	31	119	11	557	215	310	32
三重	48	13	24	11	94	27	64	3	234	90	127	17
滋賀	15	－	13	2	37	11	26	－	110	46	61	3
京都	31	9	18	4	138	21	111	6	258	104	149	5
大阪	67	17	33	17	419	158	242	19	586	274	292	20
兵庫	59	20	28	11	213	68	140	5	421	218	189	14
奈良	26	9	12	5	74	20	52	2	120	49	71	－
和歌山	30	14	14	2	99	29	69	1	107	43	62	2
鳥取	10	2	6	2	32	12	20	－	53	15	34	4
島根	32	9	23	－	68	23	45	－	118	34	84	－
岡山	48	15	26	7	167	48	113	6	247	114	123	10
広島	90	40	25	25	260	56	200	4	383	186	189	8
山口	27	8	17	2	120	28	89	3	174	54	110	10
徳島	32	10	17	5	73	24	47	2	113	43	68	2
香川	31	11	16	4	75	16	57	2	127	44	81	2
愛媛	46	11	24	11	108	25	81	2	206	68	127	11
高知	18	－	16	2	68	13	52	3	87	23	64	－
福岡	67	19	34	14	252	76	173	3	401	162	235	4
佐賀	31	9	20	2	56	11	44	1	85	21	64	－
長崎	78	13	53	12	103	18	82	3	219	80	136	3
熊本	51	17	30	4	137	23	114	－	165	36	127	2
大分	32	5	26	1	85	16	67	2	142	28	105	9
宮崎	41	9	31	1	119	28	87	4	119	45	74	－
鹿児島	53	24	23	6	176	69	103	4	198	90	106	2
沖縄	20	9	11	－	49	25	24	－	71	36	34	1

注：1）調査方法の変更等による回収率変動の影響を受けているため、数量を示す従事者数の実数は前年以前と単純に年次比較できない。
　　2）介護予防サービスを一体的に行っている事業所の従事者を含む。
　　3）介護予防サービスのみ行っている事業所は対象外とした。
　　4）短期入所生活介護は空床利用型の従事者を含まない。

中核市（再掲）、職種（常勤（専従－兼務）－非常勤）別（39－28）

平成29年10月１日

社会福祉士（再掲）				介護職員				介護福祉士（再掲）				その他の職員			
総数	常勤		非常勤	総数	常勤		非常勤	総数	常勤		非常勤	総数	常勤		非常勤
	専従	兼務			専従	兼務			専従	兼務			専従	兼務	
2 965	1 135	1 754	76	182 338	75 110	68 332	38 896	102 810	45 839	44 820	12 151	30 994	5 842	12 443	12 709
181	71	106	4	8 946	3 803	3 729	1 414	5 868	2 734	2 678	456	1 387	334	627	426
35	8	25	2	2 786	1 154	1 342	290	1 815	773	938	104	616	124	299	193
43	17	26	-	2 723	1 295	1 214	214	1 711	848	815	48	566	121	307	138
59	26	33	-	3 098	1 823	954	321	1 731	1 057	583	91	590	139	296	155
57	20	37	-	4 303	2 663	1 252	388	2 493	1 476	930	87	714	221	322	171
29	7	22	-	2 107	818	1 071	218	1 434	597	783	54	473	38	312	123
56	23	33	-	3 398	1 359	1 690	349	2 016	809	1 109	98	590	133	304	153
74	25	49	-	4 793	2 779	1 115	899	2 368	1 483	634	251	754	176	319	259
57	28	28	1	2 746	1 423	784	539	1 467	799	513	155	472	116	235	121
47	10	36	1	3 437	1 242	1 501	694	2 093	838	1 038	217	505	71	261	173
90	36	51	3	7 506	2 608	2 795	2 103	3 627	1 352	1 624	651	1 193	203	445	545
88	35	49	4	7 147	2 825	2 439	1 883	3 335	1 425	1 362	548	1 286	203	479	604
222	101	113	8	12 585	4 769	3 918	3 898	7 037	3 128	2 704	1 205	2 298	402	590	1 306
113	24	87	2	10 667	1 696	5 884	3 087	5 858	1 013	3 775	1 070	2 166	129	711	1 326
147	52	92	3	4 913	2 132	2 069	712	3 085	1 306	1 546	233	925	90	498	337
32	17	13	2	1 625	787	453	385	1 055	583	343	129	273	44	101	128
53	21	32	-	1 930	871	840	219	1 228	573	591	64	298	57	144	97
35	7	26	2	1 492	742	472	278	925	468	337	120	261	52	104	105
18	3	14	1	1 572	748	573	251	853	415	372	66	289	69	118	102
85	15	68	2	4 391	1 426	2 078	887	2 773	992	1 476	305	692	72	361	259
47	13	31	3	3 046	1 187	970	889	1 586	683	633	270	514	58	188	268
88	36	52	-	4 620	1 755	1 683	1 182	2 501	1 054	1 044	403	839	106	340	393
162	67	84	11	7 983	2 874	2 819	2 290	4 019	1 572	1 671	776	1 105	194	418	493
38	20	17	1	2 733	1 365	817	551	1 382	689	523	170	401	97	163	141
31	17	14	-	1 502	598	558	346	876	374	380	122	317	27	121	169
62	29	30	3	3 302	1 605	920	777	1 955	1 088	609	258	469	114	177	178
139	69	68	2	11 687	4 993	3 172	3 522	5 886	2 988	1 929	969	1 641	348	439	854
81	44	36	1	8 006	3 264	2 337	2 405	4 213	1 993	1 487	733	1 206	263	363	580
28	13	15	-	1 980	743	680	557	989	442	374	173	337	53	134	150
16	8	7	1	2 179	1 074	726	379	1 184	608	455	121	306	81	92	133
14	4	10	-	756	318	374	64	513	226	262	25	143	15	67	61
20	7	13	-	1 848	687	813	348	1 147	470	586	91	376	67	144	165
72	31	39	2	3 270	1 868	852	550	1 981	1 156	610	215	586	151	191	244
112	50	60	2	6 001	3 012	1 698	1 291	3 456	1 872	1 144	440	996	288	284	424
50	13	34	3	2 759	1 114	1 121	524	1 639	720	760	159	476	91	212	173
17	6	10	1	1 692	709	750	233	1 040	457	490	93	296	63	133	100
36	12	24	-	1 963	895	755	313	1 212	562	526	124	231	50	126	55
57	21	32	4	2 363	979	956	428	1 252	540	593	119	365	58	180	127
21	8	13	-	1 399	419	878	102	936	271	627	38	269	64	120	85
120	50	69	1	5 653	2 548	2 218	887	3 150	1 538	1 364	248	822	194	381	247
15	2	13	-	1 135	295	674	166	734	208	469	57	204	30	105	69
33	19	14	-	2 847	886	1 572	389	1 676	492	1 062	122	524	66	260	198
58	7	49	2	2 795	812	1 533	450	1 606	498	977	131	445	71	246	128
50	10	36	4	2 005	604	1 079	322	1 206	417	699	90	395	51	197	147
27	8	19	-	1 908	886	804	218	1 193	582	553	58	345	78	167	100
40	22	18	-	3 448	2 065	954	429	2 093	1 337	632	124	793	269	282	242
10	3	7	-	1 293	592	446	255	613	333	210	70	245	101	80	64

第6表　従事者数，居宅サービスの種類、都道府県－指定都市・

短期入所生活介護

都道府県 指定都市 中核市	栄養士				介護支援専門員				生活相談員			
	総数	常勤		非常勤	総数	常勤		非常勤	総数	常勤		非常勤
		専従	兼務			専従	兼務			専従	兼務	
指定都市(再掲)												
札幌市	10	2	3	5	67	21	45	1	129	63	65	1
仙台市	11	3	6	2	43	10	33	-	119	50	69	-
さいたま市	17	5	4	8	24	2	21	1	85	31	49	5
千葉市	12	3	6	3	10	-	9	1	60	26	31	3
横浜市	24	5	15	4	166	22	131	13	288	58	216	14
川崎市	4	-	2	2	32	7	24	1	64	17	47	-
相模原市	1	-	1	-	21	4	16	1	43	20	21	2
新潟市	28	12	9	7	16	2	14	-	173	62	103	8
静岡市	21	2	15	4	19	5	14	-	80	41	38	1
浜松市	7	3	1	3	47	3	42	2	84	38	44	2
名古屋市	23	9	8	6	48	8	36	4	155	58	93	4
京都市	10	5	4	1	81	10	69	2	121	61	60	-
大阪市	10	4	3	3	152	57	90	5	190	80	105	5
堺市	10	2	6	2	49	17	26	6	60	31	24	5
神戸市	4	-	3	1	32	9	22	1	90	57	33	-
岡山市	22	6	15	1	60	15	42	3	86	43	36	7
広島市	22	6	2	14	71	22	48	1	126	65	58	3
北九州市	11	4	3	4	37	12	25	-	72	28	44	-
福岡市	11	2	7	2	70	22	47	1	110	55	54	1
熊本市	12	3	9	-	19	3	16	-	40	7	33	-
中核市(再掲)												
旭川市	3	1	2	-	13	2	10	1	30	8	20	2
函館市	13	2	5	6	13	6	7	-	57	16	40	1
青森市	6	5	1	-	35	5	29	1	25	10	15	-
八戸市	6	1	5	-	8	1	6	1	14	4	10	-
盛岡市	11	4	4	3	11	2	9	-	33	17	16	-
秋田市	38	14	12	12	16	4	12	-	98	53	44	1
郡山市	11	3	5	3	15	2	12	1	47	19	27	1
いわき市	10	4	4	2	12	5	7	-	30	15	15	-
宇都宮市	12	9	3	-	20	7	12	1	45	21	21	3
前橋市	10	3	6	1	18	4	13	1	39	8	29	2
高崎市	4	1	-	3	27	7	20	-	52	10	42	-
川越市	7	-	4	3	4	2	2	-	20	12	8	-
越谷市	2	1	-	1	6	3	3	-	16	7	8	1
船橋市	4	3	-	1	14	4	7	3	32	21	8	3
柏市	3	1	1	1	6	3	3	-	21	12	9	-
八王子市	4	1	2	1	15	3	12	-	32	9	21	2
横須賀市	2	-	2	-	40	-	40	-	32	4	25	3
富山市	20	6	11	3	20	2	17	1	60	20	37	3
金沢市	10	4	4	2	17	3	14	-	45	23	22	-
長野市	11	-	6	5	26	3	22	1	59	13	43	3
岐阜市	9	2	2	5	20	1	17	2	45	11	33	1
豊橋市	4	-	1	3	7	3	4	-	30	10	17	3
豊田市	1	-	1	-	3	1	-	2	27	10	15	2
岡崎市	6	1	3	2	5	1	4	-	28	7	19	2
大津市	4	-	4	-	7	4	3	-	30	10	18	2
高槻市	-	-	-	-	11	6	3	2	14	10	4	-
東大阪市	2	1	-	1	20	6	14	-	30	10	20	-
豊中市	-	-	-	-	15	5	8	2	16	8	8	-
枚方市	3	-	3	-	20	6	14	-	21	10	11	-
姫路市	5	2	2	1	21	8	12	1	37	19	15	3
西宮市	5	1	1	3	13	5	8	-	25	12	12	1
尼崎市	1	1	-	-	9	3	5	1	23	12	11	-
奈良市	7	3	2	2	12	4	7	1	21	8	13	-
和歌山市	7	5	1	1	22	6	16	-	27	11	15	1
倉敷市	8	1	3	4	28	7	20	1	57	27	30	-
福山市	10	7	-	3	21	8	13	-	58	33	24	1
呉市	15	5	7	3	24	6	18	-	33	17	16	-
下関市	4	-	4	-	28	8	18	2	44	13	27	4
高松市	14	4	7	3	24	8	15	1	54	23	29	2
松山市	19	7	6	6	21	7	14	-	62	26	32	4
高知市	4	-	4	-	15	5	9	1	23	7	16	-
久留米市	5	-	3	2	15	5	10	-	31	7	24	-
長崎市	23	-	18	5	23	6	16	1	78	38	40	-
佐世保市	8	1	6	1	23	2	20	1	34	9	24	1
大分市	7	-	7	-	22	2	20	-	46	7	37	2
宮崎市	9	1	8	-	20	6	14	-	34	8	26	-
鹿児島市	7	4	2	1	34	16	18	-	47	24	23	-
那覇市	1	-	1	-	8	3	5	-	11	5	6	-

注：1）調査方法の変更等による回収率変動の影響を受けているため、数量を示す従事者数の実数は前年以前と単純に年次比較できない。
2）介護予防サービスを一体的に行っている事業所の従事者を含む。
3）介護予防サービスのみ行っている事業所は対象外とした。
4）短期入所生活介護は空床利用型の従事者を含まない。

平成29年10月１日

社会福祉士（再掲）				介護職員								その他の職員			
								介護福祉士（再掲）							
総数	常勤		非常勤	総数	常勤		非常勤	総数	常勤		非常勤	総数	常勤		非常勤
	専従	兼務			専従	兼務			専従	兼務			専従	兼務	
58	31	26	1	1 866	1 020	506	340	1 273	754	394	125	229	84	85	60
33	13	20	－	1 086	726	230	130	576	397	142	37	196	22	117	57
14	3	10	1	1 004	249	457	298	405	86	232	87	111	13	55	43
8	－	8	－	786	230	374	182	328	97	184	47	93	6	53	34
66	13	52	1	4 606	713	2 566	1 327	2 637	450	1 697	490	1 136	67	334	735
7	－	7	－	1 232	167	766	299	704	84	513	107	169	7	82	80
9	6	2	1	732	234	296	202	358	153	154	51	149	22	31	96
58	23	33	2	1 714	811	629	274	1 006	483	443	80	313	35	154	124
22	12	10	－	1 032	463	292	277	572	292	177	103	174	28	48	98
25	10	15	－	1 201	453	381	367	621	252	250	119	161	28	62	71
36	8	27	1	2 237	722	958	557	1 074	307	591	176	352	54	134	164
34	21	13	－	1 585	850	355	380	938	555	248	135	218	52	67	99
55	25	30	－	4 198	1 708	1 360	1 130	2 079	1 009	784	286	628	146	157	325
18	10	8	－	995	392	287	316	560	273	196	91	161	32	45	84
18	11	7	－	1 695	734	437	524	909	474	262	173	327	50	69	208
30	11	17	2	1 208	769	232	207	758	505	178	75	176	58	49	69
38	18	19	1	1 894	983	518	393	1 170	658	353	159	409	100	102	207
18	9	9	－	1 180	367	555	258	614	237	325	52	165	27	81	57
41	19	21	1	1 499	797	486	216	935	525	339	71	193	59	62	72
13	2	11	－	730	116	483	131	428	72	321	35	110	13	56	41
12	3	9	－	409	162	173	74	279	117	127	35	57	11	31	15
10	4	6	－	530	265	205	60	363	187	160	16	86	14	43	29
7	3	4	－	427	269	115	43	332	221	100	11	78	32	18	28
3	－	3	－	249	78	145	26	172	53	107	12	75	3	53	19
11	5	6	－	417	179	209	29	271	113	148	10	74	13	48	13
10	4	6	－	1 059	777	165	117	598	430	139	29	146	66	44	36
15	11	4	－	554	255	231	68	331	124	190	17	67	18	39	10
5	－	5	－	337	219	75	43	157	101	44	12	87	25	31	31
10	4	6	－	516	258	155	103	297	164	100	33	97	23	50	24
7	2	4	1	559	213	205	141	327	148	146	33	75	5	40	30
9	－	9	－	708	177	382	149	414	108	253	53	76	6	42	28
3	3	－	－	228	101	49	78	103	52	25	26	25	5	13	7
2	－	2	－	197	47	74	76	72	21	35	16	13	－	9	4
8	5	2	1	592	230	195	167	296	120	119	57	101	17	22	62
5	2	3	－	338	165	61	112	148	85	32	31	82	11	22	49
5	2	3	－	572	218	182	172	312	155	92	65	109	11	27	71
4	－	4	－	583	114	336	133	290	43	195	52	125	1	45	79
16	8	6	2	554	324	105	125	363	236	83	44	96	22	29	45
19	8	11	－	680	353	252	75	435	232	179	24	50	20	28	2
20	2	17	1	730	175	390	165	499	132	301	66	121	9	62	50
7	1	6	－	488	180	166	142	231	92	101	38	72	10	27	35
11	6	5	－	341	124	139	78	165	60	74	31	50	15	22	13
3	2	－	1	308	99	107	102	167	62	63	42	33	3	16	14
9	2	6	1	447	61	236	150	197	26	134	37	35	7	22	6
10	3	7	－	443	201	117	125	247	132	75	40	58	9	15	34
2	2	－	－	393	152	80	161	189	114	43	32	47	4	9	34
6	3	3	－	520	219	147	154	235	94	101	40	54	6	21	27
1	1	－	－	440	224	76	140	214	129	44	41	46	14	10	22
5	1	4	－	449	234	94	121	238	145	55	38	51	3	14	34
5	4	1	－	640	256	202	182	300	121	115	64	83	15	38	30
8	7	1	－	367	173	106	88	225	113	83	29	35	13	14	8
1	1	－	－	424	153	92	179	180	86	56	38	47	15	9	23
5	2	3	－	337	163	79	95	158	79	41	38	107	9	53	45
3	1	2	－	613	258	229	126	290	125	137	28	76	27	20	29
21	8	13	－	734	337	240	157	423	182	173	68	128	32	37	59
10	5	5	－	808	472	168	168	445	258	119	68	123	47	45	31
16	7	9	－	580	250	171	159	269	131	105	33	94	36	25	33
11	5	4	2	499	270	161	68	267	172	72	23	124	12	64	48
12	6	6	－	801	454	238	109	475	277	165	33	77	19	42	16
18	7	9	2	717	384	150	183	337	196	104	37	92	21	49	22
5	1	4	－	326	140	169	17	242	93	141	8	80	25	29	26
11	3	8	－	395	156	179	60	194	84	90	20	54	15	32	7
12	8	4	－	912	333	470	109	562	185	342	35	157	21	66	70
7	3	4	－	436	121	255	60	252	77	155	20	97	19	46	32
20	3	17	－	533	160	298	75	370	132	212	26	99	7	50	42
11	2	9	－	482	255	166	61	304	188	101	15	102	27	42	33
14	7	7	－	758	520	174	64	521	368	130	23	151	69	42	40
4	1	3	－	198	136	40	22	111	68	32	11	15	11	1	3

第6表　従事者数，居宅サービスの種類、都道府県－指定都市・

特定施設入居者生活介護

都道府県 指定都市 中核市	総数				介護職員							
									介護福祉士（再掲）			
	総数	常勤		非常勤	総数	常勤		非常勤	総数	常勤		非常勤
		専従	兼務			専従	兼務			専従	兼務	
全国	149 408	76 756	22 017	50 635	93 262	54 085	9 463	29 714	39 453	26 139	5 434	7 880
北海道	7 155	3 785	1 462	1 908	4 566	2 621	745	1 200	2 308	1 525	422	361
青森	373	187	124	62	240	132	80	28	144	85	50	9
岩手	664	361	217	86	429	246	137	46	240	145	86	9
宮城	1 155	692	242	221	715	503	83	129	353	264	48	41
秋田	1 178	662	372	144	775	465	218	92	450	278	148	24
山形	888	473	254	161	546	339	129	78	314	216	74	24
福島	1 554	915	353	286	916	594	140	182	408	301	75	32
茨城	1 825	1 015	253	557	1 158	738	97	323	376	267	41	68
栃木	1 321	760	271	290	825	533	119	173	344	243	51	50
群馬	1 647	859	411	377	1 027	609	204	214	464	297	126	41
埼玉	13 514	6 489	1 456	5 569	8 404	4 549	521	3 334	2 645	1 668	221	756
千葉	7 049	3 588	531	2 930	4 308	2 482	208	1 618	1 622	1 113	114	395
東京	25 170	12 740	2 117	10 313	15 458	9 044	762	5 652	6 278	4 067	530	1 681
神奈川	18 174	8 259	2 049	7 866	10 823	5 719	862	4 242	4 170	2 580	456	1 134
新潟	1 854	1 036	439	379	1 200	789	180	231	632	455	102	75
富山	120	47	20	53	73	29	5	39	12	10	－	2
石川	936	523	254	159	600	390	118	92	348	239	82	27
福井	550	212	210	128	330	158	96	76	186	86	70	30
山梨	207	120	38	49	154	86	24	44	53	35	11	7
長野	2 008	1 104	417	487	1 287	789	204	294	644	409	129	106
岐阜	825	345	153	327	497	256	58	183	204	116	32	56
静岡	3 694	2 056	430	1 208	2 168	1 377	136	655	976	727	56	193
愛知	6 064	3 102	869	2 093	3 864	2 253	363	1 248	1 400	931	175	294
三重	1 178	603	264	311	792	448	128	216	310	178	80	52
滋賀	620	248	153	219	338	148	100	90	150	74	45	31
京都	1 985	960	324	701	1 262	654	152	456	596	357	90	149
大阪	10 769	5 936	957	3 876	7 224	4 318	392	2 514	2 939	2 085	211	643
兵庫	7 890	3 912	1 048	2 930	5 083	2 709	445	1 929	2 338	1 591	240	507
奈良	1 727	939	223	565	1 056	654	86	316	524	376	56	92
和歌山	580	210	177	193	395	150	104	141	180	79	73	28
鳥取	434	183	169	82	296	136	100	60	182	85	78	19
島根	1 018	397	382	239	625	250	220	155	305	132	141	32
岡山	2 622	1 445	536	641	1 689	1 084	184	421	847	609	123	115
広島	3 465	1 944	640	881	2 233	1 463	247	523	1 040	745	149	146
山口	1 247	658	254	335	847	483	115	249	401	266	76	59
徳島	85	57	11	17	57	42	2	13	31	27	1	3
香川	959	474	249	236	594	353	86	155	256	175	48	33
愛媛	2 039	1 165	406	468	1 270	861	122	287	533	407	58	68
高知	704	521	103	80	439	367	22	50	262	233	13	16
福岡	6 373	3 684	1 053	1 636	3 931	2 476	441	1 014	1 625	1 211	207	207
佐賀	742	354	199	189	444	240	97	107	195	117	54	24
長崎	1 610	693	542	375	963	458	274	231	461	237	149	75
熊本	1 074	607	263	204	642	435	83	124	319	240	53	26
大分	926	539	200	187	571	375	76	120	254	185	27	42
宮崎	1 423	752	450	221	904	502	250	152	484	276	175	33
鹿児島	1 251	598	388	265	745	396	213	136	424	217	157	50
沖縄	762	547	84	131	499	382	35	82	226	180	31	15

注：1）調査方法の変更等による回収率変動の影響を受けているため、数量を示す従事者数の実数は前年以前と単純に年次比較できない。
　　2）介護予防サービスを一体的に行っている事業所の従事者を含む。
　　3）介護予防サービスのみ行っている事業所は対象外とした。

中核市（再掲）、職種（常勤（専従－兼務）－非常勤）別（39－30）

平成29年10月１日

生活相談員								看護師				准看護師			
				社会福祉士（再掲）											
総数	常勤		非常勤	総数	常勤		非常勤	総数	常勤		非常勤	総数	常勤		非常勤
	専従	兼務			専従	兼務			専従	兼務			専従	兼務	
6 867	3 277	3 322	268	805	460	319	26	11 676	5 204	1 484	4 988	6 746	2 736	1 115	2 895
366	190	167	9	57	31	22	4	493	246	85	162	322	139	72	111
17	9	8	-	3	2	1	-	12	7	4	1	18	7	7	4
35	21	14	-	4	3	1	-	44	25	6	13	25	17	5	3
71	31	37	3	10	5	5	-	84	41	21	22	62	26	18	18
68	33	35	-	5	3	2	-	67	44	12	11	48	21	14	13
51	19	30	2	5	2	3	-	54	22	11	21	28	13	10	5
81	42	39	-	9	6	3	-	105	56	20	29	109	58	35	16
79	47	31	1	9	5	3	1	99	44	15	40	110	56	26	28
84	46	34	4	12	10	2	-	103	53	22	28	55	26	11	18
87	36	49	2	22	12	9	1	97	51	12	34	115	49	27	39
592	275	275	42	49	26	20	3	1 086	396	107	583	719	257	88	374
251	168	72	11	18	15	2	1	593	233	40	320	361	137	24	200
1 093	496	564	33	61	42	17	2	2 329	1 002	144	1 183	1 015	304	70	641
727	334	347	46	47	23	23	1	1 599	591	163	845	706	222	76	408
103	42	55	6	30	20	9	1	130	63	38	29	73	26	26	21
7	4	3	-	-	-	-	-	7	5	-	2	3	2	-	1
69	29	37	3	16	9	7	-	51	29	15	7	44	19	14	11
38	9	29	-	6	2	4	-	32	11	16	5	26	10	6	10
13	6	6	1	-	-	-	-	14	10	1	3	4	2	2	-
111	44	57	10	13	4	9	-	154	86	20	48	64	38	17	9
48	15	24	9	7	3	3	1	61	23	7	31	49	13	10	26
165	75	84	6	14	7	7	-	314	151	38	125	139	65	13	61
292	118	157	17	42	20	16	6	510	232	51	227	349	154	40	155
60	23	36	1	11	6	5	-	80	35	19	26	49	21	12	16
19	10	9	-	7	4	3	-	60	20	6	34	18	7	-	11
89	39	45	5	26	11	14	1	144	61	27	56	60	29	11	20
411	257	150	4	57	41	15	1	872	433	77	362	379	192	34	153
360	199	145	16	58	41	17	-	637	291	106	240	233	87	31	115
63	35	28	-	12	8	4	-	118	54	21	43	45	24	6	15
32	17	15	-	4	2	2	-	39	10	13	16	31	14	5	12
21	7	14	-	6	2	4	-	19	9	3	7	17	6	9	2
58	20	35	3	7	3	4	-	47	21	14	12	41	17	15	9
140	62	75	3	16	6	10	-	215	97	47	71	132	52	33	47
171	78	86	7	30	18	11	1	156	77	39	40	191	82	49	60
61	32	29	-	9	6	3	-	71	40	8	23	54	26	13	15
5	2	3	-	-	-	-	-	3	2	-	1	4	4	-	-
62	18	41	3	8	3	5	-	66	27	17	22	86	35	29	22
103	46	53	4	14	7	7	-	137	65	32	40	107	53	31	23
35	20	15	-	6	3	3	-	39	28	8	3	30	14	9	7
281	140	134	7	34	19	14	1	489	277	95	117	364	213	65	86
44	15	28	1	7	3	4	-	61	31	13	17	37	13	8	16
98	33	62	3	16	6	10	-	74	34	23	17	77	28	30	19
64	26	38	-	9	5	4	-	81	46	17	18	80	30	26	24
59	19	35	5	12	5	6	1	51	29	8	14	59	28	15	16
82	40	41	1	8	4	4	-	60	33	14	13	93	47	34	12
67	29	38	-	5	3	2	-	67	30	16	21	80	25	36	19
34	21	13	-	4	4	-	-	52	33	13	6	35	28	3	4

特定施設入居者生活介護

都道府県 指定都市 中核市	総数				介護職員				介護福祉士（再掲）			
	総数	常勤		非常勤	総数	常勤		非常勤	総数	常勤		非常勤
		専従	兼務			専従	兼務			専従	兼務	
指定都市（再掲）												
札幌市	2 612	1 453	372	787	1 609	995	164	450	811	616	60	135
仙台市	867	537	151	179	553	379	65	109	269	202	36	31
さいたま市	4 229	2 027	480	1 722	2 673	1 456	195	1 022	867	541	77	249
千葉市	1 907	971	131	805	1 111	670	40	401	414	296	23	95
横浜市	7 207	3 413	731	3 063	4 291	2 344	325	1 622	1 658	1 073	133	452
川崎市	3 514	1 598	347	1 569	2 108	1 151	143	814	789	494	101	194
相模原市	1 121	526	97	498	694	375	45	274	265	157	30	78
新潟市	423	284	86	53	274	211	35	28	153	126	15	12
静岡市	757	406	63	288	447	280	11	156	181	146	3	32
浜松市	545	311	84	150	328	217	27	84	174	127	15	32
名古屋市	2 945	1 602	362	981	1 903	1 207	153	543	656	452	84	120
京都市	1 318	660	200	458	897	469	103	325	411	252	61	98
大阪市	3 935	2 316	323	1 296	2 641	1 683	122	836	1 006	754	60	192
堺市	637	308	65	264	390	217	20	153	160	105	16	39
神戸市	3 947	2 067	475	1 405	2 462	1 444	176	842	1 279	933	93	253
岡山市	1 089	557	234	298	715	439	81	195	342	227	61	54
広島市	1 688	998	209	481	1 067	745	58	264	513	405	41	67
北九州市	1 422	800	249	373	912	543	119	250	368	270	45	53
福岡市	2 066	1 284	259	523	1 225	832	99	294	552	450	47	55
熊本市	737	450	146	141	428	313	41	74	213	173	23	17
中核市（再掲）												
旭川市	549	315	112	122	383	229	66	88	204	130	53	21
函館市	312	178	39	95	203	119	7	77	95	65	4	26
青森市	32	17	14	1	23	10	12	1	21	10	11	-
八戸市	88	66	7	15	50	43	-	7	24	24	-	-
盛岡市	263	163	71	29	185	123	43	19	108	76	27	5
秋田市	644	397	159	88	433	289	91	53	252	171	67	14
郡山市	321	196	64	61	205	139	20	46	84	68	10	6
いわき市	500	310	84	106	271	179	30	62	101	75	16	10
宇都宮市	381	238	78	65	232	161	36	35	92	75	10	7
前橋市	339	179	92	68	212	139	37	36	105	68	30	7
高崎市	320	108	122	90	208	70	79	59	80	31	38	11
川越市	222	100	29	93	137	69	10	58	38	26	1	11
越谷市	709	336	81	292	424	231	27	166	136	88	10	38
船橋市	563	261	37	265	357	182	17	158	114	67	12	35
柏市	294	150	11	133	189	106	2	81	84	58	2	24
八王子市	942	494	84	364	556	346	14	196	241	181	11	49
横須賀市	731	340	118	273	454	243	44	167	185	114	27	44
富山市	87	36	15	36	58	22	4	32	12	10	-	2
金沢市	443	248	128	67	301	188	68	45	184	128	44	12
長野市	250	106	62	82	168	80	35	53	76	37	23	16
岐阜市	101	57	13	31	71	49	3	19	32	19	3	10
豊橋市	209	95	53	61	134	60	32	42	32	21	2	9
豊田市	104	55	31	18	62	32	20	10	18	7	9	2
岡崎市	188	83	61	44	132	68	31	33	44	32	9	3
大津市	456	195	108	153	234	111	64	59	104	56	25	23
高槻市	341	167	18	156	209	104	9	96	82	54	7	21
東大阪市	359	200	34	125	238	136	16	86	79	60	10	9
豊中市	861	462	115	284	619	358	83	178	188	134	14	40
枚方市	752	450	101	201	505	335	47	123	264	195	34	35
姫路市	253	95	21	137	172	74	3	95	32	11	1	20
西宮市	548	238	84	226	375	171	47	157	149	86	31	32
尼崎市	391	234	58	99	293	178	39	76	82	73	1	8
奈良市	492	252	61	179	269	158	24	87	138	89	18	31
和歌山市	278	92	77	109	190	73	40	77	76	33	28	15
倉敷市	842	518	122	202	564	384	42	138	302	238	34	30
福山市	392	231	78	83	260	170	39	51	120	85	20	15
呉市	179	74	80	25	123	64	39	20	51	33	16	2
下関市	154	81	28	45	100	56	12	32	54	32	10	12
高松市	502	259	113	130	320	187	50	83	149	97	31	21
松山市	1 355	823	209	323	861	609	49	203	400	318	31	51
高知市	319	211	68	40	212	170	12	30	135	116	9	10
久留米市	266	131	68	67	165	78	32	55	61	35	15	11
長崎市	320	168	85	67	185	117	32	36	92	69	13	10
佐世保市	690	333	203	154	394	207	99	88	183	101	56	26
大分市	301	194	58	49	180	133	20	27	82	70	1	11
宮崎市	531	237	207	87	330	167	104	59	188	102	69	17
鹿児島市	468	258	83	127	239	174	19	46	146	111	16	19
那覇市	169	122	23	24	105	83	9	13	33	24	8	1

注：1）調査方法の変更等による回収率変動の影響を受けているため、数量を示す従事者数の実数は前年以前と単純に年次比較できない。
　　2）介護予防サービスを一体的に行っている事業所の従事者を含む。
　　3）介護予防サービスのみ行っている事業所は対象外とした。

中核市（再掲）、職種（常勤（専従－兼務）－非常勤）別（39－31）

平成29年10月１日

生活相談員								看護師				准看護師			
総数	常勤		非常勤	社会福祉士（再掲）				総数	常勤		非常勤	総数	常勤		非常勤
	専従	兼務		総数	常勤 専従	常勤 兼務	非常勤		専従	兼務			専従	兼務	
100	58	39	3	16	13	2	1	240	112	33	95	112	47	24	41
48	24	22	2	9	4	5	－	71	34	16	21	42	23	6	13
177	79	90	8	9	5	3	1	380	137	42	201	226	65	26	135
69	36	30	3	5	3	1	1	172	71	9	92	114	36	3	75
266	128	116	22	16	7	8	1	656	255	53	348	249	90	21	138
141	57	80	4	4	3	1	－	324	122	27	175	170	50	14	106
44	28	14	2	1	－	1	－	82	40	5	37	60	14	3	43
19	10	9	－	8	6	2	－	34	18	9	7	19	10	6	3
30	18	10	2	2	2	－	－	77	36	7	34	17	8	1	8
25	10	15	－	2	－	2	－	48	26	8	14	12	5	3	4
141	59	77	5	17	10	7	－	257	114	23	120	168	68	18	82
57	25	30	2	22	10	11	1	104	50	12	42	42	20	6	16
159	102	56	1	17	10	7	－	332	173	31	128	142	77	8	57
26	14	12	－	4	4	－	－	37	18	3	16	33	15	4	14
148	74	71	3	29	20	9	－	352	163	62	127	89	36	11	42
60	20	38	2	11	4	7	－	94	40	18	36	57	21	13	23
73	34	36	3	15	10	4	1	79	48	16	15	84	43	16	25
52	26	25	1	9	5	4	－	98	53	13	32	80	47	17	16
83	40	39	4	13	8	5	－	172	108	26	38	119	79	16	24
40	20	20	－	5	4	1	－	67	41	13	13	57	24	13	20
30	14	16	－	1	1	－	－	25	19	4	2	27	16	4	7
17	10	7	－	2	1	1	－	12	9	2	1	23	12	6	5
1	1	－	－	－	－	－	－	1	1	－	－	－	－	－	－
3	3	－	－	1	1	－	－	2	1	1	－	6	5	－	1
15	8	7	－	4	3	1	－	20	12	2	6	7	6	－	1
33	19	14	－	1	1	－	－	47	30	7	10	23	9	6	8
17	7	10	－	2	1	1	－	31	16	6	9	18	12	6	－
22	12	10	－	－	－	－	－	26	17	1	8	42	23	14	5
24	14	8	2	4	3	1	－	41	22	7	12	10	6	－	4
13	6	7	－	1	1	－	－	19	8	2	9	29	10	9	10
18	8	10	－	4	3	1	－	16	9	－	7	19	7	6	6
9	2	7	－	－	－	－	－	28	6	4	18	8	6	－	2
37	14	17	6	5	2	3	－	59	19	4	36	48	14	7	27
16	13	2	1	－	－	－	－	44	14	7	23	22	8	2	12
10	9	1	－	2	2	－	－	24	11	2	11	8	3	1	4
41	22	19	－	6	1	5	－	75	27	10	38	30	14	1	15
29	14	15	－	4	－	4	－	78	24	20	34	28	6	6	16
5	4	1	－	－	－	－	－	7	5	－	2	2	1	－	1
25	13	12	－	8	5	3	－	28	15	9	4	17	7	6	4
16	6	7	3	2	1	1	－	19	10	1	8	4	1	2	1
6	2	2	2	－	－	－	－	9	2	1	6	1	1	－	－
11	4	3	4	4	1	－	3	17	8	6	3	10	6	－	4
4	3	1	－	－	－	－	－	13	9	2	2	7	6	1	－
13	3	8	2	2	－	2	－	10	5	4	1	9	5	2	2
12	7	5	－	5	3	2	－	42	17	6	19	13	5	－	8
15	10	5	－	2	2	－	－	29	16	－	13	10	7	－	3
20	14	5	1	5	4	－	1	36	24	3	9	14	6	2	6
29	18	11	－	5	4	1	－	97	39	5	53	19	11	－	8
26	13	13	－	2	2	－	－	63	35	8	20	19	9	1	9
10	5	5	－	1	1	－	－	23	3	4	16	17	2	1	14
27	12	14	1	2	2	－	－	45	15	7	23	9	6	1	2
13	11	－	2	－	－	－	－	28	12	5	11	11	4	3	4
18	10	8	－	1	1	－	－	41	12	5	24	15	7	2	6
17	7	10	－	1	－	1	－	19	3	5	11	16	5	3	8
35	26	9	－	3	2	1	－	78	36	18	24	36	18	7	11
23	15	5	3	3	2	1	－	24	12	5	7	20	10	4	6
10	2	8	－	1	1	－	－	8	1	3	4	12	1	10	1
8	3	5	－	1	－	1	－	6	3	1	2	4	3	－	1
30	10	18	2	5	1	4	－	36	17	6	13	40	17	12	11
58	31	26	1	9	5	4	－	87	43	16	28	64	32	17	15
20	5	15	－	3	－	3	－	12	8	3	1	17	6	8	3
15	10	5	－	－	－	－	－	13	8	4	1	18	11	3	4
17	6	10	1	6	2	4	－	23	10	6	7	8	3	4	1
37	18	18	1	5	4	1	－	34	18	8	8	47	16	18	13
17	6	11	－	5	1	4	－	23	12	5	6	22	10	3	9
35	13	22	－	4	－	4	－	21	6	7	8	40	10	23	7
20	10	10	－	2	2	－	－	33	14	3	16	22	7	10	5
10	4	6	－	2	2	－	－	11	8	1	2	6	4	1	1

第6表　従事者数，居宅サービスの種類、都道府県－指定都市・

特定施設入居者生活介護

都道府県 指定都市 中核市	計画作成担当者				機能訓練指導員				理学療法士（再掲）			
	総数	常勤		非常勤	総数	常勤		非常勤	総数	常勤		非常勤
		専従	兼務			専従	兼務			専従	兼務	
全国	5 467	2 584	2 235	648	5 565	1 540	1 867	2 158	1 054	356	66	632
北海道	297	157	126	14	261	81	112	68	26	12	3	11
青森	13	3	9	1	13	3	9	1	－	－	－	－
岩手	30	18	12	－	25	8	11	6	1	1	－	－
宮城	52	22	26	4	47	15	23	9	8	5	2	1
秋田	65	24	41	－	59	21	23	15	7	4	1	2
山形	48	9	38	1	37	8	12	17	4	2	1	1
福島	71	33	33	5	72	29	36	7	7	5	1	1
茨城	71	31	34	6	72	18	23	31	17	6	－	11
栃木	60	37	21	2	63	13	28	22	4	2	－	2
群馬	63	27	32	4	79	28	27	24	12	4	3	5
埼玉	430	239	125	66	517	128	138	251	87	23	2	62
千葉	222	145	62	15	234	61	54	119	59	17	4	38
東京	797	409	209	179	827	226	162	439	280	68	5	207
神奈川	576	292	186	98	597	130	167	300	126	33	2	91
新潟	84	42	36	6	85	16	50	19	7	6	1	－
富山	5	2	3	－	5	－	3	2	－	－	－	－
石川	50	15	29	6	33	7	19	7	5	3	1	1
福井	31	5	24	2	24	3	16	5	3	－	3	－
山梨	6	5	1	－	5	2	3	－	－	－	－	－
長野	90	39	36	15	71	22	33	16	8	6	－	2
岐阜	34	7	18	9	34	9	11	14	2	1	－	1
静岡	123	63	55	5	130	48	40	42	25	17	1	7
愛知	225	75	105	45	244	60	66	118	39	10	－	29
三重	55	23	28	4	45	17	19	9	5	4	－	1
滋賀	22	12	9	1	19	7	2	10	5	2	1	2
京都	65	35	29	1	56	11	28	17	7	1	2	4
大阪	359	200	112	47	381	102	101	178	74	17	6	51
兵庫	276	131	123	22	278	69	87	122	66	22	4	40
奈良	58	30	19	9	70	16	28	26	16	2	3	11
和歌山	23	10	12	1	31	3	13	15	－	－	－	－
鳥取	21	4	16	1	16	2	10	4	1	－	1	－
島根	53	17	34	2	42	14	21	7	6	3	3	－
岡山	117	28	76	13	119	26	66	27	11	2	1	8
広島	147	53	84	10	124	29	71	24	8	7	1	－
山口	55	11	42	2	36	17	16	3	2	2	－	－
徳島	4	1	2	1	5	3	2	－	－	－	－	－
香川	46	12	26	8	50	12	25	13	5	1	－	4
愛媛	90	28	52	10	107	21	47	39	16	6	－	10
高知	27	14	13	－	33	14	15	4	3	2	－	1
福岡	250	120	115	15	264	120	90	54	50	33	8	9
佐賀	37	11	21	5	33	13	13	7	8	6	－	2
長崎	78	32	43	3	74	18	38	18	5	1	1	3
熊本	53	19	33	1	59	18	28	13	10	4	3	3
大分	45	17	25	3	35	13	17	5	－	－	－	－
宮崎	67	29	35	3	64	23	35	6	6	2	2	2
鹿児島	50	27	20	3	64	16	26	22	13	5	－	8
沖縄	26	21	5	－	26	20	3	3	10	9	－	1

注：1）調査方法の変更等による回収率変動の影響を受けているため、数量を示す従事者数の実数は前年以前と単純に年次比較できない。
　　2）介護予防サービスを一体的に行っている事業所の従事者を含む。
　　3）介護予防サービスのみ行っている事業所は対象外とした。

中核市（再掲）、職種（常勤（専従－兼務）－非常勤）別（39－32）

平成29年10月１日

作業療法士（再掲）				言語聴覚士（再掲）				看護師（再掲）				准看護師（再掲）			
総数	常勤		非常勤	総数	常勤		非常勤	総数	常勤		非常勤	総数	常勤		非常勤
	専従	兼務			専従	兼務			専従	兼務			専従	兼務	
458	198	44	216	110	17	9	84	1 944	309	963	672	1 361	244	730	387
23	14	2	7	3	3	－	－	98	14	58	26	81	13	48	20
－	－	－	－	－	－	－	－	3	－	3	－	9	2	6	1
4	3	1	－	－	－	－	－	13	2	7	4	6	1	3	2
3	1	1	1	1	1	－	－	15	3	7	5	17	2	13	2
7	5	1	1	1	－	－	1	21	6	9	6	23	6	12	5
1	1	－	－	－	－	－	－	16	2	5	9	11	2	5	4
8	4	2	2	－	－	－	－	15	2	9	4	24	4	20	－
3	1	－	2	1	－	－	1	14	3	7	4	26	4	12	10
4	2	1	1	－	－	－	－	28	4	16	8	25	5	11	9
6	3	1	2	－	－	－	－	21	5	8	8	26	10	9	7
28	12	－	16	11	2	1	8	179	16	66	97	124	14	63	47
30	11	3	16	4	－	－	4	61	5	25	31	38	2	19	17
83	32	1	50	29	2	1	26	200	15	113	72	99	12	39	48
56	13	7	36	20	1	1	18	239	20	112	107	67	3	38	26
3	1	1	1	1	－	1	－	46	4	31	11	23	3	14	6
1	－	－	1	－	－	－	－	3	－	2	1	1	－	1	－
2	1	1	－	－	－	－	－	9	1	8	－	14	2	9	3
1	－	－	1	1	－	1	－	10	2	7	1	8	1	4	3
1	1	－	－	－	－	－	－	3	1	2	－	1	－	1	－
7	3	3	1	1	－	1	－	28	9	12	7	21	4	16	1
－	－	－	－	－	－	－	－	13	4	4	5	16	3	7	6
10	4	2	4	1	－	－	1	50	5	28	17	16	1	7	8
27	10	－	17	7	－	－	7	83	15	36	32	63	11	30	22
1	1	－	－	－	－	－	－	21	6	10	5	10	2	8	－
1	－	－	1	2	－	－	2	2	2	－	－	1	1	－	－
3	－	2	1	1	－	－	1	28	7	15	6	13	1	8	4
20	8	－	12	10	1	1	8	162	39	61	62	80	14	30	36
25	14	－	11	4	－	－	4	118	14	60	44	47	7	23	17
5	2	－	3	1	－	1	－	27	4	18	5	16	5	6	5
2	1	1	－	－	－	－	－	13	－	5	8	16	2	7	7
3	1	1	1	－	－	－	－	6	1	3	2	6	－	5	1
5	5	－	－	3	2	1	－	13	1	8	4	14	3	8	3
2	1	－	1	－	－	－	－	60	14	37	9	44	7	28	9
6	2	－	4	－	－	－	－	52	9	32	11	53	9	37	7
4	3	－	1	－	－	－	－	13	5	6	2	17	7	10	－
2	2	－	－	－	－	－	－	1	1	－	－	2	－	2	－
6	3	1	2	－	－	－	－	13	3	8	2	21	3	16	2
9	2	－	7	－	－	－	－	36	5	22	9	43	5	25	13
－	－	－	－	1	－	－	1	13	5	6	2	15	6	9	－
38	21	9	8	6	4	－	2	85	26	39	20	70	24	33	13
3	－	1	2	－	－	－	－	12	3	8	1	10	4	4	2
2	1	－	1	1	1	－	－	30	7	14	9	33	6	22	5
1	1	－	－	－	－	－	－	18	7	7	4	30	6	18	6
4	2	2	－	－	－	－	－	14	4	7	3	16	6	8	2
2	2	－	－	－	－	－	－	18	5	10	3	36	13	23	－
2	－	－	2	－	－	－	－	20	3	11	6	24	7	11	6
4	4	－	－	－	－	－	－	1	－	1	－	5	1	2	2

特定施設入居者生活介護

都道府県 指定都市 中核市	計画作成担当者				機能訓練指導員				理学療法士（再掲）			
	総数	常勤		非常勤	総数	常勤		非常勤	総数	常勤		非常勤
		専従	兼務			専従	兼務			専従	兼務	
指定都市（再掲）												
札幌市	84	52	28	4	83	37	33	13	10	6	2	2
仙台市	35	16	16	3	32	13	10	9	6	5	－	1
さいたま市	126	75	29	22	155	40	43	72	33	9	1	23
千葉市	58	32	19	7	70	16	16	38	26	7	1	18
横浜市	219	117	74	28	212	56	54	102	41	11	－	30
川崎市	108	53	32	23	122	29	28	65	42	10	－	32
相模原市	38	24	6	8	37	3	12	22	10	2	－	8
新潟市	17	12	4	1	14	6	6	2	3	3	－	－
静岡市	22	13	7	2	29	10	7	12	6	4	－	2
浜松市	27	9	17	1	16	8	6	2	4	4	－	－
名古屋市	106	42	40	24	106	25	26	55	17	3	－	14
京都市	41	23	18	－	35	10	14	11	6	1	1	4
大阪市	140	83	37	20	153	51	36	66	28	6	2	20
堺市	23	7	11	5	26	5	7	14	5	－	1	4
神戸市	130	52	66	12	129	32	38	59	41	13	4	24
岡山市	49	7	35	7	52	4	31	17	9	－	1	8
広島市	66	22	38	6	55	12	27	16	4	3	1	－
北九州市	59	29	26	4	59	31	18	10	16	13	3	－
福岡市	70	41	26	3	81	37	29	15	17	15	1	1
熊本市	36	15	21	－	40	14	14	12	8	2	3	3
中核市（再掲）												
旭川市	24	14	9	1	20	4	5	11	2	1	－	1
函館市	13	8	4	1	14	7	5	2	5	3	－	2
青森市	1	－	1	－	－	－	－	－	－	－	－	－
八戸市	2	－	2	－	2	1	1	－	－	－	－	－
盛岡市	13	6	7	－	12	4	5	3	1	1	－	－
秋田市	31	13	18	－	37	17	12	8	7	4	1	2
郡山市	15	5	9	1	15	5	9	1	2	2	－	－
いわき市	19	11	7	1	20	9	6	5	1	－	－	1
宇都宮市	18	9	8	1	18	7	8	3	1	1	－	－
前橋市	11	4	5	2	18	6	8	4	3	－	3	－
高崎市	11	4	7	－	10	4	3	3	－	－	－	－
川越市	8	4	3	1	6	2	1	3	－	－	－	－
越谷市	27	13	12	2	31	11	5	15	2	－	－	2
船橋市	19	15	3	1	19	5	4	10	5	1	1	3
柏市	7	5	1	1	8	3	2	3	2	1	－	1
八王子市	36	10	22	4	28	9	8	11	5	2	－	3
横須賀市	34	17	12	5	26	6	11	9	2	2	－	－
富山市	4	2	2	－	4	－	3	1	－	－	－	－
金沢市	22	5	14	3	15	4	8	3	1	1	－	－
長野市	13	3	5	5	8	2	4	2	－	－	－	－
岐阜市	4	1	3	－	3	－	2	1	－	－	－	－
豊橋市	8	2	5	1	7	3	2	2	－	－	－	－
豊田市	4	1	3	－	4	－	3	1	1	－	－	1
岡崎市	8	2	5	1	7	－	4	3	1	－	－	1
大津市	16	9	6	1	16	6	2	8	5	2	1	2
高槻市	11	9	2	－	11	5	－	6	1	1	－	－
東大阪市	13	7	4	2	11	3	2	6	3	1	－	2
豊中市	17	9	6	2	23	6	6	11	4	2	－	2
枚方市	29	13	14	2	19	6	6	7	4	1	1	2
姫路市	8	5	3	－	14	1	5	8	－	－	－	－
西宮市	18	9	4	5	21	3	8	10	5	－	－	5
尼崎市	13	11	2	－	10	2	6	2	1	1	－	－
奈良市	15	9	4	2	19	4	9	6	2	－	－	2
和歌山市	12	4	7	1	18	－	6	12	－	－	－	－
倉敷市	36	13	20	3	29	10	16	3	2	2	－	－
福山市	18	7	10	1	14	6	5	3	3	3	－	－
呉市	9	4	5	－	10	－	10	－	－	－	－	－
下関市	8	2	5	1	3	2	1	－	－	－	－	－
高松市	20	8	7	5	20	7	7	6	－	－	－	－
松山市	55	20	27	8	65	13	31	21	4	3	－	1
高知市	15	5	10	－	15	3	9	3	2	1	－	1
久留米市	16	5	11	－	11	5	5	1	1	－	－	1
長崎市	14	8	6	－	14	3	7	4	2	－	－	2
佐世保市	31	14	16	1	35	7	20	8	2	1	－	1
大分市	13	7	6	－	13	3	8	2	－	－	－	－
宮崎市	29	6	21	2	27	6	17	4	4	1	2	1
鹿児島市	16	8	7	1	37	8	12	17	11	4	－	7
那覇市	6	6	－	－	6	5	1	－	1	1	－	－

注：1）調査方法の変更等による回収率変動の影響を受けているため、数量を示す従事者数の実数は前年以前と単純に年次比較できない。
　　2）介護予防サービスを一体的に行っている事業所の従事者を含む。
　　3）介護予防サービスのみ行っている事業所は対象外とした。

平成29年10月１日

作業療法士（再掲）				言語聴覚士（再掲）				看護師（再掲）				准看護師（再掲）			
総数	常勤		非常勤	総数	常勤		非常勤	総数	常勤		非常勤	総数	常勤		非常勤
	専従	兼務			専従	兼務			専従	兼務			専従	兼務	
10	9	1	-	3	3	-	-	32	8	17	7	17	2	13	2
3	1	1	1	-	-	-	-	12	3	4	5	9	2	5	2
12	4	-	8	3	-	-	3	45	3	18	24	33	4	23	6
9	3	2	4	1	-	-	1	15	-	8	7	9	1	4	4
25	5	5	15	13	1	-	12	72	5	34	33	16	-	10	6
17	7	-	10	4	-	-	4	42	5	26	11	5	-	2	3
5	-	1	4	2	-	1	1	15	1	7	7	5	-	3	2
1	1	-	-	-	-	-	-	5	-	4	1	5	2	2	1
1	1	-	-	-	-	-	-	16	1	7	8	-	-	-	-
1	-	-	1	-	-	-	-	8	2	5	1	1	-	1	-
14	6	-	8	4	-	-	4	32	4	13	15	26	4	13	9
2	-	1	1	1	-	-	1	14	6	7	1	8	1	4	3
6	3	-	3	4	1	-	3	74	22	26	26	26	5	7	14
-	-	-	-	-	-	-	-	13	3	3	7	5	1	3	1
12	7	-	5	3	-	-	3	48	6	25	17	17	2	9	6
-	-	-	-	-	-	-	-	22	2	16	4	19	-	14	5
3	1	-	2	-	-	-	-	27	5	13	9	20	3	13	4
11	4	4	3	3	2	-	1	13	5	4	4	13	5	7	1
12	8	1	3	2	1	-	1	33	6	18	9	12	3	9	-
1	1	-	-	-	-	-	-	16	6	6	4	15	5	5	5
-	-	-	-	-	-	-	-	9	1	3	5	9	2	2	5
-	-	-	-	-	-	-	-	2	-	2	-	4	1	3	-
-	-	-	-	-	-	-	-	-	-	-	-	-	-	-	-
-	-	-	-	-	-	-	-	1	-	1	-	-	-	-	-
2	1	1	-	-	-	-	-	7	1	3	3	1	-	1	-
5	4	1	-	1	-	-	1	14	6	4	4	10	3	6	1
4	1	2	1	-	-	-	-	1	-	1	-	4	-	4	-
3	2	-	1	-	-	-	-	6	1	2	3	5	2	3	-
2	2	-	-	-	-	-	-	10	3	6	1	5	1	2	2
2	-	-	2	-	-	-	-	4	3	1	-	3	2	1	-
2	1	1	-	-	-	-	-	1	-	-	1	4	2	-	2
-	-	-	-	1	1	-	-	3	-	1	2	-	-	-	-
4	4	-	-	-	-	-	-	9	-	1	8	8	-	4	4
3	2	-	1	-	-	-	-	7	-	2	5	1	-	1	-
-	-	-	-	-	-	-	-	3	-	2	1	-	-	-	-
3	2	-	1	-	-	-	-	11	1	7	3	4	2	1	1
1	-	-	1	-	-	-	-	16	2	8	6	5	1	3	1
-	-	-	-	-	-	-	-	3	-	2	1	1	-	1	-
1	1	-	-	-	-	-	-	7	1	6	-	3	1	2	-
-	-	-	-	-	-	-	-	2	-	1	1	5	2	3	-
-	-	-	-	-	-	-	-	3	-	2	1	-	-	-	-
-	-	-	-	-	-	-	-	6	2	2	2	-	-	-	-
-	-	-	-	-	-	-	-	1	-	1	-	2	-	2	-
-	-	-	-	-	-	-	-	3	-	2	1	3	-	2	1
1	-	-	1	2	-	-	2	2	2	-	-	-	-	-	-
-	-	-	-	-	-	-	-	6	3	-	3	3	-	-	3
-	-	-	-	-	-	-	-	1	-	-	1	5	-	2	3
2	-	-	2	-	-	-	-	14	3	5	6	-	-	-	-
2	1	-	1	-	-	-	-	9	3	4	2	2	1	1	-
-	-	-	-	-	-	-	-	8	-	4	4	5	-	1	4
4	2	-	2	1	-	-	1	8	-	6	2	2	-	2	-
-	-	-	-	-	-	-	-	5	-	4	1	3	1	2	-
-	-	-	-	-	-	-	-	11	1	8	2	4	2	1	1
1	-	1	-	-	-	-	-	9	-	2	7	8	-	3	5
1	-	-	1	-	-	-	-	15	5	9	1	11	3	7	1
2	1	-	1	-	-	-	-	3	-	2	1	4	1	2	1
-	-	-	-	-	-	-	-	2	-	2	-	8	-	8	-
1	1	-	-	-	-	-	-	2	1	1	-	-	-	-	-
4	3	1	-	-	-	-	-	5	2	1	2	7	1	5	1
6	1	-	5	-	-	-	-	26	3	16	7	26	3	15	8
-	-	-	-	-	-	-	-	3	-	1	2	10	2	8	-
-	-	-	-	-	-	-	-	3	1	2	-	7	4	3	-
1	1	-	-	-	-	-	-	6	-	4	2	4	1	3	-
-	-	-	-	-	-	-	-	14	2	6	6	17	3	13	1
3	2	1	-	-	-	-	-	8	1	6	1	2	-	1	1
-	-	-	-	-	-	-	-	9	2	4	3	14	3	11	-
2	-	-	2	-	-	-	-	12	2	4	6	9	2	5	2
-	-	-	-	-	-	-	-	1	-	1	-	-	-	-	-

特定施設入居者生活介護

都道府県 指定都市 中核市	機能訓練指導員								その他の職員			
	柔道整復師（再掲）				あん摩マッサージ指圧師（再掲）							
	総数	常勤		非常勤	総数	常勤		非常勤	総数	常勤		非常勤
		専従	兼務			専従	兼務			専従	兼務	
全国	387	274	41	72	251	142	14	95	19 825	7 330	2 531	9 964
北海道	23	22	1	-	7	3	-	4	850	351	155	344
青森	1	1	-	-	-	-	-	-	60	26	7	27
岩手	-	-	-	-	1	1	-	-	76	26	32	18
宮城	3	3	-	-	-	-	-	-	124	54	34	36
秋田	-	-	-	-	-	-	-	-	96	54	29	13
山形	5	1	1	3	-	-	-	-	124	63	24	37
福島	14	11	3	-	4	3	1	-	200	103	50	47
茨城	4	1	2	1	7	3	2	2	236	81	27	128
栃木	1	-	-	1	1	-	-	1	131	52	36	43
群馬	9	1	6	2	5	5	-	-	179	59	60	60
埼玉	63	45	5	13	25	16	1	8	1 766	645	202	919
千葉	24	16	2	6	18	10	1	7	1 080	362	71	647
東京	69	57	-	12	67	40	3	24	3 651	1 259	206	2 186
神奈川	53	35	7	11	36	25	-	11	3 146	971	248	1 927
新潟	3	2	1	-	2	-	1	1	179	58	54	67
富山	-	-	-	-	-	-	-	-	20	5	6	9
石川	2	-	-	2	1	-	-	1	89	34	22	33
福井	1	-	1	-	-	-	-	-	69	16	23	30
山梨	-	-	-	-	-	-	-	-	11	9	1	1
長野	4	-	1	3	2	-	-	2	231	86	50	95
岐阜	3	1	-	2	-	-	-	-	102	22	25	55
静岡	11	11	-	-	17	10	2	5	655	277	64	314
愛知	12	11	-	1	13	3	-	10	580	210	87	283
三重	2	2	-	-	6	2	1	3	97	36	22	39
滋賀	7	1	1	5	1	1	-	-	144	44	27	73
京都	2	1	1	-	2	1	-	1	309	131	32	146
大阪	26	19	3	4	9	4	-	5	1 143	434	91	618
兵庫	13	10	-	3	5	2	-	3	1 023	426	111	486
奈良	5	3	-	2	-	-	-	-	317	126	35	156
和歌山	-	-	-	-	-	-	-	-	29	6	15	8
鳥取	-	-	-	-	-	-	-	-	44	19	17	8
島根	1	-	1	-	-	-	-	-	152	58	43	51
岡山	1	1	-	-	1	1	-	-	210	96	55	59
広島	3	1	1	1	2	1	-	1	443	162	64	217
山口	-	-	-	-	-	-	-	-	123	49	31	43
徳島	-	-	-	-	-	-	-	-	7	3	2	2
香川	1	1	-	-	4	1	-	3	55	17	25	13
愛媛	3	3	-	-	-	-	-	-	225	91	69	65
高知	-	-	-	-	1	1	-	-	101	64	21	16
福岡	10	10	-	-	5	2	1	2	794	338	113	343
佐賀	-	-	-	-	-	-	-	-	86	31	19	36
長崎	3	2	1	-	-	-	-	-	246	90	72	84
熊本	-	-	-	-	-	-	-	-	95	33	38	24
大分	-	-	-	-	1	1	-	-	106	58	24	24
宮崎	-	-	-	-	2	1	-	1	153	78	41	34
鹿児島	3	-	3	-	2	1	1	-	178	75	39	64
沖縄	2	2	-	-	4	4	-	-	90	42	12	36

注：1）調査方法の変更等による回収率変動の影響を受けているため、数量を示す従事者数の実数は前年以前と単純に年次比較できない。
2）介護予防サービスを一体的に行っている事業所の従事者を含む。
3）介護予防サービスのみ行っている事業所は対象外とした。

中核市（再掲）、職種（常勤（専従－兼務）－非常勤）別（39－34）

平成29年10月１日

都道府県 指定都市 中核市	機能訓練指導員								その他の職員			
	柔道整復師（再掲）				あん摩マッサージ指圧師（再掲）							
	総数	常勤		非常勤	総数	常勤		非常勤	総数	常勤		非常勤
		専従	兼務			専従	兼務			専従	兼務	
指定都市(再掲)												
札幌市	7	7	－	－	4	2	－	2	384	152	51	181
仙台市	2	2	－	－	－	－	－	－	86	48	16	22
さいたま市	19	14	1	4	10	6	－	4	492	175	55	262
千葉市	3	－	1	2	7	5	－	2	313	110	14	189
横浜市	28	20	5	3	17	14	－	3	1 314	423	88	803
川崎市	6	4	－	2	6	3	－	3	541	136	23	382
相模原市	－	－	－	－	－	－	－	－	166	42	12	112
新潟市	－	－	－	－	－	－	－	－	46	17	17	12
静岡市	2	2	－	－	4	2	－	2	135	41	20	74
浜松市	2	2	－	－	－	－	－	－	89	36	8	45
名古屋市	5	5	－	－	8	3	－	5	264	87	25	152
京都市	2	1	1	－	2	1	－	1	142	63	17	62
大阪市	12	11	1	－	3	3	－	－	368	147	33	188
堺市	3	1	－	2	－	－	－	－	102	32	8	62
神戸市	5	2	－	3	3	2	－	1	637	266	51	320
岡山市	1	1	－	－	1	1	－	－	62	26	18	18
広島市	1	－	－	1	－	－	－	－	264	94	18	152
北九州市	2	2	－	－	1	－	－	1	162	71	31	60
福岡市	4	4	－	－	1	－	－	1	316	147	24	145
熊本市	－	－	－	－	－	－	－	－	69	23	24	22
中核市(再掲)												
旭川市	－	－	－	－	－	－	－	－	40	19	8	13
函館市	3	3	－	－	－	－	－	－	30	13	8	9
青森市	－	－	－	－	－	－	－	－	6	5	1	－
八戸市	1	1	－	－	－	－	－	－	23	13	3	7
盛岡市	－	－	－	－	1	1	－	－	11	4	7	－
秋田市	－	－	－	－	－	－	－	－	40	20	11	9
郡山市	4	2	2	－	－	－	－	－	20	12	4	4
いわき市	5	4	1	－	－	－	－	－	100	59	16	25
宇都宮市	－	－	－	－	－	－	－	－	38	19	11	8
前橋市	5	－	3	2	1	1	－	－	37	6	24	7
高崎市	2	－	2	－	1	1	－	－	38	6	17	15
川越市	2	1	－	1	－	－	－	－	26	11	4	11
越谷市	8	7	－	1	－	－	－	－	83	34	9	40
船橋市	2	1	－	1	1	1	－	－	86	24	2	60
柏市	3	2	－	1	－	－	－	－	48	13	2	33
八王子市	3	1	－	2	2	1	－	1	176	66	10	100
横須賀市	－	－	－	－	2	1	－	1	82	30	10	42
富山市	－	－	－	－	－	－	－	－	7	2	5	－
金沢市	2	－	－	2	1	－	－	1	35	16	11	8
長野市	1	－	－	1	－	－	－	－	22	4	8	10
岐阜市	－	－	－	－	－	－	－	－	7	2	2	3
豊橋市	1	1	－	－	－	－	－	－	22	12	5	5
豊田市	－	－	－	－	－	－	－	－	10	4	1	5
岡崎市	－	－	－	－	－	－	－	－	9	－	7	2
大津市	5	1	1	3	1	1	－	－	123	40	25	58
高槻市	1	1	－	－	－	－	－	－	56	16	2	38
東大阪市	2	2	－	－	－	－	－	－	27	10	2	15
豊中市	3	1	1	1	－	－	－	－	57	21	4	32
枚方市	－	－	－	－	2	－	－	2	91	39	12	40
姫路市	1	1	－	－	－	－	－	－	9	5	－	4
西宮市	1	1	－	－	－	－	－	－	53	22	3	28
尼崎市	－	－	－	－	1	－	－	1	23	16	3	4
奈良市	2	1	－	1	－	－	－	－	115	52	9	54
和歌山市	－	－	－	－	－	－	－	－	6	－	6	－
倉敷市	－	－	－	－	－	－	－	－	64	31	10	23
福山市	1	－	1	－	1	1	－	－	33	11	10	12
呉市	－	－	－	－	－	－	－	－	7	2	5	－
下関市	－	－	－	－	－	－	－	－	25	12	4	9
高松市	－	－	－	－	4	1	－	3	36	13	13	10
松山市	3	3	－	－	－	－	－	－	165	75	43	47
高知市	－	－	－	－	－	－	－	－	28	14	11	3
久留米市	－	－	－	－	－	－	－	－	28	14	8	6
長崎市	1	1	－	－	－	－	－	－	59	21	20	18
佐世保市	2	1	1	－	－	－	－	－	112	53	24	35
大分市	－	－	－	－	－	－	－	－	33	23	5	5
宮崎市	－	－	－	－	－	－	－	－	49	29	13	7
鹿児島市	3	－	3	－	－	－	－	－	101	37	22	42
那覇市	1	1	－	－	3	3	－	－	25	12	5	8

福祉用具貸与

都道府県 指定都市 中核市	総数				福祉用具専門相談員				その他の職員			
	総数	常勤		非常勤	総数	常勤		非常勤	総数	常勤		非常勤
		専従	兼務			専従	兼務			専従	兼務	
全国	36 133	23 870	8 452	3 811	27 111	18 910	5 796	2 405	9 022	4 960	2 656	1 406
北海道	1 357	882	367	108	976	661	247	68	381	221	120	40
青森	500	303	155	42	362	241	95	26	138	62	60	16
岩手	382	248	98	36	285	190	73	22	97	58	25	14
宮城	620	431	150	39	454	336	95	23	166	95	55	16
秋田	299	209	78	12	205	153	47	5	94	56	31	7
山形	381	222	128	31	279	167	96	16	102	55	32	15
福島	759	540	168	51	560	417	110	33	199	123	58	18
茨城	581	391	132	58	412	296	85	31	169	95	47	27
栃木	477	277	143	57	349	224	94	31	128	53	49	26
群馬	569	369	155	45	419	297	97	25	150	72	58	20
埼玉	1 562	1 110	299	153	1 214	896	221	97	348	214	78	56
千葉	1 395	882	394	119	1 076	711	289	76	319	171	105	43
東京	3 119	1 919	755	445	2 412	1 586	519	307	707	333	236	138
神奈川	1 769	1 033	511	225	1 375	847	360	168	394	186	151	57
新潟	793	581	163	49	590	446	125	19	203	135	38	30
富山	355	247	86	22	263	192	61	10	92	55	25	12
石川	371	247	87	37	279	194	64	21	92	53	23	16
福井	259	137	77	45	188	106	57	25	71	31	20	20
山梨	230	161	50	19	182	136	32	14	48	25	18	5
長野	765	551	164	50	558	415	110	33	207	136	54	17
岐阜	669	401	173	95	500	320	111	69	169	81	62	26
静岡	914	623	177	114	704	506	122	76	210	117	55	38
愛知	1 866	1 144	420	302	1 465	959	273	233	401	185	147	69
三重	637	422	139	76	468	326	87	55	169	96	52	21
滋賀	393	241	109	43	301	201	69	31	92	40	40	12
京都	754	556	148	50	568	433	118	17	186	123	30	33
大阪	3 357	2 290	663	404	2 527	1 832	470	225	830	458	193	179
兵庫	1 773	1 225	365	183	1 304	970	242	92	469	255	123	91
奈良	514	265	164	85	351	198	108	45	163	67	56	40
和歌山	423	284	97	42	326	230	67	29	97	54	30	13
鳥取	247	166	67	14	162	123	30	9	85	43	37	5
島根	319	198	99	22	241	156	70	15	78	42	29	7
岡山	450	301	97	52	347	235	75	37	103	66	22	15
広島	985	652	171	162	721	499	108	114	264	153	63	48
山口	450	323	83	44	326	250	54	22	124	73	29	22
徳島	284	192	61	31	225	157	47	21	59	35	14	10
香川	335	225	77	33	261	179	63	19	74	46	14	14
愛媛	480	350	92	38	357	269	61	27	123	81	31	11
高知	205	162	28	15	140	118	16	6	65	44	12	9
福岡	1 570	1 034	414	122	1 118	786	264	68	452	248	150	54
佐賀	230	161	60	9	160	118	36	6	70	43	24	3
長崎	471	332	112	27	362	264	80	18	109	68	32	9
熊本	709	489	168	52	508	370	113	25	201	119	55	27
大分	350	230	80	40	269	185	56	28	81	45	24	12
宮崎	391	300	62	29	312	251	52	9	79	49	10	20
鹿児島	477	340	111	26	408	303	88	17	69	37	23	9
沖縄	337	224	55	58	242	161	39	42	95	63	16	16

注：1）調査方法の変更等による回収率変動の影響を受けているため、数量を示す従事者数の実数は前年以前と単純に年次比較できない。
　　2）介護予防サービスを一体的に行っている事業所の従事者を含む。
　　3）介護予防サービスのみ行っている事業所は対象外とした。

中核市（再掲）、職種（常勤（専従－兼務）－非常勤）別（39－35）

平成29年10月１日

都道府県 指定都市 中核市	総数				福祉用具専門相談員				その他の職員			
	総数	常勤		非常勤	総数	常勤		非常勤	総数	常勤		非常勤
		専従	兼務			専従	兼務			専従	兼務	
指定都市（再掲）												
札幌市	428	283	118	27	290	201	75	14	138	82	43	13
仙台市	247	186	48	13	194	157	31	6	53	29	17	7
さいたま市	266	181	60	25	197	140	39	18	69	41	21	7
千葉市	362	242	90	30	279	196	67	16	83	46	23	14
横浜市	761	422	245	94	581	336	175	70	180	86	70	24
川崎市	180	119	46	15	137	97	31	9	43	22	15	6
相模原市	190	104	59	27	152	85	46	21	38	19	13	6
新潟市	279	196	62	21	217	159	51	7	62	37	11	14
静岡市	191	128	31	32	147	106	21	20	44	22	10	12
浜松市	294	205	64	25	222	164	45	13	72	41	19	12
名古屋市	810	507	163	140	621	406	107	108	189	101	56	32
京都市	510	405	70	35	379	314	52	13	131	91	18	22
大阪市	1 205	815	272	118	937	661	192	84	268	154	80	34
堺市	420	256	94	70	319	213	68	38	101	43	26	32
神戸市	553	420	85	48	411	342	43	26	142	78	42	22
岡山市	225	144	60	21	174	108	49	17	51	36	11	4
広島市	407	303	53	51	280	224	30	26	127	79	23	25
北九州市	382	272	78	32	286	212	58	16	96	60	20	16
福岡市	460	307	119	34	344	242	82	20	116	65	37	14
熊本市	289	209	59	21	205	163	37	5	84	46	22	16
中核市（再掲）												
旭川市	152	110	37	5	113	88	23	2	39	22	14	3
函館市	87	70	13	4	63	52	8	3	24	18	5	1
青森市	155	94	52	9	108	71	33	4	47	23	19	5
八戸市	116	82	20	14	88	65	13	10	28	17	7	4
盛岡市	89	57	19	13	68	45	12	11	21	12	7	2
秋田市	142	106	29	7	95	81	12	2	47	25	17	5
郡山市	184	122	49	13	130	90	29	11	54	32	20	2
いわき市	138	102	31	5	104	76	23	5	34	26	8	－
宇都宮市	178	115	45	18	134	99	31	4	44	16	14	14
前橋市	103	71	26	6	79	56	18	5	24	15	8	1
高崎市	119	90	25	4	90	76	13	1	29	14	12	3
川越市	74	45	21	8	61	38	18	5	13	7	3	3
越谷市	34	24	－	10	26	19	－	7	8	5	－	3
船橋市	125	69	48	8	94	58	36	－	31	11	12	8
柏市	80	54	24	2	58	42	14	2	22	12	10	－
八王子市	161	92	39	30	124	70	30	24	37	22	9	6
横須賀市	73	50	14	9	63	45	10	8	10	5	4	1
富山市	173	125	41	7	130	93	33	4	43	32	8	3
金沢市	226	155	49	22	171	122	36	13	55	33	13	9
長野市	146	113	22	11	115	93	16	6	31	20	6	5
岐阜市	227	153	52	22	173	123	38	12	54	30	14	10
豊橋市	68	47	10	11	46	35	5	6	22	12	5	5
豊田市	55	30	17	8	44	27	9	8	11	3	8	－
岡崎市	107	72	23	12	86	64	12	10	21	8	11	2
大津市	95	63	24	8	70	54	14	2	25	9	10	6
高槻市	112	77	26	9	67	51	14	2	45	26	12	7
東大阪市	319	247	31	41	202	170	24	8	117	77	7	33
豊中市	106	76	22	8	85	65	14	6	21	11	8	2
枚方市	137	85	27	25	99	68	18	13	38	17	9	12
姫路市	222	145	41	36	162	118	32	12	60	27	9	24
西宮市	109	67	32	10	94	59	26	9	15	8	6	1
尼崎市	173	135	20	18	136	114	10	12	37	21	10	6
奈良市	121	94	21	6	80	60	15	5	41	34	6	1
和歌山市	257	175	57	25	201	141	40	20	56	34	17	5
倉敷市	101	74	18	9	83	60	14	9	18	14	4	－
福山市	230	138	39	53	164	99	29	36	66	39	10	17
呉市	69	46	14	9	48	33	8	7	21	13	6	2
下関市	121	79	28	14	84	57	16	11	37	22	12	3
高松市	171	98	50	23	135	82	39	14	36	16	11	9
松山市	209	153	40	16	135	102	22	11	74	51	18	5
高知市	138	117	14	7	94	84	7	3	44	33	7	4
久留米市	139	94	41	4	85	65	18	2	54	29	23	2
長崎市	142	103	33	6	118	85	27	6	24	18	6	－
佐世保市	99	77	15	7	72	63	7	2	27	14	8	5
大分市	122	99	14	9	98	82	9	7	24	17	5	2
宮崎市	158	129	15	14	120	105	10	5	38	24	5	9
鹿児島市	175	124	40	11	150	109	33	8	25	15	7	3
那覇市	60	42	7	11	45	32	5	8	15	10	2	3

第6表　従事者数，居宅サービスの種類、都道府県－指定都市・

居宅介護支援

都道府県 指定都市 中核市	総数				介護支援専門員				その他の職員			
	総数	常勤		非常勤	総数	常勤		非常勤	総数	常勤		非常勤
		専従	兼務			専従	兼務			専従	兼務	
全国	125 083	71 429	38 593	15 061	104 049	67 255	24 199	12 595	21 034	4 174	14 394	2 466
北海道	5 249	3 028	1 792	429	4 321	2 844	1 111	366	928	184	681	63
青森	1 834	1 159	593	82	1 525	1 096	380	49	309	63	213	33
岩手	1 548	1 036	433	79	1 335	1 003	263	69	213	33	170	10
宮城	2 136	1 305	688	143	1 762	1 243	405	114	374	62	283	29
秋田	1 412	893	467	52	1 175	845	295	35	237	48	172	17
山形	1 336	782	487	67	1 084	764	264	56	252	18	223	11
福島	2 037	1 288	662	87	1 694	1 228	400	66	343	60	262	21
茨城	2 657	1 369	1 019	269	2 165	1 308	619	238	492	61	400	31
栃木	1 653	990	504	159	1 358	943	289	126	295	47	215	33
群馬	2 218	1 164	794	260	1 825	1 103	495	227	393	61	299	33
埼玉	5 554	3 147	1 633	774	4 584	2 933	1 002	649	970	214	631	125
千葉	5 528	3 048	1 724	756	4 549	2 815	1 087	647	979	233	637	109
東京	10 512	5 682	3 385	1 445	8 627	5 289	2 164	1 174	1 885	393	1 221	271
神奈川	7 607	3 338	2 772	1 497	6 180	3 135	1 779	1 266	1 427	203	993	231
新潟	2 398	1 614	663	121	2 014	1 538	386	90	384	76	277	31
富山	1 062	718	240	104	939	684	174	81	123	34	66	23
石川	1 061	648	349	64	889	622	210	57	172	26	139	7
福井	887	498	305	84	733	477	185	71	154	21	120	13
山梨	1 017	508	362	147	829	475	225	129	188	33	137	18
長野	2 297	1 376	594	327	1 968	1 306	375	287	329	70	219	40
岐阜	2 110	1 117	663	330	1 791	1 064	433	294	319	53	230	36
静岡	3 382	1 996	886	500	2 856	1 919	534	403	526	77	352	97
愛知	5 903	3 170	1 674	1 059	5 014	3 018	1 063	933	889	152	611	126
三重	2 017	1 172	527	318	1 680	1 089	320	271	337	83	207	47
滋賀	1 438	785	485	168	1 171	736	287	148	267	49	198	20
京都	2 713	1 584	843	286	2 247	1 464	543	240	466	120	300	46
大阪	11 159	6 399	2 931	1 829	9 297	5 901	1 912	1 484	1 862	498	1 019	345
兵庫	5 665	3 154	1 653	858	4 693	2 942	1 061	690	972	212	592	168
奈良	1 538	852	466	220	1 244	787	284	173	294	65	182	47
和歌山	1 450	728	599	123	1 205	690	405	110	245	38	194	13
鳥取	562	356	185	21	476	339	118	19	86	17	67	2
島根	974	538	358	78	785	501	227	57	189	37	131	21
岡山	1 848	1 099	525	224	1 603	1 052	341	210	245	47	184	14
広島	3 043	1 731	855	457	2 567	1 636	521	410	476	95	334	47
山口	1 439	899	424	116	1 250	863	286	101	189	36	138	15
徳島	937	567	292	78	814	550	195	69	123	17	97	9
香川	1 138	682	297	159	999	662	189	148	139	20	108	11
愛媛	1 672	1 077	436	159	1 434	1 032	270	132	238	45	166	27
高知	702	469	204	29	598	443	131	24	104	26	73	5
福岡	4 877	2 902	1 553	422	3 996	2 698	960	338	881	204	593	84
佐賀	854	537	263	54	770	516	205	49	84	21	58	5
長崎	1 665	1 035	506	124	1 367	979	292	96	298	56	214	28
熊本	2 303	1 355	819	129	1 894	1 289	503	102	409	66	316	27
大分	1 393	839	433	121	1 164	789	277	98	229	50	156	23
宮崎	1 206	836	310	60	1 028	792	191	45	178	44	119	15
鹿児島	1 795	1 193	476	126	1 511	1 142	269	100	284	51	207	26
沖縄	1 297	766	464	67	1 039	711	274	54	258	55	190	13

注：調査方法の変更等による回収率変動の影響を受けているため、数量を示す従事者数の実数は前年以前と単純に年次比較できない。

中核市（再掲）、職種（常勤（専従－兼務）－非常勤）別（39－36）

平成29年10月１日

都道府県 指定都市 中核市	総数				介護支援専門員				その他の職員			
	総数	常勤		非常勤	総数	常勤		非常勤	総数	常勤		非常勤
		専従	兼務			専従	兼務			専従	兼務	
指定都市(再掲)												
札幌市	1 680	1 044	487	149	1 405	976	293	136	275	68	194	13
仙台市	784	475	246	63	628	442	135	51	156	33	111	12
さいたま市	1 001	532	320	149	813	494	196	123	188	38	124	26
千葉市	866	454	257	155	709	421	160	128	157	33	97	27
横浜市	3 357	1 448	1 182	727	2 747	1 352	780	615	610	96	402	112
川崎市	1 062	470	393	199	840	434	247	159	222	36	146	40
相模原市	605	252	219	134	496	242	139	115	109	10	80	19
新潟市	833	544	240	49	673	503	136	34	160	41	104	15
静岡市	758	430	188	140	667	410	127	130	91	20	61	10
浜松市	654	404	152	98	580	394	96	90	74	10	56	8
名古屋市	2 184	1 168	617	399	1 825	1 092	386	347	359	76	231	52
京都市	1 546	935	439	172	1 303	863	296	144	243	72	143	28
大阪市	4 130	2 358	1 135	637	3 431	2 171	755	505	699	187	380	132
堺市	1 090	629	252	209	900	573	161	166	190	56	91	43
神戸市	1 460	793	418	249	1 164	728	271	165	296	65	147	84
岡山市	664	412	179	73	578	392	117	69	86	20	62	4
広島市	1 151	659	348	144	968	630	209	129	183	29	139	15
北九州市	1 179	694	364	121	985	655	218	112	194	39	146	9
福岡市	1 176	712	369	95	980	655	252	73	196	57	117	22
熊本市	820	497	271	52	691	470	179	42	129	27	92	10
中核市(再掲)												
旭川市	463	275	159	29	383	258	98	27	80	17	61	2
函館市	300	208	81	11	259	197	53	9	41	11	28	2
青森市	393	249	122	22	329	233	79	17	64	16	43	5
八戸市	301	206	75	20	246	186	51	9	55	20	24	11
盛岡市	346	246	79	21	310	236	54	20	36	10	25	1
秋田市	398	263	113	22	322	246	68	8	76	17	45	14
郡山市	289	183	93	13	237	170	57	10	52	13	36	3
いわき市	458	288	152	18	389	272	102	15	69	16	50	3
宇都宮市	376	203	108	65	296	192	60	44	80	11	48	21
前橋市	385	196	132	57	316	184	82	50	69	12	50	7
高崎市	390	209	133	48	327	198	88	41	63	11	45	7
川越市	248	157	74	17	211	148	49	14	37	9	25	3
越谷市	199	115	65	19	180	113	48	19	19	2	17	-
船橋市	548	307	162	79	445	278	94	73	103	29	68	6
柏市	357	201	108	48	294	183	71	40	63	18	37	8
八王子市	413	241	113	59	355	232	68	55	58	9	45	4
横須賀市	411	191	155	65	329	183	92	54	82	8	63	11
富山市	401	281	74	46	356	265	54	37	45	16	20	9
金沢市	424	254	145	25	354	243	87	24	70	11	58	1
長野市	375	225	95	55	320	215	58	47	55	10	37	8
岐阜市	470	219	172	79	402	205	126	71	68	14	46	8
豊橋市	207	113	58	36	175	105	36	34	32	8	22	2
豊田市	205	109	59	37	171	104	34	33	34	5	25	4
岡崎市	293	147	89	57	243	137	54	52	50	10	35	5
大津市	388	210	148	30	308	189	92	27	80	21	56	3
高槻市	298	168	73	57	258	157	54	47	40	11	19	10
東大阪市	665	373	194	98	540	345	118	77	125	28	76	21
豊中市	465	232	131	102	380	213	82	85	85	19	49	17
枚方市	438	254	112	72	364	233	72	59	74	21	40	13
姫路市	553	283	164	106	482	271	106	105	71	12	58	1
西宮市	392	223	99	70	309	198	67	44	83	25	32	26
尼崎市	588	338	162	88	500	321	104	75	88	17	58	13
奈良市	416	236	109	71	354	225	64	65	62	11	45	6
和歌山市	587	277	256	54	484	258	178	48	103	19	78	6
倉敷市	432	257	109	66	374	245	69	60	58	12	40	6
福山市	438	274	97	67	379	256	59	64	59	18	38	3
呉市	246	128	81	37	196	120	45	31	50	8	36	6
下関市	309	205	71	33	267	192	46	29	42	13	25	4
高松市	525	318	104	103	476	308	70	98	49	10	34	5
松山市	591	363	162	66	496	343	97	56	95	20	65	10
高知市	319	217	91	11	276	205	61	10	43	12	30	1
久留米市	310	197	80	33	256	185	44	27	54	12	36	6
長崎市	604	407	155	42	510	379	96	35	94	28	59	7
佐世保市	246	152	77	17	205	147	46	12	41	5	31	5
大分市	487	340	104	43	429	323	68	38	58	17	36	5
宮崎市	372	262	83	27	329	253	58	18	43	9	25	9
鹿児島市	550	400	106	44	480	377	64	39	70	23	42	5
那覇市	225	144	73	8	183	136	41	6	42	8	32	2

第6表　従事者数，居宅サービスの種類、都道府県－指定都市・

介護予防支援

都道府県 指定都市 中核市	総数				専門職員				保健師（再掲）			
	総数	常勤 専従	常勤 兼務	非常勤	総数	常勤 専従	常勤 兼務	非常勤	総数	常勤 専従	常勤 兼務	非常勤
全国	34 062	22 396	7 369	4 297	28 777	20 318	5 247	3 212	4 414	3 091	1 099	224
北海道	1 891	1 100	671	120	1 523	957	471	95	398	211	169	18
青森	423	289	65	69	347	258	29	60	73	61	9	3
岩手	403	222	101	80	312	195	53	64	82	51	27	4
宮城	605	427	137	41	517	390	93	34	75	44	25	6
秋田	350	227	84	39	276	193	55	28	62	48	8	6
山形	409	275	105	29	326	244	59	23	64	47	16	1
福島	659	492	146	21	561	458	93	10	87	67	17	3
茨城	461	297	97	67	370	262	56	52	71	56	13	2
栃木	498	391	71	36	429	359	40	30	66	60	4	2
群馬	598	406	140	52	502	365	95	42	103	78	19	6
埼玉	1 600	1 127	303	170	1 382	1 079	198	105	149	118	21	10
千葉	1 250	821	204	225	1 017	716	145	156	147	119	22	6
東京	3 065	2 146	534	385	2 657	1 975	399	283	191	149	32	10
神奈川	1 804	1 067	474	263	1 552	1 026	333	193	143	109	27	7
新潟	634	458	127	49	543	423	89	31	99	74	23	2
富山	415	276	99	40	379	268	81	30	53	35	14	4
石川	297	223	57	17	250	208	32	10	42	35	6	1
福井	209	147	45	17	178	133	30	15	29	24	5	−
山梨	225	146	56	23	186	133	32	21	67	47	16	4
長野	722	478	168	76	563	413	103	47	150	100	42	8
岐阜	565	304	156	105	483	278	121	84	77	48	25	4
静岡	862	652	129	81	758	609	86	63	94	79	9	6
愛知	1 789	1 052	396	341	1 522	979	294	249	225	146	51	28
三重	432	288	105	39	363	261	72	30	64	44	17	3
滋賀	330	171	128	31	273	151	94	28	61	28	30	3
京都	723	482	147	94	637	464	99	74	73	52	17	4
大阪	1 787	1 283	273	231	1 526	1 189	197	140	132	114	13	5
兵庫	1 382	948	264	170	1 188	878	190	120	131	106	20	5
奈良	401	279	81	41	343	257	59	27	60	46	13	1
和歌山	306	190	109	7	263	170	88	5	62	32	30	−
鳥取	211	153	40	18	178	132	31	15	43	32	10	1
島根	246	135	54	57	199	119	29	51	41	28	9	4
岡山	613	353	207	53	526	312	175	39	64	36	24	4
広島	971	668	179	124	857	622	145	90	151	106	36	9
山口	491	291	138	62	430	266	113	51	105	51	45	9
徳島	299	161	84	54	259	140	72	47	37	23	10	4
香川	298	209	16	73	249	176	12	61	60	53	6	1
愛媛	377	252	101	24	312	220	71	21	60	40	19	1
高知	247	116	68	63	197	80	57	60	44	19	22	3
福岡	1 682	991	317	374	1 460	879	255	326	222	135	78	9
佐賀	304	170	93	41	235	138	62	35	31	19	11	1
長崎	486	274	88	124	382	232	58	92	74	54	13	7
熊本	682	447	103	132	561	396	72	93	65	51	13	1
大分	447	321	94	32	375	277	77	21	55	39	13	3
宮崎	437	323	83	31	372	295	57	20	69	56	11	2
鹿児島	715	572	122	21	626	513	102	11	108	83	24	1
沖縄	461	296	110	55	333	230	73	30	55	38	15	2

注：調査方法の変更等による回収率変動の影響を受けているため、数量を示す従事者数の実数は前年以前と単純に年次比較できない。

平成29年10月１日

看護師（再掲）				社会福祉士（再掲）				介護支援専門員（再掲）			
総数	常勤		非常勤	総数	常勤		非常勤	総数	常勤		非常勤
	専従	兼務			専従	兼務			専従	兼務	
3 386	2 492	527	367	8 193	6 164	1 586	443	12 317	8 250	1 945	2 122
74	53	16	5	410	283	116	11	614	393	162	59
38	24	5	9	82	64	5	13	143	104	8	31
39	19	1	19	64	48	11	5	116	69	13	34
67	56	7	4	139	109	26	4	226	172	34	20
24	17	4	3	64	51	12	1	114	70	26	18
36	28	5	3	91	74	12	5	129	93	23	13
79	70	8	1	177	149	27	1	194	155	36	3
34	25	6	3	96	75	18	3	164	101	19	44
77	69	4	4	123	107	13	3	156	118	18	20
62	45	9	8	145	117	24	4	171	115	34	22
236	197	29	10	457	386	56	15	519	365	88	66
145	107	14	24	315	241	57	17	402	244	49	109
404	313	57	34	939	741	148	50	1 086	744	155	187
255	176	62	17	535	382	118	35	604	349	125	130
67	55	3	9	176	144	27	5	191	142	34	15
56	41	10	5	123	90	28	5	142	98	29	15
33	30	3	－	77	65	10	2	93	75	12	6
27	19	4	4	47	39	8	－	74	50	13	11
7	3	1	3	48	39	4	5	61	42	10	9
66	49	4	13	139	106	28	5	189	149	20	20
62	42	13	7	134	80	45	9	205	106	38	61
109	92	11	6	254	209	29	16	279	213	33	33
205	139	39	27	513	351	112	50	570	339	90	141
38	25	9	4	111	85	19	7	145	103	27	15
24	11	5	8	66	39	24	3	119	70	35	14
83	59	15	9	175	139	30	6	297	205	37	55
204	174	24	6	467	379	70	18	695	498	86	111
128	98	20	10	329	256	58	15	587	411	90	86
31	26	5	－	94	72	15	7	156	112	25	19
15	8	3	4	49	29	20	－	134	98	35	1
10	9	－	1	41	25	9	7	84	66	12	6
13	8	3	2	28	19	6	3	113	61	11	41
37	22	14	1	153	79	69	5	266	170	68	28
69	49	9	11	256	201	41	14	376	261	59	56
53	34	14	5	121	77	33	11	148	103	21	24
27	13	9	5	50	28	13	9	135	72	37	26
8	4	－	4	51	38	2	11	129	80	4	45
27	15	12	－	55	35	20	－	168	128	20	20
7	3	2	2	30	14	12	4	112	43	18	51
107	67	20	20	286	187	68	31	836	485	87	264
25	10	12	3	45	21	21	3	133	87	18	28
24	8	2	14	86	60	16	10	193	108	24	61
79	46	9	24	158	131	24	3	250	159	26	65
36	30	5	1	110	78	25	7	159	116	34	9
40	32	5	3	98	77	19	2	157	122	22	13
60	48	7	5	118	95	20	3	330	279	50	1
39	24	8	7	68	50	18	－	153	107	30	16

介護予防支援

都道府県 指定都市 中核市	総数 総数	総数 常勤 専従	総数 常勤 兼務	総数 非常勤	専門職員 総数	専門職員 常勤 専従	専門職員 常勤 兼務	専門職員 非常勤	保健師（再掲） 総数	保健師（再掲） 常勤 専従	保健師（再掲） 常勤 兼務	保健師（再掲） 非常勤
指定都市（再掲）												
札幌市	417	306	88	23	348	259	71	18	60	45	14	1
仙台市	231	183	44	4	202	168	32	2	15	12	3	-
さいたま市	183	150	24	9	161	143	16	2	12	11	1	-
千葉市	158	126	16	16	125	104	12	9	17	15	2	-
横浜市	650	325	188	137	557	318	136	103	48	40	8	-
川崎市	258	176	55	27	216	158	42	16	18	14	4	-
相模原市	184	92	79	13	165	89	64	12	16	11	5	-
新潟市	168	146	16	6	153	139	11	3	31	31	-	-
静岡市	143	104	21	18	129	98	17	14	14	12	1	1
浜松市	154	126	9	19	145	121	6	18	13	11	-	2
名古屋市	624	318	173	133	529	282	154	93	82	37	38	7
京都市	377	282	66	29	340	271	52	17	22	21	1	-
大阪市	518	382	75	61	434	348	56	30	28	25	2	1
堺市	124	77	27	20	105	72	24	9	6	6	-	-
神戸市	461	271	122	68	391	257	84	50	29	20	7	2
岡山市	150	39	104	7	133	36	90	7	14	2	12	-
広島市	410	324	68	18	385	312	63	10	62	55	7	-
北九州市	207	200	6	1	203	196	6	1	43	41	2	-
福岡市	540	194	196	150	465	171	174	120	66	6	58	2
熊本市	243	199	26	18	207	178	20	9	23	22	1	-
中核市（再掲）												
旭川市	84	41	34	9	48	21	21	6	10	2	7	1
函館市	80	74	4	2	67	63	3	1	14	14	-	-
青森市	67	56	10	1	58	53	4	1	5	5	-	-
八戸市	46	14	-	32	43	12	-	31	7	6	-	1
盛岡市	48	42	6	-	43	41	2	-	10	10	-	-
秋田市	88	57	31	-	73	52	21	-	15	12	3	-
郡山市	79	66	11	2	75	66	7	2	10	9	-	1
いわき市	87	76	11	-	84	73	11	-	20	17	3	-
宇都宮市	128	109	9	10	118	105	4	9	12	11	-	1
前橋市	80	64	12	4	65	60	3	2	9	8	-	1
高崎市	154	100	46	8	126	84	35	7	21	19	2	-
川越市	60	48	9	3	49	44	5	-	1	1	-	-
越谷市	68	55	4	9	53	49	1	3	11	9	-	2
船橋市	105	56	5	44	78	44	1	33	17	17	-	-
柏市	73	34	15	24	67	32	13	22	10	8	2	-
八王子市	156	66	66	24	139	62	61	16	4	1	2	1
横須賀市	89	55	27	7	81	55	19	7	3	3	-	-
富山市	176	125	39	12	165	124	32	9	19	16	2	1
金沢市	110	92	15	3	100	89	8	3	6	6	-	-
長野市	102	78	18	6	88	75	10	3	14	12	2	-
岐阜市	117	61	34	22	104	58	29	17	7	4	3	-
豊橋市	77	54	11	12	63	49	5	9	8	8	-	-
豊田市	127	95	21	11	110	95	11	4	17	16	1	-
岡崎市	124	62	35	27	94	59	18	17	11	8	2	1
大津市	76	25	49	2	68	25	41	2	8	-	8	-
高槻市	94	74	11	9	82	71	9	2	7	6	1	-
東大阪市	122	107	11	4	110	105	2	3	9	9	-	-
豊中市	79	51	19	9	77	51	18	8	13	9	4	-
枚方市	75	59	4	12	63	55	4	4	1	1	-	-
姫路市	173	133	11	29	143	127	7	9	7	6	1	-
西宮市	63	46	12	5	57	43	11	3	5	5	-	-
尼崎市	57	46	9	2	53	45	8	-	7	6	1	-
奈良市	81	62	6	13	71	57	3	11	8	7	-	1
和歌山市	94	45	47	2	80	39	40	1	18	6	12	-
倉敷市	153	91	45	17	133	89	33	11	12	9	3	-
福山市	144	94	29	21	114	82	21	11	17	11	4	2
呉市	73	57	8	8	62	52	5	5	9	9	-	-
下関市	112	75	20	17	97	65	18	14	9	8	1	-
高松市	84	32	1	51	73	31	1	41	14	13	1	-
松山市	107	67	37	3	91	58	31	2	11	5	6	-
高知市	75	34	-	41	62	22	-	40	10	9	-	1
久留米市	74	71	-	3	74	71	-	3	13	13	-	-
長崎市	157	104	32	21	135	98	23	14	30	23	3	4
佐世保市	30	24	5	1	26	23	2	1	-	-	-	-
大分市	121	76	39	6	115	74	36	5	27	19	7	1
宮崎市	109	84	15	10	96	78	14	4	27	23	4	-
鹿児島市	189	186	3	-	183	181	2	-	30	29	1	-
那覇市	113	82	30	1	84	64	19	1	13	9	4	-

注：調査方法の変更等による回収率変動の影響を受けているため、数量を示す従事者数の実数は前年以前と単純に年次比較できない。

平成29年10月１日

看護師（再掲）				社会福祉士（再掲）				介護支援専門員（再掲）			
総数	常勤		非常勤	総数	常勤		非常勤	総数	常勤		非常勤
	専従	兼務			専従	兼務			専従	兼務	
6	5	1	－	115	85	30	－	167	124	26	17
26	22	4	－	49	41	8	－	109	90	17	2
32	29	3	－	64	54	8	2	53	49	4	－
18	17	1	－	43	38	5	－	47	34	4	9
89	53	36	－	177	122	48	7	239	100	44	95
37	30	6	1	85	63	14	8	70	48	17	5
20	10	8	2	52	28	20	4	76	40	31	5
19	17	－	2	59	52	6	1	43	39	4	－
21	18	2	1	51	39	9	3	42	29	5	8
21	19	1	1	61	50	2	9	47	38	3	6
56	30	18	8	174	91	69	14	216	123	29	64
45	30	12	3	81	68	13	－	186	146	26	14
49	43	5	1	160	133	25	2	192	142	24	26
15	10	5	－	31	22	7	2	50	34	9	7
46	33	12	1	126	91	29	6	187	112	35	40
10	3	7	－	63	12	49	2	46	19	22	5
28	25	3	－	130	110	20	－	163	120	33	10
1	－	－	1	45	44	1	－	114	111	3	－
35	11	17	7	87	22	53	12	275	131	46	98
27	24	2	1	82	72	8	2	75	60	9	6
3	－	3	－	8	3	5	－	27	16	6	5
2	2	－	－	14	13	1	－	30	29	1	－
11	8	3	－	18	18	－	－	24	22	1	1
9	1	－	8	13	3	－	10	11	2	－	9
3	3	－	－	14	13	1	－	16	15	1	－
8	7	1	－	22	16	6	－	28	17	11	－
17	15	1	1	27	25	2	－	20	16	4	－
1	1	－	－	26	23	3	－	33	28	5	－
31	29	－	2	34	33	1	－	40	31	3	6
10	10	－	－	22	19	2	1	23	22	1	－
19	8	8	3	45	32	12	1	40	24	13	3
14	14	－	－	15	14	1	－	19	15	4	－
8	8	－	－	19	17	1	1	15	15	－	－
11	2	－	9	10	9	－	1	40	16	1	23
6	5	1	－	18	12	6	－	33	7	4	22
25	10	13	2	57	31	23	3	45	16	19	10
16	10	5	1	31	21	8	2	31	21	6	4
32	24	6	2	55	40	12	3	55	41	12	2
16	16	－	－	32	30	1	1	42	35	6	1
16	16	－	－	25	24	1	－	30	22	6	2
17	12	5	－	27	16	8	3	53	26	13	14
6	4	2	－	22	19	1	2	27	18	2	7
15	14	1	－	44	41	－	3	33	24	8	1
13	11	2	－	37	23	5	9	33	17	9	7
－	－	－	－	16	－	15	1	44	25	18	1
9	9	－	－	22	19	3	－	44	37	5	2
13	13	－	－	39	38	－	1	47	43	2	2
14	11	3	－	22	15	6	1	28	16	5	7
14	12	2	－	14	13	－	1	31	26	2	3
20	19	－	1	40	39	1	－	72	59	5	8
9	9	－	－	19	17	1	1	24	12	10	2
6	5	1	－	18	16	2	－	22	18	4	－
3	3	－	－	24	20	－	4	36	27	3	6
6	4	2	－	18	9	9	－	38	20	17	1
18	13	5	－	31	22	8	1	70	44	17	9
10	6	3	1	37	25	8	4	50	40	6	4
7	7	－	－	14	14	－	－	32	22	5	5
16	10	4	2	27	16	8	3	42	30	5	7
1	1	－	－	12	5	－	7	46	12	－	34
9	5	4	－	25	13	12	－	45	34	9	2
2	1	－	1	9	6	－	3	40	5	－	35
11	11	－	－	35	33	－	2	15	14	－	1
1	－	－	1	47	35	11	1	57	40	9	8
1	－	1	－	4	3	－	1	20	19	1	－
3	2	1	－	46	32	12	2	39	21	16	2
5	4	1	－	35	28	5	2	28	22	4	2
11	11	－	－	44	44	－	－	97	96	1	－
4	3	－	1	17	11	6	－	49	40	9	－

第6表　従事者数，居宅サービスの種類、都道府県－指定都市・

介護予防支援

都道府県 指定都市 中核市	専門職員 社会福祉主事（再掲） 総数	常勤 専従	常勤 兼務	非常勤	その他の職員 総数	常勤 専従	常勤 兼務	非常勤
全国	467	321	90	56	5 285	2 078	2 122	1 085
北海道	27	17	8	2	368	143	200	25
青森	11	5	2	4	76	31	36	9
岩手	11	8	1	2	91	27	48	16
宮城	10	9	1	-	88	37	44	7
秋田	12	7	5	-	74	34	29	11
山形	6	2	3	1	83	31	46	6
福島	24	17	5	2	98	34	53	11
茨城	5	5	-	-	91	35	41	15
栃木	7	5	1	1	69	32	31	6
群馬	21	10	9	2	96	41	45	10
埼玉	21	13	4	4	218	48	105	65
千葉	8	5	3	-	233	105	59	69
東京	37	28	7	2	408	171	135	102
神奈川	15	10	1	4	252	41	141	70
新潟	10	8	2	-	91	35	38	18
富山	5	4	-	1	36	8	18	10
石川	5	3	1	1	47	15	25	7
福井	1	1	-	-	31	14	15	2
山梨	3	2	1	-	39	13	24	2
長野	19	9	9	1	159	65	65	29
岐阜	5	2	-	3	82	26	35	21
静岡	22	16	4	2	104	43	43	18
愛知	9	4	2	3	267	73	102	92
三重	5	4	-	1	69	27	33	9
滋賀	3	3	-	-	57	20	34	3
京都	9	9	-	-	86	18	48	20
大阪	28	24	4	-	261	94	76	91
兵庫	13	7	2	4	194	70	74	50
奈良	2	1	1	-	58	22	22	14
和歌山	3	3	-	-	43	20	21	2
鳥取	-	-	-	-	33	21	9	3
島根	4	3	-	1	47	16	25	6
岡山	6	5	-	1	87	41	32	14
広島	5	5	-	-	114	46	34	34
山口	3	1	-	2	61	25	25	11
徳島	10	4	3	3	40	21	12	7
香川	1	1	-	-	49	33	4	12
愛媛	2	2	-	-	65	32	30	3
高知	4	1	3	-	50	36	11	3
福岡	9	5	2	2	222	112	62	48
佐賀	1	1	-	-	69	32	31	6
長崎	5	2	3	-	104	42	30	32
熊本	9	9	-	-	121	51	31	39
大分	15	14	-	1	72	44	17	11
宮崎	8	8	-	-	65	28	26	11
鹿児島	10	8	1	1	89	59	20	10
沖縄	18	11	2	5	128	66	37	25

注：調査方法の変更等による回収率変動の影響を受けているため、数量を示す従事者数の実数は前年以前と単純に年次比較できない。

中核市（再掲）、職種（常勤（専従－兼務）－非常勤）別（39－39）

平成29年10月１日

都道府県 指定都市 中核市	専門職員 社会福祉主事（再掲） 総数	常勤 専従	常勤 兼務	非常勤	その他の職員 総数	常勤 専従	常勤 兼務	非常勤
指定都市（再掲）								
札幌市	－	－	－	－	69	47	17	5
仙台市	3	3	－	－	29	15	12	2
さいたま市	－	－	－	－	22	7	8	7
千葉市	－	－	－	－	33	22	4	7
横浜市	4	3	－	1	93	7	52	34
川崎市	6	3	1	2	42	18	13	11
相模原市	1	－	－	1	19	3	15	1
新潟市	1	－	1	－	15	7	5	3
静岡市	1	－	－	1	14	6	4	4
浜松市	3	3	－	－	9	5	3	1
名古屋市	1	1	－	－	95	36	19	40
京都市	6	6	－	－	37	11	14	12
大阪市	5	5	－	－	84	34	19	31
堺市	3	－	3	－	19	5	3	11
神戸市	3	1	1	1	70	14	38	18
岡山市	－	－	－	－	17	3	14	－
広島市	2	2	－	－	25	12	5	8
北九州市	－	－	－	－	4	4	－	－
福岡市	2	1	－	1	75	23	22	30
熊本市	－	－	－	－	36	21	6	9
中核市（再掲）								
旭川市	－	－	－	－	36	20	13	3
函館市	7	5	1	1	13	11	1	1
青森市	－	－	－	－	9	3	6	－
八戸市	3	－	－	3	3	2	－	1
盛岡市	－	－	－	－	5	1	4	－
秋田市	－	－	－	－	15	5	10	－
郡山市	1	1	－	－	4	－	4	－
いわき市	4	4	－	－	3	3	－	－
宇都宮市	1	1	－	－	10	4	5	1
前橋市	1	1	－	－	15	4	9	2
高崎市	1	1	－	－	28	16	11	1
川越市	－	－	－	－	11	4	4	3
越谷市	－	－	－	－	15	6	3	6
船橋市	－	－	－	－	27	12	4	11
柏市	－	－	－	－	6	2	2	2
八王子市	8	4	4	－	17	4	5	8
横須賀市	－	－	－	－	8	－	8	－
富山市	4	3	－	1	11	1	7	3
金沢市	4	2	1	1	10	3	7	－
長野市	3	1	1	1	14	3	8	3
岐阜市	－	－	－	－	13	3	5	5
豊橋市	－	－	－	－	14	5	6	3
豊田市	1	－	1	－	17	－	10	7
岡崎市	－	－	－	－	30	3	17	10
大津市	－	－	－	－	8	－	8	－
高槻市	－	－	－	－	12	3	2	7
東大阪市	2	2	－	－	12	2	9	1
豊中市	－	－	－	－	2	－	1	1
枚方市	3	3	－	－	12	4	－	8
姫路市	4	4	－	－	30	6	4	20
西宮市	－	－	－	－	6	3	1	2
尼崎市	－	－	－	－	4	1	1	2
奈良市	－	－	－	－	10	5	3	2
和歌山市	－	－	－	－	14	6	7	1
倉敷市	2	1	－	1	20	2	12	6
福山市	－	－	－	－	30	12	8	10
呉市	－	－	－	－	11	5	3	3
下関市	3	1	－	2	15	10	2	3
高松市	－	－	－	－	11	1	－	10
松山市	1	1	－	－	16	9	6	1
高知市	1	1	－	－	13	12	－	1
久留米市	－	－	－	－	－	－	－	－
長崎市	－	－	－	－	22	6	9	7
佐世保市	1	1	－	－	4	1	3	－
大分市	－	－	－	－	6	2	3	1
宮崎市	1	1	－	－	13	6	1	6
鹿児島市	1	1	－	－	6	5	1	－
那覇市	1	1	－	－	29	18	11	－

第7表　常勤換算従事者数，居宅サービスの種類、都道府県－

訪問介護

都道府県 指定都市 中核市	総数			訪問介護員			介護福祉士（再掲）		
	総数	常勤	非常勤	総数	常勤	非常勤	総数	常勤	非常勤
全国	217 666	130 979	86 687	203 194	118 114	85 079	101 419	72 384	29 035
北海道	11 407	7 571	3 836	10 720	6 973	3 748	5 663	4 147	1 516
青森	4 866	3 809	1 056	4 592	3 568	1 025	2 405	2 024	381
岩手	2 350	1 640	710	2 213	1 524	690	1 247	978	269
宮城	3 327	2 094	1 234	3 111	1 900	1 211	1 648	1 205	443
秋田	1 917	1 324	593	1 814	1 229	585	979	761	217
山形	1 432	1 044	388	1 336	955	381	767	633	133
福島	3 042	1 975	1 067	2 834	1 784	1 050	1 390	1 070	319
茨城	2 850	1 768	1 083	2 664	1 605	1 059	1 158	849	309
栃木	1 902	1 141	761	1 780	1 030	751	847	621	226
群馬	2 933	1 731	1 202	2 782	1 597	1 185	1 380	987	394
埼玉	7 685	4 314	3 371	7 153	3 846	3 307	3 470	2 306	1 164
千葉	9 318	5 747	3 571	8 675	5 184	3 490	4 185	3 056	1 129
東京	18 291	9 980	8 312	17 088	8 910	8 178	8 544	5 863	2 681
神奈川	12 207	6 558	5 649	11 395	5 880	5 515	5 561	3 724	1 837
新潟	2 965	1 927	1 039	2 804	1 777	1 028	1 768	1 318	450
富山	1 553	1 050	503	1 411	927	484	783	598	184
石川	1 460	1 032	428	1 379	956	423	819	639	180
福井	906	589	318	838	525	312	489	365	125
山梨	1 080	583	497	1 027	534	493	494	330	164
長野	3 362	2 194	1 168	3 123	1 983	1 140	1 889	1 399	490
岐阜	2 759	1 685	1 073	2 561	1 514	1 047	1 330	919	411
静岡	3 710	2 153	1 557	3 459	1 927	1 533	1 862	1 247	615
愛知	11 468	6 407	5 061	10 707	5 743	4 964	5 335	3 517	1 817
三重	3 296	2 014	1 282	3 060	1 795	1 265	1 549	1 083	466
滋賀	1 769	1 025	743	1 646	913	732	922	640	281
京都	4 392	2 584	1 807	4 152	2 376	1 777	2 303	1 614	690
大阪	31 947	18 447	13 500	29 796	16 504	13 292	12 971	9 078	3 893
兵庫	11 777	6 648	5 129	10 920	5 872	5 048	5 512	3 864	1 648
奈良	2 760	1 649	1 111	2 585	1 499	1 085	1 237	873	364
和歌山	3 667	2 120	1 547	3 445	1 948	1 497	1 534	1 107	427
鳥取	887	680	206	854	649	205	499	416	83
島根	1 549	1 135	414	1 456	1 048	409	806	665	140
岡山	2 371	1 377	993	2 204	1 226	978	1 168	785	383
広島	5 094	3 004	2 090	4 734	2 691	2 043	2 589	1 804	785
山口	2 238	1 311	927	2 098	1 188	910	1 150	825	325
徳島	1 788	1 182	606	1 677	1 079	599	839	641	197
香川	1 690	929	761	1 569	835	734	795	500	295
愛媛	3 240	1 776	1 464	3 024	1 574	1 449	1 548	1 046	503
高知	1 153	754	399	1 069	674	395	599	469	131
福岡	9 153	5 740	3 413	8 403	5 061	3 341	3 873	2 887	986
佐賀	865	537	327	799	480	319	450	345	104
長崎	2 409	1 441	968	2 234	1 283	951	1 234	897	337
熊本	3 790	2 606	1 185	3 554	2 391	1 163	1 757	1 360	397
大分	2 629	1 579	1 050	2 461	1 429	1 032	1 206	814	392
宮崎	2 505	1 684	822	2 319	1 510	809	997	767	231
鹿児島	2 309	1 407	902	2 161	1 270	890	1 143	804	339
沖縄	1 600	1 034	566	1 509	949	560	728	543	185

注：1）調査方法の変更等による回収率変動の影響を受けているため、数量を示す従事者数の実数は前年以前と単純に年次比較できない。
2）介護予防サービスを一体的に行っている事業所の従事者を含む。
3）介護予防サービスのみ行っている事業所は対象外とした。
4）「0」は常勤換算従事者数が0.5未満の場合である。

指定都市・中核市（再掲）、職種（常勤－非常勤）別（39－１）

平成29年10月１日

実務者研修修了者（再掲）			旧介護職員基礎研修課程修了者（再掲）			旧ホームヘルパー１級研修課程修了者（再掲）		
総数	常勤	非常勤	総数	常勤	非常勤	総数	常勤	非常勤
11 243	8 538	2 705	3 718	2 427	1 291	5 808	3 379	2 429
519	398	121	113	68	46	352	240	112
331	276	55	101	75	26	130	81	49
94	75	20	33	26	8	62	35	28
121	95	26	50	29	21	110	68	42
60	49	12	25	13	12	38	17	21
37	29	8	23	18	5	39	27	12
97	80	17	47	30	17	94	63	31
110	87	23	64	47	17	89	60	29
64	45	19	33	20	13	47	24	22
117	86	31	45	32	13	92	51	41
428	337	91	135	86	49	226	121	106
450	344	107	127	89	38	175	116	58
1 010	808	202	256	150	106	391	202	189
708	525	184	291	186	105	219	109	111
66	54	13	18	12	6	57	35	22
65	46	19	26	15	12	50	31	19
67	53	14	32	27	5	31	17	14
29	27	2	11	6	6	9	3	6
35	29	6	17	10	7	28	18	11
93	67	26	23	15	8	54	31	24
99	77	22	26	20	5	40	20	20
152	118	34	41	32	9	69	39	30
554	395	159	193	116	77	247	143	104
133	106	27	35	25	11	93	54	39
80	56	24	31	18	13	41	22	19
226	160	65	70	36	33	86	51	36
2 433	1 830	603	813	546	268	677	384	293
618	455	163	160	101	59	340	187	154
115	96	19	37	24	12	101	66	35
155	127	28	71	53	18	119	69	50
42	33	9	5	3	2	4	2	2
89	80	9	17	10	7	20	13	8
128	77	51	36	25	11	82	50	32
200	138	63	59	39	19	132	72	60
59	39	20	33	15	18	110	54	57
82	62	20	35	26	9	75	47	28
60	39	22	31	17	14	91	47	44
72	51	21	45	32	14	128	77	51
47	31	16	15	11	5	25	19	6
530	407	123	186	142	44	419	272	146
37	31	6	14	7	7	28	12	16
131	85	46	43	22	21	72	30	41
216	168	48	51	33	18	118	78	40
131	90	41	107	58	49	92	50	42
140	116	24	39	28	10	137	85	52
116	92	24	31	19	12	131	69	63
97	72	25	25	17	8	40	21	19

訪問介護

都道府県 指定都市 中核市	総数			訪問介護員					
							介護福祉士（再掲）		
	総数	常勤	非常勤	総数	常勤	非常勤	総数	常勤	非常勤
指定都市（再掲）									
札幌市	3 958	2 561	1 397	3 755	2 378	1 377	2 038	1 429	609
仙台市	1 662	961	701	1 558	870	688	839	562	277
さいたま市	1 350	788	562	1 251	702	550	598	401	197
千葉市	1 537	998	539	1 427	909	518	671	503	169
横浜市	5 437	2 816	2 621	5 081	2 529	2 552	2 470	1 647	823
川崎市	1 819	961	858	1 692	854	838	777	502	276
相模原市	865	466	399	811	420	390	406	279	127
新潟市	1 075	634	440	1 011	576	435	556	399	157
静岡市	957	556	401	888	499	389	461	299	162
浜松市	602	369	233	565	335	230	316	224	92
名古屋市	5 766	3 239	2 527	5 412	2 924	2 489	2 541	1 716	825
京都市	2 887	1 753	1 135	2 712	1 600	1 112	1 430	1 031	399
大阪市	13 297	7 934	5 363	12 386	7 116	5 270	5 014	3 644	1 370
堺市	3 343	1 877	1 466	3 151	1 700	1 451	1 350	948	403
神戸市	3 706	2 091	1 615	3 450	1 859	1 591	1 688	1 234	454
岡山市	1 016	567	449	942	504	439	472	300	172
広島市	2 452	1 493	959	2 287	1 348	939	1 220	869	351
北九州市	2 062	1 207	855	1 883	1 043	840	837	612	225
福岡市	2 762	1 861	901	2 550	1 672	877	1 241	959	282
熊本市	1 583	1 106	477	1 499	1 028	470	777	608	169
中核市（再掲）									
旭川市	1 771	1 389	382	1 691	1 320	371	835	703	132
函館市	552	256	296	515	230	285	251	154	97
青森市	1 275	906	369	1 205	845	361	619	479	139
八戸市	691	564	127	653	528	125	359	303	56
盛岡市	821	568	253	773	533	240	427	320	107
秋田市	621	375	246	588	347	242	325	231	94
郡山市	371	261	110	344	237	108	179	144	35
いわき市	744	472	272	694	429	266	283	234	50
宇都宮市	583	343	239	556	320	236	238	177	62
前橋市	582	332	249	554	305	248	291	201	90
高崎市	511	313	198	486	292	194	246	184	62
川越市	338	189	149	311	165	146	164	111	53
越谷市	361	223	138	348	212	136	123	76	47
船橋市	977	644	333	921	595	326	481	342	140
柏市	730	491	240	683	447	237	323	244	80
八王子市	728	350	379	693	316	377	312	192	119
横須賀市	600	326	274	560	293	267	258	173	85
富山市	731	499	232	678	454	224	348	262	86
金沢市	748	514	234	710	477	233	412	314	98
長野市	537	330	208	503	299	204	296	216	80
岐阜市	883	589	293	819	531	288	342	260	82
豊橋市	346	182	165	332	171	160	175	109	66
豊田市	302	178	124	273	153	119	131	87	45
岡崎市	391	193	198	365	167	198	194	121	73
大津市	620	364	256	573	321	252	305	215	90
高槻市	544	300	244	506	266	240	262	180	81
東大阪市	1 866	1 105	760	1 738	991	747	735	525	209
豊中市	1 325	809	516	1 236	725	510	568	403	165
枚方市	1 234	664	571	1 145	581	564	578	361	218
姫路市	1 089	593	496	1 008	517	491	506	330	177
西宮市	1 089	601	488	996	519	477	478	329	148
尼崎市	1 863	1 068	796	1 744	962	782	768	554	213
奈良市	949	551	398	887	501	385	429	297	132
和歌山市	1 620	918	702	1 522	836	686	615	456	158
倉敷市	535	321	214	499	287	212	274	183	92
福山市	557	297	260	508	255	253	260	173	88
呉市	485	270	216	452	241	212	228	142	85
下関市	420	233	187	392	207	185	215	147	68
高松市	900	435	465	839	395	444	416	230	186
松山市	1 336	683	653	1 245	597	648	624	407	218
高知市	543	365	179	505	329	176	280	221	59
久留米市	409	254	156	379	226	153	201	144	57
長崎市	986	565	422	922	509	413	501	362	139
佐世保市	250	138	112	229	121	108	112	82	31
大分市	940	569	372	891	524	367	471	311	160
宮崎市	1 062	775	287	981	702	279	413	331	82
鹿児島市	857	559	298	810	516	293	431	317	114
那覇市	205	127	78	193	116	77	112	84	29

注：1）調査方法の変更等による回収率変動の影響を受けているため、数量を示す従事者数の実数は前年以前と単純に年次比較できない。
2）介護予防サービスを一体的に行っている事業所の従事者を含む。
3）介護予防サービスのみ行っている事業所は対象外とした。
4）「0」は常勤換算従事者数が0.5未満の場合である。

平成29年10月１日

実務者研修修了者（再掲）			旧介護職員基礎研修課程修了者（再掲）			旧ホームヘルパー１級研修課程修了者（再掲）		
総数	常勤	非常勤	総数	常勤	非常勤	総数	常勤	非常勤
256	189	67	57	29	28	105	71	34
75	59	15	21	9	12	55	34	21
78	63	15	27	19	8	34	17	17
90	76	13	29	26	4	29	20	9
340	240	100	120	63	57	120	56	64
103	82	21	63	49	14	35	21	14
37	30	8	23	16	7	5	2	3
31	25	6	9	7	2	24	18	6
36	30	6	16	14	2	10	6	4
34	25	9	14	12	2	14	9	5
333	243	90	126	76	49	124	70	54
174	126	47	56	31	25	62	40	22
1 128	898	230	405	278	127	331	196	135
201	148	53	69	46	23	52	29	23
222	164	58	38	21	16	137	75	62
75	39	35	21	15	6	41	24	17
125	85	40	34	21	12	45	32	13
94	71	23	37	25	12	72	44	29
219	170	49	58	48	11	131	102	30
102	83	20	19	14	6	43	28	14
72	59	13	17	15	2	61	47	13
10	5	5	5	4	1	21	14	7
118	90	28	42	36	6	39	23	16
51	47	4	8	7	2	18	5	13
56	44	12	25	21	4	18	14	5
25	18	7	18	9	9	12	5	8
8	6	2	5	2	3	11	6	5
22	18	4	14	9	5	24	19	5
26	17	10	11	3	8	10	6	5
21	14	6	10	8	2	8	5	3
35	23	12	1	1	0	14	4	10
22	18	4	3	3	0	10	8	2
30	20	10	6	3	3	7	5	2
46	40	7	9	7	2	10	9	1
44	36	8	5	4	1	9	5	5
41	31	10	14	8	7	31	25	6
38	29	9	14	13	0	8	4	4
37	25	12	16	11	5	27	15	12
45	35	10	10	9	1	16	10	6
22	17	5	2	2	0	8	5	4
39	32	7	8	5	3	9	7	2
21	13	8	10	3	7	5	4	2
17	9	9	6	3	4	8	5	3
17	13	5	0	-	0	12	7	5
36	27	9	14	8	6	10	6	4
40	26	14	22	12	10	15	10	5
183	141	43	45	33	12	39	22	17
110	83	27	45	26	20	32	21	11
77	49	28	30	23	7	22	11	11
44	30	14	17	8	9	28	11	17
57	42	15	22	18	4	22	15	7
138	99	39	38	29	9	70	44	27
40	30	9	11	10	1	22	13	9
74	60	14	30	24	7	56	33	23
25	18	7	8	5	3	16	11	5
28	17	11	7	5	2	26	9	17
18	15	3	6	3	3	17	6	11
10	6	5	15	4	11	15	3	13
37	20	17	23	12	12	38	21	17
32	20	11	24	18	6	53	27	25
31	20	11	10	8	2	18	14	3
24	15	9	6	4	2	12	7	5
50	38	12	20	12	8	24	15	8
11	7	5	5	3	2	15	5	10
64	42	22	30	12	18	32	14	18
75	65	10	18	14	5	79	58	21
54	45	9	13	5	8	49	27	22
12	10	2	5	3	2	8	2	5

訪問介護

都道府県 指定都市 中核市	訪問介護員			その他の職員			訪問介護員のうちサテライト事業所の従事者（再掲）		
	初任者研修修了者（再掲）								
	総数	常勤	非常勤	総数	常勤	非常勤	総数	常勤	非常勤
全国	78 886	29 723	49 164	14 472	12 865	1 608	1 130	564	567
北海道	3 959	2 028	1 931	686	598	88	50	24	27
青森	1 590	1 088	502	273	242	32	88	82	6
岩手	754	392	362	137	116	21	19	11	9
宮城	1 156	479	676	216	194	23	27	14	13
秋田	688	375	313	103	95	8	44	26	17
山形	457	240	218	95	89	7	－	－	－
福島	1 176	517	659	208	191	17	49	22	27
茨城	1 214	540	674	186	163	23	27	25	2
栃木	762	297	465	122	112	10	17	7	10
群馬	1 117	415	701	151	134	17	2	2	－
埼玉	2 828	946	1 882	532	467	65	9	1	8
千葉	3 659	1 519	2 139	643	562	81	31	17	14
東京	6 749	1 765	4 984	1 204	1 070	134	76	33	43
神奈川	4 547	1 289	3 259	812	678	134	28	1	27
新潟	876	343	533	161	150	11	29	25	5
富山	471	225	246	142	124	19	33	20	14
石川	420	214	206	81	76	5	5	3	2
福井	283	114	169	69	63	5	4	2	2
山梨	442	137	305	53	49	4	－	－	－
長野	1 018	439	579	239	211	28	58	38	20
岐阜	1 028	445	582	198	171	27	40	18	22
静岡	1 305	470	835	251	226	25	23	7	16
愛知	4 256	1 481	2 775	761	664	97	39	7	33
三重	1 203	493	711	236	219	17	44	12	32
滋賀	550	158	391	123	112	11	29	3	26
京都	1 443	496	947	239	209	31	8	2	6
大阪	12 563	4 382	8 182	2 151	1 943	208	102	42	60
兵庫	4 150	1 153	2 997	858	776	82	45	20	25
奈良	1 070	422	648	175	149	26	1	－	1
和歌山	1 534	569	965	222	172	50	39	25	13
鳥取	295	186	109	33	31	1	－	－	－
島根	506	265	241	93	87	6	20	9	10
岡山	763	266	497	166	151	15	12	10	2
広島	1 708	604	1 104	360	313	47	14	3	12
山口	726	238	488	140	123	17	3	1	1
徳島	621	284	337	111	104	7	7	6	2
香川	578	223	355	121	94	27	11	4	8
愛媛	1 210	357	853	216	202	14	49	21	28
高知	369	134	235	84	80	4	2	1	1
福岡	3 295	1 276	2 019	750	679	72	21	7	14
佐賀	263	77	186	66	58	9	1	－	1
長崎	741	239	502	175	158	17	5	3	2
熊本	1 362	711	651	236	214	21	8	6	2
大分	902	401	501	168	150	18	4	2	2
宮崎	964	480	484	187	174	12	2	－	2
鹿児島	719	272	447	148	136	12	5	4	2
沖縄	601	281	320	92	85	6	2	1	1

注：1）調査方法の変更等による回収率変動の影響を受けているため、数量を示す従事者数の実数は前年以前と単純に年次比較できない。
　　2）介護予防サービスを一体的に行っている事業所の従事者を含む。
　　3）介護予防サービスのみ行っている事業所は対象外とした。
　　4）「0」は常勤換算従事者数が0.5未満の場合である。

指定都市・中核市（再掲）、職種（常勤－非常勤）別（39－3）

平成29年10月1日

都道府県 指定都市 中核市	訪問介護員 初任者研修修了者（再掲）			その他の職員			訪問介護員のうちサテライト事業所の従事者（再掲）		
	総数	常勤	非常勤	総数	常勤	非常勤	総数	常勤	非常勤
指定都市（再掲）									
札幌市	1 261	629	633	203	183	20	4	－	4
仙台市	554	192	362	104	91	12	4	－	4
さいたま市	503	194	308	99	86	13	7	1	6
千葉市	595	275	320	110	89	22	9	9	－
横浜市	2 006	505	1 502	356	287	69	14	1	13
川崎市	705	195	510	127	107	20	2	－	2
相模原市	331	87	244	55	45	9	－	－	－
新潟市	380	120	260	64	59	5	4	4	－
静岡市	361	147	214	70	57	12	6	3	3
浜松市	181	60	121	37	34	3	2	1	1
名古屋市	2 227	768	1 459	354	316	38	23	5	19
京都市	972	359	614	175	152	23	1	－	1
大阪市	5 379	1 994	3 386	911	819	93	65	27	38
堺市	1 440	496	944	192	177	16	11	－	11
神戸市	1 315	324	990	256	232	24	2	－	2
岡山市	321	117	205	74	64	10	12	10	2
広島市	842	323	520	165	145	20	10	1	9
北九州市	828	282	546	179	164	15	5	2	3
福岡市	872	374	498	213	189	24	3	1	2
熊本市	538	278	260	85	78	7	3	3	0
中核市（再掲）									
旭川市	688	479	209	80	68	11	1	－	1
函館市	225	51	174	38	26	11	5	4	1
青森市	383	214	169	70	61	9	6	4	3
八戸市	212	162	50	38	35	2	－	－	－
盛岡市	240	129	111	47	34	13	8	2	6
秋田市	202	81	121	33	28	4	5	4	1
郡山市	138	76	62	27	25	2	17	8	9
いわき市	338	139	198	50	43	6	3	－	3
宇都宮市	265	114	150	27	23	4	5	2	3
前橋市	220	73	147	28	27	1	－	－	－
高崎市	188	78	110	25	21	4	－	－	－
川越市	110	23	87	27	24	3	－	－	－
越谷市	180	105	75	14	11	2	－	－	－
船橋市	368	193	175	57	50	7	12	7	5
柏市	300	158	142	47	44	3	－	－	－
八王子市	291	58	233	36	34	2	－	－	－
横須賀市	241	74	168	40	33	7	10	－	10
富山市	242	137	105	54	45	9	12	3	9
金沢市	221	107	114	38	37	1	5	3	2
長野市	164	51	113	34	31	3	1	－	1
岐阜市	412	220	192	64	58	6	－	－	－
豊橋市	117	42	76	14	10	4	－	－	－
豊田市	107	47	60	29	24	5	－	－	－
岡崎市	141	27	114	27	26	1	－	－	－
大津市	196	54	142	47	43	4	9	－	9
高槻市	156	26	129	38	34	5	－	－	－
東大阪市	718	253	465	128	115	13	17	11	6
豊中市	469	185	284	90	84	6	－	－	－
枚方市	428	127	300	90	83	6	－	－	－
姫路市	407	134	273	81	76	6	1	－	1
西宮市	410	108	302	93	82	11	－	－	－
尼崎市	704	214	490	119	105	14	12	1	11
奈良市	377	145	232	63	50	13	1	－	1
和歌山市	727	248	479	98	82	16	8	4	4
倉敷市	172	66	106	37	35	2	－	－	－
福山市	182	49	133	49	42	8	－	－	－
呉市	177	69	108	33	29	4	－	－	－
下関市	134	45	89	27	26	1	－	－	－
高松市	316	107	209	61	40	21	11	4	7
松山市	502	118	384	91	87	5	12	7	5
高知市	162	62	100	38	36	3	－	－	－
久留米市	132	53	80	30	28	2	－	－	－
長崎市	321	76	246	64	56	8	4	3	1
佐世保市	83	22	61	21	17	4	－	－	－
大分市	285	137	148	49	45	4	4	2	2
宮崎市	385	224	160	81	73	8	－	－	－
鹿児島市	255	116	139	47	42	5	－	－	－
那覇市	56	18	38	11	11	0	－	－	－

訪問入浴介護

都道府県 指定都市 中核市	総数			介護職員			介護福祉士（再掲）		
	総数	常勤	非常勤	総数	常勤	非常勤	総数	常勤	非常勤
全国	9 096	5 465	3 631	5 660	3 678	1 982	2 258	1 672	586
北海道	220	126	94	133	83	50	60	39	22
青森	166	106	60	103	70	33	34	29	6
岩手	118	96	22	75	62	14	49	43	6
宮城	376	279	98	254	200	54	115	92	23
秋田	128	105	23	79	64	14	29	26	3
山形	105	77	28	62	44	18	31	25	6
福島	298	215	82	178	127	51	55	47	8
茨城	227	135	91	134	83	52	67	51	16
栃木	119	75	43	70	45	25	30	21	9
群馬	113	64	50	69	43	26	30	19	10
埼玉	485	284	201	303	195	109	125	99	26
千葉	550	330	220	340	223	117	103	78	25
東京	995	552	443	655	417	238	232	168	64
神奈川	746	482	264	465	352	114	164	132	33
新潟	163	110	53	97	68	29	48	38	11
富山	77	57	20	51	38	13	22	19	4
石川	57	41	16	34	26	8	17	15	2
福井	47	28	20	34	20	14	21	15	6
山梨	74	38	36	46	25	21	16	7	9
長野	175	95	80	99	55	44	44	27	17
岐阜	189	80	110	110	45	65	37	21	16
静岡	272	182	91	182	144	38	60	48	12
愛知	512	250	262	320	171	149	127	72	55
三重	130	69	61	81	45	37	25	17	8
滋賀	145	42	103	84	25	59	40	17	23
京都	205	112	93	123	73	50	48	34	14
大阪	511	328	184	326	236	90	120	100	20
兵庫	334	183	151	213	138	75	97	74	23
奈良	95	59	36	61	40	21	25	18	8
和歌山	44	22	22	26	13	13	11	7	4
鳥取	39	31	8	24	18	5	11	10	1
島根	51	36	14	34	25	10	17	14	4
岡山	71	30	42	44	19	25	20	11	9
広島	181	93	88	114	62	52	51	35	16
山口	85	34	51	50	21	29	19	10	9
徳島	30	20	9	18	13	6	11	9	1
香川	57	36	21	30	20	10	11	9	3
愛媛	90	57	33	54	36	18	33	27	6
高知	42	29	13	21	12	8	11	9	2
福岡	240	139	101	142	80	62	55	40	16
佐賀	29	19	10	18	12	6	10	10	1
長崎	79	47	32	53	31	22	23	17	6
熊本	116	73	43	68	44	23	28	20	8
大分	55	37	19	34	22	12	13	10	3
宮崎	89	68	22	54	41	13	20	16	4
鹿児島	132	75	58	75	41	34	40	29	11
沖縄	34	21	13	19	12	7	5	3	2

注：１）調査方法の変更等による回収率変動の影響を受けているため、数量を示す従事者数の実数は前年以前と単純に年次比較できない。
　　２）介護予防サービスを一体的に行っている事業所の従事者を含む。
　　３）介護予防サービスのみ行っている事業所は対象外とした。
　　４）「0」は常勤換算従事者数が0.5未満の場合である。

指定都市・中核市（再掲）、職種（常勤－非常勤）別（39－4）

平成29年10月1日

実務者研修修了者（再掲）			旧介護職員基礎研修課程修了者（再掲）			旧ホームヘルパー1級研修課程修了者（再掲）			初任者研修修了者（再掲）		
総数	常勤	非常勤	総数	常勤	非常勤	総数	常勤	非常勤	総数	常勤	非常勤
244	186	57	50	34	16	75	48	27	1 452	853	599
5	3	2	0	0	0	4	3	1	50	27	23
13	11	2	1	－	1	2	2	－	25	15	10
0	－	0	0	－	0	0	－	0	16	12	4
18	17	1	4	4	1	3	3	0	64	44	20
2	2	－	0	0	－	3	3	－	32	25	6
3	2	1	2	2	－	－	－	－	11	7	4
5	4	1	－	－	－	6	5	1	71	46	25
2	1	1	－	－	－	3	2	1	48	19	29
1	－	1	－	－	－	1	－	1	27	19	8
－	－	－	0	－	0	2	0	1	26	17	9
7	7	1	3	3	0	3	3	1	63	35	27
12	12	－	－	－	－	4	3	1	85	56	28
38	33	5	6	6	0	5	3	2	151	94	57
26	20	6	4	4	－	7	4	3	92	63	29
2	2	－	1	1	0	0	－	0	31	16	14
5	4	1	－	－	－	－	－	－	10	7	3
－	－	－	－	－	－	－	－	－	7	4	4
－	－	－	4	－	4	1	1	0	6	3	3
1	1	－	－	－	－	1	－	1	23	13	9
5	3	2	1	－	1	0	－	0	34	14	20
2	1	1	3	－	3	0	－	0	21	4	17
9	7	2	－	－	－	2	2	0	40	25	16
10	4	6	－	－	－	0	－	0	60	34	26
－	－	－	－	－	－	－	－	－	29	16	13
2	1	1	1	－	1	0	－	0	21	5	17
13	6	7	0	－	0	0	0	0	31	16	15
19	17	2	4	4	－	0	－	0	86	59	27
14	12	2	2	1	1	4	3	2	49	31	18
1	1	－	3	3	－	3	3	－	16	12	4
－	－	－	－	－	－	－	－	－	11	4	7
0	－	0	－	－	－	3	1	2	5	3	2
－	－	－	－	－	－	3	3	0	7	4	3
2	－	2	0	－	0	0	－	0	9	3	6
3	2	1	－	－	－	1	1	－	22	10	11
0	0	－	1	－	1	1	1	－	17	5	12
2	1	1	－	－	－	1	0	0	6	2	3
1	1	0	－	－	－	－	－	－	10	7	3
1	1	－	－	－	－	1	1	1	10	3	7
1	－	1	0	0	－	1	1	0	4	2	2
6	3	3	3	1	2	3	2	1	45	25	20
1	－	1	0	－	0	－	－	－	1	－	1
4	3	1	－	－	－	2	－	2	16	7	9
5	2	3	－	－	－	2	1	1	19	13	6
1	－	1	－	－	－	－	－	－	12	8	4
3	2	1	0	－	0	0	－	0	12	7	5
2	2	－	2	1	1	4	2	2	18	5	13
－	－	－	6	4	2	－	－	－	7	4	3

訪問入浴介護

都道府県 指定都市 中核市	総数			介護職員			介護福祉士（再掲）		
	総数	常勤	非常勤	総数	常勤	非常勤	総数	常勤	非常勤
指定都市（再掲）									
札幌市	60	41	19	39	27	12	20	13	6
仙台市	129	100	29	91	76	15	40	34	6
さいたま市	91	40	50	60	34	26	30	23	8
千葉市	63	32	30	39	24	15	11	8	2
横浜市	336	215	121	212	159	52	78	64	14
川崎市	65	38	27	38	27	11	20	15	5
相模原市	48	32	16	33	23	10	11	7	4
新潟市	45	27	18	27	17	10	10	7	3
静岡市	65	46	19	43	36	7	14	11	3
浜松市	31	18	13	20	14	6	6	5	2
名古屋市	178	95	82	115	72	42	41	27	14
京都市	105	63	42	67	44	23	26	19	7
大阪市	210	135	75	137	102	35	44	39	5
堺市	62	41	21	40	31	9	9	7	1
神戸市	112	69	43	71	56	15	35	29	6
岡山市	23	6	17	14	4	10	7	3	4
広島市	52	24	29	33	14	19	15	8	7
北九州市	55	31	24	32	17	14	11	8	3
福岡市	77	34	43	50	22	29	16	10	7
熊本市	44	23	21	25	13	12	12	8	5
中核市（再掲）									
旭川市	21	14	7	13	10	2	6	5	1
函館市	15	13	2	8	7	1	4	4	0
青森市	30	27	3	17	16	1	6	6	-
八戸市	29	16	14	20	11	8	8	6	2
盛岡市	3	1	2	1	0	1	1	0	0
秋田市	-	-	-	-	-	-	-	-	-
郡山市	42	34	7	26	23	3	9	8	1
いわき市	38	29	10	24	19	5	4	4	0
宇都宮市	28	16	12	18	11	7	8	6	2
前橋市	34	19	15	18	13	5	6	4	2
高崎市	22	20	2	15	14	1	7	7	-
川越市	26	14	11	19	12	7	8	7	1
越谷市	35	23	12	16	10	6	7	5	2
船橋市	47	28	19	30	21	9	7	4	3
柏市	25	8	17	17	7	10	9	5	4
八王子市	46	17	29	30	14	16	6	2	4
横須賀市	69	45	25	47	37	10	14	13	1
富山市	28	23	5	19	16	3	7	7	-
金沢市	10	5	5	7	5	2	2	1	1
長野市	25	14	10	17	11	6	6	4	2
岐阜市	37	17	20	20	9	11	5	4	2
豊橋市	9	1	8	6	1	5	2	1	2
豊田市	10	5	6	6	4	3	3	3	1
岡崎市	26	5	21	17	2	15	11	1	10
大津市	29	7	23	16	2	14	5	1	4
高槻市	15	4	10	9	3	6	2	2	1
東大阪市	22	12	9	13	8	5	3	3	0
豊中市	37	28	8	20	16	5	11	7	4
枚方市	20	14	6	16	11	5	6	4	2
姫路市	20	12	8	12	8	4	4	3	1
西宮市	29	18	11	19	14	6	9	7	2
尼崎市	23	11	12	15	8	7	4	3	2
奈良市	9	2	8	6	1	6	3	-	3
和歌山市	15	7	8	9	5	4	4	3	1
倉敷市	19	7	11	14	5	8	7	3	4
福山市	31	17	13	17	9	8	8	4	4
呉市	34	20	14	22	14	8	5	4	2
下関市	21	6	15	11	2	9	4	1	4
高松市	15	3	12	8	3	5	3	1	2
松山市	18	11	7	11	7	4	5	5	0
高知市	-	-	-	-	-	-	-	-	-
久留米市	27	18	9	17	11	6	10	8	2
長崎市	16	12	4	11	7	4	5	3	1
佐世保市	17	12	6	11	8	3	4	3	1
大分市	26	16	10	17	11	5	8	7	1
宮崎市	14	10	4	9	6	3	6	4	2
鹿児島市	60	36	24	35	24	11	22	18	4
那覇市	12	8	4	6	6	1	3	3	-

注：1）調査方法の変更等による回収率変動の影響を受けているため、数量を示す従事者数の実数は前年以前と単純に年次比較できない。
2）介護予防サービスを一体的に行っている事業所の従事者を含む。
3）介護予防サービスのみ行っている事業所は対象外とした。
4）「0」は常勤換算従事者数が0.5未満の場合である。

平成29年10月１日

実務者研修修了者（再掲）			旧介護職員基礎研修課程修了者（再掲）			旧ホームヘルパー１級研修課程修了者（再掲）			初任者研修修了者（再掲）		
総数	常勤	非常勤	総数	常勤	非常勤	総数	常勤	非常勤	総数	常勤	非常勤
1	–	1	–	–	–	0	–	0	16	12	4
9	8	1	4	4	–	1	1	0	26	20	6
1	–	1	–	–	–	–	–	–	13	6	7
1	1	–	–	–	–	–	–	–	10	6	4
14	11	3	3	3	–	2	1	1	47	31	16
1	1	1	–	–	–	–	–	–	10	8	2
1	1	0	–	–	–	–	–	–	6	5	1
1	1	–	1	1	–	–	–	–	10	3	7
1	1	–	–	–	–	–	–	–	4	3	1
–	–	–	–	–	–	0	–	0	4	3	1
3	2	1	–	–	–	–	–	–	23	14	9
6	5	1	0	–	0	–	–	–	14	9	5
9	8	1	1	1	–	–	–	–	33	25	9
2	2	–	1	1	–	–	–	–	20	14	6
6	6	1	1	1	–	3	2	1	18	14	3
1	–	1	–	–	–	–	–	–	1	0	1
–	–	–	–	–	–	–	–	–	8	4	4
0	–	0	1	–	1	–	–	–	13	7	6
2	1	1	–	–	–	2	1	1	16	5	11
5	2	3	–	–	–	1	–	1	2	2	–
–	–	–	0	0	–	–	–	–	4	3	1
1	1	–	0	–	0	0	–	0	1	1	–
4	4	–	–	–	–	–	–	–	7	7	1
6	4	2	–	–	–	0	0	–	6	1	5
–	–	–	0	–	0	–	–	–	1	0	0
–	–	–	–	–	–	–	–	–	–	–	–
–	–	–	–	–	–	–	–	–	8	6	2
–	–	–	–	–	–	4	4	0	7	6	1
0	–	0	–	–	–	–	–	–	6	5	1
–	–	–	–	–	–	–	–	–	9	7	2
–	–	–	–	–	–	–	–	–	5	4	1
1	1	–	–	–	–	1	1	–	3	1	2
2	2	–	–	–	–	1	1	–	2	1	1
–	–	–	–	–	–	–	–	–	9	8	1
–	–	–	–	–	–	–	–	–	6	–	6
2	2	–	–	–	–	–	–	–	6	3	3
3	3	–	–	–	–	–	–	–	10	7	3
2	2	–	–	–	–	–	–	–	1	1	–
–	–	–	–	–	–	–	–	–	4	3	1
4	3	1	–	–	–	–	–	–	6	3	3
1	1	–	3	–	3	–	–	–	0	–	0
1	–	1	–	–	–	–	–	–	1	–	1
–	–	–	–	–	–	0	–	0	0	–	0
3	–	3	–	–	–	–	–	–	2	–	2
–	–	–	–	–	–	–	–	–	3	–	3
1	–	1	–	–	–	–	–	–	2	–	2
–	–	–	–	–	–	–	–	–	5	3	2
1	1	–	–	–	–	–	–	–	4	4	0
3	3	–	–	–	–	–	–	–	1	–	1
2	2	–	–	–	–	–	–	–	2	1	2
2	2	–	–	–	–	–	–	–	6	5	1
–	–	–	0	0	–	1	1	–	5	3	2
–	–	–	–	–	–	–	–	–	–	–	–
–	–	–	–	–	–	–	–	–	4	2	2
0	–	0	0	–	0	0	–	0	3	1	2
1	1	0	–	–	–	–	–	–	6	4	2
1	1	0	–	–	–	1	1	–	3	1	2
–	–	–	–	–	–	1	1	–	3	–	3
–	–	–	–	–	–	–	–	–	1	1	–
1	1	–	–	–	–	–	–	–	3	0	2
–	–	–	–	–	–	–	–	–	–	–	–
3	2	1	1	–	1	–	–	–	2	1	1
1	1	–	–	–	–	–	–	–	1	–	1
1	1	–	–	–	–	–	–	–	4	3	1
1	–	1	–	–	–	–	–	–	3	2	1
–	–	–	0	–	0	–	–	–	1	1	0
2	2	–	1	–	1	–	–	–	2	2	1
–	–	–	4	3	1	–	–	–	0	–	0

訪問入浴介護

都道府県 指定都市 中核市	看護師 総数	看護師 常勤	看護師 非常勤	准看護師 総数	准看護師 常勤	准看護師 非常勤	その他の職員 総数	その他の職員 常勤	その他の職員 非常勤
全国	1 512	632	881	1 336	654	683	588	502	86
北海道	31	13	18	36	17	19	21	13	8
青森	14	7	6	40	20	20	9	8	1
岩手	22	17	4	13	10	4	8	8	1
宮城	44	26	18	64	38	26	15	15	0
秋田	16	13	3	26	21	6	8	8	－
山形	19	12	7	18	14	4	7	7	－
福島	33	22	10	65	46	20	22	20	2
茨城	50	25	26	31	19	12	11	10	2
栃木	14	8	6	26	16	10	9	7	2
群馬	15	6	9	21	9	12	8	5	3
埼玉	76	26	50	82	42	40	24	22	2
千葉	86	28	59	85	47	38	38	33	6
東京	183	63	120	116	34	82	41	38	3
神奈川	170	64	105	68	29	40	43	37	6
新潟	30	17	12	24	13	11	13	12	1
富山	14	9	5	9	7	2	5	4	1
石川	12	7	5	7	4	3	4	4	－
福井	4	1	3	7	5	2	3	2	1
山梨	14	7	7	11	3	8	5	4	1
長野	36	14	22	23	15	8	17	12	6
岐阜	32	14	18	32	10	21	15	10	5
静岡	49	19	30	27	6	21	14	13	2
愛知	104	41	64	67	21	46	21	18	4
三重	23	8	15	17	10	7	9	7	2
滋賀	36	6	30	14	4	11	11	7	4
京都	43	15	28	22	9	13	17	16	2
大阪	90	39	51	61	21	41	34	32	2
兵庫	50	12	38	50	16	33	22	16	5
奈良	20	9	10	7	5	2	8	5	3
和歌山	7	3	4	7	3	4	4	3	1
鳥取	8	6	1	4	3	1	4	4	－
島根	4	3	1	11	8	3	2	1	1
岡山	11	4	7	10	1	9	6	6	1
広島	20	5	16	33	14	19	13	12	1
山口	12	1	11	14	4	9	9	7	2
徳島	5	2	3	4	3	1	2	2	－
香川	8	2	5	12	6	6	8	8	－
愛媛	16	8	8	14	7	7	6	6	0
高知	4	3	1	9	5	4	9	9	0
福岡	30	16	15	44	22	22	24	21	3
佐賀	4	2	2	5	4	2	2	2	1
長崎	4	1	3	15	9	6	7	6	1
熊本	13	4	9	28	18	11	7	7	－
大分	7	4	3	11	7	4	4	4	－
宮崎	11	6	5	17	14	3	6	6	－
鹿児島	19	11	9	24	14	10	14	9	5
沖縄	5	2	3	7	4	3	2	2	－

注：１）調査方法の変更等による回収率変動の影響を受けているため、数量を示す従事者数の実数は前年以前と単純に年次比較できない。
　　２）介護予防サービスを一体的に行っている事業所の従事者を含む。
　　３）介護予防サービスのみ行っている事業所は対象外とした。
　　４）「0」は常勤換算従事者数が0.5未満の場合である。

指定都市・中核市（再掲）、職種（常勤－非常勤）別（39－6）

平成29年10月1日

都道府県 指定都市 中核市	看護師			准看護師			その他の職員		
	総数	常勤	非常勤	総数	常勤	非常勤	総数	常勤	非常勤
指定都市（再掲）									
札幌市	11	8	3	8	5	3	1	1	1
仙台市	12	5	7	20	13	7	6	6	－
さいたま市	14	1	13	13	2	11	3	3	－
千葉市	14	4	10	5	1	4	5	4	1
横浜市	74	29	45	40	18	22	10	8	2
川崎市	16	5	11	4	2	3	7	4	3
相模原市	11	6	5	3	1	2	2	2	－
新潟市	9	4	5	7	4	3	2	2	－
静岡市	15	7	8	6	2	4	1	1	－
浜松市	7	1	6	3	1	2	1	1	－
名古屋市	39	11	28	18	8	10	6	4	2
京都市	18	5	13	10	4	6	10	10	0
大阪市	38	14	24	24	8	16	11	11	1
堺市	8	2	6	8	3	5	6	5	1
神戸市	20	4	16	17	6	11	4	3	1
岡山市	3	－	3	4	－	4	2	2	－
広島市	6	1	5	9	4	5	5	5	－
北九州市	8	4	4	9	4	5	6	6	－
福岡市	11	5	6	12	4	8	4	4	－
熊本市	7	3	4	10	5	5	3	3	－
中核市（再掲）									
旭川市	2	1	1	5	1	4	2	2	－
函館市	2	1	1	4	4	0	1	1	－
青森市	4	3	1	7	6	1	2	2	－
八戸市	5	2	3	5	2	3	1	0	1
盛岡市	1	－	1	－	－	－	1	1	－
秋田市	－	－	－	－	－	－	－	－	－
郡山市	6	2	4	8	7	1	2	2	－
いわき市	2	1	1	11	8	3	1	1	－
宇都宮市	2	0	2	6	3	3	2	2	0
前橋市	5	2	3	7	2	5	5	2	3
高崎市	4	3	1	3	2	1	－	－	－
川越市	3	－	3	4	2	2	－	－	－
越谷市	5	－	5	11	10	1	3	3	－
船橋市	9	2	7	4	1	3	4	4	－
柏市	5	－	5	2	－	2	1	1	－
八王子市	8	1	7	7	－	7	1	1	－
横須賀市	19	6	13	2	－	2	2	2	－
富山市	5	4	1	3	2	1	1	1	－
金沢市	2	－	2	1	－	1	1	1	－
長野市	5	1	4	3	2	1	0	0	－
岐阜市	7	3	4	4	1	3	6	4	2
豊橋市	2	－	2	1	－	1	1	1	－
豊田市	1	－	1	2	－	2	1	1	－
岡崎市	3	0	3	3	－	3	3	3	0
大津市	8	2	6	3	2	1	2	1	1
高槻市	3	－	3	2	0	1	2	2	－
東大阪市	1	1	1	5	2	3	3	3	0
豊中市	10	8	2	3	1	2	3	3	－
枚方市	3	3	0	1	－	1	1	1	－
姫路市	2	－	2	5	2	3	1	1	－
西宮市	5	3	2	4	－	4	1	1	－
尼崎市	1	－	1	6	2	4	1	1	－
奈良市	2	－	2	1	1	－	－	－	－
和歌山市	3	1	1	3	1	2	－	－	－
倉敷市	2	1	1	2	－	2	1	1	－
福山市	2	－	2	9	6	3	3	3	－
呉市	4	1	3	5	3	2	2	2	0
下関市	2	－	2	5	1	4	4	3	1
高松市	4	－	4	3	－	3	1	1	－
松山市	5	2	3	1	1	0	1	1	－
高知市	－	－	－	－	－	－	－	－	－
久留米市	4	3	1	4	2	2	3	2	1
長崎市	1	1	0	4	4	－	0	0	－
佐世保市	2	－	2	3	2	1	2	2	－
大分市	5	2	3	4	2	2	1	1	－
宮崎市	3	2	1	2	2	－	－	－	－
鹿児島市	10	4	5	11	6	5	5	2	3
那覇市	2	－	2	3	2	1	1	1	－

第7表　常勤換算従事者数，居宅サービスの種類、都道府県－

訪問看護ステーション

都道府県 指定都市 中核市	総数			保健師			助産師		
	総数	常勤	非常勤	総数	常勤	非常勤	総数	常勤	非常勤
全国	66 060	51 098	14 963	918	710	208	53	28	25
北海道	2 709	2 065	643	95	61	33	0	－	0
青森	748	652	96	7	7	－	－	－	－
岩手	515	432	82	16	10	6	－	－	－
宮城	998	814	184	6	4	2	－	－	－
秋田	310	254	55	9	8	1	1	1	－
山形	415	362	53	10	10	0	－	－	－
福島	747	679	69	36	35	1	2	2	－
茨城	888	712	176	13	12	1	－	－	－
栃木	627	489	138	12	11	2	－	－	－
群馬	1 028	768	260	8	7	1	1	－	1
埼玉	2 566	1 952	614	23	18	6	1	0	0
千葉	2 067	1 612	455	44	31	13	3	1	2
東京	7 378	5 753	1 625	143	119	24	6	5	2
神奈川	4 479	3 296	1 183	60	45	16	2	－	2
新潟	791	664	126	22	19	3	1	1	－
富山	397	311	87	12	11	1	1	1	－
石川	627	449	178	6	4	2	1	－	1
福井	520	435	85	20	17	3	－	－	－
山梨	348	257	90	7	7	0	1	－	1
長野	993	777	216	10	9	1	1	1	－
岐阜	1 138	866	272	15	12	3	－	－	－
静岡	1 284	950	334	16	7	9	4	3	1
愛知	3 866	2 735	1 131	36	26	11	9	4	4
三重	820	597	224	4	3	1	－	－	－
滋賀	671	471	201	16	8	8	2	－	2
京都	1 577	1 251	327	21	16	4	1	－	1
大阪	7 678	5 865	1 813	62	50	12	2	1	1
兵庫	4 024	2 965	1 059	40	29	11	2	1	1
奈良	855	619	236	5	4	1	1	－	1
和歌山	746	597	149	5	4	1	2	2	－
鳥取	301	259	42	1	0	1	－	－	－
島根	434	355	79	2	2	－	0	－	0
岡山	959	769	189	16	14	2	1	1	－
広島	1 895	1 428	468	21	10	11	－	－	－
山口	690	547	142	14	13	1	－	－	－
徳島	456	358	99	2	1	0	－	－	－
香川	401	293	108	7	6	1	0	－	0
愛媛	836	682	154	6	5	1	－	－	－
高知	339	286	53	6	6	0	－	－	－
福岡	3 145	2 572	574	27	20	8	3	3	－
佐賀	388	332	56	1	1	0	2	－	2
長崎	646	530	116	10	8	2	1	1	1
熊本	1 066	872	194	6	3	2	1	1	－
大分	694	546	149	5	4	2	4	1	4
宮崎	655	568	87	4	3	1	－	－	－
鹿児島	826	635	191	11	9	2	1	1	0
沖縄	524	421	103	4	3	1	－	－	－

注：1）調査方法の変更等による回収率変動の影響を受けているため、数量を示す従事者数の実数は前年以前と単純に年次比較できない。
　　2）介護予防サービスを一体的に行っている事業所の従事者を含む。
　　3）介護予防サービスのみ行っている事業所は対象外とした。
　　4）「0」は常勤換算従事者数が0.5未満の場合である。

指定都市・中核市（再掲）、職種（常勤－非常勤）別（39－７）

平成29年10月１日

看護師			准看護師			理学療法士			作業療法士		
総数	常勤	非常勤	総数	常勤	非常勤	総数	常勤	非常勤	総数	常勤	非常勤
41 502	31 685	9 818	4 383	3 123	1 260	9 364	7 580	1 784	4 173	3 416	757
1 796	1 368	428	233	161	72	251	215	36	148	126	22
468	405	63	141	121	20	38	35	3	32	29	3
362	304	58	24	19	5	44	39	5	37	33	4
626	502	124	68	57	12	139	121	18	74	65	9
224	184	40	20	14	6	19	16	3	10	8	2
249	219	29	37	24	12	61	56	5	30	29	1
467	426	41	66	62	4	78	68	10	50	43	7
579	449	131	69	56	13	101	83	18	50	45	5
425	320	105	41	36	5	59	48	12	33	28	5
631	479	152	135	100	35	133	99	34	50	35	14
1 714	1 286	429	147	109	38	333	254	79	133	107	26
1 219	944	275	128	91	37	319	262	57	145	115	30
4 305	3 279	1 026	225	166	59	1 363	1 085	278	568	466	103
2 731	1 889	841	118	80	37	746	606	140	336	274	62
559	475	84	34	27	7	82	73	9	34	28	7
279	210	70	25	20	5	32	28	3	16	15	1
421	291	129	39	23	16	69	61	8	43	34	10
307	245	62	34	28	6	78	74	4	31	27	4
272	198	74	11	8	3	16	11	5	18	14	3
748	588	160	31	22	9	80	62	18	44	35	9
700	513	187	89	59	29	198	168	30	54	47	7
826	591	235	48	33	15	182	148	34	96	83	12
2 460	1 716	745	279	159	120	575	467	108	192	136	56
536	396	140	78	48	30	92	65	26	37	27	10
517	356	161	11	6	5	47	41	7	20	14	6
1 121	899	222	81	62	20	173	136	37	67	52	15
4 403	3 353	1 050	667	459	208	1 349	1 039	311	479	383	96
2 468	1 773	695	199	121	78	720	581	139	256	198	58
570	410	160	24	14	10	125	93	31	45	35	10
410	323	86	80	58	22	152	133	19	46	36	10
187	160	26	26	21	6	44	37	7	21	19	2
305	241	64	31	28	4	39	36	4	30	26	4
592	461	131	41	27	14	127	106	21	122	112	10
1 105	818	287	218	155	63	270	215	54	140	117	24
465	369	95	52	38	15	67	57	10	38	30	8
270	216	54	66	45	21	51	35	16	43	38	5
238	171	67	54	35	19	40	33	7	34	28	6
482	400	82	52	37	15	139	119	20	98	75	23
207	182	25	21	18	3	59	45	15	16	10	6
2 025	1 634	391	237	176	61	368	319	50	236	201	35
273	236	36	22	14	8	31	28	3	20	18	2
427	360	67	54	40	15	68	52	16	30	23	7
673	541	133	108	83	25	155	134	21	61	55	6
463	373	90	67	45	23	60	44	16	33	28	5
440	389	51	49	41	8	79	62	17	29	25	4
588	446	142	58	41	18	70	59	11	36	32	4
374	298	76	49	39	10	45	35	10	17	14	3

訪問看護ステーション

都道府県 指定都市 中核市	総数			保健師			助産師		
	総数	常勤	非常勤	総数	常勤	非常勤	総数	常勤	非常勤
指定都市(再掲)									
札幌市	1 328	1 031	297	51	35	16	0	–	0
仙台市	566	468	98	2	2	–	–	–	–
さいたま市	543	427	117	5	3	2	0	–	0
千葉市	440	343	97	16	10	6	2	1	1
横浜市	2 155	1 560	595	29	19	10	1	–	1
川崎市	681	541	140	7	6	1	0	–	0
相模原市	256	186	70	5	4	2	1	–	1
新潟市	324	265	59	12	12	–	–	–	–
静岡市	289	220	70	9	2	7	–	–	–
浜松市	290	200	90	4	4	1	1	1	–
名古屋市	1 933	1 306	627	24	16	8	–	–	–
京都市	989	792	197	18	14	4	1	–	1
大阪市	2 618	1 997	621	20	15	5	1	1	–
堺市	919	689	230	8	8	–	–	–	–
神戸市	1 275	939	336	13	9	5	1	1	–
岡山市	418	332	86	10	8	2	1	1	–
広島市	1 058	848	210	12	7	5	–	–	–
北九州市	573	454	119	1	–	1	–	–	–
福岡市	1 008	831	177	16	13	3	2	2	–
熊本市	471	372	99	2	2	–	–	–	–
中核市(再掲)									
旭川市	234	202	33	6	4	2	–	–	–
函館市	105	85	20	0	–	0	–	–	–
青森市	170	151	20	4	4	–	–	–	–
八戸市	192	160	31	–	–	–	–	–	–
盛岡市	215	189	27	7	6	1	–	–	–
秋田市	134	112	22	4	4	–	–	–	–
郡山市	169	152	17	17	17	–	–	–	–
いわき市	82	72	10	–	–	–	–	–	–
宇都宮市	212	171	41	7	7	–	–	–	–
前橋市	254	178	76	5	4	1	1	–	1
高崎市	191	141	50	2	2	–	–	–	–
川越市	156	121	35	1	1	–	–	–	–
越谷市	93	76	17	–	–	–	–	–	–
船橋市	212	173	39	4	3	1	–	–	–
柏市	153	119	35	3	3	–	1	–	1
八王子市	163	129	34	3	3	0	–	–	–
横須賀市	158	119	39	1	–	1	–	–	–
富山市	185	147	38	4	4	0	1	1	–
金沢市	335	257	77	1	–	1	–	–	–
長野市	147	126	21	1	1	0	1	1	–
岐阜市	352	278	74	7	7	–	–	–	–
豊橋市	104	79	25	–	–	–	–	–	–
豊田市	105	74	31	0	–	0	–	–	–
岡崎市	128	84	44	–	–	–	–	–	–
大津市	163	120	43	4	3	1	2	–	2
高槻市	243	177	67	2	2	–	–	–	–
東大阪市	399	305	95	2	1	1	–	–	–
豊中市	454	346	108	5	4	1	1	–	1
枚方市	266	201	65	6	5	1	–	–	–
姫路市	442	338	104	3	2	1	–	–	–
西宮市	412	325	88	9	8	1	–	–	–
尼崎市	390	283	107	4	4	1	–	–	–
奈良市	276	200	76	0	–	0	–	–	–
和歌山市	283	219	65	2	1	1	–	–	–
倉敷市	277	220	57	–	–	–	–	–	–
福山市	209	162	47	–	–	–	–	–	–
呉市	98	63	35	4	1	3	–	–	–
下関市	122	99	23	2	2	–	–	–	–
高松市	220	153	67	1	1	–	0	–	0
松山市	439	368	72	2	2	–	–	–	–
高知市	184	159	24	5	5	–	–	–	–
久留米市	209	179	31	2	1	2	–	–	–
長崎市	281	231	50	6	6	1	1	–	1
佐世保市	91	83	8	–	–	–	–	–	–
大分市	338	267	71	1	–	1	4	1	4
宮崎市	338	302	36	1	1	–	–	–	–
鹿児島市	354	266	88	4	3	1	1	1	–
那覇市	136	107	28	1	1	–	–	–	–

注：1）調査方法の変更等による回収率変動の影響を受けているため、数量を示す従事者数の実数は前年以前と単純に年次比較できない。
2）介護予防サービスを一体的に行っている事業所の従事者を含む。
3）介護予防サービスのみ行っている事業所は対象外とした。
4）「0」は常勤換算従事者数が0.5未満の場合である。

平成29年10月１日

看護師			准看護師			理学療法士			作業療法士		
総数	常勤	非常勤	総数	常勤	非常勤	総数	常勤	非常勤	総数	常勤	非常勤
812	625	187	91	60	31	172	147	25	103	88	14
365	297	69	25	23	2	80	68	12	44	40	5
365	271	94	13	10	3	76	69	7	34	29	4
242	189	53	19	15	5	82	71	11	28	19	9
1 299	884	415	56	38	18	383	305	78	165	136	29
357	263	94	13	8	5	145	124	21	76	67	9
161	114	47	8	6	2	49	39	10	12	8	4
226	190	36	7	6	1	39	31	8	15	9	5
171	122	49	10	8	2	52	47	5	25	24	1
206	135	72	5	2	4	37	30	7	19	16	3
1 217	802	416	148	74	75	266	223	43	112	75	37
683	550	134	45	35	10	127	106	21	49	39	9
1 558	1 185	373	276	190	85	397	306	91	132	104	28
540	409	130	78	51	27	155	119	36	43	32	11
768	551	218	45	30	15	249	200	49	92	68	23
275	211	64	17	13	4	50	42	8	46	41	4
582	457	125	111	87	24	174	145	28	99	87	13
406	318	88	43	32	10	43	37	6	31	24	6
616	498	118	73	58	16	136	121	15	88	72	17
299	230	69	34	24	11	81	67	14	33	30	3
151	129	21	44	40	4	13	12	1	12	11	1
86	70	16	7	6	1	5	4	1	1	1	－
96	85	11	26	23	4	13	13	1	13	11	2
139	112	26	25	24	1	9	8	2	4	4	－
153	135	18	7	4	3	21	19	2	19	17	2
97	79	17	5	4	1	9	8	1	4	4	0
107	99	8	5	5	－	18	12	5	9	6	3
61	52	10	4	4	－	9	9	－	4	4	－
142	112	30	13	12	1	17	14	3	13	10	3
161	115	46	31	21	11	28	22	6	8	5	2
123	91	32	40	30	10	14	11	3	5	3	3
95	74	21	17	13	4	26	20	5	6	5	2
62	50	13	5	4	1	9	8	1	9	8	1
123	103	20	7	4	3	42	34	8	18	14	4
88	64	24	10	9	1	28	23	5	10	8	2
85	61	24	7	5	2	28	26	2	21	19	1
116	86	31	6	3	3	9	8	0	9	6	3
126	93	34	12	10	2	19	18	1	7	7	0
218	162	56	11	7	4	49	44	5	29	22	7
116	100	15	3	2	1	10	6	3	6	6	－
206	156	50	32	26	6	62	52	10	15	12	3
78	56	22	7	7	0	6	5	1	5	5	－
74	54	19	7	4	3	14	8	5	5	4	1
84	54	30	7	4	3	23	18	5	6	4	2
121	87	35	4	1	2	11	11	－	7	6	1
158	111	47	13	9	5	32	24	8	21	17	4
215	169	47	33	27	7	91	59	32	17	14	3
226	170	56	21	11	10	111	84	27	38	32	6
139	99	39	20	17	3	60	49	11	13	9	4
241	173	68	26	19	7	103	90	13	33	28	5
209	158	51	13	6	7	99	84	15	39	31	8
270	196	74	31	17	14	43	33	10	12	9	3
169	126	43	5	2	3	53	38	15	20	14	6
174	142	33	25	16	8	46	32	15	16	11	4
154	117	36	11	6	5	42	34	8	55	50	5
130	100	29	27	19	8	32	26	6	12	9	3
70	44	26	9	7	2	6	2	4	－	－	－
87	76	11	11	5	6	6	4	2	7	6	1
121	83	38	36	21	16	27	22	5	21	17	4
238	201	37	19	14	6	86	73	13	59	50	9
112	102	11	13	11	2	32	24	8	6	4	2
147	124	23	16	15	1	18	17	1	15	12	3
176	147	29	23	18	5	38	30	8	16	12	3
61	56	5	3	3	1	13	12	1	5	4	1
229	186	43	23	13	10	29	22	7	19	18	2
223	200	23	13	10	4	46	40	6	21	20	0
271	202	70	21	16	4	21	17	4	9	7	2
99	74	25	9	7	2	12	10	2	6	6	－

訪問看護ステーション

都道府県 指定都市 中核市	言語聴覚士			その他の職員			サテライト事業所の従事者（再掲）		
	総数	常勤	非常勤	総数	常勤	非常勤	総数	常勤	非常勤
全国	853	646	207	4 815	3 911	904	2 621	2 113	508
北海道	15	11	5	171	123	48	76	47	30
青森	3	3	0	59	52	7	57	49	8
岩手	2	1	1	29	26	4	6	5	1
宮城	9	7	1	77	58	19	57	52	6
秋田	1	-	1	27	24	3	4	3	1
山形	1	-	1	28	24	4	25	21	4
福島	8	7	1	43	37	6	54	52	2
茨城	4	3	2	73	65	8	21	15	6
栃木	8	5	3	50	42	8	5	4	1
群馬	9	4	5	63	45	18	7	7	0
埼玉	30	21	8	185	157	28	31	30	1
千葉	26	18	8	184	151	33	100	82	17
東京	145	116	29	623	518	106	672	560	111
神奈川	76	63	13	411	340	71	95	82	13
新潟	11	9	2	48	34	14	11	9	2
富山	10	9	1	24	17	6	16	10	6
石川	6	4	2	42	31	11	37	29	8
福井	7	6	1	43	38	6	21	20	2
山梨	1	1	0	23	19	4	20	16	4
長野	9	7	2	72	54	18	77	61	16
岐阜	14	8	5	70	59	11	27	15	11
静岡	5	4	1	107	80	27	39	29	10
愛知	73	53	20	242	175	67	44	41	3
三重	6	4	2	68	54	14	12	8	4
滋賀	4	1	2	54	45	9	50	34	16
京都	17	12	5	97	74	24	6	5	1
大阪	128	100	28	588	480	108	597	460	136
兵庫	69	50	19	270	212	58	196	158	38
奈良	11	6	5	75	56	19	8	4	4
和歌山	7	4	3	45	38	7	-	-	-
鳥取	7	7	-	16	15	1	21	20	1
島根	2	2	0	24	21	3	7	6	1
岡山	6	5	2	54	44	10	70	60	10
広島	24	15	10	117	97	20	7	4	3
山口	6	3	3	49	38	11	7	6	2
徳島	2	1	1	24	21	3	5	4	1
香川	1	0	1	26	20	7	-	-	-
愛媛	11	8	3	49	39	10	3	3	-
高知	3	2	1	26	23	3	2	2	-
福岡	32	26	6	217	193	24	14	13	1
佐賀	3	2	1	37	33	4	-	-	-
長崎	6	6	1	50	42	8	20	16	4
熊本	14	13	1	49	43	7	17	16	2
大分	6	3	3	56	49	7	31	25	6
宮崎	4	4	-	50	45	6	8	6	2
鹿児島	9	8	2	52	40	12	42	25	17
沖縄	6	5	1	30	28	2	-	-	-

注：1）調査方法の変更等による回収率変動の影響を受けているため、数量を示す従事者数の実数は前年以前と単純に年次比較できない。
2）介護予防サービスを一体的に行っている事業所の従事者を含む。
3）介護予防サービスのみ行っている事業所は対象外とした。
4）「0」は常勤換算従事者数が0.5未満の場合である。

指定都市・中核市（再掲）、職種（常勤－非常勤）別（39－９）

平成29年10月１日

都道府県 指定都市 中核市	言語聴覚士			その他の職員			サテライト事業所の従事者（再掲）		
	総数	常勤	非常勤	総数	常勤	非常勤	総数	常勤	非常勤
指定都市（再掲）									
札幌市	12	9	3	87	66	21	22	14	8
仙台市	7	6	1	43	33	9	2	2	－
さいたま市	7	7	0	44	38	6	28	27	1
千葉市	6	2	4	45	36	8	30	29	2
横浜市	33	26	7	189	152	37	13	13	－
川崎市	23	21	2	61	53	8	58	54	4
相模原市	1	1	－	19	15	5	5	4	1
新潟市	6	4	1	21	13	8	－	－	－
静岡市	2	2	0	20	13	6	15	9	6
浜松市	－	－	－	17	13	4	5	2	3
名古屋市	44	32	12	122	85	37	20	18	2
京都市	14	9	4	53	38	14	－	－	－
大阪市	26	19	8	208	177	31	274	183	91
堺市	18	11	7	78	58	20	72	61	11
神戸市	22	18	4	85	63	22	67	57	11
岡山市	2	1	1	18	14	3	27	24	3
広島市	18	12	6	63	53	10	－	－	－
北九州市	3	2	1	46	40	6	0	0	－
福岡市	13	11	2	63	57	7	14	13	1
熊本市	5	5	0	16	14	2	5	3	2
中核市（再掲）									
旭川市	1	0	1	8	6	2	2	1	2
函館市	－	－	－	5	3	2	－	－	－
青森市	2	2	0	16	15	1	15	15	－
八戸市	1	1	－	14	11	2	18	17	1
盛岡市	2	1	1	7	6	1	－	－	－
秋田市	1	－	1	16	14	2	－	－	－
郡山市	2	2	－	12	11	1	21	21	－
いわき市	0	0	－	5	5	1	－	－	－
宇都宮市	2	1	1	17	14	3	－	－	－
前橋市	1	0	0	20	12	8	－	－	－
高崎市	1	0	1	7	5	2	2	2	－
川越市	4	3	1	7	6	1	－	－	－
越谷市	2	1	1	6	5	1	－	－	－
船橋市	1	1	0	17	14	4	16	15	1
柏市	3	3	0	10	9	1	8	6	1
八王子市	5	4	1	14	11	3	－	－	－
横須賀市	1	－	1	17	15	1	2	2	－
富山市	7	7	0	9	8	1	5	3	2
金沢市	5	4	2	22	19	3	20	17	3
長野市	0	－	0	10	9	1	2	－	2
岐阜市	6	4	2	25	22	3	－	－	－
豊橋市	－	－	－	9	8	1	－	－	－
豊田市	1	1	0	4	2	2	1	1	－
岡崎市	3	1	2	6	3	3	－	－	－
大津市	1	1	－	14	11	3	－	－	－
高槻市	2	1	1	15	12	3	9	6	3
東大阪市	9	7	2	33	28	5	28	20	8
豊中市	17	16	1	36	29	6	30	26	4
枚方市	4	3	1	24	19	6	10	9	1
姫路市	8	5	3	29	22	8	5	5	－
西宮市	15	13	3	29	25	4	28	24	4
尼崎市	3	1	2	26	24	3	7	5	2
奈良市	5	3	2	25	17	7	－	－	－
和歌山市	4	2	2	17	15	2	－	－	－
倉敷市	3	2	1	13	11	2	30	23	7
福山市	2	2	0	7	6	1	－	－	－
呉市	－	－	－	11	9	1	5	2	3
下関市	2	1	1	8	6	2	－	－	－
高松市	0	0	0	13	10	3	－	－	－
松山市	10	8	2	25	21	4	－	－	－
高知市	2	2	1	13	12	2	－	－	－
久留米市	3	3	－	8	8	1	－	－	－
長崎市	3	3	1	20	16	4	7	7	－
佐世保市	2	2	－	8	7	1	5	5	－
大分市	3	2	2	31	26	5	29	24	5
宮崎市	4	4	－	30	27	3	3	1	2
鹿児島市	4	3	1	24	17	7	21	8	13
那覇市	2	2	0	7	7	－	－	－	－

通所介護

都道府県 指定都市 中核市	総数			医師			看護師		
	総数	常勤	非常勤	総数	常勤	非常勤	総数	常勤	非常勤
全国	230 040	155 144	74 896	78	56	21	13 332	6 540	6 793
北海道	7 030	4 981	2 049	2	0	2	374	175	199
青森	3 290	2 643	647	1	1	0	126	86	40
岩手	3 328	2 614	713	0	-	0	220	136	83
宮城	4 359	3 427	931	0	-	0	210	121	89
秋田	2 173	1 759	414	0	-	0	124	81	42
山形	3 171	2 526	646	0	0	0	155	90	65
福島	4 072	3 256	816	3	2	1	214	150	64
茨城	4 541	3 099	1 443	3	2	1	214	105	109
栃木	3 681	2 603	1 078	0	-	0	190	111	80
群馬	5 330	3 731	1 599	1	0	1	262	161	101
埼玉	10 115	6 110	4 006	5	2	3	590	224	366
千葉	7 752	4 775	2 977	1	-	1	384	148	235
東京	15 079	9 046	6 033	2	1	1	1 016	367	649
神奈川	9 921	5 041	4 880	1	-	1	637	183	455
新潟	6 307	4 628	1 679	1	0	1	345	186	159
富山	2 885	2 001	884	3	2	1	172	102	70
石川	2 427	1 792	635	0	-	0	154	85	69
福井	2 085	1 418	667	0	0	-	97	51	46
山梨	1 858	1 338	520	0	0	-	122	69	53
長野	4 808	3 142	1 665	2	2	0	349	188	161
岐阜	4 452	2 849	1 603	3	3	1	267	123	144
静岡	7 234	4 620	2 614	4	4	0	494	213	281
愛知	11 333	6 472	4 861	0	-	0	691	268	423
三重	4 731	3 057	1 673	1	-	1	291	151	140
滋賀	2 747	1 645	1 102	0	-	0	227	97	131
京都	4 695	3 093	1 602	2	1	1	356	156	200
大阪	14 237	8 833	5 404	6	4	2	899	388	511
兵庫	9 365	5 698	3 667	2	1	1	651	269	382
奈良	2 568	1 511	1 057	1	1	0	159	50	109
和歌山	2 251	1 590	661	2	2	-	91	40	51
鳥取	1 660	1 306	354	1	1	-	94	66	28
島根	1 879	1 387	493	-	-	-	89	50	39
岡山	4 241	2 966	1 275	6	6	-	268	156	111
広島	5 705	3 921	1 784	9	9	0	253	131	122
山口	3 550	2 366	1 185	1	0	0	200	105	95
徳島	1 920	1 434	486	1	1	-	96	53	43
香川	2 235	1 641	594	0	-	0	116	66	51
愛媛	3 604	2 678	925	0	-	0	188	121	67
高知	1 452	1 178	274	1	1	-	73	52	22
福岡	10 632	7 756	2 876	2	1	1	606	353	253
佐賀	2 655	2 033	621	3	3	0	154	106	48
長崎	3 394	2 469	924	3	3	-	148	82	66
熊本	4 275	3 317	958	1	1	0	205	127	78
大分	3 603	2 413	1 190	1	1	0	144	86	58
宮崎	3 389	2 667	721	0	0	-	173	127	46
鹿児島	3 133	2 340	793	2	2	1	151	106	45
沖縄	4 890	3 973	918	2	2	0	294	180	114

注：1）調査方法の変更等による回収率変動の影響を受けているため、数量を示す従事者数の実数は前年以前と単純に年次比較できない。
　　2）介護予防サービスを一体的に行っている事業所の従事者を含む。
　　3）介護予防サービスのみ行っている事業所は対象外とした。
　　4）「0」は常勤換算従事者数が0.5未満の場合である。

平成29年10月１日

准看護師			機能訓練指導員								
						理学療法士（再掲）			作業療法士（再掲）		
総数	常勤	非常勤	総数	常勤	非常勤	総数	常勤	非常勤	総数	常勤	非常勤
12 049	7 005	5 044	20 346	13 929	6 418	3 296	2 680	616	1 754	1 392	362
332	171	161	720	498	223	71	55	16	64	53	11
228	174	54	317	254	63	21	16	4	24	21	3
171	120	51	249	185	63	18	15	3	18	16	2
254	172	82	377	285	92	52	45	6	34	31	3
132	100	32	152	115	36	5	4	1	6	6	－
167	116	51	246	182	64	28	26	2	30	27	3
286	214	72	387	316	70	40	34	6	17	16	1
268	153	116	362	232	130	48	32	16	19	14	5
257	169	88	256	171	84	21	14	7	15	12	3
394	241	153	397	269	128	54	47	7	27	17	9
491	229	262	791	490	301	142	102	39	52	37	16
343	164	179	596	368	228	96	76	20	41	33	7
455	186	269	1 301	791	510	225	168	57	106	73	33
271	82	189	772	371	401	80	58	22	35	21	14
365	222	143	490	347	142	93	82	11	47	34	13
161	96	65	211	158	53	25	20	4	15	12	4
133	82	51	252	190	62	42	33	9	27	18	9
134	79	55	215	167	48	70	60	11	34	29	5
92	50	41	122	85	37	21	18	3	12	10	2
248	155	93	412	287	125	53	45	9	36	29	7
269	144	125	396	268	127	76	61	15	33	25	7
274	127	148	678	471	207	147	123	24	85	68	17
461	214	248	991	570	421	173	136	37	70	46	25
254	131	123	396	242	154	68	53	15	30	20	10
89	41	48	196	118	79	24	17	7	19	13	6
166	87	79	386	270	116	56	46	10	17	14	4
601	260	341	1 273	803	470	171	127	44	61	45	16
378	164	215	809	496	313	134	104	31	46	28	17
83	33	50	202	116	86	48	32	17	13	8	5
125	68	57	177	108	69	26	16	10	7	6	1
103	73	31	147	121	26	33	27	6	17	15	2
124	78	46	170	133	37	29	27	2	26	25	1
197	116	82	434	299	135	61	48	13	50	42	8
330	183	147	529	354	175	89	72	17	44	35	9
236	144	92	358	252	105	42	38	4	35	33	2
125	73	52	215	155	60	55	48	7	31	25	6
171	116	55	218	154	64	22	15	7	18	16	2
235	177	58	398	295	103	67	50	17	48	34	15
103	71	32	143	113	30	40	38	2	9	8	1
657	416	242	1 132	879	254	288	255	33	179	155	24
207	153	53	210	167	43	27	25	2	16	13	3
233	161	72	348	267	81	60	49	12	29	23	6
315	230	85	486	395	92	119	110	8	58	50	8
284	182	101	345	243	102	38	30	8	38	31	7
303	224	79	316	263	53	64	59	5	36	33	3
270	176	94	364	281	83	57	52	5	42	37	5
274	191	83	409	332	77	81	73	8	43	38	5

通所介護

都道府県 指定都市 中核市	総数			医師			看護師		
	総数	常勤	非常勤	総数	常勤	非常勤	総数	常勤	非常勤
指定都市(再掲)									
札幌市	2 223	1 607	616	0	0	–	144	61	83
仙台市	1 074	784	290	–	–	–	72	37	35
さいたま市	1 494	898	596	1	1	0	104	31	73
千葉市	1 024	620	404	–	–	–	63	20	43
横浜市	4 188	1 959	2 230	1	–	1	287	76	211
川崎市	1 207	717	491	0	–	0	71	24	47
相模原市	813	443	370	–	–	–	51	18	33
新潟市	1 991	1 400	590	0	–	0	104	50	53
静岡市	1 392	877	515	1	1	0	82	30	52
浜松市	1 471	908	563	2	2	0	113	45	69
名古屋市	3 001	1 726	1 274	–	–	–	196	75	121
京都市	2 643	1 796	848	0	–	0	214	96	118
大阪市	3 803	2 500	1 302	2	2	0	251	120	131
堺市	1 510	956	554	–	–	–	95	42	53
神戸市	2 441	1 414	1 028	0	–	0	186	75	112
岡山市	1 420	1 010	410	4	4	–	92	52	41
広島市	2 157	1 490	666	6	6	–	105	55	49
北九州市	2 501	1 698	802	–	–	–	157	83	75
福岡市	2 162	1 634	528	0	–	0	137	85	52
熊本市	1 306	963	343	–	–	–	72	37	35
中核市(再掲)									
旭川市	524	359	166	0	–	0	22	8	14
函館市	456	347	109	–	–	–	17	7	9
青森市	460	372	88	–	–	–	14	9	6
八戸市	542	420	123	0	–	0	23	15	9
盛岡市	701	517	184	–	–	–	51	28	23
秋田市	485	401	84	0	–	0	30	19	12
郡山市	608	458	150	1	–	1	39	21	18
いわき市	816	646	170	2	2	–	28	19	9
宇都宮市	826	566	260	0	–	0	52	23	29
前橋市	1 017	713	304	0	0	0	58	36	22
高崎市	908	646	262	–	–	–	40	28	12
川越市	538	325	213	0	–	0	37	12	25
越谷市	386	225	161	–	–	–	15	6	9
船橋市	616	348	268	–	–	–	38	14	24
柏市	439	254	185	0	–	0	25	11	15
八王子市	763	386	377	–	–	–	48	13	35
横須賀市	581	276	304	–	–	–	40	8	33
富山市	1 177	795	382	1	–	1	77	43	34
金沢市	928	623	305	0	–	0	69	35	35
長野市	876	530	346	–	–	–	66	27	39
岐阜市	790	539	251	1	1	0	50	27	22
豊橋市	514	299	215	0	–	0	29	13	16
豊田市	534	258	276	–	–	–	37	11	26
岡崎市	571	322	248	–	–	–	35	14	21
大津市	502	297	205	0	–	0	40	13	27
高槻市	504	274	230	0	–	0	37	15	22
東大阪市	753	479	274	–	–	–	41	17	24
豊中市	651	431	220	–	–	–	48	24	24
枚方市	635	363	273	1	1	–	45	15	30
姫路市	1 138	631	507	0	–	0	72	28	43
西宮市	425	301	124	–	–	–	30	18	12
尼崎市	866	537	329	0	–	0	55	23	32
奈良市	693	422	271	1	1	–	44	12	32
和歌山市	789	522	268	–	–	–	29	9	20
倉敷市	1 050	677	373	1	1	–	64	30	34
福山市	1 041	679	362	1	1	–	31	17	14
呉市	358	267	91	–	–	–	16	11	5
下関市	696	441	255	0	–	0	34	14	20
高松市	959	670	289	0	–	0	53	30	23
松山市	1 111	812	299	–	–	–	64	39	25
高知市	617	500	117	1	1	–	32	22	11
久留米市	597	455	142	–	–	–	26	15	11
長崎市	916	676	240	1	1	–	37	15	22
佐世保市	435	329	106	1	1	–	14	8	7
大分市	1 622	1 117	505	0	–	0	75	46	29
宮崎市	995	769	226	0	0	–	61	45	16
鹿児島市	986	708	277	–	–	–	51	33	18
那覇市	1 030	861	169	0	–	0	62	39	23

注：1）調査方法の変更等による回収率変動の影響を受けているため、数量を示す従事者数の実数は前年以前と単純に年次比較できない。
　　2）介護予防サービスを一体的に行っている事業所の従事者を含む。
　　3）介護予防サービスのみ行っている事業所は対象外とした。
　　4）「0」は常勤換算従事者数が0.5未満の場合である。

指定都市・中核市（再掲）、職種（常勤－非常勤）別（39－11）

平成29年10月１日

准看護師			機能訓練指導員								
						理学療法士（再掲）			作業療法士（再掲）		
総数	常勤	非常勤	総数	常勤	非常勤	総数	常勤	非常勤	総数	常勤	非常勤
59	28	31	297	214	84	36	29	8	46	39	7
35	23	12	114	91	24	19	18	2	17	16	1
61	26	35	135	81	55	22	17	6	14	10	4
28	8	20	88	61	27	16	16	1	6	6	−
109	37	72	327	155	173	26	21	6	13	5	8
42	18	24	97	50	47	8	6	1	5	4	1
22	4	18	52	21	31	5	3	2	3	3	0
126	66	59	177	116	61	36	29	7	16	11	5
52	25	28	127	91	36	27	24	2	13	11	3
53	21	32	200	131	69	52	38	15	36	28	8
108	40	69	253	137	116	43	33	10	19	13	6
81	45	36	227	166	61	28	24	4	11	8	3
152	63	89	344	210	134	55	40	15	17	11	6
65	33	32	145	101	44	20	15	5	7	6	2
77	28	49	229	136	93	32	25	7	12	6	6
55	30	25	153	109	45	25	23	3	20	17	3
111	57	55	222	156	65	37	31	6	21	18	3
139	85	53	253	191	62	76	67	9	34	27	6
112	69	43	262	214	48	73	67	6	43	39	4
90	59	32	171	137	34	62	58	5	32	25	7
29	13	16	63	46	17	9	8	2	4	2	1
28	16	12	40	28	12	5	3	2	−	−	−
37	26	11	53	50	3	3	2	1	4	4	−
30	20	9	49	35	14	9	7	2	4	3	1
23	13	10	63	49	14	8	8	0	5	4	1
24	17	7	37	27	10	−	−	−	1	1	−
31	21	10	86	65	21	13	10	4	5	5	1
68	48	20	66	55	11	3	3	−	−	−	−
43	30	13	58	37	21	2	1	1	2	1	1
64	35	29	74	49	25	16	13	3	5	4	1
61	37	25	79	55	24	15	14	1	7	2	5
15	7	9	57	33	24	9	6	3	7	6	1
15	6	8	28	20	7	3	2	0	1	0	0
18	4	14	48	32	16	4	4	0	2	1	1
15	5	10	26	16	10	4	4	1	1	1	−
27	7	20	59	31	28	8	7	1	2	1	1
14	2	11	39	18	21	5	5	1	2	1	1
52	30	21	107	79	28	13	10	3	9	6	3
33	16	16	100	72	28	20	15	5	10	6	4
33	17	16	81	50	31	11	10	1	7	5	1
40	21	19	87	63	24	19	14	5	6	6	1
33	18	15	46	28	18	5	3	1	1	0	0
19	6	13	54	22	32	5	5	1	3	−	3
34	16	19	48	26	23	5	4	1	3	2	1
18	8	11	50	33	18	6	4	1	7	5	2
17	7	10	55	30	25	2	1	1	5	4	1
39	18	21	81	58	23	11	11	0	3	2	1
20	9	11	67	45	22	14	11	3	1	1	−
27	7	21	45	22	23	7	4	4	2	2	0
52	21	31	87	54	33	19	15	4	5	4	1
13	7	6	45	32	13	6	5	1	2	1	1
49	21	27	88	53	35	10	7	3	1	1	0
24	8	16	64	40	24	16	12	4	4	3	1
41	19	22	63	34	28	7	5	2	2	2	−
41	22	19	104	69	35	13	10	3	15	13	2
60	35	25	92	59	33	23	17	6	8	6	2
21	9	12	26	16	10	2	1	1	3	3	0
58	32	26	72	49	23	11	11	−	7	5	1
64	42	22	103	70	33	8	4	4	10	10	0
55	42	13	128	92	36	25	16	9	19	16	3
35	27	9	72	59	13	28	28	1	7	6	1
39	26	14	80	61	19	28	24	5	16	13	3
57	36	22	113	83	30	29	25	4	14	11	4
27	20	7	39	31	8	4	3	0	3	2	1
100	65	36	153	114	39	20	16	3	25	20	5
71	53	18	121	99	22	32	30	2	16	15	1
73	40	33	131	99	32	27	26	1	13	11	1
56	42	15	100	87	12	29	27	1	13	12	1

第７表　常勤換算従事者数，居宅サービスの種類、都道府県－

通所介護

都道府県 指定都市 中核市	機能訓練 言語聴覚士（再掲） 総数	常勤	非常勤	看護師（再掲） 総数	常勤	非常勤	准看護師（再掲） 総数	常勤	非常勤
全国	187	119	68	6 192	3 393	2 799	5 483	3 557	1 927
北海道	9	5	4	223	115	109	161	93	68
青森	4	4	-	73	59	15	126	104	22
岩手	2	1	1	98	71	27	70	50	20
宮城	2	2	0	105	66	39	101	68	34
秋田	-	-	-	53	34	20	62	50	13
山形	3	1	2	85	53	32	77	56	21
福島	3	2	1	113	87	26	127	103	24
茨城	6	3	3	107	63	44	128	81	47
栃木	2	2	1	80	47	33	101	69	32
群馬	2	1	1	121	77	44	156	102	55
埼玉	9	6	4	235	104	131	194	113	82
千葉	2	1	1	174	74	100	141	74	67
東京	16	7	9	402	148	254	166	80	86
神奈川	5	2	2	344	106	237	135	55	80
新潟	7	7	1	142	88	55	160	103	57
富山	0	-	0	67	45	23	61	47	15
石川	1	-	1	75	54	21	64	45	19
福井	5	4	1	32	20	12	53	36	17
山梨	1	1	0	47	30	17	32	20	12
長野	4	3	1	149	89	60	122	82	40
岐阜	5	2	3	121	67	54	108	69	39
静岡	11	8	2	184	93	91	97	55	42
愛知	15	9	6	349	156	193	247	133	114
三重	6	4	2	135	72	63	110	62	48
滋賀	1	-	1	94	47	47	26	13	13
京都	1	1	-	145	79	65	62	39	23
大阪	3	1	1	378	154	224	260	126	134
兵庫	6	3	3	284	138	146	150	69	81
奈良	4	3	1	52	21	31	30	13	18
和歌山	1	0	1	55	25	30	57	33	24
鳥取	0	0	-	34	27	7	52	42	10
島根	4	4	-	48	30	17	57	42	15
岡山	1	1	1	167	99	69	111	72	39
広島	5	3	2	159	94	65	173	105	68
山口	2	1	0	121	71	50	136	91	45
徳島	1	1	0	47	30	17	60	37	23
香川	1	0	0	71	50	21	82	55	27
愛媛	1	0	1	112	73	39	135	110	26
高知	2	1	1	44	33	10	44	30	14
福岡	9	6	3	258	170	89	331	241	91
佐賀	1	1	0	61	47	14	91	69	22
長崎	3	2	1	88	57	31	134	107	27
熊本	3	3	-	105	73	32	185	146	39
大分	5	3	2	95	65	30	143	95	48
宮崎	6	4	2	74	60	15	125	98	28
鹿児島	4	3	1	91	68	23	136	95	40
沖縄	7	4	3	96	66	30	103	82	21

注：1）調査方法の変更等による回収率変動の影響を受けているため、数量を示す従事者数の実数は前年以前と単純に年次比較できない。
2）介護予防サービスを一体的に行っている事業所の従事者を含む。
3）介護予防サービスのみ行っている事業所は対象外とした。
4）「0」は常勤換算従事者数が0.5未満の場合である。

指定都市・中核市（再掲）、職種（常勤－非常勤）別（39－12）

平成29年10月1日

指導員						調理員			管理栄養士		
柔道整復師（再掲）			あん摩マッサージ指圧師（再掲）								
総数	常勤	非常勤	総数	常勤	非常勤	総数	常勤	非常勤	総数	常勤	非常勤
2 413	2 106	307	1 021	682	339	9 041	3 661	5 380	852	766	86
174	162	12	19	16	3	194	76	119	19	17	1
46	33	12	24	18	7	205	119	86	10	10	−
26	22	4	17	10	7	191	94	97	6	6	0
64	62	3	19	12	8	212	95	118	18	17	1
16	15	2	10	8	2	119	68	51	4	3	1
19	16	2	6	2	3	152	89	62	10	10	−
74	66	8	13	9	4	138	62	76	16	14	2
25	20	5	30	20	11	192	75	117	24	21	3
20	16	5	16	13	4	166	58	108	12	10	2
26	21	6	11	5	6	203	113	90	27	26	1
110	94	16	49	34	15	307	95	212	37	35	2
91	78	14	51	32	19	386	138	247	41	36	5
272	241	31	114	74	41	411	118	294	63	52	11
95	73	22	79	57	23	431	94	337	32	26	6
26	24	2	13	9	5	238	118	120	29	27	2
34	30	4	8	4	4	93	40	53	13	13	−
32	30	2	12	10	2	77	40	36	7	6	0
12	12	0	8	7	2	85	28	58	10	10	0
5	5	−	4	1	3	84	42	42	10	9	1
37	31	6	10	9	2	251	81	170	17	14	3
37	31	6	17	13	4	151	39	113	18	14	4
94	82	12	62	42	20	228	80	149	23	21	2
77	55	22	60	36	24	419	103	317	43	35	7
23	17	6	24	14	10	178	59	119	15	14	1
24	23	1	8	5	3	115	20	95	6	6	−
74	67	7	31	23	8	147	52	95	14	13	1
357	319	38	44	31	13	410	129	281	48	44	4
154	131	22	35	23	12	297	104	193	44	41	3
46	36	10	7	2	5	109	33	77	23	20	3
25	24	1	7	5	2	73	37	36	4	3	0
3	3	−	8	7	1	77	38	39	6	6	−
2	2	−	4	3	1	125	58	67	5	3	2
27	25	2	17	13	4	186	70	116	20	18	1
38	33	5	21	12	9	175	75	100	29	25	3
14	13	0	8	5	4	142	52	89	12	10	2
9	7	2	13	7	6	85	50	35	7	6	0
8	8	1	18	10	7	81	46	35	11	11	0
24	23	1	10	5	5	149	59	90	11	8	3
1	1	−	4	2	2	48	22	27	4	4	−
37	32	5	30	21	9	296	120	175	30	29	1
3	3	0	10	9	1	194	116	79	9	7	2
26	25	1	9	6	3	222	103	119	8	8	1
9	9	−	8	4	4	221	115	106	17	16	2
15	12	2	12	8	4	142	76	67	11	10	1
4	3	1	7	7	0	208	122	86	15	14	2
11	10	1	24	16	8	184	91	93	15	15	0
69	63	6	10	8	3	246	152	94	6	5	1

通所介護

都道府県 指定都市 中核市	機能訓練								
	言語聴覚士（再掲）			看護師（再掲）			准看護師（再掲）		
	総数	常勤	非常勤	総数	常勤	非常勤	総数	常勤	非常勤
指定都市（再掲）									
札幌市	7	4	3	86	42	44	33	14	19
仙台市	0	-	0	33	19	14	13	9	3
さいたま市	3	2	1	47	19	28	24	12	12
千葉市	-	-	-	28	10	18	12	5	6
横浜市	2	0	1	158	49	109	51	20	31
川崎市	0	-	0	41	15	27	22	11	11
相模原市	-	-	-	32	11	21	9	1	8
新潟市	5	4	1	55	34	21	53	27	26
静岡市	3	2	1	29	14	15	10	6	4
浜松市	2	1	1	51	25	26	24	11	13
名古屋市	6	3	3	92	37	54	53	22	31
京都市	1	1	-	74	42	32	30	18	12
大阪市	0	-	0	94	34	60	63	26	37
堺市	-	-	-	36	18	17	33	17	16
神戸市	2	1	1	81	35	45	36	15	21
岡山市	0	0	-	55	31	24	27	16	11
広島市	4	3	1	69	47	23	54	28	26
北九州市	1	-	1	67	44	24	59	42	17
福岡市	1	-	1	63	45	18	67	50	17
熊本市	3	3	-	32	18	14	36	28	8
中核市（再掲）									
旭川市	-	-	-	12	6	6	14	9	6
函館市	-	-	-	9	4	5	13	10	3
青森市	2	2	-	12	11	2	24	23	1
八戸市	-	-	-	11	9	2	16	10	6
盛岡市	2	1	1	22	16	6	8	4	4
秋田市	-	-	-	12	7	5	16	11	5
郡山市	2	1	1	20	13	7	17	10	7
いわき市	-	-	-	18	14	4	32	26	6
宇都宮市	2	1	1	24	13	12	17	11	6
前橋市	-	-	-	24	15	9	22	12	10
高崎市	1	-	1	25	17	8	23	13	10
川越市	2	-	2	13	3	10	16	12	4
越谷市	-	-	-	8	5	4	5	3	2
船橋市	-	-	-	14	5	9	7	4	3
柏市	-	-	-	9	4	5	6	3	4
八王子市	2	1	1	19	7	12	12	3	9
横須賀市	0	-	0	16	3	13	7	1	6
富山市	-	-	-	32	21	11	32	27	6
金沢市	0	-	0	29	21	8	19	12	8
長野市	0	-	0	32	13	19	22	13	8
岐阜市	2	1	1	20	14	6	23	15	8
豊橋市	1	1	-	16	6	11	20	15	5
豊田市	-	-	-	28	11	17	15	6	9
岡崎市	2	1	0	17	9	8	19	7	12
大津市	0	-	0	20	10	11	6	3	3
高槻市	-	-	-	24	12	12	11	2	8
東大阪市	-	-	-	17	8	9	23	12	11
豊中市	1	0	0	21	8	13	9	4	6
枚方市	-	-	-	14	2	12	6	2	4
姫路市	-	-	-	34	15	19	17	10	7
西宮市	1	1	-	17	11	6	8	4	3
尼崎市	1	1	0	27	13	14	14	5	9
奈良市	1	-	1	19	9	10	8	5	3
和歌山市	0	0	-	20	6	14	19	8	11
倉敷市	1	0	0	44	22	22	24	17	7
福山市	1	0	1	19	9	10	34	22	13
呉市	-	-	-	8	5	3	8	4	5
下関市	-	-	-	21	10	11	31	21	10
高松市	0	0	-	36	26	10	31	17	14
松山市	0	0	-	36	23	13	30	24	6
高知市	1	-	1	23	18	5	12	8	4
久留米市	3	3	-	13	8	5	16	11	5
長崎市	2	2	0	21	9	12	27	18	9
佐世保市	-	-	-	7	7	1	21	16	5
大分市	3	1	2	46	36	11	44	28	16
宮崎市	2	1	2	28	20	8	40	31	9
鹿児島市	1	-	1	35	24	12	39	24	15
那覇市	1	1	-	18	13	5	19	16	3

注：１）調査方法の変更等による回収率変動の影響を受けているため、数量を示す従事者数の実数は前年以前と単純に年次比較できない。
２）介護予防サービスを一体的に行っている事業所の従事者を含む。
３）介護予防サービスのみ行っている事業所は対象外とした。
４）「0」は常勤換算従事者数が0.5未満の場合である。

指定都市・中核市（再掲）、職種（常勤－非常勤）別（39－13）

平成29年10月１日

指導員						調理員			管理栄養士		
柔道整復師（再掲）			あん摩マッサージ指圧師（再掲）								
総数	常勤	非常勤	総数	常勤	非常勤	総数	常勤	非常勤	総数	常勤	非常勤
85	82	3	5	4	1	25	5	20	10	9	1
27	26	1	6	3	3	40	12	28	7	7	－
21	18	3	5	3	2	41	16	25	6	6	0
19	18	1	7	6	1	66	25	41	5	3	1
54	43	11	24	17	7	184	30	154	14	10	3
8	5	3	14	10	5	43	13	30	4	4	－
3	2	1	1	1	0	41	9	32	5	5	－
10	10	0	3	1	2	53	19	35	11	10	0
30	26	4	15	8	7	65	34	30	6	5	1
23	19	4	13	10	3	25	4	22	1	1	－
25	20	5	16	9	7	129	42	87	14	14	0
61	56	5	23	17	6	73	22	51	6	6	－
105	93	12	11	7	4	83	23	60	6	5	1
48	45	3	1	－	1	52	16	35	10	9	1
50	42	9	16	12	4	75	33	42	15	13	2
16	15	1	10	7	3	55	22	34	7	7	1
22	21	2	15	9	6	56	17	39	7	6	1
12	8	4	4	4	0	85	19	66	9	8	1
11	10	1	5	4	1	38	24	14	8	8	－
5	5	－	1	1	0	48	20	28	4	2	1
20	19	1	4	3	1	21	9	12	2	2	－
9	8	2	4	3	1	7	3	4	－	－	－
4	4	－	4	4	－	36	18	18	0	0	－
6	4	2	4	3	1	24	12	12	3	3	－
15	13	2	4	4	1	40	15	25	1	1	0
7	7	－	0	－	0	21	10	10	0	0	－
27	24	3	2	2	－	14	1	13	5	5	－
11	11	0	2	1	1	34	18	16	1	1	－
8	7	1	3	2	1	47	11	36	2	2	－
7	6	1	0	0	－	31	19	13	3	3	0
9	8	0	0	－	0	36	18	18	5	5	0
7	5	2	3	1	2	12	1	11	2	1	0
6	5	1	5	5	0	17	6	11	2	2	－
17	16	1	4	2	2	39	18	21	4	3	1
4	3	1	2	2	－	19	6	12	2	2	0
10	8	2	6	3	4	43	11	32	2	1	1
4	4	－	5	4	0	21	1	20	1	1	－
19	16	3	3	－	3	37	15	23	3	3	－
19	17	2	2	2	－	22	6	17	2	2	0
7	6	1	2	2	0	33	13	20	2	2	0
9	8	1	9	7	2	17	6	11	2	1	0
1	1	0	3	2	1	26	5	21	2	2	－
1	－	1	1	0	1	14	2	12	2	1	1
－	－	－	3	2	1	31	10	21	4	3	0
8	8	－	4	3	1	17	2	15	1	1	－
12	10	2	2	1	1	11	－	11	0	－	0
25	23	2	2	2	－	9	0	9	1	1	－
19	19	0	2	2	0	12	2	10	2	2	－
8	7	1	8	6	2	15	2	14	4	4	－
8	7	1	4	2	2	36	9	26	2	2	－
11	10	1	1	1	0	11	2	9	1	1	－
33	27	6	1	－	1	20	7	13	4	4	－
15	12	3	2	－	2	20	2	17	3	3	0
12	12	1	2	1	1	15	7	8	1	1	－
5	4	1	4	3	1	35	10	25	4	4	1
5	5	0	1	0	1	30	13	16	9	8	1
4	3	1	1	－	1	14	5	9	2	2	－
0	－	0	2	1	1	24	9	16	3	2	1
6	6	1	12	6	5	34	14	20	2	2	－
11	11	1	7	2	5	27	10	17	2	1	1
－	－	－	2	－	2	18	8	10	1	1	－
2	2	－	2	－	2	20	7	13	0	－	0
16	15	1	5	4	1	45	19	26	2	2	－
1	1	－	2	1	1	17	8	9	3	2	0
10	8	2	6	5	1	72	45	27	4	4	1
1	－	1	2	2	0	54	32	22	9	7	1
6	5	1	11	9	2	57	20	37	6	6	－
16	15	1	5	3	1	55	38	17	1	1	－

通所介護

都道府県 指定都市 中核市	栄養士			歯科衛生士			生活相談員		
	総数	常勤	非常勤	総数	常勤	非常勤	総数	常勤	非常勤
全国	794	626	168	165	83	83	29 060	26 935	2 125
北海道	11	8	3	3	1	2	906	853	53
青森	28	24	4	4	3	1	372	363	9
岩手	23	20	3	2	2	1	424	400	23
宮城	14	13	1	0	-	0	598	576	23
秋田	13	12	1	3	2	1	258	247	12
山形	14	13	1	4	4	1	392	380	12
福島	26	23	3	4	3	2	525	508	17
茨城	25	20	5	3	2	2	574	526	48
栃木	23	21	2	3	2	1	495	463	32
群馬	13	9	4	3	3	1	727	664	63
埼玉	41	31	10	3	3	0	1 301	1 175	126
千葉	30	25	5	2	1	1	1 005	941	64
東京	38	28	10	9	3	6	1 945	1 763	182
神奈川	14	10	4	7	2	5	1 258	1 159	99
新潟	16	14	3	9	6	3	764	733	32
富山	13	10	3	7	2	5	348	325	23
石川	7	7	1	0	-	0	287	276	11
福井	10	9	1	3	3	0	237	227	10
山梨	11	8	3	0	-	0	236	222	14
長野	26	22	4	4	2	2	647	604	43
岐阜	15	9	5	2	1	1	544	501	43
静岡	24	17	7	5	2	4	926	857	69
愛知	18	9	9	8	2	6	1 461	1 268	194
三重	11	7	4	2	1	2	592	534	57
滋賀	3	2	1	4	1	3	310	288	23
京都	15	13	2	6	2	4	575	541	34
大阪	15	11	4	3	1	2	1 784	1 625	158
兵庫	24	15	9	3	1	2	1 141	1 053	88
奈良	7	5	2	5	4	1	321	298	23
和歌山	5	3	2	2	2	1	289	273	16
鳥取	8	6	2	3	3	-	228	220	8
島根	14	13	1	3	2	0	214	207	7
岡山	16	11	5	6	4	2	527	486	41
広島	25	21	4	7	4	3	716	659	57
山口	10	8	2	4	-	4	451	416	35
徳島	4	4	-	4	2	2	238	225	13
香川	6	5	1	2	0	2	299	280	19
愛媛	15	11	4	3	2	1	441	413	28
高知	5	5	0	2	2	-	176	169	7
福岡	34	27	7	4	1	3	1 345	1 250	95
佐賀	19	14	4	1	1	1	377	348	29
長崎	17	16	2	3	3	1	444	412	32
熊本	35	26	9	2	1	1	547	517	30
大分	11	9	2	3	2	1	421	371	50
宮崎	19	15	4	3	1	2	428	413	15
鹿児島	15	12	3	2	1	1	414	385	29
沖縄	10	9	1	2	0	1	557	525	33

注：1）調査方法の変更等による回収率変動の影響を受けているため、数量を示す従事者数の実数は前年以前と単純に年次比較できない。
2）介護予防サービスを一体的に行っている事業所の従事者を含む。
3）介護予防サービスのみ行っている事業所は対象外とした。
4）「0」は常勤換算従事者数が0.5未満の場合である。

指定都市・中核市（再掲）、職種（常勤－非常勤）別（39－14）

平成29年10月１日

社会福祉士（再掲）			介護職員			介護福祉士（再掲）			その他の職員		
総数	常勤	非常勤	総数	常勤	非常勤	総数	常勤	非常勤	総数	常勤	非常勤
3 154	2 954	201	125 865	83 908	41 957	53 113	40 623	12 490	18 458	11 636	6 822
110	105	5	3 971	2 830	1 141	1 935	1 569	366	499	352	147
17	16	1	1 745	1 416	329	976	850	126	254	193	62
50	48	2	1 757	1 449	308	880	782	98	285	202	83
56	53	3	2 350	1 902	448	920	805	115	325	247	79
25	24	1	1 224	1 031	194	636	569	66	146	101	45
45	44	1	1 824	1 502	323	930	828	102	207	139	67
39	38	1	2 192	1 787	405	988	879	110	283	178	105
59	53	6	2 588	1 776	812	948	746	202	288	187	101
75	71	4	2 032	1 440	592	813	649	164	248	159	88
56	51	4	3 050	2 038	1 012	1 125	867	258	254	208	46
125	114	11	5 549	3 255	2 294	1 982	1 348	634	1 001	571	430
112	104	8	4 248	2 566	1 683	1 563	1 098	465	717	388	329
252	234	18	8 261	4 884	3 377	3 253	2 180	1 073	1 580	854	727
112	109	3	5 531	2 632	2 899	2 152	1 264	888	967	483	485
160	156	4	3 595	2 718	878	2 138	1 772	366	455	258	197
51	50	1	1 598	1 113	485	745	574	171	268	142	126
28	25	3	1 347	1 006	341	699	582	117	164	100	64
31	30	1	1 133	772	361	581	447	134	162	74	89
24	23	2	999	750	249	435	363	72	182	102	79
64	59	5	2 474	1 561	914	1 236	886	350	379	228	152
55	52	3	2 450	1 559	891	1 033	761	272	337	188	149
99	93	6	3 943	2 458	1 486	1 640	1 175	465	634	372	262
150	130	21	6 172	3 369	2 803	2 358	1 530	828	1 068	634	434
61	53	8	2 562	1 624	939	1 008	744	264	430	295	135
42	40	3	1 529	931	598	665	487	179	267	141	127
68	65	3	2 674	1 761	913	1 306	977	329	354	197	157
157	144	13	7 806	4 699	3 107	2 944	2 117	828	1 394	869	525
153	137	16	5 116	3 011	2 105	2 235	1 570	665	902	544	357
28	28	0	1 418	816	602	562	403	160	241	136	105
17	17	-	1 381	969	413	551	445	106	103	86	16
21	21	0	890	699	191	472	410	62	105	75	30
14	13	1	988	755	233	477	395	82	150	89	61
99	94	5	2 216	1 578	637	1 031	813	219	367	222	144
89	82	7	3 167	2 148	1 019	1 431	1 108	323	465	311	154
49	48	0	1 937	1 249	688	715	535	180	201	128	72
13	12	1	1 037	780	257	445	383	62	108	85	23
33	31	2	1 216	880	336	553	446	107	114	83	31
43	39	4	1 915	1 427	488	803	682	121	250	167	83
12	12	-	803	672	131	390	353	38	93	68	25
187	180	7	5 717	4 053	1 664	2 212	1 773	438	809	628	181
28	27	1	1 318	995	323	528	447	80	163	124	39
29	27	2	1 791	1 278	513	793	618	176	175	138	37
50	49	1	2 217	1 717	500	915	794	120	229	173	56
59	54	6	2 041	1 272	769	779	583	197	199	162	38
35	35	-	1 712	1 306	406	699	579	119	212	184	28
27	26	1	1 556	1 136	420	659	558	100	161	136	25
44	39	5	2 825	2 342	483	977	881	97	266	236	30

通所介護

都道府県 指定都市 中核市	栄養士 総数	栄養士 常勤	栄養士 非常勤	歯科衛生士 総数	歯科衛生士 常勤	歯科衛生士 非常勤	生活相談員 総数	生活相談員 常勤	生活相談員 非常勤
指定都市(再掲)									
札幌市	0	0	-	0	0	-	284	270	14
仙台市	4	4	-	-	-	-	155	147	8
さいたま市	10	7	3	0	0	-	191	173	18
千葉市	4	4	-	-	-	-	135	124	12
横浜市	4	2	2	3	0	3	545	498	46
川崎市	1	1	-	0	0	0	161	147	14
相模原市	2	1	1	2	1	0	101	94	7
新潟市	2	1	1	2	1	1	253	241	12
静岡市	5	4	1	1	1	0	183	172	11
浜松市	4	1	3	3	0	3	185	170	15
名古屋市	9	6	3	2	1	2	398	340	57
京都市	6	5	1	4	1	3	317	304	13
大阪市	1	1	0	0	0	0	499	458	41
堺市	2	1	0	0	0	0	177	156	21
神戸市	2	0	2	0	0	-	309	274	35
岡山市	1	1	-	0	0	-	180	163	17
広島市	5	4	1	1	-	1	294	274	21
北九州市	11	9	2	1	1	-	290	270	20
福岡市	8	6	1	1	-	1	274	253	21
熊本市	8	8	1	-	-	-	163	152	11
中核市(再掲)									
旭川市	2	1	1	0	-	0	66	61	5
函館市	1	1	-	0	-	0	56	54	2
青森市	2	1	1	-	-	-	54	53	2
八戸市	1	1	-	-	-	-	56	55	1
盛岡市	7	7	0	0	-	0	93	84	9
秋田市	2	2	0	1	-	1	64	62	1
郡山市	6	5	1	1	1	1	79	75	4
いわき市	3	1	2	-	-	-	105	102	3
宇都宮市	4	3	1	1	-	1	104	99	5
前橋市	1	1	1	-	-	-	138	125	12
高崎市	2	1	1	1	0	1	120	111	9
川越市	0	0	-	-	-	-	61	57	4
越谷市	3	2	1	0	-	0	45	41	3
船橋市	3	2	1	-	-	-	77	73	5
柏市	1	0	0	0	-	0	63	58	5
八王子市	3	2	1	0	-	0	92	81	11
横須賀市	2	2	-	1	0	1	72	66	6
富山市	2	1	1	2	1	1	144	131	13
金沢市	3	2	1	0	-	0	118	111	7
長野市	1	1	-	1	-	1	115	107	7
岐阜市	0	0	-	1	1	-	107	97	9
豊橋市	0	-	0	1	0	1	65	49	16
豊田市	4	2	2	-	-	-	74	58	16
岡崎市	2	1	1	1	0	1	81	72	9
大津市	0	0	-	1	-	1	59	56	4
高槻市	-	-	-	0	-	0	65	61	5
東大阪市	1	1	1	-	-	-	103	98	5
豊中市	-	-	-	0	0	-	97	86	11
枚方市	0	0	0	1	-	1	71	68	3
姫路市	6	4	2	0	-	0	121	114	7
西宮市	1	1	1	-	-	-	56	51	5
尼崎市	1	1	-	0	-	0	101	92	9
奈良市	2	1	1	3	3	0	94	83	11
和歌山市	1	-	1	1	1	-	105	98	7
倉敷市	3	1	2	2	1	1	120	109	11
福山市	4	3	1	1	1	1	123	110	13
呉市	2	2	-	-	-	-	42	41	0
下関市	0	-	0	-	-	-	80	70	11
高松市	2	1	1	0	-	0	125	116	8
松山市	4	3	1	1	0	0	143	136	7
高知市	2	2	-	1	1	-	77	71	6
久留米市	3	1	2	0	-	0	77	72	5
長崎市	4	4	-	2	1	1	123	116	8
佐世保市	1	1	0	1	1	-	55	52	3
大分市	4	3	0	3	1	1	175	153	22
宮崎市	3	3	-	-	-	-	123	118	5
鹿児島市	4	4	-	-	-	-	144	134	10
那覇市	3	3	-	-	-	-	112	107	5

注：1）調査方法の変更等による回収率変動の影響を受けているため、数量を示す従事者数の実数は前年以前と単純に年次比較できない。
2）介護予防サービスを一体的に行っている事業所の従事者を含む。
3）介護予防サービスのみ行っている事業所は対象外とした。
4）「0」は常勤換算従事者数が0.5未満の場合である。

指定都市・中核市（再掲）、職種（常勤－非常勤）別（39－15）

平成29年10月１日

社会福祉士（再掲）			介護職員						その他の職員		
						介護福祉士（再掲）					
総数	常勤	非常勤	総数	常勤	非常勤	総数	常勤	非常勤	総数	常勤	非常勤
50	48	2	1 277	927	351	632	529	104	125	93	32
22	22	0	545	394	151	218	173	44	101	69	32
23	20	3	805	481	324	296	194	102	141	78	63
13	13	1	550	329	221	198	139	58	86	47	39
52	51	1	2 285	953	1 332	895	458	436	430	197	233
18	17	2	689	400	290	255	176	79	99	61	38
8	8	−	457	246	211	170	114	56	81	43	37
60	58	2	1 096	799	297	622	486	137	167	98	70
24	24	0	750	444	306	298	203	96	120	70	50
23	23	0	773	472	301	316	217	99	112	61	51
39	33	6	1 628	888	741	614	424	190	263	184	80
48	45	3	1 508	1 037	471	698	549	149	209	114	95
49	46	3	2 084	1 357	727	757	560	197	380	261	119
10	10	1	836	517	318	303	216	88	129	79	49
44	38	6	1 314	723	591	564	370	194	235	131	104
30	27	3	757	546	211	353	275	78	115	77	38
52	50	1	1 168	800	368	551	430	121	183	115	68
45	43	3	1 367	893	474	514	393	121	190	140	50
42	40	2	1 138	831	307	454	366	87	183	143	40
21	20	0	668	485	183	254	202	53	81	63	17
4	4	0	287	197	90	138	103	35	32	21	11
7	7	0	273	214	60	134	126	9	34	25	9
7	7	−	225	186	39	137	126	11	39	30	9
0	0	−	296	234	63	187	160	27	60	45	15
13	13	1	359	275	84	150	127	23	63	46	17
5	4	1	272	240	33	160	148	11	34	24	10
7	7	−	309	242	68	135	113	22	38	24	14
5	5	−	451	365	86	137	123	14	60	36	25
17	16	1	438	313	126	161	131	30	77	49	28
12	12	1	602	408	194	214	168	46	46	38	8
8	8	1	517	355	162	172	130	43	46	37	9
7	7	0	299	176	123	115	76	39	54	37	17
2	1	1	218	119	99	81	46	36	43	21	22
12	11	1	330	176	154	121	71	51	59	26	32
4	4	−	230	128	102	80	56	24	58	29	29
9	7	2	420	201	219	147	84	63	68	39	30
8	8	−	331	152	178	121	59	62	61	27	34
18	18	−	642	431	211	257	197	60	111	61	50
14	13	2	514	339	175	226	174	52	67	40	27
9	7	2	455	262	193	201	129	72	90	52	38
10	10	−	430	284	146	172	136	37	57	38	19
6	5	1	277	166	111	102	67	35	35	18	17
15	9	6	267	132	135	95	50	45	63	25	38
5	4	1	284	150	134	105	62	43	50	31	19
10	9	1	272	157	116	112	82	30	42	27	15
5	4	1	281	135	147	109	71	38	37	27	10
7	7	0	400	241	160	135	102	33	78	45	32
14	10	5	345	221	124	131	97	34	60	43	17
9	9	0	362	208	155	145	96	49	62	37	26
12	11	1	645	331	315	243	149	94	117	68	49
10	7	2	234	162	72	102	84	17	35	28	7
17	14	2	460	283	178	172	126	46	89	53	35
8	8	−	368	227	141	136	104	32	71	42	29
4	4	−	498	324	174	184	135	49	36	29	7
30	29	1	555	373	182	262	209	52	122	58	65
12	9	2	602	378	225	235	184	51	89	55	33
6	5	0	204	153	50	69	58	11	32	28	4
4	4	0	390	242	148	88	68	21	35	23	11
13	13	1	529	364	165	218	172	46	48	32	16
15	14	1	593	430	163	255	217	38	96	59	38
5	5	−	339	278	61	163	141	22	39	30	8
11	11	−	310	242	68	135	115	21	42	33	9
11	10	2	481	366	115	210	167	43	51	34	16
4	4	0	247	179	68	139	109	30	30	26	4
33	31	2	942	608	334	355	282	74	95	79	17
13	13	−	496	363	133	207	162	46	58	49	10
9	9	−	459	325	134	187	160	26	61	47	14
7	7	−	595	503	91	214	190	24	45	40	5

通所リハビリテーション（介護老人保健施設）

都道府県 指定都市 中核市	総数			医師			看護師		
	総数	常勤	非常勤	総数	常勤	非常勤	総数	常勤	非常勤
全国	43 051	35 931	7 120	2 195	1 992	204	2 128	1 458	670
北海道	2 006	1 796	210	113	108	5	103	76	27
青森	838	747	91	27	25	2	35	28	7
岩手	578	538	40	28	24	4	20	15	4
宮城	982	881	101	50	43	6	37	29	8
秋田	410	381	30	26	25	1	13	11	2
山形	564	519	45	27	25	3	19	15	4
福島	692	636	56	31	25	5	34	24	10
茨城	1 320	1 131	189	68	66	2	53	36	17
栃木	659	542	117	27	23	4	32	28	4
群馬	779	656	122	42	38	4	48	36	12
埼玉	2 212	1 747	465	111	103	9	89	49	40
千葉	1 816	1 491	325	78	76	2	89	55	34
東京	2 523	2 029	494	120	108	12	159	105	54
神奈川	1 885	1 441	444	107	100	8	88	39	49
新潟	907	800	107	33	32	2	46	28	18
富山	506	431	75	21	18	3	20	15	5
石川	371	320	51	19	18	0	18	13	5
福井	304	249	55	13	11	2	13	10	3
山梨	236	198	37	14	12	3	16	13	3
長野	849	661	188	39	34	5	56	41	15
岐阜	657	502	155	33	31	2	54	37	17
静岡	1 202	916	287	75	66	8	60	30	30
愛知	2 174	1 742	432	133	116	16	123	71	53
三重	673	528	146	44	37	8	32	22	10
滋賀	326	254	72	12	11	1	28	21	7
京都	777	604	174	38	36	2	40	24	16
大阪	2 421	2 013	408	139	130	10	141	94	47
兵庫	1 862	1 413	449	99	93	6	114	75	39
奈良	604	464	141	29	28	1	30	13	16
和歌山	386	304	82	17	16	1	19	12	8
鳥取	444	387	57	22	19	3	15	10	5
島根	337	291	46	15	11	5	8	6	2
岡山	867	695	172	69	55	14	47	37	10
広島	1 208	970	238	67	59	8	57	41	16
山口	711	615	96	36	36	1	37	31	6
徳島	312	270	42	24	22	2	6	5	1
香川	421	356	65	25	21	3	11	6	5
愛媛	749	631	118	30	29	1	28	19	9
高知	334	308	27	16	13	3	22	20	2
福岡	1 727	1 525	202	91	82	9	91	68	22
佐賀	360	318	42	19	17	1	15	14	1
長崎	595	520	75	28	26	3	18	13	5
熊本	1 090	972	117	40	35	5	54	46	8
大分	560	495	64	21	16	5	21	14	6
宮崎	473	439	35	21	20	1	22	20	3
鹿児島	872	791	81	41	40	2	32	28	4
沖縄	473	416	57	16	15	1	16	14	3

注：1）調査方法の変更等による回収率変動の影響を受けているため、数量を示す従事者数の実数は前年以前と単純に年次比較できない。
　　2）介護予防サービスを一体的に行っている事業所の従事者を含む。
　　3）介護予防サービスのみ行っている事業所は対象外とした。
　　4）「0」は常勤換算従事者数が0.5未満の場合である。

平成29年10月１日

准看護師			介護職員					
						介護福祉士（再掲）		
総数	常勤	非常勤	総数	常勤	非常勤	総数	常勤	非常勤
1 706	1 246	460	27 253	22 274	4 979	17 529	15 484	2 045
70	57	13	1 257	1 114	143	911	853	58
31	28	3	578	510	69	409	379	30
20	17	4	385	361	23	273	264	9
35	30	5	621	551	70	406	386	20
9	7	2	274	253	21	193	183	10
13	9	4	368	336	31	247	239	8
31	29	2	448	413	34	319	307	13
55	38	17	825	694	131	478	431	47
35	25	10	443	352	91	244	222	22
39	30	9	459	377	81	297	263	34
80	44	36	1 410	1 068	342	878	729	148
67	49	18	1 166	950	216	721	628	92
66	44	22	1 593	1 234	359	1 014	857	156
36	18	17	1 231	916	315	799	659	139
36	27	10	600	532	69	429	401	28
26	18	8	329	274	55	215	189	26
11	7	4	245	211	34	166	148	18
17	14	4	202	160	42	146	123	23
8	6	2	141	116	25	85	80	5
27	20	7	548	403	145	354	286	68
35	23	12	392	278	114	246	199	47
27	15	12	728	540	188	441	375	66
70	47	23	1 324	1 036	287	784	642	142
17	12	4	411	304	107	215	181	34
12	8	4	214	159	55	141	118	23
25	14	11	501	366	135	309	259	50
80	49	31	1 509	1 235	274	1 002	876	126
54	24	29	1 136	810	325	708	575	133
19	11	7	412	307	105	231	190	41
19	11	9	257	198	59	168	148	20
18	12	7	291	253	38	189	173	17
22	13	9	195	167	28	135	124	11
33	20	13	527	413	114	364	305	60
55	39	16	766	606	161	492	425	68
26	24	2	451	371	80	288	265	23
18	15	2	190	160	30	105	98	7
28	25	3	271	224	47	167	149	18
47	40	7	496	423	72	332	305	27
12	7	5	216	202	14	161	156	5
106	87	19	1 056	928	128	687	641	47
21	18	3	223	194	29	136	122	14
32	28	4	383	331	52	233	210	23
62	56	6	664	577	88	433	403	30
40	35	5	363	321	42	251	231	20
31	27	4	287	262	24	182	175	7
67	58	9	539	485	55	356	335	21
18	12	6	335	301	34	195	181	14

通所リハビリテーション（介護老人保健施設）

都道府県 指定都市 中核市	総数			医師			看護師		
	総数	常勤	非常勤	総数	常勤	非常勤	総数	常勤	非常勤
指定都市(再掲)									
札幌市	689	618	71	35	33	2	40	32	8
仙台市	386	349	36	18	17	1	18	14	4
さいたま市	386	321	65	21	20	1	25	16	9
千葉市	258	200	59	11	11	0	13	4	9
横浜市	944	703	241	47	44	4	47	19	29
川崎市	226	177	49	14	12	1	12	8	4
相模原市	121	110	11	6	6	0	5	4	1
新潟市	294	260	35	10	10	1	13	5	8
静岡市	239	196	43	15	14	2	9	7	2
浜松市	226	153	73	16	14	2	12	6	7
名古屋市	749	619	130	49	41	9	40	24	16
京都市	473	379	94	24	23	1	26	17	9
大阪市	780	654	126	44	41	3	54	34	20
堺市	152	118	34	8	8	0	9	7	2
神戸市	582	448	134	30	28	2	37	25	12
岡山市	266	216	51	20	16	4	13	10	3
広島市	273	222	52	17	15	2	25	18	7
北九州市	316	266	49	18	15	3	13	8	4
福岡市	250	230	20	17	15	2	19	14	5
熊本市	405	370	35	13	12	2	31	27	4
中核市(再掲)									
旭川市	129	118	12	8	8	0	6	4	2
函館市	92	82	10	3	3	-	5	2	3
青森市	210	183	26	6	6	0	8	5	3
八戸市	111	97	14	4	3	1	3	1	2
盛岡市	61	55	6	2	2	0	3	3	0
秋田市	105	95	11	7	7	-	3	2	1
郡山市	70	66	5	4	3	1	5	4	1
いわき市	83	77	7	4	3	1	3	3	0
宇都宮市	81	47	34	6	5	1	4	3	1
前橋市	153	130	23	6	5	1	12	9	3
高崎市	146	119	26	6	5	1	10	8	2
川越市	105	85	20	4	4	0	2	1	1
越谷市	78	63	15	4	4	0	3	2	1
船橋市	144	126	18	7	7	0	8	5	4
柏市	118	96	22	6	6	-	10	7	4
八王子市	94	64	30	6	5	1	3	1	2
横須賀市	69	52	16	4	4	-	0	0	-
富山市	187	164	22	9	8	1	8	7	1
金沢市	103	98	5	4	4	-	6	6	1
長野市	100	65	35	3	3	-	4	3	1
岐阜市	143	103	40	7	7	0	9	5	4
豊橋市	87	70	17	3	3	0	6	4	2
豊田市	86	66	21	4	4	0	4	1	3
岡崎市	109	82	28	8	7	1	8	4	4
大津市	48	36	12	3	3	0	5	3	2
高槻市	116	105	12	5	5	0	8	7	1
東大阪市	114	98	16	6	6	1	5	2	3
豊中市	141	125	16	8	8	0	8	7	2
枚方市	135	106	29	8	7	1	6	4	2
姫路市	117	93	24	5	5	-	5	3	1
西宮市	72	59	13	4	3	0	5	3	2
尼崎市	162	118	44	10	10	1	11	8	3
奈良市	127	93	34	7	7	1	6	1	5
和歌山市	108	83	25	6	5	0	7	2	5
倉敷市	220	171	50	14	9	4	16	11	5
福山市	191	152	40	11	10	2	2	1	1
呉市	130	116	14	11	9	2	4	4	-
下関市	121	109	12	4	4	-	5	5	-
高松市	171	144	28	11	10	1	5	2	2
松山市	152	125	27	6	6	0	8	5	3
高知市	101	94	7	3	3	1	8	8	-
久留米市	84	71	13	5	5	-	1	1	-
長崎市	183	164	19	7	6	1	8	4	4
佐世保市	112	95	17	2	2	0	3	3	-
大分市	208	190	18	6	5	1	9	7	2
宮崎市	116	109	7	8	8	0	8	7	1
鹿児島市	205	190	15	10	9	1	12	11	2
那覇市	76	59	17	1	1	0	2	1	1

注：1）調査方法の変更等による回収率変動の影響を受けているため、数量を示す従事者数の実数は前年以前と単純に年次比較できない。
　　2）介護予防サービスを一体的に行っている事業所の従事者を含む。
　　3）介護予防サービスのみ行っている事業所は対象外とした。
　　4）「0」は常勤換算従事者数が0.5未満の場合である。

平成29年10月１日

准看護師			介護職員					
						介護福祉士（再掲）		
総数	常勤	非常勤	総数	常勤	非常勤	総数	常勤	非常勤
18	15	3	426	379	47	320	300	19
11	9	2	234	206	28	153	145	8
13	9	5	235	191	44	158	134	24
7	3	5	163	129	34	112	96	16
17	8	9	608	440	169	405	324	81
5	3	2	142	109	33	81	72	9
－	－	－	78	71	8	56	52	4
9	8	1	195	173	22	140	134	6
6	3	3	131	103	28	78	72	6
5	2	3	139	92	47	79	63	16
15	9	6	444	359	85	252	212	40
14	8	6	303	229	74	198	169	29
25	18	7	502	418	84	352	316	35
3	1	2	100	74	26	56	51	5
17	10	7	360	267	93	232	191	41
9	6	4	157	126	31	112	96	16
16	10	6	164	134	31	118	101	17
15	11	4	191	162	29	130	119	12
14	13	1	142	132	10	93	90	3
10	9	1	237	211	26	168	160	9
7	6	1	75	67	8	57	53	4
5	4	1	64	58	7	50	47	4
10	8	2	144	127	17	110	102	8
5	4	1	70	60	10	52	45	7
6	3	2	37	36	1	34	33	1
2	1	0	69	60	9	46	41	5
2	2	1	45	44	1	37	37	－
6	6	0	53	47	6	34	31	3
3	－	3	52	25	27	25	17	7
5	3	2	100	84	16	76	66	10
7	4	2	90	71	20	58	48	10
4	1	3	70	55	15	41	34	7
1	－	1	49	37	12	37	32	5
2	2	－	84	73	11	57	51	6
8	7	1	67	55	12	38	36	2
3	1	2	63	39	24	40	30	10
2	1	1	45	32	14	28	21	8
9	8	1	120	103	17	87	78	9
3	3	－	69	65	4	44	42	2
2	1	1	70	39	30	47	34	13
6	2	4	94	63	31	62	46	16
5	3	2	56	44	12	36	27	9
5	3	2	53	39	14	21	15	6
3	2	1	64	47	17	42	32	10
1	－	1	33	24	9	22	17	5
2	1	1	76	67	9	53	50	3
5	5	0	70	61	9	42	42	－
4	2	2	85	76	9	41	36	6
9	3	6	73	54	19	49	42	7
2	1	1	81	62	19	43	36	7
2	2	0	46	38	8	29	27	3
8	4	3	91	54	37	62	43	19
7	4	2	81	57	24	44	38	6
6	3	2	69	54	15	44	40	4
10	7	3	139	104	35	96	79	18
11	8	3	118	88	30	72	63	9
5	4	1	85	77	8	43	40	3
5	4	1	78	67	11	40	37	3
10	10	0	111	90	21	62	55	7
5	4	1	101	89	12	69	65	4
5	2	3	65	62	3	44	44	－
4	4	0	58	48	10	38	34	4
9	7	2	118	108	11	78	74	5
4	4	－	79	64	15	48	43	5
16	15	1	131	119	12	101	94	7
6	5	1	63	59	4	39	38	1
15	13	2	125	118	7	91	88	2
4	2	2	55	47	8	27	23	4

通所リハビリテーション（介護老人保健施設）

都道府県 指定都市 中核市	理学療法士			作業療法士			言語聴覚士		
	総数	常勤	非常勤	総数	常勤	非常勤	総数	常勤	非常勤
全国	4 873	4 483	390	2 894	2 624	270	509	430	79
北海道	189	183	6	158	150	8	35	30	4
青森	54	48	6	76	72	4	13	12	1
岩手	52	51	1	48	45	3	5	5	1
宮城	110	106	4	77	72	5	14	14	0
秋田	30	28	2	46	44	2	2	2	-
山形	60	59	0	54	53	1	5	5	1
福島	78	76	2	46	45	1	8	7	1
茨城	156	144	12	91	84	7	21	19	2
栃木	56	52	3	46	42	4	11	10	1
群馬	101	91	10	45	42	3	11	10	1
埼玉	297	276	21	129	120	9	32	28	4
千葉	220	198	22	101	88	13	24	17	7
東京	299	277	22	175	158	17	38	33	5
神奈川	207	177	29	130	113	17	35	29	7
新潟	103	98	5	55	52	3	19	18	1
富山	46	44	2	37	34	3	3	3	-
石川	35	34	1	28	24	5	3	2	0
福井	19	18	1	27	26	2	7	6	1
山梨	27	22	4	20	20	0	0	0	0
長野	96	91	5	56	48	8	8	7	1
岐阜	84	78	6	37	34	4	5	4	1
静岡	173	151	22	76	57	20	8	4	4
愛知	281	254	27	138	119	18	35	31	4
三重	96	87	9	41	36	5	6	5	2
滋賀	37	34	3	16	14	1	0	0	0
京都	91	87	4	47	43	4	7	6	1
大阪	317	286	31	129	117	12	20	17	4
兵庫	209	184	25	134	121	12	34	24	9
奈良	70	65	5	24	21	3	7	6	2
和歌山	50	45	5	8	8	1	3	2	0
鳥取	44	43	1	36	34	3	5	4	1
島根	42	40	2	27	26	1	4	4	-
岡山	84	77	7	66	53	13	4	3	1
広島	110	92	18	86	72	15	10	8	2
山口	70	68	2	57	54	4	4	3	1
徳島	40	35	5	27	26	1	0	0	-
香川	36	32	4	40	37	3	2	1	1
愛媛	61	51	9	65	51	15	3	1	2
高知	35	35	0	15	14	1	3	3	-
福岡	188	177	10	131	122	8	10	7	3
佐賀	33	29	4	21	19	2	5	5	-
長崎	77	70	7	30	28	2	5	4	1
熊本	159	153	6	61	57	4	9	8	1
大分	54	51	3	28	28	0	10	8	2
宮崎	48	47	2	41	40	1	3	3	-
鹿児島	98	92	7	50	47	3	7	6	1
沖縄	55	47	8	20	18	2	6	5	1

注：1）調査方法の変更等による回収率変動の影響を受けているため、数量を示す従事者数の実数は前年以前と単純に年次比較できない。
2）介護予防サービスを一体的に行っている事業所の従事者を含む。
3）介護予防サービスのみ行っている事業所は対象外とした。
4）「0」は常勤換算従事者数が0.5未満の場合である。

指定都市・中核市（再掲）、職種（常勤－非常勤）別（39－18）

平成29年10月１日

歯科衛生士			管理栄養士			栄養士		
総数	常勤	非常勤	総数	常勤	非常勤	総数	常勤	非常勤
73	48	26	1 167	1 147	20	254	229	25
5	4	2	71	71	−	5	4	1
1	0	1	19	18	1	6	6	−
2	2	−	16	16	−	2	2	−
1	1	−	25	24	0	13	10	3
2	2	0	7	6	1	3	3	−
1	−	1	11	11	0	5	5	−
1	1	0	12	12	0	4	3	0
2	2	0	36	36	−	14	13	0
0	−	0	11	11	−	−	−	−
4	3	1	23	21	1	8	8	−
2	1	1	48	48	1	14	12	3
2	2	−	46	45	1	23	12	11
3	2	1	59	58	1	13	13	0
2	1	1	47	46	2	2	1	0
0	0	0	12	12	−	2	2	−
3	2	0	16	16	−	7	7	−
−	−	−	9	8	1	3	3	−
−	−	−	5	4	0	2	1	1
1	1	−	7	7	−	1	1	−
3	1	2	11	11	−	5	5	−
0	0	−	15	14	1	2	2	−
4	2	2	40	39	1	13	13	−
2	1	1	68	66	1	1	1	0
1	−	1	23	22	1	3	3	0
0	0	0	7	7	−	−	−	−
0	0	0	23	23	−	4	4	−
3	3	0	76	76	0	6	6	0
2	1	2	70	70	0	11	10	1
1	1	0	11	11	0	2	2	−
1	1	0	7	7	−	3	3	−
2	1	1	10	9	0	2	2	−
1	1	0	17	17	−	7	7	−
1	0	0	29	29	0	8	8	1
5	4	2	41	40	1	11	11	−
1	1	−	24	22	2	6	6	−
1	1	−	6	6	0	−	−	−
0	0	−	7	7	−	2	2	−
1	−	1	16	16	0	2	1	1
2	2	−	12	11	1	2	2	−
3	1	2	49	48	1	4	4	0
1	−	1	13	13	−	9	9	1
1	0	0	16	15	1	6	5	1
1	1	0	34	34	1	6	6	−
4	3	1	16	16	0	4	4	0
1	1	−	13	13	0	5	5	−
3	2	1	28	27	1	7	7	−
1	−	1	6	6	1	1	1	−

通所リハビリテーション（介護老人保健施設）

都道府県 指定都市 中核市	理学療法士			作業療法士			言語聴覚士		
	総数	常勤	非常勤	総数	常勤	非常勤	総数	常勤	非常勤
指定都市(再掲)									
札幌市	65	62	3	62	57	5	15	13	2
仙台市	52	52	-	31	30	1	10	10	0
さいたま市	45	42	3	28	27	1	7	6	1
千葉市	36	29	6	12	9	3	2	2	1
横浜市	113	95	18	63	54	9	21	17	4
川崎市	23	19	4	13	12	1	8	5	3
相模原市	17	15	2	9	9	0	3	3	0
新潟市	39	37	3	17	16	1	8	7	0
静岡市	37	34	3	18	14	4	3	2	1
浜松市	32	22	10	16	12	5	1	1	1
名古屋市	101	93	8	57	52	4	14	13	1
京都市	56	54	2	31	29	2	3	3	1
大阪市	94	86	9	34	30	4	6	5	1
堺市	21	19	2	7	5	1	0	-	0
神戸市	68	57	11	30	27	3	12	7	5
岡山市	27	24	3	22	17	5	2	1	1
広島市	16	14	2	25	20	4	3	3	0
北九州市	44	41	3	21	16	5	3	1	2
福岡市	27	25	2	22	21	1	2	2	0
熊本市	67	65	2	27	26	1	4	4	-
中核市(再掲)									
旭川市	16	16	0	11	10	0	1	1	-
函館市	5	5	-	6	6	-	2	2	-
青森市	15	14	1	15	14	1	4	4	-
八戸市	10	10	0	11	11	-	3	3	1
盛岡市	5	4	1	6	5	1	-	-	-
秋田市	5	5	0	16	15	0	-	-	-
郡山市	8	7	1	4	4	0	0	0	0
いわき市	10	10	-	5	5	0	2	2	-
宇都宮市	6	5	1	7	5	1	1	1	0
前橋市	14	13	2	6	6	0	3	3	0
高崎市	21	20	1	6	6	0	2	1	1
川越市	17	16	1	5	5	-	2	2	-
越谷市	10	10	-	9	9	-	1	1	-
船橋市	27	26	2	8	7	0	2	2	1
柏市	13	11	3	8	8	1	1	1	1
八王子市	8	7	1	10	10	0	0	0	-
横須賀市	6	6	0	8	6	1	0	0	0
富山市	14	13	2	13	12	1	2	2	-
金沢市	11	11	-	6	6	-	1	1	0
長野市	12	10	2	7	7	-	2	2	-
岐阜市	14	14	0	8	8	0	2	2	-
豊橋市	12	10	1	5	4	1	1	1	0
豊田市	11	11	1	4	3	1	2	2	0
岡崎市	12	10	2	9	7	2	2	1	1
大津市	4	4	0	1	1	1	-	-	-
高槻市	15	15	0	6	6	0	1	0	0
東大阪市	19	18	1	4	3	1	1	1	0
豊中市	18	16	2	11	10	1	1	1	-
枚方市	23	22	1	9	9	0	2	1	1
姫路市	11	10	1	9	8	1	1	1	-
西宮市	8	6	2	3	3	0	1	1	-
尼崎市	21	21	0	13	13	0	2	2	-
奈良市	15	14	0	6	5	1	2	1	1
和歌山市	16	14	2	1	1	0	1	1	0
倉敷市	21	19	2	13	12	1	2	1	0
福山市	22	21	1	11	10	1	2	2	1
呉市	9	7	2	10	9	1	0	-	0
下関市	14	14	-	8	7	0	1	1	0
高松市	13	12	1	15	13	1	1	1	0
松山市	10	8	2	17	9	8	1	1	0
高知市	8	8	0	6	6	-	1	1	-
久留米市	9	8	2	6	6	0	-	-	-
長崎市	25	24	1	11	10	1	1	1	-
佐世保市	13	13	1	7	7	-	1	1	-
大分市	20	19	1	14	14	-	4	3	1
宮崎市	16	15	1	8	8	-	1	1	-
鹿児島市	20	17	2	11	10	1	2	2	0
那覇市	10	6	4	2	2	-	1	-	1

注：１）調査方法の変更等による回収率変動の影響を受けているため、数量を示す従事者数の実数は前年以前と単純に年次比較できない。
　　２）介護予防サービスを一体的に行っている事業所の従事者を含む。
　　３）介護予防サービスのみ行っている事業所は対象外とした。
　　４）「0」は常勤換算従事者数が0.5未満の場合である。

指定都市・中核市（再掲）、職種（常勤－非常勤）別（39－19）

平成29年10月１日

歯科衛生士			管理栄養士			栄養士		
総数	常勤	非常勤	総数	常勤	非常勤	総数	常勤	非常勤
0	－	0	27	27	－	1	－	1
0	0	－	7	7	－	5	5	－
－	－	－	10	10	－	2	2	－
1	1	－	9	9	－	4	4	－
1	0	1	25	25	1	1	1	0
－	－	－	9	8	1	0	0	－
－	－	－	3	3	0	－	－	－
0	0	0	3	3	－	1	1	－
2	0	1	13	13	－	6	6	－
0	0	－	3	3	－	0	0	－
0	0	0	27	27	1	1	1	0
－	－	－	14	14	－	1	1	－
－	－	－	21	21	－	1	1	－
－	－	－	4	4	－	－	－	－
1	1	－	25	25	－	3	3	0
0	－	0	11	11	0	5	5	－
－	－	－	7	7	－	2	2	－
1	－	1	11	10	1	1	1	0
0	0	－	6	6	－	1	1	0
1	1	－	13	13	－	2	2	－
0	－	0	5	5	－	1	1	－
0	0	－	2	2	－	0	－	0
1	－	1	5	4	1	2	2	－
0	0	－	4	4	－	1	1	－
－	－	－	1	1	－	1	1	－
0	－	0	3	3	－	1	1	－
－	－	－	2	2	－	－	－	－
－	－	－	1	1	－	0	－	0
－	－	－	3	3	－	－	－	－
1	1	－	5	5	－	1	1	－
1	1	－	3	3	－	0	0	－
－	－	－	1	1	－	－	－	－
0	0	－	1	1	－	1	－	1
－	－	－	5	4	1	－	－	－
－	－	－	3	3	0	1	1	－
－	－	－	1	1	－	－	－	－
－	－	－	3	3	－	0	0	－
2	2	－	8	8	－	2	2	－
－	－	－	3	3	－	－	－	－
0	0	0	1	1	－	－	－	－
－	－	－	4	4	－	－	－	－
1	1	－	1	1	－	－	－	－
－	－	－	3	3	0	－	－	－
0	－	0	4	4	－	－	－	－
－	－	－	2	2	－	－	－	－
－	－	－	5	5	－	－	－	－
0	0	－	2	2	－	1	1	－
－	－	－	4	4	－	2	2	－
－	－	－	7	7	－	－	－	－
－	－	－	2	2	－	－	－	－
0	0	－	4	4	－	0	0	－
0	0	－	5	5	－	1	1	－
－	－	－	3	3	－	2	2	－
0	－	0	2	2	－	1	1	－
－	－	－	7	7	－	－	－	－
4	2	2	10	10	－	－	－	－
－	－	－	4	4	－	2	2	－
－	－	－	5	5	－	2	2	－
－	－	－	4	4	－	2	2	－
－	－	－	4	4	0	－	－	－
1	1	－	5	4	1	1	1	－
－	－	－	1	－	1	－	－	－
0	0	－	3	3	－	1	1	1
0	－	0	2	2	－	－	－	－
1	1	1	6	6	0	1	1	－
－	－	－	5	5	－	2	2	－
1	1	0	7	7	－	2	2	－
－	－	－	1	0	1	－	－	－

通所リハビリテーション（医療施設）

都道府県 指定都市 中核市	総数			医師			看護師		
	総数	常勤	非常勤	総数	常勤	非常勤	総数	常勤	非常勤
全国	34 459	28 189	6 270	2 548	2 382	166	2 455	1 877	578
北海道	653	547	106	41	41	－	40	31	9
青森	338	293	44	22	21	1	18	13	5
岩手	381	354	27	30	29	1	30	26	4
宮城	301	260	41	25	24	2	14	12	2
秋田	32	28	4	0	0	－	3	3	－
山形	375	343	32	24	22	2	24	21	3
福島	561	503	58	29	27	3	44	40	4
茨城	427	353	74	20	20	1	25	12	12
栃木	386	306	80	20	18	1	31	26	5
群馬	384	313	72	18	16	2	24	18	5
埼玉	1 119	859	260	75	72	4	77	50	27
千葉	1 080	865	216	82	74	8	74	51	23
東京	1 341	1 041	301	154	136	18	80	56	24
神奈川	777	592	186	46	41	4	58	34	23
新潟	325	278	47	12	10	2	22	16	6
富山	243	218	25	12	12	0	19	15	4
石川	358	300	58	15	13	2	26	20	6
福井	284	247	37	12	10	1	11	8	3
山梨	263	223	40	15	14	1	14	11	3
長野	508	429	79	35	33	2	45	36	10
岐阜	435	329	106	37	33	4	26	17	9
静岡	780	639	141	55	50	6	57	44	13
愛知	2 121	1 640	481	158	152	6	157	116	42
三重	371	301	70	35	33	2	31	25	6
滋賀	258	203	54	13	12	1	24	17	7
京都	632	456	177	59	55	4	61	39	22
大阪	2 584	1 953	631	248	230	18	183	135	48
兵庫	1 629	1 271	358	126	120	6	116	80	36
奈良	295	185	110	23	21	2	27	16	11
和歌山	285	232	53	14	14	0	13	10	3
鳥取	233	201	32	16	14	2	14	11	4
島根	160	146	14	12	12	0	11	10	1
岡山	881	719	163	97	93	4	75	60	15
広島	1 280	987	294	109	105	4	98	73	25
山口	460	393	67	44	40	4	28	25	3
徳島	562	461	101	44	40	4	32	24	8
香川	587	477	110	36	31	5	41	33	8
愛媛	513	392	121	44	41	2	38	26	12
高知	349	332	18	26	25	1	17	15	2
福岡	2 854	2 429	424	216	203	13	207	171	36
佐賀	597	506	91	26	25	1	28	23	4
長崎	1 324	1 147	176	93	88	4	95	80	15
熊本	1 255	1 105	151	62	61	2	95	80	15
大分	851	725	126	61	58	3	65	52	13
宮崎	659	599	59	53	51	2	55	50	5
鹿児島	1 614	1 359	255	112	108	4	133	101	32
沖縄	756	653	103	44	38	7	51	42	9

注：１）調査方法の変更等による回収率変動の影響を受けているため、数量を示す従事者数の実数は前年以前と単純に年次比較できない。
２）介護予防サービスを一体的に行っている事業所の従事者を含む。
３）介護予防サービスのみ行っている事業所は対象外とした。
４）「0」は常勤換算従事者数が0.5未満の場合である。

指定都市・中核市（再掲）、職種（常勤－非常勤）別（39－20）

平成29年10月１日

准看護師			介護職員					
						介護福祉士（再掲）		
総数	常勤	非常勤	総数	常勤	非常勤	総数	常勤	非常勤
1 453	1 130	322	19 028	14 833	4 195	10 747	9 268	1 480
33	26	7	392	309	83	237	209	28
27	23	4	195	167	28	135	121	13
12	9	3	192	177	15	138	134	5
14	11	2	160	130	30	100	91	9
1	1	0	21	18	3	10	10	-
19	17	2	226	207	20	160	154	6
31	25	6	330	291	39	198	188	10
29	24	5	255	212	43	152	137	16
13	10	3	228	174	55	145	128	17
21	13	9	227	190	38	136	125	11
28	22	6	603	418	185	345	278	67
29	24	5	549	401	149	262	221	40
26	20	6	651	464	187	350	265	85
11	4	6	442	317	125	255	208	47
8	6	3	189	161	28	120	108	12
12	11	1	139	122	17	96	89	8
15	12	4	215	177	38	152	136	16
14	13	1	175	149	26	117	103	14
10	7	3	145	117	28	80	74	6
16	13	3	237	188	49	163	135	28
20	11	9	245	173	73	119	97	23
17	14	3	444	350	94	226	197	29
82	62	20	1 071	746	325	578	447	132
11	9	2	181	128	53	100	76	23
5	2	3	156	120	37	97	77	19
13	9	4	378	253	124	237	178	59
89	61	28	1 413	966	447	696	565	131
51	35	16	894	658	236	506	416	89
3	0	2	187	107	81	88	64	25
15	12	3	172	129	43	84	72	12
9	5	4	134	119	15	81	77	5
13	11	2	71	61	9	53	47	7
28	22	6	460	351	109	242	200	42
52	37	15	716	533	183	407	339	68
25	20	5	240	194	46	142	124	19
22	14	7	307	237	70	139	118	21
30	22	8	304	247	57	165	144	21
41	31	10	285	211	74	131	113	18
16	16	-	214	200	14	142	138	4
136	113	23	1 490	1 198	292	820	731	88
27	21	5	360	288	72	188	176	12
60	47	14	778	660	118	473	434	39
79	70	9	727	626	101	402	375	27
44	38	6	486	411	75	297	269	27
40	38	2	353	316	37	205	196	9
120	89	31	919	756	163	520	450	70
36	31	5	472	407	65	261	235	26

通所リハビリテーション（医療施設）

都道府県 指定都市 中核市	総数			医師			看護師		
	総数	常勤	非常勤	総数	常勤	非常勤	総数	常勤	非常勤
指定都市(再掲)									
札幌市	171	150	21	10	10	－	16	15	1
仙台市	200	178	22	18	16	2	10	8	1
さいたま市	146	119	28	10	9	1	5	3	2
千葉市	260	201	59	21	17	4	22	15	7
横浜市	365	265	100	25	22	3	28	16	12
川崎市	107	72	36	7	6	1	13	8	5
相模原市	71	62	10	2	2	0	1	－	1
新潟市	128	104	24	4	4	1	8	7	2
静岡市	102	87	15	9	9	1	10	5	4
浜松市	253	194	59	17	15	2	19	14	4
名古屋市	667	504	164	48	45	3	55	40	15
京都市	352	254	98	34	33	1	31	21	10
大阪市	866	668	198	93	87	6	62	50	12
堺市	253	197	56	21	19	2	18	13	5
神戸市	303	233	70	29	28	1	26	20	6
岡山市	371	303	68	48	46	1	26	23	3
広島市	542	399	143	42	41	1	44	30	14
北九州市	460	390	69	33	32	1	29	24	6
福岡市	685	564	121	55	52	3	62	51	10
熊本市	476	407	70	23	22	1	37	29	8
中核市(再掲)									
旭川市	100	86	14	6	6	－	8	5	3
函館市	33	28	5	3	3	－	0	0	－
青森市	100	86	14	7	7	1	7	6	1
八戸市	125	105	20	8	8	0	7	4	3
盛岡市	184	172	12	12	11	1	16	14	2
秋田市	6	5	2	0	0	－	－	－	－
郡山市	133	120	13	5	5	－	15	13	2
いわき市	138	126	12	10	9	1	13	13	－
宇都宮市	50	42	8	3	3	－	4	4	－
前橋市	53	48	4	3	2	0	3	3	－
高崎市	45	32	13	2	1	1	4	3	2
川越市	79	62	18	5	5	1	7	4	3
越谷市	40	31	9	5	5	－	6	4	3
船橋市	70	60	10	5	5	0	6	5	1
柏市	46	34	12	4	4	0	2	1	1
八王子市	52	44	8	8	7	1	3	2	1
横須賀市	14	12	1	1	1	－	1	1	－
富山市	97	83	14	3	3	0	8	6	2
金沢市	147	125	22	7	6	1	17	13	3
長野市	71	59	12	6	6	－	9	7	2
岐阜市	124	100	24	12	11	1	9	7	2
豊橋市	110	88	22	9	8	1	4	4	0
豊田市	50	40	9	9	9	－	7	7	1
岡崎市	102	75	27	8	8	0	6	3	3
大津市	100	83	17	6	5	1	11	9	2
高槻市	80	52	28	7	5	2	7	6	1
東大阪市	174	119	55	18	13	5	7	5	2
豊中市	97	78	19	14	13	1	8	5	2
枚方市	203	155	48	17	16	1	20	13	7
姫路市	137	95	42	11	10	0	6	5	1
西宮市	131	105	26	11	11	－	11	6	4
尼崎市	123	100	23	17	15	2	6	5	1
奈良市	76	53	23	6	5	1	4	3	1
和歌山市	141	121	20	7	7	0	7	6	1
倉敷市	244	188	55	23	21	2	26	20	7
福山市	258	206	52	23	21	2	18	12	6
呉市	109	88	22	12	12	－	9	8	1
下関市	153	134	20	16	13	4	5	4	1
高松市	206	163	43	15	14	1	20	16	4
松山市	169	120	49	18	17	1	11	6	5
高知市	180	171	9	14	14	0	8	7	0
久留米市	248	208	40	21	18	3	14	11	2
長崎市	484	433	51	26	23	3	37	34	3
佐世保市	216	177	39	14	14	0	13	8	5
大分市	312	268	44	24	22	1	21	16	5
宮崎市	182	163	19	13	12	1	13	12	2
鹿児島市	532	432	101	42	41	1	48	32	15
那覇市	163	120	43	10	9	2	9	7	3

注：１）調査方法の変更等による回収率変動の影響を受けているため、数量を示す従事者数の実数は前年以前と単純に年次比較できない。
２）介護予防サービスを一体的に行っている事業所の従事者を含む。
３）介護予防サービスのみ行っている事業所は対象外とした。
４）「0」は常勤換算従事者数が0.5未満の場合である。

指定都市・中核市（再掲）、職種（常勤－非常勤）別（39－21）

平成29年10月１日

准看護師			介護職員					
						介護福祉士（再掲）		
総数	常勤	非常勤	総数	常勤	非常勤	総数	常勤	非常勤
4	3	1	93	78	15	58	52	6
10	9	1	105	92	13	68	63	5
5	5	−	85	63	22	49	43	7
8	7	1	132	89	43	67	50	17
4	1	3	203	135	69	116	90	27
2	1	0	65	40	25	24	17	7
3	1	2	42	35	7	31	30	1
3	2	1	67	53	14	44	38	6
4	4	−	47	40	8	21	20	1
3	3	0	155	114	40	81	69	11
28	20	8	325	212	113	171	130	41
7	5	2	221	147	74	134	102	32
29	21	8	448	306	143	199	157	42
7	5	2	138	100	38	81	65	16
10	4	6	142	101	41	74	58	16
15	14	2	186	141	45	84	71	13
18	11	6	298	211	87	181	143	38
16	14	3	246	197	50	118	106	12
29	20	8	335	252	83	162	143	20
16	12	4	271	230	42	154	142	12
6	4	2	62	54	8	39	36	3
5	5	−	19	14	5	14	12	2
8	7	1	59	50	9	46	43	3
9	7	1	76	61	15	49	40	9
9	7	2	85	78	6	65	63	2
−	−	−	5	3	2	3	3	−
7	4	3	74	68	7	47	45	3
10	9	1	80	72	8	34	33	1
1	1	0	24	19	5	10	9	1
4	3	1	24	22	3	18	18	1
4	0	3	23	17	6	16	12	4
3	2	1	26	15	11	18	12	5
2	2	−	15	11	4	10	9	1
−	−	−	21	17	4	13	11	2
0	0	−	23	16	7	7	5	2
−	−	−	25	22	3	18	16	2
−	−	−	2	1	1	2	1	1
3	2	1	58	47	11	39	33	6
4	2	3	82	70	11	60	55	5
3	2	1	26	18	7	22	15	7
5	3	2	67	49	17	18	14	4
7	6	1	55	41	15	26	21	5
2	1	1	15	10	5	9	5	4
2	2	0	51	31	19	28	20	8
2	0	1	63	52	11	31	29	2
5	5	0	46	24	22	23	21	3
8	3	4	115	77	38	50	46	4
5	5	0	44	31	13	21	18	3
6	4	2	109	77	32	61	52	9
4	1	3	71	42	29	41	30	11
1	1	−	72	55	17	41	33	8
6	6	0	57	43	14	22	21	1
0	0	−	53	35	18	28	20	8
5	4	0	89	73	17	50	45	5
6	4	2	131	93	39	85	68	17
13	9	5	141	112	29	84	73	11
1	1	−	64	47	17	25	22	3
10	8	2	77	64	13	40	36	4
8	6	3	92	73	19	47	40	7
10	7	3	91	62	29	38	31	7
9	9	−	110	102	8	86	83	3
12	9	3	121	94	27	86	72	14
16	12	4	282	253	29	168	162	6
18	15	3	139	109	29	86	72	14
17	17	1	170	144	26	108	95	13
13	12	0	97	86	10	59	55	4
41	28	14	283	228	55	170	147	24
8	6	2	114	80	34	64	47	17

通所リハビリテーション（医療施設）

都道府県 指定都市 中核市	理学療法士			作業療法士			言語聴覚士		
	総数	常勤	非常勤	総数	常勤	非常勤	総数	常勤	非常勤
全国	6 043	5 434	609	2 159	1 880	278	334	276	58
北海道	81	78	3	52	48	4	7	6	1
青森	37	35	2	33	29	4	2	2	1
岩手	65	63	2	48	47	2	1	1	-
宮城	58	55	3	25	23	2	4	3	0
秋田	6	6	0	1	1	0	-	-	-
山形	47	45	2	28	27	2	3	2	0
福島	73	71	3	44	42	2	4	4	1
茨城	69	60	9	20	17	2	3	3	0
栃木	61	51	10	23	18	5	6	5	1
群馬	65	54	11	24	18	5	4	3	1
埼玉	238	213	25	65	56	10	16	15	2
千葉	238	217	21	78	74	4	19	16	2
東京	306	267	38	92	70	23	23	19	4
神奈川	146	133	13	54	42	12	15	14	1
新潟	51	45	6	31	30	1	7	6	1
富山	32	32	-	22	22	1	2	2	-
石川	50	44	5	32	31	1	1	1	0
福井	41	38	4	24	22	1	2	2	-
山梨	52	49	3	22	20	2	3	2	0
長野	112	103	9	50	44	6	9	9	1
岐阜	75	69	6	16	12	4	2	2	-
静岡	135	121	14	50	41	10	5	4	1
愛知	470	422	49	121	93	29	34	26	8
三重	78	73	6	27	26	1	5	5	0
滋賀	45	41	3	14	10	4	0	0	-
京都	89	72	17	27	23	4	1	1	1
大阪	530	465	65	83	62	20	16	14	2
兵庫	313	267	46	85	73	12	18	16	2
奈良	41	31	10	10	7	3	1	1	-
和歌山	56	53	2	9	8	1	2	1	1
鳥取	30	28	2	21	19	2	3	2	1
島根	33	33	1	16	16	-	3	2	1
岡山	136	119	18	60	52	8	3	2	1
広島	181	141	41	88	72	16	15	8	6
山口	81	78	3	32	27	5	3	3	1
徳島	102	94	9	44	41	2	4	4	-
香川	106	91	15	57	44	14	6	4	2
愛媛	55	44	11	27	22	6	7	5	2
高知	60	59	1	14	14	-	1	1	0
福岡	534	503	31	219	198	21	21	17	4
佐賀	104	99	4	40	36	4	4	3	0
長崎	211	196	15	59	53	5	13	10	3
熊本	199	182	18	68	64	4	10	10	1
大分	124	104	19	56	49	7	7	5	2
宮崎	99	89	9	44	42	2	5	4	1
鹿児島	219	204	15	72	67	4	11	10	1
沖縄	113	101	12	30	27	3	5	4	1

注：1）調査方法の変更等による回収率変動の影響を受けているため、数量を示す従事者数の実数は前年以前と単純に年次比較できない。
　　2）介護予防サービスを一体的に行っている事業所の従事者を含む。
　　3）介護予防サービスのみ行っている事業所は対象外とした。
　　4）「0」は常勤換算従事者数が0.5未満の場合である。

指定都市・中核市（再掲）、職種（常勤－非常勤）別（39－22）

平成29年10月１日

歯科衛生士			管理栄養士			栄養士		
総数	常勤	非常勤	総数	常勤	非常勤	総数	常勤	非常勤
67	50	17	268	239	28	107	89	18
0	0	0	6	6	0	2	2	0
－	－	－	2	2	1	2	2	－
1	1	－	2	2	0	1	1	－
－	－	－	2	2	－	－	－	－
－	－	－	－	－	－	－	－	－
－	－	－	1	1	－	2	2	－
0	0	－	2	2	0	2	1	1
－	－	－	6	6	1	0	－	0
－	－	－	2	2	1	3	2	1
0	0	0	1	1	－	1	－	1
4	3	1	11	10	1	2	2	1
2	1	1	6	6	0	3	2	2
0	0	－	7	6	1	2	2	0
1	0	0	5	5	－	1	1	－
0	0	0	3	3	0	2	2	－
1	0	1	2	2	－	2	2	0
0	0	－	1	1	0	2	0	2
0	0	0	3	3	0	1	1	－
－	－	－	1	1	－	1	1	－
2	2	－	2	2	－	1	1	－
10	10	1	1	1	0	2	2	0
3	3	－	11	10	1	3	3	－
5	4	1	17	14	3	6	6	0
0	0	－	2	2	0	0	0	－
0	0	0	0	0	－	1	1	－
1	1	0	3	3	0	1	1	1
3	3	－	18	16	2	2	2	－
2	1	1	17	15	2	8	8	0
0	－	0	2	2	－	1	1	－
1	1	0	2	2	－	2	2	－
1	0	1	4	3	1	1	0	1
1	1	－	0	0	－	0	0	－
2	2	0	15	14	1	5	5	1
3	2	1	13	11	2	4	4	1
0	0	－	7	6	1	－	－	－
1	0	0	7	6	1	0	0	－
2	1	1	3	3	－	3	1	2
5	3	2	10	7	3	1	1	－
0	0	－	2	2	－	－	－	－
3	1	2	18	17	1	9	8	2
1	1	0	6	6	0	2	2	－
5	4	1	8	6	2	3	3	0
4	3	1	7	6	1	4	4	0
0	－	0	7	6	1	3	3	0
－	－	－	7	7	0	3	2	1
1	－	1	17	15	2	10	7	3
0	－	0	1	0	1	4	4	－

通所リハビリテーション（医療施設）

都道府県 指定都市 中核市	理学療法士			作業療法士			言語聴覚士		
	総数	常勤	非常勤	総数	常勤	非常勤	総数	常勤	非常勤
指定都市(再掲)									
札幌市	23	20	2	19	17	2	2	2	-
仙台市	34	32	3	17	16	2	3	3	0
さいたま市	30	28	2	8	6	1	1	1	-
千葉市	61	58	3	13	12	2	2	2	-
横浜市	66	59	7	28	23	5	9	8	1
川崎市	14	12	2	6	4	2	0	0	-
相模原市	16	16	-	5	5	-	2	2	-
新潟市	26	21	5	11	11	0	6	5	1
静岡市	22	21	1	4	2	2	0	0	-
浜松市	34	28	7	19	15	5	2	1	1
名古屋市	153	139	14	41	32	9	12	11	2
京都市	48	40	8	10	8	2	0	-	0
大阪市	200	177	23	20	15	5	6	6	1
堺市	58	51	7	8	8	1	2	1	0
神戸市	73	61	12	14	11	3	2	1	1
岡山市	60	48	11	23	20	4	2	1	1
広島市	85	64	22	45	35	10	6	3	3
北九州市	99	95	4	29	24	5	5	4	0
福岡市	140	131	9	57	51	6	5	4	1
熊本市	90	78	12	27	25	2	6	6	0
中核市(再掲)									
旭川市	12	12	-	5	5	0	1	0	1
函館市	4	4	1	2	2	-	0	0	-
青森市	9	8	0	8	7	1	-	-	-
八戸市	13	12	1	11	10	1	1	1	0
盛岡市	35	34	1	25	25	0	0	0	-
秋田市	2	2	-	-	-	-	-	-	-
郡山市	18	17	1	10	9	1	2	2	-
いわき市	16	15	1	7	7	1	0	0	-
宇都宮市	9	9	1	6	5	2	2	2	-
前橋市	13	12	1	7	7	0	0	0	-
高崎市	9	8	1	2	2	-	1	1	-
川越市	18	17	1	10	10	0	5	5	-
越谷市	7	6	1	5	4	1	0	0	-
船橋市	19	18	2	10	10	0	7	6	1
柏市	12	9	3	3	3	-	1	1	-
八王子市	13	11	2	2	2	0	0	0	-
横須賀市	8	8	-	1	1	-	-	-	-
富山市	11	11	-	10	10	-	1	1	-
金沢市	21	20	1	13	12	1	1	0	0
長野市	14	14	0	12	10	2	2	2	-
岐阜市	29	27	2	3	3	0	-	-	-
豊橋市	26	23	3	5	4	2	1	1	0
豊田市	8	7	1	3	1	2	0	0	-
岡崎市	23	23	1	8	6	2	2	2	-
大津市	13	13	0	5	4	1	0	0	-
高槻市	10	9	2	2	1	2	-	-	-
東大阪市	21	16	4	5	3	2	0	0	-
豊中市	18	17	1	7	6	2	1	1	-
枚方市	40	36	5	8	6	2	1	1	-
姫路市	33	27	6	9	8	2	2	2	-
西宮市	26	24	2	8	5	3	2	2	-
尼崎市	28	23	5	6	6	0	1	1	-
奈良市	11	9	2	2	1	1	-	-	-
和歌山市	29	28	1	2	2	-	1	0	1
倉敷市	35	32	3	19	16	4	1	1	-
福山市	39	32	7	12	11	2	3	2	1
呉市	11	9	2	9	7	2	-	-	-
下関市	28	27	1	15	14	0	2	1	1
高松市	46	38	8	19	13	6	2	2	0
松山市	25	21	4	10	7	3	1	-	1
高知市	30	30	-	9	9	-	-	-	-
久留米市	57	53	4	15	15	-	3	3	-
長崎市	83	77	7	29	26	3	5	3	2
佐世保市	26	25	1	2	2	-	2	2	-
大分市	52	45	6	23	20	3	3	2	1
宮崎市	30	26	4	11	11	1	2	1	1
鹿児島市	88	79	9	18	15	3	3	3	0
那覇市	17	15	2	4	4	-	1	0	0

注：1）調査方法の変更等による回収率変動の影響を受けているため、数量を示す従事者数の実数は前年以前と単純に年次比較できない。
2）介護予防サービスを一体的に行っている事業所の従事者を含む。
3）介護予防サービスのみ行っている事業所は対象外とした。
4）「0」は常勤換算従事者数が0.5未満の場合である。

指定都市・中核市（再掲）、職種（常勤－非常勤）別（39－23）

平成29年10月1日

歯科衛生士			管理栄養士			栄養士		
総数	常勤	非常勤	総数	常勤	非常勤	総数	常勤	非常勤
0	0	–	4	4	–	1	1	–
–	–	–	2	2	–	–	–	–
–	–	–	2	2	–	1	1	–
–	–	–	2	2	–	–	–	–
0	–	0	2	2	–	–	–	–
–	–	–	0	0	–	–	–	–
–	–	–	1	1	–	–	–	–
–	–	–	2	2	0	1	1	–
1	1	–	3	3	0	2	2	–
–	–	–	4	3	1	1	1	–
0	–	0	6	5	1	–	–	–
0	–	0	1	1	–	–	–	–
0	0	–	7	7	0	0	0	–
–	–	–	1	1	0	–	–	–
–	–	–	4	4	–	4	4	–
0	0	0	9	8	1	3	3	–
–	–	–	3	3	0	1	1	–
0	0	–	0	0	–	1	–	1
–	–	–	2	2	0	2	2	–
2	1	1	3	2	0	2	2	–
–	–	–	0	0	0	–	–	–
–	–	–	0	0	–	–	–	–
–	–	–	1	1	1	1	1	–
–	–	–	–	–	–	1	1	–
1	1	–	0	0	0	–	–	–
–	–	–	–	–	–	–	–	–
–	–	–	1	1	–	1	–	1
–	–	–	0	0	–	1	–	1
–	–	–	–	–	–	–	–	–
–	–	–	–	–	–	–	–	–
0	0	–	–	–	–	1	–	1
2	1	1	2	2	–	–	–	–
–	–	–	–	–	–	–	–	–
–	–	–	0	0	–	3	1	2
1	–	1	–	–	–	–	–	–
–	–	–	0	0	–	–	–	–
–	–	–	–	–	–	–	–	–
0	0	–	1	1	–	1	1	0
0	0	–	1	0	0	2	0	2
0	0	–	0	0	–	–	–	–
–	–	–	–	–	–	–	–	–
–	–	–	1	1	–	1	1	–
3	3	–	2	2	–	1	1	–
1	–	1	1	1	1	0	–	0
–	–	–	–	–	–	–	–	–
1	1	–	1	1	–	–	–	–
0	0	–	–	–	–	0	0	–
–	–	–	1	1	–	–	–	–
2	2	–	1	–	1	1	1	–
1	–	1	0	0	0	–	–	–
–	–	–	0	0	–	–	–	–
–	–	–	1	1	–	–	–	–
–	–	–	–	–	–	–	–	–
1	1	–	1	1	–	–	–	–
–	–	–	3	3	0	–	–	–
2	1	1	4	4	1	2	2	–
1	1	–	1	1	–	1	1	–
–	–	–	2	2	–	–	–	–
1	0	1	1	1	–	2	1	1
1	1	0	3	1	2	–	–	–
–	–	–	1	1	–	–	–	–
1	–	1	3	3	–	2	2	–
2	2	0	3	3	0	–	–	–
1	1	0	1	–	1	1	1	0
0	–	0	1	1	–	1	1	–
–	–	–	2	2	0	1	1	0
1	–	1	3	3	0	5	3	2
–	–	–	0	–	0	–	–	–

短期入所生活介護

都道府県 指定都市 中核市	総数			医師			看護師		
	総数	常勤	非常勤	総数	常勤	非常勤	総数	常勤	非常勤
全国	172 032	143 240	28 791	1 475	303	1 172	8 988	7 153	1 835
北海道	8 132	7 130	1 001	59	10	49	364	323	41
青森	2 684	2 408	277	22	3	19	100	91	10
岩手	2 571	2 356	215	23	4	19	132	121	11
宮城	3 444	3 120	323	27	4	23	160	143	18
秋田	5 017	4 555	461	39	3	37	254	227	28
山形	1 757	1 588	168	18	3	15	89	82	7
福島	2 965	2 746	219	23	4	18	131	118	13
茨城	5 484	4 657	828	44	13	32	254	198	57
栃木	2 986	2 549	437	31	3	28	142	112	30
群馬	2 872	2 416	455	26	3	23	134	113	20
埼玉	6 370	4 971	1 400	54	9	45	285	198	87
千葉	6 570	5 208	1 362	55	12	43	317	219	98
東京	11 072	8 351	2 721	105	27	79	668	473	195
神奈川	8 212	6 138	2 073	60	9	51	480	325	155
新潟	4 695	4 071	624	34	3	32	232	190	42
富山	1 692	1 369	323	16	2	13	89	79	10
石川	1 690	1 507	183	13	2	11	109	93	16
福井	1 566	1 320	246	11	2	9	72	56	15
山梨	1 559	1 362	197	16	5	12	70	56	15
長野	3 439	2 897	542	30	5	25	208	156	52
岐阜	2 930	2 246	684	25	2	24	169	129	40
静岡	4 219	3 401	818	29	2	27	245	177	68
愛知	7 256	5 698	1 557	64	18	46	426	308	118
三重	2 862	2 389	473	26	4	22	155	124	31
滋賀	1 341	1 095	246	11	2	9	69	59	10
京都	3 417	2 826	591	31	9	22	214	173	41
大阪	10 866	8 524	2 342	105	25	81	677	509	168
兵庫	7 522	5 848	1 674	65	17	48	416	309	107
奈良	1 840	1 408	432	18	4	14	97	64	33
和歌山	2 218	1 936	282	18	4	14	123	103	20
鳥取	703	629	74	7	2	6	30	28	2
島根	1 684	1 415	269	12	1	11	86	71	16
岡山	3 755	3 222	534	33	7	26	213	172	41
広島	6 503	5 402	1 101	52	14	38	320	260	60
山口	2 607	2 248	360	22	6	16	117	104	13
徳島	1 589	1 382	206	13	2	11	73	62	11
香川	1 917	1 693	224	19	4	15	100	84	16
愛媛	2 358	2 020	337	23	2	20	109	98	11
高知	938	854	84	8	0	8	48	44	4
福岡	5 612	4 976	636	53	14	39	330	289	41
佐賀	1 008	882	126	12	4	8	48	44	5
長崎	2 617	2 263	355	30	11	20	127	109	18
熊本	2 399	2 080	319	23	5	17	105	96	9
大分	1 767	1 517	250	19	8	11	77	70	7
宮崎	1 859	1 689	170	13	2	11	77	73	4
鹿児島	4 173	3 735	438	29	9	20	183	166	17
沖縄	1 300	1 145	156	10	4	7	64	60	4

注：1）調査方法の変更等による回収率変動の影響を受けているため、数量を示す従事者数の実数は前年以前と単純に年次比較できない。
2）介護予防サービスを一体的に行っている事業所の従事者を含む。
3）介護予防サービスのみ行っている事業所は対象外とした。
4）「0」は常勤換算従事者数が0.5未満の場合である。
5）短期入所生活介護は空床利用型の従事者を含まない。

指定都市・中核市（再掲）、職種（常勤－非常勤）別（39－24）

平成29年10月１日

准看護師			機能訓練指導員			理学療法士（再掲）			作業療法士（再掲）		
総数	常勤	非常勤	総数	常勤	非常勤	総数	常勤	非常勤	総数	常勤	非常勤
7 020	5 588	1 433	4 063	3 438	624	631	522	109	384	337	48
351	305	46	166	146	20	20	19	1	21	19	2
160	147	13	68	62	6	4	3	1	3	2	1
73	61	11	56	50	6	7	7	0	5	4	0
141	117	24	76	67	9	14	13	1	8	7	1
185	165	20	117	102	15	6	6	0	6	6	0
47	41	7	50	45	5	10	9	2	8	8	0
141	128	12	79	76	4	6	6	1	3	3	－
280	213	67	99	81	17	12	8	4	7	4	3
152	127	25	68	56	12	4	3	1	3	2	0
132	109	23	67	60	7	7	6	0	5	4	1
271	195	76	149	112	38	15	11	4	4	3	1
261	185	77	144	110	34	30	24	6	12	9	3
294	190	104	264	212	52	58	45	13	29	22	6
223	146	77	150	115	36	24	15	9	16	14	2
175	141	33	140	118	22	21	18	3	14	12	2
56	39	17	42	34	8	5	5	1	2	2	0
62	45	17	36	31	5	10	8	2	7	6	1
61	47	14	39	33	6	9	7	2	6	6	－
82	71	11	40	32	8	2	1	1	5	3	1
106	82	24	91	75	16	10	8	2	11	11	1
125	87	38	81	65	17	12	9	3	8	7	1
144	101	43	97	81	15	11	8	3	7	6	1
299	226	74	153	120	32	28	21	7	15	11	4
125	97	28	67	53	15	8	7	1	6	6	0
34	25	9	23	16	7	2	1	0	1	1	－
103	74	29	58	48	10	12	10	1	4	3	1
381	290	91	252	214	38	41	35	6	19	17	2
265	194	70	147	125	22	14	10	3	9	8	1
76	49	26	34	27	7	3	2	1	1	1	0
118	95	23	47	44	4	10	9	1	2	2	0
25	21	5	18	16	3	4	4	1	3	3	－
78	66	12	38	33	5	6	6	1	10	10	0
139	109	30	98	74	24	19	15	4	13	11	2
352	282	71	187	162	26	20	16	4	20	18	3
114	100	14	55	50	5	9	8	1	2	2	－
74	59	15	41	36	5	11	9	1	8	7	1
121	106	15	46	42	4	7	5	2	3	3	0
114	96	19	72	62	10	10	7	3	7	6	2
33	26	7	25	21	4	7	6	1	1	1	1
279	248	31	169	155	14	49	47	2	23	21	1
40	36	4	22	21	2	2	1	1	3	3	－
122	104	18	98	90	8	23	21	2	10	8	1
119	106	13	79	75	4	16	15	0	6	6	0
114	94	21	53	46	7	11	8	3	8	8	－
96	90	6	44	42	2	7	6	1	8	8	－
218	200	18	85	79	6	9	7	2	12	12	－
62	54	8	30	28	3	9	8	1	5	5	0

短期入所生活介護

都道府県 指定都市 中核市	総数			医師			看護師		
	総数	常勤	非常勤	総数	常勤	非常勤	総数	常勤	非常勤
指定都市(再掲)									
札幌市	1 860	1 619	241	9	0	8	126	108	19
仙台市	1 259	1 145	114	10	3	7	62	58	4
さいたま市	633	489	144	6	0	6	26	16	10
千葉市	579	478	101	7	1	5	36	30	6
横浜市	3 604	2 681	923	25	5	20	217	143	74
川崎市	917	729	188	8	1	7	66	48	18
相模原市	675	516	159	4	-	4	39	28	11
新潟市	1 659	1 435	224	12	1	11	82	68	15
静岡市	901	728	174	5	-	5	49	31	19
浜松市	1 114	872	242	6	0	6	67	48	20
名古屋市	1 814	1 458	356	20	5	15	104	75	29
京都市	1 744	1 451	293	14	3	11	113	93	20
大阪市	3 588	2 892	696	35	11	24	199	157	42
堺市	954	708	246	7	1	6	77	54	24
神戸市	1 640	1 272	368	20	9	11	93	78	16
岡山市	1 421	1 223	197	12	3	9	85	66	20
広島市	2 104	1 739	365	18	6	13	116	95	21
北九州市	1 032	873	159	8	1	7	55	48	7
福岡市	1 563	1 381	182	14	4	10	106	90	17
熊本市	475	406	69	6	1	4	22	21	1
中核市(再掲)									
旭川市	359	298	60	2	0	2	19	16	3
函館市	542	477	65	8	3	5	17	15	2
青森市	499	450	49	2	0	2	19	17	2
八戸市	190	170	20	2	0	2	6	5	1
盛岡市	382	347	35	4	1	3	20	19	1
秋田市	1 329	1 226	103	10	0	10	77	69	8
郡山市	593	541	52	4	2	3	32	26	6
いわき市	455	419	37	4	0	3	11	10	2
宇都宮市	555	469	86	4	-	4	22	18	4
前橋市	465	370	95	4	0	4	27	22	5
高崎市	477	396	81	6	1	5	22	18	4
川越市	225	174	50	2	-	2	12	8	4
越谷市	152	96	56	2	1	1	9	5	4
船橋市	517	370	147	3	1	2	45	20	25
柏市	370	270	100	2	-	2	17	10	7
八王子市	435	330	105	5	1	4	28	24	4
横須賀市	457	386	71	5	2	3	29	23	6
富山市	716	580	136	6	0	6	39	33	5
金沢市	631	561	70	5	1	4	43	30	14
長野市	551	448	103	5	0	5	46	31	15
岐阜市	431	331	99	5	-	5	26	19	7
豊橋市	327	268	59	4	3	2	17	11	6
豊田市	239	185	54	2	-	2	14	12	3
岡崎市	339	270	69	4	2	2	24	16	7
大津市	405	325	81	4	1	2	22	18	4
高槻市	339	235	104	4	1	3	19	11	8
東大阪市	466	372	95	6	2	4	27	20	7
豊中市	468	367	101	3	0	3	32	27	5
枚方市	441	347	94	3	0	3	35	26	10
姫路市	641	500	140	5	1	4	36	25	11
西宮市	335	271	64	2	-	2	21	14	7
尼崎市	401	281	120	4	1	3	18	8	10
奈良市	368	282	87	6	2	3	21	13	8
和歌山市	577	503	74	6	2	4	31	29	2
倉敷市	787	644	143	7	1	6	47	40	7
福山市	961	818	143	7	2	5	44	29	15
呉市	631	494	137	6	3	3	34	28	6
下関市	593	521	73	4	0	4	28	24	4
高松市	850	756	94	10	2	8	46	36	10
松山市	775	641	135	8	1	7	33	30	2
高知市	283	254	29	2	0	1	15	13	2
久留米市	369	336	33	5	3	2	24	22	2
長崎市	937	808	129	10	2	8	51	43	7
佐世保市	333	296	37	6	4	2	14	12	1
大分市	478	417	61	6	3	3	21	19	2
宮崎市	506	450	57	3	0	3	28	26	2
鹿児島市	971	902	70	9	3	5	51	48	4
那覇市	223	200	24	1	0	1	8	7	1

注：1）調査方法の変更等による回収率変動の影響を受けているため、数量を示す従事者数の実数は前年以前と単純に年次比較できない。
2）介護予防サービスを一体的に行っている事業所の従事者を含む。
3）介護予防サービスのみ行っている事業所は対象外とした。
4）「0」は常勤換算従事者数が0.5未満の場合である。
5）短期入所生活介護は空床利用型の従事者を含まない。

平成29年10月１日

准看護師			機能訓練指導員			理学療法士（再掲）			作業療法士（再掲）		
総数	常勤	非常勤	総数	常勤	非常勤	総数	常勤	非常勤	総数	常勤	非常勤
49	40	9	44	38	6	12	11	1	10	8	1
38	34	4	26	24	3	9	8	0	5	4	1
28	21	7	13	8	5	1	1	0	－	－	－
11	6	5	13	8	4	4	3	1	1	1	－
92	60	32	58	50	8	12	11	1	8	7	1
28	20	7	17	13	4	1	－	1	2	2	－
22	14	9	11	9	2	1	1	0	1	1	－
69	55	14	62	50	12	12	10	2	6	4	2
32	25	8	17	13	4	2	1	1	0	0	－
39	30	9	23	19	4	2	1	1	2	2	0
81	55	26	37	30	7	6	5	1	4	3	1
53	40	13	30	26	4	8	8	0	0	0	－
124	102	22	70	62	8	15	13	2	4	4	0
22	13	8	25	21	4	3	3	1	5	4	1
51	39	12	31	27	4	2	1	1	2	2	0
42	35	8	35	28	8	9	6	3	4	4	0
110	85	25	58	50	8	7	6	2	5	4	1
61	51	11	31	28	3	11	10	1	4	4	0
64	57	7	51	45	6	11	11	－	8	7	1
22	19	3	18	16	2	4	4	－	0	0	0
18	13	5	11	11	1	2	2	－	3	3	0
33	31	3	14	12	2	0	0	－	2	2	－
34	30	4	10	10	1	1	1	0	2	2	0
9	8	2	5	4	1	0	0	－	1	－	1
14	10	3	11	10	1	2	2	－	1	1	－
48	44	5	31	29	2	1	1	－	4	4	－
24	19	4	18	15	2	2	2	1	2	2	－
18	17	1	11	11	0	－	－	－	－	－	－
34	30	4	12	9	3	0	0	－	－	－	－
19	13	6	10	8	2	0	0	－	0	－	0
22	18	4	18	17	2	4	4	－	2	2	－
6	4	2	11	8	3	0	0	0	－	－	－
3	3	－	3	2	1	1	1	－	0	0	－
15	8	7	9	8	1	2	2	0	0	0	－
16	8	9	8	6	2	4	3	0	－	－	－
14	8	6	11	7	4	2	1	1	0	0	0
15	11	4	11	9	3	1	－	1	－	－	－
26	19	8	22	18	4	2	2	1	1	1	0
31	22	9	18	14	4	4	2	2	4	3	1
15	11	4	15	11	3	2	2	－	3	3	0
21	11	10	13	11	2	1	1	－	1	1	－
19	15	4	8	7	1	2	2	0	0	0	0
9	8	1	6	5	1	1	－	1	1	1	0
18	14	4	10	9	1	1	1	0	2	2	0
6	5	2	11	9	3	1	1	－	1	1	－
17	11	7	8	8	1	2	2	－	2	1	1
24	19	5	11	9	2	0	0	－	－	－	－
10	7	3	10	10	0	3	3	－	－	－	－
14	8	6	6	5	1	2	2	0	0	－	0
23	15	8	16	15	1	1	1	0	1	1	－
12	9	3	9	6	3	0	－	0	1	1	－
16	14	3	9	5	5	2	1	0	－	－	－
16	11	5	9	8	1	0	0	0	－	－	－
33	27	7	13	12	1	0	0	0	－	－	－
32	22	10	23	14	9	3	2	0	2	1	1
58	48	11	29	26	2	8	6	2	4	3	0
35	32	3	15	14	1	0	－	0	5	5	－
29	25	4	11	9	2	5	5	1	－	－	－
45	38	7	19	17	1	3	2	0	0	0	0
37	32	5	26	21	5	3	2	2	3	2	1
10	7	3	11	8	3	3	3	－	0	－	0
11	11	1	13	12	0	6	6	－	2	2	0
39	33	6	39	32	6	11	10	1	5	4	1
16	15	1	15	14	1	1	1	0	1	1	－
25	24	1	12	11	1	4	3	1	1	1	－
18	16	2	14	13	1	5	4	1	5	5	－
39	37	2	21	18	3	2	1	1	2	2	－
10	8	2	6	6	－	3	3	－	0	0	－

短期入所生活介護

都道府県 指定都市 中核市	機能訓練 言語聴覚士（再掲） 総数	常勤	非常勤	看護師（再掲） 総数	常勤	非常勤	准看護師（再掲） 総数	常勤	非常勤
全国	55	44	11	1 121	903	218	1 291	1 105	187
北海道	5	4	0	41	33	8	56	48	8
青森	1	1	-	16	15	1	30	29	1
岩手	-	-	-	18	16	2	20	17	3
宮城	0	0	-	18	16	2	29	25	5
秋田	-	-	-	41	34	7	52	47	6
山形	0	0	-	17	15	2	12	11	1
福島	1	1	-	16	15	1	39	37	2
茨城	1	0	0	27	24	3	38	32	6
栃木	1	1	-	24	20	4	28	23	5
群馬	0	0	0	16	15	2	33	29	4
埼玉	-	-	-	57	40	17	54	42	13
千葉	3	2	0	41	29	12	44	34	10
東京	5	4	1	39	23	16	15	8	7
神奈川	3	3	0	52	40	13	21	14	7
新潟	5	4	1	39	31	8	51	44	8
富山	-	-	-	15	12	4	13	10	3
石川	0	-	0	9	8	1	10	9	1
福井	1	1	0	6	3	3	13	11	2
山梨	0	-	0	17	14	3	14	12	2
長野	0	0	-	44	36	8	21	17	4
岐阜	0	-	0	24	20	3	33	24	8
静岡	0	-	0	26	19	6	21	17	3
愛知	2	1	1	48	37	11	37	30	7
三重	1	1	0	20	13	7	27	23	5
滋賀	-	-	-	10	6	5	5	3	2
京都	0	-	0	20	15	5	15	12	2
大阪	3	2	1	57	42	15	53	45	8
兵庫	2	2	0	52	43	9	52	44	7
奈良	0	-	0	18	13	5	8	7	1
和歌山	-	-	-	8	6	1	19	18	1
鳥取	0	0	0	2	2	-	8	6	2
島根	0	0	-	7	4	3	13	12	1
岡山	1	1	-	31	22	9	29	20	9
広島	4	4	0	51	43	9	80	71	9
山口	2	1	1	14	13	2	28	26	2
徳島	-	-	-	10	9	1	12	10	2
香川	-	-	-	16	15	1	20	19	1
愛媛	1	0	1	19	18	1	32	28	4
高知	1	1	0	7	7	0	8	6	3
福岡	4	3	1	36	33	4	40	37	4
佐賀	-	-	-	6	5	0	11	11	0
長崎	1	-	1	26	23	3	33	32	2
熊本	2	2	-	16	15	1	39	37	2
大分	3	2	1	11	10	1	17	15	3
宮崎	1	1	-	8	8	0	18	17	1
鹿児島	1	1	0	20	18	1	34	33	1
沖縄	2	2	-	6	6	0	6	5	0

注：1）調査方法の変更等による回収率変動の影響を受けているため、数量を示す従事者数の実数は前年以前と単純に年次比較できない。
　　2）介護予防サービスを一体的に行っている事業所の従事者を含む。
　　3）介護予防サービスのみ行っている事業所は対象外とした。
　　4）「0」は常勤換算従事者数が0.5未満の場合である。
　　5）短期入所生活介護は空床利用型の従事者を含まない。

指定都市・中核市（再掲）、職種（常勤－非常勤）別（39－26）

平成29年10月１日

指導員						調理員			管理栄養士		
柔道整復師（再掲）			あん摩マッサージ指圧師（再掲）								
総数	常勤	非常勤	総数	常勤	非常勤	総数	常勤	非常勤	総数	常勤	非常勤
330	307	23	251	221	30	8 309	5 704	2 605	3 340	3 239	101
16	16	0	8	7	1	311	223	88	139	138	1
7	6	1	8	7	1	242	202	40	33	33	0
5	5	−	1	1	1	144	120	25	25	25	0
4	4	0	2	2	0	119	96	24	69	66	3
6	5	1	6	4	2	363	278	86	46	45	1
1	1	0	1	1	−	84	74	10	27	26	0
10	10	−	3	3	0	126	112	15	60	60	0
6	5	1	8	8	0	275	206	69	109	107	2
3	3	0	5	4	1	189	135	54	56	53	3
4	4	0	3	2	1	171	127	44	56	53	3
12	10	2	8	7	1	257	145	112	113	106	6
10	8	1	5	4	1	303	179	124	124	119	5
41	39	3	77	71	6	421	230	192	205	198	7
16	13	2	18	16	2	342	159	183	156	149	7
9	8	0	2	2	−	203	145	57	77	73	4
5	4	1	2	1	0	113	84	29	26	25	1
0	0	−	1	1	1	70	55	15	27	27	−
2	2	−	4	4	0	85	73	12	30	29	0
2	2	−	1	−	1	70	57	13	27	25	2
2	1	0	3	2	1	135	81	55	66	63	3
2	1	1	4	3	1	134	60	74	57	54	3
15	15	0	17	16	1	125	84	41	83	79	4
14	13	2	9	7	2	270	140	130	167	159	8
4	4	1	1	1	0	109	57	52	65	61	4
3	3	−	2	2	0	37	23	14	24	23	1
5	5	0	3	3	−	96	71	25	65	63	1
67	62	5	12	11	2	327	182	146	256	252	5
14	14	1	4	4	1	290	164	126	166	158	8
4	4	−	0	0	−	82	37	45	38	38	0
7	7	0	2	2	−	114	89	25	42	41	0
−	−	−	1	1	−	48	38	10	17	17	0
−	−	−	0	0	−	144	109	36	28	28	0
4	4	−	2	2	0	160	104	56	106	104	2
8	8	0	4	3	0	401	262	139	143	137	6
0	0	−	1	1	−	141	97	45	52	50	2
−	−	−	1	1	−	142	107	35	35	34	1
1	1	−	−	−	−	122	91	31	40	40	1
0	−	0	2	2	0	95	68	27	42	40	2
0	0	−	0	0	−	44	38	6	18	18	−
8	8	0	9	7	2	231	178	54	126	123	3
1	1	−	−	−	−	70	57	13	25	25	−
5	5	0	0	0	−	205	143	62	32	31	1
0	0	−	1	1	−	205	152	54	49	48	0
4	4	−	0	0	−	76	58	18	37	37	0
1	1	−	1	1	−	179	154	25	40	39	1
1	1	−	8	7	2	330	270	60	94	93	0
1	1	−	2	1	1	108	93	15	29	29	0

第7表　常勤換算従事者数，居宅サービスの種類、都道府県－

短期入所生活介護

都道府県 指定都市 中核市	機能訓練 言語聴覚士（再掲） 総数	常勤	非常勤	看護師（再掲） 総数	常勤	非常勤	准看護師（再掲） 総数	常勤	非常勤
指定都市(再掲)									
札幌市	2	2	0	7	5	2	6	5	2
仙台市	0	0	-	4	3	1	6	6	1
さいたま市	-	-	-	5	3	3	5	2	2
千葉市	0	0	-	3	2	2	4	3	1
横浜市	1	1	-	11	9	2	7	5	2
川崎市	-	-	-	11	9	2	2	1	1
相模原市	0	-	0	6	5	2	2	1	0
新潟市	3	2	1	15	12	3	23	18	5
静岡市	-	-	-	4	3	2	2	1	1
浜松市	0	-	0	8	7	2	6	5	1
名古屋市	1	1	0	9	6	3	8	7	1
京都市	0	-	0	9	7	1	8	6	2
大阪市	1	0	1	11	7	4	9	9	0
堺市	1	1	-	5	4	1	7	5	2
神戸市	0	-	0	13	12	1	14	12	2
岡山市	1	1	-	11	8	3	8	6	2
広島市	2	2	-	21	19	2	19	15	3
北九州市	1	1	0	8	7	0	5	3	2
福岡市	1	0	1	13	12	2	6	6	-
熊本市	1	1	-	3	3	0	9	7	2
中核市(再掲)									
旭川市	2	2	0	1	1	-	3	3	-
函館市	0	0	-	3	3	-	6	4	2
青森市	-	-	-	1	1	0	4	4	-
八戸市	-	-	-	0	0	0	1	0	0
盛岡市	-	-	-	4	4	0	4	3	1
秋田市	-	-	-	9	8	2	15	15	-
郡山市	-	-	-	3	2	1	7	6	1
いわき市	-	-	-	0	0	-	9	9	0
宇都宮市	1	1	-	6	5	1	4	2	2
前橋市	0	-	0	3	3	1	5	5	0
高崎市	-	-	-	3	2	0	6	6	1
川越市	-	-	-	7	6	2	2	1	1
越谷市	-	-	-	1	1	1	0	-	0
船橋市	0	-	0	3	2	0	0	0	0
柏市	-	-	-	2	1	1	2	1	1
八王子市	0	-	0	4	2	2	0	0	-
横須賀市	-	-	-	6	5	1	1	0	1
富山市	-	-	-	10	8	2	5	4	1
金沢市	0	-	0	6	5	1	4	4	0
長野市	0	0	-	7	4	3	2	2	0
岐阜市	-	-	-	3	3	1	5	5	1
豊橋市	0	0	-	3	2	0	2	2	0
豊田市	-	-	-	3	3	-	2	2	-
岡崎市	-	-	-	3	2	1	4	3	0
大津市	-	-	-	5	3	2	2	1	1
高槻市	-	-	-	1	1	-	0	0	0
東大阪市	-	-	-	6	5	1	4	3	1
豊中市	0	-	0	2	2	0	1	1	-
枚方市	-	-	-	1	0	1	0	0	0
姫路市	-	-	-	6	6	0	7	7	0
西宮市	-	-	-	4	2	2	3	2	1
尼崎市	-	-	-	5	1	4	1	1	0
奈良市	-	-	-	7	6	1	1	1	0
和歌山市	-	-	-	3	3	1	7	7	0
倉敷市	-	-	-	8	5	3	10	6	4
福山市	2	2	0	2	2	1	11	11	0
呉市	-	-	-	5	5	0	4	4	-
下関市	0	-	0	0	-	0	5	4	1
高松市	-	-	-	9	8	1	8	7	0
松山市	-	-	-	9	8	1	10	8	2
高知市	-	-	-	4	4	-	4	2	3
久留米市	0	0	-	2	2	-	1	1	-
長崎市	1	-	1	11	9	2	8	8	1
佐世保市	-	-	-	4	4	0	8	7	0
大分市	1	0	0	2	2	-	4	4	0
宮崎市	-	-	-	3	3	0	1	1	0
鹿児島市	0	-	0	8	7	1	6	6	-
那覇市	1	1	-	1	1	-	-	-	-

注：1）調査方法の変更等による回収率変動の影響を受けているため、数量を示す従事者数の実数は前年以前と単純に年次比較できない。
2）介護予防サービスを一体的に行っている事業所の従事者を含む。
3）介護予防サービスのみ行っている事業所は対象外とした。
4）「0」は常勤換算従事者数が0.5未満の場合である。
5）短期入所生活介護は空床利用型の従事者を含まない。

平成29年10月１日

指導員						調理員			管理栄養士		
柔道整復師（再掲）			あん摩マッサージ指圧師（再掲）								
総数	常勤	非常勤	総数	常勤	非常勤	総数	常勤	非常勤	総数	常勤	非常勤
7	7	–	0	0	–	28	16	13	33	33	–
0	0	–	2	2	–	25	16	9	25	24	1
1	1	–	0	0	–	11	5	6	6	6	0
–	–	–	1	0	0	26	13	13	11	10	0
11	10	1	7	7	1	120	51	68	65	63	2
1	1	–	–	–	–	34	22	12	21	19	2
0	0	–	0	0	–	20	8	12	14	14	1
4	3	0	0	0	–	31	17	14	22	21	1
4	4	–	4	4	0	27	17	10	16	14	2
4	4	–	–	–	–	26	11	15	22	22	1
5	5	0	4	3	1	47	29	18	48	46	2
2	2	–	2	2	–	32	20	12	35	34	1
27	26	1	3	3	–	57	33	24	83	81	2
3	3	–	1	1	0	45	16	29	28	27	1
0	0	–	0	–	0	27	13	13	35	32	2
2	2	–	1	1	–	44	22	22	41	41	0
2	2	–	2	2	0	105	70	35	48	45	3
2	2	–	–	–	–	52	39	12	27	27	0
6	5	0	6	4	2	21	14	8	33	32	1
–	–	–	1	1	–	14	9	6	14	14	–
–	–	–	–	–	–	14	9	5	8	7	0
1	1	–	1	1	–	21	16	6	9	9	0
2	2	–	1	1	–	29	24	5	9	9	0
1	1	–	2	2	–	13	13	1	1	1	0
1	1	–	–	–	–	25	18	8	3	3	–
1	1	0	1	–	1	46	37	9	13	12	1
3	3	–	1	1	–	18	15	4	13	13	–
2	2	–	–	–	–	34	33	1	7	7	–
1	1	–	0	–	0	38	21	17	16	16	–
1	1	0	–	–	–	16	10	6	9	9	0
3	3	–	1	–	1	19	14	6	11	9	1
–	–	–	1	1	–	6	2	4	4	4	–
–	–	–	–	–	–	1	0	0	3	3	0
3	3	–	1	1	0	9	5	3	10	10	–
0	–	0	1	1	–	16	7	9	7	7	0
2	1	1	3	2	1	9	5	4	6	5	0
–	–	–	3	3	0	11	5	7	8	8	–
3	2	1	1	1	–	66	45	21	11	10	1
0	0	–	–	–	–	17	13	4	6	6	–
0	0	–	0	0	–	8	3	5	13	12	1
0	–	0	2	2	0	4	4	0	12	11	1
–	–	–	–	–	–	18	11	7	7	7	–
–	–	–	–	–	–	17	10	7	5	5	0
–	–	–	–	–	–	8	7	1	8	8	0
3	3	–	–	–	–	9	3	6	5	4	1
2	2	–	1	1	–	5	–	5	7	7	–
0	0	–	0	0	–	6	5	1	10	10	–
3	3	–	1	1	–	18	7	10	11	11	0
3	3	–	0	–	0	6	4	3	8	8	–
1	1	–	–	–	–	41	27	15	14	13	1
0	0	0	–	–	–	10	5	5	6	6	–
2	2	–	–	–	–	14	4	9	10	9	1
–	–	–	–	–	–	11	5	6	7	7	–
2	2	–	1	1	–	17	15	2	12	12	0
–	–	–	0	–	0	28	11	17	24	23	1
3	3	–	–	–	–	41	31	11	23	22	1
0	–	0	0	0	0	67	41	26	10	9	1
–	–	–	–	–	–	31	20	11	10	10	0
–	–	–	–	–	–	46	35	11	15	15	0
0	–	0	1	1	0	24	14	10	11	11	0
0	0	–	–	–	–	6	4	2	3	3	–
–	–	–	1	1	–	6	4	2	12	11	1
2	2	0	–	–	–	40	20	20	12	11	0
1	1	–	0	0	–	14	13	1	5	5	0
–	–	–	–	–	–	12	12	1	12	12	0
–	–	–	–	–	–	31	25	6	13	13	1
0	0	–	4	3	1	62	58	5	28	28	0
1	1	–	–	–	–	9	7	2	5	5	0

短期入所生活介護

都道府県 指定都市 中核市	栄養士			介護支援専門員			生活相談員		
	総数	常勤	非常勤	総数	常勤	非常勤	総数	常勤	非常勤
全国	1 362	1 227	135	3 388	3 308	80	7 781	7 619	162
北海道	50	42	8	192	190	3	339	334	4
青森	43	39	4	54	52	2	98	95	3
岩手	36	35	1	49	49	0	127	127	1
宮城	27	25	2	69	69	－	189	188	1
秋田	95	89	7	41	41	1	258	253	5
山形	11	10	1	22	22	－	94	93	0
福島	31	28	3	63	62	1	139	139	0
茨城	66	63	3	120	117	3	221	218	3
栃木	60	54	6	55	53	2	155	151	4
群馬	32	29	4	66	65	1	132	130	3
埼玉	67	57	10	111	109	2	332	323	9
千葉	67	61	7	97	90	7	326	317	10
東京	46	42	5	227	224	4	472	462	10
神奈川	21	18	3	179	172	7	359	345	14
新潟	39	33	5	30	30	－	317	308	9
富山	24	22	1	27	25	2	92	90	2
石川	15	14	1	28	28	0	78	76	2
福井	12	12	0	43	41	1	69	68	2
山梨	16	15	2	20	20	0	75	75	1
長野	24	20	4	84	82	2	161	154	6
岐阜	17	14	4	37	35	2	153	145	8
静岡	23	20	4	47	45	2	257	253	4
愛知	42	35	6	95	91	4	369	355	15
三重	22	19	3	52	51	1	141	137	4
滋賀	4	4	0	19	19	－	73	71	2
京都	16	15	1	68	66	2	168	166	2
大阪	35	30	5	268	257	10	407	395	13
兵庫	34	30	4	130	127	3	302	299	4
奈良	16	14	3	49	48	1	75	75	－
和歌山	21	20	1	59	59	0	69	68	0
鳥取	5	4	0	16	16	－	28	26	3
島根	16	16	－	37	37	－	63	63	－
岡山	25	23	2	97	94	3	166	163	3
広島	52	45	8	136	134	2	260	257	3
山口	15	15	0	57	56	1	95	92	3
徳島	15	14	2	35	34	1	63	63	1
香川	17	15	1	35	35	0	73	72	1
愛媛	20	19	2	54	53	1	130	124	5
高知	3	2	0	24	22	2	37	37	－
福岡	31	28	4	142	140	2	258	255	3
佐賀	18	17	1	24	24	0	46	46	－
長崎	32	28	4	48	46	2	129	128	1
熊本	29	27	2	54	54	－	78	78	1
大分	14	13	1	42	41	1	68	65	2
宮崎	16	15	0	47	46	1	66	66	－
鹿児島	33	32	1	110	108	2	128	128	1
沖縄	11	11	－	31	31	－	47	46	1

注：1）調査方法の変更等による回収率変動の影響を受けているため、数量を示す従事者数の実数は前年以前と単純に年次比較できない。
　　2）介護予防サービスを一体的に行っている事業所の従事者を含む。
　　3）介護予防サービスのみ行っている事業所は対象外とした。
　　4）「0」は常勤換算従事者数が0.5未満の場合である。
　　5）短期入所生活介護は空床利用型の従事者を含まない。

平成29年10月1日

社会福祉士（再掲）			介護職員			介護福祉士（再掲）			その他の職員		
総数	常勤	非常勤	総数	常勤	非常勤	総数	常勤	非常勤	総数	常勤	非常勤
1 803	1 776	27	112 793	96 299	16 495	64 463	59 267	5 195	13 513	9 363	4 150
109	107	1	5 513	4 926	586	3 750	3 550	200	647	492	155
17	17	1	1 606	1 488	118	1 056	1 014	42	258	197	62
24	24	-	1 669	1 576	92	1 052	1 032	20	239	190	50
39	39	-	2 280	2 113	168	1 264	1 216	48	286	233	53
34	34	-	3 233	3 032	200	1 778	1 738	39	385	322	63
14	14	-	1 175	1 086	90	818	795	23	141	107	34
35	35	-	1 927	1 803	124	1 149	1 110	39	246	217	29
48	48	-	3 630	3 157	473	1 820	1 681	139	387	284	103
35	35	0	1 861	1 621	240	993	922	71	219	184	35
20	20	0	1 885	1 602	284	1 174	1 084	90	171	126	45
55	54	1	4 233	3 393	840	2 026	1 790	236	498	324	174
51	50	1	4 328	3 571	758	2 045	1 822	222	547	347	200
140	137	3	7 375	5 744	1 631	4 282	3 768	514	994	551	444
66	65	1	5 501	4 335	1 166	3 078	2 665	413	742	365	377
95	93	1	3 116	2 802	315	1 894	1 790	105	331	227	105
22	22	1	1 083	899	184	737	670	67	125	69	56
28	28	-	1 139	1 053	87	718	697	21	114	83	30
18	17	1	1 019	883	136	627	566	61	124	75	49
9	9	0	1 001	903	98	532	505	28	142	105	37
40	40	1	2 305	2 013	292	1 513	1 401	112	231	168	63
25	23	2	1 932	1 534	398	1 032	909	123	200	121	79
57	57	-	2 867	2 363	505	1 606	1 430	176	303	197	106
105	101	4	4 880	3 900	980	2 470	2 122	348	492	346	145
27	26	1	1 903	1 645	259	953	874	79	197	143	54
21	21	-	935	797	138	550	502	48	112	57	55
41	40	1	2 370	1 983	387	1 452	1 318	134	228	159	70
100	98	1	7 399	5 886	1 513	3 901	3 496	405	759	485	274
57	57	0	5 086	4 035	1 051	2 799	2 479	320	622	391	231
22	22	-	1 222	967	255	630	556	75	133	85	48
11	11	0	1 449	1 302	146	793	745	49	160	110	50
8	8	-	453	428	25	303	292	11	56	35	21
11	11	-	1 025	887	138	652	614	38	158	106	52
48	47	0	2 408	2 154	254	1 456	1 363	93	311	218	93
72	72	1	4 082	3 482	600	2 389	2 187	202	517	368	149
25	24	1	1 729	1 518	211	1 043	986	58	210	160	51
10	9	0	975	878	97	603	571	32	124	94	29
21	21	-	1 242	1 121	122	762	714	49	102	84	18
35	32	3	1 539	1 337	202	807	746	61	160	122	38
11	11	-	586	558	28	381	367	13	112	87	25
76	76	1	3 610	3 244	366	2 039	1 942	97	382	303	79
6	6	-	622	552	70	397	373	24	82	59	23
23	23	-	1 582	1 421	161	918	861	58	212	152	60
25	25	1	1 489	1 307	182	858	805	54	170	132	38
26	25	1	1 105	974	131	683	645	38	162	111	51
12	12	-	1 140	1 051	89	712	688	23	141	112	30
29	29	-	2 514	2 305	209	1 558	1 493	65	449	347	103
5	5	-	772	672	99	411	377	34	136	117	19

短期入所生活介護

都道府県 指定都市 中核市	栄養士			介護支援専門員			生活相談員		
	総数	常勤	非常勤	総数	常勤	非常勤	総数	常勤	非常勤
指定都市(再掲)									
札幌市	4	3	1	34	33	1	86	86	0
仙台市	4	4	0	22	22	-	83	83	-
さいたま市	8	6	2	5	5	0	48	45	3
千葉市	5	5	1	4	4	0	40	38	2
横浜市	9	9	0	91	85	5	165	158	7
川崎市	2	1	1	20	20	1	41	41	-
相模原市	0	0	-	13	13	0	33	32	1
新潟市	18	15	3	6	6	-	115	111	3
静岡市	6	4	1	10	10	-	56	56	0
浜松市	4	3	1	16	15	1	63	63	0
名古屋市	12	11	1	26	25	1	100	98	2
京都市	7	6	0	39	38	1	90	90	-
大阪市	5	4	1	89	87	2	125	121	4
堺市	4	3	0	32	27	5	46	42	4
神戸市	2	2	0	18	17	1	73	73	-
岡山市	9	9	0	34	33	1	60	58	2
広島市	10	6	4	46	45	1	88	87	1
北九州市	6	5	0	21	21	-	49	49	-
福岡市	5	4	1	34	34	1	74	73	1
熊本市	4	4	-	7	7	-	18	18	-
中核市(再掲)									
旭川市	1	1	-	8	7	0	15	15	1
函館市	5	3	3	8	8	-	33	32	1
青森市	5	5	-	12	12	0	16	16	-
八戸市	3	3	-	4	4	1	7	7	-
盛岡市	6	5	0	4	4	-	22	22	-
秋田市	24	20	3	7	7	-	72	71	0
郡山市	6	5	1	8	7	1	34	34	0
いわき市	7	7	1	8	8	-	22	22	-
宇都宮市	10	10	-	10	9	1	30	28	2
前橋市	5	5	0	10	10	1	21	21	0
高崎市	2	1	1	13	13	-	24	24	-
川越市	2	2	1	4	4	-	16	16	-
越谷市	1	1	0	4	4	-	11	10	1
船橋市	3	3	0	8	6	2	26	24	2
柏市	2	1	1	5	5	-	16	16	-
八王子市	1	1	0	8	8	-	16	15	1
横須賀市	1	1	-	23	23	-	15	15	0
富山市	11	10	0	8	8	0	39	38	1
金沢市	6	6	1	6	6	-	29	29	-
長野市	4	2	1	12	11	1	32	30	2
岐阜市	4	3	1	7	6	1	26	25	1
豊橋市	1	0	0	5	5	-	18	17	2
豊田市	0	0	-	2	1	1	16	16	0
岡崎市	2	2	0	3	3	-	18	17	0
大津市	1	1	-	5	5	-	18	17	1
高槻市	-	-	-	7	6	1	11	11	-
東大阪市	1	1	0	11	11	-	16	16	-
豊中市	-	-	-	9	8	1	14	14	-
枚方市	1	1	-	15	15	-	13	13	-
姫路市	3	3	1	14	13	0	28	26	1
西宮市	3	2	1	7	7	-	16	16	0
尼崎市	1	1	-	6	6	0	18	18	-
奈良市	4	3	1	7	6	1	13	13	-
和歌山市	6	6	0	14	14	-	17	17	0
倉敷市	3	3	1	18	18	0	40	40	-
福山市	8	7	1	12	12	-	44	43	0
呉市	6	6	0	16	16	-	21	21	-
下関市	2	2	-	14	13	0	25	24	1
高松市	7	7	0	12	12	0	35	34	1
松山市	9	8	1	12	12	-	41	38	3
高知市	1	1	-	8	7	1	12	12	-
久留米市	1	1	0	9	9	-	16	16	-
長崎市	7	6	1	14	14	0	53	53	-
佐世保市	3	3	0	9	8	1	16	16	0
大分市	2	2	-	10	10	-	23	23	1
宮崎市	3	3	-	11	11	-	17	17	-
鹿児島市	5	5	0	24	24	-	33	33	-
那覇市	0	0	-	6	6	-	8	8	-

注：1）調査方法の変更等による回収率変動の影響を受けているため、数量を示す従事者数の実数は前年以前と単純に年次比較できない。
　　2）介護予防サービスを一体的に行っている事業所の従事者を含む。
　　3）介護予防サービスのみ行っている事業所は対象外とした。
　　4）「0」は常勤換算従事者数が0.5未満の場合である。
　　5）短期入所生活介護は空床利用型の従事者を含まない。

平成29年10月１日

社会福祉士（再掲）			介護職員			介護福祉士（再掲）			その他の職員・		
総数	常勤	非常勤	総数	常勤	非常勤	総数	常勤	非常勤	総数	常勤	非常勤
39	39	0	1 324	1 162	162	937	869	68	123	101	22
23	23	-	889	818	71	473	454	20	74	59	15
5	5	0	442	349	93	169	144	25	38	27	11
2	2	-	402	345	57	166	150	16	25	18	7
38	38	0	2 352	1 873	479	1 387	1 198	189	411	185	226
4	4	-	632	511	121	336	305	31	48	31	17
8	7	0	461	369	92	266	242	24	57	30	27
40	39	1	1 122	1 007	115	641	608	33	121	83	38
14	14	-	627	521	106	361	327	34	58	38	20
19	19	-	775	613	162	415	360	55	73	48	25
20	20	0	1 197	985	212	516	459	58	144	100	43
27	27	-	1 219	1 030	189	741	670	71	114	72	43
38	38	-	2 510	2 050	460	1 293	1 188	106	291	185	106
13	13	-	593	455	138	355	309	46	76	49	27
14	14	-	1 131	909	222	648	576	72	160	72	87
18	17	0	948	853	95	603	569	34	110	78	32
26	26	1	1 295	1 121	174	825	753	73	209	129	80
13	13	-	658	554	104	352	334	18	65	50	15
26	25	1	1 059	954	105	670	637	33	103	76	27
6	6	-	316	272	44	176	166	10	35	26	9
6	6	-	240	204	36	165	150	16	22	15	7
6	6	-	350	320	30	239	230	8	44	29	15
4	4	-	315	291	24	247	241	6	48	36	12
1	1	-	119	110	10	82	77	5	21	16	4
7	7	-	242	230	11	152	147	6	31	24	7
6	6	-	903	852	51	503	491	12	98	86	12
14	14	-	400	371	29	230	222	8	37	35	2
3	3	-	285	264	21	135	129	6	49	41	8
6	6	-	334	291	43	201	186	15	46	37	9
3	3	0	323	260	63	199	182	17	21	12	9
3	3	-	323	269	54	194	171	23	19	13	5
3	3	-	150	118	32	68	57	11	12	9	4
1	1	-	113	66	46	35	29	6	4	2	2
6	5	0	341	265	76	169	142	27	48	21	27
3	3	-	241	191	50	111	98	13	40	19	21
3	3	-	296	238	58	190	165	25	42	17	24
3	3	-	312	273	39	153	137	16	28	18	10
11	11	1	432	365	67	293	270	23	57	34	23
10	10	-	441	407	35	274	265	10	28	27	1
10	9	1	358	305	53	254	231	23	46	33	13
3	3	-	289	226	63	139	121	18	24	17	7
8	8	-	205	170	35	96	80	16	26	23	3
2	2	0	156	121	35	92	74	18	11	7	4
5	5	0	225	174	51	99	85	13	20	18	2
6	6	-	302	249	53	180	165	15	23	13	10
2	2	-	243	172	71	141	126	16	17	10	8
4	4	-	333	265	69	137	122	15	21	14	8
1	1	-	334	263	71	175	150	25	26	19	7
2	2	-	320	260	60	181	162	19	20	7	13
4	4	-	427	336	91	189	157	32	33	26	7
8	8	-	229	191	38	139	126	12	21	17	5
1	1	-	277	196	81	129	110	19	28	19	9
4	4	-	243	195	49	107	91	16	33	21	13
2	2	-	381	338	43	179	170	9	48	33	15
15	15	-	493	423	70	265	238	28	72	49	23
7	7	-	616	531	86	325	293	32	78	67	11
10	10	-	369	283	87	176	153	24	51	41	11
8	7	0	388	359	29	228	218	11	53	35	18
8	8	-	577	528	49	340	326	15	39	32	7
11	10	2	528	435	93	249	229	20	46	39	7
2	2	-	173	168	5	117	115	2	42	30	12
6	6	-	245	223	21	122	114	8	28	24	3
9	9	-	593	542	50	355	336	19	81	51	30
4	4	-	199	180	19	123	115	8	37	27	9
11	11	-	314	279	35	216	204	13	41	22	19
4	4	-	322	291	31	213	205	8	47	36	11
9	9	-	602	566	36	419	404	15	97	83	14
3	3	-	159	143	16	82	74	8	14	12	2

特定施設入居者生活介護

都道府県 指定都市 中核市	総数			介護職員					
							介護福祉士（再掲）		
	総数	常勤	非常勤	総数	常勤	非常勤	総数	常勤	非常勤
全国	115 004	89 001	26 003	76 446	59 744	16 702	33 773	29 348	4 425
北海道	5 613	4 609	1 004	3 716	3 057	659	1 951	1 751	200
青森	279	247	31	186	170	16	117	112	5
岩手	515	470	44	339	314	25	193	188	6
宮城	911	801	110	611	542	69	304	283	21
秋田	922	845	77	615	563	52	361	347	14
山形	667	583	84	435	388	47	255	241	14
福島	1 275	1 124	152	782	680	102	363	348	15
茨城	1 464	1 161	303	1 000	805	195	324	295	30
栃木	1 051	901	150	700	602	98	305	276	28
群馬	1 244	1 071	173	815	714	102	383	361	22
埼玉	10 270	7 335	2 935	6 797	4 875	1 922	2 248	1 811	437
千葉	5 350	3 861	1 489	3 485	2 598	887	1 383	1 173	211
東京	19 313	13 903	5 409	12 956	9 566	3 391	5 415	4 416	999
神奈川	13 517	9 520	3 997	8 771	6 330	2 441	3 530	2 892	638
新潟	1 455	1 270	184	1 004	892	112	544	506	38
富山	84	57	28	53	32	21	11	10	1
石川	714	637	77	486	440	46	287	273	14
福井	372	312	60	240	204	37	133	120	13
山梨	152	138	14	109	97	12	43	41	2
長野	1 560	1 300	260	1 047	886	161	523	470	53
岐阜	612	443	169	402	299	104	171	141	30
静岡	2 947	2 286	660	1 860	1 464	396	877	759	118
愛知	4 662	3 616	1 047	3 198	2 498	701	1 224	1 053	171
三重	871	720	152	606	494	113	238	210	28
滋賀	455	360	95	254	211	43	116	101	15
京都	1 466	1 123	343	958	734	224	489	412	77
大阪	8 509	6 517	1 992	5 998	4 587	1 412	2 603	2 232	371
兵庫	5 940	4 472	1 468	3 995	2 952	1 043	2 015	1 737	278
奈良	1 356	1 042	314	874	692	182	457	402	56
和歌山	399	316	83	286	220	66	140	128	12
鳥取	319	276	44	231	200	31	148	137	11
島根	714	603	111	439	372	67	224	208	16
岡山	2 063	1 746	317	1 409	1 185	224	737	681	56
広島	2 764	2 313	452	1 880	1 597	283	913	825	88
山口	945	784	161	652	533	119	328	300	28
徳島	71	63	8	50	44	6	29	28	1
香川	721	602	120	483	398	85	220	202	18
愛媛	1 646	1 404	242	1 110	948	162	485	447	37
高知	625	581	44	410	379	31	252	241	11
福岡	5 161	4 334	826	3 334	2 800	534	1 470	1 358	113
佐賀	558	466	91	354	297	57	160	148	12
長崎	1 227	1 019	208	767	640	126	381	340	41
熊本	834	739	95	537	482	54	283	272	12
大分	742	642	100	483	418	65	220	198	22
宮崎	1 086	976	110	704	628	77	380	364	16
鹿児島	936	826	110	585	524	61	341	317	24
沖縄	651	589	62	444	399	44	200	195	6

注：1）調査方法の変更等による回収率変動の影響を受けているため、数量を示す従事者数の実数は前年以前と単純に年次比較できない。
2）介護予防サービスを一体的に行っている事業所の従事者を含む。
3）介護予防サービスのみ行っている事業所は対象外とした。
4）「0」は常勤換算従事者数が0.5未満の場合である。

指定都市・中核市（再掲）、職種（常勤－非常勤）別（39－30）

平成29年10月１日

生活相談員			社会福祉士（再掲）			看護師			准看護師		
総数	常勤	非常勤	総数	常勤	非常勤	総数	常勤	非常勤	総数	常勤	非常勤
5 063	4 929	133	653	641	12	8 531	6 225	2 306	4 765	3 496	1 269
284	280	4	45	45	1	381	307	74	246	192	54
13	13	-	3	3	-	10	9	1	14	11	3
29	29	-	4	4	-	37	28	9	23	21	2
50	49	2	8	8	-	64	55	9	43	36	6
54	54	-	4	4	-	57	52	5	39	30	9
36	35	1	4	4	-	38	29	9	23	21	3
63	63	-	8	8	-	84	69	15	91	83	7
64	64	0	8	7	0	74	55	20	89	74	15
64	62	2	11	11	-	83	68	15	43	34	9
64	63	1	17	16	1	73	59	14	88	68	21
435	414	21	39	37	3	724	473	251	494	326	168
207	202	5	16	16	0	410	259	151	247	152	95
753	733	20	52	51	1	1 660	1 107	554	596	356	240
531	508	23	35	34	1	1 109	720	389	443	279	164
74	71	3	26	25	1	104	88	16	56	44	13
6	6	-	-	-	-	6	5	1	2	2	0
48	46	2	12	12	-	43	40	3	34	29	5
26	26	-	4	4	-	24	21	3	19	14	5
9	9	0	-	-	-	12	11	1	3	3	-
73	69	4	9	9	-	122	99	23	53	47	6
32	29	3	5	5	0	45	29	15	32	20	13
119	117	3	10	10	-	232	177	56	103	73	30
201	195	7	31	29	2	372	267	105	251	183	68
42	41	1	9	9	-	63	48	14	36	30	7
18	18	-	7	7	-	38	26	12	13	7	6
67	64	3	19	19	1	103	75	28	45	35	10
337	335	2	53	52	1	659	491	168	282	219	64
279	269	10	52	52	-	469	358	111	158	109	49
48	48	-	10	10	-	87	66	21	36	27	9
26	26	-	3	3	-	26	20	5	23	18	5
14	14	-	4	4	-	14	10	4	12	11	1
38	37	2	5	5	-	36	30	6	29	26	4
103	102	1	12	12	-	159	127	32	97	77	20
135	131	3	28	27	1	124	105	19	142	112	30
47	47	-	8	8	-	56	45	11	42	35	8
4	4	-	-	-	-	3	2	1	4	4	-
40	38	2	6	6	-	47	37	10	69	58	11
75	74	1	11	11	-	108	88	20	84	72	12
28	28	-	5	5	-	36	35	1	24	21	4
212	209	3	27	27	0	391	336	54	292	253	39
30	30	1	6	6	-	46	40	7	26	20	6
68	66	2	11	11	-	57	49	9	59	48	11
45	45	-	7	7	-	65	56	9	60	45	15
40	38	3	10	9	1	42	34	8	45	37	8
59	58	1	6	6	-	47	40	7	72	67	5
49	49	-	4	4	-	48	40	8	53	44	9
27	27	-	4	4	-	43	40	3	32	30	2

特定施設入居者生活介護

都道府県 指定都市 中核市	総数			介護職員					
							介護福祉士（再掲）		
	総数	常勤	非常勤	総数	常勤	非常勤	総数	常勤	非常勤
指定都市(再掲)									
札幌市	2 114	1 681	433	1 357	1 109	248	735	654	81
仙台市	704	613	91	470	411	59	233	217	16
さいたま市	3 175	2 266	909	2 165	1 554	611	727	585	142
千葉市	1 442	1 033	409	913	692	221	356	308	48
横浜市	5 453	3 887	1 565	3 532	2 591	941	1 428	1 177	251
川崎市	2 616	1 822	794	1 724	1 264	460	670	572	98
相模原市	818	571	246	547	395	152	215	167	47
新潟市	366	336	30	251	234	17	140	133	7
静岡市	590	436	154	379	285	94	170	148	22
浜松市	430	351	79	276	228	48	155	135	21
名古屋市	2 305	1 817	488	1 632	1 318	314	589	514	75
京都市	989	768	221	691	529	162	350	296	55
大阪市	3 167	2 516	651	2 225	1 771	454	903	797	106
堺市	484	347	137	322	230	92	136	114	21
神戸市	2 993	2 298	695	1 992	1 527	466	1 126	991	135
岡山市	825	683	142	583	483	100	288	263	25
広島市	1 346	1 109	237	910	773	137	466	426	40
北九州市	1 170	972	198	778	639	139	335	305	30
福岡市	1 697	1 430	267	1 049	896	153	511	480	31
熊本市	594	524	70	371	336	35	194	186	8
中核市(再掲)									
旭川市	434	371	63	313	263	50	168	157	11
函館市	275	205	70	185	124	61	89	67	22
青森市	28	27	1	20	19	1	18	18	-
八戸市	74	69	5	47	43	4	24	24	-
盛岡市	212	193	19	153	139	14	89	85	3
秋田市	530	481	50	365	333	32	210	201	9
郡山市	264	227	37	177	149	28	74	73	2
いわき市	420	370	49	233	205	29	93	88	5
宇都宮市	311	275	36	200	178	21	84	79	5
前橋市	260	229	31	171	156	16	85	81	4
高崎市	212	177	35	143	118	24	62	56	7
川越市	160	114	47	104	74	30	30	27	3
越谷市	561	389	172	361	255	106	121	97	25
船橋市	400	280	120	263	191	73	92	73	19
柏市	247	156	91	163	107	56	74	59	15
八王子市	726	537	190	462	354	108	211	187	24
横須賀市	535	405	131	358	269	89	155	130	26
富山市	62	43	19	42	25	17	11	10	1
金沢市	337	305	32	238	216	22	151	144	7
長野市	183	130	53	129	93	37	52	46	6
岐阜市	81	64	17	62	51	11	27	21	6
豊橋市	147	121	25	95	76	19	26	22	4
豊田市	79	72	7	47	43	4	14	14	0
岡崎市	151	130	21	112	95	16	41	40	1
大津市	357	288	70	193	161	32	87	74	13
高槻市	256	180	77	168	112	56	74	60	14
東大阪市	280	226	54	191	150	41	71	69	3
豊中市	646	520	126	495	402	93	164	142	22
枚方市	635	517	119	446	371	75	244	224	20
姫路市	178	111	67	130	75	54	22	11	11
西宮市	414	293	121	298	206	92	130	113	18
尼崎市	339	280	59	262	217	45	79	74	6
奈良市	379	276	103	222	166	56	116	95	21
和歌山市	183	141	42	136	103	33	60	54	7
倉敷市	699	591	108	486	409	77	274	259	15
福山市	330	284	46	226	197	29	108	99	10
呉市	125	111	14	94	82	12	41	40	0
下関市	124	99	25	79	62	18	44	37	7
高松市	384	318	66	257	212	44	123	112	10
松山市	1 104	938	166	754	642	112	367	339	28
高知市	275	252	23	196	177	19	129	122	7
久留米市	212	176	35	134	104	31	50	45	5
長崎市	247	211	37	153	133	20	80	75	5
佐世保市	555	473	82	334	286	48	158	145	13
大分市	259	234	24	165	151	14	75	71	5
宮崎市	376	334	42	248	218	30	145	137	8
鹿児島市	353	310	44	203	184	19	129	121	7
那覇市	141	132	9	94	87	6	28	27	1

注：1）調査方法の変更等による回収率変動の影響を受けているため、数量を示す従事者数の実数は前年以前と単純に年次比較できない。
　　2）介護予防サービスを一体的に行っている事業所の従事者を含む。
　　3）介護予防サービスのみ行っている事業所は対象外とした。
　　4）「0」は常勤換算従事者数が0.5未満の場合である。

平成29年10月１日

生活相談員						看護師			准看護師		
			社会福祉士（再掲）								
総数	常勤	非常勤	総数	常勤	非常勤	総数	常勤	非常勤	総数	常勤	非常勤
82	81	2	15	14	1	183	136	46	87	63	24
37	36	2	7	7	－	53	44	9	33	27	5
126	122	4	8	7	1	249	166	83	133	84	49
51	50	1	3	3	0	123	78	45	78	38	40
201	188	13	12	11	1	451	298	154	166	105	61
99	97	2	4	4	－	224	145	79	97	63	34
36	36	1	0	0	－	66	44	22	34	16	18
15	15	－	7	7	－	29	24	5	16	14	2
24	23	1	2	2	－	59	41	18	14	9	5
18	18	－	1	1	－	38	32	6	9	7	2
95	92	3	14	14	－	185	132	53	114	81	33
42	40	2	16	16	1	79	58	21	31	24	7
131	130	1	16	16	－	255	195	60	107	84	24
21	21	－	4	4	－	28	21	7	21	18	4
108	107	2	26	26	－	257	201	56	62	43	19
40	39	1	8	8	－	69	52	17	41	31	10
56	54	2	14	13	1	65	58	7	64	51	12
40	40	1	7	7	－	80	64	16	68	59	9
63	61	2	11	11	－	143	124	19	96	88	9
30	30	－	5	5	－	55	49	6	44	32	12
23	23	－	1	1	－	21	21	0	21	19	2
16	16	－	2	2	－	11	10	1	19	17	2
1	1	－	－	－	－	1	1	－	－	－	－
3	3	－	1	1	－	1	1	－	6	5	1
12	12	－	4	4	－	17	13	4	7	6	1
28	28	－	1	1	－	38	34	4	19	13	7
12	12	－	2	2	－	25	20	5	16	16	－
17	17	－	－	－	－	22	18	4	36	34	2
19	18	1	4	4	－	34	26	8	8	6	2
10	10	－	1	1	－	13	9	4	23	17	5
13	13	－	4	4	－	11	9	2	14	11	3
6	6	－	－	－	－	17	8	9	7	6	1
25	23	2	4	4	－	41	22	19	36	19	16
15	14	1	－	－	－	28	18	10	16	9	6
9	9	－	2	2	－	21	13	8	7	4	3
32	32	－	4	4	－	48	34	14	21	15	7
22	22	－	2	2	－	55	38	17	17	11	7
5	5	－	－	－	－	6	5	1	1	1	0
19	19	－	6	6	－	23	22	2	14	12	2
10	9	1	2	2	－	15	11	5	3	2	1
4	3	1	－	－	－	7	3	4	1	1	－
7	6	2	2	1	1	12	11	1	7	6	1
4	4	－	－	－	－	12	11	1	7	7	－
8	8	0	1	1	－	9	8	1	8	7	1
12	12	－	5	5	－	31	23	8	10	5	5
13	13	－	2	2	－	22	16	6	9	7	2
18	17	1	5	4	1	30	27	4	8	7	1
23	23	－	5	5	－	58	42	16	13	11	2
20	20	－	2	2	－	56	42	14	11	10	2
9	9	－	1	1	－	11	7	5	6	3	3
18	18	0	2	2	－	33	21	13	8	7	1
12	11	1	－	－	－	22	15	7	8	6	3
13	13	－	1	1	－	25	15	11	11	8	3
13	13	－	1	1	－	11	7	3	12	8	4
31	31	－	3	3	－	58	49	9	29	24	5
20	18	1	3	3	－	18	16	3	17	14	3
8	8	－	1	1	－	4	3	2	6	5	1
7	7	－	1	1	－	5	4	1	4	3	1
21	19	2	3	3	－	26	20	6	33	27	6
45	44	1	7	7	－	68	54	14	50	42	8
13	13	－	2	2	－	11	11	0	13	12	1
13	13	－	－	－	－	11	11	0	15	13	2
12	11	1	4	4	－	18	13	4	7	6	1
29	28	1	5	5	－	27	24	3	34	28	7
11	11	－	3	3	－	19	16	3	17	13	5
21	21	－	2	2	－	14	10	4	25	23	3
16	16	－	2	2	－	21	16	6	14	13	2
6	6	－	2	2	－	9	9	1	5	5	0

特定施設入居者生活介護

都道府県 指定都市 中核市	計画作成担当者			機能訓練指導員			理学療法士（再掲）		
	総数	常勤	非常勤	総数	常勤	非常勤	総数	常勤	非常勤
全国	3 952	3 676	275	2 768	2 242	526	517	387	130
北海道	228	221	7	142	126	16	16	13	2
青森	8	8	0	8	7	0	－	－	－
岩手	25	25	－	13	12	1	1	1	－
宮城	35	33	2	23	21	2	6	5	0
秋田	44	44	－	36	32	4	5	5	1
山形	25	24	0	17	12	5	3	3	0
福島	53	51	2	48	45	2	6	6	1
茨城	47	44	3	36	27	9	8	6	2
栃木	48	47	0	25	20	5	3	2	1
群馬	43	41	2	42	37	5	6	6	1
埼玉	341	305	36	239	178	61	38	24	14
千葉	181	172	9	106	80	26	25	19	6
東京	558	500	58	371	275	96	106	71	35
神奈川	424	378	46	248	182	66	57	34	24
新潟	64	61	3	39	33	6	7	7	－
富山	4	4	－	1	1	0	－	－	－
石川	29	27	3	14	13	1	3	3	0
福井	15	15	1	11	10	2	1	1	－
山梨	5	5	－	4	4	－	－	－	－
長野	64	57	8	42	37	6	7	6	1
岐阜	19	16	3	18	15	4	1	1	0
静岡	91	88	3	74	60	14	20	18	2
愛知	146	129	18	111	83	27	17	10	7
三重	38	37	2	26	23	3	4	4	0
滋賀	20	20	1	10	9	1	3	3	0
京都	50	49	1	24	20	4	3	2	1
大阪	276	256	20	185	141	45	33	20	13
兵庫	200	191	9	149	113	36	31	25	7
奈良	45	40	5	31	26	6	5	3	2
和歌山	15	15	0	8	6	2	－	－	－
鳥取	12	11	1	7	5	2	0	0	－
島根	34	34	1	27	24	3	5	5	－
岡山	74	70	4	64	56	9	4	2	2
広島	106	100	6	71	64	7	7	7	－
山口	35	34	1	24	23	1	2	2	－
徳島	2	2	0	4	4	－	－	－	－
香川	28	24	4	21	18	3	2	1	1
愛媛	59	55	4	48	39	9	7	6	1
高知	23	23	－	20	19	1	2	2	0
福岡	183	176	7	177	160	17	40	37	3
佐賀	25	23	3	20	17	3	7	6	1
長崎	55	53	2	39	34	6	2	1	1
熊本	33	32	0	33	28	4	6	5	1
大分	30	29	1	19	18	1	－	－	－
宮崎	49	47	2	37	37	1	4	4	0
鹿児島	41	39	2	34	27	7	6	5	1
沖縄	24	24	－	23	22	1	9	9	0

注：1）調査方法の変更等による回収率変動の影響を受けているため、数量を示す従事者数の実数は前年以前と単純に年次比較できない。
　　2）介護予防サービスを一体的に行っている事業所の従事者を含む。
　　3）介護予防サービスのみ行っている事業所は対象外とした。
　　4）「0」は常勤換算従事者数が0.5未満の場合である。

指定都市・中核市（再掲）、職種（常勤－非常勤）別（39－32）

平成29年10月１日

作業療法士（再掲）			言語聴覚士（再掲）			看護師（再掲）			准看護師（再掲）		
総数	常勤	非常勤	総数	常勤	非常勤	総数	常勤	非常勤	総数	常勤	非常勤
279	222	57	39	21	19	819	654	165	619	515	104
17	16	2	3	3	－	41	34	7	39	35	4
－	－	－	－	－	－	1	1	－	5	5	0
4	4	－	－	－	－	5	5	1	2	2	0
1	1	0	1	1	－	6	5	1	6	6	1
6	6	0	1	－	1	11	10	1	13	12	1
1	1	－	－	－	－	7	4	3	4	3	1
6	5	1	－	－	－	8	7	1	12	12	－
2	1	1	0	－	0	6	5	1	14	9	5
4	3	1	－	－	－	9	8	1	10	8	2
4	3	1	－	－	－	8	7	1	14	13	1
17	12	5	4	2	2	61	39	22	47	38	9
14	12	3	1	－	1	21	13	8	13	9	4
45	33	12	8	2	6	61	46	15	39	25	14
27	17	10	5	2	3	71	52	20	17	13	5
2	2	0	0	0	－	18	15	3	9	7	1
0	－	0	－	－	－	1	1	0	0	0	－
2	2	－	－	－	－	3	3	－	5	5	1
1	－	1	0	0	－	6	5	0	4	3	1
1	1	－	－	－	－	2	2	－	1	1	－
4	4	0	0	0	－	17	15	2	11	10	0
－	－	－	－	－	－	8	6	1	8	6	1
6	5	1	1	－	1	18	12	6	6	3	3
15	10	5	1	－	1	34	28	6	28	21	6
1	1	－	－	－	－	11	9	2	5	5	－
0	－	0	0	－	0	2	2	－	1	1	－
1	1	0	0	－	0	13	12	1	4	3	1
11	8	3	4	2	2	78	63	14	34	23	12
16	14	2	1	－	1	64	46	18	23	17	6
3	2	1	1	1	－	11	10	1	9	8	1
2	2	－	－	－	－	2	1	1	4	4	1
2	1	1	－	－	－	3	2	1	2	1	1
5	5	－	3	3	－	6	4	2	9	7	1
2	1	1	－	－	－	32	29	3	24	21	3
3	2	1	－	－	－	30	27	3	28	25	3
4	3	1	－	－	－	8	8	1	10	10	－
2	2	－	－	－	－	1	1	－	1	1	－
3	3	0	－	－	－	6	6	0	7	6	1
4	2	2	－	－	－	17	14	3	17	14	4
－	－	－	0	－	0	7	7	1	9	9	－
31	27	4	5	4	1	46	41	5	43	39	4
2	1	1	－	－	－	6	5	0	6	5	1
2	1	1	1	1	－	16	13	3	17	15	1
1	1	－	－	－	－	11	10	1	14	13	2
3	3	－	－	－	－	8	7	1	8	7	1
2	2	－	－	－	－	8	8	0	22	22	－
0	－	0	－	－	－	12	9	4	14	12	2
4	4	－	－	－	－	1	1	－	3	2	1

特定施設入居者生活介護

都道府県 指定都市 中核市	計画作成担当者			機能訓練指導員					
							理学療法士（再掲）		
	総数	常勤	非常勤	総数	常勤	非常勤	総数	常勤	非常勤
指定都市（再掲）									
札幌市	67	66	1	51	48	4	7	7	0
仙台市	26	24	2	19	17	2	5	5	0
さいたま市	100	89	11	66	50	16	13	9	4
千葉市	44	40	4	27	20	7	10	7	3
横浜市	164	150	14	96	73	23	18	11	7
川崎市	78	67	10	55	37	19	19	10	9
相模原市	31	27	4	13	8	5	4	2	2
新潟市	15	14	1	8	8	0	3	3	－
静岡市	17	16	1	16	11	5	5	4	1
浜松市	17	16	1	11	10	1	4	4	－
名古屋市	69	60	9	45	33	12	7	3	4
京都市	31	31	－	19	16	3	2	2	1
大阪市	111	103	8	85	65	20	13	7	6
堺市	14	13	2	11	8	3	1	0	1
神戸市	87	82	6	70	53	17	20	16	5
岡山市	26	24	2	21	17	4	2	0	2
広島市	47	44	4	29	24	5	3	3	－
北九州市	44	42	2	42	39	3	15	15	－
福岡市	55	53	2	54	49	5	16	15	0
熊本市	24	24	－	23	19	4	4	3	1
中核市（再掲）									
旭川市	19	19	1	8	6	3	1	1	0
函館市	10	9	1	10	9	0	3	3	0
青森市	1	1	－	－	－	－	－	－	－
八戸市	1	1	－	1	1	－	－	－	－
盛岡市	10	10	－	7	6	1	1	1	－
秋田市	23	23	－	26	24	2	5	5	1
郡山市	10	9	1	9	8	1	2	2	－
いわき市	15	15	0	12	11	1	1	－	1
宇都宮市	14	13	0	10	9	1	1	1	－
前橋市	8	6	1	11	9	2	2	2	－
高崎市	7	7	－	6	6	0	－	－	－
川越市	6	5	1	3	2	1	－	－	－
越谷市	20	19	1	16	12	4	0	－	0
船橋市	17	17	0	9	6	2	2	2	0
柏市	7	6	1	4	3	0	1	1	0
八王子市	22	20	2	14	11	4	4	2	2
横須賀市	23	21	2	10	9	1	2	2	－
富山市	3	3	－	1	1	0	－	－	－
金沢市	12	11	1	7	6	1	1	1	－
長野市	8	6	3	4	4	1	－	－	－
岐阜市	3	3	－	1	1	0	－	－	－
豊橋市	5	5	0	4	4	0	－	－	－
豊田市	3	3	－	2	1	0	0	－	0
岡崎市	5	5	0	3	2	1	1	－	1
大津市	15	14	1	9	8	1	3	3	0
高槻市	10	10	－	7	5	2	1	1	－
東大阪市	10	9	1	5	4	1	1	1	0
豊中市	13	12	1	9	8	2	3	2	1
枚方市	19	18	1	11	9	2	2	2	0
姫路市	7	7	－	8	6	3	－	－	－
西宮市	11	11	1	10	8	2	1	－	1
尼崎市	12	12	－	3	3	1	1	1	－
奈良市	13	12	1	8	7	2	0	－	0
和歌山市	7	7	0	3	1	2	－	－	－
倉敷市	27	26	1	18	16	2	2	2	－
福山市	13	13	0	9	8	1	3	3	－
呉市	6	6	－	3	3	－	－	－	－
下関市	6	6	0	3	3	－	－	－	－
高松市	14	12	2	10	9	1	－	－	－
松山市	38	34	4	31	25	6	3	3	0
高知市	11	11	－	7	6	1	1	1	0
久留米市	10	10	－	8	8	1	1	－	1
長崎市	12	12	－	5	5	1	1	－	1
佐世保市	23	23	1	21	18	3	1	1	0
大分市	10	10	－	7	7	1	－	－	－
宮崎市	18	17	1	12	12	0	3	3	0
鹿児島市	12	12	0	19	14	5	5	4	1
那覇市	6	6	－	6	6	－	1	1	－

注：1）調査方法の変更等による回収率変動の影響を受けているため、数量を示す従事者数の実数は前年以前と単純に年次比較できない。
2）介護予防サービスを一体的に行っている事業所の従事者を含む。
3）介護予防サービスのみ行っている事業所は対象外とした。
4）「0」は常勤換算従事者数が0.5未満の場合である。

指定都市・中核市（再掲）、職種（常勤－非常勤）別（39－33）

平成29年10月１日

作業療法士（再掲）			言語聴覚士（再掲）			看護師（再掲）			准看護師（再掲）		
総数	常勤	非常勤	総数	常勤	非常勤	総数	常勤	非常勤	総数	常勤	非常勤
10	10	－	3	3	－	14	12	2	7	7	1
1	1	0	－	－	－	6	4	1	5	4	1
6	4	2	1	－	1	13	7	6	11	9	2
4	3	1	0	－	0	4	3	2	3	2	1
12	8	4	3	1	2	21	15	6	2	2	1
11	7	4	1	－	1	15	12	3	1	0	0
1	0	1	1	1	0	4	3	1	2	2	1
1	1	－	－	－	－	1	1	0	3	3	0
1	1	－	－	－	－	5	2	3	－	－	－
0	－	0	－	－	－	4	4	1	0	0	－
8	6	2	1	－	1	11	8	2	10	7	3
1	1	0	0	－	0	9	8	0	4	2	1
3	3	0	2	1	1	41	33	8	11	6	5
－	－	－	－	－	－	6	4	1	3	2	1
8	7	1	0	－	0	29	20	8	8	6	2
－	－	－	－	－	－	9	8	1	8	7	2
1	1	0	－	－	－	14	12	2	10	8	2
8	7	2	3	2	1	7	7	1	7	7	0
10	9	1	2	1	1	15	12	2	8	8	－
1	1	－	－	－	－	10	9	1	9	7	2
－	－	－	－	－	－	3	2	2	3	3	1
－	－	－	－	－	－	0	0	－	3	3	－
－	－	－	－	－	－	－	－	－	－	－	－
－	－	－	－	－	－	0	0	－	－	－	－
2	2	－	－	－	－	3	2	1	1	1	－
5	5	－	1	－	1	9	8	1	6	6	0
3	2	1	－	－	－	0	0	－	1	1	－
2	2	0	－	－	－	3	2	1	2	2	－
2	2	－	－	－	－	5	5	0	2	1	0
1	－	1	－	－	－	3	3	－	2	2	－
1	1	－	－	－	－	0	－	0	2	2	0
－	－	－	1	1	－	1	0	0	－	－	－
4	4	－	－	－	－	3	1	2	2	1	1
2	2	0	－	－	－	2	1	1	0	0	－
－	－	－	－	－	－	0	0	0	－	－	－
3	2	1	－	－	－	3	2	0	3	2	0
0	－	0	－	－	－	4	3	1	3	2	0
－	－	－	－	－	－	1	1	0	0	0	－
1	1	－	－	－	－	3	3	－	2	2	－
－	－	－	－	－	－	1	1	0	3	3	－
－	－	－	－	－	－	1	1	0	－	－	－
－	－	－	－	－	－	3	3	0	－	－	－
－	－	－	－	－	－	0	0	－	1	1	－
－	－	－	－	－	－	1	1	0	2	2	0
0	－	0	0	－	0	2	2	－	－	－	－
－	－	－	－	－	－	4	3	1	1	－	1
－	－	－	－	－	－	0	－	0	2	1	1
1	－	1	－	－	－	5	4	1	－	－	－
2	1	1	－	－	－	5	4	1	1	1	－
－	－	－	－	－	－	5	4	2	2	1	1
2	2	0	0	－	0	5	5	1	1	1	－
－	－	－	－	－	－	1	0	0	1	1	－
－	－	－	－	－	－	4	3	0	3	3	0
1	1	－	－	－	－	1	0	1	1	0	1
1	－	1	－	－	－	8	8	0	7	7	0
1	1	0	－	－	－	1	1	0	2	2	0
－	－	－	－	－	－	0	0	－	3	3	－
1	1	－	－	－	－	2	2	－	－	－	－
3	3	－	－	－	－	2	2	0	3	3	1
2	1	1	－	－	－	12	10	2	11	9	3
－	－	－	－	－	－	1	0	1	5	5	－
－	－	－	－	－	－	2	2	－	6	6	－
1	1	－	－	－	－	1	1	0	2	2	－
－	－	－	－	－	－	8	6	2	10	10	1
3	3	－	－	－	－	4	4	0	0	0	0
－	－	－	－	－	－	3	3	0	6	6	－
0	－	0	－	－	－	8	5	4	5	5	0
－	－	－	－	－	－	1	1	－	－	－	－

特定施設入居者生活介護

都道府県 指定都市 中核市	機能訓練指導員						その他の職員		
	柔道整復師（再掲）			あん摩マッサージ指圧師（再掲）					
	総数	常勤	非常勤	総数	常勤	非常勤	総数	常勤	非常勤
全国	319	296	23	176	148	28	13 480	8 688	4 792
北海道	23	23	－	4	3	1	616	426	190
青森	1	1	－	－	－	－	40	29	12
岩手	－	－	－	1	1	－	50	42	8
宮城	3	3	－	－	－	－	86	66	20
秋田	－	－	－	－	－	－	78	70	8
山形	2	1	1	－	－	－	93	75	19
福島	13	13	－	3	3	－	156	133	23
茨城	2	2	0	5	4	0	155	92	64
栃木	0	－	0	0	－	0	88	68	20
群馬	5	4	1	5	5	－	119	89	29
埼玉	53	48	5	20	17	4	1 241	764	477
千葉	19	17	2	13	11	2	714	399	315
東京	62	57	5	50	41	8	2 418	1 367	1 051
神奈川	43	40	3	28	25	3	1 990	1 122	868
新潟	2	2	－	1	1	1	115	82	33
富山	－	－	－	－	－	－	13	8	5
石川	1	－	1	0	－	0	60	43	17
福井	1	1	－	－	－	－	37	23	13
山梨	－	－	－	－	－	－	10	9	1
長野	2	1	1	1	－	1	159	107	52
岐阜	2	1	1	－	－	－	63	36	28
静岡	11	11	－	13	11	1	467	308	159
愛知	11	11	0	5	3	2	383	261	122
三重	2	2	－	3	2	1	60	48	12
滋賀	3	2	1	1	1	－	103	70	33
京都	2	2	－	2	1	1	218	145	72
大阪	22	21	1	5	4	1	771	490	281
兵庫	10	10	0	3	2	1	691	479	211
奈良	4	3	1	－	－	－	235	145	90
和歌山	－	－	－	－	－	－	17	11	5
鳥取	－	－	－	－	－	－	30	26	5
島根	1	1	－	－	－	－	110	82	29
岡山	1	1	－	1	1	－	157	129	28
広島	2	2	0	1	1	0	307	203	104
山口	－	－	－	－	－	－	88	67	21
徳島	－	－	－	－	－	－	5	4	1
香川	1	1	－	1	1	0	34	28	6
愛媛	3	3	－	－	－	－	163	129	34
高知	－	－	－	1	1	－	85	77	8
福岡	10	10	－	3	2	1	572	400	172
佐賀	－	－	－	－	－	－	57	41	16
長崎	3	3	－	－	－	－	183	130	53
熊本	－	－	－	－	－	－	63	50	13
大分	－	－	－	1	1	－	82	69	13
宮崎	－	－	－	1	1	0	117	99	18
鹿児島	0	0	－	1	1	－	127	103	24
沖縄	2	2	－	4	4	－	60	48	12

注：１）調査方法の変更等による回収率変動の影響を受けているため、数量を示す従事者数の実数は前年以前と単純に年次比較できない。
２）介護予防サービスを一体的に行っている事業所の従事者を含む。
３）介護予防サービスのみ行っている事業所は対象外とした。
４）「0」は常勤換算従事者数が0.5未満の場合である。

平成29年10月１日

都道府県 指定都市 中核市	機能訓練指導員						その他の職員		
	柔道整復師（再掲）			あん摩マッサージ指圧師（再掲）					
	総数	常勤	非常勤	総数	常勤	非常勤	総数	常勤	非常勤
指定都市（再掲）									
札幌市	7	7	-	3	2	1	286	178	108
仙台市	2	2	-	-	-	-	67	55	12
さいたま市	15	14	1	8	6	2	337	202	135
千葉市	1	0	1	5	5	0	207	117	90
横浜市	24	23	1	15	14	1	842	482	361
川崎市	5	4	1	4	3	1	340	148	191
相模原市	-	-	-	-	-	-	91	45	46
新潟市	-	-	-	-	-	-	32	26	6
静岡市	2	2	-	3	2	1	82	52	30
浜松市	2	2	-	-	-	-	61	40	22
名古屋市	5	5	-	4	3	1	166	102	64
京都市	2	2	-	2	1	1	96	70	26
大阪市	12	12	-	3	3	-	252	168	85
堺市	1	1	0	-	-	-	66	37	29
神戸市	2	2	0	2	2	0	416	286	130
岡山市	1	1	-	1	1	-	46	37	9
広島市	0	-	0	-	-	-	176	105	71
北九州市	2	2	-	0	-	0	118	90	28
福岡市	4	4	-	0	-	0	237	159	78
熊本市	-	-	-	-	-	-	47	36	12
中核市（再掲）									
旭川市	-	-	-	-	-	-	29	22	7
函館市	3	3	-	-	-	-	25	19	6
青森市	-	-	-	-	-	-	6	6	-
八戸市	1	1	-	-	-	-	15	14	1
盛岡市	-	-	-	1	1	-	7	7	-
秋田市	-	-	-	-	-	-	32	27	5
郡山市	3	3	-	-	-	-	16	14	2
いわき市	5	5	-	-	-	-	84	70	14
宇都宮市	-	-	-	-	-	-	27	24	3
前橋市	2	1	1	1	1	-	25	22	3
高崎市	2	2	-	1	1	-	19	13	6
川越市	2	1	1	-	-	-	17	13	5
越谷市	8	7	1	-	-	-	63	39	24
船橋市	2	1	1	1	1	-	53	25	27
柏市	2	2	0	-	-	-	36	14	22
八王子市	2	1	1	1	1	0	127	71	55
横須賀市	-	-	-	1	1	0	50	36	14
富山市	-	-	-	-	-	-	4	4	-
金沢市	1	-	1	0	-	0	25	20	5
長野市	0	-	0	-	-	-	13	7	6
岐阜市	-	-	-	-	-	-	4	3	1
豊橋市	1	1	-	-	-	-	17	15	2
豊田市	-	-	-	-	-	-	7	5	2
岡崎市	-	-	-	-	-	-	7	5	2
大津市	3	2	1	1	1	-	89	64	25
高槻市	1	1	-	-	-	-	28	17	11
東大阪市	2	2	-	-	-	-	18	12	6
豊中市	2	2	0	-	-	-	35	23	12
枚方市	-	-	-	0	-	0	72	47	25
姫路市	1	1	-	-	-	-	7	5	2
西宮市	1	1	-	-	-	-	36	24	12
尼崎市	-	-	-	0	-	0	20	18	3
奈良市	2	1	1	-	-	-	88	57	31
和歌山市	-	-	-	-	-	-	2	2	-
倉敷市	-	-	-	-	-	-	51	37	14
福山市	1	1	-	1	1	-	27	19	8
呉市	-	-	-	-	-	-	5	5	-
下関市	-	-	-	-	-	-	19	15	5
高松市	-	-	-	1	1	0	23	19	5
松山市	3	3	-	-	-	-	118	96	22
高知市	-	-	-	-	-	-	23	22	1
久留米市	-	-	-	-	-	-	20	18	2
長崎市	1	1	-	-	-	-	42	32	10
佐世保市	2	2	-	-	-	-	88	67	21
大分市	-	-	-	-	-	-	29	27	2
宮崎市	-	-	-	-	-	-	38	35	3
鹿児島市	0	0	-	-	-	-	68	56	13
那覇市	1	1	-	3	3	-	16	14	2

福祉用具貸与

都道府県 指定都市 中核市	総数			福祉用具専門相談員			その他の職員		
	総数	常勤	非常勤	総数	常勤	非常勤	総数	常勤	非常勤
全国	30 512	28 711	1 801	23 542	22 427	1 115	6 970	6 284	687
北海道	1 124	1 076	48	830	802	29	294	275	19
青森	404	385	19	307	297	10	97	89	9
岩手	330	310	20	251	238	13	80	72	8
宮城	533	516	18	410	399	11	123	116	7
秋田	258	251	7	185	182	2	73	69	4
山形	317	300	17	237	230	7	79	70	10
福島	646	627	19	492	478	13	155	149	6
茨城	481	448	33	360	341	19	122	108	14
栃木	387	357	30	296	283	13	91	74	17
群馬	488	465	23	374	361	13	115	105	10
埼玉	1 366	1 289	77	1 082	1 038	44	284	252	33
千葉	1 160	1 106	54	914	880	34	246	226	20
東京	2 559	2 348	211	2 048	1 905	143	511	443	68
神奈川	1 456	1 351	105	1 160	1 086	74	295	265	30
新潟	696	669	27	523	514	9	173	155	18
富山	306	294	11	232	228	4	74	67	7
石川	309	298	11	242	234	8	67	64	4
福井	186	166	20	138	127	11	48	39	9
山梨	196	187	9	161	154	7	35	33	3
長野	673	643	30	497	478	19	176	165	11
岐阜	540	499	41	414	388	26	126	111	15
静岡	789	736	53	618	587	31	171	149	22
愛知	1 538	1 382	157	1 241	1 119	122	297	262	35
三重	547	517	30	408	386	22	139	131	8
滋賀	322	300	22	257	242	15	65	58	7
京都	663	640	23	508	501	8	155	140	15
大阪	2 935	2 736	199	2 271	2 162	109	665	575	90
兵庫	1 541	1 455	86	1 185	1 136	49	357	320	37
奈良	362	337	26	265	250	15	98	87	11
和歌山	363	345	18	292	276	16	71	69	2
鳥取	198	192	6	143	140	3	55	53	3
島根	266	255	11	208	200	8	58	55	3
岡山	376	357	19	288	276	12	88	81	7
広島	846	760	86	624	569	54	222	191	31
山口	401	377	24	300	288	12	101	89	12
徳島	231	223	8	186	181	5	45	42	3
香川	279	268	11	222	216	7	56	52	4
愛媛	421	402	18	326	310	16	95	92	3
高知	183	176	8	128	125	3	56	51	5
福岡	1 328	1 264	64	971	935	36	357	329	29
佐賀	196	192	4	140	137	3	57	55	1
長崎	399	388	11	312	305	7	87	83	4
熊本	607	585	22	448	438	10	160	148	12
大分	289	270	19	228	213	15	61	56	5
宮崎	335	323	12	271	268	4	63	55	9
鹿児島	396	389	8	346	342	4	50	47	3
沖縄	287	258	29	207	186	21	79	72	8

注：1）調査方法の変更等による回収率変動の影響を受けているため、数量を示す従事者数の実数は前年以前と単純に年次比較できない。
　　2）介護予防サービスを一体的に行っている事業所の従事者を含む。
　　3）介護予防サービスのみ行っている事業所は対象外とした。
　　4）「0」は常勤換算従事者数が0.5未満の場合である。

指定都市・中核市（再掲）、職種（常勤－非常勤）別（39－35）

平成29年10月１日

都道府県 指定都市 中核市	総数			福祉用具専門相談員			その他の職員		
	総数	常勤	非常勤	総数	常勤	非常勤	総数	常勤	非常勤
指定都市（再掲）									
札幌市	362	351	11	254	246	7	109	105	4
仙台市	221	217	4	181	179	2	40	38	2
さいたま市	228	215	13	173	166	8	55	50	5
千葉市	303	289	14	239	232	7	64	57	8
横浜市	627	585	41	490	460	30	137	125	12
川崎市	157	148	9	124	119	6	33	29	4
相模原市	151	139	12	122	113	9	29	26	3
新潟市	241	229	12	189	185	4	51	43	8
静岡市	164	148	16	132	121	12	32	28	4
浜松市	266	252	13	201	197	5	64	56	9
名古屋市	674	599	75	527	467	61	146	132	14
京都市	458	443	16	347	341	6	111	102	10
大阪市	1 061	1 004	57	839	799	40	221	205	17
堺市	358	325	33	280	263	18	78	62	16
神戸市	491	468	23	386	374	12	105	94	11
岡山市	184	177	7	138	133	5	46	44	2
広島市	371	341	30	260	246	14	111	95	16
北九州市	328	311	17	247	240	7	81	71	10
福岡市	395	376	19	301	290	11	93	86	8
熊本市	249	241	8	184	183	2	64	58	7
中核市（再掲）									
旭川市	130	128	2	101	100	1	29	28	1
函館市	80	78	1	60	59	1	20	20	0
青森市	127	122	5	92	89	2	36	33	3
八戸市	97	92	5	77	73	4	20	19	1
盛岡市	80	70	10	62	53	9	18	17	1
秋田市	125	120	5	89	88	2	36	32	3
郡山市	151	145	6	108	103	5	42	41	1
いわき市	122	121	1	94	93	1	28	28	－
宇都宮市	159	148	12	126	124	2	34	24	10
前橋市	86	82	3	68	66	3	18	17	1
高崎市	109	108	1	84	84	1	25	24	1
川越市	65	60	5	54	51	3	11	9	2
越谷市	29	24	5	22	19	3	7	5	2
船橋市	102	97	4	80	80	－	22	17	4
柏市	67	66	1	50	50	1	17	17	－
八王子市	128	113	15	97	87	11	31	26	4
横須賀市	61	57	4	53	50	4	7	7	0
富山市	150	148	2	113	112	1	37	36	1
金沢市	191	184	7	149	144	5	42	40	2
長野市	131	124	7	104	101	4	27	24	3
岐阜市	191	181	10	149	146	4	42	36	6
豊橋市	59	53	6	42	38	4	18	15	3
豊田市	42	39	3	35	32	3	7	7	－
岡崎市	91	84	7	76	70	6	15	14	1
大津市	80	76	4	63	62	1	17	14	3
高槻市	95	91	4	60	59	1	35	32	4
東大阪市	297	269	28	191	188	3	106	81	25
豊中市	96	91	5	80	76	4	16	16	1
枚方市	118	107	11	91	84	7	27	23	4
姫路市	181	168	13	145	136	9	35	32	4
西宮市	95	89	7	83	78	6	12	11	1
尼崎市	155	145	10	127	120	7	28	25	3
奈良市	111	108	3	73	70	3	38	38	1
和歌山市	223	211	12	180	169	11	43	42	1
倉敷市	88	84	4	71	67	4	17	17	－
福山市	184	155	29	128	112	16	56	43	13
呉市	58	53	5	41	37	4	17	16	1
下関市	100	95	6	72	67	5	28	28	1
高松市	129	125	4	108	104	3	22	21	1
松山市	182	176	6	125	120	5	57	56	1
高知市	131	125	6	90	88	2	40	37	3
久留米市	115	113	2	77	76	1	38	37	1
長崎市	124	121	3	103	100	3	20	20	－
佐世保市	89	86	3	69	68	1	20	18	2
大分市	113	107	6	92	87	5	21	20	1
宮崎市	142	137	6	112	110	2	30	27	4
鹿児島市	139	137	3	121	119	2	19	17	1
那覇市	50	46	4	39	36	3	11	11	1

居宅介護支援

都道府県 指定都市 中核市	総数			介護支援専門員			その他の職員		
	総数	常勤	非常勤	総数	常勤	非常勤	総数	常勤	非常勤
全国	100 961	93 449	7 512	90 230	83 644	6 586	10 731	9 805	926
北海道	4 200	3 997	203	3 762	3 579	183	438	418	20
青森	1 507	1 470	37	1 356	1 331	24	152	139	13
岩手	1 294	1 252	41	1 208	1 170	38	85	82	3
宮城	1 751	1 678	74	1 569	1 509	60	183	169	14
秋田	1 175	1 146	28	1 055	1 038	17	120	109	11
山形	1 051	1 020	31	959	931	28	92	89	3
福島	1 677	1 635	41	1 531	1 497	34	145	138	7
茨城	2 017	1 883	134	1 837	1 713	124	181	171	10
栃木	1 326	1 250	76	1 215	1 147	68	111	104	8
群馬	1 713	1 579	134	1 571	1 446	124	142	133	10
埼玉	4 581	4 162	419	4 055	3 680	375	526	482	44
千葉	4 405	4 016	389	3 875	3 532	342	531	484	47
東京	8 307	7 567	740	7 377	6 728	648	931	839	92
神奈川	5 706	4 964	742	5 044	4 385	659	662	579	83
新潟	2 030	1 963	67	1 852	1 798	55	177	165	12
富山	915	857	59	846	797	49	70	60	10
石川	867	832	35	797	765	33	70	67	3
福井	697	650	47	641	597	43	56	52	4
山梨	757	687	70	679	615	64	78	72	6
長野	1 867	1 704	163	1 696	1 547	149	171	157	14
岐阜	1 653	1 474	179	1 512	1 346	166	141	128	13
静岡	2 738	2 505	233	2 494	2 286	207	244	219	26
愛知	4 738	4 191	547	4 213	3 718	495	525	473	52
三重	1 659	1 512	147	1 444	1 317	127	215	195	20
滋賀	1 146	1 052	94	1 028	943	86	117	109	8
京都	2 184	2 039	145	1 949	1 825	124	235	213	21
大阪	9 264	8 379	885	8 063	7 325	739	1 200	1 054	146
兵庫	4 629	4 212	417	4 060	3 701	358	569	511	58
奈良	1 203	1 093	111	1 055	962	93	148	131	17
和歌山	1 133	1 071	62	1 029	973	56	104	98	6
鳥取	461	451	10	412	403	9	49	48	1
島根	754	712	42	680	646	34	75	66	8
岡山	1 566	1 450	116	1 420	1 310	110	146	140	6
広島	2 440	2 241	199	2 169	1 989	180	271	252	19
山口	1 214	1 156	58	1 119	1 068	51	95	89	7
徳島	740	703	36	690	657	33	50	46	3
香川	933	842	91	876	790	86	57	52	5
愛媛	1 425	1 350	75	1 291	1 227	64	134	123	11
高知	600	588	13	543	532	10	58	56	2
福岡	3 966	3 777	189	3 459	3 304	156	506	473	33
佐賀	721	692	28	670	643	27	50	49	1
長崎	1 365	1 305	60	1 211	1 162	48	154	143	12
熊本	1 844	1 779	66	1 669	1 612	57	176	167	9
大分	1 163	1 102	62	1 034	980	55	129	122	7
宮崎	1 038	1 009	29	938	916	23	100	94	7
鹿児島	1 485	1 428	57	1 353	1 304	49	132	124	8
沖縄	1 058	1 027	31	927	902	25	131	125	6

注：1）調査方法の変更等による回収率変動の影響を受けているため、数量を示す従事者数の実数は前年以前と単純に年次比較できない。
　　2）「0」は常勤換算従事者数が0.5未満の場合である。

指定都市・中核市（再掲）、職種（常勤－非常勤）別（39－36）

平成29年10月１日

都道府県 指定都市 中核市	総数			介護支援専門員			その他の職員		
	総数	常勤	非常勤	総数	常勤	非常勤	総数	常勤	非常勤
指定都市(再掲)									
札幌市	1 399	1 317	81	1 258	1 181	78	140	137	4
仙台市	647	611	36	561	534	27	86	78	8
さいたま市	799	720	80	703	634	69	96	85	11
千葉市	685	606	78	596	531	65	89	75	13
横浜市	2 522	2 166	355	2 217	1 906	311	305	260	45
川崎市	791	691	101	691	606	86	100	85	15
相模原市	442	383	60	397	342	56	45	41	4
新潟市	703	677	26	617	597	20	87	80	6
静岡市	620	555	65	569	508	62	51	47	4
浜松市	538	490	48	500	455	45	38	35	3
名古屋市	1 738	1 541	197	1 518	1 344	175	219	198	22
京都市	1 269	1 180	89	1 137	1 062	75	131	118	14
大阪市	3 442	3 145	298	2 980	2 741	239	463	404	59
堺市	904	803	101	781	695	85	123	107	16
神戸市	1 180	1 063	116	1 012	923	89	168	141	27
岡山市	571	534	37	517	482	36	54	52	1
広島市	932	867	65	832	775	57	100	93	7
北九州市	963	910	53	851	801	50	113	109	3
福岡市	965	926	39	842	812	31	123	114	9
熊本市	666	640	26	603	581	23	62	60	3
中核市(再掲)									
旭川市	372	357	15	337	323	15	34	34	1
函館市	271	265	7	246	240	5	26	24	1
青森市	329	320	9	292	285	7	37	35	2
八戸市	255	246	8	222	217	5	33	29	4
盛岡市	300	291	8	279	271	8	21	20	1
秋田市	345	329	16	298	293	5	47	37	10
郡山市	238	232	6	211	206	5	28	26	2
いわき市	381	373	8	351	343	7	30	29	1
宇都宮市	289	263	25	258	237	22	30	27	4
前橋市	291	262	29	264	238	26	27	25	3
高崎市	308	281	27	283	258	25	25	23	3
川越市	214	206	8	194	186	8	20	20	0
越谷市	175	163	12	164	152	12	11	11	－
船橋市	439	397	43	381	341	40	58	56	3
柏市	289	268	21	252	235	17	37	33	4
八王子市	332	303	30	306	277	29	26	25	1
横須賀市	318	282	36	280	249	31	38	33	5
富山市	350	325	25	323	302	22	26	23	4
金沢市	350	335	14	321	307	14	29	28	1
長野市	304	274	30	276	249	27	28	25	3
岐阜市	356	311	45	323	281	42	33	30	3
豊橋市	167	149	18	146	129	18	21	20	1
豊田市	165	146	19	144	128	16	22	19	3
岡崎市	233	201	32	203	172	31	30	29	2
大津市	311	296	16	270	256	15	41	40	1
高槻市	254	224	30	227	201	26	27	23	4
東大阪市	553	507	46	475	437	37	79	70	9
豊中市	369	311	58	319	269	50	50	42	7
枚方市	354	322	32	309	281	29	45	41	4
姫路市	452	397	55	406	352	55	46	45	1
西宮市	311	284	27	263	243	20	48	41	7
尼崎市	491	447	44	439	401	37	52	45	7
奈良市	337	297	39	304	268	36	33	30	3
和歌山市	451	425	26	402	380	23	48	45	3
倉敷市	362	325	37	326	293	33	36	32	4
福山市	362	333	30	328	299	29	35	34	1
呉市	186	171	15	161	147	14	25	24	2
下関市	264	249	15	239	226	13	25	23	2
高松市	443	379	64	418	358	60	25	21	4
松山市	496	467	29	439	414	25	56	52	4
高知市	282	276	5	255	250	5	27	26	1
久留米市	259	243	16	226	213	14	32	30	2
長崎市	516	494	22	457	438	19	59	56	4
佐世保市	202	195	7	183	178	5	19	17	2
大分市	432	406	26	395	371	24	37	35	2
宮崎市	321	308	13	297	287	9	25	21	4
鹿児島市	476	455	21	433	414	19	43	42	1
那覇市	189	185	4	168	165	3	21	20	1

介護予防支援

都道府県 指定都市 中核市	総数			専門職員			保健師（再掲）		
	総数	常勤	非常勤	総数	常勤	非常勤	総数	常勤	非常勤
全国	28 762	26 172	2 590	25 249	23 255	1 994	3 751	3 618	133
北海道	1 474	1 404	70	1 249	1 191	58	296	287	8
青森	375	321	54	323	275	49	69	67	2
岩手	300	253	47	255	214	40	62	59	3
宮城	522	495	27	464	442	22	60	56	3
秋田	295	269	26	241	223	18	56	51	4
山形	340	321	19	292	276	16	54	54	1
福島	572	562	9	520	516	5	80	78	2
茨城	387	343	44	325	291	34	63	62	1
栃木	452	426	26	407	386	21	63	62	1
群馬	495	464	31	435	411	25	90	86	4
埼玉	1 384	1 288	96	1 258	1 194	64	133	128	5
千葉	1 051	931	120	883	804	80	133	131	2
東京	2 702	2 449	253	2 417	2 222	195	175	167	8
神奈川	1 446	1 311	135	1 329	1 226	103	130	128	2
新潟	539	510	29	486	465	21	82	81	1
富山	343	327	16	325	314	12	42	40	2
石川	262	250	11	232	225	7	37	37	0
福井	177	168	9	158	149	9	27	27	－
山梨	181	167	14	160	147	13	57	54	3
長野	590	551	39	488	461	27	125	120	6
岐阜	438	370	68	389	331	58	60	58	2
静岡	771	724	47	700	663	37	88	85	3
愛知	1 507	1 286	221	1 323	1 159	164	193	174	19
三重	363	341	22	316	298	18	53	53	1
滋賀	252	232	20	212	194	18	42	40	2
京都	614	556	58	567	521	47	62	60	2
大阪	1 585	1 441	144	1 408	1 313	95	125	122	3
兵庫	1 196	1 098	98	1 072	998	74	120	117	3
奈良	343	319	23	304	288	16	52	52	0
和歌山	237	234	3	209	206	2	43	43	－
鳥取	185	172	13	159	148	11	38	37	1
島根	200	159	41	171	135	37	36	33	3
岡山	562	529	33	488	465	24	56	54	2
広島	869	790	79	787	728	59	134	130	4
山口	407	367	40	366	331	35	79	72	7
徳島	257	223	34	226	197	29	35	32	3
香川	274	218	56	229	183	46	56	55	0
愛媛	306	291	15	264	250	13	49	49	0
高知	169	143	26	129	104	25	30	28	2
福岡	1 332	1 113	218	1 159	968	192	167	160	7
佐賀	258	228	30	202	177	25	28	27	1
長崎	387	319	68	313	264	50	64	60	4
熊本	584	499	85	496	434	62	56	56	1
大分	390	375	15	333	324	9	48	46	2
宮崎	385	365	21	338	325	13	64	63	2
鹿児島	635	628	7	565	561	5	95	95	1
沖縄	372	344	28	277	263	14	45	44	0

注：1）調査方法の変更等による回収率変動の影響を受けているため、数量を示す従事者数の実数は前年以前と単純に年次比較できない。
　　2）「0」は常勤換算従事者数が0.5未満の場合である。

平成29年10月１日

看護師（再掲）			社会福祉士（再掲）			介護支援専門員（再掲）		
総数	常勤	非常勤	総数	常勤	非常勤	総数	常勤	非常勤
3 024	2 811	213	7 353	7 073	281	10 717	9 384	1 333
63	61	2	354	347	7	514	474	40
35	27	8	78	67	12	132	108	24
31	20	12	56	52	4	97	76	21
61	60	1	125	121	4	209	195	14
20	19	1	58	58	0	98	85	13
33	31	2	84	81	4	116	108	8
76	75	1	165	165	0	181	178	2
30	28	2	87	84	2	141	112	29
74	72	2	119	116	3	144	130	14
54	50	5	129	127	2	147	133	13
221	215	6	426	418	8	461	418	43
122	115	7	286	276	10	337	277	61
372	349	23	868	832	36	968	841	127
222	213	10	473	454	19	491	420	70
62	57	6	160	158	3	173	161	11
50	48	2	110	107	3	119	114	5
32	32	－	71	70	1	87	82	5
24	21	3	43	43	－	63	57	6
4	4	1	44	41	3	53	47	6
56	51	5	122	120	2	173	159	14
54	50	3	106	100	6	165	122	44
102	98	3	237	227	10	253	233	20
178	162	17	445	416	30	499	402	97
31	29	2	98	94	4	130	119	11
19	13	5	51	50	1	97	88	10
74	68	6	161	157	4	262	227	35
193	189	4	433	422	11	631	553	78
119	114	6	304	295	9	519	464	55
31	31	－	84	80	5	136	125	11
11	9	2	37	37	－	115	115	1
10	9	1	33	29	5	77	73	5
11	10	2	26	23	3	95	66	29
35	34	1	146	143	3	247	229	18
65	57	8	241	232	10	342	304	38
48	45	4	104	97	6	132	116	17
25	21	5	46	40	6	110	98	13
7	4	3	47	40	8	118	84	35
21	21	－	41	41	－	150	137	13
5	3	2	22	19	3	70	50	19
86	74	12	231	209	22	669	519	150
19	17	3	37	35	3	116	98	19
19	10	10	72	67	5	156	125	31
65	52	14	147	146	2	218	172	46
34	33	1	98	94	4	139	137	2
36	35	1	88	88	1	142	132	9
53	52	1	107	105	2	301	300	1
32	27	4	58	58	－	128	122	6

介護予防支援

都道府県 指定都市 中核市	総数			専門職員					
							保健師（再掲）		
	総数	常勤	非常勤	総数	常勤	非常勤	総数	常勤	非常勤
指定都市（再掲）									
札幌市	369	354	15	311	298	13	54	54	1
仙台市	214	212	3	193	192	1	14	14	−
さいたま市	171	166	6	157	155	2	12	12	−
千葉市	143	134	10	115	109	6	16	16	−
横浜市	481	412	68	443	390	53	45	45	−
川崎市	228	214	14	199	190	8	18	18	−
相模原市	135	127	8	126	119	7	14	14	−
新潟市	155	154	2	145	145	1	31	31	−
静岡市	128	116	11	117	108	9	14	13	1
浜松市	144	131	13	137	125	12	12	11	1
名古屋市	517	424	92	438	375	63	63	57	6
京都市	335	317	17	310	301	9	22	22	−
大阪市	471	431	41	406	384	22	28	27	1
堺市	104	93	11	94	87	6	6	6	−
神戸市	381	342	39	346	315	31	26	25	2
岡山市	145	142	3	129	126	3	14	14	−
広島市	388	379	9	370	364	5	61	61	−
北九州市	203	203	0	199	199	0	42	42	−
福岡市	320	250	70	269	215	54	20	19	1
熊本市	226	213	13	195	189	6	23	23	−
中核市（再掲）									
旭川市	59	55	4	32	29	3	5	4	0
函館市	78	77	1	66	66	1	14	14	−
青森市	62	61	1	56	56	1	5	5	−
八戸市	43	14	29	40	12	28	7	6	1
盛岡市	44	44	−	42	42	−	10	10	−
秋田市	75	75	−	65	65	−	14	14	−
郡山市	75	73	2	74	73	2	10	9	1
いわき市	82	82	−	79	79	−	19	19	−
宇都宮市	118	113	5	113	108	4	12	11	1
前橋市	69	67	2	62	62	1	8	8	0
高崎市	122	118	4	104	100	4	20	20	−
川越市	55	53	1	47	47	−	1	1	−
越谷市	62	57	5	51	50	1	10	9	1
船橋市	80	58	22	62	45	17	17	17	−
柏市	56	46	10	52	42	9	10	10	−
八王子市	107	93	14	96	87	9	2	2	1
横須賀市	80	75	5	77	72	5	3	3	−
富山市	154	148	6	149	145	5	18	17	1
金沢市	103	100	3	98	95	3	6	6	−
長野市	89	86	3	82	80	2	13	13	−
岐阜市	96	81	14	88	76	12	5	5	−
豊橋市	68	61	8	58	52	6	8	8	−
豊田市	112	107	5	105	103	2	17	17	−
岡崎市	94	79	15	78	68	10	10	9	1
大津市	43	42	1	36	36	1	1	1	−
高槻市	89	84	5	81	80	2	7	7	−
東大阪市	111	109	2	108	106	2	9	9	−
豊中市	66	60	6	65	60	6	11	11	−
枚方市	69	61	8	60	57	3	1	1	−
姫路市	154	139	15	135	131	5	7	7	−
西宮市	57	55	2	53	52	2	5	5	−
尼崎市	53	51	2	50	50	−	7	7	−
奈良市	72	64	7	65	58	6	7	7	0
和歌山市	63	62	1	54	53	1	10	10	−
倉敷市	126	117	9	115	109	6	11	11	−
福山市	127	116	10	107	101	7	15	15	1
呉市	66	61	6	59	55	4	9	9	−
下関市	96	84	12	83	74	10	8	8	−
高松市	82	33	49	72	32	40	14	14	−
松山市	76	74	2	64	63	1	6	6	−
高知市	45	34	11	33	22	11	9	9	0
久留米市	73	71	2	73	71	2	13	13	−
長崎市	125	114	11	112	105	7	25	23	2
佐世保市	27	27	1	25	24	1	−	−	−
大分市	102	98	4	98	95	3	24	23	1
宮崎市	98	93	5	88	86	2	26	26	−
鹿児島市	188	188	−	183	183	−	30	30	−
那覇市	95	94	0	73	73	0	11	11	−

注：1）調査方法の変更等による回収率変動の影響を受けているため、数量を示す従事者数の実数は前年以前と単純に年次比較できない。
　　2）「0」は常勤換算従事者数が0.5未満の場合である。

平成29年10月１日

看護師（再掲）			社会福祉士（再掲）			介護支援専門員（再掲）		
総数	常勤	非常勤	総数	常勤	非常勤	総数	常勤	非常勤
6	6	-	101	101	-	150	138	12
25	25	-	46	46	-	105	104	1
32	32	-	62	60	2	52	52	-
18	18	-	40	40	-	41	36	6
71	71	-	152	148	4	171	122	49
35	35	1	76	73	3	65	61	4
15	15	1	40	38	2	57	53	4
17	17	0	56	55	1	41	41	-
20	19	1	45	43	2	37	33	4
20	20	1	57	51	6	45	40	5
45	39	6	140	130	10	189	148	41
38	37	2	76	76	-	168	161	8
47	46	1	150	149	1	177	158	20
13	13	-	28	27	1	45	40	6
44	43	1	116	112	3	158	133	25
10	10	-	62	61	1	43	41	2
28	28	-	128	128	-	151	146	5
0	-	0	45	45	-	113	113	-
19	16	2	43	36	7	186	143	43
26	26	0	78	78	1	68	63	4
2	2	-	5	5	-	21	18	3
2	2	-	14	14	-	30	30	-
10	10	-	18	18	-	23	23	1
8	1	7	12	3	9	10	2	8
3	3	-	14	14	-	16	16	-
8	8	-	20	20	-	24	24	-
17	16	1	27	27	-	20	20	-
1	1	-	25	25	-	31	31	-
30	29	1	34	34	-	37	34	3
10	10	-	20	20	1	23	23	-
15	12	2	37	37	1	31	30	1
14	14	-	15	15	-	17	17	-
8	8	-	18	18	0	15	15	-
5	2	3	10	9	1	31	17	14
6	6	-	17	17	-	19	10	9
17	15	2	43	41	2	29	24	5
16	15	1	29	28	1	29	26	3
29	29	0	51	49	2	48	47	1
16	16	-	32	31	1	40	40	1
16	16	-	25	25	-	27	25	1
16	16	-	24	22	2	43	33	9
5	5	-	21	20	1	24	19	4
15	15	-	42	41	1	30	29	1
12	12	-	31	26	5	25	22	4
-	-	-	5	5	0	31	30	1
9	9	-	22	22	-	44	42	2
13	13	-	39	38	1	45	44	1
13	13	-	18	18	0	23	18	5
13	13	-	14	13	1	29	27	2
20	19	1	40	40	-	66	62	4
9	9	-	18	18	1	21	20	1
6	6	-	17	17	-	20	20	-
3	3	-	23	20	3	32	28	4
5	5	-	12	12	-	28	27	1
16	16	-	27	26	1	60	55	5
10	9	1	34	32	2	48	46	3
7	7	-	14	14	-	29	25	4
13	12	1	21	20	2	38	33	5
1	1	-	12	5	7	45	12	33
6	6	-	15	15	-	37	36	1
2	1	1	8	6	2	13	5	8
11	11	-	35	33	2	15	14	1
1	-	1	38	38	0	48	44	4
1	1	-	4	3	1	20	20	-
3	3	-	41	39	2	30	29	1
5	5	-	31	31	1	25	25	1
11	11	-	44	44	-	97	97	-
3	3	0	13	13	-	45	45	-

介護予防支援

都道府県 指定都市 中核市	専門職員 社会福祉主事（再掲） 総数	常勤	非常勤	その他の職員 総数	常勤	非常勤
全国	404	369	35	3 513	2 918	596
北海道	23	21	1	225	213	12
青森	9	6	3	52	46	6
岩手	10	8	1	46	38	7
宮城	10	10	-	58	53	5
秋田	10	10	-	54	46	8
山形	4	3	1	49	45	4
福島	20	19	0	51	47	4
茨城	5	5	-	62	52	10
栃木	7	6	1	45	40	5
群馬	16	15	1	59	53	6
埼玉	18	15	2	126	93	32
千葉	6	6	-	168	127	40
東京	34	32	2	286	227	58
神奈川	13	11	2	117	85	32
新潟	9	9	-	53	45	9
富山	5	4	1	18	13	5
石川	5	4	1	30	25	4
福井	1	1	-	19	19	1
山梨	3	3	-	21	19	2
長野	13	12	0	102	90	12
岐阜	5	2	3	49	39	10
静岡	21	19	1	71	61	10
愛知	7	5	2	184	127	57
三重	5	4	1	46	42	4
滋賀	3	3	-	40	38	2
京都	9	9	-	47	36	11
大阪	26	26	-	177	129	49
兵庫	10	9	2	124	100	24
奈良	2	2	-	38	31	7
和歌山	3	3	-	29	27	1
鳥取	-	-	-	26	25	2
島根	3	3	0	29	24	5
岡山	5	5	0	73	64	9
広島	5	5	-	82	63	20
山口	3	1	2	42	36	5
徳島	10	7	3	32	27	5
香川	1	1	-	45	35	11
愛媛	2	2	-	42	41	1
高知	3	3	-	40	40	0
福岡	7	6	1	173	146	27
佐賀	1	1	-	56	51	5
長崎	2	2	-	74	56	18
熊本	9	9	-	87	65	23
大分	14	14	0	57	51	6
宮崎	8	8	-	47	40	7
鹿児島	9	9	0	70	67	2
沖縄	16	12	4	95	81	14

注：1）調査方法の変更等による回収率変動の影響を受けているため、数量を示す従事者数の実数は前年以前と単純に年次比較できない。
　　2）「0」は常勤換算従事者数が0.5未満の場合である。

平成29年10月１日

都道府県 指定都市 中核市	専門職員			その他の職員		
	社会福祉主事（再掲）					
	総数	常勤	非常勤	総数	常勤	非常勤
指定都市(再掲)						
札幌市	－	－	－	58	56	2
仙台市	3	3	－	21	20	1
さいたま市	－	－	－	15	11	4
千葉市	－	－	－	28	24	4
横浜市	3	3	0	37	22	15
川崎市	5	4	1	29	24	5
相模原市	1	－	1	9	8	1
新潟市	1	1	－	10	9	1
静岡市	1	－	1	11	8	3
浜松市	3	3	－	8	7	1
名古屋市	1	1	－	79	50	30
京都市	6	6	－	24	17	8
大阪市	5	5	－	65	46	19
堺市	2	2	－	11	6	5
神戸市	3	2	1	36	27	9
岡山市	－	－	－	17	17	－
広島市	2	2	－	19	15	4
北九州市	－	－	－	4	4	－
福岡市	2	1	1	51	35	16
熊本市	－	－	－	31	24	7
中核市(再掲)						
旭川市	－	－	－	27	26	1
函館市	7	6	1	12	12	1
青森市	－	－	－	5	5	－
八戸市	2	－	2	3	2	1
盛岡市	－	－	－	2	2	－
秋田市	－	－	－	10	10	－
郡山市	1	1	－	1	1	－
いわき市	4	4	－	3	3	－
宇都宮市	1	1	－	6	5	1
前橋市	1	1	－	7	5	2
高崎市	1	1	－	18	18	0
川越市	－	－	－	8	7	1
越谷市	－	－	－	11	8	4
船橋市	－	－	－	18	13	5
柏市	－	－	－	5	4	1
八王子市	6	6	－	11	6	4
横須賀市	－	－	－	3	3	－
富山市	4	3	1	5	3	1
金沢市	4	3	1	5	5	－
長野市	2	2	0	7	6	1
岐阜市	－	－	－	7	5	3
豊橋市	－	－	－	11	8	2
豊田市	1	1	－	7	4	3
岡崎市	－	－	－	16	11	5
大津市	－	－	－	6	6	－
高槻市	－	－	－	8	4	4
東大阪市	2	2	－	3	3	0
豊中市	－	－	－	1	0	1
枚方市	3	3	－	9	4	5
姫路市	4	4	－	19	8	10
西宮市	－	－	－	4	4	0
尼崎市	－	－	－	3	2	2
奈良市	－	－	－	7	6	1
和歌山市	－	－	－	9	9	1
倉敷市	1	1	0	10	8	2
福山市	－	－	－	20	16	4
呉市	－	－	－	8	6	2
下関市	3	1	2	13	11	2
高松市	－	－	－	11	1	10
松山市	1	1	－	12	11	1
高知市	1	1	－	12	12	0
久留米市	－	－	－	－	－	－
長崎市	－	－	－	13	9	4
佐世保市	1	1	－	2	2	－
大分市	－	－	－	4	3	1
宮崎市	1	1	－	10	7	4
鹿児島市	1	1	－	6	6	－
那覇市	1	1	－	22	22	－

第8表　利用者数，都道府県－指定都市・中核市（再掲）、

都道府県 指定都市 中核市	訪問介護						
	総数	要介護１	要介護２	要介護３	要介護４	要介護５	その他
全国	931 835	288 522	267 641	151 830	113 871	94 071	15 900
北海道	47 853	19 713	14 529	5 968	3 946	3 178	519
青森	18 196	5 025	5 185	2 967	2 583	2 313	123
岩手	10 450	2 961	3 023	1 772	1 458	1 115	121
宮城	11 701	3 699	2 914	1 601	1 681	1 553	253
秋田	8 900	3 218	2 558	1 285	907	849	83
山形	6 320	1 758	1 763	1 010	893	779	117
福島	14 844	4 063	4 222	2 544	2 059	1 713	243
茨城	13 750	4 350	3 964	2 437	1 599	1 241	159
栃木	8 544	2 540	2 371	1 421	1 245	839	128
群馬	13 388	4 363	3 572	2 194	1 797	1 393	69
埼玉	36 074	11 961	9 927	5 854	4 217	3 515	600
千葉	42 517	12 564	11 511	7 148	5 734	4 662	898
東京	91 780	27 388	24 674	14 854	11 399	10 342	3 123
神奈川	63 962	16 453	20 110	11 027	8 153	6 687	1 532
新潟	13 781	4 127	3 907	2 313	1 786	1 361	287
富山	6 811	2 301	1 972	1 185	786	494	73
石川	6 321	1 976	1 823	956	749	731	86
福井	3 852	1 093	1 193	698	493	351	24
山梨	4 991	1 188	1 631	1 061	565	478	68
長野	14 462	4 521	3 563	2 339	2 085	1 563	391
岐阜	12 332	3 231	3 460	2 139	1 738	1 555	209
静岡	19 022	6 450	5 092	2 926	2 307	1 881	366
愛知	39 990	10 738	11 682	6 561	5 460	5 071	478
三重	14 348	4 405	3 977	2 427	1 912	1 515	112
滋賀	8 786	2 367	2 611	1 634	1 121	906	147
京都	22 153	5 910	7 430	4 000	2 424	2 028	361
大阪	114 565	29 550	35 647	20 411	14 840	12 762	1 355
兵庫	45 212	14 553	12 080	7 404	5 555	4 941	679
奈良	11 925	3 111	3 934	2 063	1 472	1 131	214
和歌山	13 914	4 304	3 926	2 255	1 825	1 414	190
鳥取	2 991	854	946	449	351	333	58
島根	6 591	2 324	1 881	1 047	698	568	73
岡山	12 304	4 273	3 862	1 969	1 100	926	174
広島	22 178	7 494	6 379	3 546	2 311	2 041	407
山口	10 677	4 252	2 807	1 408	1 202	833	175
徳島	8 679	2 614	2 847	1 496	990	645	87
香川	7 837	2 484	2 450	1 196	851	748	108
愛媛	12 917	4 651	3 436	2 069	1 396	1 154	211
高知	5 678	2 300	1 648	855	492	321	62
福岡	36 751	13 982	10 442	5 365	3 745	2 487	730
佐賀	3 779	1 830	902	499	287	233	28
長崎	10 718	4 621	2 896	1 500	979	614	108
熊本	17 285	6 381	4 746	2 602	2 031	1 239	286
大分	10 093	3 432	2 386	1 454	1 370	1 239	212
宮崎	7 834	2 223	1 892	1 409	1 256	1 004	50
鹿児島	9 980	3 752	2 725	1 557	1 105	753	88
沖縄	4 799	1 174	1 145	955	918	572	35

注：調査方法の変更等による回収率変動の影響を受けているため、数量を示す利用者数の実数は前年以前と単純に年次比較できない。

居宅サービスの種類、要介護度別（12－1）

平成29年9月中

都道府県 指定都市 中核市	訪問介護						
	総数	要介護1	要介護2	要介護3	要介護4	要介護5	その他
指定都市（再掲）							
札幌市	14 212	5 978	4 168	1 576	1 203	1 071	216
仙台市	5 345	1 918	1 295	656	697	618	161
さいたま市	6 464	2 009	1 834	1 088	719	637	177
千葉市	6 756	2 139	1 663	1 072	958	791	133
横浜市	29 236	6 097	10 736	5 202	3 640	2 849	712
川崎市	9 428	2 970	2 478	1 503	1 169	1 061	247
相模原市	4 557	960	1 607	886	567	469	68
新潟市	4 139	1 354	1 289	656	436	327	77
静岡市	5 159	1 771	1 430	734	550	489	185
浜松市	2 808	1 248	697	348	287	199	29
名古屋市	18 123	4 071	5 746	3 188	2 425	2 542	151
京都市	14 181	3 494	4 868	2 526	1 598	1 401	294
大阪市	44 900	10 294	14 423	8 268	6 053	5 303	559
堺市	11 718	3 278	3 523	1 982	1 576	1 251	108
神戸市	13 841	3 892	3 873	2 388	1 852	1 620	216
岡山市	4 792	1 501	1 590	753	399	458	91
広島市	9 828	3 154	2 824	1 569	1 037	973	271
北九州市	10 557	4 293	3 182	1 509	883	571	119
福岡市	10 473	3 827	3 018	1 559	1 119	802	148
熊本市	7 874	3 038	1 957	1 128	923	610	218
中核市（再掲）							
旭川市	5 112	1 873	1 310	752	598	548	31
函館市	2 515	1 147	689	320	183	163	13
青森市	4 480	1 335	1 293	706	605	531	10
八戸市	2 746	567	826	529	460	349	15
盛岡市	3 259	918	912	591	451	353	34
秋田市	3 124	1 384	911	417	228	146	38
郡山市	1 844	698	533	247	201	149	16
いわき市	3 380	815	1 087	601	392	407	78
宇都宮市	2 392	622	759	386	372	226	27
前橋市	2 519	842	551	389	382	342	13
高崎市	2 193	759	506	330	325	265	8
川越市	1 968	699	513	347	233	164	12
越谷市	1 045	343	257	176	152	103	14
船橋市	4 465	1 339	1 178	765	578	522	83
柏市	2 741	923	707	463	342	267	39
八王子市	3 772	1 491	938	548	395	319	81
横須賀市	3 616	1 287	913	603	434	292	87
富山市	2 897	842	968	533	309	203	42
金沢市	3 403	1 038	1 017	504	362	430	52
長野市	2 239	895	451	277	334	223	59
岐阜市	3 781	932	1 109	645	539	528	28
豊橋市	1 180	385	366	182	145	96	6
豊田市	1 100	334	258	169	185	151	3
岡崎市	1 739	674	383	256	178	140	108
大津市	2 965	652	1 046	594	314	296	63
高槻市	1 975	758	449	274	195	241	58
東大阪市	6 743	1 835	2 029	1 133	890	738	118
豊中市	4 504	1 359	1 420	743	516	428	38
枚方市	5 388	859	2 067	1 132	689	592	49
姫路市	4 249	1 680	931	613	525	422	78
西宮市	3 444	1 250	806	571	355	397	65
尼崎市	6 779	1 793	1 980	1 200	844	881	81
奈良市	3 666	979	1 135	658	464	388	42
和歌山市	5 741	1 862	1 504	934	788	621	32
倉敷市	2 847	898	935	477	284	190	63
福山市	2 544	936	662	366	310	233	37
呉市	2 360	807	590	421	257	266	19
下関市	2 087	861	483	235	348	134	26
高松市	4 313	1 337	1 361	660	495	451	9
松山市	4 803	1 791	1 159	747	548	500	58
高知市	2 523	1 137	667	325	228	138	28
久留米市	1 666	616	529	248	115	130	28
長崎市	5 025	2 272	1 371	671	385	259	67
佐世保市	942	428	246	144	76	46	2
大分市	3 414	1 035	800	468	492	568	51
宮崎市	2 819	807	556	507	452	469	28
鹿児島市	3 341	1 303	778	522	381	306	51
那覇市	851	212	208	145	148	130	8

都道府県 指定都市 中核市	訪問入浴介護						
	総数	要介護１	要介護２	要介護３	要介護４	要介護５	その他
全国	52 734	1 284	4 340	6 352	13 855	25 745	1 158
北海道	1 124	36	86	116	273	579	34
青森	811	14	58	77	239	404	19
岩手	593	14	60	86	170	260	3
宮城	1 934	49	188	230	566	853	48
秋田	529	16	41	60	171	238	3
山形	609	13	60	91	171	268	6
福島	1 690	43	154	219	499	753	22
茨城	1 332	39	132	195	355	560	51
栃木	646	17	55	89	185	289	11
群馬	579	20	43	74	171	262	9
埼玉	3 037	87	257	367	796	1 466	64
千葉	3 505	107	344	472	901	1 581	100
東京	7 711	150	557	842	1 946	4 068	148
神奈川	5 091	90	378	587	1 335	2 606	95
新潟	878	21	86	138	247	376	10
富山	453	13	32	82	122	202	2
石川	313	9	31	34	86	132	21
福井	124	1	12	8	20	79	4
山梨	408	6	39	56	106	197	4
長野	1 108	39	115	156	293	451	54
岐阜	997	27	117	130	270	442	11
静岡	1 936	79	218	293	525	743	78
愛知	2 821	82	281	358	750	1 292	58
三重	723	24	55	110	192	337	5
滋賀	879	27	94	135	219	372	32
京都	1 238	22	102	140	280	651	43
大阪	2 976	55	201	265	672	1 735	48
兵庫	2 153	47	133	228	578	1 138	29
奈良	460	6	28	53	122	243	8
和歌山	188	5	15	14	56	97	1
鳥取	150	3	7	17	42	81	-
島根	167	1	14	17	47	86	2
岡山	325	6	19	47	87	155	11
広島	883	27	69	99	204	457	27
山口	435	6	37	52	114	213	13
徳島	129	5	9	14	43	58	-
香川	351	11	23	49	111	151	6
愛媛	454	18	20	46	115	251	4
高知	81	1	5	2	25	48	-
福岡	1 234	23	80	132	300	651	48
佐賀	118	6	10	19	30	52	1
長崎	191	4	10	18	46	100	13
熊本	363	2	25	31	110	192	3
大分	226	6	9	29	66	115	1
宮崎	259	2	15	18	52	166	6
鹿児島	395	5	14	46	109	221	-
沖縄	127	-	2	11	38	74	2

注：調査方法の変更等による回収率変動の影響を受けているため、数量を示す利用者数の実数は前年以前と単純に年次比較できない。

居宅サービスの種類、要介護度別（12－２）

平成29年９月中

都道府県 指定都市 中核市	訪問入浴介護						
	総数	要介護１	要介護２	要介護３	要介護４	要介護５	その他
指定都市（再掲）							
札幌市	346	10	28	26	79	200	3
仙台市	514	13	38	43	137	249	34
さいたま市	572	15	37	61	133	300	26
千葉市	414	9	31	49	101	212	12
横浜市	2 192	26	161	242	563	1 159	41
川崎市	630	18	56	68	154	312	22
相模原市	336	4	34	41	103	154	－
新潟市	235	5	26	35	60	108	1
静岡市	558	22	70	86	150	207	23
浜松市	225	12	25	28	72	84	4
名古屋市	975	15	81	98	215	539	27
京都市	687	11	44	59	149	409	15
大阪市	1 295	26	94	127	316	710	22
堺市	303	7	16	28	75	170	7
神戸市	869	8	55	84	230	477	15
岡山市	112	2	5	15	26	63	1
広島市	259	2	10	17	52	172	6
北九州市	289	－	18	23	73	148	27
福岡市	405	5	21	34	95	249	1
熊本市	183	1	8	9	52	110	3
中核市（再掲）							
旭川市	188	1	11	22	51	91	12
函館市	74	3	3	6	12	50	－
青森市	203	1	14	16	62	106	4
八戸市	183	4	16	21	51	79	12
盛岡市	2	－	－	－	1	1	－
秋田市	－	－	－	－	－	－	－
郡山市	209	9	20	35	52	92	1
いわき市	231	2	28	42	73	84	2
宇都宮市	166	2	15	22	42	85	－
前橋市	189	6	15	19	42	103	4
高崎市	133	6	12	11	41	58	5
川越市	173	3	7	19	47	96	1
越谷市	216	11	23	34	53	80	15
船橋市	313	10	17	38	67	174	7
柏市	142	－	9	17	30	78	8
八王子市	319	5	33	34	88	153	6
横須賀市	517	9	40	64	148	239	17
富山市	160	4	11	26	45	73	1
金沢市	128	4	6	10	33	59	16
長野市	142	11	16	26	38	48	3
岐阜市	218	2	20	29	55	109	3
豊橋市	64	－	7	10	23	24	－
豊田市	119	3	14	18	30	54	－
岡崎市	136	7	11	17	42	58	1
大津市	124	－	7	14	29	74	－
高槻市	81	1	8	7	24	39	2
東大阪市	146	1	7	14	28	96	－
豊中市	284	7	11	25	53	182	6
枚方市	83	－	4	5	19	55	－
姫路市	169	7	11	22	44	85	－
西宮市	212	9	8	27	68	99	1
尼崎市	147	3	7	16	39	81	1
奈良市	63	－	4	9	14	32	4
和歌山市	87	1	6	7	23	50	－
倉敷市	88	－	2	15	23	39	9
福山市	115	3	25	12	31	44	－
呉市	185	11	9	29	46	75	15
下関市	85	1	7	12	26	36	3
高松市	80	4	1	14	28	33	－
松山市	111	5	4	14	22	63	3
高知市	－	－	－	－	－	－	－
久留米市	132	5	9	22	29	65	2
長崎市	68	2	1	2	7	43	13
佐世保市	39	－	2	7	13	17	－
大分市	123	3	4	13	30	73	－
宮崎市	51	－	－	2	9	38	2
鹿児島市	227	4	8	25	59	131	－
那覇市	59	－	1	6	17	35	－

第8表　利用者数，都道府県－指定都市・中核市（再掲）、

都道府県 指定都市 中核市	訪問看護 総数	介護保険法の 総数	要介護1	要介護2	要介護3
全国	596 655	398 999	87 215	100 675	68 989
北海道	25 452	17 787	5 530	4 525	2 370
青森	6 152	4 383	531	730	650
岩手	4 976	3 725	719	828	603
宮城	9 062	5 827	1 133	1 236	928
秋田	2 804	2 065	448	427	323
山形	4 181	3 013	489	721	478
福島	7 971	6 037	996	1 242	1 044
茨城	8 442	5 730	1 254	1 446	1 019
栃木	5 585	3 912	792	867	679
群馬	8 198	5 988	1 314	1 383	1 059
埼玉	24 977	15 700	3 685	3 728	2 534
千葉	21 284	14 518	3 141	3 450	2 482
東京	75 785	50 957	11 959	13 075	8 761
神奈川	47 196	34 599	6 472	9 874	6 304
新潟	8 719	6 244	1 118	1 512	1 097
富山	3 498	2 502	453	576	467
石川	4 793	2 707	650	709	455
福井	4 637	2 789	639	772	496
山梨	3 364	2 349	381	616	480
長野	11 297	8 518	1 668	1 779	1 463
岐阜	9 526	6 731	1 171	1 688	1 216
静岡	12 652	9 167	2 313	2 067	1 457
愛知	31 198	20 013	3 483	5 229	3 624
三重	7 369	4 556	967	1 039	829
滋賀	6 838	4 685	1 105	1 184	843
京都	16 963	11 509	2 340	3 408	2 250
大阪	66 539	41 776	7 746	11 354	7 681
兵庫	35 596	25 911	6 174	6 391	4 528
奈良	7 359	4 799	836	1 315	916
和歌山	6 507	4 711	935	1 234	836
鳥取	2 372	1 669	271	403	280
島根	3 872	2 770	757	708	477
岡山	8 224	5 585	1 237	1 544	959
広島	16 157	10 675	2 566	2 791	1 915
山口	5 777	3 904	1 150	913	577
徳島	3 237	1 792	345	495	330
香川	2 573	1 711	290	439	296
愛媛	6 533	4 114	1 021	961	736
高知	2 617	1 413	372	359	245
福岡	21 773	11 698	3 274	2 958	2 027
佐賀	2 549	972	312	237	167
長崎	5 193	3 440	1 030	888	558
熊本	8 155	5 701	1 611	1 404	960
大分	4 947	3 029	868	670	414
宮崎	4 434	2 280	487	487	369
鹿児島	5 766	3 571	943	776	589
沖縄	3 556	1 467	239	237	218

注：調査方法の変更等による回収率変動の影響を受けているため、数量を示す利用者数の実数は前年以前と単純に年次比較できない。

居宅サービスの種類、要介護度別（12－３）

平成29年９月中

ス テ ー シ ョ ン					
利用者数					健康保険法等の利用者
要介護４	要介護５	要介護認定申請中	定期巡回・随時対応型訪問介護看護との連携	その他	
65 968	67 386	2 444	4 695	1 627	197 656
2 036	2 003	75	1 203	45	7 665
973	1 361	36	99	3	1 769
734	777	31	31	2	1 251
1 168	1 273	36	16	37	3 235
370	470	14	10	3	739
559	705	20	31	10	1 168
1 255	1 351	40	104	5	1 934
978	973	44	4	12	2 712
764	770	27	2	11	1 673
1 139	991	20	61	21	2 210
2 673	2 767	143	91	79	9 277
2 486	2 577	76	235	71	6 766
7 974	8 047	282	530	329	24 828
5 556	5 603	253	428	109	12 597
1 072	1 228	46	164	7	2 475
437	470	8	90	1	996
412	426	19	21	15	2 086
425	432	10	13	2	1 848
434	410	20	5	3	1 015
1 760	1 667	101	71	9	2 779
1 217	1 360	53	22	4	2 795
1 591	1 539	137	40	23	3 485
3 611	3 771	86	139	70	11 185
792	887	22	11	9	2 813
741	750	46	4	12	2 153
1 704	1 574	95	107	31	5 454
7 084	7 225	214	257	215	24 763
4 265	4 049	160	178	166	9 685
794	863	25	14	36	2 560
878	789	19	8	12	1 796
302	351	10	41	11	703
403	385	16	22	2	1 102
863	883	23	43	33	2 639
1 528	1 652	59	125	39	5 482
628	554	19	45	18	1 873
276	316	16	4	10	1 445
322	361	1	1	1	862
609	755	9	12	11	2 419
208	198	7	12	12	1 204
1 664	1 521	32	166	56	10 075
117	111	4	1	23	1 577
435	388	29	108	4	1 753
950	739	21	1	15	2 454
491	532	6	31	17	1 918
361	534	14	25	3	2 154
569	607	10	64	13	2 195
360	391	10	5	7	2 089

第8表　利用者数，都道府県－指定都市・中核市（再掲）、

都道府県 指定都市 中核市	訪問看護 総数	介護保険法の 総数	要介護1	要介護2	要介護3
指定都市(再掲)					
札幌市	12 686	8 922	2 673	2 218	1 154
仙台市	4 260	2 643	621	554	385
さいたま市	4 902	3 296	766	770	558
千葉市	4 340	3 022	752	712	489
横浜市	22 517	16 732	2 718	5 328	3 103
川崎市	7 051	5 314	1 171	1 350	927
相模原市	2 872	1 977	325	600	394
新潟市	3 411	2 425	505	691	446
静岡市	2 988	2 262	494	565	349
浜松市	2 871	2 103	791	460	282
名古屋市	14 426	9 527	1 452	2 732	1 831
京都市	10 622	7 378	1 370	2 282	1 417
大阪市	21 713	14 576	2 352	3 881	2 733
堺市	7 868	5 041	1 005	1 398	920
神戸市	11 165	7 810	1 518	2 091	1 395
岡山市	3 533	2 162	477	577	346
広島市	9 425	6 247	1 493	1 725	1 127
北九州市	4 359	2 633	760	640	450
福岡市	6 915	3 939	1 129	1 031	766
熊本市	3 472	2 371	800	552	360
中核市(再掲)					
旭川市	1 761	954	326	192	121
函館市	960	769	177	139	94
青森市	1 499	1 091	131	177	150
八戸市	1 435	1 175	113	189	205
盛岡市	1 922	1 354	277	335	225
秋田市	1 164	798	237	186	136
郡山市	1 844	1 191	295	245	186
いわき市	789	640	57	128	124
宇都宮市	1 715	1 182	226	283	237
前橋市	1 843	1 338	299	277	212
高崎市	1 190	827	194	158	143
川越市	1 519	1 124	241	279	202
越谷市	972	487	106	102	79
船橋市	2 736	2 024	403	471	361
柏市	1 703	1 141	303	284	178
八王子市	2 358	1 333	344	362	225
横須賀市	1 735	1 333	256	302	271
富山市	1 345	882	140	240	169
金沢市	2 486	1 470	335	414	266
長野市	1 502	1 139	278	175	164
岐阜市	2 380	1 533	218	397	263
豊橋市	1 174	581	117	132	91
豊田市	1 141	737	112	161	123
岡崎市	1 059	714	156	138	132
大津市	1 575	944	156	293	183
高槻市	2 196	1 103	284	257	170
東大阪市	3 626	2 060	360	568	387
豊中市	3 539	2 228	468	608	416
枚方市	2 474	1 372	166	426	274
姫路市	4 138	3 238	912	680	580
西宮市	3 586	2 576	739	552	466
尼崎市	3 577	2 567	506	692	428
奈良市	2 495	1 725	346	499	334
和歌山市	2 376	1 559	337	350	269
倉敷市	2 525	1 769	392	522	319
福山市	1 535	942	200	212	148
呉市	956	625	176	117	121
下関市	855	570	171	123	83
高松市	1 463	983	149	274	167
松山市	2 937	1 899	547	427	327
高知市	1 338	612	174	164	92
久留米市	1 504	689	199	191	95
長崎市	2 467	1 756	513	474	301
佐世保市	687	424	125	113	71
大分市	2 395	1 367	373	296	181
宮崎市	2 486	1 035	223	184	180
鹿児島市	2 318	1 497	391	285	227
那覇市	876	436	72	60	67

注：調査方法の変更等による回収率変動の影響を受けているため、数量を示す利用者数の実数は前年以前と単純に年次比較できない。

居宅サービスの種類、要介護度別（12－4）

平成29年９月中

ス　テ　ー　シ　ョ　ン					
利　用　者　数					健康保険法等の利用者
要介護４	要介護５	要介護認定申請中	定期巡回・随時対応型訪問介護看護との連携	その他	
956	846	47	1 012	16	3 764
495	538	20	15	15	1 617
528	572	68	9	25	1 606
504	507	14	30	14	1 318
2 672	2 557	142	159	53	5 785
808	794	32	215	17	1 737
319	326	5	-	8	895
370	381	20	8	4	986
376	410	28	28	12	726
280	238	48	3	1	768
1 592	1 823	31	20	46	4 899
1 085	1 041	65	101	17	3 244
2 627	2 724	73	101	85	7 137
869	806	14	4	25	2 827
1 367	1 279	51	56	53	3 355
325	380	14	32	11	1 371
854	948	32	46	22	3 178
377	346	6	30	24	1 726
483	495	8	22	5	2 976
361	278	8	-	12	1 101
131	173	5	-	6	807
100	131	6	120	2	191
219	324	3	87	-	408
312	344	5	7	-	260
249	242	10	16	-	568
115	120	3	1	-	366
232	192	6	35	-	653
129	199	3	-	-	149
228	196	4	2	6	533
272	265	3	4	6	505
154	135	2	40	1	363
202	179	5	16	-	395
94	98	2	2	4	485
297	334	12	129	17	712
178	175	4	17	2	562
212	172	3	14	1	1 025
235	262	5	1	1	402
133	154	2	44	-	463
217	211	14	-	13	1 016
287	217	10	8	-	363
260	365	16	12	2	847
102	80	5	53	1	593
165	172	3	-	1	404
130	109	3	45	1	345
153	155	3	-	1	631
176	208	7	-	1	1 093
359	364	4	8	10	1 566
347	343	15	10	21	1 311
244	246	5	5	6	1 102
531	485	4	39	7	900
374	385	6	10	44	1 010
429	479	21	4	8	1 010
255	259	13	6	13	770
298	281	8	8	8	817
276	239	5	6	10	756
148	169	9	46	10	593
95	111	5	-	-	331
100	77	4	12	-	285
191	201	1	-	-	480
260	327	4	-	7	1 038
76	85	6	12	3	726
73	79	2	46	4	815
221	194	17	33	3	711
54	45	3	12	1	263
219	292	4	-	2	1 028
157	278	9	1	3	1 451
242	295	4	47	6	821
105	129	-	-	3	440

都道府県 指定都市 中核市	通所介護						
	総数	要介護１	要介護２	要介護３	要介護４	要介護５	その他
全国	1 081 266	390 729	331 151	187 113	109 735	58 867	3 671
北海道	37 307	18 435	11 105	4 409	2 220	1 076	62
青森	16 278	6 036	5 195	2 536	1 474	900	137
岩手	17 059	5 635	5 315	3 128	1 840	1 093	48
宮城	19 714	6 934	6 114	3 288	2 219	1 078	81
秋田	11 157	4 225	3 594	1 821	939	472	106
山形	15 669	5 431	5 124	2 605	1 587	875	47
福島	20 722	6 883	6 706	3 719	2 226	1 101	87
茨城	22 119	7 744	7 113	4 151	2 098	928	85
栃木	16 409	5 088	4 879	3 153	2 221	1 023	45
群馬	23 107	7 651	6 232	4 236	3 076	1 808	104
埼玉	49 024	17 959	14 757	8 547	4 974	2 547	240
千葉	40 769	14 334	12 557	7 532	4 180	2 066	100
東京	86 842	30 234	26 723	15 391	9 409	4 806	279
神奈川	57 129	18 618	19 060	10 339	5 839	3 112	161
新潟	31 148	9 619	10 002	6 030	3 400	1 955	142
富山	13 195	5 015	4 106	2 350	1 119	591	14
石川	10 531	4 351	3 407	1 497	821	435	20
福井	9 354	3 297	3 120	1 620	834	467	16
山梨	7 646	1 924	2 526	1 760	950	465	21
長野	21 967	7 823	6 097	3 720	2 694	1 521	112
岐阜	20 434	6 533	6 537	3 861	2 256	1 166	81
静岡	33 853	14 332	9 730	5 379	2 964	1 332	116
愛知	50 959	18 644	16 388	8 347	4 854	2 573	153
三重	20 064	7 275	5 817	3 463	2 194	1 236	79
滋賀	13 062	4 500	3 998	2 390	1 383	750	41
京都	26 260	7 897	9 238	5 173	2 487	1 392	73
大阪	73 700	23 153	23 751	13 537	7 940	5 122	197
兵庫	47 132	17 800	13 741	8 119	4 632	2 711	129
奈良	11 639	3 361	4 025	2 326	1 248	660	19
和歌山	9 855	3 037	2 894	1 827	1 247	828	22
鳥取	5 659	1 753	1 886	1 034	577	385	24
島根	7 647	2 978	2 364	1 276	661	349	19
岡山	17 675	6 836	5 555	2 912	1 449	857	66
広島	26 414	10 823	7 781	4 366	2 149	1 219	76
山口	15 105	6 604	4 282	2 158	1 342	660	59
徳島	7 984	2 708	2 601	1 425	758	402	90
香川	10 239	4 247	3 235	1 566	759	426	6
愛媛	14 839	5 596	4 129	2 567	1 489	982	76
高知	6 808	2 773	2 022	1 125	611	271	6
福岡	41 369	17 047	11 981	6 344	3 908	1 991	98
佐賀	8 423	3 495	2 170	1 463	863	382	50
長崎	12 747	5 808	3 585	1 867	1 002	439	46
熊本	18 648	7 504	5 483	3 153	1 734	745	29
大分	14 089	5 256	3 653	2 231	1 804	1 023	122
宮崎	11 942	4 335	3 142	2 156	1 447	820	42
鹿児島	12 176	4 992	3 437	1 949	1 178	598	22
沖縄	15 398	4 206	3 994	3 267	2 679	1 229	23

注：調査方法の変更等による回収率変動の影響を受けているため、数量を示す利用者数の実数は前年以前と単純に年次比較できない。

居宅サービスの種類、要介護度別（12－5）

平成29年９月中

都道府県 指定都市 中核市	通所介護						
	総数	要介護１	要介護２	要介護３	要介護４	要介護５	その他
指定都市（再掲）							
札幌市	12 437	6 616	3 529	1 313	662	292	25
仙台市	4 956	2 232	1 400	613	453	240	18
さいたま市	8 119	2 929	2 375	1 508	767	434	106
千葉市	5 223	1 988	1 444	935	571	283	2
横浜市	22 458	6 227	8 480	4 143	2 276	1 268	64
川崎市	8 158	2 928	2 437	1 441	878	442	32
相模原市	4 145	1 009	1 414	929	486	295	12
新潟市	8 994	2 732	3 228	1 742	802	471	19
静岡市	7 325	3 050	2 176	1 157	660	259	23
浜松市	7 347	3 827	1 886	897	516	196	25
名古屋市	13 704	4 264	5 008	2 540	1 182	675	35
京都市	15 222	4 237	5 561	3 030	1 472	867	55
大阪市	21 255	5 884	7 082	4 084	2 399	1 733	73
堺市	8 131	2 776	2 571	1 358	894	511	21
神戸市	11 862	4 321	3 715	2 015	1 129	660	22
岡山市	6 260	2 241	2 041	1 030	535	403	10
広島市	10 096	4 016	3 057	1 734	792	463	34
北九州市	11 199	4 707	3 316	1 734	942	475	25
福岡市	8 739	3 452	2 525	1 395	855	497	15
熊本市	6 362	2 822	1 681	982	593	275	9
中核市（再掲）							
旭川市	2 564	1 318	729	265	162	88	2
函館市	2 671	1 140	785	376	230	127	13
青森市	2 123	828	639	326	212	109	9
八戸市	3 268	932	1 217	598	334	181	6
盛岡市	3 830	1 167	1 249	747	364	297	6
秋田市	2 412	1 045	713	381	151	62	60
郡山市	3 112	1 278	1 001	388	301	135	9
いわき市	3 835	1 118	1 384	760	357	205	11
宇都宮市	3 623	988	1 180	654	549	242	10
前橋市	3 881	1 395	943	602	574	364	3
高崎市	4 007	1 387	1 045	738	499	301	37
川越市	2 847	902	834	569	370	167	5
越谷市	1 960	761	581	313	198	100	7
船橋市	3 621	1 220	1 151	684	362	192	12
柏市	2 017	757	603	353	194	108	2
八王子市	4 214	1 888	1 221	528	375	193	9
横須賀市	3 980	1 680	1 134	638	345	173	10
富山市	4 934	1 562	1 733	948	435	245	11
金沢市	3 829	1 586	1 275	531	289	143	5
長野市	4 179	1 889	979	573	505	212	21
岐阜市	3 646	1 121	1 181	675	407	234	28
豊橋市	2 196	896	651	341	208	98	2
豊田市	2 493	1 041	693	345	278	127	9
岡崎市	3 046	1 313	824	438	299	168	4
大津市	2 439	723	881	493	218	123	1
高槻市	2 325	1 017	665	314	185	135	9
東大阪市	4 054	1 355	1 300	720	421	250	8
豊中市	3 601	1 311	1 105	645	340	195	5
枚方市	3 080	774	1 116	615	324	239	12
姫路市	6 136	2 439	1 503	1 149	648	390	7
西宮市	1 994	831	489	395	150	118	11
尼崎市	5 322	1 714	1 670	921	603	388	26
奈良市	3 504	948	1 169	764	415	206	2
和歌山市	3 685	1 181	1 035	681	489	293	6
倉敷市	4 148	1 592	1 338	704	341	165	8
福山市	4 111	1 789	1 047	606	416	225	28
呉市	1 713	807	418	256	145	84	3
下関市	2 749	1 183	745	398	301	114	8
高松市	4 183	1 610	1 351	660	346	214	2
松山市	4 544	1 862	1 247	697	411	307	20
高知市	2 500	1 075	691	371	230	128	5
久留米市	2 337	917	749	375	166	126	4
長崎市	4 079	1 890	1 217	575	261	133	3
佐世保市	1 475	784	390	189	80	27	5
大分市	6 108	2 120	1 616	1 014	807	545	6
宮崎市	3 129	1 402	753	464	271	208	31
鹿児島市	4 043	1 665	1 060	717	386	213	2
那覇市	2 988	738	648	691	627	276	8

第８表　利用者数，都道府県－指定都市・中核市（再掲）、

都道府県 指定都市 中核市	通所リハビリテーション（介護老人保健施設）						
	総数	要介護１	要介護２	要介護３	要介護４	要介護５	その他
全国	233 737	72 529	75 984	44 682	27 436	12 611	495
北海道	12 701	5 175	4 177	1 867	978	493	11
青森	4 694	1 513	1 584	793	502	248	54
岩手	3 546	1 029	1 264	666	394	183	10
宮城	5 221	1 613	1 677	1 001	684	226	20
秋田	2 208	749	714	419	241	82	3
山形	2 966	1 029	1 053	504	257	115	8
福島	4 503	1 293	1 530	932	533	196	19
茨城	7 298	2 244	2 497	1 416	823	315	3
栃木	3 407	1 079	1 088	635	422	181	2
群馬	4 286	1 473	1 398	730	480	202	3
埼玉	13 175	4 300	4 160	2 504	1 464	693	54
千葉	10 650	3 060	3 517	2 227	1 307	514	25
東京	15 565	4 002	4 890	3 242	2 345	1 063	23
神奈川	12 169	2 592	4 312	2 701	1 776	761	27
新潟	4 574	1 235	1 666	934	515	214	10
富山	3 020	969	995	592	326	135	3
石川	1 778	591	620	305	175	86	1
福井	1 574	455	508	295	200	116	-
山梨	1 228	289	420	294	152	70	3
長野	4 964	1 644	1 469	968	605	255	23
岐阜	3 463	881	1 143	766	432	235	6
静岡	6 505	2 395	1 899	1 175	702	313	21
愛知	10 725	3 055	3 635	2 093	1 321	610	11
三重	3 763	1 165	1 256	705	428	203	6
滋賀	1 690	486	543	357	206	94	4
京都	4 860	1 165	1 738	1 069	611	265	12
大阪	13 207	2 843	4 361	2 821	1 984	1 172	26
兵庫	9 466	2 695	2 788	1 941	1 328	702	12
奈良	3 430	794	1 247	723	439	221	6
和歌山	2 124	600	668	428	287	137	4
鳥取	1 832	466	654	363	227	120	2
島根	1 753	618	606	312	148	67	2
岡山	4 426	1 472	1 446	787	442	273	6
広島	6 136	2 074	1 900	1 153	671	330	8
山口	3 368	1 435	964	532	317	114	6
徳島	1 502	525	505	285	134	50	3
香川	2 209	826	729	345	214	93	2
愛媛	3 627	1 218	1 076	668	421	243	1
高知	1 626	490	496	324	217	96	3
福岡	7 767	2 931	2 450	1 317	765	295	9
佐賀	1 607	763	498	219	90	34	3
長崎	2 965	1 181	885	510	261	103	25
熊本	5 802	2 354	1 848	925	473	197	5
大分	2 696	1 078	827	405	271	111	4
宮崎	1 820	631	555	370	176	87	1
鹿児島	3 956	1 534	1 134	676	429	180	3
沖縄	1 885	520	594	388	263	118	2

注：調査方法の変更等による回収率変動の影響を受けているため、数量を示す利用者数の実数は前年以前と単純に年次比較できない。

平成29年9月中

都道府県 指定都市 中核市	通所リハビリテーション（介護老人保健施設）						
	総数	要介護1	要介護2	要介護3	要介護4	要介護5	その他
指定都市(再掲)							
札幌市	4 391	1 885	1 399	601	349	151	6
仙台市	2 071	729	643	322	267	98	12
さいたま市	1 996	614	581	446	228	119	8
千葉市	1 515	484	485	283	185	78	-
横浜市	5 617	899	2 208	1 280	836	372	22
川崎市	1 309	311	448	280	191	79	-
相模原市	717	106	274	178	108	50	1
新潟市	1 266	325	504	269	127	37	4
静岡市	1 211	422	339	202	150	95	3
浜松市	1 300	644	304	174	118	49	11
名古屋市	3 346	709	1 289	737	413	197	1
京都市	2 927	634	1 023	668	405	188	9
大阪市	4 270	769	1 399	922	735	431	14
堺市	1 080	276	332	210	157	104	1
神戸市	2 779	587	854	631	440	263	4
岡山市	1 255	399	439	208	109	98	2
広島市	1 213	406	370	230	130	73	4
北九州市	1 624	568	511	296	177	68	4
福岡市	1 262	361	467	245	141	48	-
熊本市	2 242	975	650	345	193	77	2
中核市(再掲)							
旭川市	645	313	172	97	32	31	-
函館市	491	173	137	95	53	32	1
青森市	1 256	438	406	189	146	76	1
八戸市	594	121	225	138	74	34	2
盛岡市	403	138	135	76	34	17	3
秋田市	537	209	171	93	53	9	2
郡山市	365	125	110	69	43	16	2
いわき市	548	148	190	110	71	21	8
宇都宮市	410	91	152	82	66	19	-
前橋市	725	244	221	112	111	37	-
高崎市	848	363	263	122	71	29	-
川越市	682	211	207	150	77	34	3
越谷市	563	164	186	112	64	37	-
船橋市	1 057	292	338	224	134	67	2
柏市	646	197	203	151	73	22	-
八王子市	691	208	211	119	103	49	1
横須賀市	467	168	153	75	57	14	-
富山市	1 083	308	401	228	104	41	1
金沢市	465	134	162	101	48	20	-
長野市	571	217	142	100	77	32	3
岐阜市	752	178	279	155	90	47	3
豊橋市	467	142	163	78	59	25	-
豊田市	468	165	128	78	60	37	-
岡崎市	561	227	157	97	62	17	1
大津市	270	48	101	66	35	18	2
高槻市	613	181	203	96	70	61	2
東大阪市	575	121	186	132	85	49	2
豊中市	562	113	174	160	83	32	-
枚方市	794	90	310	191	113	90	-
姫路市	607	217	144	115	89	41	1
西宮市	373	141	88	81	42	21	-
尼崎市	738	128	231	176	127	76	-
奈良市	697	165	232	153	95	51	1
和歌山市	685	201	193	131	105	54	1
倉敷市	1 228	390	393	238	136	70	1
福山市	807	264	214	145	131	53	-
呉市	723	314	190	129	62	27	1
下関市	524	245	146	88	33	12	-
高松市	895	305	306	148	102	32	2
松山市	611	198	151	116	83	63	-
高知市	417	110	117	81	73	36	-
久留米市	483	161	189	74	36	23	-
長崎市	921	357	298	146	77	22	21
佐世保市	540	239	162	85	34	20	-
大分市	975	356	304	156	112	47	-
宮崎市	388	155	107	75	31	19	1
鹿児島市	872	339	214	172	94	52	1
那覇市	340	95	97	84	42	21	1

第8表　利用者数，都道府県－指定都市・中核市（再掲）、

都道府県 指定都市 中核市	通所リハビリテーション（医療施設）						
	総数	要介護1	要介護2	要介護3	要介護4	要介護5	その他
全国	167 338	60 199	55 900	28 238	15 508	6 839	654
北海道	3 231	1 344	1 032	463	272	115	5
青森	1 913	575	653	364	209	107	5
岩手	2 569	986	906	372	218	81	6
宮城	1 556	578	515	255	147	56	5
秋田	243	85	84	43	23	7	1
山形	2 314	662	795	337	179	87	254
福島	3 322	1 193	1 091	609	282	130	17
茨城	2 363	813	876	400	187	83	4
栃木	1 879	550	617	375	241	89	7
群馬	1 825	708	596	276	156	89	-
埼玉	6 795	2 511	2 266	1 097	645	254	22
千葉	5 914	2 239	1 979	969	533	179	15
東京	7 491	2 326	2 654	1 373	767	360	11
神奈川	4 571	1 264	1 686	917	473	223	8
新潟	1 723	608	658	285	130	39	3
富山	1 469	519	481	263	145	55	6
石川	1 807	617	636	281	168	104	1
福井	1 475	443	556	276	129	66	5
山梨	1 354	293	559	294	153	52	3
長野	2 538	903	811	428	283	102	11
岐阜	2 042	648	751	364	198	75	6
静岡	3 795	1 615	1 099	580	318	162	21
愛知	9 984	3 328	3 631	1 703	889	414	19
三重	1 920	692	611	337	179	98	3
滋賀	1 390	449	482	273	139	46	1
京都	3 620	977	1 385	761	336	149	12
大阪	12 738	3 342	4 625	2 460	1 479	799	33
兵庫	7 606	2 706	2 476	1 333	727	332	32
奈良	1 440	386	515	283	180	72	4
和歌山	1 646	608	522	281	155	76	4
鳥取	881	239	317	172	96	51	6
島根	685	269	234	117	45	19	1
岡山	4 184	1 538	1 427	682	364	162	11
広島	5 736	2 054	1 831	983	561	296	11
山口	2 161	994	644	299	151	67	6
徳島	2 697	990	900	508	203	83	13
香川	3 058	1 200	1 035	450	250	120	3
愛媛	1 944	742	602	322	177	99	2
高知	1 503	588	496	226	136	55	2
福岡	11 624	4 716	3 765	1 779	984	363	17
佐賀	2 516	1 351	672	330	117	36	10
長崎	5 817	2 599	1 741	891	417	160	9
熊本	5 899	2 486	1 884	857	492	175	5
大分	3 971	1 786	1 195	485	345	148	12
宮崎	2 584	1 083	814	408	187	89	3
鹿児島	6 727	2 802	1 936	1 100	638	238	13
沖縄	2 818	794	859	577	405	177	6

注：調査方法の変更等による回収率変動の影響を受けているため、数量を示す利用者数の実数は前年以前と単純に年次比較できない。

平成29年9月中

都道府県 指定都市 中核市	通所リハビリテーション（医療施設）						
	総数	要介護1	要介護2	要介護3	要介護4	要介護5	その他
指定都市(再掲)							
札幌市	820	354	254	107	68	33	4
仙台市	958	391	304	140	79	41	3
さいたま市	882	358	321	117	58	22	6
千葉市	1 425	590	397	242	143	52	1
横浜市	2 014	444	821	419	220	105	5
川崎市	625	191	190	127	84	31	2
相模原市	442	80	192	115	39	16	－
新潟市	602	194	254	109	39	6	－
静岡市	638	292	209	82	41	12	2
浜松市	1 187	591	305	147	89	52	3
名古屋市	3 078	734	1 291	606	302	144	1
京都市	1 882	450	702	434	196	97	3
大阪市	4 154	956	1 495	867	518	305	13
堺市	1 321	417	458	210	156	80	－
神戸市	1 172	351	408	216	125	67	5
岡山市	1 667	570	618	261	137	72	9
広島市	2 550	800	865	465	261	150	9
北九州市	2 352	890	780	401	219	55	7
福岡市	2 835	1 138	893	438	226	135	5
熊本市	2 329	1 083	647	311	205	82	1
中核市(再掲)							
旭川市	366	154	100	60	28	24	－
函館市	214	74	63	38	30	9	－
青森市	571	204	197	84	57	28	1
八戸市	725	152	264	182	94	33	－
盛岡市	1 246	508	440	152	93	51	2
秋田市	94	41	26	18	8	1	－
郡山市	714	304	204	110	65	27	4
いわき市	738	237	267	170	45	18	1
宇都宮市	224	58	84	50	22	9	1
前橋市	244	100	81	35	19	9	－
高崎市	228	93	54	34	25	22	－
川越市	515	150	149	90	78	48	－
越谷市	319	123	124	47	17	6	2
船橋市	450	151	160	83	38	17	1
柏市	131	60	42	16	10	2	1
八王子市	361	139	122	50	37	13	－
横須賀市	113	58	35	12	4	4	－
富山市	587	205	222	90	51	16	3
金沢市	791	251	291	120	72	57	－
長野市	275	101	73	37	38	23	3
岐阜市	493	139	190	91	57	16	－
豊橋市	360	117	128	64	33	17	1
豊田市	126	47	34	28	9	8	－
岡崎市	549	275	146	80	39	9	－
大津市	508	111	199	122	54	22	－
高槻市	385	148	105	62	45	25	－
東大阪市	961	290	307	196	105	62	1
豊中市	400	130	136	77	42	14	1
枚方市	1 045	164	520	206	96	58	1
姫路市	934	422	234	155	89	32	2
西宮市	574	239	132	115	58	28	2
尼崎市	624	196	231	106	58	32	1
奈良市	406	125	147	77	40	17	－
和歌山市	744	287	220	127	74	33	3
倉敷市	1 192	383	402	226	124	55	2
福山市	996	344	305	175	108	62	2
呉市	458	202	124	70	48	14	－
下関市	629	284	182	109	44	9	1
高松市	1 310	543	442	187	87	48	3
松山市	675	278	212	104	53	28	－
高知市	782	334	237	122	66	21	2
久留米市	972	385	353	153	62	17	2
長崎市	2 319	1 032	699	361	147	76	4
佐世保市	871	388	264	147	59	12	1
大分市	1 395	620	456	156	108	55	－
宮崎市	660	327	183	86	41	21	2
鹿児島市	2 398	1 058	644	409	191	88	8
那覇市	585	165	148	136	100	36	－

都道府県 指定都市 中核市	短期入所生活介護						
	総数	要介護１	要介護２	要介護３	要介護４	要介護５	その他
全国	302 094	49 098	74 529	82 771	58 334	35 002	2 360
北海道	7 794	1 839	2 199	1 880	1 165	657	54
青森	3 404	404	699	933	746	539	83
岩手	5 550	909	1 440	1 464	1 064	640	33
宮城	7 029	1 274	1 877	1 688	1 361	761	68
秋田	9 050	1 042	1 748	2 531	2 202	1 407	120
山形	5 759	1 040	1 646	1 457	941	638	37
福島	6 931	1 104	1 784	1 858	1 376	775	34
茨城	6 818	938	1 625	2 062	1 410	729	54
栃木	6 150	975	1 447	1 610	1 344	725	49
群馬	4 783	840	1 136	1 353	920	479	55
埼玉	12 840	1 951	3 054	3 617	2 517	1 554	147
千葉	12 498	1 737	2 859	3 682	2 590	1 565	65
東京	18 534	2 597	4 269	5 004	3 836	2 693	135
神奈川	14 884	2 060	3 647	4 169	2 970	1 898	140
新潟	15 194	2 199	3 970	4 222	2 950	1 771	82
富山	4 141	768	1 194	1 133	662	366	18
石川	3 612	770	1 003	927	569	326	17
福井	2 705	339	662	809	594	295	6
山梨	3 566	254	691	1 239	886	474	22
長野	7 064	1 255	1 737	1 728	1 442	861	41
岐阜	7 325	1 068	1 781	1 997	1 562	879	38
静岡	10 972	2 359	2 893	2 753	1 870	1 003	94
愛知	14 659	2 673	3 996	3 838	2 571	1 478	103
三重	6 299	1 016	1 501	1 801	1 205	700	76
滋賀	4 274	698	1 108	1 182	781	484	21
京都	7 172	881	1 840	2 199	1 373	850	29
大阪	13 270	1 489	2 878	3 908	2 801	2 089	105
兵庫	13 716	2 213	3 224	3 892	2 673	1 652	62
奈良	2 908	368	724	867	573	362	14
和歌山	2 432	309	540	710	531	320	22
鳥取	1 196	156	264	317	249	190	20
島根	2 580	541	752	659	418	203	7
岡山	5 720	1 030	1 488	1 562	1 013	604	23
広島	9 238	1 648	2 195	2 652	1 661	998	84
山口	3 499	797	924	897	572	286	23
徳島	2 030	206	383	600	502	263	76
香川	3 412	543	838	956	640	427	8
愛媛	4 115	695	912	1 158	810	523	17
高知	1 606	368	431	416	257	123	11
福岡	8 142	1 793	2 160	2 109	1 318	651	111
佐賀	1 585	401	406	386	259	113	20
長崎	4 372	826	1 143	1 177	797	378	51
熊本	3 630	715	1 060	1 003	558	281	13
大分	2 646	569	680	628	484	252	33
宮崎	2 166	520	553	549	333	201	10
鹿児島	3 664	774	926	877	683	378	26
沖縄	1 160	147	242	312	295	161	3

注：1）調査方法の変更等による回収率変動の影響を受けているため、数量を示す利用者数の実数は前年以前と単純に年次比較できない。
　　2）短期入所生活介護は空床利用型の利用者を含まない。

居宅サービスの種類、要介護度別（12－8）

平成29年9月中

都道府県 指定都市 中核市	短期入所生活介護						
	総数	要介護1	要介護2	要介護3	要介護4	要介護5	その他
指定都市（再掲）							
札幌市	1 999	561	543	437	278	163	17
仙台市	2 722	564	697	571	542	292	56
さいたま市	2 155	282	489	625	440	286	33
千葉市	1 711	253	331	506	396	209	16
横浜市	5 691	571	1 414	1 648	1 194	780	84
川崎市	1 770	245	417	483	368	240	17
相模原市	1 013	105	222	313	217	151	5
新潟市	4 646	538	1 233	1 442	922	484	27
静岡市	1 915	328	488	482	387	209	21
浜松市	2 292	629	603	491	356	178	35
名古屋市	3 596	501	989	1 102	602	386	16
京都市	3 379	340	850	1 055	685	426	23
大阪市	3 587	372	735	1 032	749	647	52
堺市	1 356	183	284	377	324	177	11
神戸市	3 236	463	784	926	614	428	21
岡山市	1 663	217	428	461	347	203	7
広島市	3 074	464	745	926	578	343	18
北九州市	1 608	328	449	435	257	122	17
福岡市	2 145	420	560	561	351	194	59
熊本市	827	178	228	202	131	82	6
中核市（再掲）							
旭川市	459	110	143	86	79	41	-
函館市	787	107	183	213	161	116	7
青森市	537	70	103	150	138	73	3
八戸市	471	41	129	129	90	81	1
盛岡市	899	177	261	229	141	86	5
秋田市	2 455	319	450	728	538	373	47
郡山市	1 151	251	313	257	209	116	5
いわき市	1 060	127	243	359	205	123	3
宇都宮市	1 080	158	278	256	250	133	5
前橋市	689	172	177	163	117	57	3
高崎市	889	175	198	228	183	98	7
川越市	738	96	150	239	163	89	1
越谷市	436	81	122	107	74	52	-
船橋市	866	80	180	269	174	157	6
柏市	652	96	163	171	115	106	1
八王子市	554	113	147	112	101	76	5
横須賀市	1 225	202	321	340	212	145	5
富山市	1 313	190	377	418	199	116	13
金沢市	1 345	261	408	373	200	96	7
長野市	1 393	310	310	294	304	165	10
岐阜市	1 210	137	280	329	276	179	9
豊橋市	807	177	234	175	118	99	4
豊田市	791	193	216	156	158	62	6
岡崎市	827	223	206	173	158	67	-
大津市	929	132	253	302	144	94	4
高槻市	479	96	141	105	74	63	-
東大阪市	472	44	100	127	98	95	8
豊中市	677	76	126	234	158	81	2
枚方市	518	43	109	176	91	98	1
姫路市	1 497	292	307	408	310	169	11
西宮市	569	116	117	184	95	54	3
尼崎市	1 264	153	264	351	280	213	3
奈良市	775	83	177	221	168	124	2
和歌山市	597	70	109	180	149	84	5
倉敷市	1 498	262	360	448	268	152	8
福山市	1 672	390	331	406	316	191	38
呉市	774	220	210	171	96	76	1
下関市	663	122	137	181	149	69	5
高松市	1 523	158	347	499	309	210	-
松山市	1 476	288	311	401	270	199	7
高知市	601	149	149	158	90	47	8
久留米市	534	109	156	150	78	34	7
長崎市	1 741	266	468	502	345	146	14
佐世保市	515	160	131	121	58	40	5
大分市	865	160	254	195	152	93	11
宮崎市	527	219	131	86	40	46	5
鹿児島市	953	197	241	224	171	113	7
那覇市	200	36	36	55	45	27	1

第8表　利用者数，都道府県－指定都市・中核市（再掲）、

都道府県 指定都市 中核市	短期入所療養介護（介護老人保健施設）						
	総数	要介護1	要介護2	要介護3	要介護4	要介護5	その他
全国	45 697	6 623	10 774	11 344	9 541	7 187	228
北海道	2 005	458	565	422	312	244	4
青森	404	43	93	102	88	71	7
岩手	738	111	172	188	161	103	3
宮城	1 069	185	259	266	219	136	4
秋田	267	45	73	60	49	40	–
山形	482	79	135	95	91	82	–
福島	1 827	235	433	482	379	281	17
茨城	1 034	126	250	260	250	144	4
栃木	340	47	77	72	80	59	5
群馬	807	116	192	221	159	115	4
埼玉	1 985	237	379	514	471	377	7
千葉	1 861	227	408	473	396	348	9
東京	2 902	356	630	684	664	559	9
神奈川	2 422	243	525	652	544	444	14
新潟	840	87	238	211	184	116	4
富山	624	102	165	174	118	64	1
石川	282	36	78	52	62	53	1
福井	387	51	84	100	76	75	1
山梨	138	8	26	48	32	24	–
長野	1 791	226	423	455	380	290	17
岐阜	984	121	235	240	214	171	3
静岡	1 298	257	312	275	247	200	7
愛知	2 165	344	561	518	416	315	11
三重	643	91	149	164	127	106	6
滋賀	637	82	157	177	133	81	7
京都	1 333	120	322	359	296	233	3
大阪	2 847	318	566	750	638	552	23
兵庫	2 295	309	482	557	507	425	15
奈良	808	93	216	185	182	130	2
和歌山	473	53	112	124	92	88	4
鳥取	306	49	79	67	64	45	2
島根	463	80	132	126	71	50	4
岡山	697	119	185	169	134	89	1
広島	1 432	215	344	372	294	199	8
山口	454	102	122	99	92	38	1
徳島	178	28	48	42	43	17	–
香川	294	51	61	79	61	42	–
愛媛	743	103	147	170	179	142	2
高知	451	57	111	128	98	56	1
福岡	1 205	274	296	289	209	132	5
佐賀	321	90	86	60	54	31	–
長崎	383	68	95	113	72	32	3
熊本	1 186	239	319	290	209	124	5
大分	325	74	92	61	63	33	2
宮崎	354	68	81	91	52	62	–
鹿児島	836	163	185	214	171	102	1
沖縄	381	37	74	94	108	67	1

注：調査方法の変更等による回収率変動の影響を受けているため、数量を示す利用者数の実数は前年以前と単純に年次比較できない。

平成29年９月中

都道府県 指定都市 中核市	短期入所療養介護（介護老人保健施設）						
	総数	要介護１	要介護２	要介護３	要介護４	要介護５	その他
指定都市(再掲)							
札幌市	678	177	179	138	105	78	1
仙台市	392	90	106	76	74	44	2
さいたま市	341	53	59	83	81	60	5
千葉市	254	32	46	48	66	62	－
横浜市	1 515	137	333	394	356	281	14
川崎市	284	28	60	87	52	57	－
相模原市	75	3	16	23	18	15	－
新潟市	113	18	41	28	16	10	－
静岡市	332	61	78	62	71	56	4
浜松市	210	43	36	53	42	35	1
名古屋市	584	70	170	154	102	85	3
京都市	865	73	213	230	187	159	3
大阪市	864	82	169	222	199	183	9
堺市	347	57	58	87	78	66	1
神戸市	631	50	146	142	152	132	9
岡山市	128	20	34	30	22	21	1
広島市	294	46	69	69	65	44	1
北九州市	216	36	58	57	32	33	－
福岡市	155	31	37	32	32	22	1
熊本市	481	94	123	117	92	51	4
中核市(再掲)							
旭川市	53	14	14	8	7	10	－
函館市	20	4	2	7	3	4	－
青森市	107	14	18	28	30	17	－
八戸市	37	2	8	10	9	8	－
盛岡市	76	12	25	20	11	7	1
秋田市	85	11	32	17	12	13	－
郡山市	105	20	29	30	15	10	1
いわき市	165	18	46	51	27	23	－
宇都宮市	24	2	10	4	5	2	1
前橋市	138	18	41	27	34	17	1
高崎市	148	32	45	29	23	19	－
川越市	89	6	11	31	25	16	－
越谷市	41	2	9	10	11	9	－
船橋市	268	19	55	72	63	59	－
柏市	71	6	17	24	10	14	－
八王子市	123	24	30	24	27	17	1
横須賀市	46	8	12	7	11	8	－
富山市	148	15	40	47	31	14	1
金沢市	41	6	11	7	8	8	1
長野市	83	8	21	27	15	12	－
岐阜市	111	9	30	24	26	21	1
豊橋市	87	15	26	17	22	7	－
豊田市	154	30	38	28	30	28	－
岡崎市	72	15	23	13	13	8	－
大津市	103	7	25	37	20	14	－
高槻市	202	34	50	53	33	31	1
東大阪市	89	6	15	17	26	24	1
豊中市	111	15	19	35	24	18	－
枚方市	120	7	28	32	24	28	1
姫路市	98	12	16	28	20	22	－
西宮市	86	10	16	26	19	15	－
尼崎市	159	26	21	41	30	40	1
奈良市	187	21	38	49	43	36	－
和歌山市	127	10	30	28	25	32	2
倉敷市	122	16	30	31	26	19	－
福山市	204	30	43	40	54	37	－
呉市	60	18	8	14	9	4	7
下関市	98	32	25	22	16	3	－
高松市	100	14	23	33	19	11	－
松山市	150	19	21	37	43	30	－
高知市	177	20	36	46	47	27	1
久留米市	103	19	25	33	17	9	－
長崎市	84	12	20	32	11	8	1
佐世保市	36	8	5	11	10	2	－
大分市	86	14	22	19	20	10	1
宮崎市	88	28	15	15	16	14	－
鹿児島市	167	27	24	53	38	25	－
那覇市	39	5	11	9	10	4	－

第8表　利用者数，都道府県－指定都市・中核市（再掲）、

都道府県 指定都市 中核市	短期入所療養介護（医療施設）						
	総数	要介護1	要介護2	要介護3	要介護4	要介護5	その他
全国	1 851	207	336	344	377	567	20
北海道	64	6	16	11	9	18	4
青森	9	1	3	2	1	2	－
岩手	28	1	4	10	6	6	1
宮城	60	7	11	5	12	25	－
秋田	－	－	－	－	－	－	－
山形	31	3	6	2	6	12	2
福島	38	2	3	9	8	16	－
茨城	67	6	9	21	12	19	－
栃木	6	－	1	2	1	2	－
群馬	－	－	－	－	－	－	－
埼玉	21	1	2	2	6	10	－
千葉	30	7	4	4	6	9	－
東京	72	2	2	8	7	53	－
神奈川	8	－	－	1	2	5	－
新潟	6	－	2	－	3	1	－
富山	54	1	7	11	11	23	1
石川	36	10	3	6	6	11	－
福井	27	－	4	6	8	9	－
山梨	41	－	7	6	12	15	1
長野	147	6	9	29	44	58	1
岐阜	31	3	6	3	5	14	－
静岡	35	4	6	6	6	13	－
愛知	108	10	19	26	17	36	－
三重	14	1	1	2	3	7	－
滋賀	－	－	－	－	－	－	－
京都	30	2	7	4	7	9	1
大阪	80	16	17	14	15	18	－
兵庫	42	6	7	9	10	10	－
奈良	7	1	－	2	3	1	－
和歌山	11	1	3	3	－	4	－
鳥取	－	－	－	－	－	－	－
島根	24	5	1	1	6	11	－
岡山	57	2	15	9	11	20	－
広島	262	34	55	49	49	73	2
山口	13	2	2	4	2	3	－
徳島	30	7	4	7	5	4	3
香川	27	7	5	2	9	4	－
愛媛	15	3	1	3	3	4	1
高知	1	－	－	－	－	1	－
福岡	55	9	18	11	12	5	－
佐賀	25	6	8	7	2	2	－
長崎	44	10	14	7	6	6	1
熊本	108	15	35	22	22	13	1
大分	46	3	14	6	14	9	－
宮崎	4	－	2	1	1	－	－
鹿児島	33	6	3	9	8	6	1
沖縄	4	1	－	2	1	－	－

注：調査方法の変更等による回収率変動の影響を受けているため、数量を示す利用者数の実数は前年以前と単純に年次比較できない。

平成29年９月中

都道府県 指定都市 中核市	短期入所療養介護（医療施設）						
	総数	要介護１	要介護２	要介護３	要介護４	要介護５	その他
指定都市(再掲)							
札幌市	11	3	4	2	-	2	-
仙台市	13	3	4	2	4	-	-
さいたま市	2	-	-	-	1	1	-
千葉市	-	-	-	-	-	-	-
横浜市	-	-	-	-	-	-	-
川崎市	4	-	-	1	-	3	-
相模原市	-	-	-	-	-	-	-
新潟市	-	-	-	-	-	-	-
静岡市	-	-	-	-	-	-	-
浜松市	21	-	4	2	6	9	-
名古屋市	15	-	1	1	2	11	-
京都市	21	2	4	1	5	8	1
大阪市	1	-	-	-	-	1	-
堺市	5	-	1	1	1	2	-
神戸市	18	-	3	3	3	9	-
岡山市	29	1	10	7	5	6	-
広島市	110	10	22	20	22	34	2
北九州市	3	1	1	1	-	-	-
福岡市	22	5	7	5	3	2	-
熊本市	48	8	17	11	7	5	-
中核市(再掲)							
旭川市	2	-	1	-	-	1	-
函館市	-	-	-	-	-	-	-
青森市	2	-	1	1	-	-	-
八戸市	2	1	1	-	-	-	-
盛岡市	12	-	3	4	-	5	-
秋田市	-	-	-	-	-	-	-
郡山市	24	1	1	8	3	11	-
いわき市	3	-	1	-	-	2	-
宇都宮市	1	-	-	-	-	1	-
前橋市	-	-	-	-	-	-	-
高崎市	-	-	-	-	-	-	-
川越市	-	-	-	-	-	-	-
越谷市	-	-	-	-	-	-	-
船橋市	-	-	-	-	-	-	-
柏市	-	-	-	-	-	-	-
八王子市	10	1	-	1	-	8	-
横須賀市	-	-	-	-	-	-	-
富山市	7	-	1	2	-	4	-
金沢市	-	-	-	-	-	-	-
長野市	-	-	-	-	-	-	-
岐阜市	-	-	-	-	-	-	-
豊橋市	1	-	1	-	-	-	-
豊田市	4	1	2	1	-	-	-
岡崎市	22	2	5	9	1	5	-
大津市	-	-	-	-	-	-	-
高槻市	28	4	7	5	7	5	-
東大阪市	-	-	-	-	-	-	-
豊中市	-	-	-	-	-	-	-
枚方市	-	-	-	-	-	-	-
姫路市	-	-	-	-	-	-	-
西宮市	-	-	-	-	-	-	-
尼崎市	-	-	-	-	-	-	-
奈良市	-	-	-	-	-	-	-
和歌山市	1	-	1	-	-	-	-
倉敷市	9	-	2	-	2	5	-
福山市	33	6	5	3	4	15	-
呉市	-	-	-	-	-	-	-
下関市	-	-	-	-	-	-	-
高松市	3	-	1	-	1	1	-
松山市	-	-	-	-	-	-	-
高知市	1	-	-	-	-	1	-
久留米市	-	-	-	-	-	-	-
長崎市	6	-	3	1	2	-	-
佐世保市	10	4	3	1	-	1	1
大分市	22	3	6	4	5	4	-
宮崎市	-	-	-	-	-	-	-
鹿児島市	4	-	-	1	1	2	-
那覇市	-	-	-	-	-	-	-

第8表　利用者数，都道府県－指定都市・中核市（再掲）、

都道府県 指定都市 中核市	特定施設入居者生活介護						
	総数	要介護1	要介護2	要介護3	要介護4	要介護5	要介護認定申請中
全国	171 944	45 316	38 046	32 407	32 714	22 709	752
北海道	8 453	3 124	2 012	1 288	1 226	768	35
青森	464	69	98	89	109	92	7
岩手	785	177	213	165	149	79	2
宮城	1 293	388	280	206	286	130	3
秋田	1 617	527	400	304	229	146	11
山形	1 030	313	260	187	174	91	5
福島	2 049	502	442	381	436	271	17
茨城	2 099	545	487	411	369	281	6
栃木	1 558	434	388	297	274	161	4
群馬	2 109	505	434	397	452	305	16
埼玉	16 440	4 314	3 717	3 017	3 115	2 179	98
千葉	8 516	2 077	1 739	1 598	1 758	1 297	47
東京	26 727	6 188	5 516	5 202	5 490	4 239	92
神奈川	19 715	4 942	4 207	3 710	3 926	2 826	104
新潟	2 337	629	552	479	411	260	6
富山	120	39	41	21	14	5	-
石川	1 024	330	261	198	153	77	5
福井	650	150	172	147	117	63	1
山梨	253	53	68	50	48	34	-
長野	2 674	589	537	550	577	409	12
岐阜	925	212	214	177	167	153	2
静岡	3 974	1 258	867	699	690	422	38
愛知	7 114	1 714	1 612	1 307	1 416	1 031	34
三重	1 645	456	418	307	283	173	8
滋賀	607	151	110	121	138	83	4
京都	2 150	454	574	496	368	250	8
大阪	12 366	2 960	2 738	2 326	2 504	1 802	36
兵庫	7 933	2 299	1 754	1 491	1 370	990	29
奈良	1 848	452	441	358	363	230	4
和歌山	705	204	179	115	119	80	8
鳥取	609	122	163	132	128	64	-
島根	1 232	322	289	231	222	163	5
岡山	3 389	966	760	615	622	406	20
広島	4 098	1 202	947	792	666	469	22
山口	1 827	580	453	353	289	146	6
徳島	111	31	23	18	20	19	-
香川	1 161	271	281	203	230	174	2
愛媛	2 483	670	470	475	495	360	13
高知	975	284	250	193	149	95	4
福岡	7 471	2 250	1 621	1 413	1 352	820	15
佐賀	813	274	175	165	127	71	1
長崎	1 936	580	507	385	310	144	10
熊本	1 407	428	307	255	266	149	2
大分	1 099	344	228	200	207	116	4
宮崎	1 693	482	374	318	304	210	5
鹿児島	1 308	313	252	282	277	183	1
沖縄	1 152	142	215	283	319	193	-

注：調査方法の変更等による回収率変動の影響を受けているため、数量を示す利用者数の実数は前年以前と単純に年次比較できない。

居宅サービスの種類、要介護度別（12－11）

平成29年９月末

都道府県 指定都市 中核市	特定施設入居者生活介護						
	総数	要介護１	要介護２	要介護３	要介護４	要介護５	要介護認定申請中
指定都市(再掲)							
札幌市	2 866	1 027	620	402	485	312	20
仙台市	949	292	196	147	216	95	3
さいたま市	4 902	1 289	1 115	888	911	664	35
千葉市	2 323	557	487	425	475	368	11
横浜市	7 629	1 777	1 733	1 457	1 556	1 062	44
川崎市	3 921	929	771	720	809	670	22
相模原市	1 321	361	306	242	255	155	2
新潟市	533	101	140	127	85	80	－
静岡市	807	245	178	147	131	97	9
浜松市	572	248	106	71	96	43	8
名古屋市	3 561	801	807	695	739	511	8
京都市	1 518	270	419	361	265	198	5
大阪市	4 839	1 232	1 035	873	1 029	651	19
堺市	659	191	123	126	126	88	5
神戸市	3 626	967	739	648	700	552	20
岡山市	1 435	434	307	246	260	181	7
広島市	1 872	530	455	369	300	204	14
北九州市	1 943	657	440	367	311	165	3
福岡市	2 261	617	472	411	430	328	3
熊本市	951	301	197	159	184	108	2
中核市(再掲)							
旭川市	676	276	147	94	84	72	3
函館市	391	138	85	58	52	56	2
青森市	44	4	17	19	2	1	1
八戸市	109	14	23	20	25	26	1
盛岡市	324	62	90	77	63	32	－
秋田市	893	303	213	173	118	76	10
郡山市	431	113	95	67	109	47	－
いわき市	574	120	126	130	112	84	2
宇都宮市	497	144	145	75	75	58	－
前橋市	418	140	68	66	84	60	－
高崎市	365	99	62	58	79	60	7
川越市	263	63	61	46	57	36	－
越谷市	996	243	205	176	194	162	16
船橋市	711	176	141	144	144	102	4
柏市	343	96	74	53	60	58	2
八王子市	1 073	330	194	186	208	153	2
横須賀市	841	252	179	151	160	98	1
富山市	98	29	34	19	12	4	－
金沢市	505	145	152	102	70	35	1
長野市	307	85	53	53	74	36	6
岐阜市	133	35	41	20	16	21	－
豊橋市	234	44	44	47	54	35	10
豊田市	108	26	28	18	19	17	－
岡崎市	255	81	58	50	42	24	－
大津市	361	85	63	66	82	61	4
高槻市	374	114	103	54	65	38	－
東大阪市	346	51	78	70	82	65	－
豊中市	1 006	251	232	187	201	134	1
枚方市	778	168	202	150	145	113	－
姫路市	259	64	47	62	53	33	－
西宮市	567	153	136	105	107	66	－
尼崎市	456	128	104	87	76	60	1
奈良市	469	80	103	86	118	81	1
和歌山市	329	108	85	43	49	43	1
倉敷市	1 104	291	254	205	223	123	8
福山市	474	128	92	78	101	72	3
呉市	247	91	46	46	38	26	－
下関市	251	62	55	53	54	27	－
高松市	610	135	152	102	123	98	－
松山市	1 585	436	294	301	303	246	5
高知市	427	115	111	88	71	40	2
久留米市	372	119	102	76	45	28	2
長崎市	299	79	82	61	42	33	2
佐世保市	793	268	179	150	132	58	6
大分市	332	93	77	56	65	37	4
宮崎市	555	181	120	104	81	65	4
鹿児島市	338	88	66	62	69	53	－
那覇市	282	26	46	78	85	47	－

第８表　利用者数，都道府県－指定都市・中核市（再掲）、

都道府県 指定都市 中核市	福祉用具貸与	居宅介護支援						
	総数	総数	要介護１	要介護２	要介護３	要介護４	要介護５	その他
全国	1 482 635	2 329 445	798 591	702 050	395 040	255 802	160 917	17 045
北海道	53 586	100 544	43 730	29 950	13 109	8 090	5 222	443
青森	19 102	35 649	11 446	10 563	5 797	4 318	3 329	196
岩手	15 320	31 494	10 163	9 857	5 437	3 580	2 209	248
宮城	24 252	41 963	14 127	12 174	6 887	5 300	3 204	271
秋田	11 392	29 649	9 287	8 261	5 427	3 878	2 530	266
山形	14 617	26 517	8 668	8 526	4 456	2 859	1 829	179
福島	26 255	42 338	13 177	13 141	7 694	4 966	3 069	291
茨城	27 746	48 878	16 023	15 106	9 069	5 421	2 977	282
栃木	18 285	31 453	9 880	9 261	5 687	4 201	2 220	204
群馬	28 144	39 950	13 415	11 162	6 965	5 118	3 009	281
埼玉	77 233	107 412	38 566	31 250	17 981	11 587	6 985	1 043
千葉	57 984	100 434	33 506	29 826	17 649	11 628	7 069	756
東京	126 767	189 773	64 070	55 932	31 832	21 538	14 499	1 902
神奈川	95 040	138 999	41 419	46 030	24 055	15 739	10 410	1 346
新潟	31 136	50 705	15 340	16 164	9 617	5 787	3 314	483
富山	13 998	24 851	9 230	7 599	4 344	2 314	1 259	105
石川	12 467	20 138	7 588	6 371	3 036	1 862	1 205	76
福井	10 534	16 062	5 268	5 307	2 854	1 607	901	125
山梨	10 079	17 590	4 257	5 650	4 108	2 257	1 240	78
長野	32 047	45 739	15 867	12 851	7 689	5 394	3 323	615
岐阜	27 324	40 395	11 993	12 574	7 425	4 903	3 157	343
静岡	39 754	64 526	25 612	18 065	10 170	6 423	3 561	695
愛知	70 522	110 168	35 557	34 530	18 775	12 181	8 265	860
三重	26 116	38 337	13 041	11 236	6 601	4 420	2 736	303
滋賀	18 645	26 312	9 056	8 139	4 606	2 668	1 599	244
京都	37 322	53 312	16 074	19 036	9 659	5 063	3 123	357
大阪	141 247	186 333	54 089	59 478	33 102	22 064	16 113	1 487
兵庫	71 235	101 287	36 014	28 539	17 335	11 372	7 238	789
奈良	14 464	25 475	6 984	8 833	4 764	2 968	1 776	150
和歌山	14 049	24 020	7 736	7 104	4 169	2 944	1 907	160
鳥取	9 095	11 092	3 294	3 599	2 009	1 274	866	50
島根	10 493	17 574	6 824	5 414	2 779	1 557	888	112
岡山	22 166	37 702	13 859	12 077	6 106	3 380	2 107	173
広島	40 720	54 575	20 153	16 023	9 273	5 304	3 499	323
山口	17 230	30 360	13 014	8 349	4 430	2 829	1 564	174
徳島	9 783	18 280	5 904	5 903	3 265	1 931	1 151	126
香川	13 914	22 627	8 027	6 922	3 697	2 284	1 597	100
愛媛	20 356	33 205	12 311	9 090	5 686	3 535	2 405	178
高知	9 243	14 792	5 866	4 382	2 415	1 357	719	53
福岡	54 655	85 288	34 284	24 797	13 163	8 168	4 510	366
佐賀	9 168	15 721	6 949	4 036	2 459	1 495	744	38
長崎	13 067	31 177	13 150	8 746	4 887	2 805	1 434	155
熊本	27 954	42 180	16 739	12 280	6 737	4 156	2 114	154
大分	11 477	25 997	9 958	6 814	3 843	3 137	2 073	172
宮崎	14 074	23 690	8 437	6 339	4 152	2 754	1 882	126
鹿児島	19 407	33 047	12 964	8 964	5 345	3 606	2 103	65
沖縄	13 171	21 835	5 675	5 800	4 495	3 780	1 983	102

注：調査方法の変更等による回収率変動の影響を受けているため、数量を示す利用者数の実数は前年以前と単純に年次比較できない。

平成29年９月中

都道府県 指定都市 中核市	福祉用具貸与	居宅介護支援						
	総数	総数	要介護１	要介護２	要介護３	要介護４	要介護５	その他
指定都市(再掲)								
札幌市	19 334	34 214	15 347	9 770	4 198	2 841	1 851	207
仙台市	10 115	14 518	5 744	3 826	2 013	1 782	1 066	87
さいたま市	13 242	17 184	6 174	4 912	2 985	1 672	1 055	386
千葉市	14 184	15 464	5 576	4 074	2 508	1 980	1 207	119
横浜市	35 798	59 516	14 440	22 433	10 622	6 880	4 568	573
川崎市	12 751	18 597	6 456	5 347	3 047	2 137	1 434	176
相模原市	8 915	10 492	2 491	3 820	2 087	1 243	765	86
新潟市	11 474	15 625	4 483	5 270	3 130	1 683	917	142
静岡市	9 928	13 910	5 456	3 963	2 114	1 378	806	193
浜松市	12 114	13 544	6 564	3 316	1 701	1 178	571	214
名古屋市	31 576	36 911	9 408	12 836	6 854	4 123	3 398	292
京都市	25 425	30 706	8 776	11 441	5 475	2 894	1 902	218
大阪市	54 978	64 053	16 416	20 813	11 915	8 134	6 193	582
堺市	15 373	18 498	5 824	5 621	3 093	2 330	1 531	99
神戸市	22 286	24 656	7 544	7 412	4 326	3 123	2 045	206
岡山市	12 048	13 321	4 533	4 480	2 105	1 202	921	80
広島市	17 998	20 612	7 233	6 332	3 514	1 981	1 461	91
北九州市	16 684	21 774	8 874	6 504	3 360	1 914	1 017	105
福岡市	14 800	20 446	7 904	5 908	3 260	1 953	1 291	130
熊本市	12 579	15 709	6 780	4 146	2 355	1 528	842	58
中核市(再掲)								
旭川市	5 578	8 553	3 538	2 257	1 132	871	712	43
函館市	3 923	6 036	2 367	1 603	941	621	464	40
青森市	5 535	7 718	2 606	2 238	1 148	940	745	41
八戸市	5 449	6 024	1 421	2 023	1 198	778	564	40
盛岡市	4 099	7 165	2 351	2 249	1 176	783	566	40
秋田市	5 451	7 990	2 886	2 082	1 476	894	546	106
郡山市	5 924	5 668	2 311	1 571	816	611	334	25
いわき市	4 824	8 563	2 356	2 919	1 721	912	602	53
宇都宮市	9 172	6 505	1 811	2 050	1 206	927	474	37
前橋市	7 289	7 090	2 585	1 792	1 093	982	627	11
高崎市	6 026	7 077	2 485	1 859	1 188	943	534	68
川越市	2 755	5 371	1 755	1 494	1 026	692	363	41
越谷市	1 475	4 179	1 608	1 199	607	443	298	24
船橋市	6 138	10 029	3 223	2 987	1 797	1 156	753	113
柏市	3 723	6 133	2 265	1 742	1 008	666	415	37
八王子市	5 542	8 490	3 706	2 321	1 091	826	469	77
横須賀市	6 358	8 454	3 321	2 314	1 355	838	535	91
富山市	7 176	9 563	3 127	3 276	1 806	851	460	43
金沢市	8 242	8 055	2 963	2 642	1 196	718	497	39
長野市	7 879	7 270	3 134	1 705	975	889	462	105
岐阜市	10 667	8 410	2 349	2 660	1 474	1 059	792	76
豊橋市	2 975	4 025	1 440	1 211	694	417	247	16
豊田市	3 210	4 640	1 709	1 240	788	577	313	13
岡崎市	5 736	5 554	2 433	1 373	889	554	280	25
大津市	5 268	6 672	1 758	2 400	1 333	678	449	54
高槻市	4 527	4 804	1 944	1 310	656	460	405	29
東大阪市	9 810	11 759	3 557	3 648	2 066	1 340	1 042	106
豊中市	5 686	8 004	2 622	2 606	1 305	817	567	87
枚方市	7 598	7 783	1 501	3 139	1 591	862	661	29
姫路市	9 959	11 091	4 650	2 602	1 799	1 263	737	40
西宮市	4 848	6 138	2 506	1 434	1 122	553	493	30
尼崎市	9 702	10 147	3 063	3 123	1 777	1 187	892	105
奈良市	5 500	7 404	2 036	2 475	1 426	885	535	47
和歌山市	7 083	9 464	3 215	2 643	1 546	1 216	763	81
倉敷市	4 064	9 145	3 205	2 972	1 616	831	474	47
福山市	8 992	7 896	3 151	1 943	1 273	919	542	68
呉市	3 011	4 170	1 809	1 007	658	384	279	33
下関市	4 351	6 146	2 706	1 573	920	635	263	49
高松市	5 960	10 695	3 617	3 256	1 809	1 124	827	62
松山市	9 074	10 245	4 009	2 575	1 679	1 059	872	51
高知市	6 654	6 235	2 676	1 734	948	559	286	32
久留米市	4 326	5 256	1 976	1 732	886	392	248	22
長崎市	4 878	12 149	5 081	3 553	1 890	999	553	73
佐世保市	2 441	4 194	1 934	1 144	625	320	148	23
大分市	5 812	10 562	3 674	2 806	1 598	1 379	1 063	42
宮崎市	6 210	7 678	3 102	1 753	1 208	810	745	60
鹿児島市	7 581	11 168	4 495	2 635	1 878	1 236	905	19
那覇市	2 878	4 290	1 103	999	934	804	442	8

第９表　利用者数，都道府県－指定都市・中核市（再掲）、

都道府県 指定都市 中核市	介護予防訪問介護				介護予防訪問入浴介護			
	総数	要支援１	要支援２	その他	総数	要支援１	要支援２	その他
全国	203 870	88 926	109 378	5 566	333	39	289	5
北海道	11 804	5 342	6 252	210	9	1	8	−
青森	1 838	745	1 060	33	1	1	−	−
岩手	1 714	797	887	30	3	−	3	−
宮城	3 470	1 888	1 462	120	22	2	20	−
秋田	2 034	871	1 121	42	3	−	3	−
山形	868	329	498	41	2	1	1	−
福島	2 632	1 044	1 527	61	6	−	6	−
茨城	2 116	737	1 254	125	4	−	4	−
栃木	2 269	892	1 332	45	9	−	9	−
群馬	2 843	1 228	1 547	68	8	−	8	−
埼玉	7 043	2 922	3 930	191	11	4	7	−
千葉	6 163	2 594	3 406	163	24	2	22	−
東京	13 530	6 121	6 846	563	35	6	27	2
神奈川	8 392	3 188	4 777	427	16	3	13	−
新潟	2 768	1 076	1 632	60	12	2	10	−
富山	1 157	456	658	43	3	1	2	−
石川	1 396	528	796	72	5	−	5	−
福井	719	243	464	12	2	1	1	−
山梨	485	136	329	20	5	−	5	−
長野	2 221	794	1 317	110	8	−	8	−
岐阜	1 818	670	1 076	72	7	1	6	−
静岡	4 523	1 924	2 513	86	22	4	16	2
愛知	9 258	3 590	5 446	222	29	3	26	−
三重	2 088	829	1 206	53	4	2	2	−
滋賀	1 484	611	840	33	4	−	4	−
京都	4 272	1 624	2 547	101	6	1	5	−
大阪	31 713	15 357	15 829	527	11	1	10	−
兵庫	16 657	7 678	8 643	336	22	2	20	−
奈良	2 457	873	1 483	101	5	1	4	−
和歌山	3 654	1 726	1 778	150	2	−	2	−
鳥取	759	280	465	14	1	−	1	−
島根	1 556	689	826	41	1	−	1	−
岡山	2 789	1 145	1 577	67	4	−	3	1
広島	6 087	2 656	3 278	153	8	−	8	−
山口	2 489	1 035	1 344	110	1	−	1	−
徳島	1 579	649	889	41	2	−	2	−
香川	1 079	375	667	37	1	−	1	−
愛媛	3 731	1 746	1 890	95	1	−	1	−
高知	819	330	473	16	−	−	−	−
福岡	12 633	5 990	6 331	312	4	−	4	−
佐賀	1 471	668	783	20	2	−	2	−
長崎	3 766	1 597	2 066	103	−	−	−	−
熊本	4 190	1 827	2 214	149	5	−	5	−
大分	1 939	877	912	150	3	−	3	−
宮崎	1 302	541	715	46	−	−	−	−
鹿児島	3 085	1 321	1 714	50	−	−	−	−
沖縄	1 210	387	778	45	−	−	−	−

注：調査方法の変更等による回収率変動の影響を受けているため、数量を示す利用者数の実数は前年以前と単純に年次比較できない。

介護予防サービスの種類、要支援度別（7－1）

平成29年9月中

都道府県 指定都市 中核市	介護予防訪問介護				介護予防訪問入浴介護			
	総数	要支援1	要支援2	その他	総数	要支援1	要支援2	その他
指定都市(再掲)								
札幌市	4 403	1 908	2 383	112	3	1	2	−
仙台市	2 316	1 395	829	92	1	1	−	−
さいたま市	1 439	622	785	32	1	−	1	−
千葉市	1 077	491	561	25	−	−	−	−
横浜市	4 111	1 454	2 473	184	4	1	3	−
川崎市	1 068	433	595	40	1	−	1	−
相模原市	511	165	321	25	5	1	4	−
新潟市	1 468	571	868	29	1	−	1	−
静岡市	1 069	432	616	21	1	−	1	−
浜松市	697	283	396	18	1	−	1	−
名古屋市	3 678	1 230	2 348	100	5	1	4	−
京都市	2 437	907	1 471	59	−	−	−	−
大阪市	14 403	7 368	6 902	133	7	1	6	−
堺市	2 934	1 529	1 383	22	−	−	−	−
神戸市	6 827	3 078	3 639	110	8	1	7	−
岡山市	1 210	482	701	27	−	−	−	−
広島市	2 921	1 218	1 630	73	1	−	1	−
北九州市	3 098	1 280	1 778	40	−	−	−	−
福岡市	4 052	2 189	1 776	87	2	−	2	−
熊本市	2 344	1 084	1 140	120	1	−	1	−
中核市(再掲)								
旭川市	1 155	705	449	1	4	−	4	−
函館市	1 087	513	550	24	1	−	1	−
青森市	500	210	289	1	−	−	−	−
八戸市	102	34	67	1	−	−	−	−
盛岡市	319	102	210	7	−	−	−	−
秋田市	854	419	424	11	−	−	−	−
郡山市	556	245	309	2	−	−	−	−
いわき市	503	164	319	20	−	−	−	−
宇都宮市	751	301	440	10	−	−	−	−
前橋市	834	393	433	8	2	−	2	−
高崎市	373	136	207	30	1	−	1	−
川越市	351	143	203	5	−	−	−	−
越谷市	143	65	75	3	−	−	−	−
船橋市	604	212	376	16	1	−	1	−
柏市	444	211	227	6	−	−	−	−
八王子市	615	324	283	8	1	−	1	−
横須賀市	113	39	45	29	−	−	−	−
富山市	608	229	359	20	1	1	−	−
金沢市	803	311	457	35	1	−	1	−
長野市	372	146	212	14	−	−	−	−
岐阜市	406	171	229	6	−	−	−	−
豊橋市	561	239	311	11	1	−	1	−
豊田市	297	129	164	4	2	−	2	−
岡崎市	531	227	281	23	−	−	−	−
大津市	696	230	448	18	−	−	−	−
高槻市	1 338	763	541	34	1	−	1	−
東大阪市	1 563	728	802	33	−	−	−	−
豊中市	1 213	532	662	19	1	−	1	−
枚方市	1 266	430	799	37	−	−	−	−
姫路市	1 226	599	606	21	−	−	−	−
西宮市	1 246	668	552	26	1	−	1	−
尼崎市	1 803	778	1 004	21	1	−	1	−
奈良市	919	303	554	62	−	−	−	−
和歌山市	1 407	705	647	55	−	−	−	−
倉敷市	277	92	169	16	−	−	−	−
福山市	483	279	196	8	3	−	3	−
呉市	821	424	386	11	2	−	2	−
下関市	846	346	460	40	−	−	−	−
高松市	339	97	241	1	−	−	−	−
松山市	1 604	844	728	32	−	−	−	−
高知市	457	178	267	12	−	−	−	−
久留米市	462	163	289	10	−	−	−	−
長崎市	1 655	587	1 004	64	−	−	−	−
佐世保市	712	365	332	15	−	−	−	−
大分市	901	481	396	24	−	−	−	−
宮崎市	397	170	204	23	−	−	−	−
鹿児島市	1 185	522	647	16	−	−	−	−
那覇市	353	110	238	5	−	−	−	−

都道府県 指定都市 中核市	介護予防訪問看護ステーション			
	総数	要支援1	要支援2	要支援認定申請中
全国	61 793	20 478	40 801	514
北海道	2 851	1 017	1 813	21
青森	195	68	127	-
岩手	453	165	287	1
宮城	836	301	527	8
秋田	240	97	142	1
山形	451	168	282	1
福島	640	224	404	12
茨城	685	238	442	5
栃木	636	188	440	8
群馬	1 198	437	756	5
埼玉	1 817	624	1 179	14
千葉	1 485	484	989	12
東京	6 938	2 379	4 498	61
神奈川	4 424	1 275	3 101	48
新潟	1 139	349	768	22
富山	240	82	150	8
石川	594	191	400	3
福井	485	133	352	-
山梨	204	42	161	1
長野	956	321	619	16
岐阜	1 072	306	759	7
静岡	1 607	582	1 010	15
愛知	3 806	1 033	2 750	23
三重	580	205	371	4
滋賀	639	224	408	7
京都	1 143	336	795	12
大阪	6 193	2 119	4 033	41
兵庫	6 445	2 062	4 316	67
奈良	814	232	575	7
和歌山	1 072	385	682	5
鳥取	335	104	229	2
島根	552	228	317	7
岡山	1 012	306	701	5
広島	1 983	661	1 302	20
山口	634	237	390	7
徳島	421	143	273	5
香川	133	39	94	-
愛媛	1 036	412	622	2
高知	210	72	136	2
福岡	2 071	727	1 335	9
佐賀	254	82	172	-
長崎	507	161	336	10
熊本	1 067	379	686	2
大分	640	276	363	1
宮崎	262	85	174	3
鹿児島	573	210	360	3
沖縄	265	89	175	1

注：調査方法の変更等による回収率変動の影響を受けているため、数量を示す利用者数の実数は前年以前と単純に年次比較できない。

介護予防サービスの種類、要支援度別（7－2）

平成29年９月中

都道府県 指定都市 中核市	介護予防訪問看護ステーション			
	総数	要支援１	要支援２	要支援認定申請中
指定都市(再掲)				
札幌市	1 226	374	841	11
仙台市	341	154	181	6
さいたま市	376	122	249	5
千葉市	298	104	194	-
横浜市	2 159	552	1 589	18
川崎市	724	247	470	7
相模原市	270	61	209	-
新潟市	605	173	412	20
静岡市	300	93	202	5
浜松市	424	172	248	4
名古屋市	1 996	465	1 521	10
京都市	605	171	427	7
大阪市	2 057	738	1 301	18
堺市	723	260	459	4
神戸市	2 373	684	1 666	23
岡山市	326	113	210	3
広島市	1 073	329	733	11
北九州市	250	78	172	-
福岡市	613	228	380	5
熊本市	428	159	268	1
中核市(再掲)				
旭川市	175	81	91	3
函館市	95	37	57	1
青森市	43	13	30	-
八戸市	29	10	19	-
盛岡市	140	54	86	-
秋田市	113	50	62	1
郡山市	169	72	93	4
いわき市	27	9	16	2
宇都宮市	171	52	118	1
前橋市	294	119	175	-
高崎市	110	44	65	1
川越市	113	39	73	1
越谷市	45	15	30	-
船橋市	153	40	112	1
柏市	149	53	93	3
八王子市	114	35	78	1
横須賀市	10	4	6	-
富山市	66	26	35	5
金沢市	329	93	233	3
長野市	105	37	64	4
岐阜市	265	69	196	-
豊橋市	103	35	68	-
豊田市	152	56	96	-
岡崎市	97	29	66	2
大津市	92	26	66	-
高槻市	320	114	203	3
東大阪市	270	92	178	-
豊中市	312	101	211	-
枚方市	240	52	186	2
姫路市	682	239	442	1
西宮市	701	255	437	9
尼崎市	394	126	264	4
奈良市	333	112	216	5
和歌山市	182	64	118	-
倉敷市	403	98	303	2
福山市	266	109	155	2
呉市	126	35	88	3
下関市	90	27	60	3
高松市	48	12	36	-
松山市	630	284	345	1
高知市	75	24	50	1
久留米市	126	40	85	1
長崎市	195	57	131	7
佐世保市	102	25	76	1
大分市	234	107	126	1
宮崎市	105	30	72	3
鹿児島市	157	37	119	1
那覇市	87	23	63	1

第９表　利用者数，都道府県－指定都市・中核市（再掲）、

都道府県 指定都市 中核市	介護予防通所介護				介護予防通所リハビリテーション(介護老人保健施設)			
	総数	要支援１	要支援２	その他	総数	要支援１	要支援２	その他
全国	282 846	123 675	154 893	4 278	59 252	20 837	38 143	272
北海道	17 847	9 144	8 613	90	4 137	1 763	2 370	4
青森	4 076	1 671	2 202	203	1 276	481	783	12
岩手	3 821	1 743	2 042	36	875	355	519	1
宮城	5 921	3 095	2 707	119	1 357	501	853	3
秋田	2 896	1 277	1 588	31	399	144	254	1
山形	2 373	907	1 415	51	975	339	635	1
福島	4 748	1 965	2 762	21	1 177	449	725	3
茨城	4 061	1 442	2 565	54	1 629	448	1 178	3
栃木	3 825	1 349	2 425	51	743	230	510	3
群馬	4 268	1 733	2 425	110	1 322	493	827	2
埼玉	11 916	4 994	6 685	237	2 377	731	1 639	7
千葉	8 573	3 755	4 749	69	1 798	615	1 177	6
東京	18 268	8 347	9 717	204	2 121	785	1 329	7
神奈川	12 275	4 685	7 425	165	1 421	382	1 034	5
新潟	6 131	2 262	3 775	94	1 597	486	1 110	1
富山	2 753	1 094	1 629	30	513	176	336	1
石川	3 248	1 382	1 804	62	589	171	416	2
福井	1 677	569	1 101	7	452	125	325	2
山梨	1 288	422	835	31	217	35	181	1
長野	4 970	1 794	3 065	111	1 430	445	981	4
岐阜	3 523	1 200	2 289	34	732	189	542	1
静岡	8 450	3 530	4 728	192	1 678	595	1 075	8
愛知	15 097	6 290	8 679	128	3 166	1 014	2 146	6
三重	4 576	1 954	2 578	44	713	240	470	3
滋賀	2 778	1 106	1 641	31	349	124	224	1
京都	5 139	2 017	3 109	13	866	279	583	4
大阪	23 937	11 301	12 523	113	2 310	743	1 560	7
兵庫	17 997	8 191	9 642	164	2 366	760	1 588	18
奈良	3 169	1 166	1 900	103	1 059	276	782	1
和歌山	2 712	1 258	1 405	49	592	229	363	－
鳥取	1 550	543	974	33	903	278	624	1
島根	2 526	1 140	1 367	19	567	233	332	2
岡山	4 808	2 097	2 673	38	1 362	473	885	4
広島	10 203	5 171	4 665	367	2 161	890	1 256	15
山口	4 426	2 186	2 138	102	1 188	507	664	17
徳島	1 783	715	1 042	26	616	279	333	4
香川	2 258	943	1 288	27	699	245	452	2
愛媛	4 244	1 924	2 289	31	1 001	372	629	－
高知	964	456	504	4	274	89	184	1
福岡	12 736	6 190	6 348	198	2 670	953	1 692	25
佐賀	2 330	973	1 244	113	832	341	448	43
長崎	5 627	2 509	2 932	186	1 146	461	671	14
熊本	4 535	1 904	2 511	120	1 994	720	1 268	6
大分	2 664	1 362	1 235	67	1 188	547	634	7
宮崎	2 693	1 055	1 519	119	479	139	340	－
鹿児島	4 105	1 788	2 218	99	1 259	481	776	2
沖縄	3 081	1 076	1 923	82	677	226	440	11

注：調査方法の変更等による回収率変動の影響を受けているため、数量を示す利用者数の実数は前年以前と単純に年次比較できない。

介護予防サービスの種類、要支援度別（7－3）

平成29年9月中

都道府県 指定都市 中核市	介護予防通所介護				介護予防通所リハビリテーション(介護老人保健施設)			
	総数	要支援1	要支援2	その他	総数	要支援1	要支援2	その他
指定都市(再掲)								
札幌市	6 963	3 428	3 529	6	1 450	621	827	2
仙台市	2 901	1 926	934	41	547	286	261	-
さいたま市	2 168	946	1 061	161	307	98	207	2
千葉市	1 526	771	749	6	211	69	142	-
横浜市	4 817	1 659	3 127	31	566	140	423	3
川崎市	1 195	488	699	8	113	25	87	1
相模原市	944	335	602	7	118	21	97	-
新潟市	2 662	1 008	1 638	16	524	149	375	-
静岡市	1 862	755	1 091	16	234	84	146	4
浜松市	1 898	739	1 129	30	381	137	242	2
名古屋市	3 919	1 417	2 467	35	1 071	268	803	-
京都市	3 004	1 175	1 826	3	342	104	235	3
大阪市	6 926	3 233	3 670	23	758	221	534	3
堺市	3 577	1 955	1 613	9	125	45	80	-
神戸市	6 439	2 891	3 491	57	798	230	562	6
岡山市	2 077	927	1 143	7	325	119	204	2
広島市	4 304	2 203	1 839	262	396	175	215	6
北九州市	2 089	876	1 203	10	331	88	242	1
福岡市	4 086	2 304	1 735	47	220	85	135	-
熊本市	2 449	1 169	1 204	76	651	273	372	6
中核市(再掲)								
旭川市	1 548	1 000	537	11	229	121	108	-
函館市	1 504	808	686	10	129	45	84	-
青森市	646	259	386	1	344	124	220	-
八戸市	175	46	128	1	89	26	63	-
盛岡市	657	256	398	3	42	18	24	-
秋田市	1 039	543	492	4	105	37	67	1
郡山市	1 109	529	579	1	69	19	49	1
いわき市	955	354	596	5	109	34	75	-
宇都宮市	740	239	500	1	91	28	63	-
前橋市	1 242	595	633	14	203	71	132	-
高崎市	519	185	329	5	309	117	190	2
川越市	444	177	265	2	122	40	82	-
越谷市	457	194	262	1	87	26	61	-
船橋市	516	194	321	1	188	49	138	1
柏市	607	308	297	2	75	30	45	-
八王子市	735	394	338	3	76	30	46	-
横須賀市	719	236	482	1	34	6	28	-
富山市	1 126	436	672	18	176	59	116	1
金沢市	1 968	901	1 023	44	150	50	100	-
長野市	1 154	514	619	21	153	44	107	2
岐阜市	867	288	566	13	222	66	156	-
豊橋市	926	417	501	8	179	58	121	-
豊田市	1 064	525	532	7	134	63	71	-
岡崎市	879	408	468	3	108	35	72	1
大津市	1 095	415	677	3	76	13	63	-
高槻市	1 575	880	690	5	193	58	135	-
東大阪市	1 124	550	573	1	73	23	50	-
豊中市	971	449	520	2	82	26	56	-
枚方市	1 164	441	721	2	134	29	105	-
姫路市	1 811	853	952	6	104	23	80	1
西宮市	1 149	574	567	8	99	44	55	-
尼崎市	1 149	462	667	20	132	22	109	1
奈良市	896	335	469	92	213	69	144	-
和歌山市	1 118	606	491	21	181	80	101	-
倉敷市	569	234	334	1	430	117	312	1
福山市	1 882	1 144	691	47	399	192	205	2
呉市	748	378	357	13	425	180	245	-
下関市	1 157	600	547	10	205	68	136	1
高松市	975	386	587	2	137	39	98	-
松山市	1 601	806	777	18	132	49	83	-
高知市	573	278	292	3	29	6	23	-
久留米市	473	176	286	11	142	42	100	-
長崎市	2 083	852	1 210	21	260	87	159	14
佐世保市	1 153	599	525	29	278	116	162	-
大分市	1 658	951	699	8	302	152	146	4
宮崎市	1 314	550	694	70	114	34	80	-
鹿児島市	1 777	756	1 015	6	187	46	141	-
那覇市	939	361	561	17	145	51	94	-

第9表　利用者数，都道府県－指定都市・中核市（再掲）、

都道府県 指定都市 中核市	介護予防通所リハビリテーション（医療施設）				介護予防短期入所生活介護			
	総数	要支援１	要支援２	その他	総数	要支援１	要支援２	その他
全国	79 938	33 908	45 607	423	9 397	2 568	6 726	103
北海道	1 415	631	782	2	396	114	282	－
青森	534	208	323	3	40	11	29	－
岩手	1 135	538	593	4	200	69	130	1
宮城	729	398	329	2	284	100	182	2
秋田	92	45	46	1	138	33	105	－
山形	679	235	444	－	221	62	158	1
福島	1 285	510	772	3	254	67	182	5
茨城	698	216	478	4	166	38	128	－
栃木	962	366	572	24	238	67	168	3
群馬	929	390	537	2	170	38	132	－
埼玉	2 955	1 257	1 684	14	298	83	211	4
千葉	2 362	950	1 397	15	279	66	210	3
東京	3 105	1 378	1 720	7	339	102	233	4
神奈川	1 321	526	794	1	328	80	240	8
新潟	1 084	416	668	－	529	137	385	7
富山	567	270	295	2	120	36	83	1
石川	774	256	504	14	162	47	115	－
福井	535	175	357	3	59	9	50	－
山梨	304	81	223	－	43	9	33	1
長野	1 073	396	676	1	204	44	157	3
岐阜	840	317	521	2	212	46	165	1
静岡	1 789	794	980	15	356	108	247	1
愛知	6 270	2 628	3 620	22	621	164	449	8
三重	636	280	352	4	182	54	127	1
滋賀	579	272	307	－	69	16	52	1
京都	1 217	446	766	5	132	31	100	1
大阪	5 520	2 599	2 895	26	254	77	171	6
兵庫	4 514	1 903	2 595	16	454	126	325	3
奈良	636	223	411	2	90	19	70	1
和歌山	726	271	452	3	98	35	62	1
鳥取	452	144	299	9	58	4	53	1
島根	341	166	175	－	130	28	101	1
岡山	2 132	912	1 215	5	189	44	145	－
広島	3 488	1 773	1 687	28	376	101	270	5
山口	1 275	651	618	6	181	54	125	2
徳島	1 242	445	793	4	34	10	24	－
香川	1 485	529	948	8	91	26	65	－
愛媛	917	430	473	14	139	49	89	1
高知	477	209	268	－	42	15	27	－
福岡	6 887	3 018	3 842	27	340	115	220	5
佐賀	1 733	729	972	32	84	26	57	1
長崎	3 361	1 362	1 974	25	194	51	136	7
熊本	2 980	1 152	1 813	15	170	45	118	7
大分	2 268	1 125	1 125	18	130	44	81	5
宮崎	1 217	517	694	6	83	17	66	－
鹿児島	3 234	1 387	1 838	9	191	46	145	－
沖縄	1 184	384	780	20	29	5	23	1

注：１）調査方法の変更等による回収率変動の影響を受けているため、数量を示す利用者数の実数は前年以前と単純に年次比較できない。
　　２）介護予防短期入所生活介護は空床利用型の利用者を含まない。

介護予防サービスの種類、要支援度別（7－4）

平成29年９月中

都道府県 指定都市 中核市	介護予防通所リハビリテーション（医療施設）				介護予防短期入所生活介護			
	総数	要支援１	要支援２	その他	総数	要支援１	要支援２	その他
指定都市（再掲）								
札幌市	274	97	176	1	85	16	69	−
仙台市	461	295	164	2	118	55	61	2
さいたま市	416	204	210	2	38	12	26	−
千葉市	623	245	377	1	26	5	21	−
横浜市	498	176	322	−	127	32	90	5
川崎市	119	46	72	1	31	9	22	−
相模原市	144	48	96	−	20	2	18	−
新潟市	658	266	392	−	195	44	150	1
静岡市	476	221	254	1	40	8	32	−
浜松市	418	170	245	3	73	19	53	1
名古屋市	2 117	795	1 312	10	160	33	122	5
京都市	440	176	261	3	42	12	30	−
大阪市	1 951	990	955	6	50	18	31	1
堺市	801	451	346	4	23	6	16	1
神戸市	1 006	453	549	4	118	27	91	−
岡山市	735	343	390	2	38	11	27	−
広島市	1 372	677	682	13	85	25	60	−
北九州市	1 041	406	633	2	43	9	34	−
福岡市	1 457	672	771	14	80	29	48	3
熊本市	1 214	507	699	8	42	19	21	2
中核市（再掲）								
旭川市	214	132	82	−	29	12	17	−
函館市	78	32	46	−	25	10	15	−
青森市	172	78	94	−	7	2	5	−
八戸市	117	33	84	−	2	−	2	−
盛岡市	535	221	314	−	19	6	13	−
秋田市	24	11	13	−	36	11	25	−
郡山市	235	97	136	2	49	14	34	1
いわき市	222	80	142	−	22	5	17	−
宇都宮市	69	24	45	−	34	12	21	1
前橋市	214	101	113	−	51	11	40	−
高崎市	105	39	66	−	24	3	21	−
川越市	141	48	93	−	13	1	9	3
越谷市	223	108	114	1	20	8	12	−
船橋市	129	51	77	1	16	2	13	1
柏市	44	18	26	−	11	5	6	−
八王子市	130	77	53	−	9	4	5	−
横須賀市	53	17	36	−	5	1	4	−
富山市	194	84	109	1	26	8	17	1
金沢市	354	135	219	−	65	22	43	−
長野市	99	44	55	−	54	9	43	2
岐阜市	251	91	159	1	31	3	27	1
豊橋市	283	115	167	1	31	12	18	1
豊田市	82	38	43	1	49	17	32	−
岡崎市	428	208	219	1	29	4	25	−
大津市	183	80	103	−	23	5	18	−
高槻市	234	111	123	−	35	9	26	−
東大阪市	209	88	120	1	10	2	8	−
豊中市	202	104	98	−	11	2	9	−
枚方市	425	117	307	1	7	2	5	−
姫路市	470	192	276	2	51	13	38	−
西宮市	327	162	165	−	25	8	17	−
尼崎市	341	131	210	−	26	6	18	2
奈良市	167	62	105	−	15	5	9	1
和歌山市	242	98	144	−	15	3	11	1
倉敷市	692	260	432	−	59	11	48	−
福山市	757	431	316	10	108	36	68	4
呉市	357	192	165	−	56	9	47	−
下関市	346	168	177	1	23	6	16	1
高松市	541	177	364	−	7	−	7	−
松山市	454	243	207	4	51	22	29	−
高知市	207	77	130	−	9	5	4	−
久留米市	509	169	337	3	15	3	12	−
長崎市	1 024	374	645	5	31	5	25	1
佐世保市	773	341	427	5	65	20	39	6
大分市	746	387	358	1	41	14	27	−
宮崎市	341	122	214	5	35	6	29	−
鹿児島市	943	333	606	4	39	6	33	−
那覇市	262	81	178	3	7	1	6	−

第9表　利用者数，都道府県－指定都市・中核市（再掲）、

都道府県 指定都市 中核市	介護予防短期入所療養介護(介護老人保健施設)				介護予防短期入所療養介護(医療施設)			
	総数	要支援1	要支援2	その他	総数	要支援1	要支援2	その他
全国	1 038	228	789	21	50	15	34	1
北海道	55	12	43	-	2	1	1	-
青森	10	5	5	-	1	-	1	-
岩手	15	3	12	-	3	1	2	-
宮城	23	5	18	-	3	1	2	-
秋田	5	2	3	-	-	-	-	-
山形	10	1	9	-	4	2	2	-
福島	51	11	40	-	-	-	-	-
茨城	16	1	15	-	-	-	-	-
栃木	8	1	7	-	-	-	-	-
群馬	18	6	10	2	-	-	-	-
埼玉	26	7	16	3	-	-	-	-
千葉	35	5	30	-	1	-	1	-
東京	25	8	16	1	-	-	-	-
神奈川	29	4	24	1	-	-	-	-
新潟	24	1	23	-	-	-	-	-
富山	6	1	5	-	1	-	1	-
石川	8	1	7	-	-	-	-	-
福井	7	-	7	-	-	-	-	-
山梨	2	1	1	-	-	-	-	-
長野	39	8	29	2	2	-	2	-
岐阜	26	10	16	-	-	-	-	-
静岡	37	9	24	4	2	1	1	-
愛知	52	14	36	2	2	-	2	-
三重	15	9	6	-	1	-	1	-
滋賀	4	-	3	1	-	-	-	-
京都	12	6	6	-	1	-	1	-
大阪	47	7	38	2	2	1	1	-
兵庫	50	12	37	1	1	-	1	-
奈良	31	1	30	-	-	-	-	-
和歌山	14	2	12	-	-	-	-	-
鳥取	17	1	16	-	-	-	-	-
島根	18	7	11	-	-	-	-	-
岡山	19	4	14	1	1	-	1	-
広島	38	8	30	-	4	1	3	-
山口	17	6	11	-	-	-	-	-
徳島	8	2	6	-	-	-	-	-
香川	20	7	13	-	1	-	1	-
愛媛	17	4	13	-	-	-	-	-
高知	7	2	5	-	-	-	-	-
福岡	38	6	31	1	3	-	3	-
佐賀	21	4	17	-	-	-	-	-
長崎	13	4	9	-	2	1	-	1
熊本	53	9	44	-	9	4	5	-
大分	6	2	4	-	1	1	-	-
宮崎	15	1	14	-	1	1	-	-
鹿児島	26	6	20	-	2	-	2	-
沖縄	5	2	3	-	-	-	-	-

注：調査方法の変更等による回収率変動の影響を受けているため、数量を示す利用者数の実数は前年以前と単純に年次比較できない。

介護予防サービスの種類、要支援度別（7－5）

平成29年9月中

都道府県 指定都市 中核市	介護予防短期入所療養介護(介護老人保健施設)				介護予防短期入所療養介護(医療施設)			
	総数	要支援1	要支援2	その他	総数	要支援1	要支援2	その他
指定都市(再掲)								
札幌市	15	1	14	–	–	–	–	–
仙台市	8	2	6	–	1	1	–	–
さいたま市	6	–	4	2	–	–	–	–
千葉市	2	1	1	–	–	–	–	–
横浜市	19	4	15	–	–	–	–	–
川崎市	1	–	1	–	–	–	–	–
相模原市	3	–	2	1	–	–	–	–
新潟市	7	–	7	–	–	–	–	–
静岡市	6	1	4	1	–	–	–	–
浜松市	5	2	2	1	–	–	–	–
名古屋市	20	3	16	1	–	–	–	–
京都市	6	5	1	–	1	–	1	–
大阪市	11	1	9	1	–	–	–	–
堺市	13	–	13	–	–	–	–	–
神戸市	10	4	6	–	1	–	1	–
岡山市	5	–	5	–	1	–	1	–
広島市	8	2	6	–	1	–	1	–
北九州市	3	–	2	1	–	–	–	–
福岡市	4	–	4	–	–	–	–	–
熊本市	16	2	14	–	3	2	1	–
中核市(再掲)								
旭川市	2	1	1	–	–	–	–	–
函館市	2	–	2	–	–	–	–	–
青森市	1	–	1	–	1	–	1	–
八戸市	2	2	–	–	–	–	–	–
盛岡市	–	–	–	–	–	–	–	–
秋田市	–	–	–	–	–	–	–	–
郡山市	3	1	2	–	–	–	–	–
いわき市	–	–	–	–	–	–	–	–
宇都宮市	–	–	–	–	–	–	–	–
前橋市	2	1	1	–	–	–	–	–
高崎市	4	2	1	1	–	–	–	–
川越市	1	1	–	–	–	–	–	–
越谷市	–	–	–	–	–	–	–	–
船橋市	6	1	5	–	–	–	–	–
柏市	1	–	1	–	–	–	–	–
八王子市	–	–	–	–	–	–	–	–
横須賀市	–	–	–	–	–	–	–	–
富山市	1	–	1	–	–	–	–	–
金沢市	1	–	1	–	–	–	–	–
長野市	–	–	–	–	–	–	–	–
岐阜市	1	–	1	–	–	–	–	–
豊橋市	2	1	1	–	–	–	–	–
豊田市	5	1	4	–	–	–	–	–
岡崎市	2	1	1	–	–	–	–	–
大津市	2	–	1	1	–	–	–	–
高槻市	13	4	9	–	–	–	–	–
東大阪市	–	–	–	–	–	–	–	–
豊中市	–	–	–	–	–	–	–	–
枚方市	3	–	3	–	–	–	–	–
姫路市	1	–	1	–	–	–	–	–
西宮市	–	–	–	–	–	–	–	–
尼崎市	6	2	4	–	–	–	–	–
奈良市	4	–	4	–	–	–	–	–
和歌山市	1	–	1	–	–	–	–	–
倉敷市	4	–	4	–	–	–	–	–
福山市	9	3	6	–	1	–	1	–
呉市	3	–	3	–	–	–	–	–
下関市	7	5	2	–	–	–	–	–
高松市	2	1	1	–	–	–	–	–
松山市	2	–	2	–	–	–	–	–
高知市	–	–	–	–	–	–	–	–
久留米市	1	–	1	–	–	–	–	–
長崎市	3	–	3	–	–	–	–	–
佐世保市	2	1	1	–	2	1	–	1
大分市	–	–	–	–	–	–	–	–
宮崎市	5	–	5	–	–	–	–	–
鹿児島市	5	–	5	–	–	–	–	–
那覇市	–	–	–	–	–	–	–	–

第9表　利用者数，都道府県－指定都市・中核市（再掲）、

都道府県 指定都市 中核市	介護予防特定施設入居者生活介護 総数	要支援1	要支援2	要支援認定申請中
全国	26 317	13 701	12 352	264
北海道	1 845	1 000	819	26
青森	31	14	13	4
岩手	36	15	21	-
宮城	253	162	91	-
秋田	217	117	98	2
山形	154	74	79	1
福島	194	94	99	1
茨城	267	139	123	5
栃木	341	153	188	-
群馬	305	164	137	4
埼玉	2 119	1 177	916	26
千葉	1 188	662	511	15
東京	3 510	2 008	1 473	29
神奈川	2 861	1 499	1 338	24
新潟	349	150	198	1
富山	5	1	4	-
石川	143	56	87	-
福井	41	7	34	-
山梨	12	5	7	-
長野	232	106	124	2
岐阜	130	59	71	-
静岡	734	376	345	13
愛知	1 362	618	735	9
三重	170	76	93	1
滋賀	83	48	35	-
京都	174	83	82	9
大阪	2 041	1 123	882	36
兵庫	1 906	959	928	19
奈良	393	160	228	5
和歌山	149	73	75	1
鳥取	69	26	43	-
島根	122	67	55	-
岡山	473	229	242	2
広島	740	353	380	7
山口	188	102	86	-
徳島	16	7	9	-
香川	148	71	73	4
愛媛	480	284	193	3
高知	118	60	57	1
福岡	1 324	639	678	7
佐賀	171	84	83	4
長崎	388	207	179	2
熊本	154	80	74	-
大分	190	115	75	-
宮崎	232	73	158	1
鹿児島	169	89	80	-
沖縄	90	37	53	-

注：調査方法の変更等による回収率変動の影響を受けているため、数量を示す利用者数の実数は前年以前と単純に年次比較できない。

介護予防サービスの種類、要支援度別（7－6）

平成29年9月末

都道府県 指定都市 中核市	介護予防特定施設入居者生活介護 総数	要支援1	要支援2	要支援認定申請中
指定都市(再掲)				
札幌市	648	372	259	17
仙台市	191	126	65	－
さいたま市	605	337	258	10
千葉市	235	133	102	－
横浜市	951	481	462	8
川崎市	560	294	263	3
相模原市	211	101	109	1
新潟市	41	11	30	－
静岡市	102	48	54	－
浜松市	114	65	45	4
名古屋市	729	330	398	1
京都市	50	26	23	1
大阪市	999	573	409	17
堺市	126	77	48	1
神戸市	997	475	512	10
岡山市	182	86	95	1
広島市	355	174	179	2
北九州市	284	132	152	－
福岡市	370	194	174	2
熊本市	128	68	60	－
中核市(再掲)				
旭川市	178	106	72	－
函館市	59	27	32	－
青森市	3	1	2	－
八戸市	8	1	3	4
盛岡市	14	7	7	－
秋田市	138	80	56	2
郡山市	14	10	4	－
いわき市	48	15	32	1
宇都宮市	104	49	55	－
前橋市	47	25	21	1
高崎市	58	35	23	－
川越市	27	14	12	1
越谷市	98	58	38	2
船橋市	62	33	27	2
柏市	63	36	27	－
八王子市	204	137	65	2
横須賀市	124	67	57	－
富山市	4	－	4	－
金沢市	59	28	31	－
長野市	14	12	2	－
岐阜市	21	6	15	－
豊橋市	40	11	28	1
豊田市	15	4	11	－
岡崎市	35	9	26	－
大津市	67	40	27	－
高槻市	89	42	46	1
東大阪市	27	14	13	－
豊中市	101	55	46	－
枚方市	128	61	67	－
姫路市	24	9	15	－
西宮市	147	62	83	2
尼崎市	95	58	37	－
奈良市	61	29	32	－
和歌山市	40	21	18	1
倉敷市	164	70	93	1
福山市	153	81	69	3
呉市	35	19	16	－
下関市	22	11	11	－
高松市	54	19	32	3
松山市	335	204	129	2
高知市	32	15	17	－
久留米市	48	23	25	－
長崎市	38	16	22	－
佐世保市	228	121	105	2
大分市	74	46	28	－
宮崎市	128	35	92	1
鹿児島市	88	39	49	－
那覇市	12	1	11	－

第9表　利用者数，都道府県－指定都市・中核市（再掲）、

都道府県 指定都市 中核市	介護予防福祉用具貸与	介護予防支援			
	総数	総数	要支援１	要支援２	その他
全国	419 035	1 003 634	436 391	546 043	21 200
北海道	16 345	53 823	26 058	27 194	571
青森	2 928	9 431	4 087	5 205	139
岩手	2 393	10 865	4 842	5 830	193
宮城	8 098	17 425	8 594	8 287	544
秋田	2 421	7 867	3 327	4 363	177
山形	2 914	8 521	3 077	4 623	821
福島	5 466	16 304	6 552	9 258	494
茨城	4 366	12 731	4 409	7 945	377
栃木	4 502	12 838	4 810	7 703	325
群馬	5 916	14 720	5 979	8 199	542
埼玉	18 700	37 694	15 902	20 852	940
千葉	12 610	33 602	13 983	19 020	599
東京	30 533	82 339	38 114	42 694	1 531
神奈川	21 819	53 686	20 814	31 677	1 195
新潟	10 237	19 716	7 230	11 811	675
富山	3 155	7 831	3 249	4 330	252
石川	4 734	8 456	3 290	4 862	304
福井	2 790	5 223	1 744	3 277	202
山梨	1 347	3 460	935	2 409	116
長野	8 720	16 261	5 997	9 756	508
岐阜	8 296	16 170	6 182	9 538	450
静岡	11 606	25 363	10 604	14 023	736
愛知	25 159	53 116	20 897	30 885	1 334
三重	6 232	13 588	5 639	7 713	236
滋賀	5 037	9 514	3 857	5 436	221
京都	10 106	20 244	7 555	12 415	274
大阪	41 336	96 443	47 237	47 401	1 805
兵庫	28 417	60 221	27 568	31 709	944
奈良	4 148	12 307	4 502	7 536	269
和歌山	4 207	12 708	5 817	6 768	123
鳥取	3 026	5 697	2 047	3 555	95
島根	3 928	7 730	3 622	4 035	73
岡山	7 646	18 849	7 765	10 996	88
広島	18 177	33 916	17 279	16 176	461
山口	5 277	14 794	6 855	7 459	480
徳島	2 895	8 669	3 339	5 035	295
香川	4 233	6 882	2 579	4 275	28
愛媛	6 873	15 135	7 341	7 692	102
高知	2 675	5 790	2 639	3 027	124
福岡	19 641	50 267	24 102	25 740	425
佐賀	3 419	8 726	3 990	4 649	87
長崎	3 628	15 458	6 984	8 093	381
熊本	8 017	18 059	7 606	10 119	334
大分	3 292	11 553	5 557	5 492	504
宮崎	3 047	8 396	3 339	4 695	362
鹿児島	5 952	13 804	6 010	7 724	70
沖縄	2 771	7 442	2 486	4 562	394

注：調査方法の変更等による回収率変動の影響を受けているため、数量を示す利用者数の実数は前年以前と単純に年次比較できない。

介護予防サービスの種類、要支援度別（７－７）

平成29年９月中

都道府県 指定都市 中核市	介護予防福祉用具貸与	介護予防支援			
	総数	総数	要支援１	要支援２	その他
指定都市（再掲）					
札幌市	4 649	19 591	9 092	10 364	135
仙台市	4 283	7 915	5 064	2 715	136
さいたま市	2 123	6 365	2 833	3 354	178
千葉市	3 966	4 810	2 205	2 590	15
横浜市	8 145	23 354	8 460	14 714	180
川崎市	2 843	8 699	3 694	4 799	206
相模原市	2 096	3 866	1 235	2 605	26
新潟市	4 603	7 896	2 951	4 747	198
静岡市	2 854	5 676	2 450	3 111	115
浜松市	3 337	5 427	2 100	3 161	166
名古屋市	11 389	20 716	7 022	13 215	479
京都市	6 668	11 120	4 178	6 852	90
大阪市	14 218	35 037	18 307	16 592	138
堺市	4 300	11 675	6 328	5 289	58
神戸市	11 398	17 851	8 278	9 380	193
岡山市	4 254	6 465	2 766	3 650	49
広島市	7 029	12 610	6 113	6 278	219
北九州市	4 383	10 646	4 461	6 183	2
福岡市	5 995	14 034	7 821	6 156	57
熊本市	3 891	7 985	3 898	3 949	138
中核市（再掲）					
旭川市	1 656	4 324	2 670	1 640	14
函館市	1 233	3 514	1 767	1 613	134
青森市	648	2 657	1 232	1 397	28
八戸市	971	517	153	364	－
盛岡市	529	1 893	744	1 135	14
秋田市	1 355	2 941	1 435	1 437	69
郡山市	1 156	2 566	1 222	1 321	23
いわき市	1 034	2 579	875	1 612	92
宇都宮市	2 569	2 828	1 010	1 756	62
前橋市	1 710	3 210	1 489	1 637	84
高崎市	1 402	2 230	754	1 244	232
川越市	483	1 496	603	881	12
越谷市	311	1 744	803	930	11
船橋市	1 037	2 525	912	1 604	9
柏市	814	2 077	951	1 046	80
八王子市	917	3 320	1 818	1 486	16
横須賀市	793	1 928	632	1 119	177
富山市	1 715	3 636	1 493	2 090	53
金沢市	3 336	4 158	1 767	2 160	231
長野市	2 249	3 186	1 259	1 850	77
岐阜市	3 698	4 751	1 957	2 607	187
豊橋市	1 234	2 562	1 099	1 360	103
豊田市	894	2 254	1 069	1 075	110
岡崎市	2 158	2 849	1 269	1 521	59
大津市	1 876	3 117	1 191	1 926	－
高槻市	2 039	4 110	2 324	1 671	115
東大阪市	2 901	4 586	2 217	2 288	81
豊中市	1 870	4 387	1 982	2 399	6
枚方市	1 965	3 412	1 309	2 098	5
姫路市	3 684	6 140	2 905	3 074	161
西宮市	1 764	4 477	2 380	2 067	30
尼崎市	2 930	4 443	1 998	2 437	8
奈良市	1 236	3 834	1 565	2 253	16
和歌山市	2 086	4 414	2 306	2 094	14
倉敷市	1 449	5 229	1 897	3 309	23
福山市	4 882	7 326	4 600	2 589	137
呉市	2 052	3 324	1 665	1 606	53
下関市	1 199	4 063	1 893	2 045	125
高松市	1 157	2 050	588	1 462	－
松山市	3 338	6 078	3 394	2 678	6
高知市	1 956	3 295	1 553	1 670	72
久留米市	1 301	2 015	720	1 295	－
長崎市	1 216	5 626	2 257	3 251	118
佐世保市	911	2 311	1 149	1 056	106
大分市	1 676	5 008	2 703	2 242	63
宮崎市	1 368	3 174	1 339	1 812	23
鹿児島市	2 260	4 900	1 955	2 922	23
那覇市	742	2 547	911	1 612	24

〈詳　細　票〉

第３章　地域密着型サービス

第1表　地域密着型介護老人福祉施設数,

都道府県 指定都市 中核市	総数	都道府県	市区町村	広域連合・ 一部事務組合
全国	2 019	-	75	7
北海道	106	-	8	-
青森	43	-	1	-
岩手	54	-	3	-
宮城	46	-	1	-
秋田	29	-	1	-
山形	49	-	-	-
福島	30	-	-	-
茨城	37	-	1	-
栃木	75	-	2	-
群馬	42	-	2	-
埼玉	40	-	1	-
千葉	61	-	3	-
東京	29	-	4	-
神奈川	26	-	1	-
新潟	94	-	2	-
富山	26	-	2	-
石川	36	-	2	1
福井	34	-	2	-
山梨	43	-	1	-
長野	58	-	3	-
岐阜	38	-	1	-
静岡	37	-	-	-
愛知	105	-	2	2
三重	42	-	1	2
滋賀	26	-	-	-
京都	42	-	-	-
大阪	94	-	3	-
兵庫	82	-	3	-
奈良	7	-	3	-
和歌山	19	-	1	-
鳥取	8	-	-	-
島根	20	-	2	-
岡山	65	-	5	2
広島	55	-	3	-
山口	52	-	-	-
徳島	9	-	-	-
香川	11	-	-	-
愛媛	38	-	2	-
高知	7	-	-	-
福岡	78	-	2	-
佐賀	6	-	-	-
長崎	34	-	1	-
熊本	82	-	2	-
大分	43	-	2	-
宮崎	10	-	-	-
鹿児島	43	-	1	-
沖縄	8	-	1	-

注：調査方法の変更等による回収率変動の影響を受けているため、数量を示す施設数の実数は前年以前と単純に年次比較できない。

都道府県－指定都市・中核市（再掲）、開設主体別（２－１）

平成29年10月１日

日本赤十字社	社会福祉協議会	社会福祉法人（社会福祉協議会以外）	社団・財団法人	その他
-	12	1 925	-	-
-	-	98	-	-
-	4	38	-	-
-	-	51	-	-
-	3	42	-	-
-	-	28	-	-
-	-	49	-	-
-	-	30	-	-
-	-	36	-	-
-	-	73	-	-
-	-	40	-	-
-	-	39	-	-
-	-	58	-	-
-	-	25	-	-
-	-	25	-	-
-	-	92	-	-
-	-	24	-	-
-	-	33	-	-
-	-	32	-	-
-	-	42	-	-
-	1	54	-	-
-	-	37	-	-
-	-	37	-	-
-	-	101	-	-
-	-	39	-	-
-	-	26	-	-
-	-	42	-	-
-	-	91	-	-
-	-	79	-	-
-	-	4	-	-
-	-	18	-	-
-	-	8	-	-
-	2	16	-	-
-	1	57	-	-
-	1	51	-	-
-	-	52	-	-
-	-	9	-	-
-	-	11	-	-
-	-	36	-	-
-	-	7	-	-
-	-	76	-	-
-	-	6	-	-
-	-	33	-	-
-	-	80	-	-
-	-	41	-	-
-	-	10	-	-
-	-	42	-	-
-	-	7	-	-

第1表　地域密着型介護老人福祉施設数,

都道府県 指定都市 中核市	総数	都道府県	市区町村	広域連合・ 一部事務組合
指定都市(再掲)				
札幌市	11	-	1	-
仙台市	12	-	-	-
さいたま市	3	-	-	-
千葉市	3	-	-	-
横浜市	2	-	-	-
川崎市	9	-	-	-
相模原市	1	-	-	-
新潟市	25	-	1	-
静岡市	4	-	-	-
浜松市	11	-	-	-
名古屋市	25	-	1	-
京都市	24	-	-	-
大阪市	7	-	-	-
堺市	7	-	-	-
神戸市	22	-	2	-
岡山市	25	-	3	-
広島市	4	-	-	-
北九州市	20	-	1	-
福岡市	17	-	-	-
熊本市	13	-	1	-
中核市(再掲)				
旭川市	4	-	-	-
函館市	3	-	-	-
青森市	5	-	-	-
八戸市	5	-	-	-
盛岡市	4	-	1	-
秋田市	3	-	-	-
郡山市	6	-	-	-
いわき市	10	-	-	-
宇都宮市	10	-	-	-
前橋市	5	-	-	-
高崎市	16	-	-	-
川越市	1	-	-	-
越谷市	5	-	-	-
船橋市	2	-	-	-
柏市	5	-	-	-
八王子市	2	-	-	-
横須賀市	-	-	-	-
富山市	14	-	1	-
金沢市	17	-	2	-
長野市	19	-	-	-
岐阜市	3	-	-	-
豊橋市	9	-	-	-
豊田市	11	-	-	-
岡崎市	12	-	1	-
大津市	2	-	-	-
高槻市	6	-	-	-
東大阪市	3	-	-	-
豊中市	7	-	-	-
枚方市	2	-	-	-
姫路市	13	-	-	-
西宮市	2	-	-	-
尼崎市	3	-	-	-
奈良市	-	-	-	-
和歌山市	9	-	1	-
倉敷市	11	-	-	-
福山市	16	-	1	-
呉市	3	-	-	-
下関市	17	-	-	-
高松市	-	-	-	-
松山市	15	-	-	-
高知市	2	-	-	-
久留米市	16	-	1	-
長崎市	15	-	1	-
佐世保市	5	-	-	-
大分市	12	-	-	-
宮崎市	1	-	-	-
鹿児島市	7	-	1	-
那覇市	1	-	-	-

注：調査方法の変更等による回収率変動の影響を受けているため、数量を示す施設数の実数は前年以前と単純に年次比較できない。

都道府県－指定都市・中核市（再掲）、開設主体別（２－２）

平成29年10月１日

日本赤十字社	社会福祉協議会	社会福祉法人（社会福祉協議会以外）	社団・財団法人	そ　の　他
–	–	10	–	–
–	–	12	–	–
–	–	3	–	–
–	–	3	–	–
–	–	2	–	–
–	–	9	–	–
–	–	1	–	–
–	–	24	–	–
–	–	4	–	–
–	–	11	–	–
–	–	24	–	–
–	–	24	–	–
–	–	7	–	–
–	–	7	–	–
–	–	20	–	–
–	–	22	–	–
–	–	4	–	–
–	–	19	–	–
–	–	17	–	–
–	–	12	–	–
–	–	4	–	–
–	–	3	–	–
–	–	5	–	–
–	–	5	–	–
–	–	3	–	–
–	–	3	–	–
–	–	6	–	–
–	–	10	–	–
–	–	10	–	–
–	–	5	–	–
–	–	16	–	–
–	–	1	–	–
–	–	5	–	–
–	–	2	–	–
–	–	5	–	–
–	–	2	–	–
–	–	–	–	–
–	–	13	–	–
–	–	15	–	–
–	–	19	–	–
–	–	3	–	–
–	–	9	–	–
–	–	11	–	–
–	–	11	–	–
–	–	2	–	–
–	–	6	–	–
–	–	3	–	–
–	–	7	–	–
–	–	2	–	–
–	–	13	–	–
–	–	2	–	–
–	–	3	–	–
–	–	–	–	–
–	–	8	–	–
–	–	11	–	–
–	–	15	–	–
–	–	3	–	–
–	–	17	–	–
–	–	–	–	–
–	–	15	–	–
–	–	2	–	–
–	–	15	–	–
–	–	14	–	–
–	–	5	–	–
–	–	12	–	–
–	–	1	–	–
–	–	6	–	–
–	–	1	–	–

第２表　地域密着型介護老人福祉施設数,

定員階級	総数	都道府県	市区町村	広域連合・一部事務組合
総数	2 019	−	3	4
1 〜 9人	18	−	−	−
10 〜 19	145	−	1	−
20 〜 29	1 856	−	2	4

注：調査方法の変更等による回収率変動の影響を受けているため、数量を示す施設数の実数は前年以前と単純に年次比較できない。

第３表　地域密着型介護老人福祉施設数,

開設主体	経営			
	総数	都道府県	市区町村	広域連合・一部事務組合
総数	2 019	−	3	4
都道府県	−	−	−	−
市区町村	75	−	3	−
広域連合・一部事務組合	7	−	−	4
日本赤十字社	−	−	−	−
社会福祉協議会	12	−	−	−
社会福祉法人（社会福祉協議会以外）	1 925	−	−	−
社団・財団法人	−	−	−	−
その他	−	−	−	−

注：調査方法の変更等による回収率変動の影響を受けているため、数量を示す施設数の実数は前年以前と単純に年次比較できない。

定員階級、経営主体別

平成29年10月１日

日本赤十字社	社会福祉協議会	社会福祉法人（社会福祉協議会以外）	社団・財団法人	その他
-	21	1 990	-	1
-	1	17	-	-
-	3	141	-	-
-	17	1 832	-	1

開設主体、経営主体別

平成29年10月１日

主		体		
日本赤十字社	社会福祉協議会	社会福祉法人（社会福祉協議会以外）	社団・財団法人	その他
-	21	1 990	-	1
-	-	-	-	-
-	10	61	-	1
-	-	3	-	-
-	-	-	-	-
-	11	1	-	-
-	-	1 925	-	-
-	-	-	-	-
-	-	-	-	-

第４表　地域密着型介護老人福祉施設数，

ユニットの状況 ユニット数	総数	都道府県	市区町村	広域連合・ 一部事務組合
総数	2 019	-	3	4
ユニット有	1 832	-	2	3
1ユニット	57	-	-	-
2ユニット	433	-	2	1
3ユニット	1 273	-	-	2
4ユニット	66	-	-	-
5ユニット	3	-	-	-
6ユニット	-	-	-	-
7ユニット	-	-	-	-
8ユニット	-	-	-	-
9ユニット	-	-	-	-
10ユニット以上	-	-	-	-
ユニット無	187	-	1	1

注：調査方法の変更等による回収率変動の影響を受けているため、数量を示す施設数の実数は前年以前と単純に年次比較できない。

ユニットの状況、ユニット数、経営主体別

平成29年10月１日

日本赤十字社	社会福祉協議会	社会福祉法人（社会福祉協議会以外）	社団・財団法人	その他
-	21	1 990	-	1
-	15	1 811	-	1
-	2	55	-	-
-	6	423	-	1
-	6	1 265	-	-
-	1	65	-	-
-	-	3	-	-
-	-	-	-	-
-	-	-	-	-
-	-	-	-	-
-	-	-	-	-
-	-	-	-	-
-	6	179	-	-

第5表　地域密着型介護老人福祉施設の定員，

都道府県 指定都市 中核市	総数	都道府県	市区町村	広域連合・ 一部事務組合
全国	52 165	-	1 950	176
北海道	2 516	-	192	-
青森	1 105	-	29	-
岩手	1 425	-	78	-
宮城	1 100	-	29	-
秋田	776	-	20	-
山形	1 340	-	-	-
福島	797	-	-	-
茨城	969	-	29	-
栃木	1 960	-	58	-
群馬	986	-	58	-
埼玉	1 044	-	20	-
千葉	1 571	-	73	-
東京	717	-	111	-
神奈川	707	-	29	-
新潟	2 503	-	58	-
富山	612	-	49	-
石川	977	-	58	29
福井	855	-	58	-
山梨	1 206	-	29	-
長野	1 567	-	76	-
岐阜	1 017	-	29	-
静岡	988	-	-	-
愛知	2 991	-	58	58
三重	994	-	29	53
滋賀	669	-	-	-
京都	1 075	-	-	-
大阪	2 668	-	87	-
兵庫	2 088	-	65	-
奈良	174	-	67	-
和歌山	515	-	29	-
鳥取	175	-	-	-
島根	480	-	40	-
岡山	1 701	-	132	36
広島	1 354	-	69	-
山口	1 325	-	-	-
徳島	205	-	-	-
香川	295	-	-	-
愛媛	1 075	-	58	-
高知	183	-	-	-
福岡	2 033	-	49	-
佐賀	116	-	-	-
長崎	898	-	29	-
熊本	2 003	-	47	-
大分	939	-	50	-
宮崎	253	-	-	-
鹿児島	1 018	-	29	-
沖縄	200	-	29	-

注：調査方法の変更等による回収率変動の影響を受けているため、数量を示す定員の実数は前年以前と単純に年次比較できない。

都道府県－指定都市・中核市（再掲）、開設主体別（２－１）

平成29年10月１日

日本赤十字社	社会福祉協議会	社会福祉法人（社会福祉協議会以外）	社団・財団法人	その他
-	316	49 723	-	-
-	-	2 324	-	-
-	116	960	-	-
-	-	1 347	-	-
-	87	984	-	-
-	-	756	-	-
-	-	1 340	-	-
-	-	797	-	-
-	-	940	-	-
-	-	1 902	-	-
-	-	928	-	-
-	-	1 024	-	-
-	-	1 498	-	-
-	-	606	-	-
-	-	678	-	-
-	-	2 445	-	-
-	-	563	-	-
-	-	890	-	-
-	-	797	-	-
-	-	1 177	-	-
-	29	1 462	-	-
-	-	988	-	-
-	-	988	-	-
-	-	2 875	-	-
-	-	912	-	-
-	-	669	-	-
-	-	1 075	-	-
-	-	2 581	-	-
-	-	2 023	-	-
-	-	107	-	-
-	-	486	-	-
-	-	175	-	-
-	30	410	-	-
-	25	1 508	-	-
-	29	1 256	-	-
-	-	1 325	-	-
-	-	205	-	-
-	-	295	-	-
-	-	1 017	-	-
-	-	183	-	-
-	-	1 984	-	-
-	-	116	-	-
-	-	869	-	-
-	-	1 956	-	-
-	-	889	-	-
-	-	253	-	-
-	-	989	-	-
-	-	171	-	-

第５表　地域密着型介護老人福祉施設の定員,

都道府県 指定都市 中核市	総数	都道府県	市区町村	広域連合・ 一部事務組合
指定都市(再掲)				
札幌市	310	−	29	−
仙台市	319	−	−	−
さいたま市	87	−	−	−
千葉市	87	−	−	−
横浜市	55	−	−	−
川崎市	250	−	−	−
相模原市	29	−	−	−
新潟市	666	−	29	−
静岡市	96	−	−	−
浜松市	319	−	−	−
名古屋市	689	−	29	−
京都市	619	−	−	−
大阪市	200	−	−	−
堺市	202	−	−	−
神戸市	571	−	45	−
岡山市	725	−	87	−
広島市	80	−	−	−
北九州市	554	−	29	−
福岡市	439	−	−	−
熊本市	324	−	29	−
中核市(再掲)				
旭川市	98	−	−	−
函館市	78	−	−	−
青森市	130	−	−	−
八戸市	96	−	−	−
盛岡市	107	−	29	−
秋田市	87	−	−	−
郡山市	142	−	−	−
いわき市	281	−	−	−
宇都宮市	271	−	−	−
前橋市	90	−	−	−
高崎市	403	−	−	−
川越市	20	−	−	−
越谷市	118	−	−	−
船橋市	49	−	−	−
柏市	134	−	−	−
八王子市	58	−	−	−
横須賀市	−	−	−	−
富山市	319	−	29	−
金沢市	487	−	58	−
長野市	522	−	−	−
岐阜市	87	−	−	−
豊橋市	261	−	−	−
豊田市	319	−	−	−
岡崎市	348	−	29	−
大津市	58	−	−	−
高槻市	174	−	−	−
東大阪市	76	−	−	−
豊中市	203	−	−	−
枚方市	58	−	−	−
姫路市	303	−	−	−
西宮市	49	−	−	−
尼崎市	73	−	−	−
奈良市	−	−	−	−
和歌山市	261	−	29	−
倉敷市	294	−	−	−
福山市	397	−	24	−
呉市	78	−	−	−
下関市	466	−	−	−
高松市	−	−	−	−
松山市	418	−	−	−
高知市	47	−	−	−
久留米市	430	−	20	−
長崎市	408	−	29	−
佐世保市	126	−	−	−
大分市	275	−	−	−
宮崎市	22	−	−	−
鹿児島市	156	−	29	−
那覇市	29	−	−	−

注：調査方法の変更等による回収率変動の影響を受けているため、数量を示す定員の実数は前年以前と単純に年次比較できない。

都道府県－指定都市・中核市（再掲）、開設主体別（２－２）

平成29年10月１日

日本赤十字社	社会福祉協議会	社会福祉法人 （社会福祉協議会以外）	社団・財団法人	そ　の　他
–	–	281	–	–
–	–	319	–	–
–	–	87	–	–
–	–	87	–	–
–	–	55	–	–
–	–	250	–	–
–	–	29	–	–
–	–	637	–	–
–	–	96	–	–
–	–	319	–	–
–	–	660	–	–
–	–	619	–	–
–	–	200	–	–
–	–	202	–	–
–	–	526	–	–
–	–	638	–	–
–	–	80	–	–
–	–	525	–	–
–	–	439	–	–
–	–	295	–	–
–	–	98	–	–
–	–	78	–	–
–	–	130	–	–
–	–	96	–	–
–	–	78	–	–
–	–	87	–	–
–	–	142	–	–
–	–	281	–	–
–	–	271	–	–
–	–	90	–	–
–	–	403	–	–
–	–	20	–	–
–	–	118	–	–
–	–	49	–	–
–	–	134	–	–
–	–	58	–	–
–	–	–	–	–
–	–	290	–	–
–	–	429	–	–
–	–	522	–	–
–	–	87	–	–
–	–	261	–	–
–	–	319	–	–
–	–	319	–	–
–	–	58	–	–
–	–	174	–	–
–	–	76	–	–
–	–	203	–	–
–	–	58	–	–
–	–	303	–	–
–	–	49	–	–
–	–	73	–	–
–	–	–	–	–
–	–	232	–	–
–	–	294	–	–
–	–	373	–	–
–	–	78	–	–
–	–	466	–	–
–	–	–	–	–
–	–	418	–	–
–	–	47	–	–
–	–	410	–	–
–	–	379	–	–
–	–	126	–	–
–	–	275	–	–
–	–	22	–	–
–	–	127	–	–
–	–	29	–	–

第６表　地域密着型介護老人福祉施設の定員－在所者数,

定員階級	総数	都道府県	市区町村	広域連合・一部事務組合
定員総数	52 165	－	1 950	176
1 ～ 9人	154	－	9	－
10 ～ 19	2 041	－	85	16
20 ～ 29	49 970	－	1 856	160
在所者数	50 232	－	1 897	173

注：調査方法の変更等による回収率変動の影響を受けているため、数量を示す定員、在所者数の実数は前年以前と単純に年次比較できない。

第７表　地域密着型介護老人福祉施設の居室数,

定員階級	総数	個室	2人室
総数	50 132	49 011	582
1 ～ 9人	117	94	13
10 ～ 19	1 791	1 621	118
20 ～ 29	48 224	47 296	451

注：調査方法の変更等による回収率変動の影響を受けているため、数量を示す居室数の実数は前年以前と単純に年次比較できない。

第８表　地域密着型介護老人福祉施設の居室数,

開設主体	総数	個室	2人室
総数	50 132	49 011	582
都道府県	－	－	－
市区町村	1 823	1 744	47
広域連合・一部事務組合	151	136	10
日本赤十字社	－	－	－
社会福祉協議会	306	296	10
社会福祉法人(社会福祉協議会以外)	47 852	46 835	515
社団・財団法人	－	－	－
その他	－	－	－

注：調査方法の変更等による回収率変動の影響を受けているため、数量を示す居室数の実数は前年以前と単純に年次比較できない。

定員階級、開設主体別

平成29年10月１日

日本赤十字社	社会福祉協議会	社会福祉法人（社会福祉協議会以外）	社団・財団法人	その他
－	316	49 723	－	－
－	－	145	－	－
－	10	1 930	－	－
－	306	47 648	－	－
－	306	47 856	－	－

定員階級、室定員別

平成29年10月１日

3人室	4人室	5人以上室
109	430	－
6	4	－
15	37	－
88	389	－

開設主体、室定員別

平成29年10月１日

3人室	4人室	5人以上室
109	430	－
－	－	－
13	19	－
－	5	－
－	－	－
－	－	－
96	406	－
－	－	－
－	－	－

第９表　地域密着型介護老人福祉施設の常勤換算従事者数,

都道府県 指定都市 中核市	総数			施設長			医師		
	総数	常勤	非常勤	総数	常勤	非常勤	総数	常勤	非常勤
全国	43 530	37 489	6 042	1 271	1 268	3	298	27	272
北海道	2 109	1 846	264	56	55	1	13	0	12
青森	948	857	91	32	32	-	7	0	7
岩手	1 193	1 089	103	32	32	1	10	2	8
宮城	932	845	87	25	25	-	5	0	5
秋田	636	593	43	15	15	-	4	0	4
山形	1 032	958	74	27	27	-	7	0	7
福島	675	624	51	17	17	-	5	0	5
茨城	804	695	109	17	17	-	4	-	4
栃木	1 584	1 418	166	52	52	-	11	1	10
群馬	766	669	97	22	22	-	6	-	6
埼玉	829	674	154	27	27	0	5	0	5
千葉	1 223	1 011	213	39	39	-	10	0	10
東京	604	464	140	16	16	-	5	1	4
神奈川	548	416	133	11	11	-	4	1	3
新潟	1 998	1 810	188	45	45	-	11	1	10
富山	494	420	74	13	13	0	3	0	3
石川	774	686	88	24	24	-	5	2	3
福井	718	621	97	20	20	0	4	0	4
山梨	989	836	154	27	27	-	5	0	5
長野	1 242	1 057	186	40	40	-	8	1	7
岐阜	836	632	204	26	26	-	8	2	6
静岡	733	635	98	22	22	-	7	0	6
愛知	2 374	1 914	460	69	69	0	17	2	15
三重	865	723	142	30	30	-	6	0	6
滋賀	537	422	115	17	17	0	3	0	3
京都	892	735	157	20	20	-	6	1	6
大阪	2 222	1 768	453	71	71	-	18	2	16
兵庫	1 923	1 565	358	63	63	-	13	1	12
奈良	144	124	20	4	4	-	1	-	1
和歌山	409	359	50	11	11	-	3	1	3
鳥取	162	150	12	6	6	-	1	0	1
島根	435	386	49	13	13	-	3	-	3
岡山	1 464	1 271	193	52	51	1	8	0	8
広島	1 259	1 102	158	42	42	0	9	2	8
山口	1 102	948	153	31	30	0	8	1	7
徳島	168	143	25	4	4	-	1	-	1
香川	227	198	30	5	5	-	2	-	2
愛媛	918	814	104	33	33	-	6	1	5
高知	138	131	7	5	5	-	1	-	1
福岡	1 646	1 458	189	53	53	-	12	1	11
佐賀	113	97	15	3	3	-	1	0	1
長崎	705	616	89	24	24	-	5	-	5
熊本	1 820	1 633	187	46	46	-	11	2	10
大分	931	821	110	26	26	-	5	0	5
宮崎	209	189	20	7	7	-	1	0	1
鹿児島	1 007	897	110	28	28	-	7	2	5
沖縄	194	170	24	6	6	-	1	-	1

注：1）調査方法の変更等による回収率変動の影響を受けているため、数量を示す従事者数の実数は前年以前と単純に年次比較できない。
　　2）「0」は常勤換算従事者数が0.5未満の場合である。

都道府県－指定都市・中核市（再掲）、職種（常勤－非常勤）別（７－１）

平成29年10月１日

歯科医師			生活相談員			社会福祉士（再掲）			看護師		
総数	常勤	非常勤	総数	常勤	非常勤	総数	常勤	非常勤	総数	常勤	非常勤
24	4	21	1 737	1 719	18	442	438	4	2 232	1 866	366
1	−	1	97	96	1	26	26	−	105	92	13
0	−	0	35	35	0	6	6	−	32	27	4
3	−	3	44	44	−	9	9	−	64	56	8
1	0	1	39	39	−	9	9	−	40	35	5
1	−	1	22	22	1	7	6	1	38	36	2
1	0	0	39	39	−	12	12	−	64	56	7
0	−	0	23	23	0	6	6	−	33	29	4
1	−	1	40	39	0	11	11	−	40	33	7
1	−	1	64	64	−	12	12	−	63	55	8
0	−	0	27	27	−	10	10	−	38	32	6
0	−	0	41	41	0	4	4	−	35	25	10
3	1	2	51	50	1	14	14	−	57	45	12
0	−	0	26	26	−	10	10	−	46	36	10
1	−	1	24	24	0	4	4	−	33	21	12
0	0	0	80	79	1	30	30	0	112	99	13
0	−	0	21	21	−	8	8	−	29	28	2
0	−	0	27	27	1	10	10	−	51	44	7
0	−	0	32	30	1	9	8	1	35	28	7
1	−	1	40	40	−	10	10	−	48	42	7
1	0	0	49	49	0	14	14	−	69	54	15
0	−	0	30	29	2	4	4	−	38	28	9
1	1	0	31	29	2	7	7	−	42	37	5
1	−	1	97	94	3	29	28	0	136	110	26
0	−	0	38	38	−	8	8	−	39	30	9
−	−	−	23	23	−	5	5	−	36	29	7
0	−	0	38	38	0	12	12	−	55	40	15
2	−	2	85	84	1	12	12	−	113	86	27
1	−	1	74	73	1	11	11	−	109	86	23
−	−	−	5	5	−	1	1	−	4	4	0
0	−	0	15	15	−	1	1	−	20	19	2
0	0	−	7	6	1	2	2	−	10	10	−
0	−	0	14	14	−	6	6	−	18	14	4
0	0	0	65	65	−	20	20	−	70	54	16
1	−	1	53	53	−	15	15	−	69	62	7
0	−	0	44	44	1	7	7	−	51	44	7
−	−	−	6	6	0	4	3	0	7	5	2
0	−	0	7	7	−	2	2	−	10	9	1
0	−	0	35	35	−	8	8	−	47	43	4
0	−	0	6	6	−	4	4	−	5	4	1
1	0	0	68	68	0	24	24	−	89	77	11
−	−	−	4	4	−	1	1	−	5	5	0
0	−	0	27	27	−	5	5	−	37	30	7
2	1	1	64	64	1	18	17	1	78	69	9
0	−	0	35	35	0	16	16	−	43	36	6
−	−	−	7	7	−	0	0	−	9	9	−
−	−	−	34	33	1	7	7	−	54	46	7
−	−	−	6	6	−	−	−	−	10	10	1

第9表　地域密着型介護老人福祉施設の常勤換算従事者数，

都道府県 指定都市 中核市	総数			施設長			医師		
	総数	常勤	非常勤	総数	常勤	非常勤	総数	常勤	非常勤
指定都市(再掲)									
札幌市	258	223	35	8	8	-	2	-	2
仙台市	232	200	32	4	4	-	1	-	1
さいたま市	64	60	4	2	2	-	0	-	0
千葉市	60	50	10	3	3	-	0	-	0
横浜市	41	32	10	1	1	-	0	-	0
川崎市	189	152	37	4	4	-	1	0	1
相模原市	21	18	3	0	0	-	0	-	0
新潟市	508	463	45	11	11	-	3	0	2
静岡市	64	50	14	1	1	-	1	-	1
浜松市	231	194	36	7	7	-	2	0	1
名古屋市	592	471	121	15	15	0	6	2	4
京都市	496	404	91	14	14	-	3	0	3
大阪市	152	125	27	5	5	-	2	-	2
堺市	161	121	40	5	5	-	1	-	1
神戸市	562	451	111	15	15	-	5	1	4
岡山市	590	527	63	19	19	-	4	0	3
広島市	131	108	23	3	3	0	1	-	1
北九州市	444	397	46	12	12	-	3	-	3
福岡市	378	328	50	11	11	-	2	1	2
熊本市	277	252	25	8	8	-	2	-	2
中核市(再掲)									
旭川市	115	108	7	2	2	-	0	-	0
函館市	62	56	6	1	1	1	0	-	0
青森市	121	113	8	4	4	-	1	-	1
八戸市	109	101	8	3	3	-	1	-	1
盛岡市	98	88	10	2	2	-	2	0	2
秋田市	65	61	4	1	1	-	0	-	0
郡山市	107	98	9	2	2	-	1	-	1
いわき市	225	209	16	5	5	-	2	-	2
宇都宮市	220	190	30	6	6	-	2	-	2
前橋市	65	59	7	1	1	-	1	-	1
高崎市	315	277	38	10	10	-	3	-	3
川越市	16	14	2	1	1	-	0	-	0
越谷市	129	100	29	4	4	-	1	0	1
船橋市	38	32	7	2	2	-	0	-	0
柏市	125	87	38	4	4	-	1	-	1
八王子市	46	31	15	1	1	-	0	-	0
横須賀市	-	-	-	-	-	-	-	-	-
富山市	261	225	36	6	6	0	2	0	2
金沢市	395	339	55	13	13	-	2	1	2
長野市	399	332	67	13	13	-	3	-	3
岐阜市	77	56	22	2	2	-	0	-	0
豊橋市	212	168	44	8	8	-	1	-	1
豊田市	231	181	50	6	6	-	2	-	2
岡崎市	248	198	50	7	7	-	2	-	2
大津市	46	33	13	2	2	-	0	-	0
高槻市	150	116	35	5	5	-	1	-	1
東大阪市	63	53	9	3	3	-	0	-	0
豊中市	188	125	63	5	5	-	2	-	2
枚方市	50	43	7	2	2	-	0	-	0
姫路市	341	282	59	12	12	-	2	-	2
西宮市	40	32	8	1	1	-	0	0	0
尼崎市	54	51	3	3	3	-	0	-	0
奈良市	-	-	-	-	-	-	-	-	-
和歌山市	209	188	22	7	7	-	2	0	1
倉敷市	278	232	46	10	10	-	1	-	1
福山市	343	311	33	14	14	-	3	1	2
呉市	77	65	12	2	2	-	0	-	0
下関市	416	363	53	11	11	0	3	-	3
高松市	-	-	-	-	-	-	-	-	-
松山市	368	320	48	14	14	-	2	0	2
高知市	40	39	1	1	1	-	0	-	0
久留米市	357	320	36	12	12	-	3	-	3
長崎市	319	278	41	11	11	-	3	-	3
佐世保市	88	80	8	3	3	-	1	-	1
大分市	269	242	26	7	7	-	2	-	2
宮崎市	18	15	3	0	0	-	0	-	0
鹿児島市	173	158	15	4	4	-	1	-	1
那覇市	27	26	1	1	1	-	0	-	0

注：1）調査方法の変更等による回収率変動の影響を受けているため、数量を示す従事者数の実数は前年以前と単純に年次比較できない。
2）「0」は常勤換算従事者数が0.5未満の場合である。

都道府県－指定都市・中核市（再掲）、職種（常勤－非常勤）別（7－2）

平成29年10月1日

歯科医師			生活相談員			社会福祉士（再掲）			看護師		
総数	常勤	非常勤	総数	常勤	非常勤	総数	常勤	非常勤	総数	常勤	非常勤
0	－	0	9	9	－	7	7	－	18	14	5
－	－	－	11	11	－	3	3	－	11	9	2
－	－	－	3	3	－	－	－	－	4	4	－
－	－	－	3	3	－	1	1	－	4	2	2
－	－	－	2	2	－	－	－	－	2	1	0
0	－	0	9	9	－	1	1	－	11	8	4
－	－	－	1	1	－	－	－	－	3	2	1
0	0	－	17	17	－	5	5	－	31	29	2
－	－	－	3	3	－	1	1	－	3	3	0
0	－	0	11	10	1	4	4	－	14	12	2
1	－	1	23	22	1	7	7	－	33	24	9
0	－	0	24	24	0	9	9	－	34	25	8
1	－	1	7	7	－	1	1	－	5	5	－
－	－	－	8	8	－	2	2	－	10	6	4
0	－	0	22	22	－	5	5	－	35	29	6
－	－	－	23	23	－	8	8	－	34	27	7
0	－	0	5	5	－	2	2	－	10	8	2
0	－	0	16	16	－	4	4	－	22	20	2
0	－	0	19	19	－	8	8	－	26	23	3
－	－	－	11	11	－	3	3	－	13	12	1
－	－	－	3	3	－	2	2	－	3	3	－
－	－	－	3	3	－	1	1	－	3	3	－
－	－	－	4	4	－	1	1	－	5	5	－
0	－	0	5	4	0	2	2	－	6	6	－
1	－	1	3	3	－	1	1	－	4	2	1
－	－	－	2	2	－	1	1	－	2	2	0
0	－	0	3	3	0	2	2	－	6	4	2
－	－	－	9	9	－	2	2	－	13	11	2
0	－	0	9	9	－	2	2	－	12	10	2
－	－	－	3	3	－	2	2	－	5	4	0
0	－	0	13	13	－	4	4	－	16	13	2
－	－	－	1	1	－	－	－	－	2	2	－
－	－	－	5	5	0	1	1	－	4	4	1
0	－	0	2	2	－	－	－	－	2	1	1
1	－	1	5	5	－	1	1	－	5	3	2
－	－	－	1	1	－	－	－	－	3	3	1
－	－	－	－	－	－	－	－	－	－	－	－
－	－	－	11	11	－	4	4	－	16	15	1
0	－	0	14	14	1	6	6	－	27	22	5
0	－	0	17	17	－	4	4	－	21	17	4
－	－	－	2	2	－	1	1	－	3	2	1
0	－	0	8	8	0	－	－	－	10	6	4
0	－	0	10	10	－	4	4	－	16	14	2
0	－	0	11	11	－	4	4	－	16	12	4
－	－	－	2	2	－	－	－	－	3	1	2
－	－	－	5	5	－	2	2	－	11	9	2
－	－	－	2	2	－	0	0	－	3	3	0
0	－	0	6	6	－	－	－	－	12	7	5
－	－	－	2	2	－	－	－	－	3	2	1
0	－	0	10	9	1	2	2	－	17	14	4
－	－	－	1	1	－	－	－	－	2	1	1
－	－	－	3	3	－	－	－	－	0	－	0
－	－	－	－	－	－	－	－	－	－	－	－
0	－	0	8	8	－	1	1	－	13	12	1
－	－	－	15	15	－	10	10	－	18	13	5
0	－	0	14	14	－	1	1	－	15	14	1
－	－	－	3	3	－	－	－	－	4	4	0
－	－	－	17	16	1	3	3	－	16	13	3
－	－	－	－	－	－	－	－	－	－	－	－
－	－	－	13	13	－	1	1	－	18	17	1
0	－	0	2	2	－	1	1	－	2	2	－
0	0	－	13	13	0	5	5	－	18	16	2
0	－	0	12	12	－	2	2	－	16	12	3
0	－	0	4	4	－	1	1	－	6	6	0
－	－	－	11	11	0	5	5	－	15	14	1
－	－	－	1	1	－	－	－	－	1	1	－
－	－	－	5	5	－	3	3	－	11	10	1
－	－	－	1	1	－	－	－	－	1	1	－

第9表　地域密着型介護老人福祉施設の常勤換算従事者数，

都道府県 指定都市 中核市	准看護師			介護職員			介護福祉士（再掲）		
	総数	常勤	非常勤	総数	常勤	非常勤	総数	常勤	非常勤
全国	1 548	1 306	243	28 312	24 729	3 583	15 863	14 761	1 102
北海道	78	62	16	1 399	1 240	159	889	834	55
青森	47	45	2	575	538	37	320	305	15
岩手	38	32	6	759	708	51	400	382	18
宮城	27	22	5	621	579	42	373	362	11
秋田	16	15	1	422	407	16	252	246	6
山形	18	16	2	705	668	37	463	454	9
福島	30	26	3	428	402	25	243	235	8
茨城	37	34	4	499	436	63	252	234	19
栃木	70	63	6	1 047	945	102	547	518	29
群馬	31	28	3	485	430	55	309	287	22
埼玉	30	26	3	534	430	104	257	231	26
千葉	40	33	7	793	679	114	367	336	31
東京	15	12	3	392	301	91	236	203	33
神奈川	12	10	2	359	286	73	158	140	19
新潟	54	41	13	1 386	1 283	103	869	831	38
富山	13	12	1	330	279	51	222	207	15
石川	29	24	5	515	456	58	303	280	23
福井	22	19	4	464	403	61	274	242	32
山梨	26	20	7	677	574	103	303	271	32
長野	47	38	9	852	734	118	558	510	49
岐阜	31	22	9	538	409	129	268	233	35
静岡	18	16	2	509	448	62	288	263	25
愛知	61	53	8	1 634	1 327	307	788	689	99
三重	31	22	9	536	465	71	291	272	19
滋賀	11	8	2	354	281	73	196	174	23
京都	31	25	7	593	498	95	357	326	31
大阪	68	55	13	1 549	1 229	320	758	679	79
兵庫	56	40	16	1 252	1 027	226	676	608	67
奈良	4	4	1	95	83	12	47	46	1
和歌山	15	13	3	276	247	28	167	162	5
鳥取	5	5	1	102	95	7	70	68	2
島根	16	15	1	282	253	29	168	161	7
岡山	52	42	10	927	834	94	506	473	33
広島	63	55	8	690	612	78	396	375	21
山口	44	39	4	736	649	87	398	373	25
徳島	5	4	0	112	97	15	70	63	7
香川	14	12	2	142	126	16	88	84	4
愛媛	36	32	4	594	533	60	351	330	21
高知	8	6	2	82	80	2	49	48	1
福岡	66	61	5	1 061	943	118	590	553	36
佐賀	7	7	0	70	59	11	48	42	6
長崎	30	25	5	443	397	47	255	246	9
熊本	94	81	12	1 080	982	97	611	583	28
大分	44	36	8	565	518	47	361	351	10
宮崎	8	7	1	131	116	15	73	73	-
鹿児島	43	38	5	600	544	56	339	324	15
沖縄	9	8	2	118	101	17	62	57	5

注：1）調査方法の変更等による回収率変動の影響を受けているため、数量を示す従事者数の実数は前年以前と単純に年次比較できない。
2）「0」は常勤換算従事者数が0.5未満の場合である。

都道府県－指定都市・中核市（再掲）、職種（常勤－非常勤）別（7－3）

平成29年10月1日

管理栄養士			栄養士			歯科衛生士			機能訓練指導員		
総数	常勤	非常勤	総数	常勤	非常勤	総数	常勤	非常勤	総数	常勤	非常勤
1 103	1 081	22	391	367	24	42	26	17	948	816	132
48	48	0	16	15	1	4	2	1	37	30	7
9	9	0	22	22	0	0	0	-	22	19	3
15	15	0	27	27	-	0	0	0	25	22	2
25	24	1	8	8	1	1	-	1	23	20	3
13	13	-	8	8	-	1	0	0	12	11	1
20	19	1	4	3	1	1	0	0	22	20	1
14	14	-	10	10	-	0	0	0	14	14	0
23	23	0	12	11	0	2	1	1	15	14	2
32	32	0	28	26	2	1	-	1	24	21	4
19	18	1	6	5	0	1	-	1	18	16	2
22	22	1	7	6	1	0	-	0	22	20	3
31	30	1	12	12	1	-	-	-	24	19	5
13	13	0	4	4	-	1	0	0	15	12	3
15	15	0	1	1	1	0	0	0	9	7	3
50	50	-	14	13	1	2	1	0	40	34	7
12	11	1	6	6	-	0	0	-	10	7	3
13	13	0	10	10	0	0	-	0	14	11	3
17	17	-	8	7	1	0	0	-	16	15	1
20	19	1	8	6	1	1	-	1	15	13	2
30	28	1	11	10	1	1	0	1	24	18	6
23	22	1	3	2	1	3	3	1	23	20	3
13	12	0	5	4	0	1	-	1	10	8	2
67	66	1	14	13	2	2	1	1	33	24	9
27	26	0	4	3	1	2	-	2	21	18	3
18	18	-	2	2	-	0	-	0	8	5	3
26	25	1	3	3	0	0	-	0	15	9	5
64	62	2	14	12	2	1	1	0	46	39	7
64	62	2	7	7	-	1	1	1	50	41	8
5	5	-	0	0	-	-	-	-	3	2	1
7	7	-	3	2	0	1	1	-	9	8	1
5	5	0	1	1	-	1	1	0	4	4	-
12	12	-	3	3	0	-	-	-	13	13	0
52	50	2	12	11	1	0	-	0	34	27	6
47	47	1	14	14	0	4	2	2	36	31	5
25	24	1	7	7	-	0	-	0	21	19	2
4	4	-	0	0	-	-	-	-	2	1	0
8	8	-	3	3	-	-	-	-	5	5	0
25	25	0	6	5	1	1	-	1	22	19	3
5	5	-	2	2	-	0	-	0	6	5	0
51	50	1	14	12	2	2	1	1	48	44	4
3	3	-	-	-	-	-	-	-	3	2	1
14	13	1	11	10	1	0	-	0	20	18	2
43	42	1	22	22	0	2	2	0	55	54	1
24	24	-	8	8	-	4	4	0	24	20	4
6	6	-	3	3	-	1	1	-	7	7	-
22	22	0	9	8	1	2	1	0	27	24	2
4	4	-	2	2	-	-	-	-	6	6	0

第９表　地域密着型介護老人福祉施設の常勤換算従事者数,

都道府県 指定都市 中核市	准看護師			介護職員			介護福祉士（再掲）		
	総数	常勤	非常勤	総数	常勤	非常勤	総数	常勤	非常勤
指定都市（再掲）									
札幌市	7	6	1	182	160	22	117	111	6
仙台市	6	5	1	163	146	18	106	100	6
さいたま市	4	3	1	41	39	2	21	20	1
千葉市	2	2	-	42	35	7	19	16	3
横浜市	2	2	-	34	24	9	15	11	5
川崎市	4	3	0	128	105	22	66	58	8
相模原市	-	-	-	14	13	1	5	5	-
新潟市	15	10	5	363	335	27	215	205	10
静岡市	1	1	-	41	32	9	25	21	4
浜松市	4	2	1	172	147	25	108	97	11
名古屋市	15	14	2	381	305	77	153	134	19
京都市	8	6	2	353	288	65	209	188	21
大阪市	3	2	1	109	89	20	47	41	6
堺市	7	6	1	109	79	30	60	48	12
神戸市	17	14	3	380	309	71	224	203	21
岡山市	16	14	2	411	377	33	216	204	12
広島市	11	9	2	43	36	7	27	26	1
北九州市	19	17	2	283	254	29	153	147	7
福岡市	18	17	1	237	204	32	156	143	13
熊本市	9	5	4	172	161	11	110	106	4
中核市（再掲）									
旭川市	6	3	3	76	75	1	54	54	-
函館市	1	1	-	42	42	-	26	26	-
青森市	5	4	1	74	71	3	52	52	0
八戸市	4	4	1	60	55	5	38	35	3
盛岡市	3	2	1	55	51	4	32	32	0
秋田市	4	3	1	46	45	2	40	40	0
郡山市	3	3	1	73	69	4	48	46	2
いわき市	10	9	1	147	138	9	74	71	4
宇都宮市	8	6	1	155	139	16	101	96	6
前橋市	1	1	0	48	42	6	32	28	4
高崎市	13	12	1	197	174	23	109	105	4
川越市	-	-	-	11	10	2	11	10	2
越谷市	1	1	-	93	68	25	21	19	2
船橋市	1	1	-	27	22	5	11	9	2
柏市	3	2	1	73	53	20	29	25	4
八王子市	-	-	-	33	21	12	18	11	7
横須賀市	-	-	-	-	-	-	-	-	-
富山市	9	8	1	168	144	23	120	111	10
金沢市	13	9	4	272	237	36	154	137	17
長野市	12	11	0	276	225	51	206	185	21
岐阜市	3	3	0	50	38	13	25	24	1
豊橋市	6	6	0	152	120	32	70	58	12
豊田市	7	6	1	162	126	35	73	62	11
岡崎市	6	5	1	171	139	33	74	67	7
大津市	1	1	0	32	24	8	12	9	3
高槻市	2	2	1	110	85	25	47	43	4
東大阪市	3	1	2	46	39	7	10	9	1
豊中市	3	1	1	128	83	45	51	40	11
枚方市	2	1	1	39	35	4	12	12	0
姫路市	9	6	4	214	181	33	78	71	8
西宮市	2	1	1	29	23	6	22	18	3
尼崎市	4	3	1	38	37	1	20	20	-
奈良市	-	-	-	-	-	-	-	-	-
和歌山市	7	5	2	139	127	12	83	80	3
倉敷市	5	3	3	176	150	26	99	89	10
福山市	20	15	4	208	188	21	119	111	7
呉市	5	5	1	38	31	7	24	24	0
下関市	17	15	2	267	244	22	128	121	7
高松市	-	-	-	-	-	-	-	-	-
松山市	13	10	3	215	190	26	123	113	10
高知市	1	1	-	27	27	-	16	16	-
久留米市	12	11	1	238	212	26	135	129	7
長崎市	12	11	1	210	189	21	123	118	5
佐世保市	4	3	2	56	51	5	38	36	2
大分市	10	8	2	163	156	7	117	115	2
宮崎市	-	-	-	12	11	1	9	9	-
鹿児島市	6	6	-	96	89	7	73	72	2
那覇市	2	1	1	18	18	-	15	15	-

注：1）調査方法の変更等による回収率変動の影響を受けているため、数量を示す従事者数の実数は前年以前と単純に年次比較できない。
　　2）「0」は常勤換算従事者数が0.5未満の場合である。

都道府県－指定都市・中核市（再掲）、職種（常勤－非常勤）別（７－４）

平成29年10月１日

管理栄養士			栄養士			歯科衛生士			機能訓練指導員		
総数	常勤	非常勤	総数	常勤	非常勤	総数	常勤	非常勤	総数	常勤	非常勤
8	8	－	－	－	－	－	－	－	4	3	1
8	7	1	－	－	－	－	－	－	4	3	1
3	3	－	1	1	－	－	－	－	1	1	－
0	－	0	－	－	－	－	－	－	1	1	－
0	0	－	－	－	－	－	－	－	－	－	－
6	6	－	－	－	－	－	－	－	3	2	1
0	0	－	0	0	－	－	－	－	－	－	－
12	12	－	4	4	－	1	1	－	12	10	2
1	1	－	1	1	－	－	－	－	1	1	－
4	4	0	－	－	－	0	－	0	3	1	1
23	23	－	5	5	0	1	1	0	9	6	2
14	14	－	1	1	0	0	－	0	8	4	4
4	4	－	2	2	－	0	－	0	2	2	0
4	4	－	1	1	0	－	－	－	4	4	－
16	16	－	0	0	－	1	1	－	15	12	3
20	19	1	3	3	0	－	－	－	9	8	1
5	5	－	－	－	－	1	－	1	4	4	－
17	17	－	6	6	－	2	1	1	13	12	1
11	10	1	1	1	1	1	－	1	16	16	0
10	9	1	2	2	－	2	2	0	8	7	1
2	2	－	1	1	－	－	－	－	2	2	－
0	0	－	2	1	1	－	－	－	3	1	1
3	3	0	2	2	－	－	－	－	3	3	0
1	1	－	1	1	－	－	－	－	3	3	0
1	1	－	3	3	－	－	－	－	2	2	－
3	3	－	1	1	－	0	－	0	2	2	－
3	3	－	1	1	－	0	－	0	3	3	－
4	4	－	3	3	－	0	0	－	5	5	－
4	4	－	3	2	1	－	－	－	3	2	1
0	0	－	0	0	－	－	－	－	1	1	－
10	9	0	1	1	－	1	－	1	8	7	1
1	1	－	－	－	－	－	－	－	1	1	－
3	3	－	0	0	－	0	－	0	1	1	0
2	2	－	－	－	－	－	－	－	2	2	－
3	3	－	1	1	－	－	－	－	1	1	0
1	1	－	1	1	－	－	－	－	1	1	0
－	－	－	－	－	－	－	－	－	－	－	－
6	6	－	3	3	－	－	－	－	6	5	1
8	8	0	5	5	0	0	－	0	7	6	1
10	9	0	3	2	1	0	－	0	7	4	3
3	3	－	－	－	－	－	－	－	－	－	－
4	4	－	1	1	－	0	－	0	2	1	1
5	5	0	1	－	1	－	－	－	4	2	2
9	9	－	2	2	0	－	－	－	5	4	1
1	1	－	－	－	－	－	－	－	1	－	1
3	3	－	1	－	1	－	－	－	3	2	1
3	3	－	－	－	－	－	－	－	1	0	1
6	5	1	－	－	－	－	－	－	3	2	1
－	－	－	0	0	－	－	－	－	0	－	0
11	10	1	2	2	－	－	－	－	9	9	0
0	0	－	－	－	－	－	－	－	1	1	0
3	3	－	－	－	－	－	－	－	1	1	0
－	－	－	－	－	－	－	－	－	－	－	－
4	4	－	－	－	－	－	－	－	7	7	0
12	11	1	1	1	0	－	－	－	10	9	1
14	14	0	1	1	－	2	1	1	7	7	0
2	1	1	2	2	0	－	－	－	2	2	－
9	8	1	3	3	－	－	－	－	9	8	1
－	－	－	－	－	－	－	－	－	－	－	－
10	10	－	2	2	1	－	－	－	9	7	2
1	1	－	1	1	－	－	－	－	2	2	0
13	12	0	2	2	－	－	－	－	8	7	1
6	6	－	4	3	1	－	－	－	9	8	2
1	1	－	3	2	0	－	－	－	4	4	－
7	7	－	2	2	－	1	1	－	5	5	1
0	0	－	－	－	－	－	－	－	1	1	－
5	5	－	－	－	－	－	－	－	4	4	－
2	2	－	－	－	－	－	－	－	1	1	－

第９表　地域密着型介護老人福祉施設の常勤換算従事者数,

都道府県 指定都市 中核市	機			能			訓		
	理学療法士(再掲)			作業療法士(再掲)			言語聴覚士(再掲)		
	総数	常勤	非常勤	総数	常勤	非常勤	総数	常勤	非常勤
全国	107	92	15	81	74	8	12	9	3
北海道	3	3	0	2	2	0	1	1	-
青森	2	1	1	-	-	-	1	1	-
岩手	2	2	0	-	-	-	-	-	-
宮城	0	-	0	1	1	-	0	0	-
秋田	1	1	0	2	2	-	-	-	-
山形	3	2	0	4	4	-	1	1	0
福島	0	0	0	-	-	-	-	-	-
茨城	3	2	0	2	1	1	0	-	0
栃木	2	2	0	0	-	0	1	1	-
群馬	1	1	-	1	1	-	-	-	-
埼玉	1	1	0	1	1	-	-	-	-
千葉	4	3	1	1	1	-	-	-	-
東京	3	2	1	1	0	1	-	-	-
神奈川	1	-	1	1	1	-	-	-	-
新潟	7	6	1	3	3	0	0	-	0
富山	0	0	-	-	-	-	-	-	-
石川	2	2	-	3	3	-	-	-	-
福井	-	-	-	2	2	-	-	-	-
山梨	0	0	0	4	4	-	-	-	-
長野	1	1	0	3	3	1	0	0	-
岐阜	2	1	1	1	1	-	-	-	-
静岡	1	1	-	0	0	-	-	-	-
愛知	4	4	1	3	3	1	1	1	0
三重	3	3	1	4	4	-	-	-	-
滋賀	-	-	-	-	-	-	-	-	-
京都	2	2	-	0	0	-	-	-	-
大阪	3	3	1	1	1	0	-	-	-
兵庫	5	4	1	3	3	0	1	1	0
奈良	0	-	0	-	-	-	-	-	-
和歌山	-	-	-	-	-	-	-	-	-
鳥取	1	1	-	1	1	-	0	0	-
島根	2	2	-	2	2	-	-	-	-
岡山	5	5	1	1	1	-	0	0	-
広島	-	-	-	6	5	1	1	1	0
山口	3	3	0	1	1	-	0	-	0
徳島	1	0	0	0	0	-	-	-	-
香川	-	-	-	-	-	-	-	-	-
愛媛	4	4	0	2	2	0	-	-	-
高知	2	2	0	1	1	-	0	-	0
福岡	13	13	0	12	10	2	0	0	-
佐賀	1	1	1	-	-	-	-	-	-
長崎	3	3	-	3	2	1	1	1	-
熊本	2	2	0	3	3	0	-	-	-
大分	1	1	0	4	4	-	2	1	1
宮崎	1	1	-	1	1	-	-	-	-
鹿児島	6	5	1	1	1	0	0	-	0
沖縄	2	2	0	0	-	0	-	-	-

注：1）調査方法の変更等による回収率変動の影響を受けているため、数量を示す従事者数の実数は前年以前と単純に年次比較できない。
　　2）「0」は常勤換算従事者数が0.5未満の場合である。

平成29年10月１日

練			指		導			員			
看護師（再掲）			准看護師（再掲）			柔道整復師（再掲）			あん摩マッサージ指圧師（再掲）		
総数	常勤	非常勤	総数	常勤	非常勤	総数	常勤	非常勤	総数	常勤	非常勤
295	246	50	368	318	50	55	51	4	30	27	4
10	6	4	18	15	3	2	2	－	1	1	－
4	4	1	12	12	1	1	1	－	1	1	0
11	10	1	8	7	1	2	2	－	2	2	－
9	7	2	9	9	1	1	1	0	1	1	－
5	4	0	4	4	－	0	－	0	－	－	－
6	6	1	6	6	0	2	2	0	0	－	0
6	6	0	7	6	0	1	1	－	1	1	－
5	4	1	6	6	－	－	－	－	－	－	－
10	9	1	9	8	1	1	－	1	2	2	1
4	4	0	11	9	2	－	－	－	1	1	－
2	1	1	16	15	1	2	2	0	1	1	－
4	3	1	12	10	2	2	2	－	1	－	1
2	2	0	1	－	1	3	3	0	5	5	－
3	2	1	4	4	0	－	－	－	－	－	－
18	15	3	10	8	2	1	1	－	－	－	－
6	4	2	4	3	1	0	－	0	－	－	－
4	3	1	4	2	1	－	－	－	1	1	0
3	2	1	8	8	0	1	1	－	2	2	－
3	2	1	7	6	1	－	－	－	－	－	－
7	6	2	9	6	3	3	3	0	1	1	0
6	6	1	12	10	1	1	1	－	1	1	－
3	2	1	3	2	1	1	1	－	1	1	－
11	6	5	12	10	2	1	1	－	1	－	1
8	7	1	6	5	1	1	1	0	－	－	－
7	5	3	1	1	0	－	－	－	－	－	－
6	3	3	6	5	2	1	1	－	0	－	0
11	9	2	14	12	2	16	14	2	1	1	0
21	18	4	17	14	3	2	2	－	－	－	－
2	1	1	0	－	0	1	1	－	－	－	－
5	5	1	3	3	0	－	－	－	1	1	－
0	0	－	1	1	－	－	－	－	－	－	－
5	5	－	4	4	0	－	－	－	－	－	－
13	11	2	12	9	3	1	1	－	1	1	0
9	8	1	18	15	3	2	2	0	1	1	－
7	6	1	8	7	1	1	1	－	－	－	－
1	1	－	0	0	－	－	－	－	－	－	－
1	0	0	4	4	－	1	1	－	－	－	－
5	5	－	8	6	2	1	1	－	1	1	－
－	－	－	2	2	－	1	1	－	－	－	－
8	7	1	9	8	1	2	2	－	4	3	0
1	1	0	1	1	－	－	－	－	－	－	－
6	5	1	7	6	0	1	1	－	－	－	－
21	21	0	29	28	1	－	－	－	－	－	－
7	7	0	10	8	2	－	－	－	0	0	－
2	2	－	3	3	－	－	－	－	－	－	－
8	8	0	10	9	1	－	－	－	1	1	－
1	1	－	3	3	－	－	－	－	－	－	－

第９表　地域密着型介護老人福祉施設の常勤換算従事者数,

都道府県 指定都市 中核市	機能訓								
	理学療法士(再掲)			作業療法士(再掲)			言語聴覚士(再掲)		
	総数	常勤	非常勤	総数	常勤	非常勤	総数	常勤	非常勤
指定都市(再掲)									
札幌市	1	1	−	1	1	−	−	−	−
仙台市	0	−	0	0	0	−	0	0	−
さいたま市	−	−	−	0	0	−	−	−	−
千葉市	−	−	−	−	−	−	−	−	−
横浜市	−	−	−	−	−	−	−	−	−
川崎市	−	−	−	1	1	−	−	−	−
相模原市	−	−	−	−	−	−	−	−	−
新潟市	3	2	1	0	−	0	0	−	0
静岡市	0	0	−	0	0	−	−	−	−
浜松市	−	−	−	−	−	−	−	−	−
名古屋市	2	2	0	−	−	−	1	1	−
京都市	0	0	−	0	0	−	−	−	−
大阪市	1	1	−	−	−	−	−	−	−
堺市	−	−	−	−	−	−	−	−	−
神戸市	1	1	0	0	−	0	1	1	−
岡山市	1	1	1	−	−	−	0	0	−
広島市	−	−	−	1	1	−	−	−	−
北九州市	4	4	−	6	6	0	−	−	−
福岡市	5	5	−	3	3	0	−	−	−
熊本市	−	−	−	−	−	−	−	−	−
中核市(再掲)									
旭川市	1	1	−	−	−	−	1	1	−
函館市	−	−	−	−	−	−	−	−	−
青森市	1	1	0	−	−	−	−	−	−
八戸市	−	−	−	−	−	−	−	−	−
盛岡市	−	−	−	−	−	−	−	−	−
秋田市	1	1	−	1	1	−	−	−	−
郡山市	0	0	−	−	−	−	−	−	−
いわき市	−	−	−	−	−	−	−	−	−
宇都宮市	0	−	0	−	−	−	−	−	−
前橋市	−	−	−	−	−	−	−	−	−
高崎市	1	1	−	1	1	−	−	−	−
川越市	−	−	−	−	−	−	−	−	−
越谷市	0	−	0	−	−	−	−	−	−
船橋市	1	1	−	−	−	−	−	−	−
柏市	0	−	0	−	−	−	−	−	−
八王子市	−	−	−	−	−	−	−	−	−
横須賀市	−	−	−	−	−	−	−	−	−
富山市	0	0	−	−	−	−	−	−	−
金沢市	1	1	−	2	2	−	−	−	−
長野市	0	−	0	2	2	−	−	−	−
岐阜市	−	−	−	−	−	−	−	−	−
豊橋市	0	−	0	−	−	−	−	−	−
豊田市	1	1	0	1	1	0	0	−	0
岡崎市	−	−	−	−	−	−	−	−	−
大津市	−	−	−	−	−	−	−	−	−
高槻市	0	−	0	−	−	−	−	−	−
東大阪市	−	−	−	−	−	−	−	−	−
豊中市	0	0	−	−	−	−	−	−	−
枚方市	−	−	−	−	−	−	−	−	−
姫路市	2	2	0	−	−	−	−	−	−
西宮市	−	−	−	−	−	−	−	−	−
尼崎市	−	−	−	−	−	−	−	−	−
奈良市	−	−	−	−	−	−	−	−	−
和歌山市	−	−	−	−	−	−	−	−	−
倉敷市	1	1	−	1	1	−	−	−	−
福山市	−	−	−	2	2	−	1	1	−
呉市	−	−	−	1	1	−	−	−	−
下関市	3	3	0	−	−	−	−	−	−
高松市	−	−	−	−	−	−	−	−	−
松山市	−	−	−	1	1	0	−	−	−
高知市	0	−	0	−	−	−	0	−	0
久留米市	3	3	−	2	1	1	−	−	−
長崎市	−	−	−	0	0	−	−	−	−
佐世保市	1	1	−	−	−	−	1	1	−
大分市	0	−	0	−	−	−	1	1	−
宮崎市	−	−	−	−	−	−	−	−	−
鹿児島市	1	1	−	0	0	−	−	−	−
那覇市	1	1	−	−	−	−	−	−	−

注：1）調査方法の変更等による回収率変動の影響を受けているため、数量を示す従事者数の実数は前年以前と単純に年次比較できない。
　　2）「0」は常勤換算従事者数が0.5未満の場合である。

都道府県－指定都市・中核市（再掲）、職種（常勤－非常勤）別（７－６）

平成29年10月１日

練指導員											
看護師（再掲）			准看護師（再掲）			柔道整復師（再掲）			あん摩マッサージ指圧師（再掲）		
総数	常勤	非常勤	総数	常勤	非常勤	総数	常勤	非常勤	総数	常勤	非常勤
1	0	1	1	1	－	－	－	－	1	1	－
2	1	1	1	1	0	1	1	－	－	－	－
－	－	－	－	－	－	1	1	－	－	－	－
1	1	－	0	0	－	－	－	－	－	－	－
－	－	－	－	－	－	－	－	－	－	－	－
1	1	0	0	0	0	－	－	－	－	－	－
－	－	－	－	－	－	－	－	－	－	－	－
6	5	0	3	2	1	0	0	－	－	－	－
－	－	－	0	0	－	0	0	－	－	－	－
1	0	1	1	－	1	1	1	－	－	－	－
4	3	1	2	1	1	－	－	－	0	－	0
5	2	3	3	1	1	－	－	－	0	－	0
0	0	－	－	－	－	1	1	0	－	－	－
1	1	－	3	3	－	0	0	－	－	－	－
7	7	－	6	3	2	－	－	－	－	－	－
3	3	0	4	4	－	－	－	－	1	1	－
－	－	－	2	2	－	－	－	－	1	1	－
1	1	－	2	2	－	－	－	－	0	－	0
2	2	－	2	2	－	1	1	－	2	2	－
4	4	－	4	3	1	－	－	－	－	－	－
0	0	－	－	－	－	－	－	－	－	－	－
1	－	1	2	1	0	－	－	－	－	－	－
0	0	－	2	2	0	－	－	－	－	－	－
0	0	－	1	1	0	1	1	－	1	1	－
0	0	－	2	2	－	－	－	－	－	－	－
1	1	－	－	－	－	－	－	－	－	－	－
1	1	－	1	1	－	0	0	－	0	0	－
2	2	－	3	3	－	－	－	－	－	－	－
1	1	0	2	2	－	0	－	0	－	－	－
0	0	－	1	1	－	－	－	－	－	－	－
3	3	0	4	3	1	－	－	－	－	－	－
－	－	－	－	－	－	－	－	－	1	1	－
1	1	－	－	－	－	－	－	－	－	－	－
－	－	－	1	1	－	－	－	－	－	－	－
1	0	0	0	0	0	－	－	－	－	－	－
1	1	0	－	－	－	－	－	－	－	－	－
－	－	－	－	－	－	－	－	－	－	－	－
2	2	0	4	3	1	－	－	－	－	－	－
3	2	1	2	1	1	－	－	－	－	－	－
1	1	0	3	1	2	0	－	0	1	1	－
－	－	－	－	－	－	－	－	－	－	－	－
1	－	1	1	1	0	－	－	－	－	－	－
2	0	2	－	－	－	－	－	－	－	－	－
2	1	1	4	4	0	－	－	－	－	－	－
1	－	1	－	－	－	－	－	－	－	－	－
1	－	1	2	2	－	－	－	－	－	－	－
1	0	0	0	－	0	－	－	－	－	－	－
0	－	0	1	－	1	1	1	－	1	1	－
0	－	0	－	－	－	－	－	－	－	－	－
5	5	－	1	1	－	1	1	－	－	－	－
0	－	0	1	1	－	－	－	－	－	－	－
－	－	－	1	1	0	－	－	－	－	－	－
－	－	－	－	－	－	－	－	－	－	－	－
5	5	0	2	2	0	－	－	－	－	－	－
5	5	－	3	2	1	－	－	－	－	－	－
0	0	0	3	3	0	1	1	－	－	－	－
1	1	－	－	－	－	－	－	－	－	－	－
3	3	0	3	2	0	－	－	－	－	－	－
－	－	－	－	－	－	－	－	－	－	－	－
1	1	－	4	3	2	1	1	－	1	1	－
－	－	－	1	1	－	1	1	－	－	－	－
2	2	－	1	1	0	－	－	－	0	－	0
4	3	1	4	3	0	1	1	－	－	－	－
1	1	－	1	1	－	－	－	－	－	－	－
4	4	－	1	0	0	－	－	－	－	－	－
1	1	－	－	－	－	－	－	－	－	－	－
1	1	－	0	0	－	－	－	－	1	1	－
－	－	－	－	－	－	－	－	－	－	－	－

第９表　地域密着型介護老人福祉施設の常勤換算従事者数,

都道府県 指定都市 中核市	障害者生活支援員			介護支援専門員			調理員			その他の職員		
	総数	常勤	非常勤	総数	常勤	非常勤	総数	常勤	非常勤	総数	常勤	非常勤
全国	2	2	-	1 570	1 532	37	1 842	1 269	573	2 209	1 477	732
北海道	-	-	-	82	80	2	63	47	17	111	78	34
青森	-	-	-	29	29	-	70	52	18	67	49	18
岩手	-	-	-	43	43	1	61	53	8	71	55	16
宮城	-	-	-	34	33	0	30	22	8	54	37	17
秋田	-	-	-	21	19	2	38	29	9	26	18	8
山形	-	-	-	35	35	-	39	36	2	53	38	15
福島	-	-	-	26	26	-	14	9	4	62	54	9
茨城	-	-	-	30	28	2	43	30	13	42	30	12
栃木	-	-	-	61	60	1	52	38	13	80	62	18
群馬	-	-	-	28	28	-	58	41	18	28	23	5
埼玉	-	-	-	34	34	0	31	19	12	41	26	15
千葉	-	-	-	46	45	1	44	29	16	75	32	44
東京	-	-	-	19	18	1	30	14	16	25	13	12
神奈川	-	-	-	22	21	1	33	10	22	24	9	15
新潟	-	-	-	67	65	2	51	43	8	86	58	29
富山	-	-	-	16	16	0	29	20	9	13	8	4
石川	-	-	-	26	24	2	32	29	3	29	23	5
福井	-	-	-	27	26	1	30	27	4	42	30	12
山梨	-	-	-	33	31	2	25	13	13	64	52	13
長野	-	-	-	47	45	2	34	22	12	31	18	14
岐阜	-	-	-	33	31	2	24	13	10	56	24	32
静岡	-	-	-	25	24	0	14	10	4	37	23	13
愛知	1	1	-	85	81	4	79	37	43	78	37	41
三重	-	-	-	38	38	1	36	18	19	57	34	23
滋賀	-	-	-	20	20	-	16	7	9	30	12	18
京都	-	-	-	30	30	0	42	30	12	32	16	17
大阪	-	-	-	75	74	2	60	22	38	55	32	23
兵庫	1	1	-	71	70	1	67	40	28	95	54	41
奈良	-	-	-	7	6	0	9	6	3	6	5	1
和歌山	-	-	-	16	16	0	17	10	6	16	9	7
鳥取	-	-	-	8	7	1	7	6	1	7	6	1
島根	-	-	-	16	15	1	21	17	3	25	17	7
岡山	-	-	-	59	57	1	50	35	15	83	44	39
広島	-	-	-	45	45	-	90	67	23	97	72	25
山口	-	-	-	32	32	0	44	22	22	59	38	21
徳島	-	-	-	8	6	2	13	11	2	6	4	2
香川	-	-	-	7	7	-	16	9	7	9	7	2
愛媛	-	-	-	29	28	1	49	31	18	36	30	6
高知	-	-	-	5	5	-	2	2	-	12	12	0
福岡	-	-	-	62	61	1	41	30	11	79	57	22
佐賀	0	0	-	2	2	-	12	9	2	3	2	0
長崎	-	-	-	28	28	-	30	21	9	35	24	11
熊本	-	-	-	64	64	-	149	114	35	111	91	20
大分	-	-	-	32	32	0	41	31	11	79	51	28
宮崎	-	-	-	6	6	-	19	16	3	4	3	1
鹿児島	-	-	-	33	32	2	76	64	12	73	55	18
沖縄	-	-	-	12	12	-	12	10	2	8	7	1

注：1）調査方法の変更等による回収率変動の影響を受けているため、数量を示す従事者数の実数は前年以前と単純に年次比較できない。
　　2）「0」は常勤換算従事者数が0.5未満の場合である。

都道府県－指定都市・中核市（再掲）、職種（常勤－非常勤）別（７－７）

平成29年10月１日

都道府県 指定都市 中核市	障害者生活支援員			介護支援専門員			調理員			その他の職員		
	総数	常勤	非常勤	総数	常勤	非常勤	総数	常勤	非常勤	総数	常勤	非常勤
指定都市(再掲)												
札幌市	－	－	－	8	7	1	6	4	2	8	5	3
仙台市	－	－	－	9	9	－	4	－	4	11	6	5
さいたま市	－	－	－	2	2	－	1	－	1	3	2	1
千葉市	－	－	－	2	2	－	4	4	－	－	－	－
横浜市	－	－	－	1	1	－	－	－	－	－	－	－
川崎市	－	－	－	7	7	－	5	2	3	11	5	6
相模原市	－	－	－	1	1	－	0	－	0	2	1	1
新潟市	－	－	－	18	17	1	3	2	0	21	15	6
静岡市	－	－	－	3	3	－	5	2	3	4	2	2
浜松市	－	－	－	6	6	0	3	3	0	5	2	3
名古屋市	－	－	－	23	22	1	28	17	11	29	16	13
京都市	－	－	－	18	18	0	10	4	5	10	6	3
大阪市	－	－	－	6	6	－	5	3	2	1	1	1
堺市	－	－	－	5	5	－	5	2	3	2	1	1
神戸市	－	－	－	17	17	－	9	5	4	32	11	21
岡山市	－	－	－	22	21	1	1	1	－	28	14	14
広島市	－	－	－	4	4	－	14	13	1	32	22	10
北九州市	－	－	－	15	15	－	19	14	5	17	13	4
福岡市	－	－	－	13	13	0	8	6	2	16	8	7
熊本市	－	－	－	9	9	－	17	15	2	14	11	3
中核市(再掲)												
旭川市	－	－	－	5	5	0	6	4	2	10	9	1
函館市	－	－	－	2	2	－	2	2	－	4	1	3
青森市	－	－	－	4	4	－	12	9	3	6	6	1
八戸市	－	－	－	3	3	－	10	10	－	12	11	1
盛岡市	－	－	－	4	4	－	10	9	1	9	9	－
秋田市	－	－	－	3	2	1	1	1	－	1	1	－
郡山市	－	－	－	3	3	－	2	2	0	6	5	1
いわき市	－	－	－	7	7	－	－	－	－	21	19	3
宇都宮市	－	－	－	9	9	1	3	2	1	7	1	6
前橋市	－	－	－	4	4	－	2	2	－	1	1	0
高崎市	－	－	－	12	12	－	23	19	4	8	6	2
川越市	－	－	－	1	1	－	－	－	－	－	－	－
越谷市	－	－	－	3	3	－	9	8	1	5	3	2
船橋市	－	－	－	2	2	－	－	－	－	－	－	－
柏市	－	－	－	3	3	－	6	2	4	18	10	8
八王子市	－	－	－	2	2	－	3	1	2	1	1	0
横須賀市	－	－	－	－	－	－	－	－	－	－	－	－
富山市	－	－	－	8	8	0	21	18	4	6	3	4
金沢市	－	－	－	14	12	1	7	6	1	13	9	4
長野市	－	－	－	17	16	1	9	8	1	12	8	4
岐阜市	－	－	－	3	3	－	3	2	1	7	1	6
豊橋市	－	－	－	7	7	－	7	5	2	4	2	3
豊田市	－	－	－	7	7	－	5	2	4	7	3	4
岡崎市	－	－	－	11	11	1	2	－	2	6	－	6
大津市	－	－	－	2	2	－	－	－	－	2	－	2
高槻市	－	－	－	4	4	0	3	－	3	2	0	1
東大阪市	－	－	－	2	2	－	－	－	－	1	1	－
豊中市	－	－	－	5	5	0	11	6	5	8	5	2
枚方市	－	－	－	2	2	－	－	－	－	1	－	1
姫路市	1	1	－	16	16	－	21	11	10	17	13	4
西宮市	－	－	－	1	1	－	－	－	－	2	2	－
尼崎市	－	－	－	2	2	－	1	1	－	－	－	－
奈良市	－	－	－	－	－	－	－	－	－	－	－	－
和歌山市	－	－	－	8	8	－	6	4	2	10	7	3
倉敷市	－	－	－	11	11	－	8	4	4	10	5	5
福山市	－	－	－	13	13	－	10	8	2	21	21	0
呉市	－	－	－	3	3	－	10	7	3	6	6	－
下関市	－	－	－	11	11	－	22	13	10	32	20	13
高松市	－	－	－	－	－	－	－	－	－	－	－	－
松山市	－	－	－	13	13	－	36	26	10	23	19	4
高知市	－	－	－	2	2	－	1	1	－	－	－	－
久留米市	－	－	－	15	15	－	4	3	1	18	17	1
長崎市	－	－	－	13	13	－	4	4	1	20	10	10
佐世保市	－	－	－	4	4	－	1	1	－	2	2	－
大分市	－	－	－	11	11	0	11	11	－	24	10	14
宮崎市	－	－	－	1	1	－	3	1	2	0	0	－
鹿児島市	－	－	－	6	6	－	21	17	4	13	12	2
那覇市	－	－	－	1	1	－	－	－	－	－	－	－

第10表　地域密着型介護老人福祉施設の常勤換算従事者数，

職種	総数	都道府県	市区町村	広域連合・一部事務組合
総数	43 530	–	1 681	165
常勤	37 489	–	1 432	138
非常勤	6 042	–	249	27
施設長	1 271	–	53	5
常勤	1 268	–	53	5
非常勤	3	–	–	–
医師	298	–	11	2
常勤	27	–	1	1
非常勤	272	–	11	1
歯科医師	24	–	1	–
常勤	4	–	–	–
非常勤	21	–	1	–
生活相談員	1 737	–	67	6
常勤	1 719	–	67	6
非常勤	18	–	–	0
社会福祉士（再掲）	442	–	21	–
常勤	438	–	21	–
非常勤	4	–	–	–
看護師	2 232	–	83	12
常勤	1 866	–	66	11
非常勤	366	–	17	1
准看護師	1 548	–	67	4
常勤	1 306	–	52	3
非常勤	243	–	15	1
介護職員	28 312	–	1 087	107
常勤	24 729	–	945	91
非常勤	3 583	–	143	16
介護福祉士（再掲）	15 863	–	637	48
常勤	14 761	–	591	47
非常勤	1 102	–	46	2
管理栄養士	1 103	–	42	4
常勤	1 081	–	40	4
非常勤	22	–	2	–
栄養士	391	–	19	1
常勤	367	–	19	0
非常勤	24	–	0	1
歯科衛生士	42	–	4	–
常勤	26	–	2	–
非常勤	17	–	2	–
機能訓練指導員	948	–	37	2
常勤	816	–	29	2
非常勤	132	–	8	0
理学療法士（再掲）	107	–	2	1
常勤	92	–	2	1
非常勤	15	–	1	–
作業療法士（再掲）	81	–	2	–
常勤	74	–	2	–
非常勤	8	–	–	–
言語聴覚士（再掲）	12	–	0	–
常勤	9	–	0	–
非常勤	3	–	–	–
看護師（再掲）	295	–	9	1
常勤	246	–	7	1
非常勤	50	–	2	–
准看護師（再掲）	368	–	19	0
常勤	318	–	14	0
非常勤	50	–	4	–
柔道整復師（再掲）	55	–	4	0
常勤	51	–	4	–
非常勤	4	–	0	0
あん摩マッサージ指圧師(再掲)	30	–	1	0
常勤	27	–	1	–
非常勤	4	–	–	0
障害者生活支援員	2	–	–	–
常勤	2	–	–	–
非常勤	–	–	–	–
介護支援専門員	1 570	–	62	6
常勤	1 532	–	61	6
非常勤	37	–	1	0
調理員	1 842	–	60	12
常勤	1 269	–	37	6
非常勤	573	–	22	6
その他の職員	2 209	–	89	7
常勤	1 477	–	61	6
非常勤	732	–	28	1

注：1）調査方法の変更等による回収率変動の影響を受けているため、数量を示す従事者数の実数は前年以前と単純に年次比較できない。
　　2）「0」は常勤換算従事者数が０．５未満の場合である。

職種（常勤－非常勤）、開設主体別

平成29年10月1日

日本赤十字社	社会福祉協議会	社会福祉法人（社会福祉協議会以外）	社団・財団法人	その他
-	276	41 408	-	-
-	233	35 685	-	-
-	43	5 723	-	-
-	8	1 205	-	-
-	8	1 202	-	-
-	-	3	-	-
-	2	283	-	-
-	-	25	-	-
-	2	258	-	-
-	-	24	-	-
-	-	4	-	-
-	-	20	-	-
-	11	1 653	-	-
-	11	1 636	-	-
-	-	18	-	-
-	3	417	-	-
-	3	413	-	-
-	-	4	-	-
-	8	2 130	-	-
-	7	1 783	-	-
-	1	348	-	-
-	13	1 464	-	-
-	13	1 238	-	-
-	1	226	-	-
-	178	26 941	-	-
-	152	23 542	-	-
-	26	3 399	-	-
-	115	15 062	-	-
-	108	14 015	-	-
-	7	1 047	-	-
-	6	1 052	-	-
-	6	1 032	-	-
-	-	20	-	-
-	4	366	-	-
-	4	343	-	-
-	-	23	-	-
-	-	38	-	-
-	-	23	-	-
-	-	15	-	-
-	8	901	-	-
-	6	779	-	-
-	2	122	-	-
-	1	103	-	-
-	-	90	-	-
-	1	13	-	-
-	1	79	-	-
-	1	71	-	-
-	-	8	-	-
-	-	12	-	-
-	-	9	-	-
-	-	3	-	-
-	3	282	-	-
-	2	236	-	-
-	1	46	-	-
-	3	346	-	-
-	3	300	-	-
-	-	46	-	-
-	-	51	-	-
-	-	47	-	-
-	-	3	-	-
-	-	29	-	-
-	-	26	-	-
-	-	4	-	-
-	-	2	-	-
-	-	2	-	-
-	-	-	-	-
-	10	1 492	-	-
-	10	1 457	-	-
-	-	36	-	-
-	13	1 758	-	-
-	5	1 222	-	-
-	8	537	-	-
-	16	2 098	-	-
-	12	1 399	-	-
-	4	699	-	-

第11表　地域密着型介護老人福祉施設の在所者数，

都道府県 指定都市 中核市	総数	要介護１	要介護２	要介護３	要介護４	要介護５	その他
全国	50 232	776	2 391	12 383	18 858	15 745	79
北海道	2 449	75	188	688	816	680	2
青森	1 039	19	51	203	389	375	2
岩手	1 351	29	50	278	508	485	1
宮城	1 071	12	54	233	439	330	3
秋田	762	1	24	164	321	250	2
山形	1 324	20	54	336	464	449	1
福島	776	12	48	183	280	253	－
茨城	936	23	65	220	343	282	3
栃木	1 846	28	84	465	739	524	6
群馬	939	5	28	233	379	294	－
埼玉	1 004	17	58	284	354	290	1
千葉	1 513	33	82	391	537	468	2
東京	701	6	29	173	270	223	－
神奈川	660	9	34	168	270	178	1
新潟	2 442	17	81	598	955	788	3
富山	580	2	6	161	229	182	－
石川	950	8	40	283	341	276	2
福井	840	9	31	222	332	246	－
山梨	1 166	10	56	317	454	322	7
長野	1 525	24	71	334	591	503	2
岐阜	988	13	47	284	331	311	2
静岡	947	29	63	261	317	274	3
愛知	2 851	52	147	816	1 041	792	3
三重	975	22	53	245	352	296	7
滋賀	644	11	38	202	219	174	－
京都	1 049	8	33	260	427	320	1
大阪	2 509	23	105	648	955	776	2
兵庫	2 024	16	94	508	749	656	1
奈良	165	11	17	48	41	48	－
和歌山	469	3	30	121	177	138	－
鳥取	173	－	6	21	70	76	－
島根	462	6	26	93	172	164	1
岡山	1 656	30	82	391	540	612	1
広島	1 308	24	53	278	488	465	－
山口	1 300	20	46	260	524	448	2
徳島	197	4	8	48	85	52	－
香川	267	11	11	66	83	95	1
愛媛	1 034	6	22	192	396	408	10
高知	170	－	4	32	77	57	－
福岡	1 925	66	164	553	668	470	4
佐賀	116	－	3	23	51	39	－
長崎	873	17	45	211	344	253	3
熊本	1 953	23	88	462	774	606	－
大分	919	7	21	178	404	309	－
宮崎	217	3	8	45	90	71	－
鹿児島	994	12	41	170	388	383	－
沖縄	173	－	2	33	84	54	－

注：調査方法の変更等による回収率変動の影響を受けているため、数量を示す在所者数の実数は前年以前と単純に年次比較できない。

都道府県－指定都市・中核市（再掲）、要介護度別

平成29年９月末

都道府県 指定都市 中核市	総数	要介護１	要介護２	要介護３	要介護４	要介護５	その他
指定都市（再掲）							
札幌市	302	10	17	67	111	95	2
仙台市	312	5	18	74	112	102	1
さいたま市	86	1	3	31	31	20	－
千葉市	85	－	4	24	25	32	－
横浜市	55	－	1	10	21	23	－
川崎市	225	3	16	57	88	61	－
相模原市	27	1	3	10	9	4	－
新潟市	653	2	19	191	231	210	－
静岡市	95	5	3	29	32	26	－
浜松市	306	14	26	84	108	71	3
名古屋市	656	5	43	224	211	171	2
京都市	611	3	16	167	245	180	－
大阪市	190	－	8	48	74	59	1
堺市	178	2	6	45	77	48	－
神戸市	560	2	23	136	205	194	－
岡山市	720	12	38	155	226	289	－
広島市	75	1	6	16	35	17	－
北九州市	543	21	53	167	182	119	1
福岡市	428	18	42	111	140	116	1
熊本市	321	3	10	52	111	145	－
中核市（再掲）							
旭川市	97	2	10	29	21	35	－
函館市	77	－	1	11	25	40	－
青森市	128	1	1	23	47	56	－
八戸市	95	1	3	13	41	37	－
盛岡市	96	3	2	17	28	45	1
秋田市	87	－	2	18	36	31	－
郡山市	137	6	15	27	51	38	－
いわき市	280	－	15	83	85	97	－
宇都宮市	245	5	12	45	109	74	－
前橋市	89	3	5	24	38	19	－
高崎市	386	1	11	92	164	118	－
川越市	20	－	2	7	7	4	－
越谷市	107	7	13	35	32	20	－
船橋市	49	2	2	14	17	14	－
柏市	121	－	4	35	43	38	1
八王子市	58	1	1	13	27	16	－
横須賀市	－	－	－	－	－	－	－
富山市	299	－	1	92	108	98	－
金沢市	472	2	10	129	181	149	1
長野市	503	10	28	86	207	172	－
岐阜市	86	2	6	27	21	30	－
豊橋市	241	3	9	44	105	79	1
豊田市	311	2	7	79	128	95	－
岡崎市	329	1	10	103	133	82	－
大津市	58	－	2	26	24	6	－
高槻市	173	1	5	49	56	62	－
東大阪市	70	－	6	16	25	23	－
豊中市	187	2	13	56	56	60	－
枚方市	57	1	4	24	22	6	－
姫路市	295	3	15	70	104	103	－
西宮市	49	1	2	11	14	20	1
尼崎市	73	1	4	19	28	21	－
奈良市	－	－	－	－	－	－	－
和歌山市	233	－	11	74	86	62	－
倉敷市	289	8	14	72	99	96	－
福山市	377	7	16	66	128	160	－
呉市	76	1	3	14	27	31	－
下関市	461	2	7	72	214	164	2
高松市	－	－	－	－	－	－	－
松山市	391	4	16	68	146	148	9
高知市	47	－	－	8	25	14	－
久留米市	399	4	21	123	146	105	－
長崎市	395	4	18	98	158	117	－
佐世保市	125	1	2	21	53	47	1
大分市	272	－	2	40	107	123	－
宮崎市	22	－	1	5	8	8	－
鹿児島市	153	1	5	27	56	64	－
那覇市	29	－	－	12	12	5	－

第12表　地域密着型サービスの事業所数，都道府県－指定都市

都道府県 指定都市 中核市	定期巡回・随時対応型訪問介護看護									
	総数	地方公共団体	社会福祉協議会	社会福祉法人（社会福祉協議会以外）	医療法人	社団・財団法人	協同組合	営利法人	特定非営利活動法人（NPO）	その他
全国	733	-	6	218	125	15	25	330	11	3
北海道	59	-	2	9	12	1	1	34	-	-
青森	4	-	-	1	-	1	-	2	-	-
岩手	6	-	-	1	1	-	-	4	-	-
宮城	14	-	-	6	3	2	-	3	-	-
秋田	6	-	-	2	1	-	-	2	-	1
山形	7	-	-	-	2	1	-	3	1	-
福島	12	-	-	4	2	-	2	4	-	-
茨城	6	-	-	3	-	-	-	3	-	-
栃木	3	-	-	1	1	-	-	1	-	-
群馬	9	-	-	2	1	-	-	5	1	-
埼玉	43	-	-	6	7	-	5	24	1	-
千葉	31	-	-	9	2	1	1	18	-	-
東京	68	-	-	16	2	-	1	49	-	-
神奈川	53	-	-	28	2	2	-	21	-	-
新潟	14	-	-	6	1	-	1	6	-	-
富山	10	-	-	8	1	-	-	1	-	-
石川	5	-	-	3	1	-	-	1	-	-
福井	8	-	-	4	1	-	1	2	-	-
山梨	6	-	-	3	2	-	-	1	-	-
長野	11	-	1	1	7	-	-	1	1	-
岐阜	11	-	-	1	4	-	-	6	-	-
静岡	15	-	-	6	2	-	-	7	-	-
愛知	28	-	1	4	3	-	2	17	1	-
三重	8	-	-	5	-	-	-	3	-	-
滋賀	6	-	-	2	-	-	-	3	1	-
京都	14	-	1	6	4	-	-	3	-	-
大阪	50	-	-	10	9	1	2	25	3	-
兵庫	39	-	-	13	5	1	5	14	-	1
奈良	18	-	-	9	1	1	-	7	-	-
和歌山	4	-	-	-	1	-	-	3	-	-
鳥取	6	-	-	4	2	-	-	-	-	-
島根	3	-	-	-	1	-	1	1	-	-
岡山	9	-	-	2	1	2	-	4	-	-
広島	31	-	-	8	8	-	-	14	-	1
山口	13	-	-	5	3	1	-	4	-	-
徳島	-	-	-	-	-	-	-	-	-	-
香川	6	-	-	3	3	-	-	-	-	-
愛媛	8	-	-	1	3	-	-	4	-	-
高知	5	-	-	1	-	-	-	4	-	-
福岡	34	-	1	6	10	-	2	14	1	-
佐賀	3	-	-	2	1	-	-	-	-	-
長崎	17	-	-	9	4	-	-	4	-	-
熊本	7	-	-	1	4	-	-	1	1	-
大分	7	-	-	2	3	-	-	2	-	-
宮崎	3	-	-	-	-	1	-	2	-	-
鹿児島	12	-	-	5	4	-	1	2	-	-
沖縄	1	-	-	-	-	-	-	1	-	-

注：調査方法の変更等による回収率変動の影響を受けているため、数量を示す事業所数の実数は前年以前と単純に年次比較できない。

・中核市（再掲）、地域密着型サービスの種類、経営主体別（８－１）

平成29年10月１日

都道府県 指定都市 中核市	定期巡回・随時対応型訪問介護看護 総数	地方公共団体	社会福祉協議会	社会福祉法人（社会福祉協議会以外）	医療法人	社団・財団法人	協同組合	営利法人	特定非営利活動法人（NPO）	その他
指定都市(再掲)										
札幌市	40	-	2	8	10	-	1	19	-	-
仙台市	10	-	-	5	3	1	-	1	-	-
さいたま市	8	-	-	-	2	-	-	6	-	-
千葉市	6	-	-	1	1	-	-	4	-	-
横浜市	31	-	-	25	-	2	-	4	-	-
川崎市	9	-	-	-	1	-	-	8	-	-
相模原市	1	-	-	-	-	-	-	1	-	-
新潟市	3	-	-	1	-	-	1	1	-	-
静岡市	6	-	-	3	1	-	-	2	-	-
浜松市	5	-	-	2	-	-	-	3	-	-
名古屋市	10	-	-	2	1	-	1	6	-	-
京都市	5	-	-	2	-	-	-	3	-	-
大阪市	15	-	-	1	3	1	-	9	1	-
堺市	3	-	-	1	-	-	-	2	-	-
神戸市	10	-	-	6	1	-	-	3	-	-
岡山市	7	-	-	2	1	2	-	2	-	-
広島市	11	-	-	3	2	-	-	6	-	-
北九州市	9	-	-	1	3	-	-	5	-	-
福岡市	9	-	-	2	1	-	-	5	1	-
熊本市	1	-	-	-	1	-	-	-	-	-
中核市(再掲)										
旭川市	2	-	-	-	-	-	-	2	-	-
函館市	7	-	-	1	1	-	-	5	-	-
青森市	1	-	-	-	-	1	-	-	-	-
八戸市	2	-	-	1	-	-	-	1	-	-
盛岡市	2	-	-	-	-	-	-	2	-	-
秋田市	3	-	-	1	1	-	-	-	-	1
郡山市	3	-	-	1	-	-	1	1	-	-
いわき市	-	-	-	-	-	-	-	-	-	-
宇都宮市	2	-	-	1	1	-	-	-	-	-
前橋市	1	-	-	-	-	-	-	1	-	-
高崎市	4	-	-	-	-	-	-	3	1	-
川越市	1	-	-	-	1	-	-	-	-	-
越谷市	1	-	-	-	-	-	-	1	-	-
船橋市	5	-	-	2	-	-	-	3	-	-
柏市	4	-	-	2	-	-	-	2	-	-
八王子市	3	-	-	-	-	-	1	2	-	-
横須賀市	1	-	-	-	-	-	-	1	-	-
富山市	5	-	-	4	1	-	-	-	-	-
金沢市	1	-	-	-	1	-	-	-	-	-
長野市	3	-	-	-	3	-	-	-	-	-
岐阜市	4	-	-	-	2	-	-	2	-	-
豊橋市	4	-	-	2	-	-	1	1	-	-
豊田市	-	-	-	-	-	-	-	-	-	-
岡崎市	2	-	-	-	-	-	-	2	-	-
大津市	-	-	-	-	-	-	-	-	-	-
高槻市	1	-	-	1	-	-	-	-	-	-
東大阪市	5	-	-	2	1	-	-	2	-	-
豊中市	3	-	-	1	-	-	-	2	-	-
枚方市	2	-	-	-	-	-	-	1	1	-
姫路市	4	-	-	-	-	-	3	1	-	-
西宮市	3	-	-	2	1	-	-	-	-	-
尼崎市	3	-	-	1	-	-	-	2	-	-
奈良市	9	-	-	4	1	-	-	4	-	-
和歌山市	3	-	-	-	1	-	-	2	-	-
倉敷市	2	-	-	-	-	-	-	2	-	-
福山市	5	-	-	-	3	-	-	2	-	-
呉市	1	-	-	-	-	-	-	1	-	-
下関市	6	-	-	1	2	-	-	3	-	-
高松市	2	-	-	-	2	-	-	-	-	-
松山市	1	-	-	-	-	-	-	1	-	-
高知市	4	-	-	1	-	-	-	3	-	-
久留米市	5	-	-	-	3	-	1	1	-	-
長崎市	9	-	-	5	1	-	-	3	-	-
佐世保市	4	-	-	3	1	-	-	-	-	-
大分市	-	-	-	-	-	-	-	-	-	-
宮崎市	2	-	-	-	-	1	-	1	-	-
鹿児島市	7	-	-	2	3	-	1	1	-	-
那覇市	-	-	-	-	-	-	-	-	-	-

都道府県 指定都市 中核市	夜間対応型訪問介護									
	総数	地方公共団体	社会福祉協議会	社会福祉法人（社会福祉協議会以外）	医療法人	社団・財団法人	協同組合	営利法人	特定非営利活動法人（NPO）	その他
全国	180	1	2	64	16	4	5	84	4	-
北海道	9	-	2	1	-	-	-	6	-	-
青森	-	-	-	-	-	-	-	-	-	-
岩手	2	-	-	-	1	-	-	1	-	-
宮城	1	-	-	-	-	-	-	1	-	-
秋田	-	-	-	-	-	-	-	-	-	-
山形	2	-	-	1	-	-	-	-	1	-
福島	2	-	-	2	-	-	-	-	-	-
茨城	1	-	-	-	1	-	-	-	-	-
栃木	-	-	-	-	-	-	-	-	-	-
群馬	1	-	-	-	-	-	-	1	-	-
埼玉	7	-	-	1	-	-	4	2	-	-
千葉	11	-	-	2	1	1	-	7	-	-
東京	29	1	-	3	-	-	-	25	-	-
神奈川	38	-	-	26	-	2	-	8	2	-
新潟	2	-	-	1	-	-	-	-	1	-
富山	2	-	-	2	-	-	-	-	-	-
石川	-	-	-	-	-	-	-	-	-	-
福井	1	-	-	-	1	-	-	-	-	-
山梨	-	-	-	-	-	-	-	-	-	-
長野	1	-	-	1	-	-	-	-	-	-
岐阜	2	-	-	1	1	-	-	-	-	-
静岡	1	-	-	-	-	-	-	1	-	-
愛知	3	-	-	-	-	-	-	3	-	-
三重	2	-	-	1	-	-	1	-	-	-
滋賀	-	-	-	-	-	-	-	-	-	-
京都	9	-	-	3	-	-	-	6	-	-
大阪	12	-	-	3	2	-	-	7	-	-
兵庫	3	-	-	2	1	-	-	-	-	-
奈良	-	-	-	-	-	-	-	-	-	-
和歌山	1	-	-	-	-	-	-	1	-	-
鳥取	1	-	-	-	-	-	-	1	-	-
島根	1	-	-	-	-	-	-	1	-	-
岡山	1	-	-	1	-	-	-	-	-	-
広島	6	-	-	2	2	-	-	2	-	-
山口	3	-	-	2	1	-	-	-	-	-
徳島	-	-	-	-	-	-	-	-	-	-
香川	2	-	-	-	-	-	-	2	-	-
愛媛	4	-	-	-	-	-	-	4	-	-
高知	-	-	-	-	-	-	-	-	-	-
福岡	4	-	-	2	-	1	-	1	-	-
佐賀	1	-	-	1	-	-	-	-	-	-
長崎	5	-	-	3	2	-	-	-	-	-
熊本	1	-	-	-	-	-	-	1	-	-
大分	5	-	-	3	1	-	-	1	-	-
宮崎	1	-	-	-	-	-	-	1	-	-
鹿児島	1	-	-	-	1	-	-	-	-	-
沖縄	2	-	-	-	1	-	-	1	-	-

注：調査方法の変更等による回収率変動の影響を受けているため、数量を示す事業所数の実数は前年以前と単純に年次比較できない。

・中核市（再掲）、地域密着型サービスの種類、経営主体別（８－２）

平成29年10月１日

都道府県 指定都市 中核市	夜間対応型訪問介護 総数	地方公共団体	社会福祉協議会	社会福祉法人（社会福祉協議会以外）	医療法人	社団・財団法人	協同組合	営利法人	特定非営利活動法人（NPO）	その他
指定都市(再掲)										
札幌市	4	–	1	–	–	–	–	3	–	–
仙台市	1	–	–	–	–	–	–	1	–	–
さいたま市	1	–	–	–	–	–	–	1	–	–
千葉市	–	–	–	–	–	–	–	–	–	–
横浜市	30	–	–	24	–	2	–	3	1	–
川崎市	4	–	–	–	–	–	–	4	–	–
相模原市	1	–	–	–	–	–	–	1	–	–
新潟市	1	–	–	–	–	–	–	–	1	–
静岡市	1	–	–	–	–	–	–	1	–	–
浜松市	–	–	–	–	–	–	–	–	–	–
名古屋市	3	–	–	–	–	–	–	3	–	–
京都市	8	–	–	3	–	–	–	5	–	–
大阪市	6	–	–	–	1	–	–	5	–	–
堺市	–	–	–	–	–	–	–	–	–	–
神戸市	1	–	–	1	–	–	–	–	–	–
岡山市	1	–	–	1	–	–	–	–	–	–
広島市	4	–	–	2	1	–	–	1	–	–
北九州市	1	–	–	–	–	–	–	1	–	–
福岡市	–	–	–	–	–	–	–	–	–	–
熊本市	1	–	–	–	–	–	–	1	–	–
中核市(再掲)										
旭川市	1	–	–	–	–	–	–	1	–	–
函館市	1	–	–	–	–	–	–	1	–	–
青森市	–	–	–	–	–	–	–	–	–	–
八戸市	–	–	–	–	–	–	–	–	–	–
盛岡市	–	–	–	–	–	–	–	–	–	–
秋田市	–	–	–	–	–	–	–	–	–	–
郡山市	–	–	–	–	–	–	–	–	–	–
いわき市	–	–	–	–	–	–	–	–	–	–
宇都宮市	–	–	–	–	–	–	–	–	–	–
前橋市	–	–	–	–	–	–	–	–	–	–
高崎市	–	–	–	–	–	–	–	–	–	–
川越市	–	–	–	–	–	–	–	–	–	–
越谷市	–	–	–	–	–	–	–	–	–	–
船橋市	1	–	–	–	–	–	–	1	–	–
柏市	2	–	–	–	–	–	–	2	–	–
八王子市	2	–	–	–	–	–	–	2	–	–
横須賀市	–	–	–	–	–	–	–	–	–	–
富山市	1	–	–	1	–	–	–	–	–	–
金沢市	–	–	–	–	–	–	–	–	–	–
長野市	–	–	–	–	–	–	–	–	–	–
岐阜市	1	–	–	–	1	–	–	–	–	–
豊橋市	–	–	–	–	–	–	–	–	–	–
豊田市	–	–	–	–	–	–	–	–	–	–
岡崎市	–	–	–	–	–	–	–	–	–	–
大津市	–	–	–	–	–	–	–	–	–	–
高槻市	–	–	–	–	–	–	–	–	–	–
東大阪市	1	–	–	1	–	–	–	–	–	–
豊中市	1	–	–	–	–	–	–	1	–	–
枚方市	–	–	–	–	–	–	–	–	–	–
姫路市	–	–	–	–	–	–	–	–	–	–
西宮市	–	–	–	–	–	–	–	–	–	–
尼崎市	–	–	–	–	–	–	–	–	–	–
奈良市	–	–	–	–	–	–	–	–	–	–
和歌山市	1	–	–	–	–	–	–	1	–	–
倉敷市	–	–	–	–	–	–	–	–	–	–
福山市	2	–	–	–	1	–	–	1	–	–
呉市	–	–	–	–	–	–	–	–	–	–
下関市	1	–	–	–	1	–	–	–	–	–
高松市	1	–	–	–	–	–	–	1	–	–
松山市	1	–	–	–	–	–	–	1	–	–
高知市	–	–	–	–	–	–	–	–	–	–
久留米市	–	–	–	–	–	–	–	–	–	–
長崎市	2	–	–	1	1	–	–	–	–	–
佐世保市	1	–	–	1	–	–	–	–	–	–
大分市	1	–	–	1	–	–	–	–	–	–
宮崎市	1	–	–	–	–	–	–	1	–	–
鹿児島市	1	–	–	–	1	–	–	–	–	–
那覇市	1	–	–	–	–	–	–	1	–	–

第12表　地域密着型サービスの事業所数，都道府県－指定都市

都道府県 指定都市 中核市	地域密着型通所介護									
	総数	地方公共団体	社会福祉協議会	社会福祉法人（社会福祉協議会以外）	医療法人	社団・財団法人	協同組合	営利法人	特定非営利活動法人（NPO）	その他
全国	17 761	50	354	1 731	689	167	197	13 368	1 123	82
北海道	785	19	27	104	41	14	6	534	35	5
青森	135	－	4	42	3	－	1	83	2	－
岩手	194	－	8	24	3	5	2	126	24	2
宮城	367	－	8	31	9	1	3	278	34	3
秋田	151	3	6	25	6	1	－	98	6	6
山形	95	－	2	10	6	1	1	68	7	－
福島	250	－	4	37	11	1	4	179	13	1
茨城	402	－	7	58	12	－	3	306	15	1
栃木	256	－	7	45	2	3	1	165	33	－
群馬	287	2	7	21	9	1	2	219	25	1
埼玉	772	2	8	51	20	10	3	645	25	8
千葉	847	－	－	61	16	4	3	722	35	6
東京	1 627	1	1	55	27	16	9	1 429	77	12
神奈川	1 100	1	4	73	26	4	14	912	57	9
新潟	176	－	10	34	5	1	1	117	8	－
富山	179	－	4	21	9	2	2	97	39	5
石川	126	－	－	21	1	8	1	85	10	－
福井	70	1	6	16	4	3	3	33	4	－
山梨	200	－	6	29	5	1	1	150	8	－
長野	399	1	28	39	10	1	12	209	99	－
岐阜	259	2	8	33	19	4	1	174	18	－
静岡	445	－	4	31	13	1	1	356	37	2
愛知	885	2	10	39	28	4	10	738	54	－
三重	349	－	9	33	9	5	9	243	40	1
滋賀	246	－	8	26	8	2	2	159	40	1
京都	193	－	1	14	13	1	3	147	14	－
大阪	1 431	－	17	113	50	16	16	1 170	49	－
兵庫	855	1	10	68	18	17	5	677	56	3
奈良	201	－	11	19	5	2	－	156	8	－
和歌山	194	－	8	21	5	－	4	146	8	2
鳥取	97	－	2	16	6	1	3	66	3	－
島根	152	－	6	37	2	2	3	95	7	－
岡山	304	－	10	33	31	4	7	202	17	－
広島	353	－	6	39	33	1	5	253	13	3
山口	332	2	16	46	22	1	5	222	18	－
徳島	99	2	1	15	14	－	2	55	9	1
香川	150	1	3	17	7	1	4	104	13	－
愛媛	238	7	10	26	13	4	7	165	6	－
高知	158	3	5	21	11	1	3	105	9	－
福岡	802	－	10	69	34	7	17	629	34	2
佐賀	170	－	3	12	11	2	3	101	37	1
長崎	232	－	13	58	16	2	1	132	9	1
熊本	309	－	11	39	29	1	4	210	15	－
大分	128	－	11	21	11	5	3	69	6	2
宮崎	237	－	5	32	16	－	2	167	14	1
鹿児島	338	－	7	43	34	3	5	221	25	－
沖縄	186	－	2	13	6	3	－	151	8	3

注：調査方法の変更等による回収率変動の影響を受けているため、数量を示す事業所数の実数は前年と単純に年次比較できない。

・中核市（再掲）、地域密着型サービスの種類、経営主体別（８－３）

平成29年10月１日

都道府県 指定都市 中核市	地域密着型通所介護									
	総数	地方公共団体	社会福祉協議会	社会福祉法人（社会福祉協議会以外）	医療法人	社団・財団法人	協同組合	営利法人	特定非営利活動法人（NPO）	その他
指定都市（再掲）										
札幌市	277	－	－	14	17	4	1	230	10	1
仙台市	146	－	－	12	4	1	1	121	7	－
さいたま市	110	－	－	10	－	－	－	97	1	2
千葉市	121	－	－	6	6	2	－	104	1	2
横浜市	396	－	－	25	9	2	6	337	14	3
川崎市	142	－	－	6	4	1	1	120	9	1
相模原市	110	－	－	4	1	－	1	100	3	1
新潟市	79	－	1	8	3	1	－	63	3	－
静岡市	12	－	－	1	1	－	－	8	2	－
浜松市	101	－	－	10	4	－	1	84	2	－
名古屋市	340	－	－	10	9	－	2	299	20	－
京都市	129	－	－	7	6	1	3	109	3	－
大阪市	500	－	15	25	13	9	10	414	14	－
堺市	140	－	－	12	6	2	－	114	6	－
神戸市	203	－	－	18	4	9	1	160	10	1
岡山市	119	－	－	11	11	4	3	85	5	－
広島市	136	－	－	10	17	－	2	101	5	1
北九州市	197	－	－	16	9	2	4	160	5	1
福岡市	240	－	－	17	10	2	5	195	10	1
熊本市	110	－	－	14	10	1	－	82	3	－
中核市（再掲）										
旭川市	51	－	－	4	1	－	－	45	1	－
函館市	29	－	－	4	1	－	1	20	3	－
青森市	40	－	－	8	1	－	1	30	－	－
八戸市	23	－	－	7	－	－	－	15	1	－
盛岡市	59	－	－	1	－	4	－	54	－	－
秋田市	43	－	－	5	2	－	－	32	1	3
郡山市	42	－	－	6	3	－	1	31	－	1
いわき市	70	－	－	3	1	－	1	64	1	－
宇都宮市	59	－	1	16	1	－	－	36	5	－
前橋市	53	－	2	3	1	－	－	41	5	1
高崎市	55	－	1	7	－	1	1	41	4	－
川越市	33	－	1	3	3	－	－	25	1	－
越谷市	35	－	1	1	1	1	－	30	1	－
船橋市	72	－	－	7	2	－	1	59	2	1
柏市	57	－	－	2	1	－	－	52	2	－
八王子市	89	－	－	4	1	1	－	75	7	1
横須賀市	49	－	－	2	1	－	1	45	－	－
富山市	81	－	－	7	4	－	2	57	11	－
金沢市	73	－	－	11	－	6	1	53	2	－
長野市	79	－	2	5	－	－	1	61	10	－
岐阜市	59	－	－	6	10	1	－	40	2	－
豊橋市	53	1	－	2	－	－	1	48	1	－
豊田市	44	－	1	6	3	－	－	30	4	－
岡崎市	49	－	－	2	2	1	2	41	1	－
大津市	77	－	－	9	1	－	2	61	4	－
高槻市	42	－	－	4	4	－	－	31	3	－
東大阪市	92	－	－	10	1	1	－	78	2	－
豊中市	47	－	－	1	1	－	－	45	－	－
枚方市	68	－	－	6	2	－	－	57	3	－
姫路市	93	－	－	6	1	－	1	79	6	－
西宮市	69	－	－	4	2	－	－	60	3	－
尼崎市	86	－	－	2	1	1	－	78	3	1
奈良市	58	－	3	7	1	－	－	43	4	－
和歌山市	89	－	－	6	1	－	2	77	3	－
倉敷市	55	－	－	6	9	－	2	35	3	－
福山市	79	－	－	6	3	－	－	66	4	－
呉市	14	－	3	2	2	－	1	4	1	1
下関市	92	－	4	9	4	－	1	68	6	－
高松市	75	－	－	6	2	1	4	59	3	－
松山市	77	－	－	7	4	2	1	60	3	－
高知市	83	－	－	9	6	1	2	61	4	－
久留米市	40	－	－	1	－	－	－	38	1	－
長崎市	87	－	3	25	6	1	－	48	3	1
佐世保市	31	－	1	2	4	－	－	23	1	－
大分市	36	－	－	1	3	2	1	27	1	1
宮崎市	72	－	－	14	7	－	1	48	1	1
鹿児島市	149	－	－	13	19	2	2	104	9	－
那覇市	24	－	－	1	－	1	－	22	－	－

第12表　地域密着型サービスの事業所数，都道府県－指定都市

都道府県 指定都市 中核市	認知症対応型通所介護 総数	地方公共団体	社会福祉協議会	社会福祉法人（社会福祉協議会以外）	医療法人	社団・財団法人	協同組合	営利法人	特定非営利活動法人（NPO）	その他
全国	3 780	11	105	1 569	451	35	52	1 334	216	7
北海道	175	2	2	43	23	1	1	93	10	－
青森	54	－	1	28	4	1	－	20	－	－
岩手	41	－	1	17	6	－	1	13	3	－
宮城	56	－	4	21	8	－	－	21	2	－
秋田	36	－	2	9	－	－	－	19	5	1
山形	64	1	6	25	9	－	－	18	5	－
福島	97	－	4	37	12	2	3	37	2	－
茨城	46	－	－	16	9	－	－	20	1	－
栃木	36	－	－	15	2	－	－	12	7	－
群馬	76	－	2	11	17	1	－	36	9	－
埼玉	103	－	3	30	12	1	1	50	5	1
千葉	85	1	－	33	1	－	－	44	5	1
東京	385	4	4	262	14	1	3	82	14	1
神奈川	251	－	1	95	12	2	2	128	11	－
新潟	105	－	8	65	3	－	1	24	4	－
富山	61	－	3	27	6	－	1	16	8	－
石川	40	－	－	17	1	1	－	17	4	－
福井	60	－	3	23	12	1	7	10	4	－
山梨	24	－	－	11	8	－	－	5	－	－
長野	95	－	24	28	4	－	3	18	18	－
岐阜	61	1	1	19	5	1	1	28	5	－
静岡	143	－	4	83	6	3	1	38	8	－
愛知	148	－	1	59	18	－	3	63	4	－
三重	50	－	1	18	1	1	3	22	3	1
滋賀	70	－	5	25	9	－	1	15	15	－
京都	77	－	5	41	12	2	－	13	4	－
大阪	217	－	1	87	26	2	13	77	10	1
兵庫	149	1	6	74	16	－	3	44	5	－
奈良	35	－	－	10	2	－	－	22	1	－
和歌山	28	－	－	8	4	－	1	15	－	－
鳥取	27	－	1	15	8	－	－	2	1	－
島根	46	－	2	21	7	－	－	12	4	－
岡山	50	－	－	16	6	－	－	25	3	－
広島	75	－	－	30	8	－	1	32	4	－
山口	67	－	1	21	21	－	1	19	4	－
徳島	19	－	－	11	5	－	－	3	－	－
香川	37	－	1	21	4	－	－	7	4	－
愛媛	47	－	2	16	7	5	－	17	－	－
高知	28	1	－	13	6	－	－	7	1	－
福岡	113	－	2	33	24	1	1	50	1	1
佐賀	54	－	2	8	13	5	－	21	5	－
長崎	88	－	－	27	17	2	－	39	3	－
熊本	83	－	－	26	22	1	－	30	4	－
大分	55	－	1	33	11	－	－	7	3	－
宮崎	23	－	－	10	4	－	－	8	1	－
鹿児島	65	－	1	20	17	1	－	20	6	－
沖縄	35	－	－	11	9	－	－	15	－	－

注：調査方法の変更等による回収率変動の影響を受けているため、数量を示す事業所数の実数は前年以前と単純に年次比較できない。

・中核市（再掲）、地域密着型サービスの種類、経営主体別（８－４）

平成29年10月１日

都道府県 指定都市 中核市	認知症対応型通所介護									
	総数	地方公共団体	社会福祉協議会	社会福祉法人（社会福祉協議会以外）	医療法人	社団・財団法人	協同組合	営利法人	特定非営利活動法人（NPO）	その他
指定都市(再掲)										
札幌市	59	－	－	17	6	1	－	35	－	－
仙台市	21	－	－	5	5	－	－	11	－	－
さいたま市	12	－	－	3	3	－	－	6	－	－
千葉市	10	－	－	6	－	－	－	4	－	－
横浜市	126	－	1	63	4	－	2	51	5	－
川崎市	50	－	－	7	5	2	－	32	4	－
相模原市	15	－	－	7	1	－	－	7	－	－
新潟市	25	－	2	10	2	－	－	9	2	－
静岡市	31	－	－	13	1	2	－	12	3	－
浜松市	31	－	－	17	1	－	－	11	2	－
名古屋市	39	－	1	4	3	－	1	30	－	－
京都市	25	－	1	18	3	－	－	3	－	－
大阪市	73	－	1	22	9	2	8	29	2	－
堺市	15	－	－	4	2	－	－	9	－	－
神戸市	27	－	2	11	3	－	1	10	－	－
岡山市	14	－	－	5	1	－	－	8	－	－
広島市	21	－	－	8	2	－	1	9	1	－
北九州市	34	－	－	6	6	－	－	21	－	1
福岡市	17	－	－	8	2	1	1	5	－	－
熊本市	36	－	－	13	6	1	－	14	2	－
中核市(再掲)										
旭川市	11	－	1	1	－	－	－	9	－	－
函館市	6	－	－	1	4	－	－	1	－	－
青森市	6	－	－	3	－	－	－	3	－	－
八戸市	7	－	－	5	1	1	－	－	－	－
盛岡市	9	－	－	1	1	－	1	4	2	－
秋田市	4	－	－	2	－	－	－	1	－	1
郡山市	8	－	－	4	－	－	1	3	－	－
いわき市	19	－	－	4	3	－	1	11	－	－
宇都宮市	9	－	－	3	1	－	－	5	－	－
前橋市	6	－	－	－	1	－	－	4	1	－
高崎市	22	－	－	2	4	1	－	12	3	－
川越市	7	－	－	3	2	－	－	1	1	－
越谷市	6	－	1	1	－	－	－	4	－	－
船橋市	7	1	－	2	－	－	－	4	－	－
柏市	3	－	－	1	－	－	－	2	－	－
八王子市	17	－	－	8	1	－	－	7	1	－
横須賀市	17	－	－	3	－	－	－	13	1	－
富山市	19	－	－	7	2	－	－	7	3	－
金沢市	5	－	－	1	－	1	－	1	2	－
長野市	10	－	3	3	1	－	－	1	2	－
岐阜市	10	－	－	3	2	－	－	5	－	－
豊橋市	11	－	－	4	2	－	1	4	－	－
豊田市	10	－	－	8	－	－	1	1	－	－
岡崎市	9	－	－	3	1	－	－	5	－	－
大津市	12	－	－	2	5	－	－	5	－	－
高槻市	8	－	－	8	－	－	－	－	－	－
東大阪市	16	－	－	7	－	－	2	7	－	－
豊中市	7	－	－	2	－	－	－	3	2	－
枚方市	8	－	－	2	1	－	－	5	－	－
姫路市	3	－	－	2	1	－	－	－	－	－
西宮市	10	－	－	5	1	－	1	3	－	－
尼崎市	10	－	－	6	1	－	－	3	－	－
奈良市	12	－	－	2	－	－	－	10	－	－
和歌山市	13	－	－	3	－	－	1	9	－	－
倉敷市	12	－	－	3	2	－	－	7	－	－
福山市	17	－	－	5	1	－	－	11	－	－
呉市	8	－	－	3	2	－	－	3	－	－
下関市	10	－	－	2	3	－	－	3	2	－
高松市	17	－	－	11	－	－	－	4	2	－
松山市	17	－	－	6	2	－	－	9	－	－
高知市	14	－	－	4	4	－	－	6	－	－
久留米市	12	－	－	4	1	－	－	7	－	－
長崎市	19	－	－	5	5	－	－	9	－	－
佐世保市	25	－	－	9	7	1	－	6	2	－
大分市	16	－	－	10	5	－	－	1	－	－
宮崎市	12	－	－	8	2	－	－	2	－	－
鹿児島市	24	－	－	5	10	1	－	6	2	－
那覇市	5	－	－	1	1	－	－	3	－	－

第12表　地域密着型サービスの事業所数，都道府県－指定都市

都道府県 指定都市 中核市	小規模多機能型居宅介護									
	総数	地方公共団体	社会福祉協議会	社会福祉法人（社会福祉協議会以外）	医療法人	社団・財団法人	協同組合	営利法人	特定非営利活動法人（NPO）	その他
全国	4 767	4	78	1 443	609	33	101	2 198	283	18
北海道	296	1	11	79	21	3	－	169	9	3
青森	36	－	－	27	2	2	1	4	－	－
岩手	75	－	3	24	12	－	1	25	9	1
宮城	57	－	1	8	6	－	2	36	3	1
秋田	65	1	1	16	2	－	3	39	2	1
山形	98	－	－	46	4	－	2	40	6	－
福島	111	－	1	23	18	－	5	61	3	－
茨城	70	－	－	21	23	－	－	25	－	1
栃木	71	－	－	34	12	－	－	23	2	－
群馬	102	－	1	15	9	－	2	60	15	－
埼玉	110	－	1	28	5	－	1	72	2	1
千葉	113	－	1	30	4	－	－	66	12	－
東京	172	1	－	56	15	－	2	88	8	2
神奈川	239	－	1	46	16	－	1	163	12	－
新潟	169	－	－	79	9	2	16	58	5	－
富山	63	－	－	21	6	－	2	31	3	－
石川	76	－	－	37	11	3	1	20	4	－
福井	77	－	10	20	5	1	10	25	5	1
山梨	18	1	1	13	1	－	－	2	－	－
長野	76	－	4	24	3	－	4	27	14	－
岐阜	69	－	－	15	20	－	－	29	5	－
静岡	128	－	2	27	15	1	－	79	4	－
愛知	165	－	1	29	24	－	5	88	18	－
三重	53	－	1	13	5	－	－	26	7	1
滋賀	64	－	6	19	8	－	－	18	13	－
京都	152	－	1	65	24	－	－	55	7	－
大阪	207	－	－	70	18	－	12	98	9	－
兵庫	216	－	6	91	27	1	12	73	6	－
奈良	36	－	－	9	4	－	－	21	2	－
和歌山	41	－	－	12	5	－	－	23	1	－
鳥取	46	－	5	18	5	－	－	17	1	－
島根	73	－	2	20	4	－	1	41	4	1
岡山	148	－	2	49	18	4	－	68	6	1
広島	189	－	2	37	27	1	2	97	22	1
山口	74	－	2	22	22	－	－	25	3	－
徳島	33	－	－	12	9	－	－	12	－	－
香川	38	－	1	14	9	－	1	8	5	－
愛媛	100	－	1	22	8	2	2	56	9	－
高知	28	－	－	10	4	－	－	12	2	－
福岡	244	－	－	68	49	1	8	109	6	3
佐賀	41	－	1	12	8	－	－	16	4	－
長崎	112	－	－	32	12	4	－	63	1	－
熊本	141	－	3	44	25	2	2	50	15	－
大分	41	－	－	18	15	－	－	6	2	－
宮崎	52	－	1	16	3	4	2	22	4	－
鹿児島	123	－	3	33	38	1	－	41	7	－
沖縄	59	－	2	19	19	1	1	11	6	－

注：調査方法の変更等による回収率変動の影響を受けているため、数量を示す事業所数の実数は前年以前と単純に年次比較できない。

・中核市（再掲）、地域密着型サービスの種類、経営主体別（８－５）

平成29年10月１日

都道府県 指定都市 中核市	小規模多機能型居宅介護									
	総数	地方公共団体	社会福祉協議会	社会福祉法人（社会福祉協議会以外）	医療法人	社団・財団法人	協同組合	営利法人	特定非営利活動法人（NPO）	その他
指定都市(再掲)										
札幌市	120	－	－	28	9	1	－	80	2	－
仙台市	32	－	－	4	5	－	1	22	－	－
さいたま市	13	－	－	4	－	－	－	9	－	－
千葉市	14	－	－	7	－	－	－	6	1	－
横浜市	102	－	－	23	5	－	－	69	5	－
川崎市	39	－	－	4	5	－	－	28	2	－
相模原市	19	－	－	4	1	－	－	13	1	－
新潟市	52	－	－	27	4	1	7	11	2	－
静岡市	27	－	－	5	1	－	－	20	1	－
浜松市	25	－	2	5	2	－	－	16	－	－
名古屋市	68	－	－	10	7	－	4	38	9	－
京都市	86	－	－	33	14	－	－	39	－	－
大阪市	74	－	－	17	12	－	4	38	3	－
堺市	19	－	－	4	－	－	－	14	1	－
神戸市	43	－	－	16	8	－	3	15	1	－
岡山市	61	－	－	19	5	1	－	31	5	－
広島市	33	－	－	7	4	－	1	20	1	－
北九州市	46	－	－	16	7	－	1	21	1	－
福岡市	42	－	－	6	8	1	1	23	3	－
熊本市	53	－	－	16	10	2	－	18	7	－
中核市(再掲)										
旭川市	15	－	－	2	－	－	－	13	－	－
函館市	20	－	－	7	3	1	－	9	－	－
青森市	3	－	－	－	1	2	－	－	－	－
八戸市	9	－	－	7	－	－	1	1	－	－
盛岡市	8	－	－	2	1	－	－	5	－	－
秋田市	23	－	－	3	－	－	－	19	－	1
郡山市	34	－	－	5	7	－	2	20	－	－
いわき市	23	－	－	5	3	－	－	15	－	－
宇都宮市	15	－	－	7	2	－	－	5	1	－
前橋市	14	－	－	－	2	－	2	5	5	－
高崎市	22	－	－	2	－	－	－	17	3	－
川越市	5	－	－	1	1	－	－	3	－	－
越谷市	6	－	－	－	－	－	－	6	－	－
船橋市	6	－	－	1	－	－	－	5	－	－
柏市	8	－	－	4	－	－	－	3	1	－
八王子市	15	－	－	2	－	－	2	11	－	－
横須賀市	6	－	－	2	－	－	－	3	1	－
富山市	21	－	－	10	4	－	－	6	1	－
金沢市	22	－	－	9	1	2	－	9	1	－
長野市	5	－	－	3	－	－	－	－	2	－
岐阜市	16	－	－	2	7	－	－	7	－	－
豊橋市	3	－	－	2	－	－	－	1	－	－
豊田市	2	－	－	1	－	－	－	1	－	－
岡崎市	3	－	－	2	－	－	－	1	－	－
大津市	12	－	－	1	5	－	－	6	－	－
高槻市	8	－	－	7	1	－	－	－	－	－
東大阪市	4	－	－	－	－	－	2	2	－	－
豊中市	20	－	－	7	－	－	1	12	－	－
枚方市	5	－	－	1	－	－	－	4	－	－
姫路市	21	－	－	7	1	－	8	5	－	－
西宮市	4	－	－	－	－	－	－	4	－	－
尼崎市	12	－	－	3	1	－	－	8	－	－
奈良市	7	－	－	1	3	－	－	3	－	－
和歌山市	20	－	－	7	－	－	－	13	－	－
倉敷市	29	－	－	10	4	1	－	14	－	－
福山市	75	－	－	3	6	－	1	53	12	－
呉市	9	－	－	1	5	－	－	1	1	1
下関市	14	－	－	6	6	－	－	2	－	－
高松市	11	－	－	6	1	－	1	3	－	－
松山市	47	－	－	11	4	－	－	29	3	－
高知市	14	－	－	6	3	－	－	4	1	－
久留米市	37	－	－	7	6	－	4	17	－	3
長崎市	29	－	－	6	5	1	－	16	1	－
佐世保市	49	－	－	15	6	2	－	26	－	－
大分市	9	－	－	4	3	－	－	2	－	－
宮崎市	26	－	－	8	1	4	2	9	2	－
鹿児島市	30	－	－	5	14	－	－	11	－	－
那覇市	15	－	－	3	8	－	－	4	－	－

第12表　地域密着型サービスの事業所数，都道府県－指定都市

都道府県 指定都市 中核市	認知症対応型共同生活介護 総数	地方公共団体	社会福祉協議会	社会福祉法人（社会福祉協議会以外）	医療法人	社団・財団法人	協同組合	営利法人	特定非営利活動法人（NPO）	その他
全国	12 265	12	64	2 923	2 025	49	73	6 575	524	20
北海道	901	6	6	140	117	5	－	586	37	4
青森	303	－	4	120	40	3	1	129	6	－
岩手	194	1	2	55	27	1	6	84	18	－
宮城	236	－	4	66	25	－	－	130	11	－
秋田	194	1	5	32	24	－	－	128	4	－
山形	133	1	1	36	19	－	2	62	12	－
福島	225	－	1	40	39	1	4	131	8	1
茨城	250	－	－	47	41	－	－	161	1	－
栃木	149	－	－	56	35	－	－	46	12	－
群馬	235	－	2	27	45	2	2	125	32	－
埼玉	464	－	2	63	23	1	1	357	17	－
千葉	408	－	－	63	38	－	－	291	15	1
東京	516	1	－	126	62	1	8	295	21	2
神奈川	629	－	－	106	78	－	－	415	30	－
新潟	235	－	2	111	13	－	4	94	11	－
富山	146	－	－	23	21	1	－	86	15	－
石川	165	－	－	35	23	1	1	89	16	－
福井	87	－	1	34	15	3	4	23	7	－
山梨	64	－	－	28	11	1	－	24	－	－
長野	197	1	6	72	24	－	3	70	19	2
岐阜	253	－	－	48	33	1	－	150	20	1
静岡	334	－	－	32	38	4	－	243	16	1
愛知	487	－	2	84	67	－	7	318	8	1
三重	175	－	1	42	18	4	－	103	6	1
滋賀	131	－	2	40	23	2	－	45	19	－
京都	200	－	－	70	50	1	－	75	4	－
大阪	597	－	－	155	83	－	15	323	21	－
兵庫	366	－	3	100	65	3	1	187	7	－
奈良	113	－	－	30	13	4	－	64	2	－
和歌山	115	－	－	48	10	－	－	56	1	－
鳥取	82	－	－	45	20	－	－	16	1	－
島根	133	－	1	48	16	－	－	55	13	－
岡山	278	－	1	74	56	2	1	139	4	1
広島	327	1	3	52	62	－	－	194	15	－
山口	180	－	3	68	39	－	－	55	15	－
徳島	129	－	1	44	59	－	－	23	2	－
香川	94	－	－	24	26	－	－	42	2	－
愛媛	287	－	2	48	68	－	4	157	8	－
高知	144	－	3	52	45	1	－	42	1	－
福岡	628	－	－	152	111	1	4	343	13	4
佐賀	173	－	2	31	35	－	－	100	5	－
長崎	308	－	2	78	65	1	－	149	12	1
熊本	235	－	1	75	58	－	2	86	13	－
大分	128	－	－	47	37	－	－	35	9	－
宮崎	171	－	－	46	46	2	2	66	9	－
鹿児島	374	－	1	89	130	2	－	146	6	－
沖縄	92	－	－	21	32	1	1	37	－	－

注：調査方法の変更等による回収率変動の影響を受けているため、数量を示す事業所数の実数は前年以前と単純に年次比較できない。

・中核市（再掲）、地域密着型サービスの種類、経営主体別（８－６）

平成29年10月１日

都道府県 指定都市 中核市	認知症対応型共同生活介護									
	総数	地方公共団体	社会福祉協議会	社会福祉法人（社会福祉協議会以外）	医療法人	社団・財団法人	協同組合	営利法人	特定非営利活動法人（NPO）	その他
指定都市(再掲)										
札幌市	234	－	－	32	30	－	－	171	1	－
仙台市	92	－	－	18	11	－	－	63	－	－
さいたま市	49	－	－	2	2	－	－	44	1	－
千葉市	87	－	－	10	4	－	－	72	1	－
横浜市	268	－	－	59	37	－	－	157	15	－
川崎市	102	－	－	6	16	－	－	77	3	－
相模原市	52	－	－	8	7	－	－	34	3	－
新潟市	52	－	－	25	3	－	1	21	2	－
静岡市	104	－	－	8	2	－	－	90	4	－
浜松市	58	－	－	6	17	－	－	34	1	－
名古屋市	175	－	－	16	13	－	5	139	2	－
京都市	105	－	－	23	33	－	－	49	－	－
大阪市	191	－	－	30	32	－	7	120	2	－
堺市	64	－	－	24	5	－	－	34	1	－
神戸市	100	－	－	12	23	2	－	61	2	－
岡山市	99	－	－	19	26	1	1	52	－	－
広島市	140	－	－	17	24	－	－	96	3	－
北九州市	141	－	－	30	26	－	－	80	4	1
福岡市	119	－	－	16	17	－	－	85	1	－
熊本市	66	－	－	23	18	－	－	23	2	－
中核市(再掲)										
旭川市	77	－	1	7	9	－	－	55	5	－
函館市	43	－	－	6	12	3	－	22	－	－
青森市	52	－	－	17	5	2	－	28	－	－
八戸市	30	－	－	7	9	1	－	11	2	－
盛岡市	27	－	－	1	1	1	4	20	－	－
秋田市	29	－	－	6	6	－	－	17	－	－
郡山市	47	－	－	6	10	－	2	29	－	－
いわき市	41	－	－	5	4	－	－	31	1	－
宇都宮市	21	－	－	8	5	－	－	8	－	－
前橋市	30	－	－	2	9	1	2	9	7	－
高崎市	53	－	1	8	9	1	－	27	7	－
川越市	18	－	－	2	1	－	－	13	2	－
越谷市	15	－	－	－	－	－	－	15	－	－
船橋市	40	－	－	3	3	－	－	34	－	－
柏市	22	－	－	7	2	－	－	10	3	－
八王子市	18	－	－	4	2	－	－	12	－	－
横須賀市	42	－	－	7	1	－	－	31	3	－
富山市	37	－	－	8	8	1	－	16	4	－
金沢市	45	－	－	8	7	1	1	27	1	－
長野市	37	－	1	10	6	－	1	19	－	－
岐阜市	47	－	－	7	8	－	－	28	4	－
豊橋市	21	－	－	8	7	－	－	6	－	－
豊田市	27	－	－	4	6	－	－	17	－	－
岡崎市	19	－	－	3	3	－	－	13	－	－
大津市	35	－	－	2	14	－	－	18	1	－
高槻市	25	－	－	12	6	－	－	5	2	－
東大阪市	34	－	－	6	2	－	4	22	－	－
豊中市	29	－	－	8	1	－	－	16	4	－
枚方市	30	－	－	6	6	－	－	18	－	－
姫路市	30	－	－	13	2	－	1	14	－	－
西宮市	17	－	－	1	6	－	－	10	－	－
尼崎市	20	－	－	2	－	－	－	18	－	－
奈良市	25	－	－	6	5	－	－	14	－	－
和歌山市	50	－	－	21	2	－	－	27	－	－
倉敷市	63	－	－	18	16	1	－	28	－	－
福山市	65	－	－	8	6	－	－	43	8	－
呉市	24	－	1	7	11	－	－	5	－	－
下関市	28	－	2	11	7	－	－	5	3	－
高松市	38	－	－	5	9	－	－	23	1	－
松山市	112	－	－	17	22	－	1	68	4	－
高知市	44	－	－	11	18	1	－	14	－	－
久留米市	47	－	－	7	11	－	－	26	－	3
長崎市	65	－	－	15	17	－	－	30	3	－
佐世保市	55	－	1	12	13	－	－	27	2	－
大分市	36	－	－	9	15	－	－	12	－	－
宮崎市	58	－	－	11	14	2	2	29	－	－
鹿児島市	115	－	－	24	47	1	－	43	－	－
那覇市	23	－	－	2	10	－	1	10	－	－

第12表　地域密着型サービスの事業所数，都道府県－指定都市

都道府県 指定都市 中核市	地域密着型特定施設入居者生活介護 総数	地方公共団体	社会福祉協議会	社会福祉法人（社会福祉協議会以外）	医療法人	社団・財団法人	協同組合	営利法人	特定非営利活動法人（NPO）	その他
全国	292	－	－	91	48	2	2	141	7	1
北海道	28	－	－	12	5	1	－	8	2	－
青森	3	－	－	1	1	－	－	1	－	－
岩手	7	－	－	2	1	－	－	3	1	－
宮城	2	－	－	1	1	－	－	－	－	－
秋田	14	－	－	5	1	－	－	7	1	－
山形	－	－	－	－	－	－	－	－	－	－
福島	7	－	－	－	－	－	－	7	－	－
茨城	1	－	－	1	－	－	－	－	－	－
栃木	－	－	－	－	－	－	－	－	－	－
群馬	3	－	－	1	－	－	－	2	－	－
埼玉	9	－	－	3	2	－	－	4	－	－
千葉	10	－	－	－	4	－	－	6	－	－
東京	6	－	－	1	1	－	－	4	－	－
神奈川	11	－	－	－	－	－	－	11	－	－
新潟	6	－	－	1	－	－	1	4	－	－
富山	－	－	－	－	－	－	－	－	－	－
石川	1	－	－	1	－	－	－	－	－	－
福井	－	－	－	－	－	－	－	－	－	－
山梨	5	－	－	2	－	－	－	3	－	－
長野	14	－	－	4	－	－	－	10	－	－
岐阜	5	－	－	4	－	－	－	1	－	－
静岡	16	－	－	4	5	－	－	7	－	－
愛知	14	－	－	3	3	－	－	8	－	－
三重	3	－	－	－	1	－	－	2	－	－
滋賀	－	－	－	－	－	－	－	－	－	－
京都	14	－	－	5	－	－	－	8	1	－
大阪	12	－	－	5	2	－	－	4	1	－
兵庫	7	－	－	1	2	－	－	4	－	－
奈良	－	－	－	－	－	－	－	－	－	－
和歌山	8	－	－	5	－	－	－	3	－	－
鳥取	3	－	－	1	1	－	－	1	－	－
島根	2	－	－	1	1	－	－	－	－	－
岡山	6	－	－	2	1	1	－	1	1	－
広島	1	－	－	－	1	－	－	－	－	－
山口	4	－	－	－	－	－	－	4	－	－
徳島	－	－	－	－	－	－	－	－	－	－
香川	4	－	－	1	1	－	－	2	－	－
愛媛	－	－	－	－	－	－	－	－	－	－
高知	8	－	－	4	2	－	－	2	－	－
福岡	17	－	－	8	2	－	－	6	－	1
佐賀	3	－	－	－	1	－	－	2	－	－
長崎	－	－	－	－	－	－	－	－	－	－
熊本	12	－	－	5	2	－	1	4	－	－
大分	8	－	－	1	3	－	－	4	－	－
宮崎	－	－	－	－	－	－	－	－	－	－
鹿児島	14	－	－	6	3	－	－	5	－	－
沖縄	4	－	－	－	1	－	－	3	－	－

注：調査方法の変更等による回収率変動の影響を受けているため、数量を示す事業所数の実数は前年以前と単純に年次比較できない。

・中核市（再掲）、地域密着型サービスの種類、経営主体別（８－７）

平成29年10月１日

都道府県 指定都市 中核市	地域密着型特定施設入居者生活介護									
	総数	地方公共団体	社会福祉協議会	社会福祉法人（社会福祉協議会以外）	医療法人	社団・財団法人	協同組合	営利法人	特定非営利活動法人（NPO）	その他
指定都市(再掲)										
札幌市	1	－	－	1	－	－	－	－	－	－
仙台市	－	－	－	－	－	－	－	－	－	－
さいたま市	1	－	－	－	－	－	－	1	－	－
千葉市	1	－	－	－	－	－	－	1	－	－
横浜市	1	－	－	－	－	－	－	1	－	－
川崎市	－	－	－	－	－	－	－	－	－	－
相模原市	－	－	－	－	－	－	－	－	－	－
新潟市	1	－	－	－	－	－	－	1	－	－
静岡市	6	－	－	－	1	－	－	5	－	－
浜松市	7	－	－	2	4	－	－	1	－	－
名古屋市	4	－	－	1	2	－	－	1	－	－
京都市	10	－	－	1	－	－	－	8	1	－
大阪市	6	－	－	－	2	－	－	3	1	－
堺市	－	－	－	－	－	－	－	－	－	－
神戸市	－	－	－	－	－	－	－	－	－	－
岡山市	－	－	－	－	－	－	－	－	－	－
広島市	－	－	－	－	－	－	－	－	－	－
北九州市	－	－	－	－	－	－	－	－	－	－
福岡市	1	－	－	1	－	－	－	－	－	－
熊本市	2	－	－	1	－	－	－	1	－	－
中核市(再掲)										
旭川市	－	－	－	－	－	－	－	－	－	－
函館市	13	－	－	5	1	－	－	7	－	－
青森市	1	－	－	1	－	－	－	－	－	－
八戸市	1	－	－	－	1	－	－	－	－	－
盛岡市	－	－	－	－	－	－	－	－	－	－
秋田市	－	－	－	－	－	－	－	－	－	－
郡山市	1	－	－	－	－	－	－	1	－	－
いわき市	2	－	－	－	－	－	－	2	－	－
宇都宮市	－	－	－	－	－	－	－	－	－	－
前橋市	－	－	－	－	－	－	－	－	－	－
高崎市	－	－	－	－	－	－	－	－	－	－
川越市	2	－	－	－	－	－	－	2	－	－
越谷市	－	－	－	－	－	－	－	－	－	－
船橋市	3	－	－	－	3	－	－	－	－	－
柏市	－	－	－	－	－	－	－	－	－	－
八王子市	－	－	－	－	－	－	－	－	－	－
横須賀市	－	－	－	－	－	－	－	－	－	－
富山市	－	－	－	－	－	－	－	－	－	－
金沢市	－	－	－	－	－	－	－	－	－	－
長野市	8	－	－	2	－	－	－	6	－	－
岐阜市	2	－	－	2	－	－	－	－	－	－
豊橋市	－	－	－	－	－	－	－	－	－	－
豊田市	－	－	－	－	－	－	－	－	－	－
岡崎市	3	－	－	－	－	－	－	3	－	－
大津市	－	－	－	－	－	－	－	－	－	－
高槻市	2	－	－	2	－	－	－	－	－	－
東大阪市	－	－	－	－	－	－	－	－	－	－
豊中市	－	－	－	－	－	－	－	－	－	－
枚方市	－	－	－	－	－	－	－	－	－	－
姫路市	－	－	－	－	－	－	－	－	－	－
西宮市	－	－	－	－	－	－	－	－	－	－
尼崎市	2	－	－	－	1	－	－	1	－	－
奈良市	－	－	－	－	－	－	－	－	－	－
和歌山市	2	－	－	2	－	－	－	－	－	－
倉敷市	2	－	－	1	－	－	－	－	1	－
福山市	－	－	－	－	－	－	－	－	－	－
呉市	－	－	－	－	－	－	－	－	－	－
下関市	－	－	－	－	－	－	－	－	－	－
高松市	1	－	－	－	－	－	－	1	－	－
松山市	－	－	－	－	－	－	－	－	－	－
高知市	5	－	－	2	2	－	－	1	－	－
久留米市	－	－	－	－	－	－	－	－	－	－
長崎市	－	－	－	－	－	－	－	－	－	－
佐世保市	－	－	－	－	－	－	－	－	－	－
大分市	－	－	－	－	－	－	－	－	－	－
宮崎市	－	－	－	－	－	－	－	－	－	－
鹿児島市	3	－	－	2	－	－	－	1	－	－
那覇市	2	－	－	－	1	－	－	1	－	－

第12表　地域密着型サービスの事業所数，都道府県－指定都市

都道府県 指定都市 中核市	複合型サービス（看護小規模多機能型居宅介護）									
	総数	地方公共団体	社会福祉協議会	社会福祉法人（社会福祉協議会以外）	医療法人	社団・財団法人	協同組合	営利法人	特定非営利活動法人（NPO）	その他
全国	349	-	-	63	71	17	11	175	12	-
北海道	29	-	-	6	5	-	-	18	-	-
青森	4	-	-	-	-	-	1	2	1	-
岩手	1	-	-	1	-	-	-	-	-	-
宮城	8	-	-	1	2	-	-	5	-	-
秋田	5	-	-	-	1	-	-	4	-	-
山形	4	-	-	1	2	-	-	1	-	-
福島	6	-	-	1	2	1	-	2	-	-
茨城	4	-	-	1	1	1	-	1	-	-
栃木	2	-	-	2	-	-	-	-	-	-
群馬	7	-	-	-	-	1	1	3	2	-
埼玉	9	-	-	-	2	-	1	6	-	-
千葉	5	-	-	-	1	1	-	3	-	-
東京	22	-	-	7	4	-	1	10	-	-
神奈川	29	-	-	4	2	-	1	21	1	-
新潟	6	-	-	2	-	-	-	4	-	-
富山	4	-	-	-	3	-	1	-	-	-
石川	1	-	-	-	-	-	-	1	-	-
福井	12	-	-	3	1	-	-	7	1	-
山梨	3	-	-	2	-	-	-	1	-	-
長野	2	-	-	-	-	-	-	2	-	-
岐阜	5	-	-	1	-	-	-	3	1	-
静岡	12	-	-	3	2	1	-	6	-	-
愛知	9	-	-	1	5	-	-	3	-	-
三重	4	-	-	1	-	-	1	2	-	-
滋賀	6	-	-	3	2	1	-	-	-	-
京都	7	-	-	1	2	2	-	1	1	-
大阪	27	-	-	4	5	1	1	15	1	-
兵庫	16	-	-	5	1	1	-	9	-	-
奈良	3	-	-	1	2	-	-	-	-	-
和歌山	5	-	-	2	1	-	1	1	-	-
鳥取	1	-	-	-	-	-	-	1	-	-
島根	4	-	-	2	-	-	1	1	-	-
岡山	4	-	-	1	1	-	-	2	-	-
広島	13	-	-	1	3	1	1	6	1	-
山口	1	-	-	-	-	-	-	1	-	-
徳島	2	-	-	-	-	1	-	1	-	-
香川	3	-	-	-	1	1	-	-	1	-
愛媛	7	-	-	-	3	-	-	4	-	-
高知	2	-	-	1	1	-	-	-	-	-
福岡	15	-	-	1	3	1	-	9	1	-
佐賀	6	-	-	-	1	1	-	4	-	-
長崎	8	-	-	1	1	1	-	4	1	-
熊本	8	-	-	-	5	-	-	3	-	-
大分	8	-	-	3	2	-	-	3	-	-
宮崎	3	-	-	-	-	1	-	2	-	-
鹿児島	5	-	-	-	3	-	-	2	-	-
沖縄	2	-	-	-	1	-	-	1	-	-

注：調査方法の変更等による回収率変動の影響を受けているため、数量を示す事業所数の実数は前年以前と単純に年次比較できない。

・中核市（再掲）、地域密着型サービスの種類、経営主体別（８－８）

平成29年10月１日

都道府県 指定都市 中核市	複合型サービス（看護小規模多機能型居宅介護）									
	総数	地方公共団体	社会福祉協議会	社会福祉法人（社会福祉協議会以外）	医療法人	社団・財団法人	協同組合	営利法人	特定非営利活動法人（NPO）	その他
指定都市(再掲)										
札幌市	17	–	–	4	2	–	–	11	–	–
仙台市	5	–	–	1	1	–	–	3	–	–
さいたま市	1	–	–	–	–	–	–	1	–	–
千葉市	–	–	–	–	–	–	–	–	–	–
横浜市	9	–	–	1	–	–	–	8	–	–
川崎市	7	–	–	2	–	–	1	4	–	–
相模原市	1	–	–	–	–	–	–	1	–	–
新潟市	3	–	–	1	–	–	–	2	–	–
静岡市	6	–	–	1	1	–	–	4	–	–
浜松市	1	–	–	–	–	–	–	1	–	–
名古屋市	3	–	–	–	2	–	–	1	–	–
京都市	4	–	–	–	2	1	–	1	–	–
大阪市	8	–	–	–	1	1	–	6	–	–
堺市	6	–	–	3	1	–	1	1	–	–
神戸市	5	–	–	2	–	–	–	3	–	–
岡山市	1	–	–	1	–	–	–	–	–	–
広島市	2	–	–	–	–	–	–	2	–	–
北九州市	1	–	–	–	–	–	–	1	–	–
福岡市	2	–	–	–	1	–	–	1	–	–
熊本市	6	–	–	–	5	–	–	1	–	–
中核市(再掲)										
旭川市	–	–	–	–	–	–	–	–	–	–
函館市	3	–	–	1	–	–	–	2	–	–
青森市	1	–	–	–	–	–	1	–	–	–
八戸市	2	–	–	–	–	–	–	2	–	–
盛岡市	–	–	–	–	–	–	–	–	–	–
秋田市	1	–	–	–	–	–	–	1	–	–
郡山市	–	–	–	–	–	–	–	–	–	–
いわき市	1	–	–	–	–	–	–	1	–	–
宇都宮市	–	–	–	–	–	–	–	–	–	–
前橋市	–	–	–	–	–	–	–	–	–	–
高崎市	4	–	–	–	–	1	–	1	2	–
川越市	1	–	–	–	–	–	–	1	–	–
越谷市	–	–	–	–	–	–	–	–	–	–
船橋市	–	–	–	–	–	–	–	–	–	–
柏市	–	–	–	–	–	–	–	–	–	–
八王子市	1	–	–	–	1	–	–	–	–	–
横須賀市	–	–	–	–	–	–	–	–	–	–
富山市	4	–	–	–	3	–	1	–	–	–
金沢市	1	–	–	–	–	–	–	1	–	–
長野市	1	–	–	–	–	–	–	1	–	–
岐阜市	–	–	–	–	–	–	–	–	–	–
豊橋市	3	–	–	–	2	–	–	1	–	–
豊田市	–	–	–	–	–	–	–	–	–	–
岡崎市	–	–	–	–	–	–	–	–	–	–
大津市	1	–	–	–	1	–	–	–	–	–
高槻市	1	–	–	1	–	–	–	–	–	–
東大阪市	–	–	–	–	–	–	–	–	–	–
豊中市	–	–	–	–	–	–	–	–	–	–
枚方市	–	–	–	–	–	–	–	–	–	–
姫路市	–	–	–	–	–	–	–	–	–	–
西宮市	–	–	–	–	–	–	–	–	–	–
尼崎市	2	–	–	–	–	–	–	2	–	–
奈良市	2	–	–	1	1	–	–	–	–	–
和歌山市	4	–	–	2	–	–	1	1	–	–
倉敷市	2	–	–	–	–	–	–	2	–	–
福山市	5	–	–	–	2	–	1	2	–	–
呉市	–	–	–	–	–	–	–	–	–	–
下関市	–	–	–	–	–	–	–	–	–	–
高松市	1	–	–	–	–	1	–	–	–	–
松山市	4	–	–	–	–	–	–	4	–	–
高知市	2	–	–	1	1	–	–	–	–	–
久留米市	10	–	–	–	2	1	–	6	1	–
長崎市	3	–	–	–	–	1	–	2	–	–
佐世保市	1	–	–	–	–	–	–	1	–	–
大分市	5	–	–	2	1	–	–	2	–	–
宮崎市	1	–	–	–	–	1	–	–	–	–
鹿児島市	3	–	–	–	3	–	–	–	–	–
那覇市	–	–	–	–	–	–	–	–	–	–

第13表　地域密着型介護予防サービスの事業所数，都道府県－指定都市

都道府県 指定都市 中核市	介護予防認知症対応型通所介護									
	総数	地方公共団体	社会福祉協議会	社会福祉法人（社会福祉協議会以外）	医療法人	社団・財団法人	協同組合	営利法人	特定非営利活動法人（NPO）	その他
全国	3 524	11	101	1 466	435	34	51	1 218	201	7
北海道	161	2	2	40	22	1	1	83	10	-
青森	52	-	1	27	4	1	-	19	-	-
岩手	40	-	1	16	6	-	1	13	3	-
宮城	56	-	5	21	8	-	-	20	2	-
秋田	36	-	2	9	-	-	-	19	5	1
山形	61	1	6	22	9	-	-	18	5	-
福島	90	-	3	34	12	2	3	34	2	-
茨城	44	-	-	16	9	-	-	18	1	-
栃木	36	-	-	14	3	-	-	12	7	-
群馬	75	-	2	11	16	1	-	36	9	-
埼玉	102	-	3	30	11	1	1	50	5	1
千葉	77	1	-	30	1	-	-	39	5	1
東京	365	4	4	257	13	1	2	72	11	1
神奈川	205	-	-	64	11	2	2	115	11	-
新潟	102	-	8	62	3	-	1	24	4	-
富山	56	-	3	23	6	-	1	16	7	-
石川	38	-	-	16	-	1	-	17	4	-
福井	58	-	3	23	10	1	7	10	4	-
山梨	23	-	-	10	8	-	-	5	-	-
長野	83	-	23	26	4	-	3	12	15	-
岐阜	55	1	1	15	5	1	1	27	4	-
静岡	126	-	4	75	5	3	1	30	8	-
愛知	142	-	-	56	18	-	2	62	4	-
三重	45	-	1	17	1	1	3	19	2	1
滋賀	67	-	4	23	9	-	1	15	15	-
京都	68	-	5	39	11	2	-	8	3	-
大阪	200	-	1	87	26	2	14	60	9	1
兵庫	142	1	6	70	15	-	3	42	5	-
奈良	35	-	-	10	2	-	-	22	1	-
和歌山	28	-	-	8	4	-	1	15	-	-
鳥取	25	-	1	14	7	-	-	2	1	-
島根	36	-	2	15	7	-	-	8	4	-
岡山	47	-	-	15	6	-	-	23	3	-
広島	69	-	-	30	6	-	1	29	3	-
山口	65	-	1	21	21	-	1	18	3	-
徳島	19	-	-	11	5	-	-	3	-	-
香川	35	-	1	21	4	-	-	6	3	-
愛媛	43	-	2	13	7	5	-	16	-	-
高知	27	1	-	13	6	-	-	6	1	-
福岡	106	-	2	31	24	1	1	45	1	1
佐賀	50	-	2	7	12	5	-	19	5	-
長崎	86	-	-	27	17	1	-	38	3	-
熊本	81	-	-	26	21	1	-	29	4	-
大分	54	-	1	32	11	-	-	7	3	-
宮崎	20	-	-	9	4	-	-	6	1	-
鹿児島	62	-	1	19	17	1	-	19	5	-
沖縄	31	-	-	11	8	-	-	12	-	-

注：調査方法の変更等による回収率変動の影響を受けているため、数量を示す事業所数の実数は前年以前と単純に年次比較できない。

・中核市（再掲）、地域密着型介護予防サービスの種類、経営主体別（３－１）

平成29年10月１日

都道府県 指定都市 中核市	介護予防認知症対応型通所介護								
	総数	地方公共団体	社会福祉協議会	社会福祉法人（社会福祉協議会以外）	医療法人	社団・財団法人	協同組合	営利法人	特定非営利活動法人（NPO）	その他
指定都市(再掲)										
札幌市	50	−	−	15	5	1	−	29	−	−
仙台市	20	−	−	5	5	−	−	10	−	−
さいたま市	11	−	−	3	3	−	−	5	−	−
千葉市	9	−	−	6	−	−	−	3	−	−
横浜市	81	−	−	29	3	−	2	42	5	−
川崎市	45	−	−	6	4	2	−	29	4	−
相模原市	13	−	−	7	1	−	−	5	−	−
新潟市	25	−	2	10	2	−	−	9	2	−
静岡市	29	−	−	12	1	2	−	11	3	−
浜松市	24	−	−	14	1	−	−	7	2	−
名古屋市	36	−	−	4	3	−	1	28	−	−
京都市	22	−	1	16	2	−	−	3	−	−
大阪市	66	−	1	22	9	2	9	21	2	−
堺市	15	−	−	4	2	−	−	9	−	−
神戸市	26	−	2	11	3	−	1	9	−	−
岡山市	11	−	−	5	1	−	−	5	−	−
広島市	20	−	−	8	1	−	1	9	1	−
北九州市	29	−	−	6	6	−	−	16	−	1
福岡市	15	−	−	6	2	1	1	5	−	−
熊本市	36	−	−	13	6	1	−	14	2	−
中核市(再掲)										
旭川市	11	−	1	1	−	−	−	9	−	−
函館市	5	−	−	1	4	−	−	−	−	−
青森市	6	−	−	3	−	−	−	3	−	−
八戸市	7	−	−	5	1	1	−	−	−	−
盛岡市	9	−	−	1	1	−	1	4	2	−
秋田市	4	−	−	2	−	−	−	1	−	1
郡山市	8	−	−	4	−	−	1	3	−	−
いわき市	16	−	−	4	3	−	1	8	−	−
宇都宮市	8	−	−	2	1	−	−	5	−	−
前橋市	6	−	−	−	1	−	−	4	1	−
高崎市	21	−	−	2	3	1	−	12	3	−
川越市	5	−	−	2	1	−	−	1	1	−
越谷市	6	−	1	1	−	−	−	4	−	−
船橋市	4	1	−	2	−	−	−	1	−	−
柏市	2	−	−	1	−	−	−	1	−	−
八王子市	17	−	−	8	1	−	−	7	1	−
横須賀市	15	−	−	2	−	−	−	12	1	−
富山市	18	−	−	7	2	−	−	7	2	−
金沢市	5	−	−	1	−	1	−	1	2	−
長野市	9	−	3	2	1	−	−	1	2	−
岐阜市	10	−	−	3	2	−	−	5	−	−
豊橋市	10	−	−	4	2	−	−	4	−	−
豊田市	9	−	−	7	−	−	1	1	−	−
岡崎市	10	−	−	3	1	−	−	6	−	−
大津市	12	−	−	2	5	−	−	5	−	−
高槻市	8	−	−	8	−	−	−	−	−	−
東大阪市	13	−	−	7	−	−	2	4	−	−
豊中市	4	−	−	2	−	−	−	1	1	−
枚方市	7	−	−	2	1	−	−	4	−	−
姫路市	3	−	−	2	1	−	−	−	−	−
西宮市	9	−	−	4	1	−	1	3	−	−
尼崎市	9	−	−	6	1	−	−	2	−	−
奈良市	11	−	−	2	−	−	−	9	−	−
和歌山市	13	−	−	3	−	−	1	9	−	−
倉敷市	12	−	−	3	2	−	−	7	−	−
福山市	14	−	−	5	1	−	−	8	−	−
呉市	8	−	−	3	2	−	−	3	−	−
下関市	10	−	−	2	3	−	−	3	2	−
高松市	16	−	−	11	−	−	−	3	2	−
松山市	14	−	−	4	2	−	−	8	−	−
高知市	13	−	−	4	4	−	−	5	−	−
久留米市	12	−	−	4	1	−	−	7	−	−
長崎市	18	−	−	5	5	−	−	8	−	−
佐世保市	24	−	−	9	7	−	−	6	2	−
大分市	14	−	−	9	4	−	−	1	−	−
宮崎市	10	−	−	6	2	−	−	2	−	−
鹿児島市	22	−	−	5	10	1	−	5	1	−
那覇市	4	−	−	1	1	−	−	2	−	−

第13表　地域密着型介護予防サービスの事業所数，都道府県－指定都市

都道府県 指定都市 中核市	介護予防小規模多機能型居宅介護 総数	地方公共団体	社会福祉協議会	社会福祉法人（社会福祉協議会以外）	医療法人	社団・財団法人	協同組合	営利法人	特定非営利活動法人（NPO）	その他
全国	4 316	4	75	1 314	560	30	90	1 961	266	16
北海道	258	1	11	58	18	3	-	156	9	2
青森	30	-	-	24	2	-	-	4	-	-
岩手	66	-	3	24	11	-	1	19	8	-
宮城	55	-	1	8	6	-	2	34	3	1
秋田	63	1	1	15	2	-	3	38	2	1
山形	89	-	-	42	4	-	2	35	6	-
福島	95	-	1	20	17	-	5	51	1	-
茨城	71	-	-	21	22	-	-	27	-	1
栃木	70	-	-	33	12	-	-	23	2	-
群馬	87	-	1	15	9	-	2	45	15	-
埼玉	108	-	1	27	5	-	1	71	2	1
千葉	103	-	1	26	4	-	-	61	11	-
東京	164	1	-	51	15	-	2	85	8	2
神奈川	170	-	1	36	10	-	1	114	8	-
新潟	164	-	-	77	7	2	16	57	5	-
富山	60	-	-	19	5	-	2	31	3	-
石川	71	-	-	34	11	3	1	18	4	-
福井	75	-	10	20	5	-	10	24	5	1
山梨	18	1	1	13	1	-	-	2	-	-
長野	67	-	3	24	3	-	3	22	12	-
岐阜	68	-	-	14	20	-	-	29	5	-
静岡	99	-	2	20	13	1	-	59	4	-
愛知	147	-	1	29	24	-	5	71	17	-
三重	51	-	1	13	5	-	-	24	7	1
滋賀	58	-	6	16	8	-	-	17	11	-
京都	120	-	1	47	18	-	-	47	7	-
大阪	184	-	-	65	18	-	6	86	9	-
兵庫	205	-	6	89	23	1	12	68	6	-
奈良	33	-	-	8	4	-	-	19	2	-
和歌山	40	-	-	12	5	-	-	22	1	-
鳥取	43	-	5	16	4	-	-	17	1	-
島根	61	-	2	16	3	-	1	34	4	1
岡山	137	-	2	48	14	4	-	63	5	1
広島	183	-	-	34	27	1	2	96	22	1
山口	70	-	2	21	21	-	-	24	2	-
徳島	32	-	-	12	9	-	-	11	-	-
香川	35	-	1	12	9	-	1	7	5	-
愛媛	81	-	1	20	5	2	2	43	8	-
高知	24	-	-	8	4	-	-	11	1	-
福岡	229	-	-	66	47	1	7	99	6	3
佐賀	40	-	1	12	7	-	-	16	4	-
長崎	112	-	-	32	12	4	-	63	1	-
熊本	132	-	3	38	23	2	2	49	15	-
大分	40	-	-	18	14	-	-	6	2	-
宮崎	44	-	1	14	3	4	-	18	4	-
鹿児島	115	-	3	31	37	1	-	36	7	-
沖縄	49	-	2	16	14	1	1	9	6	-

注：調査方法の変更等による回収率変動の影響を受けているため、数量を示す事業所数の実数は前年以前と単純に年次比較できない。

・中核市（再掲）、地域密着型介護予防サービスの種類、経営主体別（３－２）

平成29年10月１日

都道府県 指定都市 中核市	介護予防小規模多機能型居宅介護									
	総数	地方公共団体	社会福祉協議会	社会福祉法人（社会福祉協議会以外）	医療法人	社団・財団法人	協同組合	営利法人	特定非営利活動法人（NPO）	その他
指定都市（再掲）										
札幌市	91	－	－	10	6	1	－	72	2	－
仙台市	30	－	－	4	5	－	1	20	－	－
さいたま市	13	－	－	4	－	－	－	9	－	－
千葉市	11	－	－	5	－	－	－	5	1	－
横浜市	60	－	－	15	2	－	－	40	3	－
川崎市	33	－	－	4	4	－	－	25	－	－
相模原市	16	－	－	4	1	－	－	10	1	－
新潟市	51	－	－	27	4	1	7	10	2	－
静岡市	20	－	－	4	1	－	－	14	1	－
浜松市	19	－	2	4	2	－	－	11	－	－
名古屋市	62	－	－	10	7	－	4	33	8	－
京都市	67	－	－	20	10	－	－	37	－	－
大阪市	67	－	－	17	12	－	2	33	3	－
堺市	13	－	－	3	－	－	－	9	1	－
神戸市	40	－	－	16	8	－	3	12	1	－
岡山市	57	－	－	19	4	1	－	29	4	－
広島市	32	－	－	7	4	－	1	19	1	－
北九州市	44	－	－	15	7	－	1	20	1	－
福岡市	37	－	－	5	7	1	1	20	3	－
熊本市	49	－	－	14	9	2	－	17	7	－
中核市（再掲）										
旭川市	15	－	－	2	－	－	－	13	－	－
函館市	20	－	－	7	3	1	－	9	－	－
青森市	1	－	－	－	1	－	－	－	－	－
八戸市	8	－	－	7	－	－	－	1	－	－
盛岡市	6	－	－	2	1	－	－	3	－	－
秋田市	22	－	－	3	－	－	－	18	－	1
郡山市	30	－	－	4	7	－	2	17	－	－
いわき市	20	－	－	5	3	－	－	12	－	－
宇都宮市	15	－	－	7	2	－	－	5	1	－
前橋市	14	－	－	－	2	－	2	5	5	－
高崎市	9	－	－	2	－	－	－	4	3	－
川越市	4	－	－	－	1	－	－	3	－	－
越谷市	6	－	－	－	－	－	－	6	－	－
船橋市	5	－	－	1	－	－	－	4	－	－
柏市	8	－	－	4	－	－	－	3	1	－
八王子市	15	－	－	2	－	－	2	11	－	－
横須賀市	6	－	－	2	－	－	－	3	1	－
富山市	21	－	－	10	4	－	－	6	1	－
金沢市	20	－	－	8	1	2	－	8	1	－
長野市	4	－	－	3	－	－	－	－	1	－
岐阜市	16	－	－	2	7	－	－	7	－	－
豊橋市	3	－	－	2	－	－	－	1	－	－
豊田市	2	－	－	1	－	－	－	1	－	－
岡崎市	3	－	－	2	－	－	－	1	－	－
大津市	11	－	－	－	5	－	－	6	－	－
高槻市	8	－	－	7	1	－	－	－	－	－
東大阪市	4	－	－	－	－	－	2	2	－	－
豊中市	18	－	－	7	－	－	－	11	－	－
枚方市	4	－	－	1	－	－	－	3	－	－
姫路市	21	－	－	7	1	－	8	5	－	－
西宮市	4	－	－	－	－	－	－	4	－	－
尼崎市	11	－	－	3	1	－	－	7	－	－
奈良市	4	－	－	－	3	－	－	1	－	－
和歌山市	20	－	－	7	－	－	－	13	－	－
倉敷市	28	－	－	9	4	1	－	14	－	－
福山市	75	－	－	3	6	－	1	53	12	－
呉市	9	－	－	1	5	－	－	1	1	1
下関市	14	－	－	6	6	－	－	2	－	－
高松市	10	－	－	5	1	－	1	3	－	－
松山市	38	－	－	9	2	－	－	24	3	－
高知市	11	－	－	5	3	－	－	3	－	－
久留米市	35	－	－	7	6	－	4	15	－	3
長崎市	29	－	－	6	5	1	－	16	1	－
佐世保市	49	－	－	15	6	2	－	26	－	－
大分市	8	－	－	4	2	－	－	2	－	－
宮崎市	22	－	－	7	1	4	－	8	2	－
鹿児島市	27	－	－	5	12	－	－	10	－	－
那覇市	7	－	－	1	4	－	－	2	－	－

第13表　地域密着型介護予防サービスの事業所数，都道府県－指定都市

都道府県 指定都市 中核市	介護予防認知症対応型共同生活介護									
	総数	地方公共団体	社会福祉協議会	社会福祉法人（社会福祉協議会以外）	医療法人	社団・財団法人	協同組合	営利法人	特定非営利活動法人（NPO）	その他
全国	11 922	12	61	2 822	1 954	44	69	6 439	502	19
北海道	894	6	6	139	116	5	－	582	36	4
青森	301	－	4	119	38	3	1	130	6	－
岩手	182	1	2	52	26	1	6	76	18	－
宮城	235	－	4	66	25	－	－	129	11	－
秋田	190	1	5	29	23	－	－	128	4	－
山形	131	1	1	34	19	－	2	62	12	－
福島	217	－	1	38	38	1	4	127	8	－
茨城	245	－	－	46	41	－	－	157	1	－
栃木	143	－	－	51	34	－	－	46	12	－
群馬	228	－	2	26	43	1	2	122	32	－
埼玉	449	－	2	59	22	1	1	347	17	－
千葉	388	－	－	60	34	－	－	282	11	1
東京	504	1	－	123	59	1	7	290	21	2
神奈川	585	－	－	98	72	－	－	391	24	－
新潟	233	－	2	111	11	－	4	94	11	－
富山	142	－	－	21	21	1	－	85	14	－
石川	164	－	－	34	23	1	1	89	16	－
福井	81	－	1	32	14	1	3	23	7	－
山梨	62	－	－	27	10	1	－	24	－	－
長野	173	1	3	65	21	－	2	61	18	2
岐阜	250	－	－	47	33	1	－	148	20	1
静岡	321	－	－	25	37	3	－	240	15	1
愛知	482	－	2	83	67	－	7	314	8	1
三重	170	－	1	41	16	4	－	102	5	1
滋賀	120	－	2	38	19	1	－	42	18	－
京都	181	－	－	65	47	1	－	64	4	－
大阪	587	－	－	149	81	－	15	322	20	－
兵庫	363	－	3	98	64	3	1	187	7	－
奈良	112	－	－	29	13	4	－	64	2	－
和歌山	112	－	－	47	10	－	－	54	1	－
鳥取	75	－	－	41	19	－	－	14	1	－
島根	123	－	1	39	15	－	－	55	13	－
岡山	274	－	1	71	56	2	1	138	4	1
広島	320	1	3	52	61	－	－	189	14	－
山口	170	－	3	66	36	－	－	52	13	－
徳島	128	－	1	43	59	－	－	23	2	－
香川	93	－	－	23	26	－	－	42	2	－
愛媛	284	－	2	47	67	－	4	157	7	－
高知	141	－	3	52	45	1	－	39	1	－
福岡	627	－	－	152	111	1	4	342	13	4
佐賀	173	－	2	31	35	－	－	100	5	－
長崎	304	－	2	77	62	1	－	149	12	1
熊本	228	－	1	75	55	－	2	82	13	－
大分	126	－	－	47	36	－	－	34	9	－
宮崎	169	－	－	46	46	2	2	65	8	－
鹿児島	364	－	1	87	124	2	－	144	6	－
沖縄	78	－	－	21	24	1	－	32	－	－

注：調査方法の変更等による回収率変動の影響を受けているため、数量を示す事業所数の実数は前年以前と単純に年次比較できない。

・中核市（再掲）、地域密着型介護予防サービスの種類、経営主体別（３－３）

平成29年10月１日

都道府県 指定都市 中核市	介護予防認知症対応型共同生活介護									
	総数	地方公共団体	社会福祉協議会	社会福祉法人（社会福祉協議会以外）	医療法人	社団・財団法人	協同組合	営利法人	特定非営利活動法人（NPO）	その他
指定都市(再掲)										
札幌市	233	－	－	32	30	－	－	170	1	－
仙台市	92	－	－	18	11	－	－	63	－	－
さいたま市	50	－	－	2	2	－	－	45	1	－
千葉市	86	－	－	10	4	－	－	71	1	－
横浜市	241	－	－	55	35	－	－	141	10	－
川崎市	93	－	－	4	14	－	－	73	2	－
相模原市	52	－	－	8	7	－	－	34	3	－
新潟市	52	－	－	25	3	－	1	21	2	－
静岡市	100	－	－	5	2	－	－	90	3	－
浜松市	57	－	－	6	16	－	－	34	1	－
名古屋市	175	－	－	16	13	－	5	139	2	－
京都市	99	－	－	22	32	－	－	45	－	－
大阪市	191	－	－	30	32	－	7	120	2	－
堺市	62	－	－	23	4	－	－	34	1	－
神戸市	99	－	－	12	22	2	－	61	2	－
岡山市	98	－	－	18	26	1	1	52	－	－
広島市	136	－	－	17	24	－	－	93	2	－
北九州市	141	－	－	30	26	－	－	80	4	1
福岡市	119	－	－	16	17	－	－	85	1	－
熊本市	63	－	－	23	17	－	－	21	2	－
中核市(再掲)										
旭川市	77	－	1	7	9	－	－	55	5	－
函館市	43	－	－	6	12	3	－	22	－	－
青森市	52	－	－	17	5	2	－	28	－	－
八戸市	30	－	－	7	9	1	－	11	2	－
盛岡市	26	－	－	1	1	1	4	19	－	－
秋田市	28	－	－	5	6	－	－	17	－	－
郡山市	43	－	－	6	9	－	2	26	－	－
いわき市	40	－	－	5	4	－	－	30	1	－
宇都宮市	21	－	－	8	5	－	－	8	－	－
前橋市	30	－	－	2	9	1	2	9	7	－
高崎市	51	－	1	8	8	－	－	27	7	－
川越市	18	－	－	2	1	－	－	13	2	－
越谷市	15	－	－	－	－	－	－	15	－	－
船橋市	40	－	－	3	3	－	－	34	－	－
柏市	20	－	－	7	2	－	－	8	3	－
八王子市	18	－	－	4	2	－	－	12	－	－
横須賀市	42	－	－	7	1	－	－	31	3	－
富山市	37	－	－	8	8	1	－	16	4	－
金沢市	45	－	－	8	7	1	1	27	1	－
長野市	32	－	1	9	4	－	1	17	－	－
岐阜市	47	－	－	7	8	－	－	28	4	－
豊橋市	21	－	－	8	7	－	－	6	－	－
豊田市	27	－	－	4	6	－	－	17	－	－
岡崎市	19	－	－	3	3	－	－	13	－	－
大津市	32	－	－	2	12	－	－	17	1	－
高槻市	25	－	－	12	6	－	－	5	2	－
東大阪市	34	－	－	6	2	－	4	22	－	－
豊中市	28	－	－	7	1	－	－	16	4	－
枚方市	30	－	－	6	6	－	－	18	－	－
姫路市	30	－	－	13	2	－	1	14	－	－
西宮市	17	－	－	1	6	－	－	10	－	－
尼崎市	20	－	－	2	－	－	－	18	－	－
奈良市	25	－	－	6	5	－	－	14	－	－
和歌山市	48	－	－	20	2	－	－	26	－	－
倉敷市	62	－	－	18	16	1	－	27	－	－
福山市	64	－	－	8	6	－	－	42	8	－
呉市	23	－	1	7	10	－	－	5	－	－
下関市	28	－	2	11	7	－	－	5	3	－
高松市	38	－	－	5	9	－	－	23	1	－
松山市	112	－	－	17	22	－	1	68	4	－
高知市	42	－	－	11	18	1	－	12	－	－
久留米市	47	－	－	7	11	－	－	26	－	3
長崎市	65	－	－	15	17	－	－	30	3	－
佐世保市	52	－	1	11	11	－	－	27	2	－
大分市	35	－	－	9	15	－	－	11	－	－
宮崎市	57	－	－	11	14	2	2	28	－	－
鹿児島市	111	－	－	24	43	1	－	43	－	－
那覇市	13	－	－	2	5	－	－	6	－	－

第14表　定員，都道府県－指定都市・中核市（再掲）、

都道府県 指定都市 中核市	地域密着型通所介護									
	総数	地方公共団体	社会福祉協議会	社会福祉法人（社会福祉協議会以外）	医療法人	社団・財団法人	協同組合	営利法人	特定非営利活動法人（NPO）	その他
全国	221 957	750	5 276	24 646	9 668	1 863	2 795	162 907	13 102	950
北海道	10 026	299	382	1 531	580	170	84	6 535	395	50
青森	1 767	-	69	567	40	-	15	1 043	33	-
岩手	2 548	-	117	332	48	63	25	1 634	304	25
宮城	4 552	-	114	421	140	15	38	3 371	419	34
秋田	2 003	51	94	374	82	8	-	1 248	66	80
山形	1 196	-	30	139	75	14	10	842	86	-
福島	3 272	-	65	542	165	5	66	2 252	167	10
茨城	4 942	-	90	829	177	-	40	3 621	175	10
栃木	3 254	-	93	624	10	20	10	2 100	397	-
群馬	3 520	16	120	297	89	18	26	2 653	291	10
埼玉	9 190	15	106	746	265	123	48	7 523	268	96
千葉	10 116	-	-	890	213	43	45	8 481	390	54
東京	18 919	15	18	720	353	172	131	16 491	893	126
神奈川	12 922	18	62	919	301	34	182	10 704	598	104
新潟	2 503	-	174	499	87	18	18	1 603	104	-
富山	2 412	-	58	280	141	20	36	1 307	499	71
石川	1 732	-	-	278	15	125	18	1 179	117	-
福井	941	10	106	236	53	35	51	397	53	-
山梨	2 531	-	82	411	66	15	18	1 850	89	-
長野	4 889	18	372	501	129	15	154	2 539	1 161	-
岐阜	3 111	28	114	434	274	26	10	2 024	201	-
静岡	5 175	-	64	391	212	18	18	4 095	352	25
愛知	10 957	36	169	607	396	30	157	8 947	615	-
三重	4 219	-	134	426	129	38	135	2 848	499	10
滋賀	2 937	-	71	377	107	10	33	1 853	476	10
京都	2 444	-	17	206	171	10	38	1 813	189	-
大阪	17 728	-	290	1 661	679	167	213	14 140	578	-
兵庫	10 563	10	134	1 009	250	164	80	8 203	667	46
奈良	2 453	-	182	255	71	28	-	1 828	89	-
和歌山	2 591	-	124	303	66	-	63	1 903	100	32
鳥取	1 241	-	36	201	80	10	45	834	35	-
島根	2 048	-	86	537	33	20	47	1 246	79	-
岡山	3 894	-	155	462	446	60	105	2 474	192	-
広島	4 595	-	94	565	503	10	73	3 155	157	38
山口	4 223	36	202	682	301	10	62	2 737	193	-
徳島	1 289	20	18	223	183	-	25	695	115	10
香川	1 969	10	36	244	100	6	57	1 351	165	-
愛媛	3 335	117	163	393	210	28	94	2 242	88	-
高知	2 224	51	77	295	169	18	51	1 465	98	-
福岡	10 413	-	162	1 057	500	116	219	7 945	396	18
佐賀	2 105	-	48	175	128	21	54	1 276	403	-
長崎	3 258	-	220	884	218	22	10	1 779	115	10
熊本	4 058	-	143	549	443	15	58	2 680	170	-
大分	1 667	-	163	273	160	68	42	865	76	20
宮崎	3 305	-	81	491	240	-	23	2 288	167	15
鹿児島	4 509	-	123	618	480	30	68	2 909	281	-
沖縄	2 411	-	18	192	90	25	-	1 939	101	46

注：調査方法の変更等による回収率変動の影響を受けているため、数量を示す定員の実数は前年と単純に年次比較できない。

地域密着型サービスの種類、経営主体別（4－1）

平成29年10月1日

都道府県 指定都市 中核市	地域密着型通所介護 総数	地方公共団体	社会福祉協議会	社会福祉法人（社会福祉協議会以外）	医療法人	社団・財団法人	協同組合	営利法人	特定非営利活動法人（NPO）	その他
指定都市(再掲)										
札幌市	3 402	-	-	198	226	30	18	2 809	111	10
仙台市	1 807	-	-	173	64	15	10	1 469	76	-
さいたま市	1 293	-	-	150	-	-	-	1 123	-	20
千葉市	1 448	-	-	95	93	24	-	1 206	10	20
横浜市	4 776	-	-	343	104	14	69	4 061	148	37
川崎市	1 655	-	-	89	41	10	8	1 395	94	18
相模原市	1 282	-	-	61	10	-	18	1 153	30	10
新潟市	1 111	-	18	116	51	18	-	873	35	-
静岡市	156	-	-	12	18	-	-	100	26	-
浜松市	1 252	-	-	147	69	-	18	1 001	17	-
名古屋市	4 083	-	-	157	122	-	33	3 545	226	-
京都市	1 587	-	-	102	83	10	38	1 319	35	-
大阪市	6 163	-	257	382	191	103	127	4 979	124	-
堺市	1 764	-	-	173	63	20	-	1 438	70	-
神戸市	2 447	-	-	268	53	94	18	1 908	88	18
岡山市	1 535	-	-	151	146	60	44	1 077	57	-
広島市	1 856	-	-	138	263	-	33	1 350	59	13
北九州市	2 540	-	-	229	140	30	43	2 030	58	10
福岡市	3 219	-	-	289	144	36	80	2 543	119	8
熊本市	1 478	-	-	197	147	15	-	1 077	42	-
中核市(再掲)										
旭川市	717	-	-	56	18	-	-	633	10	-
函館市	364	-	-	54	18	-	-	247	45	-
青森市	553	-	-	114	15	-	15	409	-	-
八戸市	292	-	-	107	-	-	-	167	18	-
盛岡市	789	-	-	10	-	58	-	721	-	-
秋田市	551	-	-	82	18	-	-	410	8	33
郡山市	515	-	-	90	44	-	15	356	-	10
いわき市	941	-	-	51	15	-	15	850	10	-
宇都宮市	791	-	16	223	10	-	-	477	65	-
前橋市	651	-	36	48	10	-	-	497	50	10
高崎市	699	-	18	91	-	18	8	519	45	-
川越市	388	-	18	38	28	-	-	289	15	-
越谷市	457	-	15	10	18	18	-	386	10	-
船橋市	862	-	-	114	28	-	15	680	25	-
柏市	642	-	-	25	18	-	-	577	22	-
八王子市	1 008	-	-	55	18	18	-	826	81	10
横須賀市	605	-	-	30	15	-	15	545	-	-
富山市	1 083	-	-	94	69	-	36	753	131	-
金沢市	1 000	-	-	139	-	95	18	728	20	-
長野市	893	-	36	40	-	-	15	708	94	-
岐阜市	719	-	-	65	124	10	-	494	26	-
豊橋市	692	18	-	33	-	-	18	613	10	-
豊田市	591	-	18	94	54	-	-	373	52	-
岡崎市	625	-	-	28	28	10	33	513	13	-
大津市	962	-	-	140	15	-	33	734	40	-
高槻市	526	-	-	58	58	-	-	374	36	-
東大阪市	1 147	-	-	152	17	10	-	943	25	-
豊中市	580	-	-	18	10	-	-	552	-	-
枚方市	826	-	-	94	20	-	-	672	40	-
姫路市	1 159	-	-	86	15	-	14	961	83	-
西宮市	811	-	-	53	33	-	-	706	19	-
尼崎市	1 072	-	-	33	18	10	-	963	38	10
奈良市	672	-	48	96	15	-	-	476	37	-
和歌山市	1 202	-	-	105	10	-	36	1 011	40	-
倉敷市	744	-	-	97	140	-	28	449	30	-
福山市	973	-	-	86	43	-	-	799	45	-
呉市	212	-	51	25	33	-	15	58	15	15
下関市	1 196	-	56	137	53	-	10	882	58	-
高松市	991	-	-	92	28	6	57	773	35	-
松山市	1 068	-	-	86	63	15	15	845	44	-
高知市	1 175	-	-	128	90	18	36	870	33	-
久留米市	508	-	-	5	-	-	-	485	18	-
長崎市	1 235	-	54	394	91	10	-	637	39	10
佐世保市	401	-	10	33	56	-	-	292	10	-
大分市	466	-	-	15	43	20	15	353	10	10
宮崎市	1 008	-	-	204	112	-	10	657	10	15
鹿児島市	2 012	-	-	187	281	20	25	1 387	112	-
那覇市	316	-	-	18	-	10	-	288	-	-

第14表　定員，都道府県－指定都市・中核市（再掲）、

都道府県 指定都市 中核市	認知症対応型通所介護 総数	地方公共団体	社会福祉協議会	社会福祉法人（社会福祉協議会以外）	医療法人	社団・財団法人	協同組合	営利法人	特定非営利活動法人（NPO）	その他
全国	37 161	117	1 043	17 040	4 726	504	543	11 193	1 915	80
北海道	1 508	12	21	445	185	12	10	732	91	-
青森	467	-	8	278	28	12	-	141	-	-
岩手	388	-	12	151	48	-	12	131	34	-
宮城	512	-	54	211	86	-	-	143	18	-
秋田	274	-	15	91	-	-	-	123	35	10
山形	564	3	66	255	105	-	-	115	20	-
福島	893	-	37	354	150	24	24	280	24	-
茨城	349	-	-	136	84	-	-	126	3	-
栃木	341	-	-	143	6	-	-	150	42	-
群馬	618	-	3	91	198	3	-	270	53	-
埼玉	1 058	-	48	296	127	24	12	499	40	12
千葉	866	12	-	380	24	-	-	406	32	12
東京	4 894	48	44	3 525	148	12	36	906	163	12
神奈川	2 054	-	10	1 000	123	12	23	784	102	-
新潟	786	-	72	548	27	-	12	104	23	-
富山	597	-	32	281	60	-	-	153	71	-
石川	382	-	-	164	3	36	-	141	38	-
福井	678	-	36	284	120	24	84	91	39	-
山梨	213	-	-	75	78	-	-	60	-	-
長野	835	-	201	295	24	-	27	103	185	-
岐阜	572	20	-	236	52	12	12	219	21	-
静岡	1 500	-	48	869	60	92	8	352	71	-
愛知	1 545	-	10	669	240	-	22	572	32	-
三重	499	-	12	160	3	30	34	214	36	10
滋賀	771	-	56	256	132	-	12	160	155	-
京都	941	-	60	455	198	20	-	148	60	-
大阪	2 002	-	12	913	276	20	127	532	110	12
兵庫	1 561	10	60	822	129	-	30	484	26	-
奈良	312	-	-	89	22	-	-	191	10	-
和歌山	267	-	-	72	47	-	12	136	-	-
鳥取	277	-	12	139	90	-	-	24	12	-
島根	466	-	15	232	75	-	-	114	30	-
岡山	488	-	-	165	64	-	-	223	36	-
広島	693	-	-	339	75	-	10	244	25	-
山口	812	-	10	236	249	-	12	284	21	-
徳島	223	-	-	125	65	-	-	33	-	-
香川	365	-	9	220	33	-	-	54	49	-
愛媛	414	-	24	152	51	60	-	127	-	-
高知	383	12	-	223	63	-	-	73	12	-
福岡	1 121	-	22	343	255	15	24	438	12	12
佐賀	482	-	22	75	155	58	-	118	54	-
長崎	888	-	-	327	151	15	-	377	18	-
熊本	728	-	-	247	198	12	-	241	30	-
大分	562	-	-	324	144	-	-	76	18	-
宮崎	181	-	-	100	15	-	-	54	12	-
鹿児島	608	-	12	202	183	11	-	148	52	-
沖縄	223	-	-	47	77	-	-	99	-	-

注：調査方法の変更等による回収率変動の影響を受けているため、数量を示す定員の実数は前年以前と単純に年次比較できない。

地域密着型サービスの種類、経営主体別（４－２）

平成29年10月１日

都道府県 指定都市 中核市	認知症対応型通所介護 総数	地方公共団体	社会福祉協議会	社会福祉法人（社会福祉協議会以外）	医療法人	社団・財団法人	協同組合	営利法人	特定非営利活動法人（NPO）	その他
指定都市(再掲)										
札幌市	516	−	−	178	47	12	−	279	−	−
仙台市	233	−	−	58	65	−	−	110	−	−
さいたま市	131	−	−	36	34	−	−	61	−	−
千葉市	94	−	−	43	−	−	−	51	−	−
横浜市	1 031	−	10	699	30	−	23	230	39	−
川崎市	375	−	−	77	60	12	−	185	41	−
相模原市	116	−	−	61	10	−	−	45	−	−
新潟市	177	−	15	82	15	−	−	50	15	−
静岡市	403	−	−	151	12	80	−	128	32	−
浜松市	285	−	−	172	12	−	−	89	12	−
名古屋市	332	−	10	39	39	−	1	243	−	−
京都市	286	−	12	204	36	−	−	34	−	−
大阪市	691	−	12	232	102	20	85	217	23	−
堺市	166	−	−	42	36	−	−	88	−	−
神戸市	300	−	22	143	31	−	10	94	−	−
岡山市	116	−	−	47	12	−	−	57	−	−
広島市	178	−	−	92	24	−	10	42	10	−
北九州市	379	−	−	59	57	−	−	251	−	12
福岡市	186	−	−	83	24	15	24	40	−	−
熊本市	320	−	−	114	52	12	−	127	15	−
中核市(再掲)										
旭川市	108	−	12	10	−	−	−	86	−	−
函館市	51	−	−	12	36	−	−	3	−	−
青森市	68	−	−	35	−	−	−	33	−	−
八戸市	84	−	−	60	12	12	−	−	−	−
盛岡市	104	−	−	12	12	−	12	44	24	−
秋田市	35	−	−	13	−	−	−	12	−	10
郡山市	96	−	−	46	−	−	12	38	−	−
いわき市	171	−	−	12	60	−	−	99	−	−
宇都宮市	111	−	−	36	3	−	−	72	−	−
前橋市	62	−	−	−	10	−	−	49	3	−
高崎市	191	−	−	6	63	3	−	103	16	−
川越市	70	−	−	23	32	−	−	12	3	−
越谷市	90	−	12	12	−	−	−	66	−	−
船橋市	45	12	−	12	−	−	−	21	−	−
柏市	30	−	−	10	−	−	−	20	−	−
八王子市	192	−	−	104	12	−	−	64	12	−
横須賀市	168	−	−	26	−	−	−	132	10	−
富山市	206	−	−	84	24	−	−	63	35	−
金沢市	83	−	−	12	−	36	−	12	23	−
長野市	87	−	−	34	12	−	−	19	22	−
岐阜市	99	−	−	36	24	−	−	39	−	−
豊橋市	96	−	−	48	6	−	9	33	−	−
豊田市	108	−	−	84	−	−	12	12	−	−
岡崎市	100	−	−	34	6	−	−	60	−	−
大津市	133	−	−	24	60	−	−	49	−	−
高槻市	79	−	−	79	−	−	−	−	−	−
東大阪市	132	−	−	78	−	−	24	30	−	−
豊中市	53	−	−	20	−	−	−	9	24	−
枚方市	34	−	−	13	3	−	−	18	−	−
姫路市	33	−	−	24	9	−	−	−	−	−
西宮市	119	−	−	66	3	−	10	40	−	−
尼崎市	130	−	−	72	24	−	−	34	−	−
奈良市	127	−	−	12	−	−	−	115	−	−
和歌山市	121	−	−	30	−	−	12	79	−	−
倉敷市	144	−	−	36	24	−	−	84	−	−
福山市	149	−	−	45	12	−	−	92	−	−
呉市	75	−	−	36	12	−	−	27	−	−
下関市	113	−	−	24	40	−	−	34	15	−
高松市	178	−	−	150	−	−	−	15	13	−
松山市	143	−	−	58	15	−	−	70	−	−
高知市	195	−	−	84	48	−	−	63	−	−
久留米市	84	−	−	39	6	−	−	39	−	−
長崎市	281	−	−	66	60	−	−	155	−	−
佐世保市	271	−	−	107	78	12	−	68	6	−
大分市	188	−	−	116	60	−	−	12	−	−
宮崎市	94	−	−	85	6	−	−	3	−	−
鹿児島市	236	−	−	47	99	11	−	55	24	−
那覇市	16	−	−	1	−	−	−	15	−	−

第14表　定員，都道府県－指定都市・中核市（再掲）、

都道府県 指定都市 中核市	認知症対応型共同生活介護 総数	地方公共団体	社会福祉協議会	社会福祉法人（社会福祉協議会以外）	医療法人	社団・財団法人	協同組合	営利法人	特定非営利活動法人（NPO）	その他
全国	188 513	115	684	42 389	32 254	688	953	104 596	6 537	297
北海道	14 681	52	63	2 195	2 055	87	-	9 650	498	81
青森	4 713	-	36	1 728	632	63	18	2 119	117	-
岩手	2 352	9	27	594	315	9	72	1 101	225	-
宮城	3 654	-	45	964	414	-	-	2 114	117	-
秋田	2 567	9	62	405	324	-	-	1 713	54	-
山形	2 226	9	9	603	390	-	45	1 026	144	-
福島	3 249	-	9	493	549	18	45	2 009	108	18
茨城	4 182	-	-	747	852	-	-	2 574	9	-
栃木	2 004	-	-	747	477	-	-	621	159	-
群馬	2 645	-	27	306	585	36	18	1 368	305	-
埼玉	7 837	-	15	853	357	18	18	6 342	234	-
千葉	6 364	-	-	941	609	-	-	4 637	159	18
東京	8 815	9	-	1 968	1 009	6	117	5 389	290	27
神奈川	10 416	-	-	1 707	1 324	-	-	6 919	466	-
新潟	3 446	-	27	1 573	153	-	63	1 495	135	-
富山	2 069	-	-	234	369	9	-	1 295	162	-
石川	2 728	-	-	541	378	27	18	1 530	234	-
福井	1 181	-	9	459	225	27	45	333	83	-
山梨	926	-	-	384	152	18	-	372	-	-
長野	2 673	9	45	954	342	-	36	1 095	174	18
岐阜	3 860	-	-	698	551	6	-	2 354	242	9
静岡	5 348	-	-	410	639	41	-	4 051	198	9
愛知	7 949	-	24	1 229	1 116	-	94	5 378	90	18
三重	2 256	-	18	591	249	45	-	1 284	60	9
滋賀	1 755	-	18	513	369	18	-	639	198	-
京都	3 104	-	-	954	755	18	-	1 323	54	-
大阪	10 009	-	-	2 469	1 438	-	191	5 662	249	-
兵庫	6 187	-	22	1 584	1 098	36	18	3 330	99	-
奈良	1 700	-	-	481	243	72	-	886	18	-
和歌山	1 789	-	-	728	162	-	-	890	9	-
鳥取	1 224	-	-	675	333	-	-	207	9	-
島根	1 894	-	9	653	224	-	-	846	162	-
岡山	4 252	-	9	1 071	819	35	18	2 228	63	9
広島	5 366	18	39	909	999	-	-	3 195	206	-
山口	2 508	-	27	882	564	-	-	837	198	-
徳島	2 184	-	9	720	1 041	-	-	378	36	-
香川	1 633	-	-	384	458	-	-	764	27	-
愛媛	4 766	-	27	797	1 191	-	44	2 610	97	-
高知	2 201	-	27	756	718	18	-	673	9	-
福岡	9 390	-	-	2 197	1 862	18	39	5 049	162	63
佐賀	2 122	-	18	359	486	-	-	1 196	63	-
長崎	4 531	-	36	1 106	1 071	9	-	2 134	157	18
熊本	3 073	-	9	963	809	-	18	1 121	153	-
大分	1 878	-	-	619	576	-	-	576	107	-
宮崎	2 335	-	-	701	654	18	27	818	117	-
鹿児島	5 619	-	18	1 340	2 021	27	-	2 132	81	-
沖縄	852	-	-	204	297	9	9	333	-	-

注：調査方法の変更等による回収率変動の影響を受けているため、数量を示す定員の実数は前年以前と単純に年次比較できない。

地域密着型サービスの種類、経営主体別（4－3）

平成29年10月1日

都道府県 指定都市 中核市	認知症対応型共同生活介護									
	総数	地方公共団体	社会福祉協議会	社会福祉法人（社会福祉協議会以外）	医療法人	社団・財団法人	協同組合	営利法人	特定非営利活動法人（NPO）	その他
指定都市(再掲)										
札幌市	3 949	－	－	556	564	－	－	2 820	9	－
仙台市	1 610	－	－	270	216	－	－	1 124	－	－
さいたま市	1 008	－	－	36	27	－	－	927	18	－
千葉市	1 503	－	－	174	72	－	－	1 248	9	－
横浜市	4 524	－	－	956	649	－	－	2 649	270	－
川崎市	1 721	－	－	103	270	－	－	1 303	45	－
相模原市	887	－	－	134	126	－	－	582	45	－
新潟市	711	－	－	324	27	－	9	333	18	－
静岡市	1 625	－	－	87	36	－	－	1 448	54	－
浜松市	1 068	－	－	90	333	－	－	636	9	－
名古屋市	2 903	－	－	225	225	－	67	2 359	27	－
京都市	1 817	－	－	369	521	－	－	927	－	－
大阪市	3 671	－	－	466	645	－	94	2 431	35	－
堺市	1 163	－	－	450	86	－	－	609	18	－
神戸市	1 924	－	－	218	459	30	－	1 181	36	－
岡山市	1 457	－	－	225	360	9	18	845	－	－
広島市	2 471	－	－	306	432	－	－	1 706	27	－
北九州市	2 145	－	－	486	459	－	－	1 128	63	9
福岡市	1 888	－	－	233	288	－	－	1 358	9	－
熊本市	908	－	－	297	260	－	－	324	27	－
中核市(再掲)										
旭川市	1 280	－	9	117	153	－	－	929	72	－
函館市	790	－	－	116	243	54	－	377	－	－
青森市	916	－	－	270	90	45	－	511	－	－
八戸市	456	－	－	81	144	18	－	168	45	－
盛岡市	410	－	－	18	18	9	54	311	－	－
秋田市	360	－	－	72	72	－	－	216	－	－
郡山市	621	－	－	63	126	－	18	414	－	－
いわき市	570	－	－	72	54	－	－	435	9	－
宇都宮市	378	－	－	153	90	－	－	135	－	－
前橋市	351	－	－	27	126	27	18	90	63	－
高崎市	576	－	9	99	99	9	－	297	63	－
川越市	330	－	－	42	18	－	－	234	36	－
越谷市	249	－	－	－	－	－	－	249	－	－
船橋市	665	－	－	45	54	－	－	566	－	－
柏市	344	－	－	114	36	－	－	161	33	－
八王子市	315	－	－	72	36	－	－	207	－	－
横須賀市	611	－	－	97	9	－	－	471	34	－
富山市	522	－	－	72	162	9	－	234	45	－
金沢市	857	－	－	128	144	27	18	522	18	－
長野市	645	－	6	180	108	－	9	342	－	－
岐阜市	751	－	－	99	150	－	－	458	44	－
豊橋市	396	－	－	144	144	－	－	108	－	－
豊田市	438	－	－	60	99	－	－	279	－	－
岡崎市	342	－	－	54	54	－	－	234	－	－
大津市	594	－	－	27	225	－	－	324	18	－
高槻市	362	－	－	197	64	－	－	83	18	－
東大阪市	532	－	－	75	34	－	54	369	－	－
豊中市	493	－	－	131	18	－	－	286	58	－
枚方市	410	－	－	97	90	－	－	223	－	－
姫路市	528	－	－	204	45	－	18	261	－	－
西宮市	327	－	－	9	114	－	－	204	－	－
尼崎市	359	－	－	36	－	－	－	323	－	－
奈良市	405	－	－	108	108	－	－	189	－	－
和歌山市	800	－	－	305	36	－	－	459	－	－
倉敷市	1 083	－	－	306	261	26	－	490	－	－
福山市	1 066	－	－	180	81	－	－	680	125	－
呉市	305	－	9	99	135	－	－	62	－	－
下関市	333	－	18	144	72	－	－	72	27	－
高松市	747	－	－	90	198	－	－	441	18	－
松山市	1 873	－	－	285	403	－	9	1 130	46	－
高知市	764	－	－	180	307	18	－	259	－	－
久留米市	819	－	－	117	198	－	－	450	－	54
長崎市	967	－	－	224	315	－	－	388	40	－
佐世保市	843	－	18	189	213	－	－	405	18	－
大分市	547	－	－	106	252	－	－	189	－	－
宮崎市	692	－	－	134	171	18	27	342	－	－
鹿児島市	1 891	－	－	350	806	18	－	717	－	－
那覇市	225	－	－	27	99	－	9	90	－	－

第14表　定員，都道府県－指定都市・中核市（再掲）、

都道府県 指定都市 中核市	地域密着型特定施設入居者生活介護									
	総数	地方公共団体	社会福祉協議会	社会福祉法人（社会福祉協議会以外）	医療法人	社団・財団法人	協同組合	営利法人	特定非営利活動法人（NPO）	その他
全国	7 120	-	-	2 197	1 229	57	39	3 431	138	29
北海道	703	-	-	281	140	28	-	232	22	-
青森	75	-	-	29	17	-	-	29	-	-
岩手	139	-	-	47	29	-	-	42	21	-
宮城	58	-	-	29	29	-	-	-	-	-
秋田	260	-	-	91	28	-	-	123	18	-
山形	-	-	-	-	-	-	-	-	-	-
福島	132	-	-	-	-	-	-	132	-	-
茨城	29	-	-	29	-	-	-	-	-	-
栃木	-	-	-	-	-	-	-	-	-	-
群馬	79	-	-	29	-	-	-	50	-	-
埼玉	224	-	-	87	34	-	-	103	-	-
千葉	290	-	-	-	116	-	-	174	-	-
東京	116	-	-	20	10	-	-	86	-	-
神奈川	267	-	-	-	-	-	-	267	-	-
新潟	174	-	-	29	-	-	29	116	-	-
富山	-	-	-	-	-	-	-	-	-	-
石川	29	-	-	29	-	-	-	-	-	-
福井	-	-	-	-	-	-	-	-	-	-
山梨	131	-	-	44	-	-	-	87	-	-
長野	353	-	-	92	-	-	-	261	-	-
岐阜	136	-	-	107	-	-	-	29	-	-
静岡	436	-	-	97	145	-	-	194	-	-
愛知	360	-	-	87	78	-	-	195	-	-
三重	78	-	-	-	29	-	-	49	-	-
滋賀	-	-	-	-	-	-	-	-	-	-
京都	324	-	-	104	-	-	-	196	24	-
大阪	285	-	-	104	50	-	-	107	24	-
兵庫	147	-	-	29	49	-	-	69	-	-
奈良	-	-	-	-	-	-	-	-	-	-
和歌山	206	-	-	134	-	-	-	72	-	-
鳥取	67	-	-	20	29	-	-	18	-	-
島根	40	-	-	20	20	-	-	-	-	-
岡山	160	-	-	49	24	29	-	29	29	-
広島	29	-	-	-	29	-	-	-	-	-
山口	116	-	-	-	-	-	-	116	-	-
徳島	-	-	-	-	-	-	-	-	-	-
香川	92	-	-	26	29	-	-	37	-	-
愛媛	-	-	-	-	-	-	-	-	-	-
高知	223	-	-	116	58	-	-	49	-	-
福岡	360	-	-	176	36	-	-	119	-	29
佐賀	72	-	-	-	27	-	-	45	-	-
長崎	-	-	-	-	-	-	-	-	-	-
熊本	261	-	-	117	53	-	10	81	-	-
大分	218	-	-	29	78	-	-	111	-	-
宮崎	-	-	-	-	-	-	-	-	-	-
鹿児島	346	-	-	146	63	-	-	137	-	-
沖縄	105	-	-	-	29	-	-	76	-	-

注：調査方法の変更等による回収率変動の影響を受けているため、数量を示す定員の実数は前年以前と単純に年次比較できない。

地域密着型サービスの種類、経営主体別（4－4）

平成29年10月１日

都道府県 指定都市 中核市	地域密着型特定施設入居者生活介護 総数	地方公共団体	社会福祉協議会	社会福祉法人（社会福祉協議会以外）	医療法人	社団・財団法人	協同組合	営利法人	特定非営利活動法人（NPO）	その他
指定都市（再掲）										
札幌市	15	－	－	15	－	－	－	－	－	－
仙台市	－	－	－	－	－	－	－	－	－	－
さいたま市	29	－	－	－	－	－	－	29	－	－
千葉市	29	－	－	－	－	－	－	29	－	－
横浜市	12	－	－	－	－	－	－	12	－	－
川崎市	－	－	－	－	－	－	－	－	－	－
相模原市	－	－	－	－	－	－	－	－	－	－
新潟市	29	－	－	－	－	－	－	29	－	－
静岡市	174	－	－	－	29	－	－	145	－	－
浜松市	194	－	－	49	116	－	－	29	－	－
名古屋市	107	－	－	29	49	－	－	29	－	－
京都市	236	－	－	16	－	－	－	196	24	－
大阪市	152	－	－	－	50	－	－	78	24	－
堺市	－	－	－	－	－	－	－	－	－	－
神戸市	－	－	－	－	－	－	－	－	－	－
岡山市	－	－	－	－	－	－	－	－	－	－
広島市	－	－	－	－	－	－	－	－	－	－
北九州市	－	－	－	－	－	－	－	－	－	－
福岡市	18	－	－	18	－	－	－	－	－	－
熊本市	20	－	－	10	－	－	－	10	－	－
中核市（再掲）										
旭川市	－	－	－	－	－	－	－	－	－	－
函館市	377	－	－	145	29	－	－	203	－	－
青森市	29	－	－	29	－	－	－	－	－	－
八戸市	17	－	－	－	17	－	－	－	－	－
盛岡市	－	－	－	－	－	－	－	－	－	－
秋田市	－	－	－	－	－	－	－	－	－	－
郡山市	29	－	－	－	－	－	－	29	－	－
いわき市	27	－	－	－	－	－	－	27	－	－
宇都宮市	－	－	－	－	－	－	－	－	－	－
前橋市	－	－	－	－	－	－	－	－	－	－
高崎市	－	－	－	－	－	－	－	－	－	－
川越市	45	－	－	－	－	－	－	45	－	－
越谷市	－	－	－	－	－	－	－	－	－	－
船橋市	87	－	－	－	87	－	－	－	－	－
柏市	－	－	－	－	－	－	－	－	－	－
八王子市	－	－	－	－	－	－	－	－	－	－
横須賀市	－	－	－	－	－	－	－	－	－	－
富山市	－	－	－	－	－	－	－	－	－	－
金沢市	－	－	－	－	－	－	－	－	－	－
長野市	218	－	－	53	－	－	－	165	－	－
岐阜市	58	－	－	58	－	－	－	－	－	－
豊橋市	－	－	－	－	－	－	－	－	－	－
豊田市	－	－	－	－	－	－	－	－	－	－
岡崎市	79	－	－	－	－	－	－	79	－	－
大津市	－	－	－	－	－	－	－	－	－	－
高槻市	40	－	－	40	－	－	－	－	－	－
東大阪市	－	－	－	－	－	－	－	－	－	－
豊中市	－	－	－	－	－	－	－	－	－	－
枚方市	－	－	－	－	－	－	－	－	－	－
姫路市	－	－	－	－	－	－	－	－	－	－
西宮市	－	－	－	－	－	－	－	－	－	－
尼崎市	58	－	－	－	29	－	－	29	－	－
奈良市	－	－	－	－	－	－	－	－	－	－
和歌山市	54	－	－	54	－	－	－	－	－	－
倉敷市	58	－	－	29	－	－	－	－	29	－
福山市	－	－	－	－	－	－	－	－	－	－
呉市	－	－	－	－	－	－	－	－	－	－
下関市	－	－	－	－	－	－	－	－	－	－
高松市	12	－	－	－	－	－	－	12	－	－
松山市	－	－	－	－	－	－	－	－	－	－
高知市	145	－	－	58	58	－	－	29	－	－
久留米市	－	－	－	－	－	－	－	－	－	－
長崎市	－	－	－	－	－	－	－	－	－	－
佐世保市	－	－	－	－	－	－	－	－	－	－
大分市	－	－	－	－	－	－	－	－	－	－
宮崎市	－	－	－	－	－	－	－	－	－	－
鹿児島市	83	－	－	58	－	－	－	25	－	－
那覇市	58	－	－	－	29	－	－	29	－	－

第15表　従事者数，地域密着型サービスの種類、都道府県－指定都市・

定期巡回・随時対応型訪問介護看護

都道府県 指定都市 中核市	総数				訪問介護員等							
									介護福祉士（再掲）			
	総数	常勤		非常勤	総数	常勤		非常勤	総数	常勤		非常勤
		専従	兼務			専従	兼務			専従	兼務	
全国	22 778	3 891	10 185	8 702	12 887	1 988	4 674	6 225	7 380	1 267	3 313	2 800
北海道	2 202	415	892	895	1 287	238	428	621	836	151	319	366
青森	153	20	73	60	105	13	32	60	46	5	27	14
岩手	169	69	54	46	89	36	26	27	60	26	22	12
宮城	594	54	408	132	283	21	174	88	207	21	139	47
秋田	145	25	98	22	69	9	49	11	53	7	37	9
山形	290	26	255	9	156	12	136	8	106	12	91	3
福島	296	43	190	63	156	36	67	53	107	27	61	19
茨城	227	38	134	55	51	26	16	9	30	10	14	6
栃木	73	10	28	35	31	4	5	22	14	3	5	6
群馬	237	32	170	35	165	22	108	35	103	19	71	13
埼玉	953	275	334	344	483	131	145	207	270	72	110	88
千葉	853	191	327	335	544	102	166	276	302	61	123	118
東京	2 362	328	967	1 067	1 495	173	541	781	801	96	382	323
神奈川	1 504	85	762	657	754	18	303	433	428	14	235	179
新潟	388	52	249	87	191	24	97	70	143	18	85	40
富山	219	32	110	77	111	18	46	47	67	12	37	18
石川	106	54	49	3	60	24	34	2	43	17	26	－
福井	170	12	118	40	77	10	53	14	35	7	17	11
山梨	142	11	114	17	66	10	41	15	50	9	31	10
長野	271	145	63	63	156	90	30	36	101	57	27	17
岐阜	257	19	109	129	132	12	36	84	91	7	33	51
静岡	532	110	142	280	364	38	69	257	174	32	39	103
愛知	945	100	481	364	613	47	320	246	289	26	155	108
三重	164	42	73	49	80	20	28	32	51	14	22	15
滋賀	147	19	50	78	71	11	11	49	35	7	10	18
京都	727	58	317	352	475	32	140	303	228	20	98	110
大阪	1 645	255	570	820	1 091	139	272	680	559	86	165	308
兵庫	1 180	179	501	500	642	92	202	348	380	66	153	161
奈良	428	120	142	166	228	67	45	116	96	40	30	26
和歌山	51	26	16	9	28	15	8	5	13	6	7	－
鳥取	134	31	83	20	62	22	29	11	52	20	27	5
島根	73	28	8	37	41	10	7	24	30	8	4	18
岡山	276	31	90	155	146	13	39	94	101	8	31	62
広島	826	149	298	379	438	73	118	247	269	42	105	122
山口	525	62	225	238	316	29	107	180	163	20	76	67
徳島	－	－	－	－	－	－	－	－	－	－	－	－
香川	92	10	62	20	34	2	20	12	22	1	12	9
愛媛	276	16	158	102	141	5	62	74	78	－	45	33
高知	163	10	101	52	67	1	47	19	35	－	33	2
福岡	1 219	379	468	372	593	175	202	216	310	108	122	80
佐賀	50	11	33	6	22	6	10	6	18	6	8	4
長崎	637	156	310	171	371	75	156	140	218	49	111	58
熊本	195	3	168	24	68	2	49	17	49	2	39	8
大分	354	73	95	186	224	30	35	159	142	23	24	95
宮崎	60	8	47	5	24	6	17	1	14	3	11	－
鹿児島	384	37	221	126	249	30	139	80	137	17	88	32
沖縄	84	42	22	20	38	19	9	10	24	12	6	6

注：調査方法の変更等による回収率変動の影響を受けているため、数量を示す従事者数の実数は前年以前と単純に年次比較できない。

平成29年10月１日

看護師				准看護師				理学療法士				作業療法士			
総数	常勤		非常勤	総数	常勤		非常勤	総数	常勤		非常勤	総数	常勤		非常勤
	専従	兼務			専従	兼務			専従	兼務			専従	兼務	
1 456	332	653	471	363	83	130	150	170	28	100	42	86	12	51	23
110	28	50	32	25	1	12	12	8	－	3	5	2	－	1	1
3	3	－	－	－	－	－	－	－	－	－	－	－	－	－	－
18	9	1	8	－	－	－	－	－	－	－	－	－	－	－	－
59	9	28	22	3	1	2	－	10	－	10	－	4	－	4	－
10	2	5	3	3	－	3	－	－	－	－	－	－	－	－	－
12	2	10	－	4	1	3	－	4	－	4	－	1	－	1	－
11	－	11	－	2	－	1	1	－	－	－	－	6	－	4	2
21	1	8	12	11	－	6	5	－	－	－	－	－	－	－	－
6	－	4	2	－	－	－	－	2	－	1	1	1	－	－	1
4	4	－	－	－	－	－	－	－	－	－	－	－	－	－	－
68	18	24	26	13	7	4	2	5	3	1	1	2	2	－	－
39	12	17	10	9	2	2	5	2	2	－	－	1	－	－	1
72	17	22	33	13	8	1	4	9	3	－	6	3	1	－	2
160	23	86	51	7	1	2	4	51	5	39	7	31	4	21	6
27	－	19	8	1	－	1	－	1	－	1	－	－	－	－	－
9	－	8	1	2	－	－	2	－	－	－	－	－	－	－	－
2	2	－	－	1	1	－	－	－	－	－	－	－	－	－	－
36	－	27	9	－	－	－	－	4	－	3	1	2	－	1	1
14	－	13	1	1	－	1	－	1	－	1	－	1	－	1	－
18	9	1	8	4	2	1	1	－	－	－	－	－	－	－	－
14	－	8	6	9	－	2	7	2	－	－	2	－	－	－	－
29	11	16	2	1	－	1	－	1	－	－	1	－	－	－	－
46	7	9	30	11	－	6	5	1	1	－	－	2	－	－	2
16	4	7	5	5	2	－	3	－	－	－	－	－	－	－	－
32	2	13	17	1	－	－	1	2	1	－	1	1	－	－	1
46	11	21	14	8	1	2	5	－	－	－	－	－	－	－	－
69	26	21	22	11	1	1	9	5	1	－	4	1	－	－	1
86	5	43	38	26	3	3	20	7	－	6	1	4	－	3	1
33	15	10	8	17	2	1	14	3	3	－	－	－	－	－	－
4	3	－	1	－	－	－	－	－	－	－	－	1	－	1	－
－	－	－	－	－	－	－	－	－	－	－	－	－	－	－	－
3	3	－	－	5	4	－	1	－	－	－	－	－	－	－	－
13	5	4	4	6	3	2	1	－	－	－	－	－	－	－	－
45	3	18	24	16	2	6	8	15	1	10	4	3	－	2	1
30	8	14	8	23	6	2	15	－	－	－	－	－	－	－	－
－	－	－	－	－	－	－	－	－	－	－	－	－	－	－	－
14	3	11	－	3	1	1	1	3	－	2	1	2	－	2	－
27	5	16	6	8	3	3	2	6	－	6	－	1	－	1	－
26	4	8	14	6	1	3	2	2	2	－	－	2	2	－	－
123	47	45	31	43	15	18	10	10	1	3	6	6	2	1	3
－	－	－	－	－	－	－	－	－	－	－	－	－	－	－	－
26	13	11	2	24	10	13	1	1	1	－	－	－	－	－	－
15	－	13	2	7	－	5	2	5	－	5	－	7	－	7	－
22	11	7	4	13	2	7	4	8	4	4	－	2	1	1	－
8	1	6	1	3	－	3	－	2	－	1	1	－	－	－	－
18	－	15	3	14	1	10	3	－	－	－	－	－	－	－	－
12	6	3	3	4	2	2	－	－	－	－	－	－	－	－	－

定期巡回・随時対応型訪問介護看護

都道府県 指定都市 中核市	総数				訪問介護員等							
									介護福祉士（再掲）			
	総数	常勤		非常勤	総数	常勤		非常勤	総数	常勤		非常勤
		専従	兼務			専従	兼務			専従	兼務	
指定都市（再掲）												
札幌市	1 626	330	614	682	988	182	298	508	633	112	226	295
仙台市	417	54	256	107	186	21	94	71	138	21	79	38
さいたま市	138	32	53	53	64	12	22	30	38	8	15	15
千葉市	133	27	49	57	80	15	19	46	43	9	16	18
横浜市	979	62	500	417	493	12	196	285	277	9	151	117
川崎市	137	3	59	75	70	1	29	40	40	－	21	19
相模原市	20	－	16	4	12	－	8	4	11	－	8	3
新潟市	120	12	59	49	69	3	23	43	43	3	18	22
静岡市	90	3	53	34	59	2	24	33	22	2	14	6
浜松市	244	33	66	145	181	11	35	135	83	9	18	56
名古屋市	375	49	194	132	219	20	138	61	81	15	44	22
京都市	441	24	169	248	335	15	89	231	148	11	56	81
大阪市	614	65	170	379	463	27	108	328	206	10	53	143
堺市	120	－	85	35	53	－	32	21	19	－	15	4
神戸市	261	87	69	105	149	43	31	75	106	43	27	36
岡山市	210	31	74	105	107	13	30	64	85	8	27	50
広島市	269	41	122	106	128	22	48	58	86	12	43	31
北九州市	338	64	150	124	204	34	71	99	90	13	40	37
福岡市	459	174	151	134	180	63	63	54	81	34	28	19
熊本市	26	－	26	－	7	－	7	－	7	－	7	－
中核市（再掲）												
旭川市	56	1	23	32	27	－	9	18	14	－	1	13
函館市	287	51	133	103	171	38	75	58	121	27	57	37
青森市	50	6	31	13	34	6	15	13	17	2	15	－
八戸市	86	14	27	45	59	7	7	45	23	3	6	14
盛岡市	76	52	5	19	49	30	3	16	30	22	2	6
秋田市	93	20	68	5	43	7	33	3	35	7	26	2
郡山市	91	13	47	31	51	13	12	26	35	13	12	10
いわき市	－	－	－	－	－	－	－	－	－	－	－	－
宇都宮市	29	10	3	16	11	4	－	7	5	3	－	2
前橋市	38	－	36	2	21	－	19	2	20	－	19	1
高崎市	105	13	83	9	68	4	55	9	43	4	34	5
川越市	32	－	26	6	17	－	14	3	17	－	14	3
越谷市	25	10	10	5	14	6	6	2	10	4	4	2
船橋市	186	43	52	91	125	25	25	75	57	11	16	30
柏市	112	18	58	36	68	10	37	21	61	8	33	20
八王子市	96	7	21	68	58	4	6	48	38	3	6	29
横須賀市	28	－	6	22	17	－	3	14	10	－	3	7
富山市	121	1	77	43	65	1	32	32	40	－	27	13
金沢市	14	－	14	－	14	－	14	－	12	－	12	－
長野市	49	6	19	24	18	－	10	8	12	－	9	3
岐阜市	92	－	49	43	52	－	15	37	36	－	14	22
豊橋市	216	10	111	95	163	5	78	80	86	2	48	36
豊田市	－	－	－	－	－	－	－	－	－	－	－	－
岡崎市	51	－	41	10	37	－	27	10	19	－	15	4
大津市	－	－	－	－	－	－	－	－	－	－	－	－
高槻市	43	－	43	－	18	－	18	－	14	－	14	－
東大阪市	100	40	22	38	53	15	12	26	20	11	1	8
豊中市	89	25	19	45	76	23	13	40	39	16	9	14
枚方市	36	11	5	20	27	10	2	15	11	5	1	5
姫路市	143	8	46	89	92	8	10	74	39	－	10	29
西宮市	72	11	35	26	32	6	13	13	22	4	11	7
尼崎市	102	35	33	34	53	18	11	24	32	9	10	13
奈良市	231	74	60	97	138	45	18	75	42	21	9	12
和歌山市	25	12	12	1	15	8	6	1	12	6	6	－
倉敷市	66	－	16	50	39	－	9	30	16	－	4	12
福山市	163	47	43	73	109	28	22	59	54	20	19	15
呉市	31	2	8	21	23	1	2	20	11	1	2	8
下関市	277	3	85	189	189	3	38	148	88	－	29	59
高松市	39	9	25	5	11	2	6	3	7	1	4	2
松山市	22	2	4	16	10	1	－	9	7	－	－	7
高知市	155	10	93	52	63	1	43	19	32	－	30	2
久留米市	161	30	71	60	64	9	25	30	46	9	22	15
長崎市	328	103	130	95	192	41	78	73	129	31	60	38
佐世保市	208	50	104	54	124	31	39	54	58	18	28	12
大分市	－	－	－	－	－	－	－	－	－	－	－	－
宮崎市	44	8	31	5	18	6	11	1	14	3	11	－
鹿児島市	204	21	130	53	124	14	80	30	75	8	54	13
那覇市	－	－	－	－	－	－	－	－	－	－	－	－

注：調査方法の変更等による回収率変動の影響を受けているため、数量を示す従事者数の実数は前年以前と単純に年次比較できない。

中核市（再掲）、職種（常勤（専従－兼務）－非常勤）別（31－2）

平成29年10月１日

看護師				准看護師				理学療法士				作業療法士			
総数	常勤		非常勤	総数	常勤		非常勤	総数	常勤		非常勤	総数	常勤		非常勤
	専従	兼務			専従	兼務			専従	兼務			専従	兼務	
72	18	35	19	5	1	1	3	6	－	3	3	1	－	1	－
47	9	22	16	1	1	－	－	8	－	8	－	4	－	4	－
14	6	6	2	－	－	－	－	－	－	－	－	－	－	－	－
10	－	7	3	－	－	－	－	－	－	－	－	－	－	－	－
115	20	66	29	1	－	1	－	49	5	38	6	27	4	19	4
12	1	－	11	3	－	－	3	－	－	－	－	－	－	－	－
－	－	－	－	－	－	－	－	－	－	－	－	－	－	－	－
15	－	12	3	－	－	－	－	－	－	－	－	－	－	－	－
－	－	－	－	－	－	－	－	－	－	－	－	－	－	－	－
25	8	16	1	1	－	1	－	1	－	－	1	－	－	－	－
26	1	4	21	4	－	－	4	1	1	－	－	2	－	－	2
4	－	3	1	3	1	－	2	－	－	－	－	－	－	－	－
7	5	－	2	－	－	－	－	－	－	－	－	－	－	－	－
7	－	2	5	1	－	－	1	－	－	－	－	－	－	－	－
13	－	10	3	2	1	－	1	1	－	1	－	－	－	－	－
13	5	4	4	6	3	2	1	－	－	－	－	－	－	－	－
18	1	5	12	7	－	1	6	11	－	7	4	3	－	2	1
28	7	14	7	11	3	6	2	－	－	－	－	－	－	－	－
58	27	16	15	23	11	4	8	6	－	－	6	2	－	－	2
－	－	－	－	－	－	－	－	－	－	－	－	－	－	－	－
2	－	1	1	1	－	－	1	－	－	－	－	－	－	－	－
14	5	2	7	6	－	－	6	－	－	－	－	－	－	－	－
－	－	－	－	－	－	－	－	－	－	－	－	－	－	－	－
3	3	－	－	－	－	－	－	－	－	－	－	－	－	－	－
－	－	－	－	－	－	－	－	－	－	－	－	－	－	－	－
6	2	3	1	3	－	3	－	－	－	－	－	－	－	－	－
4	－	4	－	1	－	－	1	－	－	－	－	－	－	－	－
－	－	－	－	－	－	－	－	－	－	－	－	－	－	－	－
－	－	－	－	－	－	－	－	－	－	－	－	－	－	－	－
－	－	－	－	－	－	－	－	－	－	－	－	－	－	－	－
4	4	－	－	－	－	－	－	－	－	－	－	－	－	－	－
8	－	5	3	2	－	2	－	－	－	－	－	－	－	－	－
1	－	－	1	－	－	－	－	－	－	－	－	－	－	－	－
8	3	－	5	－	－	－	－	－	－	－	－	1	－	－	1
2	－	2	－	－	－	－	－	－	－	－	－	－	－	－	－
－	－	－	－	－	－	－	－	－	－	－	－	－	－	－	－
1	－	－	1	－	－	－	－	－	－	－	－	－	－	－	－
6	－	6	－	－	－	－	－	－	－	－	－	－	－	－	－
－	－	－	－	－	－	－	－	－	－	－	－	－	－	－	－
8	3	－	5	－	－	－	－	－	－	－	－	－	－	－	－
6	－	6	－	1	－	1	－	－	－	－	－	－	－	－	－
5	2	1	2	－	－	－	－	－	－	－	－	－	－	－	－
－	－	－	－	－	－	－	－	－	－	－	－	－	－	－	－
－	－	－	－	－	－	－	－	－	－	－	－	－	－	－	－
－	－	－	－	－	－	－	－	－	－	－	－	－	－	－	－
－	－	－	－	－	－	－	－	－	－	－	－	－	－	－	－
7	6	－	1	1	1	－	－	－	－	－	－	－	－	－	－
－	－	－	－	－	－	－	－	－	－	－	－	－	－	－	－
－	－	－	－	－	－	－	－	－	－	－	－	－	－	－	－
－	－	－	－	－	－	－	－	－	－	－	－	－	－	－	－
5	－	2	3	－	－	－	－	－	－	－	－	－	－	－	－
5	4	－	1	2	2	－	－	－	－	－	－	－	－	－	－
19	10	6	3	6	2	－	4	1	1	－	－	－	－	－	－
－	－	－	－	－	－	－	－	－	－	－	－	－	－	－	－
－	－	－	－	－	－	－	－	－	－	－	－	－	－	－	－
1	－	1	－	－	－	－	－	－	－	－	－	－	－	－	－
2	－	1	1	2	1	1	－	－	－	－	－	－	－	－	－
10	－	5	5	12	－	－	12	－	－	－	－	－	－	－	－
6	2	4	－	3	1	1	1	1	－	－	1	－	－	－	－
3	1	－	2	－	－	－	－	－	－	－	－	－	－	－	－
26	4	8	14	6	1	3	2	2	2	－	－	2	2	－	－
14	3	5	6	6	－	6	－	－	－	－	－	－	－	－	－
13	11	－	2	6	3	2	1	1	1	－	－	－	－	－	－
11	2	9	－	17	7	10	－	－	－	－	－	－	－	－	－
－	－	－	－	－	－	－	－	－	－	－	－	－	－	－	－
4	1	2	1	－	－	－	－	2	－	1	1	－	－	－	－
16	－	14	2	12	1	8	3	－	－	－	－	－	－	－	－
－	－	－	－	－	－	－	－	－	－	－	－	－	－	－	－

第15表　従事者数，地域密着型サービスの種類、都道府県－指定都市・

定期巡回・随時対応型訪問介護看護

都道府県 指定都市 中核市	言語聴覚士				オペレーター				その他の職員			
	総数	常勤		非常勤	総数	常勤		非常勤	総数	常勤		非常勤
		専従	兼務			専従	兼務			専従	兼務	
全国	27	4	8	15	7 295	1 346	4 235	1 714	494	98	334	62
北海道	4	-	-	4	733	144	372	217	33	4	26	3
青森	-	-	-	-	43	4	39	-	2	-	2	-
岩手	-	-	-	-	61	23	27	11	1	1	-	-
宮城	-	-	-	-	228	22	184	22	7	1	6	-
秋田	-	-	-	-	57	11	38	8	6	3	3	-
山形	1	-	-	1	108	10	98	-	4	1	3	-
福島	2	-	-	2	107	7	95	5	12	-	12	-
茨城	-	-	-	-	139	11	99	29	5	-	5	-
栃木	-	-	-	-	30	5	16	9	3	1	2	-
群馬	-	-	-	-	64	6	58	-	4	-	4	-
埼玉	-	-	-	-	342	104	136	102	40	10	24	6
千葉	-	-	-	-	246	70	135	41	12	3	7	2
東京	2	-	-	2	715	113	372	230	53	13	31	9
神奈川	9	2	5	2	444	26	279	139	48	6	27	15
新潟	-	-	-	-	154	25	120	9	14	3	11	-
富山	-	-	-	-	85	14	49	22	12	-	7	5
石川	-	-	-	-	42	27	14	1	1	-	1	-
福井	1	-	-	1	45	2	29	14	5	-	5	-
山梨	2	-	1	1	55	-	55	-	2	1	1	-
長野	-	-	-	-	90	43	29	18	3	1	2	-
岐阜	-	-	-	-	93	7	58	28	7	-	5	2
静岡	-	-	-	-	128	59	49	20	9	2	7	-
愛知	1	1	-	-	251	39	135	77	20	5	11	4
三重	-	-	-	-	55	13	33	9	8	3	5	-
滋賀	1	-	-	1	33	4	21	8	6	1	5	-
京都	-	-	-	-	191	14	150	27	7	-	4	3
大阪	-	-	-	-	442	78	260	104	26	10	16	-
兵庫	-	-	-	-	395	74	229	92	20	5	15	-
奈良	1	1	-	-	132	27	78	27	14	5	8	1
和歌山	-	-	-	-	18	8	7	3	-	-	-	-
鳥取	-	-	-	-	69	9	53	7	3	-	1	2
島根	-	-	-	-	23	10	1	12	1	1	-	-
岡山	-	-	-	-	105	9	40	56	6	1	5	-
広島	1	-	-	1	286	65	127	94	22	5	17	-
山口	-	-	-	-	151	19	97	35	5	-	5	-
徳島	-	-	-	-	-	-	-	-	-	-	-	-
香川	-	-	-	-	34	4	24	6	2	-	2	-
愛媛	-	-	-	-	78	3	55	20	15	-	15	-
高知	-	-	-	-	56	-	39	17	4	-	4	-
福岡	1	-	1	-	419	132	189	98	24	7	9	8
佐賀	-	-	-	-	27	5	22	-	1	-	1	-
長崎	-	-	-	-	206	56	123	27	9	1	7	1
熊本	1	-	1	-	88	1	84	3	4	-	4	-
大分	-	-	-	-	78	22	37	19	7	3	4	-
宮崎	-	-	-	-	22	1	19	2	1	-	1	-
鹿児島	-	-	-	-	99	6	54	39	4	-	3	1
沖縄	-	-	-	-	28	14	7	7	2	1	1	-

注：調査方法の変更等による回収率変動の影響を受けているため、数量を示す従事者数の実数は前年以前と単純に年次比較できない。

平成29年10月1日

都道府県 指定都市 中核市	言語聴覚士				オペレーター				その他の職員			
	総数	常勤		非常勤	総数	常勤		非常勤	総数	常勤		非常勤
		専従	兼務			専従	兼務			専従	兼務	
指定都市（再掲）												
札幌市	－	－	－	－	537	127	263	147	17	2	13	2
仙台市	－	－	－	－	165	22	123	20	6	1	5	－
さいたま市	－	－	－	－	54	14	19	21	6	－	6	－
千葉市	－	－	－	－	41	12	22	7	2	－	1	1
横浜市	9	2	5	2	260	19	161	80	25	－	14	11
川崎市	－	－	－	－	48	1	26	21	4	－	4	－
相模原市	－	－	－	－	8	－	8	－	－	－	－	－
新潟市	－	－	－	－	35	9	23	3	1	－	1	－
静岡市	－	－	－	－	26	－	25	1	5	1	4	－
浜松市	－	－	－	－	34	13	13	8	2	1	1	－
名古屋市	1	1	－	－	116	25	48	43	6	1	4	1
京都市	－	－	－	－	97	8	75	14	2	－	2	－
大阪市	－	－	－	－	135	27	59	49	9	6	3	－
堺市	－	－	－	－	56	－	48	8	3	－	3	－
神戸市	－	－	－	－	92	40	26	26	4	3	1	－
岡山市	－	－	－	－	79	9	34	36	5	1	4	－
広島市	－	－	－	－	93	18	50	25	9	－	9	－
北九州市	－	－	－	－	90	18	56	16	5	2	3	－
福岡市	－	－	－	－	188	72	67	49	2	1	1	－
熊本市	－	－	－	－	19	－	19	－	－	－	－	－
中核市（再掲）												
旭川市	－	－	－	－	21	－	9	12	5	1	4	－
函館市	－	－	－	－	91	8	51	32	5	－	5	－
青森市	－	－	－	－	15	－	15	－	1	－	1	－
八戸市	－	－	－	－	24	4	20	－	－	－	－	－
盛岡市	－	－	－	－	27	22	2	3	－	－	－	－
秋田市	－	－	－	－	38	9	28	1	3	2	1	－
郡山市	－	－	－	－	28	－	24	4	7	－	7	－
いわき市	－	－	－	－	－	－	－	－	－	－	－	－
宇都宮市	－	－	－	－	16	5	2	9	2	1	1	－
前橋市	－	－	－	－	16	－	16	－	1	－	1	－
高崎市	－	－	－	－	32	5	27	－	1	－	1	－
川越市	－	－	－	－	5	－	5	－	－	－	－	－
越谷市	－	－	－	－	10	4	4	2	－	－	－	－
船橋市	－	－	－	－	48	14	25	9	4	1	2	1
柏市	－	－	－	－	42	8	19	15	－	－	－	－
八王子市	－	－	－	－	37	2	15	20	1	1	－	－
横須賀市	－	－	－	－	10	－	3	7	－	－	－	－
富山市	－	－	－	－	46	－	35	11	4	－	4	－
金沢市	－	－	－	－	－	－	－	－	－	－	－	－
長野市	－	－	－	－	23	3	9	11	－	－	－	－
岐阜市	－	－	－	－	30	－	25	5	3	－	2	1
豊橋市	－	－	－	－	44	3	29	12	4	－	3	1
豊田市	－	－	－	－	－	－	－	－	－	－	－	－
岡崎市	－	－	－	－	13	－	13	－	1	－	1	－
大津市	－	－	－	－	－	－	－	－	－	－	－	－
高槻市	－	－	－	－	24	－	24	－	1	－	1	－
東大阪市	－	－	－	－	37	17	9	11	2	1	1	－
豊中市	－	－	－	－	13	2	6	5	－	－	－	－
枚方市	－	－	－	－	8	1	2	5	1	－	1	－
姫路市	－	－	－	－	50	－	35	15	1	－	1	－
西宮市	－	－	－	－	34	4	20	10	1	1	－	－
尼崎市	－	－	－	－	41	10	22	9	1	1	－	－
奈良市	－	－	－	－	64	16	33	15	3	－	3	－
和歌山市	－	－	－	－	10	4	6	－	－	－	－	－
倉敷市	－	－	－	－	26	－	6	20	1	－	1	－
福山市	－	－	－	－	49	17	18	14	4	2	2	－
呉市	－	－	－	－	4	－	4	－	－	－	－	－
下関市	－	－	－	－	62	－	38	24	4	－	4	－
高松市	－	－	－	－	17	4	13	－	1	－	1	－
松山市	－	－	－	－	8	－	3	5	1	－	1	－
高知市	－	－	－	－	53	－	36	17	3	－	3	－
久留米市	－	－	－	－	69	17	34	18	8	1	1	6
長崎市	－	－	－	－	112	47	47	18	4	－	3	1
佐世保市	－	－	－	－	53	9	44	－	3	1	2	－
大分市	－	－	－	－	－	－	－	－	－	－	－	－
宮崎市	－	－	－	－	19	1	16	2	1	－	1	－
鹿児島市	－	－	－	－	51	6	27	18	1	－	1	－
那覇市	－	－	－	－	－	－	－	－	－	－	－	－

夜間対応型訪問介護

都道府県 指定都市 中核市	総数				訪問介護員			
	総数	常勤		非常勤	総数	常勤		非常勤
		専従	兼務			専従	兼務	
全国	4 629	433	2 170	2 026	2 598	203	857	1 538
北海道	247	2	113	132	129	-	38	91
青森	-	-	-	-	-	-	-	-
岩手	20	-	17	3	10	-	7	3
宮城	14	-	8	6	6	-	3	3
秋田	-	-	-	-	-	-	-	-
山形	23	-	21	2	14	-	12	2
福島	70	-	70	-	22	-	22	-
茨城	15	13	-	2	12	10	-	2
栃木	-	-	-	-	-	-	-	-
群馬	7	2	3	2	5	1	3	1
埼玉	183	62	50	71	92	21	15	56
千葉	176	20	85	71	82	10	33	39
東京	729	9	409	311	344	3	176	165
神奈川	999	45	550	404	538	17	220	301
新潟	66	2	57	7	26	1	18	7
富山	22	-	8	14	7	-	2	5
石川	-	-	-	-	-	-	-	-
福井	4	2	2	-	-	-	-	-
山梨	-	-	-	-	-	-	-	-
長野	21	-	21	-	7	-	7	-
岐阜	60	-	59	1	14	-	13	1
静岡	9	-	7	2	3	-	1	2
愛知	154	6	10	138	133	2	2	129
三重	38	1	37	-	19	1	18	-
滋賀	-	-	-	-	-	-	-	-
京都	539	48	211	280	396	31	103	262
大阪	238	40	118	80	104	18	24	62
兵庫	57	24	26	7	28	9	12	7
奈良	-	-	-	-	-	-	-	-
和歌山	4	2	-	2	1	1	-	-
鳥取	6	-	2	4	4	-	-	4
島根	52	-	36	16	42	-	26	16
岡山	45	-	3	42	20	-	-	20
広島	110	66	24	20	49	34	4	11
山口	70	15	34	21	39	7	14	18
徳島	-	-	-	-	-	-	-	-
香川	112	-	3	109	104	-	1	103
愛媛	147	4	24	119	96	-	14	82
高知	-	-	-	-	-	-	-	-
福岡	47	7	13	27	38	7	7	24
佐賀	26	10	12	4	9	5	-	4
長崎	117	48	38	31	77	23	23	31
熊本	11	2	9	-	3	2	1	-
大分	151	3	60	88	103	-	23	80
宮崎	17	-	16	1	14	-	13	1
鹿児島	10	-	10	-	1	-	1	-
沖縄	13	-	4	9	7	-	1	6

注：調査方法の変更等による回収率変動の影響を受けているため、数量を示す従事者数の実数は前年以前と単純に年次比較できない。

中核市（再掲）、職種（常勤（専従－兼務）－非常勤）別（31－４）

平成29年10月１日

オペレーター				面接相談員				その他の職員			
総数	常勤		非常勤	総数	常勤		非常勤	総数	常勤		非常勤
	専従	兼務			専従	兼務			専従	兼務	
1 365	132	805	428	571	78	437	56	95	20	71	4
77	－	42	35	36	1	29	6	5	1	4	－
－	－	－	－	－	－	－	－	－	－	－	－
9	－	9	－	1	－	1	－	－	－	－	－
6	－	3	3	2	－	2	－	－	－	－	－
－	－	－	－	－	－	－	－	－	－	－	－
－	－	－	－	3	－	3	－	6	－	6	－
39	－	39	－	8	－	8	－	1	－	1	－
1	1	－	－	1	1	－	－	1	1	－	－
－	－	－	－	－	－	－	－	－	－	－	－
1	1	－	－	1	－	－	1	－	－	－	－
60	25	24	11	28	15	9	4	3	1	2	－
66	7	28	31	25	2	22	1	3	1	2	－
273	1	132	140	98	2	90	6	14	3	11	－
321	14	209	98	115	13	100	2	25	1	21	3
21	－	21	－	16	－	16	－	3	1	2	－
11	－	2	9	2	－	2	－	2	－	2	－
－	－	－	－	－	－	－	－	－	－	－	－
2	1	1	－	2	1	1	－	－	－	－	－
－	－	－	－	－	－	－	－	－	－	－	－
12	－	12	－	2	－	2	－	－	－	－	－
31	－	31	－	14	－	14	－	1	－	1	－
4	－	4	－	1	－	1	－	1	－	1	－
10	2	4	4	9	1	3	5	2	1	1	－
15	－	15	－	4	－	4	－	－	－	－	－
－	－	－	－	－	－	－	－	－	－	－	－
84	12	56	16	54	4	48	2	5	1	4	－
90	15	60	15	39	3	33	3	5	4	1	－
20	9	11	－	7	5	2	－	2	1	1	－
－	－	－	－	－	－	－	－	－	－	－	－
2	1	－	1	1	－	－	1	－	－	－	－
1	－	1	－	1	－	1	－	－	－	－	－
5	－	5	－	5	－	5	－	－	－	－	－
17	－	－	17	6	－	1	5	2	－	2	－
40	14	20	6	20	17	－	3	1	1	－	－
20	6	11	3	9	2	7	－	2	－	2	－
－	－	－	－	－	－	－	－	－	－	－	－
5	－	－	5	1	－	1	－	2	－	1	1
28	2	5	21	21	－	5	16	2	2	－	－
－	－	－	－	－	－	－	－	－	－	－	－
7	－	4	3	1	－	1	－	1	－	1	－
13	5	8	－	4	－	4	－	－	－	－	－
27	16	11	－	12	9	3	－	1	－	1	－
6	－	6	－	2	－	2	－	－	－	－	－
30	－	22	8	15	2	13	－	3	1	2	－
－	－	－	－	2	－	2	－	1	－	1	－
8	－	8	－	1	－	1	－	－	－	－	－
3	－	1	2	2	－	1	1	1	－	1	－

夜間対応型訪問介護

都道府県 指定都市 中核市	総数				訪問介護員			
	総数	常勤		非常勤	総数	常勤		非常勤
		専従	兼務			専従	兼務	
指定都市(再掲)								
札幌市	133	-	55	78	84	-	19	65
仙台市	14	-	8	6	6	-	3	3
さいたま市	12	2	5	5	6	1	-	5
千葉市	-	-	-	-	-	-	-	-
横浜市	821	45	415	361	463	17	176	270
川崎市	80	-	55	25	42	-	23	19
相模原市	16	-	8	8	6	-	1	5
新潟市	4	2	-	2	3	1	-	2
静岡市	9	-	7	2	3	-	1	2
浜松市	-	-	-	-	-	-	-	-
名古屋市	154	6	10	138	133	2	2	129
京都市	521	48	203	270	383	31	100	252
大阪市	126	5	63	58	61	1	17	43
堺市	-	-	-	-	-	-	-	-
神戸市	23	23	-	-	9	9	-	-
岡山市	45	-	3	42	20	-	-	20
広島市	44	17	7	20	27	12	4	11
北九州市	21	-	10	11	12	-	4	8
福岡市	-	-	-	-	-	-	-	-
熊本市	11	2	9	-	3	2	1	-
中核市(再掲)								
旭川市	32	-	25	7	14	-	9	5
函館市	37	-	26	11	20	-	10	10
青森市	-	-	-	-	-	-	-	-
八戸市	-	-	-	-	-	-	-	-
盛岡市	-	-	-	-	-	-	-	-
秋田市	-	-	-	-	-	-	-	-
郡山市	-	-	-	-	-	-	-	-
いわき市	-	-	-	-	-	-	-	-
宇都宮市	-	-	-	-	-	-	-	-
前橋市	-	-	-	-	-	-	-	-
高崎市	-	-	-	-	-	-	-	-
川越市	-	-	-	-	-	-	-	-
越谷市	-	-	-	-	-	-	-	-
船橋市	46	-	25	21	27	-	9	18
柏市	24	16	-	8	11	7	-	4
八王子市	62	5	12	45	27	1	-	26
横須賀市	-	-	-	-	-	-	-	-
富山市	8	-	2	6	2	-	-	2
金沢市	-	-	-	-	-	-	-	-
長野市	-	-	-	-	-	-	-	-
岐阜市	33	-	32	1	7	-	6	1
豊橋市	-	-	-	-	-	-	-	-
豊田市	-	-	-	-	-	-	-	-
岡崎市	-	-	-	-	-	-	-	-
大津市	-	-	-	-	-	-	-	-
高槻市	-	-	-	-	-	-	-	-
東大阪市	2	1	-	1	-	-	-	-
豊中市	19	2	13	4	8	1	5	2
枚方市	-	-	-	-	-	-	-	-
姫路市	-	-	-	-	-	-	-	-
西宮市	-	-	-	-	-	-	-	-
尼崎市	-	-	-	-	-	-	-	-
奈良市	-	-	-	-	-	-	-	-
和歌山市	4	2	-	2	1	1	-	-
倉敷市	-	-	-	-	-	-	-	-
福山市	66	49	17	-	22	22	-	-
呉市	-	-	-	-	-	-	-	-
下関市	26	-	19	7	10	-	6	4
高松市	103	-	3	100	96	-	1	95
松山市	26	-	2	24	17	-	-	17
高知市	-	-	-	-	-	-	-	-
久留米市	-	-	-	-	-	-	-	-
長崎市	30	17	7	6	23	10	7	6
佐世保市	55	31	-	24	37	13	-	24
大分市	26	-	22	4	14	-	10	4
宮崎市	17	-	16	1	14	-	13	1
鹿児島市	10	-	10	-	1	-	1	-
那覇市	13	-	4	9	7	-	1	6

注：調査方法の変更等による回収率変動の影響を受けているため、数量を示す従事者数の実数は前年以前と単純に年次比較できない。

中核市（再掲）、職種（常勤（専従－兼務）－非常勤）別（31－5）

平成29年10月1日

オペレーター				面接相談員				その他の職員			
総数	常勤		非常勤	総数	常勤		非常勤	総数	常勤		非常勤
	専従	兼務			専従	兼務			専従	兼務	
27	–	15	12	20	–	19	1	2	–	2	–
6	–	3	3	2	–	2	–	–	–	–	–
5	1	4	–	1	–	1	–	–	–	–	–
–	–	–	–	–	–	–	–	–	–	–	–
253	14	152	87	85	13	71	1	20	1	16	3
24	–	19	5	13	–	12	1	1	–	1	–
4	–	1	3	5	–	5	–	1	–	1	–
–	–	–	–	–	–	–	–	1	1	–	–
4	–	4	–	1	–	1	–	1	–	1	–
–	–	–	–	–	–	–	–	–	–	–	–
10	2	4	4	9	1	3	5	2	1	1	–
80	12	52	16	53	4	47	2	5	1	4	–
41	1	28	12	20	–	17	3	4	3	1	–
–	–	–	–	–	–	–	–	–	–	–	–
9	9	–	–	4	4	–	–	1	1	–	–
17	–	–	17	6	–	1	5	2	–	2	–
14	5	3	6	3	–	–	3	–	–	–	–
7	–	4	3	1	–	1	–	1	–	1	–
–	–	–	–	–	–	–	–	–	–	–	–
6	–	6	–	2	–	2	–	–	–	–	–
17	–	15	2	1	–	1	–	–	–	–	–
10	–	9	1	6	–	6	–	1	–	1	–
–	–	–	–	–	–	–	–	–	–	–	–
–	–	–	–	–	–	–	–	–	–	–	–
–	–	–	–	–	–	–	–	–	–	–	–
–	–	–	–	–	–	–	–	–	–	–	–
–	–	–	–	–	–	–	–	–	–	–	–
–	–	–	–	–	–	–	–	–	–	–	–
–	–	–	–	–	–	–	–	–	–	–	–
–	–	–	–	–	–	–	–	–	–	–	–
–	–	–	–	–	–	–	–	–	–	–	–
–	–	–	–	–	–	–	–	–	–	–	–
–	–	–	–	–	–	–	–	–	–	–	–
11	–	8	3	8	–	8	–	–	–	–	–
11	7	–	4	2	2	–	–	–	–	–	–
31	1	11	19	2	1	1	–	2	2	–	–
–	–	–	–	–	–	–	–	–	–	–	–
4	–	–	4	1	–	1	–	1	–	1	–
–	–	–	–	–	–	–	–	–	–	–	–
–	–	–	–	–	–	–	–	–	–	–	–
13	–	13	–	13	–	13	–	–	–	–	–
–	–	–	–	–	–	–	–	–	–	–	–
–	–	–	–	–	–	–	–	–	–	–	–
–	–	–	–	–	–	–	–	–	–	–	–
–	–	–	–	–	–	–	–	–	–	–	–
–	–	–	–	–	–	–	–	–	–	–	–
1	–	–	1	1	1	–	–	–	–	–	–
9	1	6	2	2	–	2	–	–	–	–	–
–	–	–	–	–	–	–	–	–	–	–	–
–	–	–	–	–	–	–	–	–	–	–	–
–	–	–	–	–	–	–	–	–	–	–	–
–	–	–	–	–	–	–	–	–	–	–	–
–	–	–	–	–	–	–	–	–	–	–	–
2	1	–	1	1	–	–	1	–	–	–	–
–	–	–	–	–	–	–	–	–	–	–	–
26	9	17	–	17	17	–	–	1	1	–	–
–	–	–	–	–	–	–	–	–	–	–	–
9	–	6	3	6	–	6	–	1	–	1	–
5	–	–	5	1	–	1	–	1	–	1	–
8	–	1	7	1	–	1	–	–	–	–	–
–	–	–	–	–	–	–	–	–	–	–	–
–	–	–	–	–	–	–	–	–	–	–	–
7	7	–	–	–	–	–	–	–	–	–	–
9	9	–	–	9	9	–	–	–	–	–	–
7	–	7	–	5	–	5	–	–	–	–	–
–	–	–	–	2	–	2	–	1	–	1	–
8	–	8	–	1	–	1	–	–	–	–	–
3	–	1	2	2	–	1	1	1	–	1	–

第15表　従事者数，地域密着型サービスの種類、都道府県－指定都市・

地域密着型通所介護

都道府県 指定都市 中核市	総数				医師				看護師			
	総数	常勤		非常勤	総数	常勤		非常勤	総数	常勤		非常勤
		専従	兼務			専従	兼務			専従	兼務	
全国	192 999	37 646	56 937	98 416	144	15	50	79	13 044	1 027	2 225	9 792
北海道	7 812	1 789	2 353	3 670	9	-	7	2	566	43	73	450
青森	1 287	345	537	405	2	-	-	2	56	5	22	29
岩手	2 003	572	642	789	1	-	1	-	168	14	36	118
宮城	3 776	926	1 423	1 427	2	-	-	2	192	21	57	114
秋田	1 517	421	536	560	4	-	1	3	98	6	22	70
山形	1 010	239	396	375	2	-	1	1	63	2	21	40
福島	2 515	713	915	887	2	1	-	1	160	21	47	92
茨城	3 973	887	1 357	1 729	3	-	1	2	190	22	57	111
栃木	2 577	647	775	1 155	-	-	-	-	160	15	29	116
群馬	3 210	482	1 139	1 589	1	-	1	-	157	16	36	105
埼玉	8 056	1 671	1 898	4 487	6	1	2	3	551	40	46	465
千葉	9 253	1 787	2 180	5 286	2	-	1	1	571	34	54	483
東京	17 446	3 633	4 432	9 381	6	2	-	4	1 200	68	151	981
神奈川	14 468	1 378	4 137	8 953	6	1	1	4	964	24	129	811
新潟	2 262	432	853	977	2	-	-	2	163	9	33	121
富山	1 921	518	478	925	6	1	-	5	137	26	18	93
石川	1 344	240	465	639	1	-	-	1	129	6	36	87
福井	728	180	237	311	2	-	1	1	46	6	10	30
山梨	2 077	540	676	861	2	-	1	1	148	21	30	97
長野	4 558	746	1 366	2 446	1	-	-	1	377	26	57	294
岐阜	2 707	477	799	1 431	6	1	3	2	182	29	42	111
静岡	4 276	850	1 107	2 319	-	-	-	-	296	28	33	235
愛知	10 291	1 721	2 558	6 012	3	-	-	3	662	36	80	546
三重	4 118	700	1 036	2 382	3	-	-	3	231	13	31	187
滋賀	2 660	504	686	1 470	-	-	-	-	232	18	47	167
京都	2 158	425	618	1 115	2	1	1	-	195	6	33	156
大阪	14 311	3 165	3 236	7 910	3	-	2	1	994	75	111	808
兵庫	9 037	1 665	2 193	5 179	4	-	-	4	748	46	85	617
奈良	2 114	451	570	1 093	3	-	-	3	145	5	31	109
和歌山	2 035	369	676	990	1	-	-	1	118	4	19	95
鳥取	959	230	381	348	-	-	-	-	63	7	15	41
島根	1 967	355	861	751	-	-	-	-	133	14	23	96
岡山	3 347	570	1 046	1 731	5	1	3	1	251	24	54	173
広島	3 990	626	1 192	2 172	16	1	10	5	266	11	52	203
山口	4 362	495	1 659	2 208	3	-	1	2	250	17	60	173
徳島	913	231	327	355	-	-	-	-	54	8	21	25
香川	1 787	290	603	894	1	-	-	1	130	17	26	87
愛媛	2 722	547	936	1 239	7	-	-	7	193	19	45	129
高知	1 697	379	578	740	2	-	1	1	117	16	23	78
福岡	8 272	1 642	2 714	3 916	5	1	1	3	564	50	124	390
佐賀	1 986	464	695	827	7	2	4	1	138	20	50	68
長崎	2 510	494	944	1 072	2	-	1	1	143	16	37	90
熊本	3 322	658	1 366	1 298	3	-	1	2	204	25	53	126
大分	1 335	314	383	638	1	-	1	-	89	7	25	57
宮崎	2 385	519	890	976	2	2	-	-	154	21	36	97
鹿児島	4 045	854	1 425	1 766	4	-	3	1	276	54	74	148
沖縄	1 900	505	663	732	1	-	-	1	120	16	31	73

注：調査方法の変更等による回収率変動の影響を受けているため、数量を示す従事者数の実数は前年と単純に年次比較できない。

中核市（再掲）、職種（常勤（専従－兼務）－非常勤）別（31－6）

平成29年10月1日

准看護師				機能訓練指導員											
								理学療法士（再掲）				作業療法士（再掲）			
総数	常勤		非常勤	総数	常勤		非常勤	総数	常勤		非常勤	総数	常勤		非常勤
	専従	兼務			専従	兼務			専従	兼務			専従	兼務	
9 573	871	2 338	6 364	28 359	3 840	6 043	18 476	2 260	573	543	1 144	1 044	259	238	547
421	34	92	295	1 220	165	239	816	92	23	20	49	52	13	10	29
98	12	43	43	174	26	67	81	11	2	4	5	4	3	1	－
99	13	28	58	267	46	72	149	12	3	5	4	5	2	2	1
210	17	64	129	500	83	143	274	38	17	8	13	10	2	3	5
96	10	36	50	210	24	77	109	7	4	2	1	10	4	5	1
57	3	18	36	131	17	37	77	3	1	1	1	1	－	1	－
184	31	46	107	347	60	98	189	14	7	2	5	9	2	1	6
229	30	53	146	470	64	133	273	28	8	9	11	7	2	1	4
191	23	50	118	347	49	88	210	12	5	2	5	6	1	3	2
209	5	55	149	435	58	101	276	36	10	5	21	10	3	1	6
304	29	60	215	1 146	223	144	779	85	26	17	42	25	6	2	17
362	26	46	290	1 434	223	211	1 000	100	30	21	49	50	9	11	30
318	20	46	252	2 465	395	395	1 675	236	53	42	141	96	18	14	64
273	10	38	225	2 499	174	510	1 815	148	14	38	96	97	9	18	70
163	11	50	102	387	47	112	228	30	16	5	9	4	－	2	2
103	22	15	66	208	41	39	128	17	11	3	3	14	4	4	6
74	1	24	49	202	22	54	126	15	6	5	4	8	1	2	5
50	6	12	32	85	15	26	44	7	－	5	2	8	3	4	1
107	13	31	63	253	29	57	167	30	9	10	11	19	6	7	6
247	24	63	160	570	53	127	390	44	12	15	17	21	7	5	9
131	8	38	85	359	53	104	202	31	9	14	8	14	3	7	4
140	7	25	108	587	81	87	419	44	10	11	23	19	6	3	10
392	24	74	294	1 424	163	261	1 000	116	20	34	62	34	9	5	20
211	14	38	159	572	48	92	432	42	8	8	26	25	6	2	17
68	5	13	50	363	51	70	242	34	9	9	16	19	4	5	10
86	6	9	71	360	55	79	226	13	－	7	6	8	－	2	6
489	39	71	379	2 460	433	323	1 704	237	55	38	144	69	13	9	47
419	28	55	336	1 302	175	188	939	119	22	26	71	33	8	12	13
76	8	16	52	284	46	65	173	27	3	8	16	14	4	5	5
141	8	34	99	329	31	66	232	23	4	6	13	12	5	2	5
61	9	22	30	133	15	38	80	10	4	2	4	8	2	4	2
146	10	39	97	274	29	76	169	10	4	3	3	19	7	5	7
170	15	46	109	496	43	113	340	36	5	8	23	17	－	4	13
279	18	67	194	648	43	136	469	30	5	5	20	22	3	1	18
270	18	79	173	608	52	186	370	30	9	14	7	10	2	5	3
66	7	22	37	119	22	35	62	18	4	3	11	16	4	5	7
141	15	42	84	354	38	95	221	35	2	14	19	20	7	5	8
245	22	81	142	417	64	122	231	37	11	5	21	33	13	4	16
144	12	38	94	254	32	71	151	32	9	7	16	13	5	5	3
604	59	152	393	1 209	172	295	742	127	47	29	51	72	31	18	23
160	32	43	85	219	40	80	99	11	4	6	1	14	5	6	3
207	19	65	123	342	52	109	181	23	11	5	7	9	2	3	4
275	36	122	117	488	71	197	220	71	22	25	24	28	6	12	10
125	15	41	69	198	28	59	111	12	4	4	4	5	1	1	3
263	33	88	142	333	56	112	165	35	9	12	14	13	5	2	6
346	52	115	179	621	88	190	343	65	16	15	34	30	9	7	14
123	12	33	78	256	45	64	147	27	10	6	11	12	4	2	6

地域密着型通所介護

都道府県 指定都市 中核市	総数				医師				看護師			
	総数	常勤		非常勤	総数	常勤		非常勤	総数	常勤		非常勤
		専従	兼務			専従	兼務			専従	兼務	
指定都市(再掲)												
札幌市	2 571	576	816	1 179	3	－	2	1	237	12	30	195
仙台市	1 352	388	490	474	1	－	－	1	89	11	27	51
さいたま市	1 093	221	269	603	－	－	－	－	103	12	6	85
千葉市	1 191	267	275	649	－	－	－	－	76	5	5	66
横浜市	5 543	457	1 559	3 527	－	－	－	－	459	8	66	385
川崎市	1 780	259	471	1 050	1	－	－	1	103	3	12	88
相模原市	1 250	160	323	767	1	－	1	－	74	2	5	67
新潟市	928	177	346	405	1	－	－	1	72	2	12	58
静岡市	124	25	36	63	－	－	－	－	13	2	2	9
浜松市	978	178	198	602	－	－	－	－	88	2	9	77
名古屋市	3 728	746	897	2 085	1	－	－	1	251	14	24	213
京都市	1 391	303	358	730	2	1	1	－	127	5	16	106
大阪市	4 696	1 161	1 170	2 365	1	－	1	－	339	33	35	271
堺市	1 494	301	329	864	－	－	－	－	105	11	12	82
神戸市	2 125	437	474	1 214	1	－	－	1	184	14	16	154
岡山市	1 278	220	400	658	3	1	2	－	102	10	16	76
広島市	1 543	247	440	856	6	1	5	－	138	7	21	110
北九州市	2 049	361	665	1 023	2	－	－	2	148	9	35	104
福岡市	2 478	569	816	1 093	1	1	－	－	176	21	33	122
熊本市	1 207	238	469	500	1	－	－	1	92	14	22	56
中核市(再掲)												
旭川市	537	98	157	282	－	－	－	－	34	－	5	29
函館市	236	68	56	112	－	－	－	－	15	1	2	12
青森市	392	104	144	144	－	－	－	－	19	1	5	13
八戸市	233	55	107	71	－	－	－	－	12	1	5	6
盛岡市	637	161	203	273	1	－	1	－	55	2	7	46
秋田市	406	110	126	170	－	－	－	－	31	2	4	25
郡山市	400	110	150	140	1	－	－	1	21	5	3	13
いわき市	683	189	228	266	－	－	－	－	40	3	14	23
宇都宮市	641	148	211	282	－	－	－	－	54	2	11	41
前橋市	575	84	201	290	－	－	－	－	32	1	9	22
高崎市	638	101	243	294	－	－	－	－	26	3	5	18
川越市	366	84	76	206	－	－	－	－	24	4	－	20
越谷市	365	86	67	212	－	－	－	－	36	－	3	33
船橋市	843	118	192	533	－	－	－	－	60	－	3	57
柏市	607	159	102	346	－	－	－	－	34	7	3	24
八王子市	927	161	194	572	－	－	－	－	43	3	4	36
横須賀市	628	51	207	370	－	－	－	－	41	1	4	36
富山市	844	246	215	383	1	－	－	1	72	18	9	45
金沢市	792	144	270	378	－	－	－	－	79	3	20	56
長野市	812	146	244	422	－	－	－	－	66	5	8	53
岐阜市	572	109	193	270	1	－	－	1	41	6	12	23
豊橋市	642	101	161	380	－	－	－	－	26	4	3	19
豊田市	638	77	140	421	－	－	－	－	45	1	7	37
岡崎市	618	71	129	418	－	－	－	－	36	－	3	33
大津市	850	181	211	458	－	－	－	－	62	7	19	36
高槻市	449	90	109	250	－	－	－	－	34	－	4	30
東大阪市	783	247	179	357	－	－	－	－	38	8	8	22
豊中市	487	95	108	284	－	－	－	－	37	－	3	34
枚方市	777	161	154	462	－	－	－	－	46	2	3	41
姫路市	931	194	234	503	－	－	－	－	80	7	11	62
西宮市	744	168	165	411	－	－	－	－	56	6	10	40
尼崎市	886	164	232	490	－	－	－	－	63	2	5	56
奈良市	640	101	167	372	1	－	－	1	43	1	5	37
和歌山市	900	208	304	388	－	－	－	－	52	1	10	41
倉敷市	648	112	197	339	－	－	－	－	54	6	13	35
福山市	889	165	262	462	2	－	2	－	39	2	5	32
呉市	177	24	56	97	1	－	－	1	11	－	2	9
下関市	1 265	122	416	727	－	－	－	－	60	3	13	44
高松市	945	145	299	501	1	－	－	1	79	10	15	54
松山市	838	183	267	388	6	－	－	6	75	9	17	49
高知市	947	195	313	439	－	－	－	－	70	7	10	53
久留米市	395	91	144	160	－	－	－	－	37	2	14	21
長崎市	1 012	214	360	438	1	－	－	1	59	9	15	35
佐世保市	320	47	106	167	1	－	1	－	19	2	2	15
大分市	434	102	111	221	－	－	－	－	34	2	8	24
宮崎市	760	186	275	299	1	1	－	－	68	8	11	49
鹿児島市	1 712	398	577	737	1	－	－	1	129	24	28	77
那覇市	206	67	75	64	－	－	－	－	10	1	2	7

注：調査方法の変更等による回収率変動の影響を受けているため、数量を示す従事者数の実数は前年と単純に年次比較できない。

平成29年10月１日

准看護師				機能訓練指導員				理学療法士（再掲）				作業療法士（再掲）			
総数	常勤		非常勤	総数	常勤		非常勤	総数	常勤		非常勤	総数	常勤		非常勤
	専従	兼務			専従	兼務			専従	兼務			専従	兼務	
72	5	9	58	443	68	81	294	37	8	12	17	25	5	5	15
46	11	12	23	222	53	65	104	27	13	7	7	8	2	3	3
17	1	2	14	166	31	15	120	9	6	2	1	7	3	－	4
41	2	3	36	188	40	25	123	15	6	4	5	7	3	－	4
112	3	15	94	928	62	167	699	53	4	17	32	41	4	10	27
40	－	9	31	327	26	66	235	34	－	4	30	21	－	1	20
22	1	3	18	204	14	37	153	9	2	4	3	7	1	－	6
65	4	22	39	173	24	47	102	13	8	2	3	2	－	1	1
4	1	－	3	18	1	5	12	2	－	－	2	1	－	－	1
38	3	6	29	163	15	21	127	14	2	4	8	8	1	1	6
97	7	14	76	509	75	79	355	32	8	9	15	17	5	3	9
54	3	6	45	258	39	54	165	7	－	3	4	4	－	－	4
138	14	29	95	792	180	141	471	86	20	25	41	31	6	6	19
74	5	7	62	303	36	25	242	36	7	2	27	17	2	－	15
67	5	9	53	336	58	37	241	40	10	6	24	6	1	－	5
62	4	15	43	200	15	38	147	12	2	2	8	9	－	2	7
86	6	16	64	257	23	46	188	14	2	－	12	8	－	－	8
128	8	35	85	291	41	69	181	23	11	2	10	16	8	4	4
161	10	37	114	382	56	85	241	58	19	14	25	19	7	2	10
84	9	38	37	188	29	63	96	36	11	12	13	11	2	5	4
35	2	7	26	82	12	11	59	15	5	－	10	6	1	1	4
14	－	3	11	26	6	5	15	－	－	－	－	－	－	－	－
26	3	8	15	47	11	13	23	6	－	2	4	2	2	－	－
17	2	8	7	34	6	14	14	4	2	2	－	1	1	－	－
24	2	7	15	87	12	22	53	6	1	3	2	4	2	1	1
29	2	10	17	65	6	21	38	2	1	－	1	4	1	3	－
22	5	3	14	58	21	10	27	10	4	2	4	4	－	－	4
57	9	17	31	92	17	28	47	2	1	－	1	1	1	－	－
34	5	10	19	84	13	21	50	2	2	－	－	2	－	1	1
28	1	10	17	73	12	20	41	7	3	2	2	3	－	1	2
36	－	8	28	73	8	17	48	1	－	－	1	1	1	－	－
15	2	1	12	71	13	6	52	4	－	1	3	1	－	－	1
10	1	－	9	56	20	6	30	6	4	1	1	－	－	－	－
31	－	－	31	140	17	14	109	17	4	3	10	5	－	－	5
31	5	2	24	106	23	7	76	3	－	2	1	2	－	－	2
33	1	1	31	126	23	13	90	7	1	3	3	7	3	－	4
28	－	4	24	99	10	16	73	2	－	2	－	1	－	－	1
41	11	6	24	102	21	24	57	9	5	3	1	4	1	3	－
36	1	11	24	128	16	27	85	12	4	5	3	7	1	2	4
33	2	5	26	116	15	18	83	11	3	4	4	3	2	－	1
19	1	4	14	91	19	32	40	5	4	1	－	6	1	4	1
39	1	12	26	83	7	14	62	3	1	1	1	1	1	－	－
32	1	5	26	92	11	13	68	17	3	2	12	4	1	－	3
33	－	3	30	94	7	8	79	4	－	2	2	3	1	－	2
13	1	2	10	112	19	28	65	10	3	1	6	8	1	3	4
16	2	1	13	72	8	10	54	－	－	－	－	－	－	－	－
30	2	6	22	138	34	20	84	10	2	－	8	3	1	－	2
7	－	－	7	79	17	7	55	5	3	－	2	4	－	1	3
23	2	2	19	131	12	18	101	10	1	1	8	3	－	－	3
46	5	10	31	160	18	28	114	13	3	3	7	4	1	－	3
22	3	1	18	102	22	18	62	8	1	4	3	3	1	2	－
43	3	6	34	141	17	19	105	13	－	3	10	3	－	2	1
20	－	4	16	98	9	19	70	12	1	1	10	6	1	3	2
53	5	15	33	152	19	32	101	21	4	6	11	8	3	1	4
35	7	8	20	92	10	23	59	9	2	2	5	2	－	2	－
63	4	17	42	140	11	26	103	7	1	3	3	5	－	1	4
18	2	5	11	28	1	9	18	－	－	－	－	1	1	－	－
72	4	12	56	189	20	47	122	14	6	8	－	4	2	－	2
58	8	12	38	216	26	53	137	24	1	9	14	14	6	2	6
53	4	21	28	137	28	33	76	12	6	－	6	21	9	1	11
77	5	17	55	145	11	34	100	16	3	2	11	5	2	2	1
18	3	8	7	65	8	28	29	20	2	7	11	14	5	6	3
62	3	17	42	142	26	33	83	10	4	3	3	4	1	1	2
24	1	4	19	41	1	13	27	1	－	－	1	1	1	－	－
27	3	7	17	67	15	11	41	3	1	－	2	1	－	1	－
71	6	21	44	121	21	35	65	21	3	8	10	6	2	－	4
119	23	29	67	287	47	80	160	33	7	8	18	13	4	2	7
12	1	2	9	26	7	5	14	2	1	－	1	1	－	－	1

地域密着型通所介護

都道府県 指定都市 中核市	機能訓練											
	言語聴覚士（再掲）				看護師（再掲）				准看護師（再掲）			
	総数	常勤		非常勤	総数	常勤		非常勤	総数	常勤		非常勤
		専従	兼務			専従	兼務			専従	兼務	
全国	222	38	42	142	10 805	610	2 003	8 192	8 122	544	2 157	5 421
北海道	17	4	3	10	489	28	75	386	397	27	86	284
青森	－	－	－	－	49	4	18	27	83	6	40	37
岩手	1	1	－	－	118	8	24	86	72	9	24	39
宮城	－	－	－	－	148	9	45	94	150	8	52	90
秋田	－	－	－	－	70	1	19	50	78	5	37	36
山形	1	－	－	1	51	－	21	30	41	3	10	28
福島	－	－	－	－	121	9	36	76	146	18	45	83
茨城	5	2	1	2	164	10	46	108	186	16	57	113
栃木	2	－	1	1	127	13	29	85	140	13	39	88
群馬	5	2	2	1	127	14	29	84	178	6	53	119
埼玉	5	1	－	4	424	32	40	352	250	17	44	189
千葉	20	－	2	18	523	33	62	428	348	20	58	270
東京	21	3	4	14	921	37	124	760	343	27	56	260
神奈川	14	1	1	12	1 070	23	189	858	589	17	121	451
新潟	5	4	1	－	138	3	26	109	151	4	55	92
富山	1	－	－	1	86	10	20	56	54	4	7	43
石川	－	－	－	－	103	3	22	78	53	3	16	34
福井	－	－	－	－	25	2	4	19	35	5	8	22
山梨	2	－	－	2	102	8	21	73	79	4	16	59
長野	3	－	－	3	278	13	45	220	176	8	51	117
岐阜	3	1	2	－	121	7	29	85	106	6	37	63
静岡	3	－	－	3	258	19	30	209	123	5	31	87
愛知	6	－	1	5	578	23	77	478	312	20	68	224
三重	5	－	1	4	203	9	36	158	190	12	30	148
滋賀	1	－	－	1	176	7	37	132	67	3	13	51
京都	3	1	2	－	134	6	25	103	74	4	12	58
大阪	24	2	2	20	854	46	102	706	435	27	65	343
兵庫	14	5	1	8	555	31	65	459	300	16	50	234
奈良	1	－	－	1	97	3	27	67	64	11	14	39
和歌山	3	－	1	2	103	2	18	83	133	6	30	97
鳥取	－	－	－	－	62	3	13	46	43	5	19	19
島根	5	－	4	1	107	6	23	78	124	10	39	75
岡山	2	－	－	2	228	15	49	164	151	8	45	98
広島	3	1	－	2	259	7	53	199	260	9	65	186
山口	1	－	－	1	245	13	72	160	276	18	88	170
徳島	－	－	－	－	32	7	13	12	35	3	11	21
香川	3	1	1	1	148	12	26	110	96	7	31	58
愛媛	3	－	1	2	131	14	36	81	189	15	73	101
高知	4	－	1	3	84	7	23	54	107	8	34	65
福岡	11	2	1	8	471	32	100	339	429	25	122	282
佐賀	3	2	－	1	84	10	34	40	93	10	32	51
長崎	1	－	－	1	117	7	36	74	149	17	57	75
熊本	5	－	4	1	155	12	49	94	209	23	104	82
大分	6	2	1	3	66	4	16	46	92	9	35	48
宮崎	3	2	－	1	100	15	29	56	162	18	65	79
鹿児島	3	1	1	1	217	25	67	125	262	22	89	151
沖縄	4	－	3	1	86	8	23	55	92	7	23	62

注：調査方法の変更等による回収率変動の影響を受けているため、数量を示す従事者数の実数は前年と単純に年次比較できない。

中核市（再掲）、職種（常勤（専従－兼務）－非常勤）別（31－8）

平成29年10月1日

指導員 柔道整復師（再掲） 総数	常勤 専従	常勤 兼務	非常勤	指導員 あん摩マッサージ指圧師（再掲） 総数	常勤 専従	常勤 兼務	非常勤	調理員 総数	常勤 専従	常勤 兼務	非常勤	管理栄養士 総数	常勤 専従	常勤 兼務	非常勤
3 962	1 489	837	1 636	1 943	327	222	1 394	7 545	597	813	6 135	360	40	195	125
144	67	42	35	29	3	3	23	250	25	34	191	24	3	15	6
18	9	1	8	9	2	3	4	66	12	21	33	5	－	3	2
47	20	15	12	12	3	2	7	114	16	13	85	3	1	2	－
118	39	31	48	36	8	4	24	148	12	26	110	4	1	3	－
27	8	11	8	17	2	2	13	87	15	17	55	2	－	2	－
21	11	4	6	13	2	－	11	52	3	16	33	6	1	3	2
33	17	12	4	24	7	2	15	62	12	3	47	5	1	4	－
50	16	13	21	30	10	6	14	195	16	31	148	10	1	7	2
46	17	12	17	14	－	2	12	135	17	15	103	4	－	2	2
49	15	9	25	30	8	2	20	118	13	22	83	7	1	5	1
228	117	35	76	129	24	6	99	253	16	22	215	14	2	6	6
198	88	38	72	195	43	19	133	406	22	27	357	11	3	6	2
531	216	111	204	317	41	44	232	330	24	18	288	16	2	6	8
318	72	97	149	263	38	46	179	631	14	39	578	16	－	10	6
47	19	18	10	12	1	5	6	96	7	20	69	10	2	3	5
30	11	5	14	6	1	－	5	88	16	5	67	4	－	3	1
18	8	7	3	5	1	2	2	47	3	4	40	2	－	1	1
8	4	4	－	2	1	1	－	28	1	2	25	6	2	3	1
14	1	2	11	7	1	1	5	71	8	6	57	5	－	4	1
36	11	9	16	12	2	2	8	272	27	13	232	7	－	3	4
61	20	12	29	23	7	3	13	115	9	7	99	4	－	2	2
65	24	10	31	75	17	2	56	168	6	10	152	5	－	4	1
254	75	57	122	124	16	19	89	344	13	18	313	9	－	7	2
60	10	11	39	47	3	4	40	188	20	12	156	6	1	2	3
47	23	6	18	19	5	－	14	97	9	12	76	10	－	3	7
97	37	27	33	31	7	4	20	43	1	7	35	3	－	3	－
705	269	95	341	136	21	12	103	398	15	18	365	8	1	4	3
207	78	30	99	74	15	4	55	412	27	44	341	20	3	6	11
58	20	9	29	23	5	2	16	66	7	5	54	6	1	5	－
39	11	9	19	16	3	－	13	49	3	7	39	2	－	1	1
3	1	－	2	7	－	－	7	36	6	5	25	2	－	1	1
5	1	2	2	4	1	－	3	81	8	8	65	4	－	3	1
46	13	6	27	16	2	1	13	269	11	63	195	15	3	7	5
50	17	11	22	24	1	1	22	108	4	5	99	8	1	3	4
22	10	6	6	24	－	1	23	179	9	28	142	10	－	6	4
9	3	2	4	9	1	1	7	36	4	12	20	7	2	2	3
30	9	11	10	22	－	7	15	70	3	8	59	4	1	1	2
16	7	3	6	8	4	－	4	106	7	20	79	8	－	6	2
7	3	1	3	7	－	－	7	84	10	13	61	5	－	4	1
69	30	22	17	30	5	3	22	321	24	18	279	10	2	4	4
12	8	2	2	2	1	－	1	106	15	6	85	8	2	4	2
32	13	8	11	11	2	－	9	141	8	31	102	13	－	10	3
5	3	－	2	15	5	3	7	194	22	42	130	16	2	11	3
13	7	2	4	4	1	－	3	76	13	5	58	4	－	－	4
14	6	3	5	6	1	1	4	132	27	24	81	4	1	2	1
26	11	9	6	18	4	2	12	204	27	25	152	8	－	3	5
29	14	7	8	6	2	－	4	73	10	6	57	－	－	－	－

第15表　従事者数，地域密着型サービスの種類、都道府県－指定都市・

地域密着型通所介護

都道府県 指定都市 中核市	機能訓練 言語聴覚士（再掲）				機能訓練 看護師（再掲）				機能訓練 准看護師（再掲）			
	総数	常勤 専従	常勤 兼務	非常勤	総数	常勤 専従	常勤 兼務	非常勤	総数	常勤 専従	常勤 兼務	非常勤
指定都市（再掲）												
札幌市	10	3	1	6	199	10	27	162	83	7	12	64
仙台市	－	－	－	－	65	6	18	41	30	2	8	20
さいたま市	1	－	－	1	83	6	6	71	17	－	2	15
千葉市	3	－	－	3	63	3	7	53	45	4	4	37
横浜市	6	－	－	6	415	10	52	353	130	6	17	107
川崎市	－	－	－	－	130	5	28	97	73	－	20	53
相模原市	1	－	－	1	86	－	7	79	50	－	7	43
新潟市	4	3	1	－	68	1	9	58	57	－	22	35
静岡市	－	－	－	－	11	－	2	9	－	－	－	－
浜松市	1	－	－	1	79	3	7	69	31	－	8	23
名古屋市	2	－	－	2	187	10	20	157	70	7	12	51
京都市	3	1	2	－	97	3	16	78	47	2	6	39
大阪市	6	2	1	3	224	13	34	177	114	10	26	78
堺市	14	－	－	14	115	6	11	98	64	2	6	56
神戸市	7	4	－	3	147	10	15	122	58	4	10	44
岡山市	1	－	－	1	97	5	15	77	58	2	17	39
広島市	－	－	－	－	125	3	23	99	71	4	16	51
北九州市	2	－	－	2	138	8	32	98	87	4	27	56
福岡市	7	－	1	6	141	12	31	98	124	6	24	94
熊本市	1	－	1	－	62	6	15	41	68	6	28	34
中核市（再掲）												
旭川市	1	－	1	－	25	－	4	21	28	－	5	23
函館市	1	1	－	－	8	－	1	7	12	2	3	7
青森市	－	－	－	－	14	2	4	8	16	2	5	9
八戸市	－	－	－	－	9	－	4	5	16	2	7	7
盛岡市	1	1	－	－	43	1	7	35	13	1	4	8
秋田市	－	－	－	－	24	－	3	21	20	－	9	11
郡山市	－	－	－	－	9	1	3	5	15	4	3	8
いわき市	－	－	－	－	27	3	5	19	47	7	16	24
宇都宮市	－	－	－	－	44	2	12	30	23	3	6	14
前橋市	3	2	1	－	24	－	7	17	20	1	8	11
高崎市	－	－	－	－	31	3	8	20	28	－	7	21
川越市	－	－	－	－	28	3	1	24	13	1	1	11
越谷市	－	－	－	－	21	－	2	19	6	1	－	5
船橋市	4	－	－	4	51	－	3	48	22	－	－	22
柏市	1	－	－	1	41	8	1	32	19	3	2	14
八王子市	1	－	－	1	32	2	3	27	27	1	1	25
横須賀市	2	1	－	1	36	1	6	29	29	－	4	25
富山市	－	－	－	－	52	6	12	34	21	2	3	16
金沢市	－	－	－	－	61	1	8	52	33	2	8	23
長野市	1	－	－	1	54	3	8	43	31	1	5	25
岐阜市	－	－	－	－	25	3	9	13	23	－	11	12
豊橋市	－	－	－	－	39	1	3	35	31	－	9	22
豊田市	1	－	－	1	37	2	5	30	21	1	3	17
岡崎市	1	－	1	－	30	－	1	29	30	－	3	27
大津市	－	－	－	－	49	2	16	31	16	－	4	12
高槻市	－	－	－	－	37	2	4	31	8	1	1	6
東大阪市	－	－	－	－	44	7	7	30	33	1	6	26
豊中市	－	－	－	－	35	1	3	31	8	－	1	7
枚方市	－	－	－	－	56	2	9	45	20	1	1	18
姫路市	－	－	－	－	72	6	10	56	44	1	11	32
西宮市	1	－	－	1	45	4	8	33	17	4	1	12
尼崎市	2	－	1	1	54	3	5	46	30	1	4	25
奈良市	1	－	－	1	33	－	9	24	15	－	4	11
和歌山市	2	－	1	1	44	2	8	34	56	4	12	40
倉敷市	1	－	－	1	47	2	11	34	23	4	6	13
福山市	3	1	－	2	42	3	3	36	61	3	15	43
呉市	－	－	－	－	12	－	3	9	15	－	6	9
下関市	－	－	－	－	75	1	19	55	82	7	18	57
高松市	3	1	1	1	99	9	16	74	36	4	11	21
松山市	2	－	－	2	46	7	8	31	47	2	22	23
高知市	3	－	1	2	50	3	11	36	63	2	18	43
久留米市	－	－	－	－	16	－	7	9	10	－	6	4
長崎市	－	－	－	－	51	1	12	38	48	10	10	28
佐世保市	－	－	－	－	16	－	5	11	23	－	8	15
大分市	6	2	1	3	25	2	4	19	24	4	4	16
宮崎市	2	1	－	1	47	7	11	29	39	4	16	19
鹿児島市	2	1	1	－	115	16	33	66	87	8	26	53
那覇市	－	－	－	－	9	－	2	7	8	1	3	4

注：調査方法の変更等による回収率変動の影響を受けているため、数量を示す従事者数の実数は前年と単純に年次比較できない。

平成29年10月1日

指導員								調理員				管理栄養士			
柔道整復師（再掲）				あん摩マッサージ指圧師（再掲）											
総数	常勤		非常勤	総数	常勤		非常勤	総数	常勤		非常勤	総数	常勤		非常勤
	専従	兼務			専従	兼務			専従	兼務			専従	兼務	
77	34	22	21	12	1	2	9	43	1	1	41	3	－	2	1
71	24	26	21	21	6	3	12	7	－	1	6	3	1	2	－
28	14	3	11	21	2	2	17	24	1	1	22	1	1	－	－
38	17	7	14	17	7	3	7	32	1	1	30	1	－	1	－
146	20	50	76	137	18	21	98	279	7	14	258	7	－	4	3
34	13	8	13	35	8	5	22	62	2	4	56	1	－	1	－
44	11	17	16	7	－	2	5	34	－	－	34	2	－	1	1
25	12	8	5	4	－	4	－	16	1	－	15	3	－	－	3
4	1	3	－	－	－	－	－	5	－	－	5	1	－	1	－
16	6	1	9	14	3	－	11	27	1	4	22	－	－	－	－
134	39	27	68	67	6	8	53	100	4	2	94	－	－	－	－
75	28	23	24	25	5	4	16	8	1	1	6	－	－	－	－
281	118	44	119	50	11	5	34	119	4	6	109	2	－	1	1
52	19	4	29	5	－	2	3	44	1	3	40	1	－	－	1
55	21	5	29	23	8	1	14	72	6	5	61	5	－	3	2
18	5	2	11	5	1	－	4	108	7	28	73	5	2	1	2
33	14	7	12	6	－	－	6	40	3	3	34	3	－	2	1
18	9	4	5	7	1	－	6	94	10	4	80	2	－	1	1
21	9	10	2	12	3	3	6	88	2	1	85	4	1	2	1
2	1	－	1	8	3	2	3	42	7	13	22	7	1	3	3
5	5	－	－	2	1	－	1	24	－	2	22	－	－	－	－
4	3	1	－	1	－	－	1	8	－	2	6	2	－	2	－
8	5	1	2	1	－	1	－	21	2	3	16	2	－	－	2
2	1	－	1	2	－	1	1	14	－	11	3	1	－	1	－
16	5	7	4	4	1	－	3	24	3	5	16	－	－	－	－
9	3	5	1	5	1	－	4	19	4	4	11	－	－	－	－
11	9	1	1	9	3	1	5	11	－	－	11	－	－	－	－
12	4	7	1	3	1	－	2	16	4	－	12	1	－	1	－
13	6	2	5	－	－	－	－	28	9	－	19	－	－	－	－
6	3	1	2	10	3	－	7	9	－	－	9	3	－	2	1
8	4	2	2	4	－	－	4	29	3	7	19	－	－	－	－
21	9	3	9	4	－	－	4	3	1	－	2	－	－	－	－
20	14	1	5	3	1	2	－	5	－	－	5	－	－	－	－
19	10	7	2	22	3	1	18	39	－	5	34	－	－	－	－
12	5	2	5	28	7	－	21	15	－	－	15	1	－	1	－
33	15	5	13	19	1	1	17	27	1	－	26	1	－	－	1
17	5	3	9	12	3	1	8	15	－	1	14	－	－	－	－
15	7	3	5	1	－	－	1	35	11	2	22	2	－	2	－
13	7	4	2	2	1	－	1	23	3	1	19	1	－	1	－
14	5	1	8	2	1	－	1	23	2	1	20	－	－	－	－
23	8	5	10	9	3	2	4	18	1	－	17	1	－	1	－
5	3	1	1	4	1	－	3	33	3	3	27	2	－	2	－
7	3	2	2	5	1	1	3	17	－	2	15	－	－	－	－
18	5	1	12	8	1	－	7	25	－	1	24	－	－	－	－
20	10	4	6	9	3	－	6	36	7	3	26	－	－	－	－
19	5	5	9	8	－	－	8	22	－	－	22	1	－	－	1
41	22	5	14	7	1	2	4	12	3	1	8	－	－	－	－
26	13	2	11	1	－	－	1	16	－	－	16	1	－	1	－
31	7	6	18	11	1	1	9	22	－	2	20	1	1	－	－
13	3	4	6	14	4	－	10	41	3	4	34	3	1	－	2
25	12	3	10	3	－	－	3	22	1	1	20	1	－	1	－
34	12	4	18	5	1	－	4	24	2	5	17	1	1	－	－
21	4	1	16	10	3	1	6	17	－	－	17	1	－	1	－
12	4	4	4	9	2	－	7	13	2	1	10	1	－	－	1
6	2	1	3	4	－	1	3	58	1	16	41	5	1	2	2
13	2	4	7	9	1	－	8	11	－	1	10	2	1	－	1
－	－	－	－	－	－	－	－	13	－	－	13	－	－	－	－
7	4	2	1	7	－	－	7	46	1	11	34	3	－	2	1
21	5	8	8	19	－	6	13	31	2	1	28	－	－	－	－
5	2	2	1	4	2	－	2	25	3	－	22	6	－	4	2
3	1	－	2	5	－	－	5	45	5	2	38	2	－	1	1
4	1	2	1	1	－	－	1	3	－	－	3	－	－	－	－
23	9	7	7	6	1	－	5	64	4	14	46	8	－	6	2
－	－	－	－	－	－	－	－	17	1	2	14	1	－	1	－
7	5	1	1	1	1	－	－	30	8	－	22	－	－	－	－
4	4	－	－	2	－	－	2	36	15	10	11	3	1	1	1
22	8	8	6	15	3	2	10	75	15	9	51	3	－	1	2
6	5	－	1	－	－	－	－	3	－	2	1	－	－	－	－

第15表　従事者数，地域密着型サービスの種類、都道府県－指定都市・

地域密着型通所介護

都道府県 指定都市 中核市	栄養士				歯科衛生士				生活相談員			
	総数	常勤		非常勤	総数	常勤		非常勤	総数	常勤		非常勤
		専従	兼務			専従	兼務			専従	兼務	
全国	345	62	134	149	229	22	39	168	34 009	8 717	17 486	7 806
北海道	15	3	7	5	5	－	1	4	1 315	377	714	224
青森	3	2	－	1	2	－	－	2	238	72	146	20
岩手	9	1	4	4	－	－	－	－	338	119	162	57
宮城	7	－	3	4	1	－	－	1	709	177	432	100
秋田	8	2	5	1	2	－	2	－	265	78	137	50
山形	1	－	1	－	4	1	2	1	187	45	115	27
福島	3	1	1	1	1	－	－	1	490	146	284	60
茨城	15	6	5	4	3	－	－	3	712	208	358	146
栃木	4	－	1	3	5	1	1	3	439	159	222	58
群馬	8	1	2	5	－	－	－	－	673	120	365	188
埼玉	20	3	11	6	5	－	1	4	1 376	391	633	352
千葉	22	3	9	10	27	2	2	23	1 530	463	686	381
東京	13	2	4	7	36	2	3	31	3 323	893	1 545	885
神奈川	14	1	5	8	21	1	3	17	2 317	360	1 329	628
新潟	3	－	2	1	7	－	4	3	368	78	249	41
富山	8	3	3	2	4	2	1	1	331	116	141	74
石川	7	－	4	3	1	－	1	－	223	65	121	37
福井	2	1	1	－	1	－	－	1	116	37	59	20
山梨	4	3	1	－	1	－	－	1	357	113	206	38
長野	8	－	－	8	6	－	1	5	791	170	443	178
岐阜	9	1	4	4	－	－	－	－	496	112	243	141
静岡	3	1	－	2	4	1	1	2	790	221	374	195
愛知	5	－	1	4	4	－	－	4	1 956	509	702	745
三重	4	－	3	1	6	1	－	5	804	180	362	262
滋賀	2	－	1	1	6	－	－	6	414	117	195	102
京都	3	1	1	1	－	－	－	－	399	104	195	100
大阪	12	4	4	4	15	4	3	8	2 271	724	1 101	446
兵庫	12	1	1	10	7	2	1	4	1 469	400	716	353
奈良	8	3	3	2	9	－	－	9	338	122	151	65
和歌山	3	－	1	2	2	－	2	－	341	82	207	52
鳥取	2	－	1	1	－	－	－	－	188	37	128	23
島根	5	1	－	4	1	1	－	－	383	76	283	24
岡山	9	2	2	5	3	1	1	1	608	142	298	168
広島	8	－	2	6	7	－	2	5	733	159	381	193
山口	3	1	1	1	2	－	1	1	876	107	535	234
徳島	4	1	1	2	－	－	－	－	167	61	81	25
香川	3	1	2	－	10	1	2	7	277	57	156	64
愛媛	10	1	6	3	2	－	－	2	446	93	268	85
高知	5	1	1	3	9	2	2	5	304	74	185	45
福岡	9	4	3	2	5	－	－	5	1 508	354	866	288
佐賀	12	3	6	3	－	－	－	－	375	96	192	87
長崎	2	－	2	－	－	－	－	－	451	103	275	73
熊本	5	1	3	1	1	－	－	1	583	144	338	101
大分	8	1	5	2	1	－	－	1	232	79	98	55
宮崎	8	－	4	4	2	－	1	1	417	111	235	71
鹿児島	15	2	5	8	1	－	1	－	722	178	375	169
沖縄	2	－	2	－	－	－	－	－	363	88	199	76

注：調査方法の変更等による回収率変動の影響を受けているため、数量を示す従事者数の実数は前年と単純に年次比較できない。

中核市（再掲）、職種（常勤（専従－兼務）－非常勤）別（31－10）

平成29年10月１日

社会福祉士（再掲）				介護職員				介護福祉士（再掲）				その他の職員			
総数	常勤		非常勤	総数	常勤		非常勤	総数	常勤		非常勤	総数	常勤		非常勤
	専従	兼務			専従	兼務			専従	兼務			専従	兼務	
2 774	874	1 304	596	81 711	19 069	17 413	45 229	23 270	5 667	7 769	9 834	17 680	3 386	10 201	4 093
119	42	63	14	3 245	1 003	660	1 582	1 129	338	354	437	742	136	511	95
17	8	7	2	508	187	145	176	203	80	74	49	135	29	90	16
32	18	11	3	794	318	200	276	265	129	68	68	210	44	124	42
51	15	29	7	1 630	549	457	624	444	167	189	88	373	66	238	69
31	8	14	9	583	261	130	192	242	119	78	45	162	25	107	30
16	8	7	1	396	148	122	126	140	52	67	21	111	19	60	32
34	15	16	3	1 026	392	274	360	330	126	121	83	235	48	158	29
46	11	26	9	1 782	463	466	853	445	132	163	150	364	77	246	41
38	16	19	3	1 037	332	209	496	238	80	81	77	255	51	158	46
56	17	24	15	1 342	235	369	738	384	63	168	153	260	33	183	44
126	35	53	38	3 484	762	551	2 171	854	169	232	453	897	204	422	271
137	42	63	32	3 983	815	636	2 532	946	189	269	488	905	196	502	207
271	78	108	85	8 031	1 853	1 370	4 808	1 729	361	550	818	1 708	372	894	442
168	29	91	48	6 287	653	1 321	4 313	1 522	141	487	894	1 440	140	752	548
53	9	40	4	838	248	259	331	335	101	136	98	225	30	121	74
41	16	13	12	821	235	154	432	280	95	82	103	211	56	99	56
18	10	7	1	536	128	126	282	187	47	59	81	122	15	94	13
7	3	4	－	300	94	70	136	98	36	32	30	92	18	53	21
30	12	16	2	936	314	216	406	286	126	83	77	193	39	124	30
71	21	43	7	1 894	373	448	1 073	733	159	242	332	385	73	211	101
33	13	12	8	1 187	220	237	730	363	75	114	174	218	44	119	55
65	22	26	17	1 906	446	349	1 111	596	141	168	287	377	59	224	94
181	57	67	57	4 557	757	917	2 883	1 305	182	383	740	935	219	498	218
44	13	24	7	1 785	355	322	1 108	476	91	150	235	308	68	174	66
39	13	14	12	1 210	259	196	755	384	94	99	191	258	45	149	64
39	10	23	6	861	218	171	472	323	74	110	139	206	33	119	54
188	60	89	39	6 313	1 524	931	3 858	1 558	414	402	742	1 348	346	668	334
117	44	54	19	3 787	832	621	2 334	1 150	275	303	572	857	151	476	230
18	7	10	1	989	221	191	577	216	62	59	95	190	38	103	49
18	3	9	6	883	220	221	442	236	67	87	82	166	21	118	27
9	2	4	3	391	139	120	132	146	46	66	34	83	17	51	15
18	6	11	1	763	194	308	261	301	59	164	78	177	22	121	34
70	22	32	16	1 236	286	288	662	411	113	131	167	285	42	171	72
74	16	42	16	1 613	331	356	926	557	110	206	241	304	58	178	68
35	11	19	5	1 875	261	575	1 039	530	82	248	200	286	30	187	69
7	3	4	－	373	104	105	164	111	43	44	24	87	22	48	17
17	5	12	－	634	139	180	315	198	48	85	65	163	18	91	54
40	10	23	7	1 076	310	238	528	333	95	117	121	212	31	150	31
14	4	8	2	644	204	166	274	231	87	84	60	129	28	74	27
128	41	56	31	3 342	847	792	1 703	936	271	306	359	695	129	459	107
29	11	12	6	798	205	236	357	248	69	94	85	163	49	74	40
36	8	18	10	1 008	260	282	466	361	82	160	119	201	36	132	33
55	21	29	5	1 270	303	401	566	427	93	187	147	283	54	198	31
27	14	10	3	501	152	94	255	168	66	38	64	100	19	55	26
26	14	11	1	894	227	268	399	254	69	111	74	176	41	120	15
53	19	23	11	1 561	391	454	716	475	94	224	157	287	62	180	45
32	12	8	12	801	301	211	289	186	55	94	37	161	33	117	11

地域密着型通所介護

都道府県 指定都市 中核市	栄養士 総数	栄養士 常勤 専従	栄養士 常勤 兼務	栄養士 非常勤	歯科衛生士 総数	歯科衛生士 常勤 専従	歯科衛生士 常勤 兼務	歯科衛生士 非常勤	生活相談員 総数	生活相談員 常勤 専従	生活相談員 常勤 兼務	生活相談員 非常勤
指定都市（再掲）												
札幌市	－	－	－	－	－	－	－	－	451	117	262	72
仙台市	2	－	1	1	1	－	－	1	272	79	149	44
さいたま市	3	1	1	1	－	－	－	－	195	46	99	50
千葉市	－	－	－	－	2	－	1	1	202	72	85	45
横浜市	6	1	2	3	12	－	－	12	842	102	504	236
川崎市	2	－	－	2	－	－	－	－	264	65	141	58
相模原市	－	－	－	－	1	1	－	－	222	56	113	53
新潟市	1	－	1	－	1	－	1	－	153	36	98	19
静岡市	1	1	－	－	3	1	1	1	19	4	11	4
浜松市	－	－	－	－	－	－	－	－	167	47	58	62
名古屋市	－	－	－	－	－	－	－	－	723	224	246	253
京都市	2	－	1	1	－	－	－	－	262	82	111	69
大阪市	2	－	1	1	7	1	2	4	734	238	365	131
堺市	1	－	－	1	1	－	－	1	223	66	117	40
神戸市	－	－	－	－	－	－	－	－	341	109	148	84
岡山市	4	1	1	2	2	1	－	1	222	50	123	49
広島市	1	－	1	－	5	－	－	5	289	63	150	76
北九州市	3	－	3	－	－	－	－	－	372	75	223	74
福岡市	1	－	－	1	4	－	－	4	478	127	282	69
熊本市	1	－	1	－	－	－	－	－	221	51	122	48
中核市（再掲）												
旭川市	1	－	－	1	－	－	－	－	92	21	52	19
函館市	－	－	－	－	－	－	－	－	36	16	17	3
青森市	－	－	－	－	－	－	－	－	74	21	47	6
八戸市	－	－	－	－	－	－	－	－	41	12	24	5
盛岡市	2	－	2	－	－	－	－	－	111	36	53	22
秋田市	4	1	2	1	－	－	－	－	66	24	31	11
郡山市	－	－	－	－	1	－	－	1	89	16	62	11
いわき市	－	－	－	－	－	－	－	－	122	47	58	17
宇都宮市	－	－	－	－	1	－	1	－	112	30	60	22
前橋市	－	－	－	－	－	－	－	－	131	26	61	44
高崎市	－	－	－	－	－	－	－	－	139	28	78	33
川越市	2	－	1	1	1	－	－	1	68	24	34	10
越谷市	1	－	－	1	－	－	－	－	62	21	25	16
船橋市	2	－	－	2	16	－	－	16	143	41	64	38
柏市	1	－	－	1	3	－	－	3	90	32	37	21
八王子市	1	－	－	1	2	－	－	2	174	48	80	46
横須賀市	－	－	－	－	1	－	1	－	106	12	71	23
富山市	7	2	3	2	2	1	1	－	142	47	61	34
金沢市	7	－	4	3	－	－	－	－	133	34	77	22
長野市	2	－	－	2	－	－	－	－	146	31	90	25
岐阜市	5	－	4	1	－	－	－	－	105	27	56	22
豊橋市	1	－	－	1	－	－	－	－	122	29	41	52
豊田市	1	－	－	1	－	－	－	－	123	23	40	60
岡崎市	－	－	－	－	1	－	－	1	121	20	45	56
大津市	1	－	－	1	2	－	－	2	130	48	54	28
高槻市	－	－	－	－	1	－	－	1	84	26	41	17
東大阪市	1	1	－	－	－	－	－	－	144	60	65	19
豊中市	－	－	－	－	－	－	－	－	83	18	44	21
枚方市	3	2	1	－	1	1	－	－	120	46	53	21
姫路市	3	1	－	2	－	－	－	－	156	45	73	38
西宮市	2	－	1	1	－	－	－	－	132	33	62	37
尼崎市	－	－	－	－	－	－	－	－	146	39	77	30
奈良市	2	1	－	1	－	－	－	－	119	32	57	30
和歌山市	2	－	－	2	－	－	－	－	153	46	88	19
倉敷市	－	－	－	－	－	－	－	－	121	33	55	33
福山市	4	－	1	3	2	－	2	－	173	39	85	49
呉市	－	－	－	－	－	－	－	－	29	7	14	8
下関市	1	－	－	1	－	－	－	－	266	22	139	105
高松市	2	－	2	－	10	1	2	7	137	25	81	31
松山市	3	－	1	2	1	－	－	1	135	26	85	24
高知市	4	1	1	2	6	1	2	3	180	37	114	29
久留米市	1	1	－	－	－	－	－	－	71	18	34	19
長崎市	1	－	1	－	－	－	－	－	179	38	112	29
佐世保市	－	－	－	－	－	－	－	－	60	10	34	16
大分市	4	1	2	1	－	－	－	－	77	26	30	21
宮崎市	4	－	2	2	－	－	－	－	124	34	72	18
鹿児島市	4	－	2	2	－	－	－	－	317	84	168	65
那覇市	－	－	－	－	－	－	－	－	42	8	26	8

注：調査方法の変更等による回収率変動の影響を受けているため、数量を示す従事者数の実数は前年と単純に年次比較できない。

中核市（再掲）、職種（常勤（専従－兼務）－非常勤）別（31－11）

平成29年10月１日

社会福祉士（再掲）				介護職員				介護福祉士（再掲）				その他の職員			
総数	常勤		非常勤	総数	常勤		非常勤	総数	常勤		非常勤	総数	常勤		非常勤
	専従	兼務			専従	兼務			専従	兼務			専従	兼務	
55	16	32	7	1 089	334	256	499	352	83	129	140	230	39	173	18
20	8	9	3	560	196	142	222	157	71	54	32	149	37	91	21
17	3	9	5	463	98	82	283	95	13	32	50	121	30	63	28
16	6	7	3	531	119	95	317	106	16	34	56	118	28	59	31
68	6	44	18	2 337	220	504	1 613	562	45	201	316	561	54	283	224
20	4	8	8	809	138	152	519	165	28	50	87	171	25	86	60
15	3	9	3	577	75	94	408	98	12	25	61	113	11	69	33
24	5	16	3	345	92	112	141	133	45	47	41	98	18	53	27
-	-	-	-	53	14	10	29	16	6	3	7	7	1	6	-
14	3	5	6	409	95	56	258	132	36	25	71	86	15	44	27
56	24	20	12	1 688	318	344	1 026	434	69	132	233	359	104	188	67
28	8	16	4	549	149	92	308	187	47	60	80	129	23	76	30
68	19	34	15	2 093	558	349	1 186	474	153	137	184	469	133	240	96
19	4	10	5	584	142	97	345	131	29	37	65	158	40	68	50
28	11	14	3	892	196	145	551	262	67	63	132	227	49	111	67
24	4	12	8	458	112	116	230	154	49	56	49	112	17	60	35
37	8	22	7	604	126	128	350	198	34	71	93	114	18	68	28
29	8	14	7	835	185	188	462	202	52	66	84	174	33	107	34
46	19	23	4	985	310	240	435	283	111	85	87	198	41	136	21
17	7	9	1	467	110	132	225	145	23	56	66	104	17	75	12
7	5	1	1	213	51	44	118	69	20	21	28	56	12	36	8
2	-	2	-	109	38	8	63	49	16	6	27	26	7	17	2
6	2	3	1	158	55	42	61	62	27	20	15	45	11	26	8
5	2	3	-	90	30	26	34	36	10	12	14	24	4	18	2
11	5	6	-	280	95	70	115	81	32	25	24	53	11	36	6
8	2	5	1	152	65	28	59	57	28	19	10	40	6	26	8
6	3	3	-	163	56	46	61	47	17	21	9	34	7	26	1
5	2	2	1	294	95	69	130	49	19	11	19	61	14	41	6
8	2	3	3	262	72	70	120	70	23	31	16	66	17	38	11
14	3	4	7	255	40	70	145	83	6	34	43	44	4	29	11
15	6	6	3	272	47	94	131	82	20	38	24	63	12	34	17
5	3	-	2	145	30	16	99	47	12	10	25	37	10	18	9
4	1	2	1	152	34	16	102	27	6	4	17	43	10	17	16
11	7	4	-	335	54	48	233	70	9	21	40	77	6	58	13
6	-	4	2	241	66	26	149	63	9	8	46	85	26	26	33
29	8	14	7	445	73	56	316	131	21	32	78	75	12	40	23
7	-	3	4	278	22	71	185	58	7	21	30	60	6	39	15
17	7	5	5	350	105	69	176	103	36	31	36	90	30	38	22
13	5	7	1	316	77	78	161	107	29	32	46	69	10	51	8
22	4	18	-	358	73	83	202	119	29	36	54	68	18	39	11
12	3	3	6	248	48	55	145	51	11	22	18	43	7	29	7
15	7	4	4	284	49	53	182	80	10	24	46	52	8	33	11
24	1	9	14	261	35	44	182	76	13	23	40	67	6	29	32
11	1	5	5	263	36	42	185	80	8	22	50	45	8	27	10
9	5	2	2	415	84	62	269	103	26	25	52	79	15	43	21
3	-	1	2	187	45	35	107	70	14	19	37	32	9	18	5
17	7	7	3	349	111	47	191	82	34	21	27	71	28	32	11
6	1	2	3	219	50	31	138	58	16	13	29	45	10	22	13
18	11	5	2	354	79	44	231	94	28	20	46	76	16	31	29
8	3	2	3	350	86	59	205	102	24	33	45	92	28	49	15
11	4	4	3	331	88	43	200	91	24	23	44	76	15	28	33
6	2	2	2	394	89	70	235	115	25	41	49	74	11	50	13
2	-	1	1	289	50	53	186	57	13	19	25	50	8	28	14
6	2	4	-	397	123	105	169	87	33	34	20	77	12	53	12
16	9	6	1	239	46	51	142	72	17	19	36	44	8	29	7
12	3	5	4	385	95	76	214	122	25	47	50	68	13	47	8
2	-	1	1	66	10	19	37	23	6	11	6	11	4	7	-
7	1	5	1	539	63	138	338	129	19	47	63	89	9	54	26
8	2	6	-	336	65	87	184	100	28	41	31	75	8	46	21
10	5	4	1	321	99	56	166	94	30	25	39	76	14	50	12
8	1	6	1	352	110	94	148	128	44	46	38	66	18	38	10
3	1	-	2	164	52	36	76	47	16	13	18	36	7	24	5
14	2	8	4	413	117	110	186	155	32	70	53	83	17	52	14
1	-	-	1	130	26	33	71	39	5	17	17	27	6	16	5
4	2	1	1	168	42	38	88	51	19	9	23	27	5	15	7
12	6	5	1	270	81	86	103	80	18	42	20	62	19	37	6
24	12	9	3	647	172	179	296	203	46	90	67	130	33	81	16
1	-	1	-	90	46	20	24	20	8	11	1	23	4	18	1

認知症対応型通所介護

都道府県 指定都市 中核市	総数				医師				看護師			
	総数	常勤		非常勤	総数	常勤		非常勤	総数	常勤		非常勤
		専従	兼務			専従	兼務			専従	兼務	
全国	48 182	11 209	17 041	19 932	42	2	11	29	2 346	153	563	1 630
北海道	2 025	604	731	690	－	－	－	－	58	3	10	45
青森	679	232	307	140	－	－	－	－	20	2	6	12
岩手	540	185	237	118	－	－	－	－	31	5	6	20
宮城	729	173	363	193	3	1	－	2	22	1	5	16
秋田	331	106	138	87	－	－	－	－	14	2	5	7
山形	855	247	448	160	－	－	－	－	30	1	18	11
福島	1 111	313	503	295	1	－	1	－	36	4	19	13
茨城	553	173	201	179	－	－	－	－	12	2	5	5
栃木	418	120	148	150	1	－	－	1	24	4	7	13
群馬	976	279	357	340	1	－	1	－	26	1	8	17
埼玉	1 370	370	326	674	4	－	1	3	71	5	8	58
千葉	991	299	287	405	1	－	1	－	46	2	11	33
東京	5 805	872	1 961	2 972	4	－	－	4	340	13	71	256
神奈川	3 575	323	932	2 320	1	－	1	－	241	3	20	218
新潟	1 644	441	790	413	－	－	－	－	84	3	31	50
富山	644	139	281	224	－	－	－	－	32	2	12	18
石川	518	166	193	159	－	－	－	－	19	5	5	9
福井	738	200	305	233	1	－	－	1	20	1	7	12
山梨	299	65	123	111	－	－	－	－	17	1	2	14
長野	1 255	255	455	545	4	－	3	1	88	8	20	60
岐阜	701	195	211	295	3	－	1	2	23	1	7	15
静岡	1 521	292	469	760	－	－	－	－	106	4	10	92
愛知	1 994	352	642	1 000	－	－	－	－	91	6	13	72
三重	512	108	129	275	1	－	－	1	16	1	2	13
滋賀	738	153	227	358	1	－	－	1	48	2	13	33
京都	1 109	186	396	527	1	－	－	1	81	2	16	63
大阪	2 736	712	744	1 280	1	－	－	1	104	11	21	72
兵庫	1 979	486	539	954	2	－	－	2	130	5	27	98
奈良	350	87	104	159	－	－	－	－	25	5	4	16
和歌山	346	104	113	129	－	－	－	－	14	1	4	9
鳥取	313	78	135	100	1	－	1	－	14	－	3	11
島根	638	138	266	234	－	－	－	－	24	2	6	16
岡山	551	137	185	229	－	－	－	－	28	－	6	22
広島	879	199	272	408	－	－	－	－	31	3	5	23
山口	953	183	383	387	1	－	－	1	33	1	13	19
徳島	234	59	107	68	－	－	－	－	12	－	8	4
香川	501	103	186	212	－	－	－	－	23	2	8	13
愛媛	580	161	206	213	1	－	－	1	37	1	9	27
高知	344	105	132	107	－	－	－	－	21	4	6	11
福岡	1 354	369	525	460	2	－	－	2	48	4	17	27
佐賀	673	200	295	178	1	－	1	－	31	9	13	9
長崎	1 140	333	472	335	2	－	－	2	45	4	20	21
熊本	1 033	295	469	269	3	－	－	3	51	7	20	24
大分	562	150	215	197	1	1	－	－	29	1	13	15
宮崎	311	104	113	94	－	－	－	－	7	2	3	2
鹿児島	776	241	303	232	－	－	－	－	25	6	10	9
沖縄	298	117	117	64	－	－	－	－	18	1	10	7

注：1）調査方法の変更等による回収率変動の影響を受けているため、数量を示す従事者数の実数は前年以前と単純に年次比較できない。
　　2）地域密着型介護予防サービスを一体的に行っている事業所の従事者を含む。
　　3）地域密着型介護予防サービスのみ行っている事業所は対象外とした。

中核市（再掲）、職種（常勤（専従－兼務）－非常勤）別（31－12）

平成29年10月１日

准看護師				機能訓練指導員											
								理学療法士（再掲）				作業療法士（再掲）			
総数	常勤		非常勤	総数	常勤		非常勤	総数	常勤		非常勤	総数	常勤		非常勤
	専従	兼務			専従	兼務			専従	兼務			専従	兼務	
1 616	137	514	965	4 550	238	1 364	2 948	256	20	100	136	233	28	98	107
56	3	19	34	178	7	61	110	9	－	6	3	14	1	8	5
25	3	15	7	49	3	30	16	5	－	5	－	2	－	2	－
18	4	8	6	33	3	15	15	－	－	－	－	1	－	1	－
32	3	13	16	71	1	30	40	2	－	－	2	9	1	4	4
14	－	6	8	24	2	8	14	－	－	－	－	1	－	－	1
15	－	9	6	64	4	37	23	9	－	8	1	5	－	3	2
54	6	27	21	111	13	52	46	－	－	－	－	6	3	3	－
12	－	3	9	39	1	18	20	3	－	－	3	－	－	－	－
12	－	4	8	31	2	12	17	2	－	1	1	－	－	－	－
27	1	11	15	52	2	18	32	3	－	1	2	2	2	－	－
42	2	8	32	127	9	17	101	16	3	3	10	9	1	2	6
49	5	15	29	82	4	26	52	6	－	1	5	1	－	1	－
146	2	30	114	645	30	141	474	69	3	11	55	38	3	7	28
76	3	10	63	434	8	54	372	3	－	－	3	10	－	2	8
55	2	27	26	144	4	82	58	10	1	8	1	4	－	3	1
20	2	7	11	56	5	19	32	3	－	2	1	1	－	－	1
20	8	5	7	36	3	7	26	3	－	1	2	2	1	－	1
25	－	9	16	56	5	23	28	4	1	2	1	5	2	2	1
11	－	4	7	39	－	20	19	4	－	4	－	4	－	3	1
48	8	13	27	81	3	27	51	5	－	3	2	3	1	2	－
28	5	7	16	62	2	14	46	4	－	2	2	2	－	1	1
48	2	12	34	146	4	27	115	5	2	2	1	9	－	4	5
59	4	13	42	178	2	43	133	4	－	3	1	6	－	4	2
22	－	7	15	59	1	11	47	8	－	2	6	4	－	1	3
15	1	7	7	67	3	26	38	4	－	－	4	1	－	－	1
28	3	8	17	117	5	21	91	2	－	1	1	5	2	2	1
61	5	19	37	244	9	53	182	10	－	2	8	9	1	3	5
61	1	14	46	193	11	43	139	9	3	3	3	6	－	3	3
8	－	1	7	27	2	5	20	－	－	－	－	1	－	－	1
17	－	10	7	33	－	9	24	－	－	－	－	－	－	－	－
8	－	1	7	28	4	7	17	－	－	－	－	1	－	1	－
37	2	8	27	70	5	32	33	9	1	8	－	7	2	5	－
17	3	6	8	62	1	21	40	2	－	－	2	5	－	4	1
46	3	6	37	99	5	18	76	1	－	1	－	4	－	－	4
27	3	8	16	106	5	43	58	5	－	3	2	6	－	3	3
16	2	8	6	24	1	11	12	1	－	1	－	1	－	1	－
29	2	9	18	53	2	17	34	7	－	1	6	2	－	2	－
27	3	12	12	51	3	15	33	－	－	－	－	1	1	－	－
13	2	3	8	42	4	17	21	3	－	1	2	2	2	－	－
44	2	14	28	124	9	40	75	4	－	2	2	18	1	7	10
30	5	7	18	45	11	20	14	－	－	－	－	5	1	1	3
54	7	28	19	91	4	45	42	3	3	－	－	2	－	1	1
58	13	26	19	98	9	54	35	11	1	9	1	10	1	8	1
37	4	10	23	81	10	32	39	3	2	1	－	3	－	3	－
12	3	7	2	15	2	8	5	1	－	－	1	－	－	－	－
45	9	15	21	61	14	24	23	3	－	2	1	5	2	1	2
12	1	5	6	22	1	11	10	1	－	－	1	1	－	－	1

認知症対応型通所介護

都道府県 指定都市 中核市	総数				医師				看護師			
	総数	常勤		非常勤	総数	常勤		非常勤	総数	常勤		非常勤
		専従	兼務			専従	兼務			専従	兼務	
指定都市(再掲)												
札幌市	744	213	275	256	－	－	－	－	19	1	4	14
仙台市	302	59	150	93	3	1	－	2	11	－	1	10
さいたま市	141	44	29	68	－	－	－	－	12	2	1	9
千葉市	117	37	21	59	－	－	－	－	5	－	－	5
横浜市	2 281	164	496	1 621	－	－	－	－	210	2	17	191
川崎市	409	48	155	206	－	－	－	－	6	－	－	6
相模原市	168	9	53	106	1	－	1	－	4	－	－	4
新潟市	337	115	129	93	－	－	－	－	23	1	6	16
静岡市	360	73	101	186	－	－	－	－	28	－	2	26
浜松市	351	50	107	194	－	－	－	－	23	－	5	18
名古屋市	569	96	170	303	－	－	－	－	23	1	－	22
京都市	358	42	172	144	1	－	－	1	30	－	10	20
大阪市	871	267	207	397	1	－	－	1	35	5	7	23
堺市	183	27	56	100	－	－	－	－	7	1	2	4
神戸市	313	60	96	157	－	－	－	－	26	－	7	19
岡山市	172	48	28	96	－	－	－	－	5	－	－	5
広島市	285	61	97	127	－	－	－	－	14	－	4	10
北九州市	400	98	176	126	－	－	－	－	15	－	5	10
福岡市	191	38	87	66	2	－	－	2	10	1	5	4
熊本市	415	89	221	105	－	－	－	－	20	－	9	11
中核市(再掲)												
旭川市	181	29	82	70	－	－	－	－	9	－	－	9
函館市	45	20	16	9	－	－	－	－	－	－	－	－
青森市	80	46	20	14	－	－	－	－	2	1	－	1
八戸市	104	13	62	29	－	－	－	－	1	－	－	1
盛岡市	141	31	73	37	－	－	－	－	13	1	3	9
秋田市	28	9	16	3	－	－	－	－	1	－	1	－
郡山市	94	19	40	35	－	－	－	－	3	－	2	1
いわき市	201	47	89	65	1	－	1	－	6	－	3	3
宇都宮市	143	25	52	66	－	－	－	－	8	－	－	8
前橋市	75	15	12	48	－	－	－	－	3	－	－	3
高崎市	278	68	122	88	1	－	1	－	8	－	4	4
川越市	115	39	18	58	1	－	1	－	3	－	－	3
越谷市	78	12	20	46	－	－	－	－	6	－	－	6
船橋市	121	43	35	43	－	－	－	－	7	2	1	4
柏市	48	12	5	31	－	－	－	－	7	－	－	7
八王子市	257	33	70	154	－	－	－	－	21	－	3	18
横須賀市	240	26	69	145	－	－	－	－	11	－	2	9
富山市	182	43	63	76	－	－	－	－	10	1	4	5
金沢市	69	19	31	19	－	－	－	－	－	－	－	－
長野市	99	19	33	47	－	－	－	－	3	－	1	2
岐阜市	127	28	45	54	1	－	－	1	7	－	－	7
豊橋市	144	41	30	73	－	－	－	－	10	2	1	7
豊田市	168	26	43	99	－	－	－	－	17	－	3	14
岡崎市	108	30	34	44	－	－	－	－	3	1	1	1
大津市	122	30	31	61	－	－	－	－	6	－	2	4
高槻市	105	15	46	44	－	－	－	－	5	－	2	3
東大阪市	202	64	72	66	－	－	－	－	7	1	1	5
豊中市	87	12	26	49	－	－	－	－	5	1	1	3
枚方市	100	24	26	50	－	－	－	－	－	－	－	－
姫路市	43	25	2	16	－	－	－	－	2	－	－	2
西宮市	135	24	51	60	－	－	－	－	13	－	1	12
尼崎市	147	27	36	84	－	－	－	－	10	1	－	9
奈良市	144	32	33	79	－	－	－	－	14	2	1	11
和歌山市	167	60	45	62	－	－	－	－	8	1	1	6
倉敷市	135	21	53	61	－	－	－	－	7	－	－	7
福山市	227	78	60	89	－	－	－	－	5	－	－	5
呉市	70	22	22	26	－	－	－	－	3	2	－	1
下関市	157	40	57	60	－	－	－	－	4	－	1	3
高松市	270	47	105	118	－	－	－	－	12	－	6	6
松山市	168	36	83	49	－	－	－	－	8	－	3	5
高知市	194	51	65	78	－	－	－	－	15	3	2	10
久留米市	169	73	45	51	－	－	－	－	6	2	2	2
長崎市	296	58	154	84	1	－	－	1	14	1	7	6
佐世保市	293	99	102	92	1	－	－	1	9	－	5	4
大分市	162	33	55	74	1	1	－	－	6	－	2	4
宮崎市	136	45	62	29	－	－	－	－	4	1	2	1
鹿児島市	293	104	110	79	－	－	－	－	12	4	2	6
那覇市	24	9	10	5	－	－	－	－	1	－	－	1

注：1）調査方法の変更等による回収率変動の影響を受けているため、数量を示す従事者数の実数は前年以前と単純に年次比較できない。
　　2）地域密着型介護予防サービスを一体的に行っている事業所の従事者を含む。
　　3）地域密着型介護予防サービスのみ行っている事業所は対象外とした。

中核市（再掲）、職種（常勤（専従－兼務）－非常勤）別（31－13）

平成29年10月１日

准看護師				機能訓練指導員				理学療法士（再掲）				作業療法士（再掲）			
総数	常勤		非常勤	総数	常勤		非常勤	総数	常勤		非常勤	総数	常勤		非常勤
	専従	兼務			専従	兼務			専従	兼務			専従	兼務	
9	−	4	5	60	4	17	39	3	−	3	−	8	1	5	2
15	2	4	9	40	1	14	25	1	−	−	1	7	1	4	2
2	−	1	1	17	2	3	12	1	−	−	1	−	−	−	−
1	−	−	1	4	−	1	3	−	−	−	−	−	−	−	−
55	1	3	51	306	5	25	276	1	−	−	1	9	−	2	7
13	1	5	7	44	−	6	38	−	−	−	−	−	−	−	−
2	−	1	1	14	−	2	12	−	−	−	−	−	−	−	−
12	−	7	5	43	1	23	19	2	1	1	−	2	−	1	1
13	−	1	12	34	1	3	30	1	1	−	−	2	−	1	1
7	−	2	5	39	1	3	35	−	−	−	−	2	−	−	2
5	−	1	4	27	−	1	26	1	−	−	1	1	−	−	1
7	−	2	5	38	−	12	26	−	−	−	−	1	−	1	−
8	−	2	6	65	1	14	50	4	−	1	3	2	−	1	1
3	−	1	2	18	3	2	13	−	−	−	−	−	−	−	−
5	−	3	2	39	2	10	27	1	−	−	1	1	−	−	1
4	1	−	3	16	−	1	15	2	−	−	2	−	−	−	−
13	1	3	9	29	1	10	18	1	−	1	−	1	−	−	1
18	2	4	12	43	−	11	32	2	−	1	1	11	−	4	7
1	−	−	1	17	1	6	10	2	−	1	1	2	−	−	2
16	1	8	7	42	4	26	12	9	−	8	1	5	−	5	−
4	−	1	3	13	−	1	12	−	−	−	−	−	−	−	−
1	−	1	−	7	−	2	5	1	−	−	1	−	−	−	−
2	1	−	1	2	1	−	1	−	−	−	−	−	−	−	−
6	−	3	3	13	1	9	3	2	−	2	−	2	−	2	−
2	−	1	1	9	−	2	7	−	−	−	−	1	−	1	−
1	−	1	−	4	−	3	1	−	−	−	−	1	−	−	1
9	−	2	7	12	−	3	9	−	−	−	−	−	−	−	−
11	−	7	4	13	−	8	5	−	−	−	−	−	−	−	−
3	−	−	3	8	−	1	7	−	−	−	−	−	−	−	−
3	−	−	3	5	−	−	5	−	−	−	−	−	−	−	−
7	−	4	3	18	−	10	8	−	−	−	−	−	−	−	−
3	−	1	2	8	−	2	6	4	−	−	4	2	−	2	−
2	−	−	2	9	−	1	8	−	−	−	−	−	−	−	−
3	−	−	3	9	2	2	5	1	−	1	−	−	−	−	−
1	−	−	1	8	−	−	8	2	−	−	2	−	−	−	−
10	−	−	10	28	2	5	21	−	−	−	−	1	1	−	−
3	−	1	2	23	−	4	19	2	−	−	2	−	−	−	−
8	−	1	7	14	−	4	10	2	−	1	1	−	−	−	−
3	−	1	2	8	2	2	4	1	−	−	1	−	−	−	−
2	−	−	2	4	−	−	4	1	−	−	1	−	−	−	−
3	−	1	2	13	−	5	8	1	−	1	−	−	−	−	−
4	−	−	4	12	2	1	9	−	−	−	−	−	−	−	−
11	−	2	9	29	−	6	23	−	−	−	−	−	−	−	−
5	1	1	3	3	−	2	1	−	−	−	−	1	−	1	−
1	−	−	1	9	−	2	7	−	−	−	−	1	−	−	1
6	2	3	1	21	1	12	8	−	−	−	−	3	1	2	−
14	−	6	8	22	1	7	14	−	−	−	−	−	−	−	−
1	−	1	−	5	−	1	4	−	−	−	−	−	−	−	−
1	−	−	1	−	−	−	−	−	−	−	−	−	−	−	−
1	−	−	1	4	−	−	4	−	−	−	−	−	−	−	−
5	−	2	3	18	−	5	13	−	−	−	−	3	−	2	1
7	−	2	5	20	−	2	18	−	−	−	−	−	−	−	−
2	−	−	2	17	1	2	14	−	−	−	−	−	−	−	−
1	−	−	1	12	−	1	11	−	−	−	−	−	−	−	−
4	−	1	3	21	1	6	14	−	−	−	−	2	−	2	−
4	1	−	3	17	3	1	13	−	−	−	−	2	−	−	2
3	−	−	3	6	−	1	5	−	−	−	−	−	−	−	−
7	3	2	2	15	3	4	8	3	−	1	2	1	−	−	1
14	1	5	8	28	1	12	15	1	−	1	−	1	−	1	−
14	2	5	7	16	1	4	11	−	−	−	−	1	1	−	−
8	1	2	5	25	2	9	14	2	−	1	1	1	1	−	−
5	−	1	4	7	1	2	4	−	−	−	−	−	−	−	−
16	−	10	6	32	2	19	11	2	2	−	−	1	−	−	1
18	1	9	8	29	1	14	14	1	1	−	−	−	−	−	−
12	−	1	11	27	4	5	18	2	1	1	−	−	−	−	−
3	1	2	−	9	2	5	2	−	−	−	−	−	−	−	−
16	3	4	9	27	7	7	13	3	−	2	1	2	1	−	1
2	−	1	1	1	−	1	−	−	−	−	−	−	−	−	−

第15表　従事者数，地域密着型サービスの種類、都道府県－指定都市・

認知症対応型通所介護

都道府県 指定都市 中核市	機	能	訓	練								
	言語聴覚士（再掲）				看護師（再掲）				准看護師（再掲）			
	総数	常勤		非常勤	総数	常勤		非常勤	総数	常勤		非常勤
		専従	兼務			専従	兼務			専従	兼務	
全国	24	–	10	14	2 210	95	575	1 540	1 560	60	517	983
北海道	3	–	–	3	80	4	24	52	68	2	21	45
青森	–	–	–	–	9	–	3	6	25	1	17	7
岩手	–	–	–	–	20	2	6	12	11	–	8	3
宮城	2	–	–	2	28	–	12	16	29	–	14	15
秋田	–	–	–	–	12	2	5	5	10	–	3	7
山形	–	–	–	–	25	3	10	12	20	–	14	6
福島	1	–	–	1	43	6	17	20	47	1	28	18
茨城	–	–	–	–	20	–	13	7	13	–	5	8
栃木	–	–	–	–	17	2	6	9	12	–	5	7
群馬	–	–	–	–	19	–	5	14	27	–	11	16
埼玉	–	–	–	–	60	2	5	53	31	2	7	22
千葉	–	–	–	–	36	2	11	23	36	2	13	21
東京	5	–	–	5	324	10	66	248	133	5	31	97
神奈川	2	–	1	1	275	6	25	244	116	1	24	91
新潟	1	–	–	1	64	1	29	34	63	2	41	20
富山	–	–	–	–	27	3	9	15	20	1	7	12
石川	–	–	–	–	13	1	3	9	15	1	3	11
福井	1	–	1	–	21	–	8	13	21	2	8	11
山梨	–	–	–	–	16	–	3	13	14	–	9	5
長野	1	–	1	–	58	1	17	40	11	–	3	8
岐阜	–	–	–	–	30	1	3	26	24	1	6	17
静岡	–	–	–	–	69	–	11	58	46	–	9	37
愛知	–	–	–	–	91	1	21	69	63	1	12	50
三重	–	–	–	–	18	1	3	14	27	–	5	22
滋賀	1	–	1	–	43	1	18	24	16	1	7	8
京都	–	–	–	–	72	2	13	57	35	1	5	29
大阪	–	–	–	–	139	2	29	108	65	1	16	48
兵庫	1	–	1	–	107	5	24	78	59	1	9	49
奈良	–	–	–	–	19	2	5	12	4	–	–	4
和歌山	–	–	–	–	16	–	3	13	16	–	6	10
鳥取	–	–	–	–	16	2	4	10	11	2	2	7
島根	–	–	–	–	17	2	9	6	36	–	9	27
岡山	–	–	–	–	31	1	8	22	23	–	8	15
広島	–	–	–	–	33	4	7	22	58	1	9	48
山口	–	–	–	–	44	1	17	26	51	4	20	27
徳島	–	–	–	–	9	–	5	4	10	1	3	6
香川	–	–	–	–	21	–	9	12	20	2	5	13
愛媛	–	–	–	–	22	2	3	17	28	–	12	16
高知	3	–	2	1	20	–	10	10	12	–	4	8
福岡	–	–	–	–	63	4	20	39	38	4	10	24
佐賀	–	–	–	–	24	7	14	3	15	2	5	8
長崎	–	–	–	–	43	1	19	23	43	–	25	18
熊本	3	–	3	–	29	2	12	15	44	5	21	18
大分	–	–	–	–	33	4	14	15	42	4	14	24
宮崎	–	–	–	–	7	1	3	3	7	1	5	1
鹿児島	–	–	–	–	16	3	8	5	36	8	13	15
沖縄	–	–	–	–	11	1	6	4	9	–	5	4

注：1）調査方法の変更等による回収率変動の影響を受けているため、数量を示す従事者数の実数は前年以前と単純に年次比較できない。
2）地域密着型介護予防サービスを一体的に行っている事業所の従事者を含む。
3）地域密着型介護予防サービスのみ行っている事業所は対象外とした。

中核市（再掲）、職種（常勤（専従－兼務）－非常勤）別（31－14）

平成29年10月１日

指導員								調理員				管理栄養士			
柔道整復師（再掲）				あん摩マッサージ指圧師（再掲）											
総数	常勤		非常勤	総数	常勤		非常勤	総数	常勤		非常勤	総数	常勤		非常勤
	専従	兼務			専従	兼務			専従	兼務			専従	兼務	
120	18	42	60	147	17	22	108	1 506	102	294	1 110	250	26	184	40
4	－	2	2	－	－	－	－	48	4	－	44	4	1	3	－
7	1	3	3	1	1	－	－	23	3	7	13	1	－	1	－
－	－	－	－	1	1	－	－	29	1	18	10	4	－	4	－
－	－	－	－	1	－	－	1	21	2	7	12	5	－	4	1
1	－	－	1	－	－	－	－	6	－	4	2	2	－	1	1
1	－	－	1	4	1	2	1	17	1	11	5	8	－	8	－
11	2	4	5	3	1	－	2	9	－	2	7	5	－	3	2
1	－	－	1	2	1	－	1	15	1	2	12	1	－	1	－
－	－	－	－	－	－	－	－	18	－	1	17	1	－	1	－
1	－	1	－	－	－	－	－	19	－	1	18	5	－	2	3
3	1	－	2	8	－	－	8	44	6	7	31	10	2	7	1
－	－	－	－	3	－	－	3	33	7	3	23	6	－	5	1
22	5	12	5	54	4	14	36	227	5	51	171	49	7	35	7
11	1	2	8	17	－	－	17	162	2	8	152	2	1	1	－
1	－	1	－	1	－	－	1	31	1	17	13	7	－	7	－
5	1	1	3	－	－	－	－	28	－	5	23	2	1	1	－
3	－	－	3	－	－	－	－	12	－	4	8	6	2	4	－
1	－	1	－	3	－	1	2	19	－	12	7	6	－	2	4
1	－	1	－	－	－	－	－	8	1	1	6	2	－	2	－
1	－	1	－	2	1	－	1	69	8	24	37	9	1	8	－
1	－	1	－	1	－	1	－	10	－	－	10	9	1	4	4
4	－	1	3	13	2	－	11	61	4	15	42	20	－	20	－
7	－	3	4	7	－	－	7	31	－	4	27	10	1	8	1
－	－	－	－	2	－	－	2	17	1	3	13	1	－	1	－
1	1	－	－	1	－	－	1	24	3	1	20	1	－	1	－
1	－	－	1	2	－	－	2	41	7	2	32	11	2	7	2
17	4	3	10	4	1	－	3	62	1	6	55	8	－	6	2
9	1	3	5	2	1	－	1	37	4	2	31	10	3	5	2
1	－	－	1	2	－	－	2	8	－	2	6	－	－	－	－
1	－	－	1	－	－	－	－	5	2	－	3	－	－	－	－
－	－	－	－	－	－	－	－	15	4	－	11	4	－	4	－
－	－	－	－	1	－	1	－	29	2	3	24	2	－	2	－
1	－	1	－	－	－	－	－	19	1	3	15	1	－	1	－
2	－	1	1	1	－	－	1	16	4	－	12	2	1	－	1
－	－	－	－	－	－	－	－	14	2	－	12	2	－	1	1
－	－	－	－	3	－	1	2	12	2	4	6	2	－	2	－
－	－	－	－	3	－	－	3	20	1	5	14	7	－	7	－
－	－	－	－	－	－	－	－	17	3	－	14	1	－	1	－
－	－	－	－	2	2	－	－	8	1	1	6	1	－	1	－
－	－	－	－	1	－	1	－	27	4	2	21	3	1	2	－
1	1	－	－	－	－	－	－	33	1	19	13	3	－	2	1
－	－	－	－	－	－	－	－	41	3	15	23	6	－	2	4
－	－	－	－	1	－	1	－	32	3	2	27	3	－	2	1
－	－	－	－	－	－	－	－	15	－	2	13	1	－	－	1
－	－	－	－	－	－	－	－	33	－	14	19	4	1	3	－
－	－	－	－	1	1	－	－	40	6	4	30	3	1	2	－
－	－	－	－	－	－	－	－	1	1	－	－	－	－	－	－

認知症対応型通所介護

都道府県 指定都市 中核市	機能訓練											
	言語聴覚士（再掲）				看護師（再掲）				准看護師（再掲）			
	総数	常勤		非常勤	総数	常勤		非常勤	総数	常勤		非常勤
		専従	兼務			専従	兼務			専従	兼務	
指定都市（再掲）												
札幌市	–	–	–	–	34	2	7	25	13	1	1	11
仙台市	2	–	–	2	17	–	5	12	13	–	5	8
さいたま市	–	–	–	–	10	1	2	7	5	–	1	4
千葉市	–	–	–	–	3	–	–	3	1	–	1	–
横浜市	1	–	–	1	215	5	17	193	68	–	6	62
川崎市	–	–	–	–	18	–	1	17	18	–	4	14
相模原市	–	–	–	–	8	–	1	7	6	–	1	5
新潟市	1	–	–	1	19	–	6	13	19	–	15	4
静岡市	–	–	–	–	21	–	2	19	9	–	–	9
浜松市	–	–	–	–	20	–	2	18	10	–	1	9
名古屋市	–	–	–	–	15	–	–	15	8	–	1	7
京都市	–	–	–	–	27	–	8	19	8	–	3	5
大阪市	–	–	–	–	41	–	9	32	15	–	3	12
堺市	–	–	–	–	11	1	1	9	3	1	1	1
神戸市	–	–	–	–	27	1	7	19	6	–	3	3
岡山市	–	–	–	–	6	–	1	5	8	–	–	8
広島市	–	–	–	–	9	–	3	6	17	1	6	10
北九州市	–	–	–	–	22	–	5	17	8	–	1	7
福岡市	–	–	–	–	11	–	5	6	2	1	–	1
熊本市	1	–	1	–	11	–	5	6	16	4	7	5
中核市（再掲）												
旭川市	–	–	–	–	8	–	–	8	5	–	1	4
函館市	2	–	–	2	2	–	1	1	2	–	1	1
青森市	–	–	–	–	–	–	–	–	1	–	–	1
八戸市	–	–	–	–	4	–	3	1	2	–	–	2
盛岡市	–	–	–	–	7	–	–	7	1	–	1	–
秋田市	–	–	–	–	2	–	2	–	1	–	1	–
郡山市	–	–	–	–	5	–	3	2	7	–	–	7
いわき市	–	–	–	–	5	–	2	3	8	–	6	2
宇都宮市	–	–	–	–	5	–	–	5	3	–	1	2
前橋市	–	–	–	–	2	–	–	2	3	–	–	3
高崎市	–	–	–	–	9	–	4	5	8	–	5	3
川越市	–	–	–	–	1	–	–	1	1	–	–	1
越谷市	–	–	–	–	7	–	1	6	1	–	–	1
船橋市	–	–	–	–	5	2	1	2	3	–	–	3
柏市	–	–	–	–	5	–	–	5	1	–	–	1
八王子市	–	–	–	–	19	–	4	15	6	–	1	5
横須賀市	1	–	1	–	11	–	1	10	3	–	1	2
富山市	–	–	–	–	5	–	2	3	6	–	1	5
金沢市	–	–	–	–	2	1	–	1	5	1	2	2
長野市	–	–	–	–	2	–	–	2	1	–	–	1
岐阜市	–	–	–	–	9	–	2	7	1	–	–	1
豊橋市	–	–	–	–	6	1	1	4	5	1	–	4
豊田市	–	–	–	–	17	–	4	13	12	–	2	10
岡崎市	–	–	–	–	2	–	1	1	–	–	–	–
大津市	–	–	–	–	6	–	2	4	2	–	–	2
高槻市	–	–	–	–	9	–	6	3	7	–	2	5
東大阪市	–	–	–	–	8	1	1	6	14	–	6	8
豊中市	–	–	–	–	4	–	1	3	–	–	–	–
枚方市	–	–	–	–	–	–	–	–	–	–	–	–
姫路市	–	–	–	–	1	–	–	1	3	–	–	3
西宮市	–	–	–	–	8	–	1	7	5	–	1	4
尼崎市	–	–	–	–	11	–	–	11	8	–	1	7
奈良市	–	–	–	–	13	1	2	10	2	–	–	2
和歌山市	–	–	–	–	8	–	1	7	3	–	–	3
倉敷市	–	–	–	–	10	1	–	9	9	–	4	5
福山市	–	–	–	–	10	3	–	7	3	–	–	3
呉市	–	–	–	–	4	–	1	3	2	–	–	2
下関市	–	–	–	–	4	–	1	3	7	3	2	2
高松市	–	–	–	–	11	–	6	5	12	1	4	7
松山市	–	–	–	–	8	–	2	6	7	–	2	5
高知市	2	–	2	–	12	–	4	8	7	–	2	5
久留米市	–	–	–	–	5	–	1	4	2	1	1	–
長崎市	–	–	–	–	14	–	7	7	15	–	12	3
佐世保市	–	–	–	–	14	–	6	8	14	–	8	6
大分市	–	–	–	–	10	3	2	5	15	–	2	13
宮崎市	–	–	–	–	6.	1	3	2	3	1	2	–
鹿児島市	–	–	–	–	7	3	2	2	15	3	3	9
那覇市	–	–	–	–	–	–	–	–	1	–	1	–

注：1）調査方法の変更等による回収率変動の影響を受けているため、数量を示す従事者数の実数は前年以前と単純に年次比較できない。
　　2）地域密着型介護予防サービスを一体的に行っている事業所の従事者を含む。
　　3）地域密着型介護予防サービスのみ行っている事業所は対象外とした。

平成29年10月１日

指導員 柔道整復師（再掲） 総数	常勤 専従	常勤 兼務	非常勤	指導員 あん摩マッサージ指圧師（再掲） 総数	常勤 専従	常勤 兼務	非常勤	調理員 総数	常勤 専従	常勤 兼務	非常勤	管理栄養士 総数	常勤 専従	常勤 兼務	非常勤
2	－	1	1	－	－	－	－	8	－	－	8	3	1	2	－
－	－	－	－	－	－	－	－	9	－	7	2	2	－	2	－
1	1	－	－	－	－	－	－	2	－	－	2	－	－	－	－
－	－	－	－	－	－	－	－	4	－	－	4	1	－	1	－
6	－	－	6	6	－	－	6	118	1	7	110	－	－	－	－
1	－	1	－	7	－	－	7	16	－	－	16	－	－	－	－
－	－	－	－	－	－	－	－	12	－	1	11	1	－	1	－
－	－	－	－	－	－	－	－	2	－	－	2	1	－	1	－
－	－	－	－	1	－	－	1	14	1	－	13	4	－	4	－
3	－	－	3	4	1	－	3	8	－	－	8	4	－	4	－
－	－	－	－	2	－	－	2	23	－	4	19	－	－	－	－
－	－	－	－	2	－	－	2	13	－	1	12	4	－	4	－
3	1	－	2	－	－	－	－	16	－	－	16	1	－	－	1
4	1	－	3	－	－	－	－	－	－	－	－	1	－	1	－
2	－	－	2	2	1	－	1	6	－	－	6	4	1	2	1
－	－	－	－	－	－	－	－	4	－	－	4	－	－	－	－
－	－	－	－	1	－	－	1	11	4	－	7	2	1	－	1
－	－	－	－	－	－	－	－	2	－	－	2	－	－	－	－
－	－	－	－	－	－	－	－	2	－	－	2	1	－	1	－
－	－	－	－	－	－	－	－	5	－	－	5	－	－	－	－
－	－	－	－	－	－	－	－	5	－	－	5	－	－	－	－
－	－	－	－	－	－	－	－	－	－	－	－	－	－	－	－
－	－	－	－	1	1	－	－	3	－	－	3	－	－	－	－
3	1	2	－	－	－	－	－	3	－	1	2	－	－	－	－
－	－	－	－	－	－	－	－	15	－	11	4	－	－	－	－
－	－	－	－	－	－	－	－	－	－	－	－	－	－	－	－
－	－	－	－	－	－	－	－	－	－	－	－	－	－	－	－
－	－	－	－	－	－	－	－	3	－	－	3	－	－	－	－
－	－	－	－	－	－	－	－	3	－	－	3	－	－	－	－
－	－	－	－	－	－	－	－	10	－	－	10	－	－	－	－
1	－	1	－	－	－	－	－	2	－	1	1	1	－	1	－
－	－	－	－	－	－	－	－	3	3	－	－	2	2	－	－
1	－	－	1	－	－	－	－	1	－	－	1	1	－	1	－
－	－	－	－	－	－	－	－	4	2	－	2	－	－	－	－
－	－	－	－	－	－	－	－	2	－	1	1	－	－	－	－
－	－	－	－	2	1	－	1	16	－	－	16	3	－	1	2
2	－	1	1	4	－	－	4	3	－	－	3	－	－	－	－
1	－	－	1	－	－	－	－	4	－	1	3	－	－	－	－
－	－	－	－	－	－	－	－	－	－	－	－	－	－	－	－
－	－	－	－	－	－	－	－	7	－	4	3	2	－	2	－
1	－	1	－	1	－	1	－	3	－	－	3	2	1	1	－
－	－	－	－	1	－	－	1	6	－	－	6	1	－	1	－
－	－	－	－	－	－	－	－	－	－	－	－	1	－	1	－
－	－	－	－	－	－	－	－	－	－	－	－	1	－	－	1
－	－	－	－	－	－	－	－	2	－	－	2	－	－	－	－
2	－	2	－	－	－	－	－	3	－	－	3	－	－	－	－
－	－	－	－	－	－	－	－	－	－	－	－	2	－	2	－
－	－	－	－	1	－	－	1	－	－	－	－	－	－	－	－
－	－	－	－	－	－	－	－	－	－	－	－	－	－	－	－
－	－	－	－	－	－	－	－	1	－	－	1	－	－	－	－
2	－	1	1	－	－	－	－	－	－	－	－	－	－	－	－
1	－	1	－	－	－	－	－	4	－	－	4	2	2	－	－
1	－	－	1	1	－	－	1	1	－	－	1	－	－	－	－
1	－	－	1	－	－	－	－	－	－	－	－	－	－	－	－
－	－	－	－	－	－	－	－	7	－	3	4	1	－	1	－
2	－	1	1	－	－	－	－	－	－	－	－	－	－	－	－
－	－	－	－	－	－	－	－	－	－	－	－	－	－	－	－
－	－	－	－	－	－	－	－	9	2	－	7	－	－	－	－
－	－	－	－	3	－	－	3	18	1	5	12	6	－	6	－
－	－	－	－	－	－	－	－	－	－	－	－	1	－	1	－
－	－	－	－	1	1	－	－	6	－	1	5	1	－	1	－
－	－	－	－	－	－	－	－	4	1	1	2	－	－	－	－
－	－	－	－	－	－	－	－	23	3	2	18	3	－	－	3
－	－	－	－	－	－	－	－	11	－	8	3	1	－	1	－
－	－	－	－	－	－	－	－	3	－	－	3	－	－	－	－
－	－	－	－	－	－	－	－	22	－	11	11	4	1	3	－
－	－	－	－	－	－	－	－	10	1	－	9	2	1	1	－
－	－	－	－	－	－	－	－	－	－	－	－	－	－	－	－

第15表　従事者数，地域密着型サービスの種類、都道府県－指定都市・

認知症対応型通所介護

都道府県 指定都市 中核市	栄養士				歯科衛生士				生活相談員			
	総数	常勤		非常勤	総数	常勤		非常勤	総数	常勤		非常勤
		専従	兼務			専従	兼務			専従	兼務	
全国	100	13	57	30	50	1	15	34	6 698	1 538	4 249	911
北海道	1	－	1	－	－	－	－	－	227	50	145	32
青森	3	－	3	－	－	－	－	－	84	17	62	5
岩手	4	－	3	1	1	－	1	－	65	12	48	5
宮城	－	－	－	－	1	－	1	－	94	16	72	6
秋田	－	－	－	－	－	－	－	－	42	7	32	3
山形	6	－	5	1	2	－	1	1	109	28	79	2
福島	2	1	1	－	2	－	－	2	167	35	118	14
茨城	3	－	2	1	－	－	－	－	73	28	31	14
栃木	1	1	－	－	－	－	－	－	57	13	41	3
群馬	－	－	－	－	－	－	－	－	107	17	72	18
埼玉	6	－	5	1	－	－	－	－	178	44	110	24
千葉	－	－	－	－	1	－	－	1	135	46	66	23
東京	16	1	7	8	9	－	2	7	979	203	615	161
神奈川	－	－	－	－	－	－	－	－	467	71	291	105
新潟	2	－	2	－	3	－	2	1	186	24	158	4
富山	1	－	－	1	1	－	－	1	99	28	62	9
石川	2	2	－	－	－	－	－	－	58	22	34	2
福井	－	－	－	－	4	－	1	3	108	24	79	5
山梨	－	－	－	－	－	－	－	－	40	11	26	3
長野	4	1	3	－	4	1	1	2	186	43	111	32
岐阜	1	－	－	1	2	－	1	1	92	20	54	18
静岡	15	1	8	6	3	－	－	3	227	78	123	26
愛知	－	－	－	－	2	－	－	2	304	70	174	60
三重	－	－	－	－	－	－	－	－	77	22	34	21
滋賀	1	－	1	－	1	－	－	1	118	46	61	11
京都	2	－	－	2	1	－	－	1	201	36	145	20
大阪	1	－	－	1	1	－	1	－	313	93	187	33
兵庫	2	1	－	1	1	－	1	－	254	82	134	38
奈良	2	－	2	－	－	－	－	－	43	12	22	9
和歌山	－	－	－	－	－	－	－	－	33	6	27	－
鳥取	5	3	2	－	2	－	2	－	50	11	37	2
島根	1	－	1	－	－	－	－	－	98	23	67	8
岡山	－	－	－	－	－	－	－	－	69	17	43	9
広島	2	1	－	1	2	－	－	2	113	25	63	25
山口	1	－	1	－	5	－	－	5	160	27	107	26
徳島	－	－	－	－	－	－	－	－	42	10	28	4
香川	1	－	1	－	－	－	－	－	62	13	42	7
愛媛	1	－	－	1	－	－	－	－	69	16	40	13
高知	2	－	2	－	－	－	－	－	61	14	40	7
福岡	1	－	1	－	－	－	－	－	214	37	143	34
佐賀	1	－	－	1	1	－	1	－	104	24	69	11
長崎	1	－	1	－	1	－	－	1	137	24	92	21
熊本	1	－	1	－	－	－	－	－	131	23	96	12
大分	4	1	3	－	－	－	－	－	105	26	66	13
宮崎	1	－	－	1	－	－	－	－	28	6	20	2
鹿児島	3	－	1	2	－	－	－	－	101	30	61	10
沖縄	－	－	－	－	－	－	－	－	31	8	22	1

注：1）調査方法の変更等による回収率変動の影響を受けているため、数量を示す従事者数の実数は前年以前と単純に年次比較できない。
　　2）地域密着型介護予防サービスを一体的に行っている事業所の従事者を含む。
　　3）地域密着型介護予防サービスのみ行っている事業所は対象外とした。

平成29年10月１日

社会福祉士（再掲）				介護職員				介護福祉士（再掲）				その他の職員			
総数	常勤		非常勤	総数	常勤		非常勤	総数	常勤		非常勤	総数	常勤		非常勤
	専従	兼務			専従	兼務			専従	兼務			専従	兼務	
693	194	421	78	26 259	8 356	7 104	10 799	11 588	3 965	4 255	3 368	4 765	643	2 686	1 436
39	7	27	5	1 248	496	360	392	556	218	212	126	205	40	132	33
7	4	1	2	423	194	150	79	213	104	93	16	51	10	33	8
4	1	3	－	303	149	108	46	165	93	58	14	52	11	26	15
14	3	10	1	426	145	182	99	182	61	100	21	54	4	49	1
9	1	6	2	192	86	59	47	84	35	39	10	37	9	23	5
14	6	8	－	512	206	212	94	274	127	121	26	92	7	68	17
15	6	8	1	611	236	202	173	265	98	122	45	113	18	78	17
21	9	3	9	344	139	99	106	153	74	50	29	54	2	40	12
8	3	4	1	245	96	58	91	111	51	39	21	28	4	24	－
12	2	10	－	661	247	184	230	241	97	91	53	78	11	60	7
15	4	8	3	727	279	93	355	310	129	59	122	161	23	70	68
16	8	6	2	539	217	105	217	192	83	52	57	99	18	55	26
110	26	77	7	2 666	547	691	1 428	1 353	289	467	597	724	64	318	342
24	6	16	2	1 841	214	417	1 210	725	95	238	392	351	21	130	200
48	8	39	1	985	390	372	223	539	203	251	85	147	17	92	38
9	1	8	－	327	90	131	106	181	58	86	37	78	11	44	23
2	1	1	－	324	119	102	103	147	57	59	31	41	5	32	4
10	3	6	1	414	161	114	139	222	82	87	53	85	9	58	18
2	－	1	1	153	49	53	51	60	21	31	8	29	3	15	11
11	2	8	1	613	166	166	281	284	80	101	103	149	16	79	54
9	1	7	1	399	153	86	160	173	71	52	50	72	13	37	22
20	10	9	1	718	183	167	368	317	88	109	120	177	16	87	74
36	10	19	7	1 144	250	299	595	452	118	170	164	175	19	88	68
8	1	4	3	272	74	50	148	102	36	20	46	47	9	21	17
14	6	6	2	383	90	64	229	188	51	42	95	79	8	53	18
21	5	16	－	523	119	142	262	233	54	101	78	103	12	55	36
34	14	20	－	1 673	536	316	821	647	251	189	207	268	57	135	76
23	11	7	5	1 073	347	193	533	462	174	127	161	216	32	120	64
2	1	1	－	196	59	47	90	78	25	31	22	41	9	21	11
4	1	3	－	217	93	42	82	66	22	16	28	27	2	21	4
2	2	－	－	155	51	59	45	94	30	45	19	31	5	19	7
8	3	5	－	318	99	111	108	145	47	64	34	59	5	36	18
10	3	6	1	303	108	76	119	141	56	54	31	52	7	29	16
11	－	8	3	486	139	131	216	194	51	71	72	82	18	49	15
6	2	4	－	534	141	158	235	217	67	91	59	70	4	52	14
3	1	2	－	108	42	32	34	45	17	20	8	18	2	14	2
4	1	3	－	275	79	73	123	149	44	52	53	31	4	24	3
5	1	3	1	320	123	100	97	135	58	51	26	56	12	29	15
8	2	3	3	163	76	43	44	92	40	34	18	33	4	19	10
20	6	13	1	769	281	226	262	290	117	102	71	122	31	80	11
2	1	－	1	375	138	132	105	152	53	77	22	49	12	31	6
14	3	5	6	675	276	208	191	288	124	114	50	87	15	61	11
19	－	17	2	569	225	202	142	239	101	98	40	87	15	66	6
11	3	6	2	254	101	64	89	98	51	29	18	35	6	25	4
1	－	1	－	188	85	41	62	88	52	28	8	23	5	17	1
6	3	3	－	429	159	139	131	167	69	81	17	69	16	47	6
2	2	－	－	186	103	45	38	79	43	31	5	28	2	24	2

認知症対応型通所介護

都道府県 指定都市 中核市	栄養士				歯科衛生士				生活相談員			
	総数	常勤		非常勤	総数	常勤		非常勤	総数	常勤		非常勤
		専従	兼務			専従	兼務			専従	兼務	
指定都市(再掲)												
札幌市	－	－	－	－	－	－	－	－	76	19	49	8
仙台市	－	－	－	－	1	－	1	－	45	9	32	4
さいたま市	－	－	－	－	－	－	－	－	21	5	8	8
千葉市	－	－	－	－	－	－	－	－	9	2	5	2
横浜市	－	－	－	－	－	－	－	－	271	39	171	61
川崎市	－	－	－	－	－	－	－	－	70	12	47	11
相模原市	－	－	－	－	－	－	－	－	19	2	12	5
新潟市	－	－	－	－	－	－	－	－	35	6	29	－
静岡市	11	－	8	3	1	－	－	1	60	19	33	8
浜松市	1	1	－	－	－	－	－	－	44	14	23	7
名古屋市	－	－	－	－	－	－	－	－	68	11	38	19
京都市	1	－	－	1	1	－	－	1	70	8	58	4
大阪市	1	－	－	1	－	－	－	－	102	25	67	10
堺市	－	－	－	－	－	－	－	－	24	4	16	4
神戸市	－	－	－	－	－	－	－	－	49	17	25	7
岡山市	－	－	－	－	－	－	－	－	16	3	10	3
広島市	2	1	－	1	1	－	－	1	31	8	14	9
北九州市	－	－	－	－	－	－	－	－	70	9	53	8
福岡市	1	－	1	－	－	－	－	－	36	6	28	2
熊本市	－	－	－	－	－	－	－	－	59	10	44	5
中核市(再掲)												
旭川市	1	－	1	－	－	－	－	－	18	1	16	1
函館市	－	－	－	－	－	－	－	－	7	2	5	－
青森市	－	－	－	－	－	－	－	－	6	5	1	－
八戸市	－	－	－	－	－	－	－	－	24	2	19	3
盛岡市	2	－	1	1	－	－	－	－	22	5	15	2
秋田市	－	－	－	－	－	－	－	－	6	－	5	1
郡山市	－	－	－	－	－	－	－	－	22	5	13	4
いわき市	－	－	－	－	－	－	－	－	25	3	16	6
宇都宮市	－	－	－	－	－	－	－	－	25	4	19	2
前橋市	－	－	－	－	－	－	－	－	12	5	5	2
高崎市	－	－	－	－	－	－	－	－	44	1	33	10
川越市	－	－	－	－	－	－	－	－	14	7	7	－
越谷市	－	－	－	－	－	－	－	－	14	3	9	2
船橋市	－	－	－	－	－	－	－	－	8	5	2	1
柏市	－	－	－	－	－	－	－	－	8	2	3	3
八王子市	2	－	1	1	－	－	－	－	40	11	25	4
横須賀市	－	－	－	－	－	－	－	－	30	4	21	5
富山市	－	－	－	－	－	－	－	－	30	8	17	5
金沢市	－	－	－	－	－	－	－	－	9	1	8	－
長野市	1	－	1	－	－	－	－	－	17	6	9	2
岐阜市	－	－	－	－	1	－	1	－	17	2	13	2
豊橋市	－	－	－	－	－	－	－	－	16	3	7	6
豊田市	－	－	－	－	－	－	－	－	30	14	12	4
岡崎市	－	－	－	－	2	－	－	2	21	10	10	1
大津市	－	－	－	－	－	－	－	－	22	8	13	1
高槻市	－	－	－	－	－	－	－	－	21	6	10	5
東大阪市	－	－	－	－	－	－	－	－	24	8	15	1
豊中市	－	－	－	－	1	－	1	－	9	5	3	1
枚方市	－	－	－	－	－	－	－	－	4	1	2	1
姫路市	－	－	－	－	－	－	－	－	2	1	1	－
西宮市	－	－	－	－	－	－	－	－	21	5	16	－
尼崎市	－	－	－	－	－	－	－	－	24	6	11	7
奈良市	－	－	－	－	－	－	－	－	28	7	13	8
和歌山市	－	－	－	－	－	－	－	－	13	3	10	－
倉敷市	－	－	－	－	－	－	－	－	21	4	13	4
福山市	－	－	－	－	－	－	－	－	25	5	14	6
呉市	－	－	－	－	－	－	－	－	13	4	7	2
下関市	－	－	－	－	－	－	－	－	35	9	23	3
高松市	1	－	1	－	－	－	－	－	33	9	18	6
松山市	1	－	－	1	－	－	－	－	21	7	14	－
高知市	1	－	1	－	－	－	－	－	31	4	21	6
久留米市	－	－	－	－	－	－	－	－	14	3	9	2
長崎市	－	－	－	－	1	－	－	1	46	2	43	1
佐世保市	1	－	1	－	－	－	－	－	40	14	24	2
大分市	－	－	－	－	－	－	－	－	41	8	29	4
宮崎市	－	－	－	－	－	－	－	－	15	5	10	－
鹿児島市	－	－	－	－	－	－	－	－	42	19	19	4
那覇市	－	－	－	－	－	－	－	－	4	－	4	－

注：1）調査方法の変更等による回収率変動の影響を受けているため、数量を示す従事者数の実数は前年以前と単純に年次比較できない。
　　2）地域密着型介護予防サービスを一体的に行っている事業所の従事者を含む。
　　3）地域密着型介護予防サービスのみ行っている事業所は対象外とした。

中核市（再掲）、職種（常勤（専従－兼務）－非常勤）別（31－17）

平成29年10月１日

社会福祉士（再掲）				介護職員				介護福祉士（再掲）				その他の職員			
総数	常勤		非常勤	総数	常勤		非常勤	総数	常勤		非常勤	総数	常勤		非常勤
	専従	兼務			専従	兼務			専従	兼務			専従	兼務	
19	4	13	2	498	178	150	170	240	87	98	55	71	10	49	12
6	2	3	1	159	45	74	40	71	19	46	6	17	1	15	1
-	-	-	-	74	32	8	34	29	13	5	11	13	3	8	2
1	1	-	-	87	35	11	41	12	6	1	5	6	-	3	3
19	4	13	2	1 107	105	203	799	457	45	135	277	214	11	70	133
1	-	1	-	220	32	74	114	51	8	26	17	40	3	23	14
1	1	-	-	85	7	27	51	41	5	15	21	30	-	8	22
11	3	8	-	189	103	46	40	99	52	25	22	32	4	17	11
7	3	3	1	171	49	33	89	69	18	23	28	24	3	17	4
4	3	1	-	180	31	48	101	81	15	33	33	45	3	22	20
8	2	4	2	376	80	100	196	124	44	41	39	47	4	26	17
9	2	7	-	161	31	65	65	81	13	46	22	32	3	20	9
4	-	4	-	557	224	74	259	227	107	52	68	85	12	43	30
2	-	2	-	113	17	22	74	34	11	13	10	17	2	12	3
6	5	-	1	146	34	25	87	76	21	14	41	38	6	24	8
4	3	1	-	114	40	10	64	44	21	9	14	13	4	7	2
4	-	3	1	153	39	49	65	63	8	28	27	29	6	17	6
3	-	2	1	222	83	77	62	74	33	27	14	30	4	26	-
6	3	3	-	101	27	33	41	50	16	17	17	20	3	13	4
12	-	10	2	240	71	105	64	94	35	46	13	33	3	29	1
2	-	2	-	113	25	51	37	32	4	21	7	18	3	12	3
-	-	-	-	24	16	4	4	13	6	3	4	6	2	4	-
2	2	-	-	59	33	19	7	22	12	8	2	6	5	-	1
3	1	-	2	46	10	23	13	23	6	16	1	11	-	7	4
2	1	1	-	63	21	35	7	30	10	17	3	15	4	5	6
2	-	1	1	11	8	2	1	7	5	2	-	5	1	4	-
6	2	4	-	42	13	15	14	25	6	10	9	6	1	5	-
-	-	-	-	117	35	41	41	31	8	20	3	25	9	13	3
1	-	-	1	87	21	23	43	40	13	20	7	9	-	9	-
1	1	-	-	36	8	4	24	16	5	4	7	6	2	3	1
6	-	6	-	182	67	54	61	88	31	33	24	15	-	14	1
3	2	1	-	68	21	5	42	40	17	3	20	13	6	2	5
1	-	-	1	36	9	5	22	14	4	3	7	9	-	4	5
2	2	-	-	74	27	22	25	28	12	12	4	16	5	8	3
-	-	-	-	17	8	1	8	7	4	-	3	5	2	-	3
2	1	1	-	100	17	21	62	42	8	11	23	37	3	14	20
2	-	2	-	141	18	32	91	55	7	17	31	29	4	9	16
5	1	4	-	100	29	28	43	50	17	19	14	16	5	8	3
-	-	-	-	42	14	15	13	33	12	13	8	7	2	5	-
1	-	1	-	51	12	10	29	23	4	6	13	12	1	6	5
6	1	4	1	66	23	15	28	28	12	9	7	14	2	9	3
4	2	1	1	83	32	14	37	34	18	9	7	12	2	6	4
1	-	1	-	66	11	13	42	36	7	9	20	14	1	6	7
2	1	1	-	67	18	15	34	18	8	7	3	6	-	5	1
4	1	3	-	73	21	6	46	29	3	3	23	9	1	8	-
1	1	-	-	42	5	14	23	26	3	11	12	7	1	5	1
-	-	-	-	101	43	27	31	36	12	12	12	32	11	14	7
2	1	1	-	56	5	15	36	23	3	10	10	10	1	4	5
-	-	-	-	86	22	19	45	16	6	3	7	9	1	5	3
1	-	1	-	31	23	-	8	19	15	-	4	2	1	1	-
2	1	1	-	69	19	19	31	18	3	9	6	9	-	8	1
4	1	-	3	63	17	14	32	20	4	9	7	17	1	7	9
2	1	1	-	76	20	14	42	30	8	11	11	6	2	3	1
-	-	-	-	121	54	24	43	28	10	9	9	12	2	9	1
3	-	3	-	50	13	19	18	24	6	14	4	24	3	10	11
-	-	-	-	158	67	35	56	56	26	18	12	18	2	10	6
-	-	-	-	34	11	8	15	15	6	4	5	11	5	6	-
-	-	-	-	82	23	22	37	34	15	11	8	5	-	5	-
2	-	2	-	140	33	38	69	69	16	25	28	18	2	14	2
1	-	1	-	91	21	46	24	30	9	13	8	16	5	10	1
3	-	1	2	92	40	20	32	58	27	16	15	15	1	8	6
2	-	2	-	118	58	24	36	49	30	13	6	15	8	6	1
6	1	5	-	135	49	56	30	69	15	43	11	25	1	17	7
2	2	-	-	163	77	27	59	72	43	14	15	20	6	13	1
2	-	1	1	62	19	10	33	23	11	7	5	10	1	8	1
1	-	1	-	67	33	19	15	39	22	14	3	12	2	10	-
3	3	-	-	160	63	59	38	77	31	43	3	24	6	18	-
-	-	-	-	12	7	2	3	1	1	-	-	4	2	2	-

小規模多機能型居宅介護

都道府県 指定都市 中核市	総数				介護職員							
									介護福祉士（再掲）			
	総数	常勤		非常勤	総数	常勤		非常勤	総数	常勤		非常勤
		専従	兼務			専従	兼務			専従	兼務	
全国	76 312	33 097	15 398	27 817	56 885	28 014	7 293	21 578	23 301	13 909	4 155	5 237
北海道	4 753	2 191	1 051	1 511	3 562	1 906	510	1 146	1 514	909	299	306
青森	555	317	113	125	392	269	47	76	232	173	39	20
岩手	1 185	611	316	258	866	512	181	173	397	270	102	25
宮城	864	501	164	199	644	418	74	152	230	170	32	28
秋田	1 090	569	215	306	824	507	98	219	376	270	66	40
山形	1 522	905	336	281	1 155	804	140	211	534	408	87	39
福島	1 785	896	506	383	1 291	743	272	276	462	309	113	40
茨城	1 031	458	206	367	758	393	97	268	306	192	59	55
栃木	1 044	536	216	292	756	450	82	224	267	174	42	51
群馬	1 768	693	366	709	1 357	596	194	567	491	258	95	138
埼玉	1 715	563	300	852	1 250	470	130	650	427	197	92	138
千葉	1 802	652	343	807	1 341	537	186	618	469	227	88	154
東京	2 842	1 086	498	1 258	2 181	935	236	1 010	821	450	132	239
神奈川	4 184	1 077	728	2 379	3 141	896	367	1 878	1 123	438	226	459
新潟	2 826	1 454	634	738	2 156	1 309	319	528	1 119	792	197	130
富山	1 048	506	179	363	747	421	68	258	302	214	34	54
石川	1 185	572	261	352	878	484	114	280	411	261	78	72
福井	1 192	420	232	540	899	357	90	452	387	204	66	117
山梨	270	114	87	69	182	96	44	42	79	41	31	7
長野	1 176	585	167	424	820	464	68	288	390	261	35	94
岐阜	1 206	481	215	510	883	376	109	398	309	169	57	83
静岡	1 961	764	410	787	1 476	662	204	610	539	297	89	153
愛知	2 673	809	522	1 342	2 051	683	267	1 101	740	310	143	287
三重	859	343	133	383	646	300	60	286	247	127	44	76
滋賀	1 039	367	216	456	757	320	98	339	340	169	68	103
京都	2 321	976	513	832	1 734	848	239	647	858	482	161	215
大阪	3 173	1 061	544	1 568	2 417	881	245	1 291	862	405	149	308
兵庫	3 718	1 302	570	1 846	2 836	1 122	232	1 482	1 201	610	159	432
奈良	568	207	99	262	424	179	43	202	132	65	27	40
和歌山	688	328	127	233	521	287	55	179	178	126	28	24
鳥取	758	401	159	198	555	344	70	141	296	210	49	37
島根	1 210	553	293	364	888	484	128	276	358	235	69	54
岡山	2 321	1 000	464	857	1 737	871	220	646	775	473	131	171
広島	2 918	1 318	599	1 001	2 186	1 139	289	758	949	562	182	205
山口	1 178	512	289	377	865	434	150	281	390	233	79	78
徳島	536	297	71	168	401	245	24	132	170	134	12	24
香川	604	226	144	234	422	181	68	173	152	79	34	39
愛媛	1 638	728	346	564	1 233	589	175	469	431	254	83	94
高知	474	304	87	83	359	263	33	63	150	130	13	7
福岡	3 789	1 735	834	1 220	2 783	1 403	399	981	1 105	660	202	243
佐賀	618	270	161	187	446	224	83	139	189	109	58	22
長崎	1 758	906	321	531	1 294	746	132	416	577	392	88	97
熊本	2 215	1 235	449	531	1 644	1 021	204	419	730	530	105	95
大分	650	333	135	182	473	271	68	134	200	136	39	25
宮崎	805	456	145	204	581	363	59	159	235	178	28	29
鹿児島	1 891	946	464	481	1 390	765	252	373	552	386	103	63
沖縄	906	533	170	203	683	446	70	167	299	230	42	27

注：1）調査方法の変更等による回収率変動の影響を受けているため、数量を示す従事者数の実数は前年以前と単純に年次比較できない。
　　2）地域密着型介護予防サービスを一体的に行っている事業所の従事者を含む。
　　3）地域密着型介護予防サービスのみ行っている事業所は対象外とした。

中核市（再掲）、職種（常勤（専従－兼務）－非常勤）別（31－18）

平成29年10月１日

看護師				准看護師				介護支援専門員				その他の職員			
総数	常勤		非常勤	総数	常勤		非常勤	総数	常勤		非常勤	総数	常勤		非常勤
	専従	兼務			専従	兼務			専従	兼務			専従	兼務	
4 091	1 383	441	2 267	3 348	1 388	489	1 471	5 307	1 147	3 391	769	6 681	1 165	3 784	1 732
236	80	27	129	200	73	39	88	336	59	231	46	419	73	244	102
31	16	5	10	25	16	4	5	41	7	27	7	66	9	30	27
69	28	12	29	43	20	7	16	82	23	53	6	125	28	63	34
35	16	7	12	39	20	1	18	57	17	37	3	89	30	45	14
56	19	3	34	41	14	10	17	71	14	50	7	98	15	54	29
74	34	7	33	47	27	8	12	111	24	79	8	135	16	102	17
86	37	20	29	124	57	36	31	130	33	84	13	154	26	94	34
34	15	1	18	66	22	3	41	78	14	48	16	95	14	57	24
38	13	2	23	77	41	12	24	76	16	53	7	97	16	67	14
73	25	5	43	89	38	18	33	105	20	63	22	144	14	86	44
88	14	8	66	77	26	6	45	123	27	66	30	177	26	90	61
112	23	4	85	65	18	12	35	127	40	66	21	157	34	75	48
200	40	21	139	57	15	4	38	191	58	114	19	213	38	123	52
249	38	17	194	71	19	10	42	283	58	158	67	440	66	176	198
144	34	23	87	89	29	8	52	180	44	128	8	257	38	156	63
67	30	7	30	33	10	3	20	74	22	45	7	127	23	56	48
58	30	8	20	66	28	9	29	80	14	58	8	103	16	72	15
59	23	10	26	60	19	9	32	87	13	63	11	87	8	60	19
14	5	3	6	16	4	5	7	22	4	17	1	36	5	18	13
82	32	7	43	52	22	6	24	92	37	39	16	130	30	47	53
48	24	7	17	61	27	4	30	77	20	38	19	137	34	57	46
116	28	13	75	51	20	7	24	135	25	85	25	183	29	101	53
159	41	7	111	87	28	11	48	170	24	100	46	206	33	137	36
43	6	3	34	42	14	5	23	58	13	32	13	70	10	33	27
79	23	8	48	28	9	2	17	78	11	55	12	97	4	53	40
132	48	12	72	66	23	6	37	173	26	129	18	216	31	127	58
170	39	22	109	119	38	12	69	219	48	128	43	248	55	137	56
231	58	12	161	129	38	9	82	236	40	153	43	286	44	164	78
30	4	1	25	19	4	1	14	48	10	25	13	47	10	29	8
35	11	1	23	30	10	3	17	45	9	33	3	57	11	35	11
30	16	1	13	42	22	6	14	53	10	42	1	78	9	40	29
55	19	11	25	62	28	15	19	85	14	66	5	120	8	73	39
140	37	21	82	102	40	17	45	160	28	105	27	182	24	101	57
126	45	13	68	178	67	21	90	219	31	133	55	209	36	143	30
66	24	5	37	62	34	9	19	83	12	61	10	102	8	64	30
25	15	4	6	34	15	-	19	34	11	20	3	42	11	23	8
38	14	5	19	46	13	6	27	47	10	32	5	51	8	33	10
92	42	10	40	94	43	18	33	106	25	70	11	113	29	73	11
20	9	3	8	19	11	3	5	32	9	22	1	44	12	26	6
218	105	31	82	197	105	26	66	271	54	187	30	320	68	191	61
38	16	7	15	36	14	3	19	49	9	35	5	49	7	33	9
85	41	6	38	105	52	19	34	128	30	79	19	146	37	85	24
119	71	10	38	141	77	27	37	152	38	101	13	159	28	107	24
32	12	5	15	55	24	9	22	47	17	27	3	43	9	26	8
33	19	2	12	55	29	12	14	58	18	35	5	78	27	37	14
82	39	18	25	115	61	24	30	134	41	78	15	170	40	92	38
44	25	6	13	36	24	4	8	64	20	41	3	79	18	49	12

小規模多機能型居宅介護

都道府県 指定都市 中核市	総数				介護職員							
									介護福祉士（再掲）			
	総数	常勤		非常勤	総数	常勤		非常勤	総数	常勤		非常勤
		専従	兼務			専従	兼務			専従	兼務	
指定都市（再掲）												
札幌市	2 018	946	401	671	1 542	820	204	518	672	387	116	169
仙台市	509	274	111	124	397	237	59	101	136	97	23	16
さいたま市	202	73	37	92	151	61	18	72	48	14	14	20
千葉市	214	72	45	97	166	63	22	81	47	23	9	15
横浜市	1 877	437	352	1 088	1 406	375	175	856	505	193	105	207
川崎市	664	210	113	341	499	169	67	263	173	69	34	70
相模原市	315	64	63	188	239	51	34	154	71	16	19	36
新潟市	930	527	193	210	722	479	100	143	406	287	78	41
静岡市	445	147	100	198	337	130	55	152	111	65	15	31
浜松市	388	148	91	149	300	126	50	124	112	55	27	30
名古屋市	1 094	312	188	594	844	265	90	489	270	114	39	117
京都市	1 263	518	275	470	950	461	117	372	445	240	74	131
大阪市	966	327	184	455	714	276	68	370	266	125	42	99
堺市	361	102	85	174	278	86	52	140	115	45	28	42
神戸市	767	288	109	370	584	242	51	291	241	127	34	80
岡山市	978	375	160	443	713	325	58	330	298	178	35	85
広島市	489	238	111	140	366	210	51	105	188	117	34	37
北九州市	651	308	139	204	481	256	66	159	170	109	28	33
福岡市	641	282	143	216	473	236	72	165	183	110	34	39
熊本市	879	507	161	211	660	428	72	160	312	230	38	44
中核市（再掲）												
旭川市	249	92	44	113	201	83	16	102	84	52	11	21
函館市	294	140	71	83	225	125	38	62	90	50	20	20
青森市	55	32	12	11	41	25	5	11	28	21	4	3
八戸市	139	92	20	27	104	79	7	18	65	52	6	7
盛岡市	124	73	22	29	93	63	12	18	42	35	4	3
秋田市	379	211	54	114	286	187	20	79	123	94	16	13
郡山市	543	273	146	124	401	229	84	88	135	96	23	16
いわき市	341	184	69	88	245	154	27	64	79	50	18	11
宇都宮市	256	110	40	106	192	95	11	86	57	33	6	18
前橋市	282	65	103	114	221	53	71	97	93	27	35	31
高崎市	408	216	58	134	325	190	23	112	133	81	17	35
川越市	70	34	12	24	50	31	5	14	27	16	5	6
越谷市	98	31	15	52	69	28	4	37	21	10	1	10
船橋市	116	31	26	59	92	26	16	50	28	11	7	10
柏市	104	33	14	57	74	30	5	39	33	19	2	12
八王子市	251	101	60	90	196	89	34	73	69	36	16	17
横須賀市	75	21	22	32	59	18	14	27	28	13	10	5
富山市	332	185	55	92	241	153	15	73	117	84	11	22
金沢市	364	142	79	143	279	120	41	118	113	67	23	23
長野市	89	46	12	31	66	38	4	24	50	31	4	15
岐阜市	286	129	54	103	213	111	27	75	88	51	22	15
豊橋市	61	23	18	20	36	13	11	12	15	4	6	5
豊田市	33	3	20	10	27	3	15	9	17	2	12	3
岡崎市	56	15	19	22	39	14	13	12	16	12	1	3
大津市	216	82	43	91	164	74	23	67	63	37	16	10
高槻市	142	32	20	90	103	25	9	69	42	17	8	17
東大阪市	62	15	4	43	48	12	–	36	4	4	–	–
豊中市	342	119	57	166	263	101	25	137	70	34	10	26
枚方市	88	23	17	48	71	20	11	40	31	13	6	12
姫路市	362	144	55	163	280	119	24	137	129	60	19	50
西宮市	47	11	4	32	32	9	1	22	16	4	1	11
尼崎市	215	47	45	123	167	40	27	100	78	19	19	40
奈良市	116	50	9	57	84	41	2	41	20	12	2	6
和歌山市	367	182	73	112	292	161	43	88	101	75	22	4
倉敷市	481	211	124	146	367	186	70	111	177	104	44	29
福山市	1 161	551	223	387	889	470	117	302	340	202	72	66
呉市	161	65	22	74	119	56	10	53	38	13	7	18
下関市	220	124	41	55	171	108	17	46	87	62	10	15
高松市	170	58	48	64	113	49	20	44	43	23	11	9
松山市	721	311	158	252	538	259	82	197	178	100	38	40
高知市	232	162	38	32	177	144	11	22	82	73	5	4
久留米市	619	283	144	192	459	226	69	164	213	121	40	52
長崎市	493	262	94	137	356	214	44	98	191	136	25	30
佐世保市	722	390	115	217	534	320	42	172	216	153	31	32
大分市	136	77	29	30	104	62	16	26	54	39	8	7
宮崎市	441	264	65	112	324	210	31	83	134	105	14	15
鹿児島市	441	212	115	114	341	174	68	99	127	96	17	14
那覇市	217	146	43	28	166	124	19	23	89	70	16	3

注：1）調査方法の変更等による回収率変動の影響を受けているため、数量を示す従事者数の実数は前年以前と単純に年次比較できない。
2）地域密着型介護予防サービスを一体的に行っている事業所の従事者を含む。
3）地域密着型介護予防サービスのみ行っている事業所は対象外とした。

平成29年10月１日

看護師				准看護師				介護支援専門員				その他の職員			
総数	常勤		非常勤	総数	常勤		非常勤	総数	常勤		非常勤	総数	常勤		非常勤
	専従	兼務			専従	兼務			専従	兼務			専従	兼務	
125	43	7	75	68	20	13	35	139	25	92	22	144	38	85	21
24	12	5	7	15	6	1	8	34	9	24	1	39	10	22	7
11	1	－	10	8	3	－	5	14	3	8	3	18	5	11	2
13	3	－	10	7	1	2	4	14	3	9	2	14	2	12	－
105	17	7	81	37	8	6	23	127	21	81	25	202	16	83	103
40	7	1	32	7	2	1	4	44	10	19	15	74	22	25	27
23	3	1	19	1	1	－	－	25	4	13	8	27	5	15	7
50	12	7	31	21	7	1	13	59	18	40	1	78	11	45	22
34	8	3	23	4	2	－	2	29	3	20	6	41	4	22	15
23	7	2	14	10	6	1	3	28	6	16	6	27	3	22	2
67	17	2	48	31	10	3	18	71	11	37	23	81	9	56	16
75	28	8	39	30	11	1	18	96	9	74	13	112	9	75	28
49	13	8	28	35	8	3	24	77	14	47	16	91	16	58	17
20	4	1	15	14	4	1	9	22	4	15	3	27	4	16	7
59	14	2	43	22	3	－	19	47	8	35	4	55	21	21	13
77	17	9	51	39	12	5	22	66	12	46	8	83	9	42	32
25	7	4	14	24	10	4	10	37	5	26	6	37	6	26	5
37	12	7	18	28	14	4	10	46	8	29	9	59	18	33	8
34	16	5	13	30	14	1	15	47	8	33	6	57	8	32	17
44	26	4	14	52	31	7	14	56	10	38	8	67	12	40	15
14	5	2	7	4	3	－	1	14	－	13	1	16	1	13	2
13	3	2	8	13	6	3	4	21	4	11	6	22	2	17	3
4	4	－	－	－	－	－	－	4	－	4	－	6	3	3	－
8	2	2	4	7	6	－	1	8	3	5	－	12	2	6	4
8	2	－	6	5	3	－	2	9	1	6	2	9	4	4	1
19	6	1	12	11	4	2	5	26	7	15	4	37	7	16	14
21	8	5	8	30	15	5	10	39	13	20	6	52	8	32	12
16	4	4	8	24	12	3	9	28	7	20	1	28	7	15	6
15	5	1	9	16	7	3	6	18	2	13	3	15	1	12	2
10	4	1	5	17	5	9	3	14	3	9	2	20	－	13	7
18	7	1	10	19	12	1	6	24	5	16	3	22	2	17	3
2	2	－	－	2	－	－	2	4	1	3	－	12	－	4	8
5	－	－	5	7	1	－	6	6	1	3	2	11	1	8	2
5	1	－	4	2	1	－	1	6	1	5	－	11	2	5	4
9	1	－	8	3	－	－	3	10	－	6	4	8	2	3	3
18	4	－	14	3	2	－	1	18	3	13	2	16	3	13	－
6	1	－	5	1	1	－	－	6	1	5	－	3	－	3	－
28	14	3	11	7	4	－	3	25	10	14	1	31	4	23	4
22	11	3	8	13	3	1	9	23	4	15	4	27	4	19	4
5	3	－	2	5	2	－	3	6	2	4	－	7	1	4	2
10	4	3	3	17	6	1	10	17	3	8	6	29	5	15	9
3	－	1	2	1	－	－	1	3	－	3	－	18	10	3	5
1	－	－	1	1	－	1	－	2	－	2	－	2	－	2	－
8	1	－	7	2	－	－	2	4	－	3	1	3	－	3	－
15	5	1	9	5	2	1	2	12	1	8	3	20	－	10	10
12	2	－	10	6	－	－	6	9	2	6	1	12	3	5	4
2	1	－	1	1	1	－	－	3	－	1	2	8	1	3	4
18	2	4	12	18	5	5	8	22	3	13	6	21	8	10	3
3	1	－	2	2	－	－	2	8	1	3	4	4	1	3	－
23	11	2	10	10	6	1	3	24	5	15	4	25	3	13	9
5	1	－	4	2	－	－	2	3	1	1	1	5	－	2	3
18	4	－	14	7	1	－	6	13	1	9	3	10	1	9	－
6	1	－	5	5	2	－	3	10	3	2	5	11	3	5	3
21	7	1	13	11	4	－	7	22	4	16	2	21	6	13	2
23	7	5	11	21	7	7	7	32	5	21	6	38	6	21	11
36	17	3	16	79	38	6	35	88	13	49	26	69	13	48	8
7	2	－	5	12	3	1	8	11	2	4	5	12	2	7	3
12	9	－	3	11	6	3	2	13	1	11	1	13	－	10	3
15	4	2	9	14	4	2	8	12	1	10	1	16	－	14	2
38	16	3	19	41	14	6	21	47	10	29	8	57	12	38	7
7	2	2	3	13	6	3	4	16	4	12	－	19	6	10	3
36	20	4	12	26	15	3	8	49	10	36	3	49	12	32	5
32	19	4	9	25	10	4	11	34	10	20	4	46	9	22	15
33	16	－	17	52	26	11	15	52	10	32	10	51	18	30	3
6	3	－	3	8	6	1	1	10	4	6	－	8	2	6	－
26	15	－	11	20	9	3	8	29	11	15	3	42	19	16	7
13	10	2	1	21	8	7	6	34	13	17	4	32	7	21	4
11	8	2	1	7	7	－	－	15	4	10	1	18	3	12	3

認知症対応型共同生活介護

都道府県 指定都市 中核市	総数 総数	総数 常勤 専従	総数 常勤 兼務	総数 非常勤	介護職員 総数	介護職員 常勤 専従	介護職員 常勤 兼務	介護職員 非常勤
全国	217 537	106 208	49 258	62 071	177 854	97 699	24 274	55 881
北海道	17 104	9 226	4 283	3 595	13 858	8 569	2 095	3 194
青森	5 059	2 999	1 432	628	4 041	2 744	736	561
岩手	2 814	1 562	823	429	2 259	1 453	431	375
宮城	4 055	2 447	1 012	596	3 291	2 233	536	522
秋田	2 899	1 781	703	415	2 319	1 659	305	355
山形	2 389	1 276	772	341	1 902	1 222	382	298
福島	3 751	2 106	1 004	641	3 020	1 934	559	527
茨城	4 583	2 182	1 097	1 304	3 707	1 990	521	1 196
栃木	2 239	1 280	505	454	1 809	1 172	230	407
群馬	3 121	1 365	778	978	2 560	1 289	432	839
埼玉	8 545	3 626	1 731	3 188	7 005	3 323	874	2 808
千葉	7 781	3 122	1 705	2 954	6 331	2 803	848	2 680
東京	10 353	4 597	2 267	3 489	8 465	4 106	1 152	3 207
神奈川	12 906	4 316	2 779	5 811	10 759	3 943	1 456	5 360
新潟	3 826	2 062	1 114	650	3 097	1 954	563	580
富山	2 427	1 134	503	790	1 960	1 035	240	685
石川	2 987	1 465	654	868	2 469	1 365	328	776
福井	1 415	668	359	388	1 179	632	183	364
山梨	1 017	521	223	273	814	478	95	241
長野	3 084	1 617	610	857	2 512	1 496	274	742
岐阜	4 481	1 939	880	1 662	3 648	1 747	432	1 469
静岡	5 821	2 980	1 271	1 570	4 769	2 777	610	1 382
愛知	9 196	3 732	1 895	3 569	7 649	3 473	968	3 208
三重	2 715	1 168	513	1 034	2 225	1 068	237	920
滋賀	2 230	832	532	866	1 841	798	251	792
京都	3 587	1 732	775	1 080	3 021	1 619	395	1 007
大阪	11 643	5 268	2 015	4 360	9 682	4 783	957	3 942
兵庫	7 410	3 231	1 433	2 746	6 117	2 955	671	2 491
奈良	1 960	801	385	774	1 597	719	177	701
和歌山	2 065	1 044	559	462	1 687	974	273	440
鳥取	1 397	872	325	200	1 117	796	143	178
島根	2 310	1 123	569	618	1 865	1 045	261	559
岡山	4 851	2 430	1 170	1 251	3 980	2 258	585	1 137
広島	6 135	3 053	1 374	1 708	5 079	2 870	705	1 504
山口	2 899	1 352	717	830	2 402	1 284	353	765
徳島	2 278	1 393	407	478	1 894	1 286	160	448
香川	1 866	849	517	500	1 516	801	257	458
愛媛	5 225	2 856	1 119	1 250	4 287	2 642	509	1 136
高知	2 432	1 351	605	476	1 963	1 252	277	434
福岡	11 120	5 717	2 558	2 845	8 979	5 199	1 205	2 575
佐賀	2 578	1 315	533	730	2 141	1 214	285	642
長崎	5 106	2 885	1 160	1 061	4 128	2 611	605	912
熊本	3 558	1 896	976	686	2 868	1 755	492	621
大分	2 083	1 177	497	409	1 685	1 078	241	366
宮崎	2 578	1 509	506	563	2 088	1 381	217	490
鹿児島	6 597	3 731	1 365	1 501	5 402	3 337	651	1 414
沖縄	1 061	620	248	193	867	577	117	173

注：1）調査方法の変更等による回収率変動の影響を受けているため、数量を示す従事者数の実数は前年以前と単純に年次比較できない。
2）地域密着型介護予防サービスを一体的に行っている事業所の従事者を含む。
3）地域密着型介護予防サービスのみ行っている事業所は対象外とした。

中核市（再掲）、職種（常勤（専従－兼務）－非常勤）別（31－20）

平成29年10月１日

看護師（再掲）				准看護師（再掲）				介護福祉士（再掲）			
総数	常勤		非常勤	総数	常勤		非常勤	総数	常勤		非常勤
	専従	兼務			専従	兼務			専従	兼務	
4 412	812	901	2 699	2 779	1 059	508	1 212	67 885	42 326	13 487	12 072
260	39	43	178	144	44	31	69	5 612	3 647	1 271	694
91	16	35	40	66	20	29	17	1 994	1 420	435	139
57	12	17	28	17	4	7	6	1 030	708	250	72
57	8	17	32	19	7	5	7	1 320	929	287	104
46	7	17	22	23	13	6	4	1 024	770	194	60
59	11	13	35	12	4	2	6	989	686	247	56
69	11	25	33	55	25	18	12	1 168	756	303	109
67	7	11	49	38	6	7	25	1 009	611	238	160
50	15	19	16	47	20	7	20	672	463	112	97
59	13	8	38	49	14	15	20	954	545	244	165
136	9	22	105	46	9	6	31	2 280	1 232	454	594
112	15	17	80	40	8	6	26	1 838	963	399	476
93	9	13	71	20	4	4	12	3 137	1 730	618	789
177	13	17	147	17	2	2	13	3 409	1 509	751	1 149
67	6	15	46	16	3	3	10	1 538	1 034	355	149
83	11	14	58	45	10	7	28	728	482	139	107
101	15	24	62	52	21	6	25	974	612	190	172
41	18	8	15	34	14	7	13	549	335	133	81
21	1	5	15	10	6	1	3	293	203	51	39
77	18	15	44	32	13	5	14	1 113	788	151	174
116	16	29	71	73	20	16	37	1 174	650	223	301
116	19	23	74	16	3	5	8	1 640	1 036	320	284
178	19	14	145	88	34	10	44	2 524	1 313	477	734
67	8	14	45	26	6	5	15	738	403	145	190
39	1	8	30	13	3	6	4	750	381	161	208
67	9	11	47	27	9	5	13	1 404	831	251	322
166	34	22	110	59	12	6	41	3 498	2 067	511	920
126	16	19	91	48	5	11	32	2 527	1 436	400	691
50	6	10	34	17	7	1	9	575	328	100	147
25	2	11	12	14	3	4	7	647	415	137	95
41	18	5	18	19	10	2	7	575	461	69	45
46	6	11	29	54	24	10	20	728	493	151	84
111	15	26	70	52	16	12	24	1 778	1 110	389	279
149	30	22	97	93	39	14	40	2 074	1 297	422	355
83	17	17	49	62	17	9	36	1 021	611	227	183
41	6	12	23	28	16	2	10	816	640	76	100
54	10	15	29	57	15	12	30	580	360	120	100
140	34	36	70	131	62	14	55	1 502	1 022	280	200
34	7	8	19	17	6	2	9	922	650	173	99
334	64	65	205	275	102	38	135	3 256	2 098	663	495
127	36	23	68	72	30	9	33	756	502	144	110
118	34	22	62	134	64	33	37	1 613	1 103	340	170
151	43	56	52	166	70	40	56	1 173	818	234	121
57	25	8	24	64	32	11	21	668	482	127	59
57	28	10	19	112	63	18	31	822	627	111	84
172	51	44	77	274	142	36	96	2 160	1 504	365	291
24	4	5	15	6	2	3	1	333	265	49	19

認知症対応型共同生活介護

都道府県 指定都市 中核市	総数				介護職員			
	総数	常勤		非常勤	総数	常勤		非常勤
		専従	兼務			専従	兼務	
指定都市(再掲)								
札幌市	4 632	2 482	1 324	826	3 705	2 307	684	714
仙台市	1 740	1 057	401	282	1 443	983	208	252
さいたま市	1 062	516	239	307	867	467	126	274
千葉市	1 889	688	399	802	1 566	620	221	725
横浜市	5 781	1 900	1 218	2 663	4 849	1 745	630	2 474
川崎市	1 984	731	463	790	1 648	664	261	723
相模原市	1 056	348	209	499	890	337	97	456
新潟市	788	435	238	115	631	418	118	95
静岡市	1 732	880	381	471	1 437	831	188	418
浜松市	1 097	553	267	277	912	523	137	252
名古屋市	3 350	1 306	691	1 353	2 785	1 218	354	1 213
京都市	2 047	1 029	397	621	1 729	961	194	574
大阪市	4 112	2 129	691	1 292	3 410	1 917	333	1 160
堺市	1 256	578	239	439	1 033	539	94	400
神戸市	2 321	962	435	924	1 951	879	200	872
岡山市	1 661	812	418	431	1 366	763	208	395
広島市	2 784	1 389	600	795	2 301	1 323	294	684
北九州市	2 514	1 298	594	622	2 012	1 185	280	547
福岡市	2 153	1 111	559	483	1 723	1 030	258	435
熊本市	1 072	570	303	199	863	520	164	179
中核市(再掲)								
旭川市	1 551	803	335	413	1 272	736	144	392
函館市	824	507	199	118	667	479	81	107
青森市	977	577	282	118	776	543	136	97
八戸市	476	304	101	71	394	286	40	68
盛岡市	511	314	141	56	404	288	66	50
秋田市	416	277	96	43	331	244	51	36
郡山市	746	422	197	127	601	384	112	105
いわき市	668	327	184	157	542	297	110	135
宇都宮市	474	281	83	110	391	245	43	103
前橋市	447	187	140	120	369	175	92	102
高崎市	693	310	142	241	566	293	72	201
川越市	363	148	62	153	289	130	25	134
越谷市	270	131	53	86	220	121	24	75
船橋市	811	306	186	319	674	281	99	294
柏市	499	176	95	228	379	141	39	199
八王子市	354	162	73	119	294	149	32	113
横須賀市	867	222	227	418	734	195	145	394
富山市	615	294	138	183	496	265	68	163
金沢市	900	442	199	259	752	420	96	236
長野市	693	394	135	164	570	371	53	146
岐阜市	836	379	140	317	681	338	67	276
豊橋市	432	212	107	113	351	197	56	98
豊田市	517	237	89	191	439	224	48	167
岡崎市	385	178	69	138	325	168	33	124
大津市	736	286	175	275	630	279	88	263
高槻市	486	130	93	263	410	124	46	240
東大阪市	631	283	102	246	533	263	43	227
豊中市	556	186	102	268	469	171	55	243
枚方市	531	197	84	250	456	183	40	233
姫路市	605	248	136	221	504	233	62	209
西宮市	407	172	62	173	320	154	28	138
尼崎市	367	198	63	106	296	185	28	83
奈良市	485	176	99	210	403	162	53	188
和歌山市	971	448	314	209	793	417	175	201
倉敷市	1 192	650	268	274	984	590	136	258
福山市	1 253	662	285	306	1 038	614	163	261
呉市	363	159	94	110	300	149	48	103
下関市	405	190	79	136	340	180	34	126
高松市	876	369	244	263	702	351	109	242
松山市	2 096	1 060	444	592	1 702	959	212	531
高知市	860	440	227	193	702	394	128	180
久留米市	950	513	207	230	790	482	97	211
長崎市	1 104	669	249	186	879	596	134	149
佐世保市	953	535	192	226	775	489	88	198
大分市	589	356	124	109	476	324	55	97
宮崎市	774	440	132	202	627	404	56	167
鹿児島市	2 320	1 248	490	582	1 846	1 070	237	539
那覇市	252	178	47	27	204	165	17	22

注：1）調査方法の変更等による回収率変動の影響を受けているため、数量を示す従事者数の実数は前年以前と単純に年次比較できない。
　　2）地域密着型介護予防サービスを一体的に行っている事業所の従事者を含む。
　　3）地域密着型介護予防サービスのみ行っている事業所は対象外とした。

中核市（再掲）、職種（常勤（専従－兼務）－非常勤）別（31－21）

平成29年10月１日

看護師（再掲）				准看護師（再掲）				介護福祉士（再掲）			
総数	常勤		非常勤	総数	常勤		非常勤	総数	常勤		非常勤
	専従	兼務			専従	兼務			専従	兼務	
74	10	18	46	33	11	12	10	1 528	976	386	166
22	3	6	13	5	2	－	3	560	390	114	56
11	3	1	7	1	－	1	－	294	155	63	76
21	3	2	16	5	1	1	3	410	190	86	134
68	6	10	52	9	1	－	8	1 540	683	340	517
46	1	2	43	4	－	2	2	468	229	110	129
8	1	－	7	1	1	－	－	304	136	60	108
15	2	2	11	1	－	－	1	332	244	64	24
23	－	4	19	6	1	－	5	503	347	86	70
25	2	5	18	3	1	1	1	296	168	74	54
53	7	1	45	22	10	2	10	887	449	156	282
31	6	3	22	16	5	1	10	775	467	115	193
55	17	6	32	13	1	1	11	1 100	728	138	234
15	2	2	11	5	2	－	3	410	259	51	100
29	2	4	23	11	2	2	7	785	429	120	236
41	6	11	24	14	5	2	7	666	396	153	117
63	13	12	38	39	18	3	18	963	606	184	173
70	11	12	47	20	6	1	13	720	455	158	107
62	11	10	41	48	16	9	23	692	444	165	83
53	12	22	19	42	20	8	14	360	240	88	32
31	5	2	24	16	3	2	11	477	327	88	62
2	－	1	1	2	－	1	1	319	230	60	29
15	2	6	7	12	1	8	3	369	260	80	29
10	3	1	6	8	3	2	3	215	167	29	19
6	3	－	3	6	2	3	1	198	136	45	17
9	1	3	5	3	2	1	－	173	137	31	5
13	3	4	6	11	6	2	3	255	165	67	23
10	－	3	7	9	4	4	1	167	98	41	28
6	2	3	1	2	1	－	1	135	97	19	19
11	2	1	8	6	1	5	－	183	97	54	32
4	－	－	4	7	2	－	5	221	126	49	46
7	1	－	6	4	－	－	4	122	59	15	48
3	－	1	2	－	－	－	－	53	26	11	16
8	－	2	6	2	－	－	2	207	109	51	47
4	1	－	3	4	2	－	2	115	49	31	35
1	－	－	1	－	－	－	－	134	78	26	30
18	3	2	13	1	－	－	1	267	90	68	109
17	3	3	11	11	2	－	9	222	150	41	31
30	6	3	21	7	2	－	5	316	199	64	53
13	2	2	9	3	2	－	1	258	188	34	36
11	2	5	4	13	－	4	9	187	115	33	39
14	2	3	9	3	1	－	2	165	108	31	26
9	1	－	8	7	1	－	6	120	69	30	21
8	－	－	8	14	5	1	8	101	54	19	28
13	－	2	11	3	3	－	－	282	143	67	72
6	1	2	3	3	－	1	2	154	59	26	69
7	1	－	6	1	－	1	－	153	95	23	35
7	4	－	3	2	－	－	2	156	59	34	63
4	－	－	4	1	－	－	1	154	86	25	43
13	5	4	4	2	1	－	1	177	89	33	55
11	2	－	9	1	－	1	－	132	84	16	32
4	1	－	3	2	－	1	1	118	75	23	20
8	－	1	7	12	4	1	7	150	75	35	40
10	－	4	6	7	2	1	4	279	163	80	36
23	1	7	15	12	4	3	5	442	293	84	65
33	5	4	24	19	8	4	7	440	277	93	70
11	4	－	7	6	3	1	2	113	63	23	27
14	1	6	7	16	3	2	11	151	106	19	26
29	3	8	18	30	8	9	13	264	159	51	54
71	17	18	36	54	20	9	25	565	358	106	101
9	3	1	5	6	2	－	4	342	216	71	55
38	11	7	20	38	18	4	16	294	191	60	43
41	9	8	24	18	8	6	4	404	276	88	40
16	5	3	8	44	20	7	17	301	206	57	38
19	10	2	7	8	5	－	3	213	170	27	16
15	6	2	7	39	23	8	8	255	189	25	41
47	9	10	28	78	34	13	31	814	556	148	110
6	－	－	6	1	1	－	－	80	72	6	2

第15表　従事者数，地域密着型サービスの種類、都道府県－指定都市・

認知症対応型共同生活介護

都道府県 指定都市 中核市	計画作成担当者								その他の職員			
					介護支援専門員（再掲）							
	総数	常勤		非常勤	総数	常勤		非常勤	総数	常勤		非常勤
		専従	兼務			専従	兼務			専従	兼務	
全国	21 996	4 109	14 636	3 251	13 567	2 442	8 472	2 653	17 687	4 400	10 348	2 939
北海道	1 759	276	1 289	194	1 038	163	719	156	1 487	381	899	207
青森	562	137	396	29	350	80	249	21	456	118	300	38
岩手	281	51	208	22	206	44	148	14	274	58	184	32
宮城	438	117	290	31	268	69	175	24	326	97	186	43
秋田	296	38	230	28	218	29	171	18	284	84	168	32
山形	262	24	221	17	172	17	142	13	225	30	169	26
福島	394	82	251	61	232	42	135	55	337	90	194	53
茨城	469	83	328	58	270	52	174	44	407	109	248	50
栃木	232	60	144	28	149	37	88	24	198	48	131	19
群馬	301	34	167	100	226	24	119	83	260	42	179	39
埼玉	867	149	526	192	518	83	285	150	673	154	331	188
千葉	755	150	477	128	446	78	254	114	695	169	380	146
東京	1 065	233	688	144	610	127	374	109	823	258	427	138
神奈川	1 237	178	791	268	695	85	389	221	910	195	532	183
新潟	391	40	333	18	260	29	216	15	338	68	218	52
富山	238	62	144	32	150	33	88	29	229	37	119	73
石川	306	54	197	55	204	40	114	50	212	46	129	37
福井	137	21	106	10	88	11	69	8	99	15	70	14
山梨	108	14	80	14	68	7	48	13	95	29	48	18
長野	303	66	188	49	196	45	115	36	269	55	148	66
岐阜	446	85	257	104	274	51	141	82	387	107	191	89
静岡	625	120	394	111	345	59	195	91	427	83	267	77
愛知	895	102	559	234	507	46	272	189	652	157	368	127
三重	261	48	151	62	183	35	94	54	229	52	125	52
滋賀	206	18	151	37	133	8	94	31	183	16	130	37
京都	362	72	239	51	227	40	147	40	204	41	141	22
大阪	1 151	220	671	260	703	130	359	214	810	265	387	158
兵庫	723	125	481	117	411	75	239	97	570	151	281	138
奈良	204	48	116	40	130	29	65	36	159	34	92	33
和歌山	214	38	162	14	133	25	99	9	164	32	124	8
鳥取	134	30	94	10	94	19	65	10	146	46	88	12
島根	214	34	162	18	138	22	103	13	231	44	146	41
岡山	504	84	362	58	298	38	209	51	367	88	223	56
広島	608	87	413	108	351	45	220	86	448	96	256	96
山口	290	43	214	33	191	19	142	30	207	25	150	32
徳島	245	80	150	15	162	54	94	14	139	27	97	15
香川	200	31	146	23	109	18	72	19	150	17	114	19
愛媛	555	120	377	58	314	62	204	48	383	94	233	56
高知	255	52	185	18	157	31	109	17	214	47	143	24
福岡	1 089	190	747	152	690	128	441	121	1 052	328	606	118
佐賀	246	46	152	48	173	33	99	41	191	55	96	40
長崎	533	132	325	76	334	75	196	63	445	142	230	73
熊本	358	65	268	25	255	48	188	19	332	76	216	40
大分	218	50	153	15	152	35	104	13	180	49	103	28
宮崎	270	71	160	39	185	49	105	31	220	57	129	34
鹿児島	686	226	425	35	475	156	291	28	509	168	289	52
沖縄	103	23	68	12	79	17	53	9	91	20	63	8

注：1）調査方法の変更等による回収率変動の影響を受けているため、数量を示す従事者数の実数は前年以前と単純に年次比較できない。
2）地域密着型介護予防サービスを一体的に行っている事業所の従事者を含む。
3）地域密着型介護予防サービスのみ行っている事業所は対象外とした。

平成29年10月1日

都道府県 指定都市 中核市	計画作成担当者				介護支援専門員（再掲）				その他の職員			
	総数	常勤		非常勤	総数	常勤		非常勤	総数	常勤		非常勤
		専従	兼務			専従	兼務			専従	兼務	
指定都市(再掲)												
札幌市	493	58	369	66	290	31	207	52	434	117	271	46
仙台市	192	49	126	17	106	27	66	13	105	25	67	13
さいたま市	114	21	75	18	53	11	31	11	81	28	38	15
千葉市	185	37	117	31	105	18	59	28	138	31	61	46
横浜市	538	69	351	118	300	31	173	96	394	86	237	71
川崎市	205	35	126	44	99	16	50	33	131	32	76	23
相模原市	101	4	66	31	66	2	36	28	65	7	46	12
新潟市	81	5	70	6	53	3	45	5	76	12	50	14
静岡市	185	33	116	36	105	17	59	29	110	16	77	17
浜松市	118	17	83	18	57	8	33	16	67	13	47	7
名古屋市	335	39	198	98	182	16	83	83	230	49	139	42
京都市	215	47	132	36	130	27	76	27	103	21	71	11
大阪市	434	111	234	89	247	56	117	74	268	101	124	43
堺市	134	17	94	23	82	14	47	21	89	22	51	16
神戸市	221	37	153	31	116	16	74	26	149	46	82	21
岡山市	172	22	130	20	106	14	76	16	123	27	80	16
広島市	272	34	185	53	165	17	107	41	211	32	121	58
北九州市	250	36	176	38	153	26	97	30	252	77	138	37
福岡市	223	22	170	31	130	10	94	26	207	59	131	17
熊本市	112	25	77	10	76	16	52	8	97	25	62	10
中核市(再掲)												
旭川市	154	37	109	8	97	22	67	8	125	30	82	13
函館市	94	16	70	8	52	8	36	8	63	12	48	3
青森市	111	19	79	13	61	10	44	7	90	15	67	8
八戸市	46	9	36	1	34	6	27	1	36	9	25	2
盛岡市	55	9	42	4	35	8	24	3	52	17	33	2
秋田市	43	13	27	3	35	11	22	2	42	20	18	4
郡山市	77	21	42	14	40	6	22	12	68	17	43	8
いわき市	71	14	45	12	50	10	28	12	55	16	29	10
宇都宮市	47	19	24	4	24	9	13	2	36	17	16	3
前橋市	42	7	23	12	31	6	16	9	36	5	25	6
高崎市	66	4	31	31	53	4	25	24	61	13	39	9
川越市	39	6	25	8	23	3	13	7	35	12	12	11
越谷市	29	2	20	7	15	1	9	5	21	8	9	4
船橋市	75	13	45	17	42	5	20	17	62	12	42	8
柏市	43	10	27	6	25	5	14	6	77	25	29	23
八王子市	36	6	26	4	19	2	13	4	24	7	15	2
横須賀市	75	17	48	10	50	12	29	9	58	10	34	14
富山市	56	16	35	5	33	10	19	4	63	13	35	15
金沢市	90	10	64	16	49	5	28	16	58	12	39	7
長野市	74	11	53	10	43	7	27	9	49	12	29	8
岐阜市	93	23	45	25	50	12	19	19	62	18	28	16
豊橋市	45	3	37	5	20	1	16	3	36	12	14	10
豊田市	50	8	24	18	29	3	14	12	28	5	17	6
岡崎市	39	5	22	12	23	4	9	10	21	5	14	2
大津市	68	4	58	6	39	2	33	4	38	3	29	6
高槻市	43	－	27	16	31	－	18	13	33	6	20	7
東大阪市	59	5	38	16	31	3	16	12	39	15	21	3
豊中市	55	5	31	19	37	3	16	18	32	10	16	6
枚方市	48	7	27	14	35	5	17	13	27	7	17	3
姫路市	62	4	48	10	31	1	21	9	39	11	26	2
西宮市	35	4	23	8	20	2	11	7	52	14	11	27
尼崎市	37	8	22	7	22	4	12	6	34	5	13	16
奈良市	47	7	27	13	33	5	18	10	35	7	19	9
和歌山市	104	19	78	7	66	11	50	5	74	12	61	1
倉敷市	128	29	88	11	64	9	44	11	80	31	44	5
福山市	124	24	74	26	67	13	33	21	91	24	48	19
呉市	36	6	26	4	22	4	15	3	27	4	20	3
下関市	37	8	21	8	25	4	14	7	28	2	24	2
高松市	95	13	71	11	48	5	34	9	79	5	64	10
松山市	221	47	139	35	124	25	72	27	173	54	93	26
高知市	90	22	62	6	48	12	30	6	68	24	37	7
久留米市	86	11	62	13	53	8	32	13	74	20	48	6
長崎市	115	35	60	20	71	21	32	18	110	38	55	17
佐世保市	95	22	62	11	60	12	38	10	83	24	42	17
大分市	64	18	41	5	38	11	23	4	49	14	28	7
宮崎市	81	20	39	22	59	16	26	17	66	16	37	13
鹿児島市	248	83	156	9	161	48	108	5	226	95	97	34
那覇市	28	9	15	4	21	8	12	1	20	4	15	1

第15表　従事者数，地域密着型サービスの種類、都道府県－指定都市・

地域密着型特定施設入居者生活介護

都道府県 指定都市 中核市	総数				介護職員							
									介護福祉士（再掲）			
	総数	常勤		非常勤	総数	常勤		非常勤	総数	常勤		非常勤
		専従	兼務			専従	兼務			専従	兼務	
全国	6 013	3 079	1 372	1 562	3 688	2 362	399	927	1 627	1 165	222	240
北海道	556	348	117	91	351	267	32	52	191	153	20	18
青森	51	33	13	5	29	25	2	2	19	17	2	-
岩手	125	71	32	22	81	63	6	12	28	24	4	-
宮城	42	35	3	4	27	27	-	-	5	5	-	-
秋田	247	115	61	71	140	87	13	40	75	54	11	10
山形	-	-	-	-	-	-	-	-	-	-	-	-
福島	126	58	49	19	78	45	19	14	32	22	7	3
茨城	25	1	20	4	20	-	16	4	9	-	6	3
栃木	-	-	-	-	-	-	-	-	-	-	-	-
群馬	48	17	16	15	25	13	3	9	7	4	3	-
埼玉	185	80	45	60	115	61	10	44	51	28	9	14
千葉	218	106	40	72	114	80	7	27	52	39	2	11
東京	110	44	20	46	55	35	4	16	29	18	4	7
神奈川	304	123	38	143	176	89	9	78	46	35	1	10
新潟	125	85	26	14	81	75	2	4	51	46	2	3
富山	-	-	-	-	-	-	-	-	-	-	-	-
石川	26	11	7	8	16	11	3	2	13	10	3	-
福井	-	-	-	-	-	-	-	-	-	-	-	-
山梨	105	48	27	30	60	39	10	11	10	6	1	3
長野	315	177	69	69	193	134	32	27	113	80	20	13
岐阜	126	59	21	46	74	44	4	26	28	19	4	5
静岡	347	207	48	92	227	149	19	59	91	66	10	15
愛知	250	113	69	68	155	86	26	43	70	44	11	15
三重	70	27	19	24	51	20	13	18	8	4	2	2
滋賀	-	-	-	-	-	-	-	-	-	-	-	-
京都	313	121	74	118	207	99	26	82	84	41	22	21
大阪	235	106	58	71	164	86	22	56	50	30	8	12
兵庫	125	49	27	49	74	39	8	27	35	21	4	10
奈良	-	-	-	-	-	-	-	-	-	-	-	-
和歌山	172	85	42	45	106	66	8	32	50	31	6	13
鳥取	62	31	18	13	34	25	5	4	26	18	5	3
島根	31	16	11	4	19	14	2	3	7	5	2	-
岡山	122	64	35	23	75	54	7	14	45	34	5	6
広島	32	19	1	12	15	10	-	5	11	8	-	3
山口	82	37	22	23	55	33	5	17	20	14	2	4
徳島	-	-	-	-	-	-	-	-	-	-	-	-
香川	62	36	11	15	31	21	2	8	11	8	2	1
愛媛	-	-	-	-	-	-	-	-	-	-	-	-
高知	171	112	48	11	114	87	18	9	65	53	10	2
福岡	324	164	81	79	203	127	22	54	80	57	14	9
佐賀	63	40	11	12	30	25	-	5	8	8	-	-
長崎	-	-	-	-	-	-	-	-	-	-	-	-
熊本	209	104	48	57	125	86	3	36	53	45	1	7
大分	192	82	50	60	111	56	20	35	38	17	11	10
宮崎	-	-	-	-	-	-	-	-	-	-	-	-
鹿児島	333	200	79	54	202	140	21	41	91	78	8	5
沖縄	84	55	16	13	55	44	-	11	25	23	-	2

注：調査方法の変更等による回収率変動の影響を受けているため、数量を示す従事者数の実数は前年以前と単純に年次比較できない。

中核市（再掲）、職種（常勤（専従－兼務）－非常勤）別（31－23）

平成29年10月１日

生活相談員								看護師				准看護師			
				社会福祉士（再掲）											
総数	常勤		非常勤	総数	常勤		非常勤	総数	常勤		非常勤	総数	常勤		非常勤
	専従	兼務			専従	兼務			専従	兼務			専従	兼務	
336	128	191	17	45	16	28	1	384	148	95	141	290	119	92	79
31	18	12	1	4	1	2	1	17	12	2	3	36	13	13	10
3	2	1	－	1	1	－	－	3	2	1	－	4	2	1	1
8	1	7	－	1	1	－	－	6	2	3	1	4	2	1	1
2	2	－	－	－	－	－	－	3	－	1	2	－	－	－	－
15	4	11	－	1	－	1	－	14	4	2	8	11	7	3	1
－	－	－	－	－	－	－	－	－	－	－	－	－	－	－	－
9	1	7	1	2	1	1	－	6	4	2	－	10	4	5	1
1	－	1	－	－	－	－	－	2	－	2	－	－	－	－	－
－	－	－	－	－	－	－	－	－	－	－	－	－	－	－	－
4	2	2	－	－	－	－	－	2	－	2	－	6	－	3	3
15	3	8	4	－	－	－	－	15	7	3	5	6	1	2	3
11	5	6	－	3	1	2	－	14	7	1	6	10	4	2	4
6	2	4	－	－	－	－	－	11	－	2	9	14	6	1	7
15	5	7	3	2	1	1	－	21	6	3	12	14	5	4	5
7	3	3	1	2	－	2	－	8	2	5	1	7	3	1	3
－	－	－	－	－	－	－	－	－	－	－	－	－	－	－	－
2	－	2	－	－	－	－	－	3	－	－	3	－	－	－	－
－	－	－	－	－	－	－	－	－	－	－	－	－	－	－	－
6	1	5	－	－	－	－	－	14	5	2	7	3	－	2	1
15	7	8	－	3	1	2	－	20	9	2	9	13	5	5	3
6	2	4	－	2	－	2	－	11	3	3	5	4	2	－	2
18	13	4	1	2	1	1	－	27	13	5	9	7	3	1	3
16	5	11	－	3	－	3	－	25	9	7	9	5	3	1	1
4	2	2	－	－	－	－	－	5	3	－	2	2	1	1	－
－	－	－	－	－	－	－	－	－	－	－	－	－	－	－	－
14	4	10	－	5	1	4	－	23	6	3	14	12	4	4	4
14	5	8	1	3	2	1	－	14	4	6	4	6	3	3	－
6	4	2	－	1	－	1	－	12	2	2	8	5	－	3	2
－	－	－	－	－	－	－	－	－	－	－	－	－	－	－	－
10	4	6	－	1	1	－	－	9	4	3	2	4	2	1	1
4	1	3	－	－	－	－	－	2	－	2	－	5	2	1	2
2	－	2	－	－	－	－	－	1	－	1	－	1	1	－	－
5	2	3	－	1	1	－	－	9	3	5	1	6	3	3	－
1	1	－	－	－	－	－	－	1	1	－	－	2	1	－	1
4	2	2	－	－	－	－	－	5	1	2	2	1	－	1	－
－	－	－	－	－	－	－	－	－	－	－	－	－	－	－	－
4	2	2	－	－	－	－	－	4	2	－	2	8	7	－	1
－	－	－	－	－	－	－	－	－	－	－	－	－	－	－	－
11	2	9	－	2	1	1	－	8	6	2	－	5	1	3	1
18	4	14	－	2	1	1	－	18	7	3	8	21	10	8	3
7	4	1	2	1	－	1	－	5	4	1	－	7	3	2	2
－	－	－	－	－	－	－	－	－	－	－	－	－	－	－	－
11	6	5	－	1	－	1	－	11	6	4	1	10	2	6	2
12	1	9	2	－	－	－	－	7	1	1	5	19	9	3	7
－	－	－	－	－	－	－	－	－	－	－	－	－	－	－	－
14	6	7	1	－	－	－	－	24	13	8	3	16	7	7	2
5	2	3	－	2	1	1	－	4	－	4	－	6	3	1	2

地域密着型特定施設入居者生活介護

都道府県 指定都市 中核市	総数				介護職員							
									介護福祉士（再掲）			
	総数	常勤		非常勤	総数	常勤		非常勤	総数	常勤		非常勤
		専従	兼務			専従	兼務			専従	兼務	
指定都市（再掲）												
札幌市	15	2	10	3	8	1	6	1	3	1	2	-
仙台市	-	-	-	-	-	-	-	-	-	-	-	-
さいたま市	22	8	7	7	15	6	3	6	5	-	3	2
千葉市	21	6	2	13	11	5	-	6	2	-	-	2
横浜市	14	6	1	7	9	4	-	5	3	3	-	-
川崎市	-	-	-	-	-	-	-	-	-	-	-	-
相模原市	-	-	-	-	-	-	-	-	-	-	-	-
新潟市	26	17	4	5	16	16	-	-	8	8	-	-
静岡市	134	76	22	36	91	55	15	21	45	34	6	5
浜松市	130	85	15	30	86	63	1	22	37	28	1	8
名古屋市	70	41	19	10	44	32	3	9	31	19	3	9
京都市	239	82	58	99	155	69	18	68	53	21	17	15
大阪市	131	60	27	44	100	53	13	34	24	14	3	7
堺市	-	-	-	-	-	-	-	-	-	-	-	-
神戸市	-	-	-	-	-	-	-	-	-	-	-	-
岡山市	-	-	-	-	-	-	-	-	-	-	-	-
広島市	-	-	-	-	-	-	-	-	-	-	-	-
北九州市	-	-	-	-	-	-	-	-	-	-	-	-
福岡市	19	8	5	6	10	8	-	2	4	3	-	1
熊本市	24	11	5	8	15	10	1	4	5	4	1	-
中核市（再掲）												
旭川市	-	-	-	-	-	-	-	-	-	-	-	-
函館市	283	199	44	40	189	154	10	25	93	80	9	4
青森市	16	12	4	-	10	10	-	-	9	9	-	-
八戸市	16	9	6	1	6	5	1	-	6	5	1	-
盛岡市	-	-	-	-	-	-	-	-	-	-	-	-
秋田市	-	-	-	-	-	-	-	-	-	-	-	-
郡山市	20	14	6	-	15	13	2	-	5	4	1	-
いわき市	33	26	6	1	18	15	2	1	5	5	-	-
宇都宮市	-	-	-	-	-	-	-	-	-	-	-	-
前橋市	-	-	-	-	-	-	-	-	-	-	-	-
高崎市	-	-	-	-	-	-	-	-	-	-	-	-
川越市	40	13	10	17	24	12	3	9	8	2	3	3
越谷市	-	-	-	-	-	-	-	-	-	-	-	-
船橋市	68	34	15	19	30	24	3	3	14	13	-	1
柏市	-	-	-	-	-	-	-	-	-	-	-	-
八王子市	-	-	-	-	-	-	-	-	-	-	-	-
横須賀市	-	-	-	-	-	-	-	-	-	-	-	-
富山市	-	-	-	-	-	-	-	-	-	-	-	-
金沢市	-	-	-	-	-	-	-	-	-	-	-	-
長野市	212	131	40	41	137	99	17	21	86	66	10	10
岐阜市	48	17	14	17	32	16	3	13	14	7	3	4
豊橋市	-	-	-	-	-	-	-	-	-	-	-	-
豊田市	-	-	-	-	-	-	-	-	-	-	-	-
岡崎市	70	25	28	17	47	20	17	10	15	7	4	4
大津市	-	-	-	-	-	-	-	-	-	-	-	-
高槻市	31	22	4	5	19	15	-	4	14	12	-	2
東大阪市	-	-	-	-	-	-	-	-	-	-	-	-
豊中市	-	-	-	-	-	-	-	-	-	-	-	-
枚方市	-	-	-	-	-	-	-	-	-	-	-	-
姫路市	-	-	-	-	-	-	-	-	-	-	-	-
西宮市	-	-	-	-	-	-	-	-	-	-	-	-
尼崎市	41	17	9	15	24	14	3	7	12	7	2	3
奈良市	-	-	-	-	-	-	-	-	-	-	-	-
和歌山市	41	26	8	7	25	20	1	4	15	13	1	1
倉敷市	46	23	11	12	28	19	1	8	13	8	1	4
福山市	-	-	-	-	-	-	-	-	-	-	-	-
呉市	-	-	-	-	-	-	-	-	-	-	-	-
下関市	-	-	-	-	-	-	-	-	-	-	-	-
高松市	15	8	6	1	5	4	1	-	2	1	1	-
松山市	-	-	-	-	-	-	-	-	-	-	-	-
高知市	107	70	33	4	69	52	13	4	44	37	7	-
久留米市	-	-	-	-	-	-	-	-	-	-	-	-
長崎市	-	-	-	-	-	-	-	-	-	-	-	-
佐世保市	-	-	-	-	-	-	-	-	-	-	-	-
大分市	-	-	-	-	-	-	-	-	-	-	-	-
宮崎市	-	-	-	-	-	-	-	-	-	-	-	-
鹿児島市	72	39	15	18	46	28	5	13	26	22	-	4
那覇市	44	33	5	6	31	27	-	4	16	15	-	1

注：調査方法の変更等による回収率変動の影響を受けているため、数量を示す従事者数の実数は前年以前と単純に年次比較できない。

中核市（再掲）、職種（常勤（専従－兼務）－非常勤）別（31－24）

平成29年10月１日

生活相談員								看護師				准看護師			
				社会福祉士（再掲）											
総数	常勤		非常勤	総数	常勤		非常勤	総数	常勤		非常勤	総数	常勤		非常勤
	専従	兼務			専従	兼務			専従	兼務			専従	兼務	
1	1	－	－	－	－	－	－	－	－	－	－	2	－	1	1
－	－	－	－	－	－	－	－	－	－	－	－	－	－	－	－
2	－	2	－	－	－	－	－	－	－	－	－	2	1	－	1
2	－	2	－	－	－	－	－	3	1	－	2	1	－	－	1
1	－	1	－	－	－	－	－	1	1	－	－	1	－	－	1
－	－	－	－	－	－	－	－	－	－	－	－	－	－	－	－
－	－	－	－	－	－	－	－	－	－	－	－	－	－	－	－
1	1	－	－	－	－	－	－	2	－	1	1	2	－	1	1
6	4	1	1	－	－	－	－	14	7	1	6	3	1	－	2
7	6	1	－	－	－	－	－	10	4	3	3	2	1	1	－
5	－	5	－	1	－	1	－	6	4	2	－	3	2	1	－
10	2	8	－	4	1	3	－	18	4	2	12	10	3	4	3
6	2	4	－	2	1	1	－	6	2	2	2	3	2	1	－
－	－	－	－	－	－	－	－	－	－	－	－	－	－	－	－
－	－	－	－	－	－	－	－	－	－	－	－	－	－	－	－
－	－	－	－	－	－	－	－	－	－	－	－	－	－	－	－
－	－	－	－	－	－	－	－	－	－	－	－	－	－	－	－
－	－	－	－	－	－	－	－	－	－	－	－	－	－	－	－
1	－	1	－	－	－	－	－	2	－	－	2	1	－	1	－
2	－	2	－	1	－	1	－	3	1	1	1	－	－	－	－
－	－	－	－	－	－	－	－	－	－	－	－	－	－	－	－
16	11	5	－	1	－	1	－	10	7	1	2	18	6	7	5
1	1	－	－	1	1	－	－	2	1	1	－	－	－	－	－
1	－	1	－	－	－	－	－	1	1	－	－	2	1	1	－
－	－	－	－	－	－	－	－	－	－	－	－	－	－	－	－
－	－	－	－	－	－	－	－	－	－	－	－	－	－	－	－
1	－	1	－	－	－	－	－	1	1	－	－	－	－	－	－
2	1	1	－	1	1	－	－	3	2	1	－	4	4	－	－
－	－	－	－	－	－	－	－	－	－	－	－	－	－	－	－
－	－	－	－	－	－	－	－	－	－	－	－	－	－	－	－
－	－	－	－	－	－	－	－	－	－	－	－	－	－	－	－
4	1	－	3	－	－	－	－	4	－	2	2	2	－	1	1
－	－	－	－	－	－	－	－	－	－	－	－	－	－	－	－
3	2	1	－	2	1	1	－	2	2	－	－	3	1	1	1
－	－	－	－	－	－	－	－	－	－	－	－	－	－	－	－
－	－	－	－	－	－	－	－	－	－	－	－	－	－	－	－
－	－	－	－	－	－	－	－	－	－	－	－	－	－	－	－
－	－	－	－	－	－	－	－	－	－	－	－	－	－	－	－
－	－	－	－	－	－	－	－	－	－	－	－	－	－	－	－
9	4	5	－	2	1	1	－	12	5	1	6	10	4	3	3
3	－	3	－	1	－	1	－	4	1	2	1	2	－	－	2
－	－	－	－	－	－	－	－	－	－	－	－	－	－	－	－
－	－	－	－	－	－	－	－	－	－	－	－	－	－	－	－
4	2	2	－	－	－	－	－	10	1	4	5	－	－	－	－
－	－	－	－	－	－	－	－	－	－	－	－	－	－	－	－
2	2	－	－	1	1	－	－	2	1	1	－	－	－	－	－
－	－	－	－	－	－	－	－	－	－	－	－	－	－	－	－
－	－	－	－	－	－	－	－	－	－	－	－	－	－	－	－
－	－	－	－	－	－	－	－	－	－	－	－	－	－	－	－
－	－	－	－	－	－	－	－	－	－	－	－	－	－	－	－
－	－	－	－	－	－	－	－	－	－	－	－	－	－	－	－
2	1	1	－	1	－	1	－	2	1	－	1	4	－	2	2
－	－	－	－	－	－	－	－	－	－	－	－	－	－	－	－
3	3	－	－	1	1	－	－	1	1	－	－	2	－	1	1
2	2	－	－	1	1	－	－	2	1	－	1	3	－	3	－
－	－	－	－	－	－	－	－	－	－	－	－	－	－	－	－
－	－	－	－	－	－	－	－	－	－	－	－	－	－	－	－
－	－	－	－	－	－	－	－	－	－	－	－	－	－	－	－
2	－	2	－	－	－	－	－	1	－	－	1	4	4	－	－
－	－	－	－	－	－	－	－	－	－	－	－	－	－	－	－
8	1	7	－	1	－	1	－	6	4	2	－	2	－	2	－
－	－	－	－	－	－	－	－	－	－	－	－	－	－	－	－
－	－	－	－	－	－	－	－	－	－	－	－	－	－	－	－
－	－	－	－	－	－	－	－	－	－	－	－	－	－	－	－
－	－	－	－	－	－	－	－	－	－	－	－	－	－	－	－
－	－	－	－	－	－	－	－	－	－	－	－	－	－	－	－
3	1	2	－	－	－	－	－	4	2	2	－	1	1	－	－
2	1	1	－	－	－	－	－	1	－	1	－	4	2	－	2

第15表　従事者数，地域密着型サービスの種類、都道府県－指定都市・

地域密着型特定施設入居者生活介護

都道府県 指定都市 中核市	計画作成担当者				機能訓練指導員							
									理学療法士(再掲)			
	総数	常勤		非常勤	総数	常勤		非常勤	総数	常勤		非常勤
		専従	兼務			専従	兼務			専従	兼務	
全国	310	74	200	36	333	59	157	117	26	11	8	7
北海道	31	12	16	3	33	9	15	9	2	1	-	1
青森	3	-	3	-	4	-	3	1	-	-	-	-
岩手	8	1	6	1	7	-	3	4	-	-	-	-
宮城	2	1	1	-	3	-	1	2	-	-	-	-
秋田	14	2	10	2	11	-	5	6	-	-	-	-
山形	-	-	-	-	-	-	-	-	-	-	-	-
福島	9	1	7	1	6	-	4	2	-	-	-	-
茨城	1	-	1	-	1	1	-	-	-	-	-	-
栃木	-	-	-	-	-	-	-	-	-	-	-	-
群馬	2	1	1	-	5	-	3	2	-	-	-	-
埼玉	9	2	6	1	8	1	5	2	2	1	1	-
千葉	10	3	4	3	16	2	5	9	4	1	3	-
東京	5	-	3	2	12	-	2	10	3	-	-	3
神奈川	14	6	2	6	16	1	7	8	-	-	-	-
新潟	6	-	6	-	10	1	7	2	2	-	2	-
富山	-	-	-	-	-	-	-	-	-	-	-	-
石川	2	-	2	-	3	-	-	3	-	-	-	-
福井	-	-	-	-	-	-	-	-	-	-	-	-
山梨	4	-	3	1	6	-	2	4	-	-	-	-
長野	16	5	9	2	13	3	6	4	-	-	-	-
岐阜	6	1	4	1	3	-	2	1	-	-	-	-
静岡	16	8	6	2	13	6	4	3	-	-	-	-
愛知	14	2	11	1	17	5	4	8	-	-	-	-
三重	3	1	1	1	1	-	-	1	-	-	-	-
滋賀	-	-	-	-	-	-	-	-	-	-	-	-
京都	17	-	17	-	15	1	7	7	1	1	-	-
大阪	10	4	6	-	9	1	4	4	1	1	-	-
兵庫	6	1	5	-	12	2	3	7	-	-	-	-
奈良	-	-	-	-	-	-	-	-	-	-	-	-
和歌山	9	3	5	1	9	1	5	3	1	1	-	-
鳥取	4	-	3	1	4	-	3	1	1	-	1	-
島根	2	-	2	-	3	1	1	1	1	-	-	1
岡山	6	1	5	-	6	1	5	-	-	-	-	-
広島	1	1	-	-	1	1	-	-	-	-	-	-
山口	5	-	5	-	4	1	3	-	-	-	-	-
徳島	-	-	-	-	-	-	-	-	-	-	-	-
香川	4	-	3	1	4	1	2	1	2	1	-	1
愛媛	-	-	-	-	-	-	-	-	-	-	-	-
高知	11	3	8	-	8	4	4	-	-	-	-	-
福岡	17	4	11	2	17	4	11	2	-	-	-	-
佐賀	5	1	2	2	4	-	3	1	-	-	-	-
長崎	-	-	-	-	-	-	-	-	-	-	-	-
熊本	11	-	9	2	15	1	9	5	-	-	-	-
大分	9	1	8	-	10	2	4	4	1	-	-	1
宮崎	-	-	-	-	-	-	-	-	-	-	-	-
鹿児島	14	6	8	-	19	8	11	-	4	3	1	-
沖縄	4	3	1	-	5	1	4	-	1	1	-	-

注：調査方法の変更等による回収率変動の影響を受けているため、数量を示す従事者数の実数は前年以前と単純に年次比較できない。

中核市（再掲）、職種（常勤（専従－兼務）－非常勤）別（31－25）

平成29年10月１日

作業療法士（再掲）				言語聴覚士（再掲）				看護師（再掲）				准看護師（再掲）			
総数	常勤		非常勤	総数	常勤		非常勤	総数	常勤		非常勤	総数	常勤		非常勤
	専従	兼務			専従	兼務			専従	兼務			専従	兼務	
15	4	4	7	3	1	1	1	142	16	64	62	123	17	76	30
2	－	－	2	1	－	－	1	6	2	2	2	21	5	13	3
－	－	－	－	－	－	－	－	1	－	1	－	1	－	1	－
－	－	－	－	－	－	－	－	5	－	3	2	1	－	－	1
－	－	－	－	－	－	－	－	3	－	1	2	－	－	－	－
2	－	1	1	－	－	－	－	5	－	2	3	3	－	2	1
－	－	－	－	－	－	－	－	－	－	－	－	－	－	－	－
1	－	1	－	－	－	－	－	1	－	1	－	3	－	2	1
－	－	－	－	－	－	－	－	1	1	－	－	－	－	－	－
－	－	－	－	－	－	－	－	－	－	－	－	－	－	－	－
－	－	－	－	－	－	－	－	－	－	－	－	5	－	3	2
－	－	－	－	－	－	－	－	4	－	2	2	2	－	2	－
1	－	－	1	－	－	－	－	6	－	－	6	4	－	2	2
1	－	－	1	－	－	－	－	8	－	2	6	－	－	－	－
－	－	－	－	－	－	－	－	6	－	2	4	9	－	5	4
－	－	－	－	－	－	－	－	4	1	2	1	2	－	1	1
－	－	－	－	－	－	－	－	－	－	－	－	－	－	－	－
－	－	－	－	－	－	－	－	3	－	－	3	－	－	－	－
－	－	－	－	－	－	－	－	－	－	－	－	－	－	－	－
－	－	－	－	－	－	－	－	4	－	1	3	2	－	1	1
－	－	－	－	－	－	－	－	4	－	2	2	8	3	4	1
－	－	－	－	－	－	－	－	2	－	1	1	1	－	1	－
2	1	－	1	－	－	－	－	7	3	4	－	2	－	－	2
1	－	－	1	－	－	－	－	10	3	3	4	2	1	－	1
－	－	－	－	－	－	－	－	1	－	－	1	－	－	－	－
－	－	－	－	－	－	－	－	－	－	－	－	－	－	－	－
－	－	－	－	－	－	－	－	8	－	5	3	4	－	2	2
－	－	－	－	－	－	－	－	4	－	1	3	3	－	3	－
－	－	－	－	－	－	－	－	10	2	1	7	2	－	2	－
－	－	－	－	－	－	－	－	－	－	－	－	－	－	－	－
－	－	－	－	－	－	－	－	5	－	4	1	3	－	1	2
－	－	－	－	－	－	－	－	1	－	1	－	2	－	1	1
－	－	－	－	－	－	－	－	2	1	1	－	－	－	－	－
1	1	－	－	－	－	－	－	3	－	3	－	2	－	2	－
－	－	－	－	－	－	－	－	1	1	－	－	－	－	－	－
－	－	－	－	－	－	－	－	2	－	2	－	2	1	1	－
－	－	－	－	－	－	－	－	－	－	－	－	－	－	－	－
1	－	1	－	－	－	－	－	－	－	－	－	1	－	1	－
－	－	－	－	－	－	－	－	－	－	－	－	－	－	－	－
－	－	－	－	－	－	－	－	2	1	1	－	5	2	3	－
－	－	－	－	－	－	－	－	5	－	3	2	10	2	8	－
－	－	－	－	－	－	－	－	3	－	2	1	1	－	1	－
－	－	－	－	－	－	－	－	－	－	－	－	－	－	－	－
－	－	－	－	－	－	－	－	6	－	3	3	9	1	6	2
1	1	－	－	－	－	－	－	1	－	1	－	7	1	3	3
－	－	－	－	－	－	－	－	－	－	－	－	－	－	－	－
2	1	1	－	2	1	1	－	5	1	4	－	5	1	4	－
－	－	－	－	－	－	－	－	3	－	3	－	1	－	1	－

地域密着型特定施設入居者生活介護

都道府県 指定都市 中核市	計画作成担当者				機能訓練指導員							
									理学療法士（再掲）			
	総数	常勤		非常勤	総数	常勤		非常勤	総数	常勤		非常勤
		専従	兼務			専従	兼務			専従	兼務	
指定都市（再掲）												
札幌市	1	－	1	－	2	－	1	1	－	－	－	－
仙台市	－	－	－	－	－	－	－	－	－	－	－	－
さいたま市	1	1	－	－	1	－	1	－	－	－	－	－
千葉市	1	－	－	1	3	－	－	3	－	－	－	－
横浜市	1	1	－	－	1	－	－	1	－	－	－	－
川崎市	－	－	－	－	－	－	－	－	－	－	－	－
相模原市	－	－	－	－	－	－	－	－	－	－	－	－
新潟市	－	－	－	－	4	－	2	2	－	－	－	－
静岡市	6	3	1	2	3	－	1	2	－	－	－	－
浜松市	6	3	3	－	7	4	2	1	－	－	－	－
名古屋市	4	－	3	1	3	2	1	－	－	－	－	－
京都市	14	－	14	－	11	1	5	5	1	1	－	－
大阪市	4	1	3	－	5	－	2	3	－	－	－	－
堺市	－	－	－	－	－	－	－	－	－	－	－	－
神戸市	－	－	－	－	－	－	－	－	－	－	－	－
岡山市	－	－	－	－	－	－	－	－	－	－	－	－
広島市	－	－	－	－	－	－	－	－	－	－	－	－
北九州市	－	－	－	－	－	－	－	－	－	－	－	－
福岡市	2	－	1	1	1	－	1	－	－	－	－	－
熊本市	2	－	1	1	2	－	－	2	－	－	－	－
中核市（再掲）												
旭川市	－	－	－	－	－	－	－	－	－	－	－	－
函館市	14	7	6	1	16	7	7	2	1	1	－	－
青森市	1	－	1	－	1	－	1	－	－	－	－	－
八戸市	1	－	1	－	1	－	1	－	－	－	－	－
盛岡市	－	－	－	－	－	－	－	－	－	－	－	－
秋田市	－	－	－	－	－	－	－	－	－	－	－	－
郡山市	2	－	2	－	1	－	1	－	－	－	－	－
いわき市	2	1	1	－	－	－	－	－	－	－	－	－
宇都宮市	－	－	－	－	－	－	－	－	－	－	－	－
前橋市	－	－	－	－	－	－	－	－	－	－	－	－
高崎市	－	－	－	－	－	－	－	－	－	－	－	－
川越市	1	－	1	－	3	－	1	2	－	－	－	－
越谷市	－	－	－	－	－	－	－	－	－	－	－	－
船橋市	3	2	1	－	3	－	2	1	2	－	2	－
柏市	－	－	－	－	－	－	－	－	－	－	－	－
八王子市	－	－	－	－	－	－	－	－	－	－	－	－
横須賀市	－	－	－	－	－	－	－	－	－	－	－	－
富山市	－	－	－	－	－	－	－	－	－	－	－	－
金沢市	－	－	－	－	－	－	－	－	－	－	－	－
長野市	10	4	5	1	8	3	4	1	－	－	－	－
岐阜市	3	－	2	1	1	－	1	－	－	－	－	－
豊橋市	－	－	－	－	－	－	－	－	－	－	－	－
豊田市	－	－	－	－	－	－	－	－	－	－	－	－
岡崎市	4	1	3	－	4	1	1	2	－	－	－	－
大津市	－	－	－	－	－	－	－	－	－	－	－	－
高槻市	2	1	1	－	2	－	1	1	－	－	－	－
東大阪市	－	－	－	－	－	－	－	－	－	－	－	－
豊中市	－	－	－	－	－	－	－	－	－	－	－	－
枚方市	－	－	－	－	－	－	－	－	－	－	－	－
姫路市	－	－	－	－	－	－	－	－	－	－	－	－
西宮市	－	－	－	－	－	－	－	－	－	－	－	－
尼崎市	2	1	1	－	2	－	1	1	－	－	－	－
奈良市	－	－	－	－	－	－	－	－	－	－	－	－
和歌山市	2	－	2	－	3	－	2	1	－	－	－	－
倉敷市	2	－	2	－	3	1	2	－	－	－	－	－
福山市	－	－	－	－	－	－	－	－	－	－	－	－
呉市	－	－	－	－	－	－	－	－	－	－	－	－
下関市	－	－	－	－	－	－	－	－	－	－	－	－
高松市	1	－	1	－	1	－	1	－	－	－	－	－
松山市	－	－	－	－	－	－	－	－	－	－	－	－
高知市	6	2	4	－	5	2	3	－	－	－	－	－
久留米市	－	－	－	－	－	－	－	－	－	－	－	－
長崎市	－	－	－	－	－	－	－	－	－	－	－	－
佐世保市	－	－	－	－	－	－	－	－	－	－	－	－
大分市	－	－	－	－	－	－	－	－	－	－	－	－
宮崎市	－	－	－	－	－	－	－	－	－	－	－	－
鹿児島市	3	1	2	－	3	1	2	－	－	－	－	－
那覇市	2	1	1	－	2	1	1	－	1	1	－	－

注：調査方法の変更等による回収率変動の影響を受けているため、数量を示す従事者数の実数は前年以前と単純に年次比較できない。

中核市（再掲）、職種（常勤（専従－兼務）－非常勤）別（31－26）

平成29年10月１日

作業療法士（再掲）				言語聴覚士（再掲）				看護師（再掲）				准看護師（再掲）			
総数	常勤		非常勤	総数	常勤		非常勤	総数	常勤		非常勤	総数	常勤		非常勤
	専従	兼務			専従	兼務			専従	兼務			専従	兼務	
－	－	－	－	－	－	－	－	－	－	－	－	2	－	1	1
－	－	－	－	－	－	－	－	－	－	－	－	－	－	－	－
－	－	－	－	－	－	－	－	－	－	－	－	1	－	1	－
－	－	－	－	－	－	－	－	2	－	－	2	1	－	－	1
－	－	－	－	－	－	－	－	－	－	－	－	1	－	－	1
－	－	－	－	－	－	－	－	－	－	－	－	－	－	－	－
－	－	－	－	－	－	－	－	－	－	－	－	－	－	－	－
－	－	－	－	－	－	－	－	2	－	1	1	2	－	1	1
－	－	－	－	－	－	－	－	1	－	1	－	2	－	－	2
2	1	－	1	－	－	－	－	3	1	2	－	－	－	－	－
－	－	－	－	－	－	－	－	3	2	1	－	－	－	－	－
－	－	－	－	－	－	－	－	6	－	3	3	2	－	2	－
－	－	－	－	－	－	－	－	2	－	－	2	2	－	2	－
－	－	－	－	－	－	－	－	－	－	－	－	－	－	－	－
－	－	－	－	－	－	－	－	－	－	－	－	－	－	－	－
－	－	－	－	－	－	－	－	－	－	－	－	－	－	－	－
－	－	－	－	－	－	－	－	－	－	－	－	－	－	－	－
－	－	－	－	－	－	－	－	－	－	－	－	－	－	－	－
－	－	－	－	－	－	－	－	－	－	－	－	1	－	1	－
－	－	－	－	－	－	－	－	1	－	－	1	1	－	－	1
－	－	－	－	－	－	－	－	－	－	－	－	－	－	－	－
－	－	－	－	－	－	－	－	3	1	1	1	11	4	6	1
－	－	－	－	－	－	－	－	1	－	1	－	－	－	－	－
－	－	－	－	－	－	－	－	－	－	－	－	1	－	1	－
－	－	－	－	－	－	－	－	－	－	－	－	－	－	－	－
－	－	－	－	－	－	－	－	－	－	－	－	－	－	－	－
1	－	1	－	－	－	－	－	－	－	－	－	－	－	－	－
－	－	－	－	－	－	－	－	－	－	－	－	－	－	－	－
－	－	－	－	－	－	－	－	－	－	－	－	－	－	－	－
－	－	－	－	－	－	－	－	－	－	－	－	－	－	－	－
－	－	－	－	－	－	－	－	－	－	－	－	－	－	－	－
－	－	－	－	－	－	－	－	3	－	1	2	－	－	－	－
－	－	－	－	－	－	－	－	－	－	－	－	－	－	－	－
－	－	－	－	－	－	－	－	1	－	－	1	－	－	－	－
－	－	－	－	－	－	－	－	－	－	－	－	－	－	－	－
－	－	－	－	－	－	－	－	－	－	－	－	－	－	－	－
－	－	－	－	－	－	－	－	－	－	－	－	－	－	－	－
－	－	－	－	－	－	－	－	－	－	－	－	－	－	－	－
－	－	－	－	－	－	－	－	－	－	－	－	－	－	－	－
－	－	－	－	－	－	－	－	2	－	1	1	6	3	3	－
－	－	－	－	－	－	－	－	－	－	－	－	1	－	1	－
－	－	－	－	－	－	－	－	－	－	－	－	－	－	－	－
－	－	－	－	－	－	－	－	－	－	－	－	－	－	－	－
－	－	－	－	－	－	－	－	3	－	1	2	1	1	－	－
－	－	－	－	－	－	－	－	－	－	－	－	－	－	－	－
－	－	－	－	－	－	－	－	2	－	1	1	－	－	－	－
－	－	－	－	－	－	－	－	－	－	－	－	－	－	－	－
－	－	－	－	－	－	－	－	－	－	－	－	－	－	－	－
－	－	－	－	－	－	－	－	－	－	－	－	－	－	－	－
－	－	－	－	－	－	－	－	－	－	－	－	－	－	－	－
－	－	－	－	－	－	－	－	－	－	－	－	－	－	－	－
－	－	－	－	－	－	－	－	1	－	－	1	1	－	1	－
－	－	－	－	－	－	－	－	－	－	－	－	－	－	－	－
－	－	－	－	－	－	－	－	1	－	1	－	2	－	1	1
1	1	－	－	－	－	－	－	－	－	－	－	2	－	2	－
－	－	－	－	－	－	－	－	－	－	－	－	－	－	－	－
－	－	－	－	－	－	－	－	－	－	－	－	－	－	－	－
－	－	－	－	－	－	－	－	－	－	－	－	－	－	－	－
－	－	－	－	－	－	－	－	－	－	－	－	1	－	1	－
－	－	－	－	－	－	－	－	－	－	－	－	－	－	－	－
－	－	－	－	－	－	－	－	2	1	1	－	3	1	2	－
－	－	－	－	－	－	－	－	－	－	－	－	－	－	－	－
－	－	－	－	－	－	－	－	－	－	－	－	－	－	－	－
－	－	－	－	－	－	－	－	－	－	－	－	－	－	－	－
－	－	－	－	－	－	－	－	－	－	－	－	－	－	－	－
－	－	－	－	－	－	－	－	－	－	－	－	－	－	－	－
－	－	－	－	－	－	－	－	3	1	2	－	－	－	－	－
－	－	－	－	－	－	－	－	1	－	1	－	－	－	－	－

地域密着型特定施設入居者生活介護

都道府県 指定都市 中核市	機能訓練指導員								その他の職員			
	柔道整復師（再掲）				あん摩マッサージ指圧師（再掲）							
	総数	常勤		非常勤	総数	常勤		非常勤	総数	常勤		非常勤
		専従	兼務			専従	兼務			専従	兼務	
全国	10	3	3	4	14	7	1	6	672	189	238	245
北海道	–	–	–	–	1	1	–	–	57	17	27	13
青森	–	–	–	–	2	–	1	1	5	2	2	1
岩手	–	–	–	–	1	–	–	1	11	2	6	3
宮城	–	–	–	–	–	–	–	–	5	5	–	–
秋田	1	–	–	1	–	–	–	–	42	11	17	14
山形	–	–	–	–	–	–	–	–	–	–	–	–
福島	1	–	–	1	–	–	–	–	8	3	5	–
茨城	–	–	–	–	–	–	–	–	–	–	–	–
栃木	–	–	–	–	–	–	–	–	–	–	–	–
群馬	–	–	–	–	–	–	–	–	4	1	2	1
埼玉	–	–	–	–	–	–	–	–	17	5	11	1
千葉	1	1	–	–	–	–	–	–	43	5	15	23
東京	–	–	–	–	–	–	–	–	7	1	4	2
神奈川	1	1	–	–	–	–	–	–	48	11	6	31
新潟	2	–	2	–	–	–	–	–	6	1	2	3
富山	–	–	–	–	–	–	–	–	–	–	–	–
石川	–	–	–	–	–	–	–	–	–	–	–	–
福井	–	–	–	–	–	–	–	–	–	–	–	–
山梨	–	–	–	–	–	–	–	–	12	3	3	6
長野	–	–	–	–	1	–	–	1	45	14	7	24
岐阜	–	–	–	–	–	–	–	–	22	7	4	11
静岡	–	–	–	–	2	2	–	–	39	15	9	15
愛知	1	–	1	–	3	1	–	2	18	3	9	6
三重	–	–	–	–	–	–	–	–	4	–	2	2
滋賀	–	–	–	–	–	–	–	–	–	–	–	–
京都	1	–	–	1	1	–	–	1	25	7	7	11
大阪	1	–	–	1	–	–	–	–	18	3	9	6
兵庫	–	–	–	–	–	–	–	–	10	1	4	5
奈良	–	–	–	–	–	–	–	–	–	–	–	–
和歌山	–	–	–	–	–	–	–	–	25	5	14	6
鳥取	–	–	–	–	–	–	–	–	9	3	1	5
島根	–	–	–	–	–	–	–	–	3	–	3	–
岡山	–	–	–	–	–	–	–	–	15	–	7	8
広島	–	–	–	–	–	–	–	–	11	4	1	6
山口	–	–	–	–	–	–	–	–	8	–	4	4
徳島	–	–	–	–	–	–	–	–	–	–	–	–
香川	–	–	–	–	–	–	–	–	7	3	2	2
愛媛	–	–	–	–	–	–	–	–	–	–	–	–
高知	1	1	–	–	–	–	–	–	14	9	4	1
福岡	–	–	–	–	2	2	–	–	30	8	12	10
佐賀	–	–	–	–	–	–	–	–	5	3	2	–
長崎	–	–	–	–	–	–	–	–	–	–	–	–
熊本	–	–	–	–	–	–	–	–	26	3	12	11
大分	–	–	–	–	–	–	–	–	24	12	5	7
宮崎	–	–	–	–	–	–	–	–	–	–	–	–
鹿児島	–	–	–	–	1	1	–	–	44	20	17	7
沖縄	–	–	–	–	–	–	–	–	5	2	3	–

注：調査方法の変更等による回収率変動の影響を受けているため、数量を示す従事者数の実数は前年以前と単純に年次比較できない。

中核市（再掲）、職種（常勤（専従－兼務）－非常勤）別（31－27）

平成29年10月1日

都道府県 指定都市 中核市	機能訓練指導員 柔道整復師（再掲） 総数	常勤 専従	常勤 兼務	非常勤	機能訓練指導員 あん摩マッサージ指圧師（再掲） 総数	常勤 専従	常勤 兼務	非常勤	その他の職員 総数	常勤 専従	常勤 兼務	非常勤
指定都市（再掲）												
札幌市	-	-	-	-	-	-	-	-	1	-	1	-
仙台市	-	-	-	-	-	-	-	-	-	-	-	-
さいたま市	-	-	-	-	-	-	-	-	1	-	1	-
千葉市	-	-	-	-	-	-	-	-	-	-	-	-
横浜市	-	-	-	-	-	-	-	-	-	-	-	-
川崎市	-	-	-	-	-	-	-	-	-	-	-	-
相模原市	-	-	-	-	-	-	-	-	-	-	-	-
新潟市	-	-	-	-	-	-	-	-	1	-	-	1
静岡市	-	-	-	-	-	-	-	-	11	6	3	2
浜松市	-	-	-	-	2	2	-	-	12	4	4	4
名古屋市	-	-	-	-	-	-	-	-	5	1	4	-
京都市	1	-	-	1	1	-	-	1	21	3	7	11
大阪市	1	-	-	1	-	-	-	-	7	-	2	5
堺市	-	-	-	-	-	-	-	-	-	-	-	-
神戸市	-	-	-	-	-	-	-	-	-	-	-	-
岡山市	-	-	-	-	-	-	-	-	-	-	-	-
広島市	-	-	-	-	-	-	-	-	-	-	-	-
北九州市	-	-	-	-	-	-	-	-	-	-	-	-
福岡市	-	-	-	-	-	-	-	-	2	-	1	1
熊本市	-	-	-	-	-	-	-	-	-	-	-	-
中核市（再掲）												
旭川市	-	-	-	-	-	-	-	-	-	-	-	-
函館市	-	-	-	-	1	1	-	-	20	7	8	5
青森市	-	-	-	-	-	-	-	-	1	-	1	-
八戸市	-	-	-	-	-	-	-	-	4	2	1	1
盛岡市	-	-	-	-	-	-	-	-	-	-	-	-
秋田市	-	-	-	-	-	-	-	-	-	-	-	-
郡山市	-	-	-	-	-	-	-	-	-	-	-	-
いわき市	-	-	-	-	-	-	-	-	4	3	1	-
宇都宮市	-	-	-	-	-	-	-	-	-	-	-	-
前橋市	-	-	-	-	-	-	-	-	-	-	-	-
高崎市	-	-	-	-	-	-	-	-	-	-	-	-
川越市	-	-	-	-	-	-	-	-	2	-	2	-
越谷市	-	-	-	-	-	-	-	-	-	-	-	-
船橋市	-	-	-	-	-	-	-	-	24	3	7	14
柏市	-	-	-	-	-	-	-	-	-	-	-	-
八王子市	-	-	-	-	-	-	-	-	-	-	-	-
横須賀市	-	-	-	-	-	-	-	-	-	-	-	-
富山市	-	-	-	-	-	-	-	-	-	-	-	-
金沢市	-	-	-	-	-	-	-	-	-	-	-	-
長野市	-	-	-	-	-	-	-	-	26	12	5	9
岐阜市	-	-	-	-	-	-	-	-	3	-	3	-
豊橋市	-	-	-	-	-	-	-	-	-	-	-	-
豊田市	-	-	-	-	-	-	-	-	-	-	-	-
岡崎市	-	-	-	-	-	-	-	-	1	-	1	-
大津市	-	-	-	-	-	-	-	-	-	-	-	-
高槻市	-	-	-	-	-	-	-	-	4	3	1	-
東大阪市	-	-	-	-	-	-	-	-	-	-	-	-
豊中市	-	-	-	-	-	-	-	-	-	-	-	-
枚方市	-	-	-	-	-	-	-	-	-	-	-	-
姫路市	-	-	-	-	-	-	-	-	-	-	-	-
西宮市	-	-	-	-	-	-	-	-	-	-	-	-
尼崎市	-	-	-	-	-	-	-	-	5	-	1	4
奈良市	-	-	-	-	-	-	-	-	-	-	-	-
和歌山市	-	-	-	-	-	-	-	-	5	2	2	1
倉敷市	-	-	-	-	-	-	-	-	6	-	3	3
福山市	-	-	-	-	-	-	-	-	-	-	-	-
呉市	-	-	-	-	-	-	-	-	-	-	-	-
下関市	-	-	-	-	-	-	-	-	-	-	-	-
高松市	-	-	-	-	-	-	-	-	1	-	1	-
松山市	-	-	-	-	-	-	-	-	-	-	-	-
高知市	-	-	-	-	-	-	-	-	11	9	2	-
久留米市	-	-	-	-	-	-	-	-	-	-	-	-
長崎市	-	-	-	-	-	-	-	-	-	-	-	-
佐世保市	-	-	-	-	-	-	-	-	-	-	-	-
大分市	-	-	-	-	-	-	-	-	-	-	-	-
宮崎市	-	-	-	-	-	-	-	-	-	-	-	-
鹿児島市	-	-	-	-	-	-	-	-	12	5	2	5
那覇市	-	-	-	-	-	-	-	-	2	1	1	-

第15表　従事者数，地域密着型サービスの種類、都道府県－指定都市・

複合型サービス（看護小規模多機能型居宅介護）

都道府県 指定都市 中核市	総数				介護職員							
									介護福祉士（再掲）			
	総数	常勤		非常勤	総数	常勤		非常勤	総数	常勤		非常勤
		専従	兼務			専従	兼務			専従	兼務	
全国	7 683	3 213	1 773	2 697	4 211	2 230	536	1 445	2 054	1 320	343	391
北海道	727	330	155	242	421	239	62	120	202	139	38	25
青森	104	58	32	14	69	42	16	11	53	35	13	5
岩手	18	10	4	4	13	9	1	3	9	6	1	2
宮城	168	109	27	32	79	62	6	11	49	43	4	2
秋田	106	52	18	36	64	32	12	20	32	26	5	1
山形	105	43	42	20	61	29	23	9	42	19	21	2
福島	118	56	37	25	65	48	8	9	28	22	5	1
茨城	78	33	24	21	44	30	3	11	25	22	2	1
栃木	35	17	7	11	22	13	－	9	4	4	－	－
群馬	147	66	23	58	86	49	5	32	37	24	4	9
埼玉	224	98	38	88	124	62	14	48	38	23	4	11
千葉	131	64	34	33	61	46	2	13	25	21	1	3
東京	482	162	134	186	251	118	30	103	144	79	23	42
神奈川	628	203	119	306	352	145	32	175	145	78	26	41
新潟	140	82	29	29	94	68	11	15	53	45	4	4
富山	69	32	23	14	37	20	9	8	13	11	1	1
石川	21	11	5	5	14	9	2	3	－	－	－	－
福井	218	89	67	62	111	67	23	21	62	38	17	7
山梨	64	32	15	17	35	26	－	9	16	15	－	1
長野	50	7	7	36	29	7	1	21	10	6	1	3
岐阜	119	43	22	54	64	32	2	30	34	19	1	14
静岡	262	123	63	76	153	86	21	46	65	46	10	9
愛知	200	93	37	70	107	65	6	36	56	37	6	13
三重	87	24	10	53	54	16	3	35	24	9	2	13
滋賀	117	51	19	47	75	38	4	33	33	24	4	5
京都	141	48	34	59	91	37	12	42	57	29	10	18
大阪	618	253	97	268	345	172	30	143	159	100	14	45
兵庫	373	128	60	185	203	92	15	96	87	53	5	29
奈良	60	20	22	18	29	13	9	7	21	12	6	3
和歌山	96	39	27	30	59	29	9	21	27	19	2	6
鳥取	17	8	1	8	12	5	－	7	6	4	－	2
島根	120	26	51	43	66	14	19	33	32	8	15	9
岡山	87	27	30	30	44	20	8	16	24	12	7	5
広島	303	153	64	86	153	98	15	40	77	60	14	3
山口	22	9	10	3	12	9	1	2	7	5	1	1
徳島	54	21	18	15	26	10	7	9	12	6	3	3
香川	61	27	5	29	26	13	1	12	10	6	－	4
愛媛	165	71	32	62	78	43	13	22	43	28	9	6
高知	36	26	9	1	25	22	3	－	16	13	3	－
福岡	302	117	87	98	146	71	26	49	70	35	17	18
佐賀	138	35	50	53	67	21	17	29	26	9	12	5
長崎	131	60	30	41	64	30	12	22	30	18	8	4
熊本	160	68	69	23	83	42	26	15	40	26	11	3
大分	167	72	30	65	102	62	6	34	48	36	4	8
宮崎	62	37	11	14	39	27	3	9	23	20	2	1
鹿児島	110	54	39	17	35	25	6	4	30	22	5	3
沖縄	42	26	6	10	21	17	2	2	10	8	2	－

注：調査方法の変更等による回収率変動の影響を受けているため、数量を示す従事者数の実数は前年以前と単純に年次比較できない。

中核市（再掲）、職種（常勤（専従－兼務）－非常勤）別（31－28）

平成29年10月１日

保健師 総数	保健師 常勤 専従	保健師 常勤 兼務	保健師 非常勤	看護師 総数	看護師 常勤 専従	看護師 常勤 兼務	看護師 非常勤	准看護師 総数	准看護師 常勤 専従	准看護師 常勤 兼務	准看護師 非常勤
34	11	10	13	1 926	557	588	781	429	163	85	181
4	2	－	2	202	63	43	96	35	14	4	17
－	－	－	－	17	8	7	2	3	1	1	1
－	－	－	－	3	1	1	1	－	－	－	－
－	－	－	－	50	26	9	15	6	3	－	3
1	1	－	－	23	9	2	12	7	3	－	4
－	－	－	－	20	5	7	8	8	5	1	2
－	－	－	－	37	4	22	11	8	4	1	3
2	－	2	－	19	2	8	9	6	－	5	1
－	－	－	－	7	2	3	2	2	－	2	－
－	－	－	－	34	8	8	18	17	9	2	6
－	－	－	－	67	27	13	27	11	4	－	7
－	－	－	－	33	9	14	10	3	－	1	2
8	2	1	5	135	31	63	41	11	2	－	9
2	－	－	2	138	29	37	72	17	7	5	5
－	－	－	－	23	10	6	7	5	2	1	2
－	－	－	－	19	10	6	3	3	1	1	1
－	－	－	－	5	2	1	2	－	－	－	－
1	－	1	－	51	13	17	21	12	2	1	9
1	－	1	－	14	4	8	2	5	－	－	5
－	－	－	－	12	－	2	10	2	－	－	2
－	－	－	－	29	4	12	13	7	4	1	2
－	－	－	－	57	21	18	18	17	6	8	3
1	1	－	－	65	20	16	29	4	1	－	3
－	－	－	－	16	2	2	12	7	3	－	4
－	－	－	－	27	9	9	9	1	－	－	1
2	2	－	－	32	6	12	14	3	1	－	2
2	1	1	－	161	44	33	84	34	7	7	20
1	－	－	1	92	16	26	50	19	7	2	10
－	－	－	－	17	7	－	10	2	－	1	1
－	－	－	－	22	6	9	7	4	2	2	－
－	－	－	－	3	2	－	1	1	1	－	－
－	－	－	－	27	7	15	5	7	1	4	2
－	－	－	－	19	3	10	6	8	1	4	3
－	－	－	－	69	30	19	20	40	17	7	16
－	－	－	－	9	－	8	1	－	－	－	－
－	－	－	－	21	9	8	4	3	1	1	1
－	－	－	－	21	9	1	11	3	－	－	3
4	2	2	－	41	9	5	27	15	8	4	3
－	－	－	－	7	3	3	1	－	－	－	－
3	－	1	2	85	22	35	28	19	10	2	7
－	－	－	－	39	6	15	18	10	6	2	2
－	－	－	－	32	21	3	8	12	5	2	5
－	－	－	－	32	10	20	2	17	10	5	2
－	－	－	－	37	5	9	23	13	3	3	7
－	－	－	－	8	5	2	1	6	4	1	1
2	－	1	1	40	11	21	8	14	7	4	3
－	－	－	－	9	7	－	2	2	1	－	1

複合型サービス（看護小規模多機能型居宅介護）

都道府県 指定都市 中核市	総数				介護職員							
									介護福祉士（再掲）			
	総数	常勤		非常勤	総数	常勤		非常勤	総数	常勤		非常勤
		専従	兼務			専従	兼務			専従	兼務	
指定都市（再掲）												
札幌市	463	198	97	168	262	137	47	78	117	74	27	16
仙台市	92	56	20	16	51	41	5	5	35	30	3	2
さいたま市	46	23	18	5	24	12	9	3	－	－	－	－
千葉市	－	－	－	－	－	－	－	－	－	－	－	－
横浜市	241	83	42	116	133	62	14	57	58	38	12	8
川崎市	129	44	31	54	61	34	4	23	32	23	4	5
相模原市	22	2	3	17	15	1	1	13	5	1	1	3
新潟市	68	43	4	21	45	36	－	9	26	24	－	2
静岡市	117	58	18	41	68	43	3	22	23	18	1	4
浜松市	27	9	9	9	18	6	6	6	2	2	－	－
名古屋市	73	31	4	38	36	17	2	17	17	9	2	6
京都市	79	31	19	29	53	24	8	21	37	18	7	12
大阪市	180	81	13	86	92	49	3	40	43	30	3	10
堺市	167	53	32	82	106	42	11	53	50	20	9	21
神戸市	159	48	16	95	95	38	3	54	45	26	1	18
岡山市	16	1	3	12	9	－	1	8	－	－	－	－
広島市	48	26	14	8	23	15	6	2	17	10	6	1
北九州市	18	5	3	10	8	3	－	5	5	3	－	2
福岡市	46	8	28	10	21	5	14	2	15	2	13	－
熊本市	113	50	49	14	54	33	13	8	31	21	8	2
中核市（再掲）												
旭川市	－	－	－	－	－	－	－	－	－	－	－	－
函館市	64	35	15	14	35	24	4	7	13	12	－	1
青森市	24	16	5	3	17	12	2	3	14	12	－	2
八戸市	36	20	10	6	24	16	2	6	15	11	1	3
盛岡市	－	－	－	－	－	－	－	－	－	－	－	－
秋田市	27	14	－	13	16	8	－	8	8	8	－	－
郡山市	－	－	－	－	－	－	－	－	－	－	－	－
いわき市	21	13	1	7	14	12	－	2	6	6	－	－
宇都宮市	－	－	－	－	－	－	－	－	－	－	－	－
前橋市	－	－	－	－	－	－	－	－	－	－	－	－
高崎市	87	40	13	34	54	30	3	21	25	16	3	6
川越市	29	10	－	19	22	7	－	15	－	－	－	－
越谷市	－	－	－	－	－	－	－	－	－	－	－	－
船橋市	－	－	－	－	－	－	－	－	－	－	－	－
柏市	－	－	－	－	－	－	－	－	－	－	－	－
八王子市	34	17	－	17	14	9	－	5	11	8	－	3
横須賀市	－	－	－	－	－	－	－	－	－	－	－	－
富山市	69	32	23	14	37	20	9	8	13	11	1	1
金沢市	21	11	5	5	14	9	2	3	－	－	－	－
長野市	30	5	4	21	16	5	1	10	9	5	1	3
岐阜市	－	－	－	－	－	－	－	－	－	－	－	－
豊橋市	60	38	13	9	33	27	－	6	20	19	－	1
豊田市	－	－	－	－	－	－	－	－	－	－	－	－
岡崎市	－	－	－	－	－	－	－	－	－	－	－	－
大津市	29	4	3	22	22	2	1	19	4	1	1	2
高槻市	13	10	3	－	8	8	－	－	4	4	－	－
東大阪市	－	－	－	－	－	－	－	－	－	－	－	－
豊中市	－	－	－	－	－	－	－	－	－	－	－	－
枚方市	－	－	－	－	－	－	－	－	－	－	－	－
姫路市	－	－	－	－	－	－	－	－	－	－	－	－
西宮市	－	－	－	－	－	－	－	－	－	－	－	－
尼崎市	44	26	7	11	28	22	－	6	16	12	－	4
奈良市	40	13	16	11	21	12	6	3	15	11	3	1
和歌山市	74	32	22	20	45	24	8	13	17	15	2	－
倉敷市	46	18	20	8	21	12	7	2	15	6	7	2
福山市	122	65	25	32	60	43	2	15	29	26	2	1
呉市	－	－	－	－	－	－	－	－	－	－	－	－
下関市	－	－	－	－	－	－	－	－	－	－	－	－
高松市	18	5	－	13	4	－	－	4	2	－	－	2
松山市	90	25	11	54	40	17	3	20	17	9	3	5
高知市	36	26	9	1	25	22	3	－	16	13	3	－
久留米市	210	86	54	70	103	54	12	37	47	28	4	15
長崎市	58	21	14	23	33	16	3	14	15	10	1	4
佐世保市	16	10	2	4	9	7	－	2	2	2	－	－
大分市	102	43	21	38	65	39	4	22	34	25	3	6
宮崎市	16	13	3	－	11	11	－	－	10	10	－	－
鹿児島市	72	44	17	11	23	21	－	2	19	18	－	1
那覇市	－	－	－	－	－	－	－	－	－	－	－	－

注：調査方法の変更等による回収率変動の影響を受けているため、数量を示す従事者数の実数は前年以前と単純に年次比較できない。

中核市（再掲）、職種（常勤（専従－兼務）－非常勤）別（31－29）

平成29年10月１日

保健師				看護師				准看護師			
総数	常勤		非常勤	総数	常勤		非常勤	総数	常勤		非常勤
	専従	兼務			専従	兼務			専従	兼務	
4	2	–	2	138	41	25	72	18	6	2	10
–	–	–	–	29	11	8	10	1	1	–	–
–	–	–	–	18	9	7	2	–	–	–	–
–	–	–	–	–	–	–	–	–	–	–	–
–	–	–	–	43	11	10	22	8	2	4	2
1	–	–	1	43	4	16	23	2	1	–	1
–	–	–	–	5	1	1	3	–	–	–	–
–	–	–	–	12	7	–	5	2	–	–	2
–	–	–	–	23	9	2	12	9	3	4	2
–	–	–	–	7	3	3	1	–	–	–	–
–	–	–	–	27	11	–	16	3	–	–	3
1	1	–	–	15	4	5	6	2	–	–	2
1	1	–	–	55	20	5	30	5	1	–	4
–	–	–	–	39	6	14	19	10	1	–	9
–	–	–	–	31	6	5	20	9	4	–	5
–	–	–	–	3	1	–	2	2	–	–	2
–	–	–	–	10	5	2	3	9	4	3	2
–	–	–	–	6	2	1	3	–	–	–	–
–	–	–	–	14	2	9	3	1	–	–	1
–	–	–	–	29	9	19	1	7	4	2	1
–	–	–	–	–	–	–	–	–	–	–	–
–	–	–	–	17	7	5	5	6	4	–	2
–	–	–	–	3	2	1	–	–	–	–	–
–	–	–	–	6	2	4	–	1	–	1	–
–	–	–	–	–	–	–	–	–	–	–	–
–	–	–	–	7	3	–	4	1	–	–	1
–	–	–	–	–	–	–	–	–	–	–	–
–	–	–	–	3	–	–	3	2	1	–	1
–	–	–	–	–	–	–	–	–	–	–	–
–	–	–	–	–	–	–	–	–	–	–	–
–	–	–	–	18	5	3	10	10	5	2	3
–	–	–	–	2	2	–	–	5	1	–	4
–	–	–	–	–	–	–	–	–	–	–	–
–	–	–	–	–	–	–	–	–	–	–	–
–	–	–	–	–	–	–	–	–	–	–	–
–	–	–	–	5	3	–	2	2	–	–	2
–	–	–	–	–	–	–	–	–	–	–	–
–	–	–	–	19	10	6	3	3	1	1	1
–	–	–	–	5	2	1	2	–	–	–	–
–	–	–	–	8	–	1	7	1	–	–	1
–	–	–	–	–	–	–	–	–	–	–	–
1	1	–	–	16	7	6	3	–	–	–	–
–	–	–	–	–	–	–	–	–	–	–	–
–	–	–	–	–	–	–	–	–	–	–	–
–	–	–	–	3	1	1	1	1	–	–	1
1	–	1	–	1	1	–	–	1	1	–	–
–	–	–	–	–	–	–	–	–	–	–	–
–	–	–	–	–	–	–	–	–	–	–	–
–	–	–	–	–	–	–	–	–	–	–	–
–	–	–	–	–	–	–	–	–	–	–	–
–	–	–	–	–	–	–	–	–	–	–	–
–	–	–	–	13	2	6	5	–	–	–	–
–	–	–	–	8	1	–	7	2	–	1	1
–	–	–	–	19	4	9	6	4	2	2	–
–	–	–	–	11	2	7	2	4	1	2	1
–	–	–	–	37	14	11	12	10	5	3	2
–	–	–	–	–	–	–	–	–	–	–	–
–	–	–	–	–	–	–	–	–	–	–	–
–	–	–	–	12	5	–	7	1	–	–	1
–	–	–	–	30	3	3	24	3	1	–	2
–	–	–	–	7	3	3	1	–	–	–	–
3	–	1	2	59	14	25	20	14	7	2	5
–	–	–	–	11	4	3	4	6	1	2	3
–	–	–	–	2	1	–	1	3	2	–	1
–	–	–	–	23	2	7	14	5	1	2	2
–	–	–	–	3	2	1	–	–	–	–	–
2	–	1	1	32	9	16	7	4	3	–	1
–	–	–	–	–	–	–	–	–	–	–	–

複合型サービス（看護小規模多機能型居宅介護）

都道府県 指定都市 中核市	理学療法士				作業療法士			
	総数	常勤		非常勤	総数	常勤		非常勤
		専従	兼務			専従	兼務	
全国	171	32	70	69	77	22	19	36
北海道	8	4	1	3	3	1	－	2
青森	1	1	－	－	－	－	－	－
岩手	－	－	－	－	－	－	－	－
宮城	9	7	2	－	5	5	－	－
秋田	－	－	－	－	2	2	－	－
山形	4	2	2	－	2	1	1	－
福島	－	－	－	－	1	－	－	1
茨城	－	－	－	－	－	－	－	－
栃木	－	－	－	－	－	－	－	－
群馬	－	－	－	－	－	－	－	－
埼玉	5	2	－	3	－	－	－	－
千葉	9	1	8	－	3	3	－	－
東京	17	－	7	10	1	1	－	－
神奈川	22	－	6	16	19	1	1	17
新潟	－	－	－	－	－	－	－	－
富山	1	－	1	－	－	－	－	－
石川	－	－	－	－	－	－	－	－
福井	3	－	3	－	2	－	2	－
山梨	1	－	1	－	2	－	1	1
長野	－	－	－	－	－	－	－	－
岐阜	1	－	1	－	－	－	－	－
静岡	8	2	3	3	2	－	1	1
愛知	7	1	5	1	－	－	－	－
三重	－	－	－	－	－	－	－	－
滋賀	1	－	－	1	1	1	－	－
京都	－	－	－	－	1	－	1	－
大阪	20	4	3	13	8	4	1	3
兵庫	4	－	1	3	1	－	－	1
奈良	4	－	4	－	－	－	－	－
和歌山	2	－	1	1	1	－	1	－
鳥取	－	－	－	－	－	－	－	－
島根	8	－	7	1	3	－	2	1
岡山	1	－	1	－	1	－	1	－
広島	9	3	3	3	5	1	1	3
山口	－	－	－	－	－	－	－	－
徳島	2	1	－	1	－	－	－	－
香川	1	－	－	1	1	－	1	－
愛媛	1	－	－	1	3	－	－	3
高知	－	－	－	－	1	－	1	－
福岡	5	－	4	1	2	1	－	1
佐賀	2	－	1	1	2	－	2	－
長崎	2	－	－	2	1	－	－	1
熊本	7	－	4	3	4	1	2	1
大分	－	－	－	－	－	－	－	－
宮崎	－	－	－	－	－	－	－	－
鹿児島	5	4	1	－	－	－	－	－
沖縄	1	－	－	1	－	－	－	－

注：調査方法の変更等による回収率変動の影響を受けているため、数量を示す従事者数の実数は前年以前と単純に年次比較できない。

中核市（再掲）、職種（常勤（専従－兼務）－非常勤）別（31－30）

平成29年10月１日

言語聴覚士				介護支援専門員				その他の職員			
総数	常勤		非常勤	総数	常勤		非常勤	総数	常勤		非常勤
	専従	兼務			専従	兼務			専従	兼務	
18	3	6	9	390	109	235	46	427	86	224	117
1	-	-	1	26	3	23	-	27	4	22	1
-	-	-	-	8	4	4	-	6	2	4	-
-	-	-	-	1	-	1	-	1	-	1	-
1	1	-	-	8	4	3	1	10	1	7	2
-	-	-	-	4	2	2	-	5	3	2	-
-	-	-	-	5	-	4	1	5	1	4	-
-	-	-	-	6	-	5	1	1	-	1	-
-	-	-	-	3	1	2	-	4	-	4	-
-	-	-	-	2	1	1	-	2	1	1	-
-	-	-	-	6	-	4	2	4	-	4	-
-	-	-	-	11	3	7	1	6	-	4	2
1	-	1	-	6	1	5	-	15	4	3	8
1	-	-	1	27	3	19	5	31	5	14	12
-	-	-	-	40	15	17	8	38	6	21	11
-	-	-	-	7	1	6	-	11	1	5	5
-	-	-	-	5	1	3	1	4	-	3	1
-	-	-	-	1	-	1	-	1	-	1	-
1	-	1	-	14	4	10	-	23	3	9	11
-	-	-	-	3	2	1	-	3	-	3	-
-	-	-	-	2	-	2	-	5	-	2	3
-	-	-	-	4	-	3	1	14	3	3	8
-	-	-	-	15	4	7	4	10	4	5	1
1	-	-	1	7	3	4	-	8	2	6	-
-	-	-	-	5	1	3	1	5	2	2	1
-	-	-	-	7	3	2	2	5	-	4	1
-	-	-	-	6	2	4	-	6	-	5	1
6	1	1	4	26	13	12	1	16	7	9	-
-	-	-	-	19	6	9	4	34	7	7	20
-	-	-	-	6	-	6	-	2	-	2	-
1	-	1	-	5	2	2	1	2	-	2	-
-	-	-	-	1	-	1	-	-	-	-	-
1	-	1	-	3	1	2	-	5	3	1	1
-	-	-	-	5	-	3	2	9	3	3	3
1	-	-	1	16	3	11	2	10	1	8	1
-	-	-	-	1	-	1	-	-	-	-	-
-	-	-	-	1	-	1	-	1	-	1	-
-	-	-	-	2	1	1	-	7	4	1	2
-	-	-	-	10	4	4	2	13	5	4	4
-	-	-	-	2	1	1	-	1	-	1	-
-	-	-	-	21	8	10	3	21	5	9	7
1	-	-	1	8	2	5	1	9	-	8	1
-	-	-	-	9	2	6	1	11	2	7	2
1	-	1	-	8	3	5	-	8	2	6	-
-	-	-	-	8	1	6	1	7	1	6	-
-	-	-	-	3	1	2	-	6	-	3	3
1	1	-	-	5	3	2	-	8	3	4	1
-	-	-	-	2	-	2	-	7	1	2	4

複合型サービス（看護小規模多機能型居宅介護）

都道府県 指定都市 中核市	理学療法士				作業療法士			
	総数	常勤		非常勤	総数	常勤		非常勤
		専従	兼務			専従	兼務	
指定都市(再掲)								
札幌市	8	4	1	3	3	1	-	2
仙台市	-	-	-	-	-	-	-	-
さいたま市	-	-	-	-	-	-	-	-
千葉市	-	-	-	-	-	-	-	-
横浜市	12	-	-	12	13	-	-	13
川崎市	5	-	3	2	3	-	-	3
相模原市	-	-	-	-	-	-	-	-
新潟市	-	-	-	-	-	-	-	-
静岡市	3	-	1	2	1	-	-	1
浜松市	-	-	-	-	-	-	-	-
名古屋市	2	1	-	1	-	-	-	-
京都市	-	-	-	-	1	-	1	-
大阪市	14	2	2	10	-	-	-	-
堺市	-	-	-	-	-	-	-	-
神戸市	1	-	-	1	-	-	-	-
岡山市	-	-	-	-	-	-	-	-
広島市	-	-	-	-	-	-	-	-
北九州市	-	-	-	-	-	-	-	-
福岡市	1	-	1	-	-	-	-	-
熊本市	7	-	4	3	3	-	2	1
中核市(再掲)								
旭川市	-	-	-	-	-	-	-	-
函館市	-	-	-	-	-	-	-	-
青森市	-	-	-	-	-	-	-	-
八戸市	1	1	-	-	-	-	-	-
盛岡市	-	-	-	-	-	-	-	-
秋田市	-	-	-	-	1	1	-	-
郡山市	-	-	-	-	-	-	-	-
いわき市	-	-	-	-	-	-	-	-
宇都宮市	-	-	-	-	-	-	-	-
前橋市	-	-	-	-	-	-	-	-
高崎市	-	-	-	-	-	-	-	-
川越市	-	-	-	-	-	-	-	-
越谷市	-	-	-	-	-	-	-	-
船橋市	-	-	-	-	-	-	-	-
柏市	-	-	-	-	-	-	-	-
八王子市	6	-	-	6	1	1	-	-
横須賀市	-	-	-	-	-	-	-	-
富山市	1	-	1	-	-	-	-	-
金沢市	-	-	-	-	-	-	-	-
長野市	-	-	-	-	-	-	-	-
岐阜市	-	-	-	-	-	-	-	-
豊橋市	5	-	5	-	-	-	-	-
豊田市	-	-	-	-	-	-	-	-
岡崎市	-	-	-	-	-	-	-	-
大津市	-	-	-	-	-	-	-	-
高槻市	-	-	-	-	-	-	-	-
東大阪市	-	-	-	-	-	-	-	-
豊中市	-	-	-	-	-	-	-	-
枚方市	-	-	-	-	-	-	-	-
姫路市	-	-	-	-	-	-	-	-
西宮市	-	-	-	-	-	-	-	-
尼崎市	-	-	-	-	-	-	-	-
奈良市	4	-	4	-	-	-	-	-
和歌山市	1	-	-	1	-	-	-	-
倉敷市	1	-	1	-	1	-	1	-
福山市	2	-	-	2	3	1	1	1
呉市	-	-	-	-	-	-	-	-
下関市	-	-	-	-	-	-	-	-
高松市	1	-	-	1	-	-	-	-
松山市	1	-	-	1	2	-	-	2
高知市	-	-	-	-	1	-	1	-
久留米市	4	-	3	1	2	1	-	1
長崎市	-	-	-	-	1	-	-	1
佐世保市	-	-	-	-	-	-	-	-
大分市	-	-	-	-	-	-	-	-
宮崎市	-	-	-	-	-	-	-	-
鹿児島市	4	4	-	-	-	-	-	-
那覇市	-	-	-	-	-	-	-	-

注：調査方法の変更等による回収率変動の影響を受けているため、数量を示す従事者数の実数は前年以前と単純に年次比較できない。

中核市（再掲）、職種（常勤（専従－兼務）－非常勤）別（31－31）

平成29年10月１日

言語聴覚士 総数	言語聴覚士 常勤 専従	言語聴覚士 常勤 兼務	言語聴覚士 非常勤	介護支援専門員 総数	介護支援専門員 常勤 専従	介護支援専門員 常勤 兼務	介護支援専門員 非常勤	その他の職員 総数	その他の職員 常勤 専従	その他の職員 常勤 兼務	その他の職員 非常勤
1	－	－	1	14	3	11	－	15	4	11	－
－	－	－	－	5	2	2	1	6	1	5	－
－	－	－	－	4	2	2	－	－	－	－	－
－	－	－	－	－	－	－	－	－	－	－	－
－	－	－	－	14	6	7	1	18	2	7	9
－	－	－	－	7	4	3	－	7	1	5	1
－	－	－	－	1	－	－	1	1	－	1	－
－	－	－	－	2	－	2	－	7	－	2	5
－	－	－	－	7	1	5	1	6	2	3	1
－	－	－	－	2	－	－	2	－	－	－	－
1	－	－	1	2	1	1	－	2	1	1	－
－	－	－	－	4	2	2	－	3	－	3	－
2	－	－	2	6	5	1	－	5	3	2	－
1	－	－	1	8	3	5	－	3	1	2	－
－	－	－	－	6	－	4	2	17	－	4	13
－	－	－	－	1	－	1	－	1	－	1	－
－	－	－	－	3	1	1	1	3	1	2	－
－	－	－	－	2	－	1	1	2	－	1	1
－	－	－	－	2	－	2	－	7	1	2	4
1	－	1	－	6	2	4	－	6	2	4	－
－	－	－	－	－	－	－	－	－	－	－	－
－	－	－	－	3	－	3	－	3	－	3	－
－	－	－	－	2	1	1	－	2	1	1	－
－	－	－	－	2	1	1	－	2	－	2	－
－	－	－	－	－	－	－	－	－	－	－	－
－	－	－	－	1	1	－	－	1	1	－	－
－	－	－	－	－	－	－	－	－	－	－	－
－	－	－	－	2	－	1	1	－	－	－	－
－	－	－	－	－	－	－	－	－	－	－	－
－	－	－	－	－	－	－	－	－	－	－	－
－	－	－	－	3	－	3	－	2	－	2	－
－	－	－	－	－	－	－	－	－	－	－	－
－	－	－	－	－	－	－	－	－	－	－	－
－	－	－	－	－	－	－	－	－	－	－	－
－	－	－	－	－	－	－	－	－	－	－	－
1	－	－	1	1	1	－	－	4	3	－	1
－	－	－	－	－	－	－	－	－	－	－	－
－	－	－	－	5	1	3	1	4	－	3	1
－	－	－	－	1	－	1	－	1	－	1	－
－	－	－	－	1	－	1	－	4	－	1	3
－	－	－	－	－	－	－	－	－	－	－	－
－	－	－	－	3	2	1	－	2	1	1	－
－	－	－	－	－	－	－	－	－	－	－	－
－	－	－	－	－	－	－	－	－	－	－	－
－	－	－	－	2	1	－	1	1	－	1	－
－	－	－	－	1	－	1	－	1	－	1	－
－	－	－	－	－	－	－	－	－	－	－	－
－	－	－	－	－	－	－	－	－	－	－	－
－	－	－	－	－	－	－	－	－	－	－	－
－	－	－	－	－	－	－	－	－	－	－	－
－	－	－	－	－	－	－	－	－	－	－	－
－	－	－	－	1	1	－	－	2	1	1	－
－	－	－	－	4	－	4	－	1	－	1	－
－	－	－	－	3	2	1	－	2	－	2	－
－	－	－	－	3	－	1	2	5	3	1	1
－	－	－	－	7	2	5	－	3	－	3	－
－	－	－	－	－	－	－	－	－	－	－	－
－	－	－	－	－	－	－	－	－	－	－	－
－	－	－	－	－	－	－	－	－	－	－	－
－	－	－	－	6	1	3	2	8	3	2	3
－	－	－	－	2	1	1	－	1	－	1	－
－	－	－	－	15	7	6	2	10	3	5	2
－	－	－	－	3	－	2	1	4	－	4	－
－	－	－	－	1	－	1	－	1	－	1	－
－	－	－	－	5	1	4	－	4	－	4	－
－	－	－	－	1	－	1	－	1	－	1	－
1	1	－	－	3	3	－	－	3	3	－	－
－	－	－	－	－	－	－	－	－	－	－	－

定期巡回・随時対応型訪問介護看護

都道府県 指定都市 中核市	総数			訪問介護員等			介護福祉士（再掲）		
	総数	常勤	非常勤	総数	常勤	非常勤	総数	常勤	非常勤
全国	12 370	9 519	2 851	6 495	4 604	1 891	4 021	3 117	905
北海道	1 193	934	259	681	504	178	443	345	98
青森	91	74	17	52	35	17	26	23	3
岩手	111	99	12	58	51	8	42	38	4
宮城	259	207	52	115	79	35	86	66	19
秋田	83	73	10	37	32	5	28	24	4
山形	151	148	3	81	78	3	61	60	1
福島	146	132	14	79	67	12	59	55	4
茨城	110	91	20	37	34	3	19	16	3
栃木	26	19	7	10	5	6	5	4	2
群馬	104	98	6	76	70	6	50	48	2
埼玉	639	490	149	314	227	87	189	146	43
千葉	468	378	90	266	197	69	158	125	33
東京	1 176	888	288	692	507	186	399	319	80
神奈川	761	560	201	336	213	123	224	164	60
新潟	239	200	38	114	83	31	89	69	20
富山	141	100	42	75	50	25	46	37	9
石川	90	88	2	51	50	1	37	37	-
福井	84	62	22	41	34	7	24	18	6
山梨	62	57	5	35	30	5	29	25	4
長野	226	198	29	134	117	18	91	81	10
岐阜	111	71	40	47	30	17	31	23	8
静岡	277	206	71	141	82	60	86	63	23
愛知	477	342	135	277	193	84	140	102	38
三重	107	91	16	50	39	11	34	28	6
滋賀	74	47	27	29	17	13	18	12	5
京都	306	232	74	152	97	55	99	71	27
大阪	866	598	269	523	315	208	288	188	100
兵庫	613	463	150	307	221	86	201	160	41
奈良	277	216	61	141	102	39	76	65	12
和歌山	41	39	2	23	22	1	13	13	-
鳥取	76	66	10	47	41	6	40	38	3
島根	44	32	12	20	14	6	16	10	6
岡山	180	99	81	97	44	53	65	32	33
広島	441	318	123	227	146	80	144	108	36
山口	365	235	130	216	108	108	115	71	45
徳島	-	-	-	-	-	-	-	-	-
香川	55	44	11	16	11	5	10	6	4
愛媛	138	98	41	60	35	25	32	21	11
高知	72	61	11	28	26	2	20	20	0
福岡	700	584	117	312	252	60	180	155	25
佐賀	33	32	2	13	11	2	12	11	1
長崎	369	286	83	193	129	65	114	84	30
熊本	99	90	9	30	25	6	24	20	4
大分	186	127	59	91	46	45	62	32	30
宮崎	48	45	2	19	19	0	10	10	-
鹿児島	193	147	46	121	95	26	71	60	12
沖縄	64	56	8	31	26	6	19	16	3

注：1）調査方法の変更等による回収率変動の影響を受けているため、数量を示す従事者数の実数は前年以前と単純に年次比較できない。
　　2）「0」は常勤換算従事者数が0.5未満の場合である。

都道府県－指定都市・中核市（再掲）、職種（常勤－非常勤）別（31－1）

平成29年10月1日

看護師			准看護師			理学療法士			作業療法士		
総数	常勤	非常勤	総数	常勤	非常勤	総数	常勤	非常勤	総数	常勤	非常勤
910	736	174	224	163	62	103	88	16	54	44	9
64	57	8	11	7	4	3	2	1	1	1	0
3	3	－	－	－	－	－	－	－	－	－	－
11	10	1	－	－	－	－	－	－	－	－	－
37	27	10	2	2	－	5	5	－	3	3	－
8	7	1	3	3	－	－	－	－	－	－	－
7	7	－	3	3	－	0	0	－	0	0	－
9	9	－	1	1	0	－	－	－	3	2	1
7	4	3	7	3	4	－	－	－	－	－	－
1	0	0	－	－	－	0	0	0	0	－	0
4	4	－	－	－	－	－	－	－	－	－	－
42	31	11	8	8	0	4	3	1	2	2	－
26	23	3	7	4	3	2	2	－	1	－	1
49	34	15	11	9	2	8	3	5	3	1	2
107	88	19	4	2	2	42	39	4	25	22	3
18	15	3	1	1	－	0	0	－	－	－	－
5	5	0	1	－	1	－	－	－	－	－	－
2	2	－	1	1	－	－	－	－	－	－	－
14	9	5	－	－	－	0	0	0	0	0	0
5	5	0	0	0	－	0	0	－	0	0	－
12	9	3	4	3	1	－	－	－	－	－	－
8	4	4	5	1	4	0	－	0	－	－	－
24	23	1	1	1	－	0	－	0	－	－	－
22	12	9	4	2	2	1	1	－	1	－	1
9	8	2	3	2	1	－	－	－	－	－	－
20	11	9	1	－	1	2	1	1	0	－	0
36	29	7	5	2	3	－	－	－	－	－	－
54	43	11	6	2	4	2	1	1	1	－	1
35	23	12	9	4	6	2	2	0	1	0	0
26	21	5	10	3	7	3	3	－	－	－	－
3	3	0	－	－	－	－	－	－	0	0	－
－	－	－	－	－	－	－	－	－	－	－	－
3	3	－	4	4	0	－	－	－	－	－	－
10	8	2	6	5	1	－	－	－	－	－	－
25	17	8	9	6	2	7	5	2	2	2	0
24	21	2	13	8	5	－	－	－	－	－	－
－	－	－	－	－	－	－	－	－	－	－	－
9	9	－	2	2	0	1	1	0	1	1	－
18	14	4	7	6	1	3	3	－	1	1	－
9	7	1	2	1	0	2	2	－	2	2	－
73	63	9	27	24	3	4	3	1	3	3	1
－	－	－	－	－	－	－	－	－	－	－	－
20	19	1	18	18	0	1	1	－	－	－	－
12	11	1	4	3	1	3	3	－	3	3	－
16	16	1	9	7	2	6	6	－	2	2	－
8	7	1	3	3	－	2	1	1	－	－	－
13	11	2	11	10	1	－	－	－	－	－	－
10	9	1	4	4	－	－	－	－	－	－	－

定期巡回・随時対応型訪問介護看護

都道府県 指定都市 中核市	総数			訪問介護員等					
							介護福祉士(再掲)		
	総数	常勤	非常勤	総数	常勤	非常勤	総数	常勤	非常勤
指定都市(再掲)									
札幌市	846	667	179	483	351	131	300	230	71
仙台市	205	168	37	89	62	26	68	54	14
さいたま市	108	76	31	45	30	15	31	22	9
千葉市	62	49	13	30	23	8	19	15	4
横浜市	547	412	135	241	153	88	159	115	44
川崎市	52	36	17	23	17	6	17	14	3
相模原市	3	2	1	2	1	1	2	1	1
新潟市	80	56	24	37	18	19	27	15	13
静岡市	46	36	10	28	18	10	11	10	1
浜松市	114	81	32	59	33	26	36	27	9
名古屋市	200	133	67	100	67	33	46	33	13
京都市	128	86	42	77	42	35	45	30	16
大阪市	256	169	88	164	95	69	70	40	30
堺市	52	42	10	26	24	2	9	9	1
神戸市	158	130	28	82	66	16	70	62	8
岡山市	127	88	38	63	37	26	51	30	21
広島市	132	98	34	62	43	19	42	32	10
北九州市	145	110	35	73	51	21	35	25	10
福岡市	288	260	29	105	94	11	51	46	5
熊本市	7	7	-	4	4	-	4	4	-
中核市(再掲)									
旭川市	28	7	20	15	1	14	10	0	9
函館市	190	157	32	122	102	20	91	79	12
青森市	28	22	6	19	14	6	10	10	-
八戸市	50	40	10	24	14	10	12	9	3
盛岡市	60	55	5	36	32	5	25	23	2
秋田市	46	44	2	17	16	1	15	15	1
郡山市	46	42	4	23	21	3	22	21	1
いわき市	-	-	-	-	-	-	-	-	-
宇都宮市	18	13	5	8	4	4	4	3	1
前橋市	10	10	0	5	5	0	5	5	0
高崎市	41	40	1	24	22	1	16	15	1
川越市	7	6	1	4	3	1	4	3	1
越谷市	25	20	5	14	12	2	10	8	2
船橋市	117	84	33	71	45	26	36	24	12
柏市	44	38	5	26	23	4	22	19	3
八王子市	40	21	19	24	9	15	20	8	12
横須賀市	16	6	10	8	3	5	5	3	2
富山市	73	47	26	40	21	19	25	17	7
金沢市	13	13	-	13	13	-	11	11	-
長野市	25	20	5	9	8	2	8	7	1
岐阜市	33	23	9	13	7	6	10	7	3
豊橋市	97	74	23	64	48	16	40	30	10
豊田市	-	-	-	-	-	-	-	-	-
岡崎市	37	33	4	26	23	4	15	13	2
大津市	-	-	-	-	-	-	-	-	-
高槻市	9	9	-	5	5	-	4	4	-
東大阪市	75	59	16	36	26	11	16	12	4
豊中市	54	40	13	41	32	8	28	25	3
枚方市	22	15	7	16	12	5	9	6	3
姫路市	74	54	20	31	18	13	16	10	6
西宮市	45	32	13	18	12	5	13	10	3
尼崎市	58	43	15	32	24	8	21	15	6
奈良市	136	110	26	73	57	16	32	28	3
和歌山市	25	24	1	15	14	1	12	12	-
倉敷市	53	11	42	35	7	28	14	3	12
福山市	97	72	25	65	47	19	40	37	4
呉市	24	10	14	16	3	13	7	3	4
下関市	173	64	110	123	28	95	57	16	41
高松市	25	24	1	5	5	0	3	3	0
松山市	18	6	12	9	1	8	7	-	7
高知市	69	58	11	27	25	2	19	19	0
久留米市	90	59	31	34	19	16	23	17	6
長崎市	190	136	54	95	55	40	68	43	24
佐世保市	115	96	19	62	43	19	28	26	2
大分市	-	-	-	-	-	-	-	-	-
宮崎市	33	31	2	13	13	0	10	10	-
鹿児島市	129	99	29	73	59	14	45	37	9
那覇市	-	-	-	-	-	-	-	-	-

注：1）調査方法の変更等による回収率変動の影響を受けているため、数量を示す従事者数の実数は前年以前と単純に年次比較できない。
　　2）「0」は常勤換算従事者数が0.5未満の場合である。

都道府県－指定都市・中核市（再掲）、職種（常勤－非常勤）別（31－２）

平成29年10月１日

看護師			准看護師			理学療法士			作業療法士		
総数	常勤	非常勤	総数	常勤	非常勤	総数	常勤	非常勤	総数	常勤	非常勤
43	39	4	3	2	1	3	2	0	1	1	－
27	22	5	1	1	－	4	4	－	3	3	－
12	10	1	－	－	－	－	－	－	－	－	－
5	4	1	－	－	－	－	－	－	－	－	－
84	73	11	0	0	－	40	38	3	22	20	2
4	1	3	2	－	2	－	－	－	－	－	－
－	－	－	－	－	－	－	－	－	－	－	－
13	11	2	－	－	－	－	－	－	－	－	－
－	－	－	－	－	－	－	－	－	－	－	－
21	20	1	1	1	－	0	－	0	－	－	－
9	3	6	1	－	1	1	1	－	1	－	1
3	2	1	3	1	2	－	－	－	－	－	－
6	5	1	－	－	－	－	－	－	－	－	－
5	2	3	0	－	0	－	－	－	－	－	－
4	3	1	1	1	0	1	1	－	－	－	－
10	8	2	6	5	1	－	－	－	－	－	－
9	5	5	3	1	2	3	1	2	2	2	0
13	10	3	7	6	1	－	－	－	－	－	－
35	33	2	15	14	2	1	－	1	0	－	0
－	－	－	－	－	－	－	－	－	－	－	－
2	1	1	1	－	1	－	－	－	－	－	－
7	6	1	2	－	2	－	－	－	－	－	－
－	－	－	－	－	－	－	－	－	－	－	－
3	3	－	－	－	－	－	－	－	－	－	－
－	－	－	－	－	－	－	－	－	－	－	－
6	5	1	3	3	－	－	－	－	－	－	－
2	2	－	0	－	0	－	－	－	－	－	－
－	－	－	－	－	－	－	－	－	－	－	－
－	－	－	－	－	－	－	－	－	－	－	－
－	－	－	－	－	－	－	－	－	－	－	－
4	4	－	－	－	－	－	－	－	－	－	－
1	1	0	0	0	－	－	－	－	－	－	－
1	－	1	－	－	－	－	－	－	－	－	－
4	3	1	－	－	－	－	－	－	1	－	1
1	1	－	－	－	－	－	－	－	－	－	－
－	－	－	－	－	－	－	－	－	－	－	－
0	－	0	－	－	－	－	－	－	－	－	－
3	3	－	－	－	－	－	－	－	－	－	－
－	－	－	－	－	－	－	－	－	－	－	－
4	3	1	－	－	－	－	－	－	－	－	－
2	2	－	0	0	－	－	－	－	－	－	－
4	3	1	－	－	－	－	－	－	－	－	－
－	－	－	－	－	－	－	－	－	－	－	－
－	－	－	－	－	－	－	－	－	－	－	－
－	－	－	－	－	－	－	－	－	－	－	－
－	－	－	－	－	－	－	－	－	－	－	－
7	6	1	1	1	－	－	－	－	－	－	－
－	－	－	－	－	－	－	－	－	－	－	－
－	－	－	－	－	－	－	－	－	－	－	－
－	－	－	－	－	－	－	－	－	－	－	－
3	2	2	－	－	－	－	－	－	－	－	－
5	4	1	2	2	－	－	－	－	－	－	－
15	13	2	4	2	2	1	1	－	－	－	－
－	－	－	－	－	－	－	－	－	－	－	－
－	－	－	－	－	－	－	－	－	－	－	－
0	0	－	－	－	－	－	－	－	－	－	－
2	1	1	2	2	－	－	－	－	－	－	－
7	5	2	4	－	4	－	－	－	－	－	－
4	4	－	2	2	0	0	－	0	－	－	－
3	1	2	－	－	－	－	－	－	－	－	－
9	7	1	2	1	0	2	2	－	2	2	－
9	5	3	3	3	－	－	－	－	－	－	－
12	11	1	5	5	0	1	1	－	－	－	－
7	7	－	12	12	－	－	－	－	－	－	－
－	－	－	－	－	－	－	－	－	－	－	－
4	3	1	－	－	－	2	1	1	－	－	－
12	11	1	10	9	1	－	－	－	－	－	－
－	－	－	－	－	－	－	－	－	－	－	－

第16表　常勤換算従事者数，地域密着型サービスの種類、

定期巡回・随時対応型訪問介護看護

都道府県 指定都市 中核市	言語聴覚士			オペレーター			その他の職員		
	総数	常勤	非常勤	総数	常勤	非常勤	総数	常勤	非常勤
全国	15	9	5	4 271	3 600	671	298	274	24
北海道	2	-	2	414	348	66	17	16	2
青森	-	-	-	34	34	-	1	1	-
岩手	-	-	-	41	38	3	1	1	-
宮城	-	-	-	95	88	7	3	3	-
秋田	-	-	-	31	27	4	5	5	-
山形	0	-	0	58	58	-	2	2	-
福島	0	-	0	47	45	2	8	8	-
茨城	-	-	-	59	48	10	2	2	-
栃木	-	-	-	13	12	1	2	2	-
群馬	-	-	-	22	22	-	2	2	-
埼玉	-	-	-	242	195	47	27	24	4
千葉	-	-	-	159	146	14	8	7	1
東京	1	-	1	379	304	75	33	31	3
神奈川	7	6	1	217	172	45	23	19	4
新潟	-	-	-	98	93	5	8	8	-
富山	-	-	-	54	42	12	7	3	3
石川	-	-	-	35	34	1	1	1	-
福井	0	-	0	27	18	9	1	1	-
山梨	0	0	0	20	20	-	1	1	-
長野	-	-	-	74	67	7	2	2	-
岐阜	-	-	-	48	33	14	3	2	1
静岡	-	-	-	103	94	10	7	7	-
愛知	1	1	-	160	124	37	11	10	2
三重	-	-	-	37	35	2	8	8	-
滋賀	0	-	0	19	16	3	3	3	-
京都	-	-	-	112	103	9	2	1	0
大阪	-	-	-	262	218	45	20	20	-
兵庫	-	-	-	244	198	46	16	16	-
奈良	1	1	-	87	77	10	9	9	1
和歌山	-	-	-	15	15	1	-	-	-
鳥取	-	-	-	27	25	3	2	1	1
島根	-	-	-	15	10	5	1	1	-
岡山	-	-	-	62	37	25	5	5	-
広島	1	-	1	157	127	30	14	14	-
山口	-	-	-	111	96	15	2	2	-
徳島	-	-	-	-	-	-	-	-	-
香川	-	-	-	25	20	5	1	1	-
愛媛	-	-	-	43	32	11	8	8	-
高知	-	-	-	27	19	7	4	4	-
福岡	1	1	-	267	228	39	14	11	4
佐賀	-	-	-	20	20	-	1	1	-
長崎	-	-	-	131	115	16	6	5	1
熊本	1	1	-	44	42	2	1	1	-
大分	-	-	-	57	45	12	6	6	-
宮崎	-	-	-	16	15	1	1	1	-
鹿児島	-	-	-	46	30	16	2	2	0
沖縄	-	-	-	17	16	2	2	2	-

注：1）調査方法の変更等による回収率変動の影響を受けているため、数量を示す従事者数の実数は前年以前と単純に年次比較できない。
　　2）「0」は常勤換算従事者数が0.5未満の場合である。

都道府県－指定都市・中核市（再掲）、職種（常勤－非常勤）別（31－3）

平成29年10月1日

都道府県 指定都市 中核市	言語聴覚士			オペレーター			その他の職員		
	総数	常勤	非常勤	総数	常勤	非常勤	総数	常勤	非常勤
指定都市(再掲)									
札幌市	–	–	–	307	264	42	8	7	1
仙台市	–	–	–	80	75	6	2	2	–
さいたま市	–	–	–	47	32	15	4	4	–
千葉市	–	–	–	26	22	4	1	1	1
横浜市	7	6	1	141	114	27	12	8	3
川崎市	–	–	–	22	16	6	1	1	–
相模原市	–	–	–	1	1	–	–	–	–
新潟市	–	–	–	30	27	3	1	1	–
静岡市	–	–	–	15	15	0	4	4	–
浜松市	–	–	–	31	26	5	2	2	–
名古屋市	1	1	–	84	58	26	3	3	0
京都市	–	–	–	45	41	4	1	1	–
大阪市	–	–	–	78	61	18	8	8	–
堺市	–	–	–	18	15	4	2	2	–
神戸市	–	–	–	67	56	11	4	4	–
岡山市	–	–	–	45	35	10	4	4	–
広島市	–	–	–	48	43	5	4	4	–
北九州市	–	–	–	50	40	10	3	3	–
福岡市	–	–	–	130	117	12	2	2	–
熊本市	–	–	–	4	4	–	–	–	–
中核市(再掲)									
旭川市	–	–	–	9	4	5	2	2	–
函館市	–	–	–	54	46	9	4	4	–
青森市	–	–	–	8	8	–	1	1	–
八戸市	–	–	–	23	23	–	–	–	–
盛岡市	–	–	–	23	23	0	–	–	–
秋田市	–	–	–	19	18	1	3	3	–
郡山市	–	–	–	15	13	1	6	6	–
いわき市	–	–	–	–	–	–	–	–	–
宇都宮市	–	–	–	8	7	1	2	2	–
前橋市	–	–	–	4	4	–	1	1	–
高崎市	–	–	–	13	13	–	0	0	–
川越市	–	–	–	2	2	–	–	–	–
越谷市	–	–	–	10	8	2	–	–	–
船橋市	–	–	–	39	34	5	2	2	0
柏市	–	–	–	16	15	2	–	–	–
八王子市	–	–	–	15	11	4	1	1	–
横須賀市	–	–	–	8	3	5	–	–	–
富山市	–	–	–	28	21	7	2	2	–
金沢市	–	–	–	–	–	–	–	–	–
長野市	–	–	–	12	10	2	–	–	–
岐阜市	–	–	–	17	13	4	1	0	0
豊橋市	–	–	–	27	22	5	2	2	1
豊田市	–	–	–	–	–	–	–	–	–
岡崎市	–	–	–	10	10	–	0	0	–
大津市	–	–	–	–	–	–	–	–	–
高槻市	–	–	–	4	4	–	1	1	–
東大阪市	–	–	–	29	25	5	2	2	–
豊中市	–	–	–	13	8	5	–	–	–
枚方市	–	–	–	4	3	2	1	1	–
姫路市	–	–	–	42	35	7	1	1	–
西宮市	–	–	–	23	17	6	1	1	–
尼崎市	–	–	–	18	12	6	1	1	–
奈良市	–	–	–	41	35	6	2	2	–
和歌山市	–	–	–	10	10	–	–	–	–
倉敷市	–	–	–	18	3	15	1	1	–
福山市	–	–	–	28	22	6	3	3	–
呉市	–	–	–	4	4	–	–	–	–
下関市	–	–	–	38	30	9	1	1	–
高松市	–	–	–	12	12	–	1	1	–
松山市	–	–	–	5	3	3	1	1	–
高知市	–	–	–	26	18	7	3	3	–
久留米市	–	–	–	42	31	11	3	1	2
長崎市	–	–	–	74	62	13	3	2	1
佐世保市	–	–	–	34	34	–	1	1	–
大分市	–	–	–	–	–	–	–	–	–
宮崎市	–	–	–	14	13	1	1	1	–
鹿児島市	–	–	–	33	21	12	1	1	–
那覇市	–	–	–	–	–	–	–	–	–

夜間対応型訪問介護

都道府県 指定都市 中核市	総数			訪問介護員		
	総数	常勤	非常勤	総数	常勤	非常勤
全国	1 969	1 469	501	967	611	356
北海道	72	51	21	29	15	14
青森	-	-	-	-	-	-
岩手	3	3	0	1	1	0
宮城	5	4	1	2	2	1
秋田	-	-	-	-	-	-
山形	5	4	1	4	3	1
福島	9	9	-	3	3	-
茨城	14	13	1	11	10	1
栃木	-	-	-	-	-	-
群馬	4	4	1	3	3	0
埼玉	144	101	43	64	31	33
千葉	101	87	14	46	37	9
東京	311	213	98	129	83	46
神奈川	477	378	99	243	169	74
新潟	17	16	1	4	3	1
富山	5	2	3	1	0	1
石川	-	-	-	-	-	-
福井	3	3	-	-	-	-
山梨	-	-	-	-	-	-
長野	4	4	-	1	1	-
岐阜	25	24	0	10	10	0
静岡	3	2	1	1	0	1
愛知	32	10	22	21	3	18
三重	19	19	-	10	10	-
滋賀	-	-	-	-	-	-
京都	165	118	47	95	57	39
大阪	127	102	25	45	29	17
兵庫	31	30	2	12	10	2
奈良	-	-	-	-	-	-
和歌山	3	2	1	1	1	-
鳥取	3	2	2	2	-	2
島根	20	18	2	15	13	2
岡山	22	2	20	16	-	16
広島	78	71	7	40	36	4
山口	29	26	3	14	12	2
徳島	-	-	-	-	-	-
香川	22	3	19	18	1	17
愛媛	34	18	17	21	10	11
高知	-	-	-	-	-	-
福岡	18	13	5	14	10	4
佐賀	23	22	1	6	5	1
長崎	70	56	13	41	28	13
熊本	5	5	-	3	3	-
大分	54	25	28	33	9	24
宮崎	7	6	0	6	5	0
鹿児島	4	4	-	0	0	-
沖縄	3	1	3	2	0	2

注：1）調査方法の変更等による回収率変動の影響を受けているため、数量を示す従事者数の実数は前年以前と単純に年次比較できない。
　　2）「0」は常勤換算従事者数が0.5未満の場合である。

都道府県－指定都市・中核市（再掲）、職種（常勤－非常勤）別（31－４）

平成29年10月１日

オペレーター			面接相談員			その他の職員		
総数	常勤	非常勤	総数	常勤	非常勤	総数	常勤	非常勤
649	522	127	302	286	16	52	50	2
28	22	7	11	11	1	3	3	－
－	－	－	－	－	－	－	－	－
2	2	－	0	0	－	－	－	－
2	2	1	1	1	－	－	－	－
－	－	－	－	－	－	－	－	－
－	－	－	0	0	－	1	1	－
5	5	－	1	1	－	0	0	－
1	1	－	1	1	－	1	1	－
－	－	－	－	－	－	－	－	－
1	1	－	0	－	0	－	－	－
51	44	7	26	23	3	2	2	－
34	29	6	19	19	0	2	2	－
118	68	50	56	54	2	9	9	－
157	134	22	64	63	1	13	11	2
11	11	－	2	2	－	1	1	－
3	1	2	1	1	－	1	1	－
－	－	－	－	－	－	－	－	－
2	2	－	2	2	－	－	－	－
－	－	－	－	－	－	－	－	－
3	3	－	0	0	－	－	－	－
11	11	－	3	3	－	1	1	－
1	1	－	1	1	－	1	1	－
6	4	2	4	2	2	1	1	－
8	8	－	2	2	－	－	－	－
－	－	－	－	－	－	－	－	－
40	33	7	27	25	2	2	2	－
57	50	7	20	19	1	5	5	－
12	12	－	6	6	－	1	1	－
－	－	－	－	－	－	－	－	－
1	1	0	1	－	1	－	－	－
1	1	－	1	1	－	－	－	－
3	3	－	3	3	－	－	－	－
2	－	2	3	1	2	1	1	－
20	17	3	17	17	0	1	1	－
10	10	1	4	4	－	0	0	－
－	－	－	－	－	－	－	－	－
2	－	2	1	1	－	1	1	0
8	4	4	4	2	2	2	2	－
－	－	－	－	－	－	－	－	－
4	3	1	0	0	－	0	0	－
13	13	－	4	4	－	－	－	－
18	18	－	10	10	－	1	1	－
2	2	－	0	0	－	－	－	－
11	8	4	7	7	－	2	2	－
－	－	－	1	1	－	0	0	－
3	3	－	1	1	－	－	－	－
1	0	1	1	0	0	0	0	－

第16表　常勤換算従事者数，地域密着型サービスの種類、

夜間対応型訪問介護

都道府県 指定都市 中核市	総数			訪問介護員		
	総数	常勤	非常勤	総数	常勤	非常勤
指定都市(再掲)						
札幌市	28	15	13	14	4	10
仙台市	5	4	1	2	2	1
さいたま市	9	5	4	5	1	4
千葉市	-	-	-	-	-	-
横浜市	408	318	90	211	143	68
川崎市	39	34	5	17	14	3
相模原市	4	1	3	2	0	2
新潟市	2	2	0	1	1	0
静岡市	3	2	1	1	0	1
浜松市	-	-	-	-	-	-
名古屋市	32	10	22	21	3	18
京都市	155	114	42	88	55	33
大阪市	57	40	18	19	8	11
堺市	-	-	-	-	-	-
神戸市	23	23	-	9	9	-
岡山市	22	2	20	16	-	16
広島市	28	20	7	18	14	4
北九州市	7	4	3	3	1	2
福岡市	-	-	-	-	-	-
熊本市	5	5	-	3	3	-
中核市(再掲)						
旭川市	8	7	1	2	1	1
函館市	26	24	2	11	10	1
青森市	-	-	-	-	-	-
八戸市	-	-	-	-	-	-
盛岡市	-	-	-	-	-	-
秋田市	-	-	-	-	-	-
郡山市	-	-	-	-	-	-
いわき市	-	-	-	-	-	-
宇都宮市	-	-	-	-	-	-
前橋市	-	-	-	-	-	-
高崎市	-	-	-	-	-	-
川越市	-	-	-	-	-	-
越谷市	-	-	-	-	-	-
船橋市	28	21	7	13	8	5
柏市	17	16	1	7	7	0
八王子市	17	10	7	4	1	3
横須賀市	-	-	-	-	-	-
富山市	3	1	2	1	-	1
金沢市	-	-	-	-	-	-
長野市	-	-	-	-	-	-
岐阜市	14	14	0	6	5	0
豊橋市	-	-	-	-	-	-
豊田市	-	-	-	-	-	-
岡崎市	-	-	-	-	-	-
大津市	-	-	-	-	-	-
高槻市	-	-	-	-	-	-
東大阪市	1	1	0	-	-	-
豊中市	9	9	1	4	4	0
枚方市	-	-	-	-	-	-
姫路市	-	-	-	-	-	-
西宮市	-	-	-	-	-	-
尼崎市	-	-	-	-	-	-
奈良市	-	-	-	-	-	-
和歌山市	3	2	1	1	1	-
倉敷市	-	-	-	-	-	-
福山市	51	51	-	22	22	-
呉市	-	-	-	-	-	-
下関市	8	6	2	3	2	1
高松市	20	3	17	16	1	15
松山市	8	2	6	5	-	5
高知市	-	-	-	-	-	-
久留米市	-	-	-	-	-	-
長崎市	20	18	2	13	11	2
佐世保市	42	31	11	24	13	11
大分市	4	4	0	2	2	0
宮崎市	7	6	0	6	5	0
鹿児島市	4	4	-	0	0	-
那覇市	3	1	3	2	0	2

注：1）調査方法の変更等による回収率変動の影響を受けているため、数量を示す従事者数の実数は前年以前と単純に年次比較できない。
　　2）「0」は常勤換算従事者数が0.5未満の場合である。

都道府県－指定都市・中核市（再掲）、職種（常勤－非常勤）別（31－5）

平成29年10月１日

オペレーター			面接相談員			その他の職員		
総数	常勤	非常勤	総数	常勤	非常勤	総数	常勤	非常勤
9	6	3	4	3	0	2	2	–
2	2	1	1	1	–	–	–	–
3	3	–	1	1	–	–	–	–
–	–	–	–	–	–	–	–	–
133	113	20	52	52	1	12	10	2
13	12	1	9	8	0	0	0	–
2	1	1	1	1	–	0	0	–
–	–	–	–	–	–	1	1	–
1	1	–	1	1	–	1	1	–
–	–	–	–	–	–	–	–	–
6	4	2	4	2	2	1	1	–
38	32	7	26	24	2	2	2	–
27	20	7	9	8	1	4	4	–
–	–	–	–	–	–	–	–	–
9	9	–	4	4	–	1	1	–
2	–	2	3	1	2	1	1	–
9	6	3	0	–	0	–	–	–
4	3	1	0	0	–	0	0	–
–	–	–	–	–	–	–	–	–
2	2	–	0	0	–	–	–	–
6	5	1	0	0	–	–	–	–
9	9	1	6	6	–	1	1	–
–	–	–	–	–	–	–	–	–
–	–	–	–	–	–	–	–	–
–	–	–	–	–	–	–	–	–
–	–	–	–	–	–	–	–	–
–	–	–	–	–	–	–	–	–
–	–	–	–	–	–	–	–	–
–	–	–	–	–	–	–	–	–
–	–	–	–	–	–	–	–	–
–	–	–	–	–	–	–	–	–
–	–	–	–	–	–	–	–	–
–	–	–	–	–	–	–	–	–
8	7	2	7	7	–	–	–	–
7	7	0	2	2	–	–	–	–
10	6	4	1	1	–	2	2	–
–	–	–	–	–	–	–	–	–
2	–	2	1	1	–	1	1	–
–	–	–	–	–	–	–	–	–
–	–	–	–	–	–	–	–	–
6	6	–	2	2	–	–	–	–
–	–	–	–	–	–	–	–	–
–	–	–	–	–	–	–	–	–
–	–	–	–	–	–	–	–	–
–	–	–	–	–	–	–	–	–
–	–	–	–	–	–	–	–	–
0	–	0	1	1	–	–	–	–
4	4	0	1	1	–	–	–	–
–	–	–	–	–	–	–	–	–
–	–	–	–	–	–	–	–	–
–	–	–	–	–	–	–	–	–
–	–	–	–	–	–	–	–	–
–	–	–	–	–	–	–	–	–
1	1	0	1	–	1	–	–	–
–	–	–	–	–	–	–	–	–
11	11	–	17	17	–	1	1	–
–	–	–	–	–	–	–	–	–
3	2	1	1	1	–	0	0	–
2	–	2	1	1	–	1	1	–
2	1	1	1	1	–	–	–	–
–	–	–	–	–	–	–	–	–
–	–	–	–	–	–	–	–	–
7	7	–	–	–	–	–	–	–
9	9	–	9	9	–	–	–	–
1	1	–	1	1	–	–	–	–
–	–	–	1	1	–	0	0	–
3	3	–	1	1	–	–	–	–
1	0	1	1	0	0	0	0	–

地域密着型通所介護

都道府県 指定都市 中核市	総数			医師			看護師		
	総数	常勤	非常勤	総数	常勤	非常勤	総数	常勤	非常勤
全国	102 199	68 094	34 105	56	39	17	4 923	2 162	2 761
北海道	4 271	2 978	1 293	6	5	1	201	77	124
青森	756	607	149	0	-	0	23	15	8
岩手	1 198	896	302	1	1	-	74	31	43
宮城	2 144	1 655	489	0	-	0	77	46	31
秋田	906	694	211	1	0	1	42	17	25
山形	562	428	135	0	0	0	23	12	11
福島	1 505	1 174	331	1	1	0	71	43	28
茨城	2 203	1 557	646	1	0	1	92	50	42
栃木	1 449	1 017	432	-	-	-	68	29	39
群馬	1 565	1 019	546	1	1	-	68	35	33
埼玉	4 402	2 767	1 635	3	3	0	199	67	133
千葉	4 781	2 950	1 831	0	0	0	187	61	126
東京	9 243	6 048	3 195	2	2	0	398	152	246
神奈川	6 243	3 530	2 713	2	1	1	252	74	178
新潟	1 143	830	313	0	-	0	54	24	30
富山	1 144	772	373	2	1	1	73	37	37
石川	700	465	235	0	-	0	43	23	20
福井	416	295	121	0	0	0	19	10	9
山梨	1 164	859	305	1	1	0	65	34	31
長野	2 374	1 494	880	0	-	0	150	60	90
岐阜	1 405	893	512	2	2	0	86	53	33
静岡	2 259	1 466	793	-	-	-	114	47	67
愛知	5 008	3 063	1 945	1	-	1	219	76	143
三重	2 039	1 310	730	0	-	0	82	33	49
滋賀	1 360	856	504	-	-	-	89	44	45
京都	1 104	744	360	1	1	-	55	20	35
大阪	8 125	5 217	2 908	2	1	1	391	136	255
兵庫	4 815	3 013	1 802	0	-	0	269	96	173
奈良	1 109	738	372	1	-	1	46	20	26
和歌山	1 037	698	340	1	-	1	32	11	21
鳥取	572	436	136	-	-	-	26	14	13
島根	968	731	237	-	-	-	48	24	24
岡山	1 748	1 156	592	3	3	0	109	51	58
広島	1 998	1 318	680	8	7	1	87	37	51
山口	2 190	1 407	783	0	0	0	104	50	55
徳島	546	408	138	-	-	-	28	19	8
香川	886	603	284	0	-	0	54	31	22
愛媛	1 578	1 093	485	2	-	2	89	44	45
高知	974	707	267	2	1	1	49	29	20
福岡	4 556	3 125	1 432	3	2	1	229	113	117
佐賀	1 116	824	293	4	4	0	68	46	22
長崎	1 382	978	404	1	1	0	63	37	27
熊本	1 771	1 293	478	0	0	0	96	53	44
大分	763	520	243	0	0	-	40	20	20
宮崎	1 390	1 018	372	2	2	-	75	41	34
鹿児島	2 221	1 583	638	1	0	0	141	86	55
沖縄	1 110	864	246	0	-	0	55	35	20

注：1）調査方法の変更等による回収率変動の影響を受けているため、数量を示す従事者数の実数は前年と単純に年次比較できない。
　　2）「0」は常勤換算従事者数が0.5未満の場合である。

都道府県－指定都市・中核市（再掲）、職種（常勤－非常勤）別（31－6）

平成29年10月１日

准看護師			機能訓練指導員								
						理学療法士（再掲）			作業療法士（再掲）		
総数	常勤	非常勤	総数	常勤	非常勤	総数	常勤	非常勤	総数	常勤	非常勤
4 085	2 093	1 992	11 244	6 702	4 542	1 180	897	283	553	394	159
172	82	90	483	279	204	53	38	16	29	20	9
50	35	15	73	52	21	6	5	1	4	4	-
48	28	19	121	81	40	9	7	3	3	3	0
91	52	40	215	148	67	24	22	2	6	4	2
45	30	16	85	57	28	4	4	0	7	7	0
27	14	14	49	32	18	2	2	1	1	1	-
88	53	35	153	104	48	10	8	2	5	2	2
96	56	40	179	115	63	16	14	2	3	2	1
86	50	36	133	82	52	8	6	2	3	3	0
77	29	48	164	100	65	18	13	5	5	4	2
127	60	67	498	294	203	48	37	11	13	7	6
136	47	89	570	330	240	58	46	13	22	14	8
119	46	73	995	610	385	110	78	32	41	27	14
85	27	59	777	400	378	58	41	17	38	19	19
64	34	30	145	94	50	23	21	2	2	1	1
57	31	26	97	61	36	13	13	1	8	6	2
24	8	15	76	44	32	8	7	1	4	2	2
24	12	12	39	25	14	2	1	1	5	5	0
43	27	17	88	54	35	19	15	4	12	11	1
110	58	51	215	116	99	25	20	5	12	9	3
58	26	32	152	103	49	18	16	1	8	7	1
51	19	33	219	119	100	26	18	8	12	8	4
136	59	77	513	290	223	57	41	16	17	11	6
77	37	40	187	88	99	18	11	7	11	7	4
25	12	13	136	83	53	18	14	4	10	8	3
32	10	22	151	96	54	8	6	2	4	1	3
220	85	135	1 071	609	462	106	73	33	28	17	11
160	61	99	503	273	230	52	36	16	17	13	4
30	16	14	113	74	38	11	7	4	7	6	1
45	21	24	110	56	54	9	7	2	8	6	2
33	20	13	53	32	22	6	5	1	4	4	1
58	31	26	89	53	35	7	6	1	14	9	5
77	40	38	188	99	89	14	9	5	8	4	4
103	54	50	207	105	102	11	8	3	8	4	5
118	64	54	241	140	101	19	17	2	5	4	1
30	19	11	58	40	18	9	6	4	9	6	3
65	41	24	145	84	61	17	11	6	14	10	4
121	71	50	200	137	63	20	15	5	20	16	4
58	31	28	104	67	37	16	13	3	9	9	1
265	136	130	526	319	207	76	63	13	51	44	7
83	56	27	114	85	29	8	8	0	9	9	0
96	53	43	150	102	49	16	15	1	6	4	2
140	100	40	215	149	66	45	36	9	16	12	4
66	36	30	89	54	34	8	6	2	3	2	1
134	81	52	169	116	53	21	16	5	10	7	3
177	107	70	283	179	104	35	27	8	16	14	3
59	31	28	106	72	34	15	14	2	7	6	1

地域密着型通所介護

都道府県 指定都市 中核市	総数			医師			看護師		
	総数	常勤	非常勤	総数	常勤	非常勤	総数	常勤	非常勤
指定都市(再掲)									
札幌市	1 415	1 017	398	1	1	0	78	27	52
仙台市	793	639	153	0	–	0	35	23	12
さいたま市	590	381	209	–	–	–	37	16	20
千葉市	679	437	242	–	–	–	26	9	17
横浜市	2 380	1 279	1 101	–	–	–	112	31	81
川崎市	855	518	337	0	–	0	30	9	22
相模原市	555	324	231	0	0	–	22	5	17
新潟市	486	348	138	0	–	0	22	7	15
静岡市	65	44	21	–	–	–	6	3	3
浜松市	508	293	215	–	–	–	33	8	26
名古屋市	1 877	1 211	666	1	–	1	80	27	53
京都市	738	492	246	1	1	–	35	12	23
大阪市	2 807	1 898	909	0	0	–	143	53	91
堺市	806	504	302	–	–	–	45	17	28
神戸市	1 163	744	419	0	–	0	67	25	42
岡山市	665	446	219	2	2	–	41	18	23
広島市	775	525	250	5	5	–	43	19	24
北九州市	1 125	732	393	1	–	1	59	26	33
福岡市	1 413	1 029	384	1	1	–	71	37	34
熊本市	642	463	179	0	–	0	44	26	18
中核市(再掲)									
旭川市	269	172	98	–	–	–	9	2	7
函館市	144	94	50	–	–	–	6	2	4
青森市	223	176	47	–	–	–	6	3	3
八戸市	139	111	28	–	–	–	6	3	3
盛岡市	362	260	101	1	1	–	20	7	13
秋田市	250	181	69	–	–	–	13	5	8
郡山市	241	187	53	0	–	0	10	6	4
いわき市	406	304	102	–	–	–	20	10	10
宇都宮市	368	260	108	–	–	–	19	6	14
前橋市	276	176	100	–	–	–	9	4	5
高崎市	304	196	108	–	–	–	13	6	7
川越市	216	135	81	–	–	–	8	4	4
越谷市	198	124	74	–	–	–	12	2	10
船橋市	389	218	171	–	–	–	14	1	13
柏市	342	215	127	–	–	–	16	8	8
八王子市	451	266	186	–	–	–	15	6	9
横須賀市	260	163	98	–	–	–	7	2	5
富山市	514	362	152	0	–	0	40	24	16
金沢市	409	275	133	–	–	–	26	13	13
長野市	421	269	152	–	–	–	26	11	15
岐阜市	324	216	108	0	–	0	19	13	7
豊橋市	319	188	131	–	–	–	11	5	6
豊田市	269	153	115	–	–	–	14	5	9
岡崎市	287	141	146	–	–	–	13	1	12
大津市	474	302	173	–	–	–	32	20	12
高槻市	233	159	74	–	–	–	8	2	6
東大阪市	480	358	122	–	–	–	19	13	6
豊中市	263	165	99	–	–	–	14	3	11
枚方市	414	252	162	–	–	–	17	5	12
姫路市	515	347	168	–	–	–	32	14	17
西宮市	397	265	132	–	–	–	20	11	10
尼崎市	468	301	167	–	–	–	19	5	14
奈良市	294	181	113	0	–	0	10	3	7
和歌山市	494	359	135	–	–	–	13	4	9
倉敷市	334	217	118	–	–	–	24	10	13
福山市	445	292	152	1	1	–	12	4	8
呉市	88	55	33	0	–	0	3	0	2
下関市	610	360	250	–	–	–	27	11	16
高松市	460	307	153	0	–	0	32	18	14
松山市	476	330	146	1	–	1	33	18	15
高知市	526	376	151	–	–	–	25	13	12
久留米市	224	171	53	–	–	–	14	9	6
長崎市	567	404	163	0	–	0	27	17	10
佐世保市	166	107	59	1	1	–	8	4	5
大分市	246	166	80	–	–	–	16	7	9
宮崎市	444	328	115	1	1	–	31	14	17
鹿児島市	1 009	727	282	0	–	0	71	40	31
那覇市	130	107	23	–	–	–	4	2	2

注：1）調査方法の変更等による回収率変動の影響を受けているため、数量を示す従事者数の実数は前年と単純に年次比較できない。
2）「0」は常勤換算従事者数が0.5未満の場合である。

平成29年10月1日

准看護師			機能訓練指導員								
						理学療法士（再掲）			作業療法士（再掲）		
総数	常勤	非常勤	総数	常勤	非常勤	総数	常勤	非常勤	総数	常勤	非常勤
26	9	17	189	115	74	23	18	5	13	8	5
24	16	7	112	87	26	18	17	1	6	4	2
7	2	5	70	40	30	8	8	0	5	3	2
15	4	11	91	59	32	11	10	1	4	3	1
33	8	25	301	145	156	23	16	7	18	10	8
15	6	9	103	52	51	8	3	5	3	0	3
6	2	4	62	31	31	5	5	1	3	1	2
26	14	12	71	46	25	11	10	1	1	1	1
2	1	1	5	4	1	0	－	0	0	－	0
19	7	12	59	26	33	10	5	5	4	2	3
35	13	22	198	115	83	16	12	5	10	6	4
21	6	15	108	69	40	4	3	2	2	－	2
71	35	36	387	259	128	40	30	10	13	9	4
30	9	21	111	50	61	15	9	6	4	2	2
23	8	15	138	77	61	18	13	5	2	1	1
30	13	17	72	35	37	6	3	3	4	2	3
31	15	16	80	44	36	4	2	2	1	－	1
50	26	24	129	78	52	16	13	3	12	11	1
66	30	36	169	102	66	35	27	8	11	8	3
44	31	13	81	55	26	22	17	5	6	4	2
13	6	8	31	16	15	9	5	4	3	2	1
7	2	5	11	8	3	－	－	－	－	－	－
12	7	4	23	17	6	1	1	0	2	2	－
10	7	3	19	15	4	4	4	－	1	1	－
10	5	5	37	24	13	5	3	1	3	3	0
13	7	6	27	15	12	1	1	0	3	3	－
12	7	5	34	26	8	7	5	1	2	－	2
22	15	8	42	30	12	1	1	0	1	1	－
18	10	8	32	22	10	2	2	－	1	1	0
9	5	5	30	20	10	4	4	1	1	1	0
13	3	9	24	12	12	0	－	0	1	1	－
5	3	2	28	17	11	2	1	1	1	－	1
3	1	2	31	22	8	5	5	1	－	－	－
6	－	6	50	26	24	10	6	4	1	－	1
15	7	9	45	28	17	2	2	0	0	－	0
9	2	7	49	31	18	4	3	1	4	3	1
6	1	5	29	19	11	2	2	－	0	－	0
27	15	11	51	34	17	7	7	0	3	3	－
10	5	5	50	27	22	6	5	1	3	2	1
12	4	7	47	25	21	6	6	1	2	2	0
8	3	5	46	34	12	5	5	－	4	3	1
14	8	6	26	14	12	2	2	0	1	1	－
7	2	5	29	18	11	5	4	1	1	1	0
8	2	7	29	11	18	1	1	0	2	1	1
6	2	4	48	32	16	5	4	2	4	3	1
7	3	4	22	11	11	－	－	－	－	－	－
14	6	9	70	44	26	4	2	2	1	1	0
3	－	3	37	21	16	4	3	1	2	1	1
9	4	5	45	21	23	3	2	2	1	－	1
22	13	9	58	34	24	8	6	2	2	1	1
8	3	5	46	31	15	4	4	1	2	2	－
14	5	9	53	28	26	3	1	2	1	1	0
4	2	2	33	18	15	5	2	3	2	2	0
20	11	9	55	31	24	9	7	2	5	4	1
17	10	7	37	20	17	3	3	1	2	2	－
23	12	11	51	23	27	3	3	1	2	1	1
9	6	3	10	6	4	－	－	－	1	1	－
28	11	17	77	46	31	12	12	－	3	2	1
24	15	10	94	56	39	11	6	5	11	8	3
23	15	8	67	47	20	7	6	1	12	10	2
29	14	15	52	28	24	6	4	2	4	4	0
10	7	3	27	21	6	6	5	1	10	9	1
23	10	13	62	42	20	7	7	1	3	2	1
10	3	8	15	9	7	0	－	0	1	1	－
15	8	7	30	20	10	2	1	1	1	1	－
32	16	17	59	37	22	12	8	4	3	2	1
70	42	28	146	93	53	17	13	4	7	6	2
8	2	6	13	9	4	1	1	0	0	－	0

地域密着型通所介護

都道府県 指定都市 中核市	機能訓練 言語聴覚士（再掲） 総数	常勤	非常勤	看護師（再掲） 総数	常勤	非常勤	准看護師（再掲） 総数	常勤	非常勤
全国	89	59	31	3 358	1 449	1 909	2 757	1 412	1 345
北海道	7	5	2	146	55	92	132	63	70
青森	-	-	-	16	10	6	32	20	12
岩手	1	1	-	37	16	21	33	21	12
宮城	-	-	-	51	25	25	50	28	22
秋田	-	-	-	21	6	14	27	19	8
山形	0	-	0	14	7	7	13	6	6
福島	-	-	-	45	26	19	56	35	21
茨城	3	3	0	51	24	27	62	36	26
栃木	1	0	0	42	22	20	49	27	22
群馬	4	4	0	46	24	22	49	23	26
埼玉	2	1	1	140	50	90	85	34	51
千葉	4	1	3	155	58	98	104	41	63
東京	8	4	4	255	92	163	109	50	59
神奈川	4	1	2	257	93	165	133	50	83
新潟	5	5	-	32	12	19	47	27	21
富山	0	-	0	35	21	15	20	6	14
石川	-	-	-	30	12	18	17	9	9
福井	-	-	-	9	4	5	15	7	8
山梨	0	-	0	30	15	14	18	9	9
長野	1	-	1	91	37	54	58	28	30
岐阜	1	1	-	40	21	19	37	21	16
静岡	2	-	2	81	32	48	34	14	20
愛知	2	1	1	153	55	98	95	46	49
三重	2	1	1	58	22	36	60	25	36
滋賀	0	-	0	47	21	26	21	8	12
京都	2	2	-	35	15	20	23	7	16
大阪	6	3	4	272	94	178	158	62	96
兵庫	8	5	3	171	64	107	94	39	55
奈良	0	-	0	29	13	16	24	17	7
和歌山	1	0	1	26	9	16	39	15	24
鳥取	-	-	-	19	8	11	20	14	6
島根	3	3	0	27	12	15	34	22	12
岡山	1	-	1	79	39	40	55	26	29
広島	1	1	0	75	30	45	75	34	40
山口	0	-	0	93	48	45	99	57	43
徳島	-	-	-	17	14	3	14	9	5
香川	2	2	0	50	22	28	37	19	18
愛媛	1	1	0	52	33	20	90	60	30
高知	1	0	1	34	20	14	39	22	18
福岡	4	3	1	175	78	98	157	80	77
佐賀	2	2	0	40	29	11	43	26	17
長崎	0	-	0	40	22	18	61	42	19
熊本	2	1	0	53	29	24	86	61	25
大分	4	3	1	22	11	12	41	23	18
宮崎	3	2	1	47	31	16	76	51	25
鹿児島	2	2	0	92	53	38	109	61	48
沖縄	2	2	0	32	17	15	28	14	14

注：1）調査方法の変更等による回収率変動の影響を受けているため、数量を示す従事者数の実数は前年と単純に年次比較できない。
　　2）「0」は常勤換算従事者数が0.5未満の場合である。

都道府県－指定都市・中核市（再掲）、職種（常勤－非常勤）別（31－8）

平成29年10月1日

指導員						調理員			管理栄養士		
柔道整復師（再掲）			あん摩マッサージ指圧師（再掲）								
総数	常勤	非常勤	総数	常勤	非常勤	総数	常勤	非常勤	総数	常勤	非常勤
2 485	2 032	452	822	459	364	2 920	936	1 984	123	90	33
107	96	12	8	4	5	106	38	67	7	6	1
12	10	2	5	4	1	32	19	13	1	1	0
33	30	3	6	4	1	49	22	28	1	1	－
69	59	11	14	10	4	60	25	35	2	2	－
19	17	2	7	3	4	46	25	21	0	0	－
15	14	1	5	2	3	21	9	13	2	1	0
25	25	1	12	9	4	29	13	16	2	2	－
28	23	5	17	14	3	69	22	47	4	2	2
27	23	4	4	1	3	58	23	35	1	0	0
28	22	6	14	10	4	51	21	30	3	3	0
160	139	21	50	27	23	95	27	68	5	3	2
136	116	20	91	55	36	144	31	113	5	5	0
346	290	56	127	69	58	119	32	87	6	3	3
171	131	41	116	65	51	173	31	142	2	1	1
32	27	5	5	3	2	37	14	23	3	3	1
17	14	3	3	1	2	42	17	25	1	1	0
14	13	1	3	2	1	20	5	15	1	1	1
7	7	－	2	2	－	12	2	10	3	2	0
6	2	4	3	1	2	28	10	18	1	1	0
24	18	6	5	3	1	113	34	79	2	1	1
36	28	8	12	9	3	42	12	30	1	0	0
37	30	7	30	18	12	56	9	46	1	1	0
145	111	34	46	27	19	112	20	92	2	2	0
26	17	8	13	5	8	72	25	46	3	2	1
32	27	5	8	5	3	34	12	22	3	1	3
63	56	7	15	10	6	12	3	9	1	1	－
436	333	104	64	28	36	138	21	117	6	4	2
129	98	31	31	17	14	152	49	103	7	5	3
31	25	7	10	6	4	26	10	16	3	3	－
21	16	5	7	3	4	23	8	15	0	0	0
1	1	0	3	－	3	19	9	10	1	1	0
2	1	1	2	1	1	33	13	20	1	1	0
25	19	7	7	3	4	95	36	58	7	6	1
32	27	5	5	1	4	39	7	32	4	3	1
16	14	2	9	1	8	79	24	54	2	1	1
5	4	1	3	1	2	17	9	8	4	2	1
19	16	3	7	4	2	23	5	18	1	1	0
11	9	3	5	4	1	47	15	32	1	1	0
4	3	1	1	－	1	40	15	25	2	1	1
49	46	4	13	7	7	130	33	98	4	3	1
10	10	0	1	1	0	48	18	30	3	3	0
22	18	4	6	2	4	62	22	40	5	4	1
4	3	1	10	7	3	86	35	51	6	5	1
9	9	0	2	1	1	42	16	26	1	－	1
8	7	1	3	2	1	64	37	27	2	1	1
19	17	2	11	6	5	94	41	53	3	1	1
19	18	1	3	2	1	35	13	22	－	－	－

地域密着型通所介護

都道府県 指定都市 中核市	機能訓練								
	言語聴覚士（再掲）			看護師（再掲）			准看護師（再掲）		
	総数	常勤	非常勤	総数	常勤	非常勤	総数	常勤	非常勤
指定都市（再掲）									
札幌市	4	3	1	58	21	37	29	13	16
仙台市	-	-	-	25	13	12	10	5	5
さいたま市	0	-	0	26	10	16	4	0	3
千葉市	0	-	0	21	7	14	15	7	9
横浜市	1	-	1	97	28	69	34	12	22
川崎市	-	-	-	39	16	23	15	6	10
相模原市	0	-	0	17	2	15	11	2	9
新潟市	4	4	-	16	5	11	20	10	10
静岡市	-	-	-	2	1	1	-	-	-
浜松市	0	-	0	21	7	15	8	3	5
名古屋市	0	-	0	51	19	32	25	12	13
京都市	2	2	-	24	9	15	15	3	11
大阪市	2	2	0	76	28	47	48	27	21
堺市	2	-	2	38	13	26	20	5	15
神戸市	5	4	1	50	19	32	17	8	8
岡山市	1	-	1	28	13	16	21	10	11
広島市	-	-	-	28	11	17	22	10	12
北九州市	0	-	0	51	24	27	32	17	16
福岡市	2	1	1	54	26	28	44	20	25
熊本市	1	1	-	21	13	8	25	16	10
中核市（再掲）									
旭川市	1	1	-	6	1	5	8	2	6
函館市	1	1	-	1	0	1	5	3	2
青森市	-	-	-	5	4	1	7	4	3
八戸市	-	-	-	4	2	2	8	6	2
盛岡市	1	1	-	11	4	7	6	3	3
秋田市	-	-	-	7	0	6	6	2	4
郡山市	-	-	-	3	2	1	7	5	2
いわき市	-	-	-	12	6	6	18	13	5
宇都宮市	-	-	-	13	6	7	8	5	3
前橋市	3	3	-	7	3	4	6	3	3
高崎市	-	-	-	11	5	6	5	1	4
川越市	-	-	-	8	4	4	4	2	2
越谷市	-	-	-	6	0	5	3	1	2
船橋市	1	-	1	11	2	10	3	-	3
柏市	0	-	0	16	8	8	8	5	4
八王子市	0	-	0	9	3	6	5	1	3
横須賀市	1	1	0	7	3	3	5	1	4
富山市	-	-	-	22	13	9	9	3	6
金沢市	-	-	-	18	5	13	11	5	6
長野市	0	-	0	20	8	13	8	3	5
岐阜市	-	-	-	11	7	4	7	4	3
豊橋市	-	-	-	9	3	6	7	3	4
豊田市	0	-	0	11	6	5	4	2	2
岡崎市	1	1	-	7	0	7	7	1	6
大津市	-	-	-	14	8	6	6	2	4
高槻市	-	-	-	8	3	5	2	1	1
東大阪市	-	-	-	20	10	10	13	5	8
豊中市	-	-	-	12	4	9	2	0	2
枚方市	-	-	-	15	6	9	7	1	5
姫路市	-	-	-	21	11	10	15	6	8
西宮市	0	-	0	14	7	7	7	5	3
尼崎市	0	0	0	19	7	12	8	3	5
奈良市	0	-	0	10	4	5	3	2	1
和歌山市	0	0	0	10	5	6	19	7	12
倉敷市	0	-	0	16	6	10	11	6	5
福山市	1	1	0	16	5	11	20	9	11
呉市	-	-	-	3	1	2	6	3	2
下関市	-	-	-	25	11	14	29	15	14
高松市	2	2	0	38	16	21	14	9	5
松山市	0	-	0	19	12	7	23	15	8
高知市	0	0	0	19	10	9	21	10	11
久留米市	-	-	-	6	4	2	3	2	1
長崎市	-	-	-	13	5	8	21	14	6
佐世保市	-	-	-	6	3	3	8	5	4
大分市	4	3	1	7	3	4	9	5	4
宮崎市	2	1	1	20	11	9	17	10	7
鹿児島市	2	2	-	54	31	24	41	24	18
那覇市	-	-	-	3	1	2	4	2	2

注：1）調査方法の変更等による回収率変動の影響を受けているため、数量を示す従事者数の実数は前年と単純に年次比較できない。
　　2）「0」は常勤換算従事者数が0.5未満の場合である。

都道府県－指定都市・中核市（再掲）、職種（常勤－非常勤）別（31－9）

平成29年10月１日

指導員 柔道整復師（再掲） 総数	常勤	非常勤	指導員 あん摩マッサージ指圧師（再掲） 総数	常勤	非常勤	調理員 総数	常勤	非常勤	管理栄養士 総数	常勤	非常勤
58	50	8	4	2	3	14	2	12	1	1	0
44	40	4	10	8	2	3	1	2	1	1	－
20	16	4	7	3	4	7	1	5	1	1	－
26	22	4	13	10	3	13	2	11	1	1	－
67	48	19	60	31	29	71	12	59	1	1	1
23	18	5	15	10	6	18	4	14	0	0	－
24	20	4	2	1	1	10	－	10	0	0	0
18	16	3	1	1	－	7	1	6	0	－	0
3	3	－	－	－	－	2	－	2	1	1	－
9	7	2	6	3	3	10	3	7	－	－	－
76	56	20	20	10	10	31	5	26	－	－	－
50	45	5	12	8	5	3	1	2	－	－	－
184	149	35	25	15	10	45	6	39	2	1	1
30	21	9	2	1	1	15	2	13	1	－	1
32	24	8	14	8	6	23	7	16	1	0	0
9	7	3	2	1	1	40	19	20	3	3	1
24	21	3	1	－	1	13	6	8	1	1	0
14	12	2	4	1	3	42	12	30	1	1	0
17	16	0	7	5	2	32	2	30	2	1	0
1	1	0	5	5	1	18	11	8	2	2	1
5	5	－	1	1	0	8	1	7	－	－	－
4	4	－	0	－	0	3	0	3	0	0	－
7	6	1	0	0	－	9	3	6	0	－	0
1	1	0	2	1	1	4	3	1	0	0	－
10	9	1	2	1	1	9	5	4	－	－	－
8	8	0	2	1	1	12	7	5	－	－	－
10	10	0	5	4	1	2	－	2	－	－	－
8	8	0	2	1	1	9	4	5	0	0	－
8	8	1	－	－	－	16	9	7	－	－	－
4	4	0	5	3	2	3	－	3	2	1	0
6	5	1	1	－	1	13	7	7	－	－	－
13	11	2	1	－	1	2	1	1	－	－	－
15	14	1	2	2	－	4	－	4	－	－	－
15	15	1	8	4	5	14	1	13	－	－	－
7	7	1	12	7	5	5	－	5	0	0	－
24	19	5	5	2	3	10	1	9	0	－	0
10	7	2	5	4	1	4	0	4	－	－	－
10	9	1	1	－	1	19	12	8	0	0	－
11	10	1	1	1	0	11	3	7	1	1	－
9	6	3	1	1	0	11	3	8	－	－	－
14	11	3	6	4	2	7	1	6	0	0	－
4	4	0	3	1	2	13	4	9	1	1	－
5	4	1	3	2	1	6	1	5	－	－	－
9	6	3	3	1	2	11	1	10	－	－	－
14	12	2	4	3	1	15	8	7	－	－	－
9	7	2	3	－	3	5	－	5	0	－	0
29	25	4	4	2	2	6	4	3	－	－	－
17	14	3	1	－	1	4	－	4	1	1	－
13	10	3	5	2	3	6	0	6	1	1	－
7	6	1	6	4	2	18	5	13	1	1	0
18	14	4	0	－	0	8	2	6	0	0	－
20	15	6	2	1	1	9	3	5	1	1	－
9	5	4	5	4	2	5	－	5	0	0	－
7	6	1	5	2	3	6	3	3	0	－	0
4	3	1	1	1	0	18	8	10	2	2	1
6	5	1	3	1	2	4	0	4	1	1	0
－	－	－	－	－	－	6	－	6	－	－	－
5	5	0	2	－	2	16	5	11	1	0	1
13	11	2	6	4	2	13	2	10	－	－	－
4	3	1	2	2	0	11	3	8	1	0	0
1	1	0	1	－	1	21	6	15	1	0	1
2	2	0	0	－	0	1	－	1	－	－	－
16	14	2	3	1	2	30	11	19	3	2	1
－	－	－	－	－	－	7	3	4	1	1	－
6	6	0	1	1	－	17	8	9	－	－	－
4	4	－	1	－	1	24	20	5	2	1	1
16	14	2	9	5	4	40	21	19	1	0	0
5	5	0	－	－	－	1	1	1	－	－	－

地域密着型通所介護

都道府県 指定都市 中核市	栄養士			歯科衛生士			生活相談員		
	総数	常勤	非常勤	総数	常勤	非常勤	総数	常勤	非常勤
全国	166	111	54	80	39	41	21 192	18 566	2 627
北海道	7	5	2	1	1	0	863	783	80
青森	2	2	0	1	-	1	146	141	5
岩手	5	3	2	-	-	-	226	205	21
宮城	2	1	2	0	-	0	452	417	35
秋田	5	5	1	1	1	-	171	152	19
山形	0	0	-	2	2	0	108	98	11
福島	2	1	1	1	-	1	314	290	24
茨城	8	7	1	1	-	1	460	408	52
栃木	2	1	1	3	2	2	295	271	23
群馬	4	1	3	-	-	-	359	307	52
埼玉	8	6	2	2	1	1	924	793	132
千葉	11	7	4	11	3	8	1 015	873	142
東京	9	6	3	15	4	11	2 145	1 832	313
神奈川	5	2	2	5	2	3	1 331	1 126	205
新潟	1	1	0	1	1	0	223	208	15
富山	4	4	1	2	2	0	219	187	33
石川	2	1	1	0	0	-	143	131	13
福井	1	1	-	0	-	0	75	69	6
山梨	3	3	-	0	-	0	230	218	12
長野	3	-	3	2	0	1	464	400	65
岐阜	4	3	2	-	-	-	278	234	44
静岡	2	1	1	2	2	0	504	438	67
愛知	3	1	2	0	-	0	1 114	882	232
三重	0	0	0	2	1	1	457	385	72
滋賀	0	0	0	1	-	1	262	227	35
京都	2	2	0	-	-	-	244	209	35
大阪	7	5	2	8	6	2	1 607	1 448	159
兵庫	5	2	3	3	3	1	973	852	122
奈良	4	4	0	2	-	2	221	196	25
和歌山	1	0	1	1	1	-	207	191	16
鳥取	1	1	0	-	-	-	110	102	7
島根	3	1	2	1	1	-	198	192	5
岡山	5	3	2	1	1	0	364	310	54
広島	2	0	2	1	0	1	446	391	55
山口	2	2	1	0	0	0	476	404	72
徳島	2	1	1	-	-	-	112	101	11
香川	2	2	-	4	2	2	164	146	18
愛媛	5	3	1	0	-	0	277	251	26
高知	2	1	1	4	3	1	191	178	13
福岡	5	5	0	1	-	1	929	833	96
佐賀	8	6	2	-	-	-	216	189	28
長崎	0	0	-	-	-	-	269	246	23
熊本	2	2	1	0	-	0	350	315	35
大分	4	3	1	0	-	0	149	133	16
宮崎	3	1	2	1	0	1	259	238	21
鹿児島	7	4	3	1	1	-	438	375	63
沖縄	1	1	-	-	-	-	218	196	22

注：1）調査方法の変更等による回収率変動の影響を受けているため、数量を示す従事者数の実数は前年と単純に年次比較できない。
　　2）「0」は常勤換算従事者数が0.5未満の場合である。

都道府県－指定都市・中核市（再掲）、職種（常勤－非常勤）別（31－10）

平成29年10月１日

社会福祉士（再掲）			介護職員						その他の職員		
						介護福祉士（再掲）					
総数	常勤	非常勤	総数	常勤	非常勤	総数	常勤	非常勤	総数	常勤	非常勤
1 869	1 648	220	48 128	29 373	18 755	14 645	10 362	4 283	9 282	7 984	1 299
88	82	6	2 078	1 394	685	751	548	203	348	308	40
13	13	1	357	276	80	147	126	21	71	66	5
26	25	1	570	435	135	206	172	34	102	88	14
31	29	2	1 060	802	258	312	274	39	185	164	21
19	14	4	429	336	92	190	166	25	81	72	9
12	11	1	274	217	57	99	89	10	55	44	12
27	26	0	734	566	168	250	211	39	111	100	11
30	28	2	1 117	733	384	296	231	65	177	164	14
27	26	2	685	455	230	175	132	43	119	105	14
35	30	5	736	432	304	227	155	73	103	91	12
79	66	13	2 048	1 109	939	516	318	198	493	404	90
94	81	13	2 241	1 195	1 046	574	354	220	460	397	63
181	147	35	4 572	2 643	1 928	1 033	682	350	864	719	145
100	82	18	3 042	1 431	1 611	774	427	347	568	435	133
35	33	2	524	381	143	212	166	46	91	71	21
31	23	8	521	325	195	187	142	46	125	106	19
13	12	0	338	204	135	123	85	38	53	49	3
5	5	－	200	139	62	75	57	18	43	35	7
22	21	1	615	434	181	227	182	45	89	79	10
42	39	3	1 114	651	464	470	313	158	202	174	28
21	18	3	672	365	307	212	145	67	110	95	15
44	37	7	1 101	655	446	372	246	125	210	175	35
109	93	17	2 356	1 247	1 109	679	386	293	553	487	66
30	27	3	954	555	399	281	189	92	206	184	23
27	22	5	693	380	313	237	152	85	117	98	19
24	21	3	516	324	192	195	139	56	92	79	13
133	120	13	3 811	2 160	1 650	1 022	684	338	864	741	123
88	80	8	2 234	1 237	997	724	482	242	508	438	71
12	12	0	565	331	234	143	98	45	98	84	15
10	9	2	552	351	200	159	119	40	66	59	7
5	4	1	281	214	66	105	86	19	49	43	5
11	11	0	465	354	111	177	144	33	73	61	12
48	42	6	736	467	269	270	192	78	163	141	22
51	46	5	925	558	367	344	244	100	177	157	20
26	24	2	1 029	607	423	330	237	93	139	116	23
5	5	－	244	168	77	84	69	14	52	48	4
11	11	－	355	235	120	130	99	31	74	55	19
26	24	3	720	463	257	233	174	59	116	108	8
9	8	1	441	313	128	169	144	25	81	69	12
87	77	10	2 037	1 300	737	607	449	158	427	382	45
20	18	2	478	335	143	155	126	29	95	82	13
21	18	4	631	420	211	230	178	52	106	95	11
37	36	1	742	515	227	255	198	57	134	120	13
21	21	0	315	209	106	113	90	24	59	49	10
21	20	0	569	393	176	175	138	37	114	108	7
37	33	5	909	636	274	274	212	62	169	154	14
21	16	5	545	428	118	124	112	12	91	88	3

第16表　常勤換算従事者数，地域密着型サービスの種類、

地域密着型通所介護

都道府県 指定都市 中核市	栄養士			歯科衛生士			生活相談員		
	総数	常勤	非常勤	総数	常勤	非常勤	総数	常勤	非常勤
指定都市(再掲)									
札幌市	-	-	-	-	-	-	303	275	27
仙台市	1	0	1	0	-	0	178	165	13
さいたま市	1	1	0	-	-	-	126	109	17
千葉市	-	-	-	1	0	1	147	127	19
横浜市	3	2	1	2	-	2	475	398	78
川崎市	0	-	0	-	-	-	179	153	26
相模原市	-	-	-	1	1	-	137	120	17
新潟市	1	1	-	0	0	-	101	93	8
静岡市	1	1	-	2	2	0	12	11	1
浜松市	-	-	-	-	-	-	101	79	22
名古屋市	-	-	-	-	-	-	435	354	81
京都市	1	1	0	-	-	-	173	147	25
大阪市	1	0	1	2	2	0	522	475	47
堺市	1	-	1	0	-	0	157	142	15
神戸市	-	-	-	-	-	-	242	213	29
岡山市	2	2	1	1	1	0	134	119	16
広島市	0	0	-	1	-	1	183	164	20
北九州市	1	1	-	-	-	-	230	207	23
福岡市	0	-	0	0	-	0	311	283	28
熊本市	0	0	-	-	-	-	131	113	17
中核市(再掲)									
旭川市	0	-	0	-	-	-	56	52	4
函館市	-	-	-	-	-	-	27	26	2
青森市	-	-	-	-	-	-	43	42	1
八戸市	-	-	-	-	-	-	25	24	1
盛岡市	1	1	-	-	-	-	74	66	8
秋田市	3	2	1	-	-	-	47	43	5
郡山市	-	-	-	1	-	1	53	49	4
いわき市	-	-	-	-	-	-	84	78	6
宇都宮市	-	-	-	1	1	-	74	64	10
前橋市	-	-	-	-	-	-	68	54	14
高崎市	-	-	-	-	-	-	70	60	10
川越市	1	1	0	0	-	0	51	47	4
越谷市	0	-	0	-	-	-	40	36	4
船橋市	1	-	1	6	-	6	94	81	13
柏市	0	-	0	1	-	1	64	54	10
八王子市	1	-	1	1	-	1	111	96	15
横須賀市	-	-	-	0	0	-	57	51	6
富山市	3	3	1	1	1	-	92	78	14
金沢市	2	1	1	-	-	-	83	76	7
長野市	0	-	0	-	-	-	81	73	8
岐阜市	2	2	1	-	-	-	64	56	8
豊橋市	0	-	0	-	-	-	72	51	22
豊田市	1	-	1	-	-	-	62	45	18
岡崎市	-	-	-	0	-	0	66	47	19
大津市	0	-	0	0	-	0	89	79	11
高槻市	-	-	-	0	-	0	60	57	3
東大阪市	1	1	-	-	-	-	109	103	6
豊中市	-	-	-	-	-	-	54	46	8
枚方市	2	2	-	1	1	-	85	77	7
姫路市	2	1	1	-	-	-	102	91	11
西宮市	1	1	0	-	-	-	85	72	13
尼崎市	-	-	-	-	-	-	95	86	10
奈良市	1	1	0	-	-	-	67	58	9
和歌山市	1	-	1	-	-	-	100	94	6
倉敷市	-	-	-	-	-	-	73	64	9
福山市	1	0	1	0	0	-	97	82	15
呉市	-	-	-	-	-	-	17	16	1
下関市	1	-	1	-	-	-	133	103	29
高松市	1	1	-	4	2	2	80	73	8
松山市	1	1	1	0	-	0	84	76	8
高知市	2	1	0	3	2	1	108	100	8
久留米市	1	1	-	-	-	-	47	41	6
長崎市	0	0	-	-	-	-	108	98	9
佐世保市	-	-	-	-	-	-	35	29	5
大分市	2	2	0	-	-	-	49	43	6
宮崎市	2	1	1	-	-	-	80	73	7
鹿児島市	1	1	0	-	-	-	203	174	29
那覇市	-	-	-	-	-	-	26	24	2

注：1）調査方法の変更等による回収率変動の影響を受けているため、数量を示す従事者数の実数は前年と単純に年次比較できない。
　　2）「0」は常勤換算従事者数が0.5未満の場合である。

都道府県－指定都市・中核市（再掲）、職種（常勤－非常勤）別（31－11）

平成29年10月１日

社会福祉士（再掲）			介護職員						その他の職員		
						介護福祉士（再掲）					
総数	常勤	非常勤	総数	常勤	非常勤	総数	常勤	非常勤	総数	常勤	非常勤
41	38	3	699	489	211	214	157	57	104	99	5
14	13	1	362	275	87	112	98	14	76	71	5
12	10	2	273	150	123	53	34	20	69	60	9
11	11	1	321	181	139	70	40	30	65	54	11
43	36	7	1 165	518	647	298	169	130	216	164	52
11	8	3	433	237	196	91	56	34	77	58	19
8	6	1	270	127	143	48	27	22	47	37	10
17	16	1	217	153	64	91	72	20	40	33	7
－	－	－	33	19	14	12	8	4	3	3	－
9	7	2	235	132	103	85	52	33	52	39	13
38	34	4	871	490	381	222	138	84	227	206	20
19	16	2	338	204	134	118	83	35	58	51	7
47	42	5	1 328	803	526	330	247	83	304	265	39
14	12	1	349	202	147	83	53	30	98	82	16
22	20	2	531	295	237	169	115	55	137	119	18
15	12	3	275	184	91	107	82	24	64	51	13
26	24	2	347	210	137	119	81	38	72	62	9
20	18	2	509	293	215	128	92	36	103	89	14
38	36	3	627	447	180	203	161	41	135	126	9
12	12	1	275	183	91	78	55	23	46	42	4
6	6	0	125	72	54	43	30	13	27	24	3
1	1	－	74	43	31	34	20	14	15	13	2
5	5	0	107	82	24	47	41	5	24	21	3
4	4	－	61	47	15	24	17	6	13	12	1
10	10	－	184	128	56	57	46	12	27	25	2
4	4	0	114	84	30	46	40	6	22	19	3
5	5	－	116	87	29	38	34	4	13	12	0
4	4	0	194	135	59	37	26	11	35	32	3
6	4	2	172	116	56	54	45	9	37	33	4
8	6	3	137	78	60	48	27	21	18	15	3
9	8	1	145	86	60	48	35	13	27	22	5
4	3	1	97	43	54	35	21	14	23	19	4
2	2	0	86	44	42	12	7	5	22	19	3
9	9	－	174	82	92	39	20	19	31	28	3
3	3	1	151	80	70	37	14	23	46	39	7
18	17	2	221	104	117	72	39	33	36	27	9
4	2	2	130	67	63	32	21	11	27	23	4
12	10	2	220	143	77	69	54	15	61	52	10
8	7	0	197	121	76	71	49	22	30	28	2
9	9	－	207	119	88	76	48	28	37	33	4
7	4	3	152	85	67	37	29	8	25	22	3
11	10	1	151	79	73	48	24	24	30	27	4
9	6	3	120	61	58	40	26	14	30	22	9
6	3	2	136	57	79	40	17	23	26	23	3
7	6	1	240	125	115	66	42	24	45	36	9
1	1	0	110	67	43	40	26	14	21	19	2
13	11	2	207	139	68	57	45	12	52	47	5
3	2	0	124	71	53	34	23	11	27	24	4
15	14	1	201	107	94	60	40	20	48	35	13
6	5	1	216	126	89	68	48	20	65	62	4
8	7	1	191	116	75	59	40	19	39	30	9
4	3	1	231	133	98	67	51	16	47	41	6
0	0	0	147	79	68	35	23	12	26	21	6
4	4	－	266	187	79	64	52	12	33	30	3
13	13	0	136	77	59	49	31	18	27	25	2
7	6	2	222	139	84	76	54	22	32	30	3
1	1	0	36	20	16	13	11	2	7	7	－
4	4	1	287	151	137	74	47	27	41	33	8
6	6	－	177	115	62	69	55	14	35	26	10
9	8	1	215	132	83	66	46	20	41	39	2
4	4	1	242	172	71	90	74	16	46	40	6
2	1	1	103	73	30	31	24	7	21	19	2
8	7	1	270	183	87	103	77	26	45	41	4
1	－	1	74	44	30	19	14	4	15	14	1
3	2	0	100	65	36	33	25	8	16	13	3
9	8	0	170	127	44	52	41	11	42	40	2
20	18	2	395	279	116	125	99	26	83	78	5
1	1	－	65	57	8	15	15	1	13	13	0

認知症対応型通所介護

都道府県 指定都市 中核市	総数			医師			看護師		
	総数	常勤	非常勤	総数	常勤	非常勤	総数	常勤	非常勤
全国	26 152	18 746	7 405	9	4	4	856	383	472
北海道	1 195	943	252	-	-	-	17	8	10
青森	418	364	54	-	-	-	9	5	4
岩手	325	277	49	-	-	-	15	8	7
宮城	427	346	81	1	1	0	11	5	6
秋田	211	179	31	-	-	-	7	4	2
山形	466	398	68	-	-	-	9	7	2
福島	671	555	116	1	1	-	16	13	4
茨城	302	244	58	-	-	-	5	4	1
栃木	229	178	50	0	-	0	11	7	4
群馬	552	419	133	0	0	-	6	2	4
埼玉	816	524	292	1	1	0	33	9	24
千葉	589	433	156	0	0	-	16	6	10
東京	2 802	1 683	1 119	0	-	0	131	42	89
神奈川	1 436	762	674	0	0	-	59	9	51
新潟	844	717	126	-	-	-	25	13	12
富山	365	269	96	-	-	-	15	9	7
石川	317	263	54	-	-	-	11	7	4
福井	436	327	109	0	-	0	8	4	4
山梨	152	111	41	-	-	-	4	1	3
長野	649	446	203	0	0	0	35	16	19
岐阜	413	305	109	1	1	0	7	3	4
静岡	802	502	300	-	-	-	34	9	25
愛知	1 026	661	365	-	-	-	28	10	18
三重	268	172	96	0	-	0	6	2	4
滋賀	391	255	136	0	-	0	15	8	7
京都	557	365	193	0	-	0	24	7	16
大阪	1 599	1 076	524	0	-	0	46	22	23
兵庫	1 111	734	376	0	-	0	46	17	29
奈良	189	134	55	-	-	-	10	7	3
和歌山	207	155	52	-	-	-	4	2	2
鳥取	175	138	37	0	0	-	6	1	4
島根	323	244	80	-	-	-	8	4	4
岡山	302	213	89	-	-	-	9	1	9
広島	468	328	141	-	-	-	10	6	4
山口	506	359	147	0	-	0	13	8	5
徳島	122	96	26	-	-	-	3	2	2
香川	243	177	67	-	-	-	9	5	4
愛媛	336	257	78	0	-	0	11	5	6
高知	201	166	35	-	-	-	8	6	2
福岡	808	617	191	0	-	0	21	12	9
佐賀	373	316	57	0	0	-	16	13	3
長崎	734	592	142	1	-	1	21	15	7
熊本	604	495	109	1	-	1	24	15	8
大分	342	258	84	1	1	-	10	6	4
宮崎	177	149	28	-	-	-	4	4	0
鹿児島	464	364	100	-	-	-	16	11	4
沖縄	209	181	28	-	-	-	7	5	2

注：1）調査方法の変更等による回収率変動の影響を受けているため、数量を示す従事者数の実数は前年以前と単純に年次比較できない。
2）地域密着型介護予防サービスを一体的に行っている事業所の従事者を含む。
3）地域密着型介護予防サービスのみ行っている事業所は対象外とした。
4）「0」は常勤換算従事者数が0.5未満の場合である。

都道府県－指定都市・中核市（再掲）、職種（常勤－非常勤）別（31－12）

平成29年10月１日

准看護師			機能訓練指導員			理学療法士（再掲）			作業療法士（再掲）		
総数	常勤	非常勤	総数	常勤	非常勤	総数	常勤	非常勤	総数	常勤	非常勤
677	366	311	1 320	670	650	81	54	27	81	57	24
21	11	10	47	23	24	2	1	1	2	2	1
11	10	2	13	10	3	1	1	－	0	0	－
8	7	2	9	6	3	－	－	－	0	0	－
15	10	5	27	16	11	0	－	0	3	2	1
5	2	3	7	4	3	－	－	－	0	－	0
6	3	3	19	15	4	2	2	0	1	1	0
26	17	9	41	29	12	－	－	－	5	5	－
4	2	1	12	9	3	1	－	1	－	－	－
5	2	3	11	6	6	1	1	0	－	－	－
9	4	5	14	6	8	0	0	0	2	2	－
17	5	12	42	16	26	8	5	3	4	2	2
20	12	8	25	13	12	1	0	1	0	0	－
55	15	40	182	76	106	18	9	9	12	6	7
21	7	13	77	20	58	1	－	1	2	0	2
18	10	8	38	27	11	4	4	0	1	1	0
10	5	5	19	10	9	1	0	0	0	－	0
14	12	2	16	6	10	1	1	1	2	1	1
12	5	7	19	13	7	2	2	0	3	3	0
3	0	2	7	4	2	2	2	－	1	1	0
24	14	10	21	10	12	2	1	1	2	2	－
16	10	6	21	8	13	2	1	1	1	1	0
17	8	9	41	13	28	3	3	0	3	1	2
21	7	14	36	12	24	1	1	0	1	1	0
7	3	4	15	5	10	1	0	1	1	1	1
5	3	2	15	9	6	0	－	0	0	－	0
11	6	5	33	12	22	1	1	0	4	3	1
23	11	12	70	27	43	2	0	1	3	2	1
21	9	12	58	26	32	5	4	0	2	1	1
2	1	1	8	4	4	－	－	－	0	－	0
4	2	2	6	2	4	－	－	－	－	－	－
3	0	3	11	7	4	－	－	－	0	0	－
12	6	6	19	15	5	3	3	－	4	4	－
7	5	2	16	6	10	0	－	0	2	2	0
16	7	8	27	13	15	1	1	－	1	－	1
13	7	6	30	18	12	3	2	1	1	1	0
8	5	3	6	3	3	0	0	－	0	0	－
14	6	7	11	5	6	1	0	1	0	0	－
14	9	5	19	11	7	－	－	－	1	1	－
4	3	1	14	10	4	1	1	1	2	2	－
20	9	11	43	24	19	2	1	1	6	3	2
15	9	6	20	16	4	－	－	－	2	1	0
29	23	6	42	27	15	3	3	－	1	1	0
35	27	8	29	23	6	3	3	0	3	2	0
19	10	9	36	23	14	2	2	－	1	1	－
8	7	1	8	5	2	1	－	1	－	－	－
23	15	9	34	25	9	1	1	0	3	2	0
5	3	2	7	5	2	1	－	1	1	－	1

第16表　常勤換算従事者数，地域密着型サービスの種類、

認知症対応型通所介護

都道府県 指定都市 中核市	総数			医師			看護師		
	総数	常勤	非常勤	総数	常勤	非常勤	総数	常勤	非常勤
指定都市(再掲)									
札幌市	462	363	99	-	-	-	6	3	3
仙台市	178	140	38	1	1	0	4	0	4
さいたま市	86	57	30	-	-	-	6	3	3
千葉市	61	45	15	-	-	-	1	-	1
横浜市	827	389	437	-	-	-	51	7	44
川崎市	199	124	75	-	-	-	2	-	2
相模原市	70	35	35	0	0	-	2	-	2
新潟市	206	176	30	-	-	-	9	4	4
静岡市	208	125	83	-	-	-	9	2	7
浜松市	176	101	75	-	-	-	5	2	3
名古屋市	316	190	126	-	-	-	6	1	5
京都市	173	115	58	0	-	0	9	2	7
大阪市	553	391	162	0	-	0	18	10	8
堺市	97	50	47	-	-	-	2	1	1
神戸市	157	100	58	-	-	-	9	4	5
岡山市	96	63	33	-	-	-	1	-	1
広島市	142	102	40	-	-	-	3	2	1
北九州市	232	186	46	-	-	-	6	2	4
福岡市	112	78	34	0	-	0	4	3	2
熊本市	238	193	45	-	-	-	8	4	4
中核市(再掲)									
旭川市	91	65	26	-	-	-	2	-	2
函館市	31	28	3	-	-	-	-	-	-
青森市	58	51	7	-	-	-	1	1	0
八戸市	44	34	10	-	-	-	1	-	1
盛岡市	78	64	14	-	-	-	6	3	3
秋田市	18	16	2	-	-	-	0	0	-
郡山市	46	34	12	-	-	-	1	1	0
いわき市	128	96	31	1	1	-	3	2	1
宇都宮市	64	44	20	-	-	-	3	-	3
前橋市	42	21	21	-	-	-	1	-	1
高崎市	149	117	33	0	0	-	2	1	1
川越市	80	51	28	1	1	-	1	-	1
越谷市	38	21	17	-	-	-	2	-	2
船橋市	71	56	15	-	-	-	4	2	1
柏市	24	14	10	-	-	-	2	-	2
八王子市	121	68	53	-	-	-	5	1	4
横須賀市	127	71	56	-	-	-	2	0	2
富山市	112	77	35	-	-	-	5	3	2
金沢市	48	38	10	-	-	-	-	-	-
長野市	53	33	21	-	-	-	1	0	1
岐阜市	67	52	15	0	-	0	1	-	1
豊橋市	86	59	27	-	-	-	4	2	2
豊田市	71	37	34	-	-	-	3	0	2
岡崎市	73	54	19	-	-	-	2	2	0
大津市	64	43	21	-	-	-	2	1	1
高槻市	50	37	14	-	-	-	1	1	0
東大阪市	117	87	30	-	-	-	3	1	2
豊中市	38	22	16	-	-	-	2	1	1
枚方市	59	40	19	-	-	-	-	-	-
姫路市	32	27	5	-	-	-	1	-	1
西宮市	66	46	20	-	-	-	2	0	2
尼崎市	77	45	33	-	-	-	4	1	3
奈良市	76	50	27	-	-	-	5	2	2
和歌山市	114	86	28	-	-	-	2	1	1
倉敷市	70	46	24	-	-	-	4	-	4
福山市	147	108	39	-	-	-	1	-	1
呉市	41	33	8	-	-	-	2	2	0
下関市	92	67	25	-	-	-	2	1	1
高松市	116	78	38	-	-	-	5	2	2
松山市	76	61	15	-	-	-	3	1	1
高知市	109	84	25	-	-	-	6	4	2
久留米市	117	95	22	-	-	-	3	2	0
長崎市	209	167	42	1	-	1	9	6	3
佐世保市	189	151	38	0	-	0	4	3	1
大分市	98	59	40	1	1	-	3	1	2
宮崎市	73	66	7	-	-	-	2	2	0
鹿児島市	192	153	39	-	-	-	9	6	4
那覇市	16	14	2	-	-	-	0	-	0

注：1）調査方法の変更等による回収率変動の影響を受けているため、数量を示す従事者数の実数は前年以前と単純に年次比較できない。
　　2）地域密着型介護予防サービスを一体的に行っている事業所の従事者を含む。
　　3）地域密着型介護予防サービスのみ行っている事業所は対象外とした。
　　4）「0」は常勤換算従事者数が0.5未満の場合である。

平成29年10月１日

准看護師			機能訓練指導員								
						理学療法士（再掲）			作業療法士（再掲）		
総数	常勤	非常勤	総数	常勤	非常勤	総数	常勤	非常勤	総数	常勤	非常勤
3	2	2	19	8	12	0	0	－	2	2	0
6	3	3	15	6	9	0	－	0	3	2	1
1	0	1	5	3	2	0	－	0	－	－	－
0	－	0	1	0	0	－	－	－	－	－	－
13	3	10	54	11	43	0	－	0	2	0	2
6	3	3	8	2	6	－	－	－	－	－	－
1	0	0	3	0	2	－	－	－	－	－	－
4	2	2	17	13	4	2	2	－	0	0	0
4	1	4	10	3	7	1	1	－	1	0	1
2	1	1	9	2	7	－	－	－	0	－	0
1	0	0	6	0	6	0	－	0	0	－	0
1	0	1	7	2	5	－	－	－	0	0	－
3	2	1	18	6	12	1	0	1	0	0	0
1	0	1	5	3	2	－	－	－	－	－	－
2	1	1	13	6	8	0	－	0	0	－	0
2	1	1	4	0	4	0	－	0	－	－	－
6	4	3	8	5	3	1	1	－	0	－	0
8	4	4	9	3	6	1	0	1	3	1	2
0	－	0	6	3	3	1	1	0	1	－	1
8	6	3	13	11	2	2	1	0	1	1	－
1	0	1	3	0	3	－	－	－	－	－	－
1	1	－	2	1	1	0	－	0	－	－	－
1	1	0	2	1	1	－	－	－	－	－	－
2	1	1	3	3	1	0	0	－	0	0	－
1	1	1	2	1	2	－	－	－	0	0	－
0	0	－	1	1	0	－	－	－	0	－	0
3	0	3	4	1	3	－	－	－	－	－	－
6	3	3	4	2	3	－	－	－	－	－	－
2	－	2	3	0	2	－	－	－	－	－	－
2	－	2	1	－	1	－	－	－	－	－	－
2	1	1	4	2	2	－	－	－	－	－	－
1	1	1	4	1	3	2	－	2	1	1	－
0	－	0	3	0	2	－	－	－	－	－	－
0	－	0	3	3	1	0	0	－	－	－	－
1	－	1	1	－	1	0	－	0	－	－	－
3	－	3	6	3	3	－	－	－	1	1	－
0	0	0	5	1	4	0	－	0	－	－	－
4	0	4	4	2	2	1	0	0	－	－	－
2	1	1	4	3	1	0	－	0	－	－	－
1	－	1	1	－	1	0	－	0	－	－	－
1	1	1	3	2	1	1	1	－	－	－	－
1	－	1	3	2	1	－	－	－	－	－	－
4	0	3	7	1	6	－	－	－	－	－	－
4	2	2	1	0	0	－	－	－	0	0	－
0	－	0	2	0	1	－	－	－	0	－	0
3	3	0	6	5	2	－	－	－	2	2	－
5	2	3	7	3	5	－	－	－	－	－	－
0	0	－	1	0	1	－	－	－	－	－	－
1	－	1	－	－	－	－	－	－	－	－	－
0	－	0	1	－	1	－	－	－	－	－	－
1	0	0	4	2	2	－	－	－	1	1	0
4	1	2	4	0	4	－	－	－	－	－	－
0	－	0	5	2	3	－	－	－	－	－	－
1	－	1	2	0	2	－	－	－	－	－	－
2	1	1	7	3	4	－	－	－	1	1	－
2	1	1	7	3	4	－	－	－	1	－	1
1	－	1	1	0	1	－	－	－	－	－	－
6	5	1	7	5	2	2	1	1	0	－	0
6	3	3	6	3	3	0	0	－	0	0	－
5	3	2	5	3	2	－	－	－	1	1	－
2	2	1	8	6	2	1	1	1	1	1	－
2	0	2	2	2	1	－	－	－	－	－	－
8	7	1	17	12	5	2	2	－	0	－	0
9	6	3	13	8	5	1	1	－	－	－	－
5	1	5	13	5	7	1	1	－	－	－	－
2	2	－	5	4	1	－	－	－	－	－	－
9	4	5	18	11	7	1	1	0	1	1	0
1	1	0	0	0	－	－	－	－	－	－	－

認知症対応型通所介護

都道府県 指定都市 中核市	機能訓練								
	言語聴覚士（再掲）			看護師（再掲）			准看護師（再掲）		
	総数	常勤	非常勤	総数	常勤	非常勤	総数	常勤	非常勤
全国	6	3	3	595	267	328	464	236	228
北海道	0	-	0	22	10	12	20	10	10
青森	-	-	-	1	0	1	7	6	2
岩手	-	-	-	6	3	3	2	1	1
宮城	1	-	1	11	7	4	12	7	5
秋田	-	-	-	4	3	1	3	1	1
山形	-	-	-	8	6	2	7	6	1
福島	0	-	0	16	11	4	16	9	7
茨城	-	-	-	6	5	1	4	2	2
栃木	-	-	-	6	4	3	4	2	3
群馬	-	-	-	4	1	3	7	3	4
埼玉	-	-	-	18	3	15	10	5	5
千葉	-	-	-	11	6	5	12	6	5
東京	1	-	1	84	30	55	37	16	21
神奈川	1	1	0	48	11	37	21	6	15
新潟	0	-	0	14	7	7	19	16	3
富山	-	-	-	10	5	5	6	3	3
石川	-	-	-	5	2	4	7	3	4
福井	1	1	-	5	2	3	8	5	3
山梨	-	-	-	2	0	1	2	1	1
長野	0	0	-	13	5	8	3	1	3
岐阜	-	-	-	8	2	6	9	4	5
静岡	-	-	-	18	5	14	10	2	8
愛知	-	-	-	19	7	13	13	3	9
三重	-	-	-	6	2	3	6	1	4
滋賀	0	0	-	9	5	4	4	2	2
京都	-	-	-	18	6	12	10	2	8
大阪	-	-	-	36	12	24	19	6	14
兵庫	1	1	-	33	14	19	14	4	10
奈良	-	-	-	6	4	2	1	-	1
和歌山	-	-	-	3	1	2	2	1	1
鳥取	-	-	-	7	4	3	4	3	1
島根	-	-	-	5	4	1	7	4	4
岡山	-	-	-	8	2	6	5	2	3
広島	-	-	-	12	8	5	13	4	8
山口	-	-	-	11	5	5	15	10	5
徳島	-	-	-	2	1	1	3	2	2
香川	-	-	-	3	1	1	6	3	3
愛媛	-	-	-	7	3	4	11	7	4
高知	1	1	1	4	3	1	3	2	1
福岡	-	-	-	20	11	9	15	9	6
佐賀	-	-	-	11	11	1	6	3	3
長崎	-	-	-	15	8	7	23	15	8
熊本	0	0	-	9	7	3	14	11	3
大分	-	-	-	13	9	4	20	10	10
宮崎	-	-	-	4	2	1	4	3	0
鹿児島	-	-	-	9	7	2	21	14	7
沖縄	-	-	-	4	4	1	2	1	1

注：1）調査方法の変更等による回収率変動の影響を受けているため、数量を示す従事者数の実数は前年以前と単純に年次比較できない。
2）地域密着型介護予防サービスを一体的に行っている事業所の従事者を含む。
3）地域密着型介護予防サービスのみ行っている事業所は対象外とした。
4）「0」は常勤換算従事者数が0.5未満の場合である。

平成29年10月１日

指導員						調理員			管理栄養士		
柔道整復師（再掲）			あん摩マッサージ指圧師（再掲）								
総数	常勤	非常勤	総数	常勤	非常勤	総数	常勤	非常勤	総数	常勤	非常勤
41	30	10	53	23	29	546	177	369	82	72	10
1	1	0	－	－	－	20	4	16	3	3	－
2	2	0	1	1	－	13	5	8	1	1	－
－	－	－	1	1	－	10	6	4	0	0	－
－	－	－	0	－	0	8	4	4	2	2	0
0	－	0	－	－	－	2	2	1	0	0	0
0	－	0	2	2	0	4	2	1	2	2	－
3	2	1	1	1	0	4	2	2	1	1	0
0	－	0	1	1	0	4	2	2	0	0	－
－	－	－	－	－	－	9	1	8	0	0	－
1	1	－	－	－	－	10	1	9	1	0	1
1	1	0	2	－	2	17	8	10	6	5	1
－	－	－	1	－	1	15	8	7	1	1	1
9	9	1	21	8	13	64	14	49	19	18	1
2	2	1	3	－	3	50	7	43	1	1	－
0	0	－	0	－	0	7	3	4	1	1	－
2	2	1	－	－	－	12	4	8	2	2	－
1	－	1	－	－	－	3	0	2	3	3	－
0	0	－	1	0	1	5	1	4	1	0	1
1	1	－	－	－	－	2	1	1	0	0	－
0	0	－	1	1	0	29	16	14	3	3	－
0	0	－	0	0	－	2	－	2	3	3	0
1	0	1	6	2	4	16	6	11	3	3	－
1	1	0	1	－	1	20	4	16	3	2	0
－	－	－	1	－	1	9	3	6	0	0	－
1	1	－	0	－	0	10	3	7	1	1	－
1	－	1	1	－	1	19	8	12	4	3	1
7	6	1	2	1	1	15	2	13	1	1	0
2	2	1	2	1	1	17	5	12	4	4	1
1	－	1	0	－	0	3	1	2	－	－	－
0	－	0	－	－	－	4	2	2	－	－	－
－	－	－	－	－	－	8	4	4	2	2	－
－	－	－	0	0	－	9	3	6	0	0	－
0	0	－	－	－	－	6	1	4	0	0	－
1	0	1	0	－	0	8	4	4	1	1	0
－	－	－	－	－	－	6	2	4	1	1	0
－	－	－	1	0	1	6	2	3	1	1	－
－	－	－	1	－	1	4	2	2	1	1	－
－	－	－	－	－	－	11	3	8	0	0	－
－	－	－	2	2	－	5	2	4	0	0	－
－	－	－	0	0	－	12	5	7	2	2	－
1	1	－	－	－	－	10	6	4	1	0	1
－	－	－	－	－	－	16	6	11	1	0	1
－	－	－	0	0	－	14	4	11	1	0	1
－	－	－	－	－	－	7	1	6	0	－	0
－	－	－	－	－	－	5	2	3	1	1	－
－	－	－	1	1	－	19	7	12	1	1	－
－	－	－	－	－	－	1	1	－	－	－	－

第16表　常勤換算従事者数，地域密着型サービスの種類、

認知症対応型通所介護

都道府県 指定都市 中核市	機能訓練 言語聴覚士（再掲） 総数	常勤	非常勤	看護師（再掲） 総数	常勤	非常勤	准看護師（再掲） 総数	常勤	非常勤
指定都市（再掲）									
札幌市	–	–	–	11	4	7	5	1	4
仙台市	1	–	1	6	2	4	5	1	4
さいたま市	–	–	–	3	1	1	1	0	1
千葉市	–	–	–	0	–	0	0	0	–
横浜市	0	–	0	39	9	30	11	2	10
川崎市	–	–	–	2	0	2	4	1	3
相模原市	–	–	–	2	0	2	1	0	1
新潟市	0	–	0	5	2	3	10	9	1
静岡市	–	–	–	6	2	5	2	–	2
浜松市	–	–	–	4	1	3	2	0	2
名古屋市	–	–	–	4	–	4	1	0	1
京都市	–	–	–	5	1	4	1	0	1
大阪市	–	–	–	11	4	7	5	1	4
堺市	–	–	–	3	1	2	1	1	0
神戸市	–	–	–	9	3	6	2	1	1
岡山市	–	–	–	2	0	1	2	–	2
広島市	–	–	–	2	1	1	5	4	1
北九州市	–	–	–	3	1	2	2	1	2
福岡市	–	–	–	4	2	2	1	1	0
熊本市	0	0	–	4	3	1	6	5	1
中核市（再掲）									
旭川市	–	–	–	2	–	2	1	0	1
函館市	0	–	0	1	1	0	1	1	0
青森市	–	–	–	–	–	–	1	–	1
八戸市	–	–	–	1	0	0	0	–	0
盛岡市	–	–	–	2	–	2	1	1	–
秋田市	–	–	–	1	1	–	0	0	–
郡山市	–	–	–	1	1	0	2	–	2
いわき市	–	–	–	1	0	1	3	1	2
宇都宮市	–	–	–	1	–	1	2	0	1
前橋市	–	–	–	0	–	0	1	–	1
高崎市	–	–	–	1	0	1	2	1	1
川越市	–	–	–	0	–	0	0	–	0
越谷市	–	–	–	2	0	2	0	–	0
船橋市	–	–	–	2	2	0	0	–	0
柏市	–	–	–	1	–	1	0	–	0
八王子市	–	–	–	3	1	2	1	0	1
横須賀市	1	1	–	1	0	1	2	0	1
富山市	–	–	–	2	1	1	2	1	1
金沢市	–	–	–	1	1	0	3	2	1
長野市	–	–	–	1	–	1	0	–	0
岐阜市	–	–	–	1	0	1	0	–	0
豊橋市	–	–	–	2	1	1	2	1	1
豊田市	–	–	–	3	1	2	4	0	4
岡崎市	–	–	–	0	0	0	–	–	–
大津市	–	–	–	1	0	1	0	–	0
高槻市	–	–	–	2	1	1	1	1	1
東大阪市	–	–	–	3	1	2	5	2	3
豊中市	–	–	–	0	0	0	–	–	–
枚方市	–	–	–	–	–	–	–	–	–
姫路市	–	–	–	0	–	0	1	–	1
西宮市	–	–	–	1	0	1	2	1	1
尼崎市	–	–	–	3	–	3	1	0	1
奈良市	–	–	–	4	2	2	0	–	0
和歌山市	–	–	–	2	0	2	0	–	0
倉敷市	–	–	–	4	1	3	2	1	1
福山市	–	–	–	5	3	2	0	–	0
呉市	–	–	–	0	0	0	0	–	0
下関市	–	–	–	1	0	0	4	3	1
高松市	–	–	–	1	1	1	4	2	1
松山市	–	–	–	3	1	2	2	1	1
高知市	1	1	–	3	2	1	2	1	1
久留米市	–	–	–	1	0	1	1	1	–
長崎市	–	–	–	5	2	3	10	8	2
佐世保市	–	–	–	5	3	2	7	4	3
大分市	–	–	–	5	3	2	7	1	6
宮崎市	–	–	–	3	2	1	2	2	–
鹿児島市	–	–	–	5	4	1	10	5	5
那覇市	–	–	–	–	–	–	0	0	–

注：1）調査方法の変更等による回収率変動の影響を受けているため、数量を示す従事者数の実数は前年以前と単純に年次比較できない。
2）地域密着型介護予防サービスを一体的に行っている事業所の従事者を含む。
3）地域密着型介護予防サービスのみ行っている事業所は対象外とした。
4）「0」は常勤換算従事者数が0.5未満の場合である。

平成29年10月１日

指導員						調理員			管理栄養士		
柔道整復師（再掲）			あん摩マッサージ指圧師（再掲）								
総数	常勤	非常勤	総数	常勤	非常勤	総数	常勤	非常勤	総数	常勤	非常勤
1	1	0	－	－	－	2	－	2	2	2	－
－	－	－	－	－	－	3	2	1	0	0	－
1	1	－	－	－	－	1	－	1	－	－	－
－	－	－	－	－	－	1	－	1	0	0	－
1	－	1	1	－	1	35	5	30	－	－	－
1	1	－	1	－	1	4	－	4	－	－	－
－	－	－	－	－	－	5	1	4	0	0	－
－	－	－	－	－	－	1	－	1	0	0	－
－	－	－	0	－	0	4	1	3	0	0	－
1	－	1	2	1	1	2	－	2	1	1	－
－	－	－	0	－	0	17	4	13	－	－	－
－	－	－	1	－	1	5	0	5	1	1	－
1	1	0	－	－	－	5	－	5	0	－	0
1	1	0	－	－	－	－	－	－	1	1	－
0	－	0	2	1	1	1	－	1	1	1	0
－	－	－	－	－	－	1	－	1	－	－	－
－	－	－	0	－	0	6	4	2	1	1	0
－	－	－	－	－	－	0	－	0	－	－	－
－	－	－	－	－	－	2	－	2	1	1	－
－	－	－	－	－	－	4	－	4	－	－	－
－	－	－	－	－	－	2	－	2	－	－	－
－	－	－	－	－	－	－	－	－	－	－	－
－	－	－	1	1	－	2	－	2	－	－	－
2	2	－	－	－	－	1	1	1	－	－	－
－	－	－	－	－	－	5	4	1	－	－	－
－	－	－	－	－	－	－	－	－	－	－	－
－	－	－	－	－	－	－	－	－	－	－	－
－	－	－	－	－	－	2	－	2	－	－	－
－	－	－	－	－	－	2	－	2	－	－	－
－	－	－	－	－	－	6	－	6	－	－	－
1	1	－	－	－	－	1	1	0	0	0	－
－	－	－	－	－	－	3	3	－	2	2	－
0	－	0	－	－	－	0	－	0	1	1	－
－	－	－	－	－	－	2	2	0	－	－	－
－	－	－	－	－	－	1	0	0	－	－	－
－	－	－	1	1	0	5	－	5	1	0	0
0	0	0	1	－	1	1	－	1	－	－	－
0	－	0	－	－	－	2	1	1	－	－	－
－	－	－	－	－	－	－	－	－	－	－	－
－	－	－	－	－	－	1	1	1	0	0	－
0	0	－	0	0	－	0	－	0	1	1	－
－	－	－	0	－	0	2	－	2	0	0	－
－	－	－	－	－	－	－	－	－	0	0	－
－	－	－	－	－	－	－	－	－	0	－	0
－	－	－	－	－	－	1	－	1	－	－	－
1	1	－	－	－	－	1	－	1	－	－	－
－	－	－	－	－	－	－	－	－	0	0	－
－	－	－	0	－	0	－	－	－	－	－	－
－	－	－	－	－	－	－	－	－	－	－	－
－	－	－	－	－	－	0	－	0	－	－	－
0	0	0	－	－	－	－	－	－	－	－	－
0	0	－	－	－	－	2	－	2	2	2	－
1	－	1	0	－	0	1	－	1	－	－	－
0	－	0	－	－	－	－	－	－	－	－	－
－	－	－	－	－	－	2	0	2	0	0	－
1	0	1	－	－	－	－	－	－	－	－	－
－	－	－	－	－	－	－	－	－	－	－	－
－	－	－	－	－	－	5	2	3	－	－	－
－	－	－	1	－	1	3	2	1	1	1	－
－	－	－	－	－	－	－	－	－	0	0	－
－	－	－	1	1	－	4	1	3	0	0	－
－	－	－	－	－	－	3	2	1	－	－	－
－	－	－	－	－	－	14	5	9	1	－	1
－	－	－	－	－	－	2	1	1	0	0	－
－	－	－	－	－	－	2	－	2	－	－	－
－	－	－	－	－	－	3	1	2	1	1	－
－	－	－	－	－	－	6	1	5	1	1	－
－	－	－	－	－	－	－	－	－	－	－	－

認知症対応型通所介護

都道府県 指定都市 中核市	栄養士			歯科衛生士			生活相談員		
	総数	常勤	非常勤	総数	常勤	非常勤	総数	常勤	非常勤
全国	39	29	10	11	4	6	3 785	3 474	310
北海道	0	0	-	-	-	-	131	118	13
青森	2	2	-	-	-	-	45	44	1
岩手	1	0	0	0	0	-	35	33	2
宮城	-	-	-	0	0	-	50	48	2
秋田	-	-	-	-	-	-	25	24	1
山形	1	1	0	0	0	0	63	61	2
福島	2	2	-	1	-	1	90	84	6
茨城	1	1	0	-	-	-	47	41	6
栃木	1	1	-	-	-	-	31	30	1
群馬	-	-	-	-	-	-	54	48	6
埼玉	1	1	1	-	-	-	109	100	10
千葉	-	-	-	0	-	0	88	79	9
東京	7	3	3	2	1	2	526	470	56
神奈川	-	-	-	-	-	-	255	218	37
新潟	0	0	-	0	0	0	84	83	1
富山	0	-	0	1	-	1	63	59	4
石川	2	2	-	-	-	-	39	38	1
福井	-	-	-	1	0	0	60	57	3
山梨	-	-	-	-	-	-	23	21	2
長野	2	2	-	1	1	0	96	88	7
岐阜	0	-	0	1	1	0	53	47	6
静岡	4	2	2	1	-	1	147	137	9
愛知	-	-	-	0	-	0	168	148	20
三重	-	-	-	-	-	-	43	38	5
滋賀	1	1	-	0	-	0	78	74	4
京都	1	-	1	0	-	0	99	94	5
大阪	0	-	0	0	0	-	193	184	10
兵庫	1	1	0	0	0	-	156	142	14
奈良	1	1	-	-	-	-	23	22	2
和歌山	-	-	-	-	-	-	18	18	-
鳥取	3	3	-	0	0	-	30	30	0
島根	1	1	-	-	-	-	53	50	3
岡山	-	-	-	-	-	-	39	36	3
広島	1	1	0	0	-	0	62	56	7
山口	1	1	-	1	-	1	84	75	8
徳島	-	-	-	-	-	-	23	22	1
香川	0	0	-	-	-	-	31	30	1
愛媛	0	-	0	-	-	-	38	37	2
高知	0	0	-	-	-	-	34	32	2
福岡	0	0	-	-	-	-	122	106	16
佐賀	0	-	0	1	1	-	58	53	4
長崎	0	0	-	1	-	1	93	84	8
熊本	1	1	-	-	-	-	71	67	4
大分	3	3	-	-	-	-	59	55	4
宮崎	1	-	1	-	-	-	17	16	1
鹿児島	1	0	1	-	-	-	62	58	4
沖縄	-	-	-	-	-	-	20	20	1

注：1）調査方法の変更等による回収率変動の影響を受けているため、数量を示す従事者数の実数は前年以前と単純に年次比較できない。
2）地域密着型介護予防サービスを一体的に行っている事業所の従事者を含む。
3）地域密着型介護予防サービスのみ行っている事業所は対象外とした。
4）「0」は常勤換算従事者数が0.5未満の場合である。

都道府県－指定都市・中核市（再掲）、職種（常勤－非常勤）別（31－16）

平成29年10月１日

社会福祉士（再掲）			介護職員			介護福祉士（再掲）			その他の職員		
総数	常勤	非常勤	総数	常勤	非常勤	総数	常勤	非常勤	総数	常勤	非常勤
417	390	26	16 731	11 910	4 820	7 727	6 166	1 562	2 098	1 655	444
24	21	2	867	694	173	394	343	51	90	82	8
5	5	0	301	267	34	156	148	8	24	21	3
2	2	-	221	197	24	126	118	8	26	20	7
8	7	0	290	239	52	128	117	11	22	21	0
6	5	1	142	124	18	64	59	4	22	19	3
9	9	-	335	286	49	192	177	15	28	22	7
10	9	1	438	362	75	190	174	16	52	45	7
15	10	5	214	172	42	101	91	10	15	13	2
4	4	1	150	122	29	73	65	8	11	11	-
9	9	-	426	327	99	167	144	24	33	31	2
8	7	1	517	330	188	230	162	68	72	51	21
12	12	1	375	274	101	140	113	27	50	42	8
61	59	2	1 530	865	665	785	501	284	287	179	108
14	13	1	850	429	421	346	214	133	123	71	52
21	21	0	620	536	84	337	308	29	50	43	8
5	5	-	205	151	54	119	100	20	38	30	8
1	1	-	213	179	35	109	94	15	17	16	1
6	5	1	304	226	78	161	129	32	26	21	5
1	1	1	102	75	27	40	36	5	11	7	4
6	6	0	382	255	127	185	135	50	54	41	14
5	5	0	271	201	70	127	102	26	39	31	8
15	15	0	465	272	194	220	148	72	74	52	22
19	17	2	669	413	256	295	214	81	83	64	19
4	3	1	164	101	63	72	49	23	25	20	5
10	9	1	235	130	104	124	81	43	32	26	6
14	14	-	325	207	118	157	115	43	40	28	13
23	23	-	1 089	696	393	459	355	104	163	132	30
16	14	1	704	446	258	319	240	79	103	85	18
2	2	-	124	82	42	50	40	10	19	17	2
2	2	-	160	119	41	44	31	13	11	10	2
2	2	-	96	77	19	61	52	9	15	12	2
5	5	-	200	147	53	94	76	17	22	18	4
7	7	0	200	145	54	99	85	14	25	19	6
5	4	0	298	204	94	118	90	27	44	37	8
5	5	-	334	228	106	150	121	29	24	20	5
2	2	-	69	57	13	31	28	3	5	5	1
2	2	-	162	116	46	88	71	17	12	11	1
3	3	0	214	168	47	98	86	12	28	25	3
5	4	1	120	100	20	68	60	7	16	12	4
12	12	0	521	395	126	211	172	39	68	64	4
1	1	0	225	193	32	91	83	8	27	24	3
9	7	2	479	391	89	212	189	23	50	46	4
8	7	1	390	324	67	171	149	22	38	35	3
8	7	1	187	142	46	83	72	11	21	18	2
1	1	-	121	102	19	66	63	3	12	12	0
5	5	-	271	212	59	116	108	7	37	35	2
2	2	-	155	134	20	66	63	3	14	13	1

認知症対応型通所介護

都道府県 指定都市 中核市	栄養士			歯科衛生士			生活相談員		
	総数	常勤	非常勤	総数	常勤	非常勤	総数	常勤	非常勤
指定都市（再掲）									
札幌市	-	-	-	-	-	-	46	43	2
仙台市	-	-	-	0	0	-	27	26	1
さいたま市	-	-	-	-	-	-	11	8	3
千葉市	-	-	-	-	-	-	5	5	1
横浜市	-	-	-	-	-	-	145	120	25
川崎市	-	-	-	-	-	-	41	38	4
相模原市	-	-	-	-	-	-	11	10	2
新潟市	-	-	-	-	-	-	21	21	-
静岡市	2	1	1	1	-	1	41	38	2
浜松市	1	1	-	-	-	-	26	23	3
名古屋市	-	-	-	-	-	-	34	27	7
京都市	1	-	1	0	-	0	33	31	1
大阪市	0	-	0	-	-	-	63	60	3
堺市	-	-	-	-	-	-	13	12	1
神戸市	-	-	-	-	-	-	28	26	2
岡山市	-	-	-	-	-	-	9	8	1
広島市	1	1	0	0	-	0	15	14	1
北九州市	-	-	-	-	-	-	37	35	2
福岡市	0	0	-	-	-	-	19	18	1
熊本市	-	-	-	-	-	-	35	33	2
中核市（再掲）									
旭川市	0	0	-	-	-	-	7	7	0
函館市	-	-	-	-	-	-	5	5	-
青森市	-	-	-	-	-	-	6	6	-
八戸市	-	-	-	-	-	-	10	10	1
盛岡市	0	0	0	-	-	-	13	12	1
秋田市	-	-	-	-	-	-	3	3	1
郡山市	-	-	-	-	-	-	11	11	0
いわき市	-	-	-	-	-	-	13	10	3
宇都宮市	-	-	-	-	-	-	13	12	1
前橋市	-	-	-	-	-	-	8	8	1
高崎市	-	-	-	-	-	-	18	15	3
川越市	-	-	-	-	-	-	13	13	-
越谷市	-	-	-	-	-	-	7	6	1
船橋市	-	-	-	-	-	-	7	6	1
柏市	-	-	-	-	-	-	4	3	1
八王子市	1	0	0	-	-	-	23	22	1
横須賀市	-	-	-	-	-	-	19	18	2
富山市	-	-	-	-	-	-	19	17	2
金沢市	-	-	-	-	-	-	5	5	-
長野市	0	0	-	-	-	-	10	10	0
岐阜市	-	-	-	1	1	-	9	8	1
豊橋市	-	-	-	-	-	-	8	6	2
豊田市	-	-	-	-	-	-	19	17	2
岡崎市	-	-	-	0	-	0	19	18	1
大津市	-	-	-	-	-	-	14	14	0
高槻市	-	-	-	-	-	-	11	11	1
東大阪市	-	-	-	-	-	-	12	12	0
豊中市	-	-	-	0	0	-	6	6	1
枚方市	-	-	-	-	-	-	2	2	0
姫路市	-	-	-	-	-	-	2	2	-
西宮市	-	-	-	-	-	-	11	11	-
尼崎市	-	-	-	-	-	-	14	11	3
奈良市	-	-	-	-	-	-	14	13	1
和歌山市	-	-	-	-	-	-	8	8	-
倉敷市	-	-	-	-	-	-	12	11	1
福山市	-	-	-	-	-	-	15	13	2
呉市	-	-	-	-	-	-	9	8	1
下関市	-	-	-	-	-	-	21	19	2
高松市	0	0	-	-	-	-	17	16	1
松山市	0	-	0	-	-	-	12	12	-
高知市	0	0	-	-	-	-	15	13	2
久留米市	-	-	-	-	-	-	9	8	1
長崎市	-	-	-	1	-	1	34	34	0
佐世保市	0	0	-	-	-	-	30	29	1
大分市	-	-	-	-	-	-	19	18	1
宮崎市	-	-	-	-	-	-	9	9	-
鹿児島市	-	-	-	-	-	-	31	28	3
那覇市	-	-	-	-	-	-	2	2	-

注：1）調査方法の変更等による回収率変動の影響を受けているため、数量を示す従事者数の実数は前年以前と単純に年次比較できない。
2）地域密着型介護予防サービスを一体的に行っている事業所の従事者を含む。
3）地域密着型介護予防サービスのみ行っている事業所は対象外とした。
4）「0」は常勤換算従事者数が0.5未満の場合である。

都道府県－指定都市・中核市（再掲）、職種（常勤－非常勤）別（31－17）

平成29年10月１日

社会福祉士（再掲）			介護職員						その他の職員		
						介護福祉士（再掲）					
総数	常勤	非常勤	総数	常勤	非常勤	総数	常勤	非常勤	総数	常勤	非常勤
11	11	0	352	277	75	177	156	21	31	28	3
4	4	0	114	95	20	53	51	2	8	8	0
－	－	－	57	38	19	22	16	6	7	6	1
1	1	－	50	39	12	9	6	3	2	2	1
10	9	1	456	205	251	198	111	87	73	38	35
1	1	－	125	70	54	27	21	6	15	11	4
1	1	－	41	20	21	26	15	11	8	3	5
8	8	－	141	127	15	73	66	7	13	10	4
6	6	0	127	70	57	54	33	21	11	10	1
3	3	－	109	58	51	51	33	17	20	13	8
5	4	1	232	139	93	89	68	21	21	18	3
6	6	－	105	70	35	54	40	14	12	8	4
3	3	－	395	273	122	180	143	36	51	40	11
0	0	－	67	26	42	20	17	4	8	8	1
5	5	0	84	46	38	49	30	19	19	16	3
4	4	－	72	47	24	33	28	6	7	6	1
0	0	0	85	58	26	32	23	9	16	13	3
1	1	0	158	129	30	56	50	7	13	13	－
4	4	－	67	44	23	36	26	11	12	10	3
5	4	1	157	128	30	66	58	8	13	13	1
1	1	－	70	53	17	19	16	3	6	6	1
－	－	－	20	18	2	10	8	2	4	4	－
2	2	－	41	37	4	16	15	1	5	5	0
1	1	0	23	18	5	12	12	0	4	3	1
2	2	－	42	37	4	19	17	2	9	7	2
1	1	1	10	10	1	7	7	－	3	3	－
3	3	－	25	19	6	14	11	3	2	2	－
－	－	－	81	63	19	23	22	1	19	17	2
1	－	1	41	29	11	22	19	3	2	2	－
1	1	－	20	10	11	10	7	3	4	3	0
5	5	－	119	94	25	61	50	11	4	4	1
3	3	－	47	25	22	27	20	8	9	7	3
0	－	0	20	11	9	7	5	2	5	3	2
2	2	－	46	35	11	19	17	2	9	8	0
－	－	－	12	9	4	6	4	2	4	2	2
1	1	－	65	33	33	30	16	13	12	9	4
2	2	－	87	45	42	37	22	15	12	7	5
3	3	－	66	45	21	38	29	9	12	10	2
－	－	－	33	25	8	26	22	5	5	5	－
1	1	－	34	18	15	13	7	6	5	3	2
4	3	0	43	33	10	22	18	3	8	7	1
3	3	0	61	44	17	29	26	3	6	5	1
0	0	－	35	16	18	24	12	13	5	2	2
2	2	－	44	29	15	15	13	2	3	3	1
3	3	－	43	25	18	12	5	8	3	3	－
1	1	－	24	14	10	16	10	6	4	4	1
－	－	－	68	52	16	25	18	8	21	16	4
1	1	－	25	12	13	11	8	3	5	3	2
－	－	－	50	33	17	9	7	3	6	5	1
1	1	－	26	23	3	17	15	2	2	2	－
1	1	－	44	29	15	10	7	3	4	4	1
2	1	1	38	23	15	10	7	3	10	6	4
2	2	－	48	30	19	21	16	5	4	3	1
－	－	－	96	72	24	20	15	5	5	5	0
2	2	－	31	22	9	15	13	2	13	8	4
－	－	－	115	87	28	42	36	6	8	5	3
－	－	－	21	16	5	11	9	2	8	8	－
－	－	－	52	35	16	26	23	4	1	1	－
1	1	－	73	46	27	32	25	8	5	5	1
1	1	－	42	33	9	16	14	2	9	9	0
2	1	1	67	55	13	45	39	6	7	4	3
1	1	－	87	70	17	39	36	4	11	11	0
5	5	－	110	91	19	57	49	7	16	13	3
2	2	－	120	93	27	58	51	7	12	12	0
0	0	0	49	27	23	20	16	4	7	6	1
1	1	－	44	40	4	27	26	1	6	6	－
3	3	－	106	89	17	52	51	1	13	13	－
－	－	－	10	9	2	1	1	－	3	3	－

小規模多機能型居宅介護

都道府県 指定都市 中核市	総数			介護職員			介護福祉士（再掲）		
	総数	常勤	非常勤	総数	常勤	非常勤	総数	常勤	非常勤
全国	54 715	41 485	13 230	43 164	32 462	10 702	19 172	16 461	2 711
北海道	3 370	2 730	641	2 713	2 205	508	1 219	1 081	138
青森	443	371	72	336	291	45	203	191	13
岩手	902	765	138	701	603	98	343	328	15
宮城	689	593	96	544	467	77	208	192	17
秋田	808	671	137	656	552	104	322	301	21
山形	1 226	1 079	148	1 003	884	119	484	459	25
福島	1 351	1 179	172	1 037	910	127	398	379	19
茨城	744	560	183	589	451	139	254	226	27
栃木	784	637	147	607	494	113	226	196	30
群馬	1 249	904	345	1 008	725	283	391	319	71
埼玉	1 109	715	394	859	544	315	319	249	70
千葉	1 210	840	370	948	647	301	364	283	81
東京	1 995	1 379	617	1 606	1 089	517	664	537	127
神奈川	2 563	1 505	1 058	2 031	1 152	879	820	595	225
新潟	2 163	1 794	368	1 790	1 500	290	991	915	76
富山	788	607	181	598	466	132	264	236	27
石川	897	717	179	702	557	145	348	308	40
福井	833	538	295	672	418	254	316	247	69
山梨	179	154	24	139	124	16	64	62	2
長野	902	682	220	674	512	162	332	282	50
岐阜	876	615	262	665	451	214	253	206	47
静岡	1 358	975	383	1 081	773	308	433	350	82
愛知	1 693	1 106	586	1 347	852	495	524	401	123
三重	581	422	159	465	342	123	191	157	34
滋賀	694	479	215	553	381	172	266	211	56
京都	1 710	1 266	444	1 396	1 024	372	721	597	125
大阪	2 121	1 368	754	1 660	1 016	644	650	487	163
兵庫	2 543	1 655	889	2 039	1 291	748	958	729	229
奈良	369	251	118	292	197	95	98	76	22
和歌山	504	400	104	413	329	83	158	146	12
鳥取	581	486	95	454	384	71	257	236	21
島根	869	709	160	695	563	131	305	276	29
岡山	1 713	1 282	431	1 350	1 014	336	654	558	96
広島	2 119	1 626	493	1 713	1 321	392	786	678	108
山口	854	658	196	672	516	155	318	276	42
徳島	403	333	70	311	257	54	150	140	10
香川	380	292	87	285	214	71	113	97	15
愛媛	1 165	920	245	893	686	208	347	302	45
高知	391	355	36	311	284	27	144	140	4
福岡	2 781	2 209	573	2 122	1 650	473	905	783	122
佐賀	440	351	89	340	272	68	155	142	13
長崎	1 330	1 076	254	1 020	817	203	486	440	46
熊本	1 749	1 472	278	1 368	1 145	223	654	598	56
大分	496	408	88	381	311	70	170	158	12
宮崎	632	531	101	468	391	77	206	191	15
鹿児島	1 430	1 195	235	1 089	905	184	476	442	33
沖縄	729	627	102	571	488	84	268	255	13

注：1）調査方法の変更等による回収率変動の影響を受けているため、数量を示す従事者数の実数は前年以前と単純に年次比較できない。
　　2）地域密着型介護予防サービスを一体的に行っている事業所の従事者を含む。
　　3）地域密着型介護予防サービスのみ行っている事業所は対象外とした。
　　4）「0」は常勤換算従事者数が0.5未満の場合である。

都道府県－指定都市・中核市（再掲）、職種（常勤－非常勤）別（31－18）

平成29年10月１日

看護師			准看護師			介護支援専門員			その他の職員		
総数	常勤	非常勤	総数	常勤	非常勤	総数	常勤	非常勤	総数	常勤	非常勤
2 482	1 634	848	2 338	1 678	660	3 156	2 808	347	3 576	2 904	673
141	96	46	133	96	37	179	160	19	204	173	31
24	19	5	20	18	3	25	22	4	39	23	16
50	36	14	30	22	8	51	48	4	70	56	14
24	20	4	30	21	9	37	36	1	55	50	5
31	20	11	28	20	8	42	38	4	51	40	11
50	39	11	39	33	6	65	61	3	70	62	8
58	47	11	95	81	14	80	74	6	82	68	14
23	15	7	44	25	19	42	35	7	47	35	11
24	14	10	63	47	16	41	38	3	49	44	6
46	28	18	70	53	17	59	50	10	67	49	18
39	17	21	47	29	18	73	57	16	91	68	24
50	24	26	39	25	14	83	73	10	91	71	20
106	53	53	31	17	14	130	122	9	121	98	23
109	49	60	38	25	13	163	130	34	223	150	73
73	45	28	52	32	19	111	107	4	137	110	26
46	34	12	24	12	12	50	46	4	71	49	22
44	35	10	49	34	14	47	43	4	55	48	7
40	29	11	41	24	16	46	40	7	33	27	7
7	5	2	8	5	3	10	9	0	14	11	4
56	37	20	37	26	11	64	56	9	70	53	18
36	29	7	47	30	17	48	41	8	81	65	16
66	35	31	32	23	9	78	66	12	101	77	24
85	46	39	54	34	19	92	72	20	115	102	13
22	8	14	25	17	8	34	30	5	35	26	9
46	28	18	18	10	8	40	36	4	38	25	13
79	54	25	47	28	19	89	83	6	99	76	23
92	51	41	71	44	27	144	124	20	154	133	21
121	65	57	82	43	39	143	125	19	158	131	27
15	5	10	10	4	6	27	23	4	26	22	4
22	12	10	16	11	6	25	23	1	29	24	5
24	17	7	33	27	6	32	32	1	38	28	10
31	23	9	45	37	8	50	48	2	48	38	11
85	49	36	73	51	22	103	90	14	102	79	23
77	51	26	119	78	41	107	84	23	103	92	11
42	27	15	49	39	10	43	39	5	48	38	10
20	17	3	23	15	8	22	21	1	27	23	4
21	17	5	25	17	8	26	24	2	23	21	2
63	48	15	68	55	13	68	64	4	73	67	5
15	12	3	15	13	2	22	22	0	29	26	4
159	127	32	152	120	32	160	148	12	189	165	24
25	20	6	27	16	11	28	25	3	21	18	2
61	45	16	79	66	14	81	73	8	89	76	12
92	76	16	113	91	22	92	86	7	84	75	10
21	16	6	39	30	9	32	30	1	24	21	3
26	20	6	44	36	8	39	37	2	55	47	8
62	51	11	88	74	14	89	82	7	102	84	19
36	28	7	31	27	4	44	42	2	47	42	6

第16表　常勤換算従事者数，地域密着型サービスの種類、

小規模多機能型居宅介護

都道府県 指定都市 中核市	総数			介護職員			介護福祉士（再掲）		
	総数	常勤	非常勤	総数	常勤	非常勤	総数	常勤	非常勤
指定都市（再掲）									
札幌市	1 422	1 146	276	1 147	926	221	515	442	73
仙台市	400	341	59	326	276	51	122	112	10
さいたま市	138	92	45	106	71	35	33	22	10
千葉市	147	96	51	121	76	45	35	29	6
横浜市	1 111	631	479	892	490	402	369	262	107
川崎市	444	287	157	342	220	122	124	92	31
相模原市	197	103	94	155	74	81	51	28	22
新潟市	742	639	103	625	546	80	366	340	26
静岡市	287	193	94	233	156	76	89	74	15
浜松市	252	187	65	199	145	54	79	67	13
名古屋市	665	414	252	537	320	217	186	138	48
京都市	910	664	247	756	544	212	366	290	76
大阪市	652	430	222	499	313	187	204	147	57
堺市	226	151	75	175	115	61	78	59	19
神戸市	523	359	164	414	277	137	190	152	38
岡山市	686	467	219	530	361	170	250	199	51
広島市	361	292	69	298	240	58	159	137	22
北九州市	482	385	97	376	298	78	148	129	19
福岡市	463	366	97	357	281	76	150	130	20
熊本市	715	601	114	565	478	87	283	257	26
中核市（再掲）									
旭川市	164	114	50	139	93	47	69	59	10
函館市	209	177	32	171	146	25	67	61	6
青森市	44	38	6	33	27	6	25	23	2
八戸市	118	102	16	93	82	11	60	55	5
盛岡市	97	82	15	76	67	10	39	37	2
秋田市	289	236	53	233	195	38	109	101	8
郡山市	397	347	50	310	275	35	117	109	8
いわき市	266	221	45	205	171	34	67	61	6
宇都宮市	181	131	51	144	102	41	47	37	10
前橋市	177	130	47	139	101	38	63	48	15
高崎市	319	246	74	267	205	63	109	93	17
川越市	49	40	9	39	33	6	20	18	2
越谷市	65	38	27	51	30	21	16	11	5
船橋市	78	43	35	65	33	32	23	14	9
柏市	62	40	22	50	33	17	26	20	6
八王子市	187	139	49	156	115	42	57	48	9
横須賀市	49	37	12	39	28	11	23	21	2
富山市	260	214	47	199	162	37	101	91	10
金沢市	256	185	71	204	146	58	89	78	11
長野市	68	52	16	54	40	14	42	33	9
岐阜市	220	164	57	170	130	40	76	66	10
豊橋市	44	33	11	27	20	7	10	8	3
豊田市	21	17	4	18	14	4	11	10	1
岡崎市	39	28	11	30	23	7	14	13	1
大津市	142	101	41	118	85	33	50	45	5
高槻市	79	44	36	59	29	30	29	21	8
東大阪市	44	17	27	36	12	24	4	4	-
豊中市	223	148	75	176	112	63	53	38	14
枚方市	53	33	20	45	28	18	24	18	6
姫路市	272	183	90	218	139	79	109	76	34
西宮市	32	12	20	25	10	16	13	5	8
尼崎市	149	81	68	125	65	60	61	36	25
奈良市	81	54	27	61	42	20	16	13	3
和歌山市	273	227	46	231	193	38	93	90	3
倉敷市	369	292	77	291	231	60	150	134	16
福山市	873	678	194	710	556	154	287	255	32
呉市	104	76	28	81	61	20	24	17	7
下関市	175	145	30	142	117	25	77	68	9
高松市	105	80	25	79	60	19	33	29	4
松山市	497	395	102	384	302	82	134	121	14
高知市	198	184	14	158	150	8	79	76	2
久留米市	448	360	88	338	265	73	166	143	23
長崎市	379	310	69	286	236	50	164	149	15
佐世保市	546	449	97	422	342	80	181	169	12
大分市	110	94	16	87	73	14	48	44	4
宮崎市	350	298	52	260	225	35	118	112	6
鹿児島市	324	280	44	252	214	38	112	107	6
那覇市	183	168	15	146	134	12	80	78	1

注：1）調査方法の変更等による回収率変動の影響を受けているため、数量を示す従事者数の実数は前年以前と単純に年次比較できない。
　　2）地域密着型介護予防サービスを一体的に行っている事業所の従事者を含む。
　　3）地域密着型介護予防サービスのみ行っている事業所は対象外とした。
　　4）「0」は常勤換算従事者数が0.5未満の場合である。

平成29年10月１日

看護師			准看護師			介護支援専門員			その他の職員		
総数	常勤	非常勤	総数	常勤	非常勤	総数	常勤	非常勤	総数	常勤	非常勤
76	48	29	39	27	12	77	68	9	83	77	6
18	15	3	11	7	4	22	22	1	23	22	1
6	1	5	6	3	3	8	7	1	11	11	1
7	3	4	5	2	2	8	7	1	8	8	−
44	22	23	19	12	7	64	54	10	92	54	38
20	8	12	5	3	2	28	19	9	49	37	12
11	4	7	1	1	−	16	12	4	14	13	1
25	15	10	13	8	5	38	37	1	42	33	9
17	9	7	3	2	1	15	13	2	19	13	7
14	8	6	8	7	1	17	14	3	15	14	1
31	18	13	17	11	6	39	28	11	43	37	6
45	32	13	21	12	9	43	39	3	47	36	10
26	18	8	21	10	11	49	41	8	57	48	9
12	5	7	8	5	3	15	13	2	17	14	3
30	16	14	10	3	7	31	29	2	38	34	4
43	20	23	25	14	11	42	39	3	45	32	13
12	8	4	16	12	4	17	15	2	18	17	2
23	17	6	23	17	6	24	20	3	36	32	4
25	20	5	23	15	8	27	26	2	31	25	6
36	28	8	45	37	8	33	29	4	36	30	6
8	6	2	4	3	1	7	7	0	7	6	1
6	4	2	9	8	1	12	10	2	11	10	1
4	4	−	−	−	−	2	2	−	5	5	−
5	4	2	7	6	1	6	6	−	6	4	2
5	2	3	4	3	1	5	4	1	7	6	1
11	7	4	7	5	2	17	15	3	20	15	6
15	11	4	23	18	5	25	23	2	23	21	3
8	6	3	17	13	3	17	16	1	19	15	4
9	6	4	13	9	4	9	8	1	7	6	1
6	5	1	15	13	2	7	6	1	9	5	4
12	8	4	16	13	3	14	12	2	11	9	2
2	2	−	1	−	1	2	2	−	5	2	3
2	−	2	3	1	2	4	2	2	5	5	0
3	1	2	1	1	0	4	4	−	5	5	1
3	1	2	1	−	1	5	3	2	4	4	0
9	4	5	2	2	0	12	10	2	8	8	−
3	1	2	1	1	−	5	5	−	1	1	−
21	16	5	6	4	2	18	18	1	16	14	2
17	13	4	8	4	4	13	11	2	14	13	2
4	3	1	3	2	1	3	3	−	4	3	1
8	6	2	14	7	7	10	7	3	18	13	4
2	1	1	0	−	0	1	1	−	14	11	3
0	−	0	1	1	−	2	2	−	1	1	−
3	1	2	2	−	2	2	2	0	2	2	−
9	5	3	4	3	1	5	4	1	6	3	3
4	2	2	3	−	3	6	6	0	7	6	1
1	1	0	1	1	−	2	1	1	4	2	1
10	4	6	10	7	2	13	10	3	15	14	1
2	1	1	1	−	1	3	2	1	2	2	−
17	13	4	8	7	1	17	14	3	13	12	2
2	1	1	1	−	1	2	1	0	2	1	1
9	4	5	3	1	2	7	6	1	5	5	−
4	1	3	4	2	2	6	4	2	7	6	1
14	8	6	5	4	1	13	12	1	10	10	0
17	11	6	17	13	4	21	18	3	23	19	4
26	19	7	59	41	18	44	32	12	33	30	4
4	2	2	8	4	4	5	3	2	7	6	1
11	9	2	8	7	1	7	6	1	7	5	2
7	5	2	8	5	3	6	5	1	5	5	0
24	18	6	25	17	8	30	26	4	35	32	3
5	4	2	9	8	2	11	11	−	14	12	3
29	23	6	21	17	4	28	26	2	32	29	3
24	21	3	19	13	6	23	21	2	27	19	8
22	16	6	38	34	5	30	25	5	34	32	2
5	3	2	7	6	1	7	7	−	5	5	−
21	15	6	16	11	5	21	20	1	32	27	5
12	12	0	16	13	3	25	23	2	20	19	1
10	9	1	7	7	−	10	9	1	11	9	2

認知症対応型共同生活介護

都道府県 指定都市 中核市	総数			介護職員		
	総数	常勤	非常勤	総数	常勤	非常勤
全国	163 057	132 721	30 336	141 521	113 536	27 985
北海道	13 111	11 390	1 721	11 440	9 871	1 569
青森	4 107	3 757	351	3 556	3 229	327
岩手	2 197	1 971	226	1 923	1 720	203
宮城	3 292	2 996	296	2 845	2 583	262
秋田	2 357	2 142	215	2 042	1 856	187
山形	1 820	1 649	171	1 632	1 476	156
福島	2 943	2 628	315	2 580	2 302	277
茨城	3 376	2 717	660	2 932	2 312	620
栃木	1 745	1 527	218	1 513	1 313	200
群馬	2 226	1 759	467	2 000	1 576	424
埼玉	6 151	4 591	1 561	5 319	3 923	1 396
千葉	5 533	4 062	1 471	4 681	3 321	1 360
東京	7 626	5 835	1 791	6 527	4 852	1 676
神奈川	8 746	5 975	2 771	7 635	5 023	2 612
新潟	2 982	2 643	340	2 627	2 315	312
富山	1 792	1 410	382	1 531	1 192	338
石川	2 241	1 837	405	1 979	1 608	371
福井	1 056	845	212	951	752	199
山梨	767	633	135	664	540	124
長野	2 358	1 925	433	2 069	1 677	392
岐阜	3 251	2 431	821	2 781	2 038	743
静岡	4 374	3 620	754	3 821	3 141	680
愛知	6 496	4 849	1 647	5 682	4 157	1 524
三重	1 906	1 442	465	1 638	1 215	423
滋賀	1 536	1 103	433	1 382	971	411
京都	2 714	2 136	578	2 449	1 902	547
大阪	8 569	6 417	2 152	7 377	5 399	1 979
兵庫	5 353	4 076	1 277	4 584	3 401	1 183
奈良	1 381	1 003	378	1 176	828	348
和歌山	1 569	1 329	241	1 379	1 147	232
鳥取	1 163	1 043	120	992	885	107
島根	1 687	1 385	302	1 481	1 200	281
岡山	3 660	3 088	572	3 147	2 618	529
広島	4 634	3 804	830	4 098	3 335	763
山口	2 144	1 729	415	1 925	1 531	394
徳島	1 863	1 607	255	1 624	1 381	242
香川	1 352	1 113	239	1 193	966	227
愛媛	4 109	3 482	627	3 556	2 969	587
高知	1 909	1 667	241	1 657	1 430	227
福岡	8 418	7 074	1 344	7 179	5 941	1 238
佐賀	1 906	1 593	314	1 676	1 393	283
長崎	4 072	3 562	510	3 481	3 024	457
熊本	2 753	2 401	352	2 397	2 070	327
大分	1 662	1 456	206	1 429	1 239	191
宮崎	2 037	1 775	263	1 753	1 517	236
鹿児島	5 260	4 491	769	4 485	3 747	738
沖縄	852	757	95	735	649	87

注：1）調査方法の変更等による回収率変動の影響を受けているため、数量を示す従事者数の実数は前年以前と単純に年次比較できない。
　　2）地域密着型介護予防サービスを一体的に行っている事業所の従事者を含む。
　　3）地域密着型介護予防サービスのみ行っている事業所は対象外とした。
　　4）「0」は常勤換算従事者数が0.5未満の場合である。

平成29年10月１日

看護師（再掲）			准看護師（再掲）			介護福祉士（再掲）		
総数	常勤	非常勤	総数	常勤	非常勤	総数	常勤	非常勤
2 221	1 289	933	1 952	1 380	571	57 687	51 320	6 367
116	62	54	96	65	31	4 801	4 460	341
50	32	17	47	38	9	1 791	1 708	84
25	17	8	11	8	3	915	868	46
29	18	11	14	10	4	1 185	1 127	58
26	17	10	19	17	2	931	896	35
27	17	10	8	5	3	902	863	40
35	24	10	43	35	7	1 018	960	58
30	13	18	22	10	12	835	767	68
31	24	8	33	25	9	584	535	50
30	16	13	32	21	11	801	712	89
54	18	36	25	12	13	1 876	1 556	319
48	23	25	23	12	11	1 464	1 216	248
36	13	22	11	6	5	2 597	2 132	465
61	22	39	8	3	5	2 653	2 059	594
26	13	13	8	5	3	1 353	1 267	86
41	18	24	28	15	13	630	576	54
53	31	22	39	26	13	841	754	87
29	22	7	23	18	5	473	423	50
7	4	4	9	7	2	258	237	21
43	25	18	23	16	7	992	889	103
56	32	24	49	31	17	973	814	159
55	29	26	10	7	4	1 386	1 232	153
71	26	45	60	42	18	2 036	1 652	384
31	15	16	14	9	5	578	496	82
13	5	8	10	9	2	610	495	115
30	13	16	21	12	9	1 187	1 007	180
86	43	43	32	17	15	2 869	2 394	475
51	27	25	25	12	13	2 049	1 720	329
22	12	10	12	8	4	467	391	76
10	8	3	8	5	2	551	504	47
27	20	8	15	12	4	528	502	26
23	13	11	39	29	9	629	581	48
62	35	27	35	23	12	1 492	1 355	138
85	45	39	67	48	19	1 773	1 590	183
44	26	18	40	23	17	883	776	108
21	12	9	22	18	5	746	686	60
31	22	10	38	24	14	491	437	54
86	55	32	101	71	30	1 313	1 205	109
18	11	7	11	7	4	811	759	53
169	97	72	195	125	70	2 768	2 519	249
69	48	20	48	36	12	641	591	50
64	46	19	100	86	15	1 424	1 337	87
98	74	24	122	95	28	1 040	975	65
43	32	10	49	38	11	600	568	32
39	34	5	88	73	16	737	698	39
111	76	35	218	167	51	1 904	1 739	165
11	6	5	4	4	1	304	296	8

認知症対応型共同生活介護

都道府県 指定都市 中核市	総数			介護職員		
	総数	常勤	非常勤	総数	常勤	非常勤
指定都市(再掲)						
札幌市	3 529	3 144	386	3 080	2 732	348
仙台市	1 411	1 270	142	1 244	1 117	127
さいたま市	834	661	173	718	562	156
千葉市	1 311	904	406	1 123	750	372
横浜市	3 893	2 618	1 276	3 418	2 215	1 203
川崎市	1 437	1 023	414	1 250	863	387
相模原市	671	464	207	602	408	194
新潟市	601	554	47	531	491	40
静岡市	1 298	1 072	226	1 149	946	203
浜松市	808	678	130	718	599	119
名古屋市	2 312	1 715	597	2 020	1 466	554
京都市	1 574	1 245	329	1 424	1 113	311
大阪市	3 086	2 514	573	2 631	2 116	516
堺市	937	709	227	809	599	211
神戸市	1 657	1 226	431	1 417	1 007	410
岡山市	1 256	1 058	198	1 085	902	183
広島市	2 101	1 722	379	1 861	1 515	345
北九州市	1 884	1 590	295	1 623	1 356	267
福岡市	1 643	1 417	227	1 403	1 196	208
熊本市	856	747	109	743	641	102
中核市(再掲)						
旭川市	1 180	986	194	1 024	837	186
函館市	668	606	62	579	522	57
青森市	786	716	70	702	638	64
八戸市	390	358	32	345	314	31
盛岡市	426	392	34	365	334	32
秋田市	359	336	23	306	286	20
郡山市	579	520	59	499	446	52
いわき市	529	444	86	456	381	75
宇都宮市	367	326	41	310	273	37
前橋市	312	257	56	282	233	50
高崎市	506	392	115	457	352	105
川越市	250	175	75	208	143	65
越谷市	203	158	44	179	138	40
船橋市	572	406	166	490	334	156
柏市	345	232	113	269	170	99
八王子市	253	197	56	225	172	53
横須賀市	574	374	201	493	302	192
富山市	462	373	89	393	313	81
金沢市	658	541	117	594	486	108
長野市	552	461	91	492	407	85
岐阜市	625	468	157	526	387	139
豊橋市	338	279	60	296	244	52
豊田市	377	296	81	333	261	71
岡崎市	282	212	70	253	189	65
大津市	517	381	135	476	345	132
高槻市	294	172	122	257	145	112
東大阪市	458	337	121	401	289	112
豊中市	414	255	159	362	214	148
枚方市	357	248	109	312	211	101
姫路市	433	335	99	376	281	95
西宮市	286	210	76	241	174	67
尼崎市	284	230	54	242	200	42
奈良市	345	234	112	303	202	102
和歌山市	726	618	108	635	531	104
倉敷市	928	791	137	788	660	129
福山市	965	815	150	857	724	133
呉市	249	201	48	221	174	47
下関市	301	231	71	269	202	68
高松市	618	492	126	543	423	120
松山市	1 608	1 317	291	1 368	1 098	270
高知市	672	574	97	576	484	92
久留米市	733	615	119	646	534	112
長崎市	925	826	99	775	693	82
佐世保市	748	640	108	640	543	97
大分市	487	437	50	413	369	45
宮崎市	597	507	90	514	437	77
鹿児島市	1 825	1 532	294	1 497	1 217	281
那覇市	216	206	10	185	177	8

注：1）調査方法の変更等による回収率変動の影響を受けているため、数量を示す従事者数の実数は前年以前と単純に年次比較できない。
　　2）地域密着型介護予防サービスを一体的に行っている事業所の従事者を含む。
　　3）地域密着型介護予防サービスのみ行っている事業所は対象外とした。
　　4）「0」は常勤換算従事者数が0.5未満の場合である。

平成29年10月１日

看護師（再掲）			准看護師（再掲）			介護福祉士（再掲）		
総数	常勤	非常勤	総数	常勤	非常勤	総数	常勤	非常勤
35	20	15	25	19	5	1 302	1 221	81
11	7	4	3	2	1	501	470	30
8	4	4	1	1	-	251	206	46
9	4	5	2	2	1	322	249	72
25	12	13	3	1	2	1 214	938	276
17	2	15	2	1	1	387	312	75
3	1	2	1	1	-	227	180	47
5	3	3	0	-	0	297	285	12
9	1	8	3	1	2	435	398	37
10	4	6	3	2	1	239	213	26
21	7	14	16	12	4	707	561	146
16	8	8	12	6	7	664	552	112
33	19	14	6	2	5	923	809	114
5	2	3	3	2	1	341	290	51
11	5	6	6	4	3	623	510	113
23	14	9	12	7	5	555	499	56
37	21	16	28	20	7	827	733	94
36	16	20	13	7	6	612	554	58
28	15	13	33	22	11	592	552	40
34	24	10	34	26	8	324	306	18
12	6	6	10	4	6	421	389	33
1	1	1	1	0	1	279	262	17
9	6	4	7	5	2	337	319	18
5	3	2	5	4	2	200	189	12
4	3	1	4	3	0	182	170	12
6	2	3	3	3	-	166	162	4
7	5	2	8	7	1	217	206	11
5	2	3	8	7	1	147	128	19
4	3	1	1	1	0	123	112	12
5	2	3	4	4	-	145	130	15
2	-	2	5	2	3	193	165	28
2	1	1	1	-	1	89	68	21
1	0	1	-	-	-	43	34	9
2	1	1	0	-	0	164	138	26
3	1	2	3	2	1	93	72	21
0	-	0	-	-	-	115	97	19
6	4	2	0	-	0	193	136	57
9	5	4	6	2	4	198	180	18
14	8	7	5	2	3	268	243	25
7	4	4	2	2	0	234	211	23
7	6	1	9	4	5	160	140	20
5	3	3	2	1	1	148	133	15
4	1	3	3	1	2	100	91	8
3	-	3	10	6	4	81	66	15
4	2	2	3	3	-	230	194	36
4	1	2	2	1	1	104	71	33
3	1	2	1	1	-	125	110	16
5	4	1	0	-	0	124	87	37
2	-	2	1	-	1	129	104	25
9	8	2	2	1	1	141	116	25
4	2	2	1	1	-	109	95	14
2	1	1	2	1	1	97	87	9
2	1	1	9	5	4	124	102	21
4	3	2	4	3	1	233	215	19
10	6	4	8	6	3	374	339	35
17	7	10	13	10	3	376	343	33
6	4	2	5	4	2	91	79	12
7	4	3	10	5	5	135	120	15
16	10	6	20	15	5	218	190	28
47	29	18	38	26	11	481	428	53
5	3	2	4	2	2	293	265	28
22	15	7	29	20	9	247	225	23
21	14	7	14	12	1	367	344	24
10	7	3	31	25	6	260	244	16
15	12	3	6	5	1	200	191	9
8	7	1	33	28	5	222	204	18
30	15	14	56	42	14	714	651	63
2	-	2	1	1	-	76	75	1

認知症対応型共同生活介護

都道府県 指定都市 中核市	計画作成担当者						その他の職員		
				介護支援専門員（再掲）					
	総数	常勤	非常勤	総数	常勤	非常勤	総数	常勤	非常勤
全国	11 333	10 134	1 199	6 962	5 993	969	10 203	9 052	1 152
北海道	838	766	72	509	451	58	833	753	80
青森	308	299	9	190	185	6	243	229	14
岩手	134	125	9	104	98	6	140	126	13
宮城	247	234	13	153	142	11	199	178	21
秋田	131	120	12	100	92	8	184	167	17
山形	98	93	4	65	61	4	90	79	11
福島	178	158	20	101	83	18	186	168	18
茨城	226	206	21	137	119	18	219	199	19
栃木	125	114	11	81	71	10	108	100	8
群馬	110	82	28	81	58	23	116	101	15
埼玉	438	367	71	258	204	55	395	301	94
千葉	435	385	51	252	208	44	416	356	61
東京	589	523	66	335	286	49	509	461	49
神奈川	588	496	92	313	241	72	523	456	67
新潟	170	162	8	115	110	5	186	166	20
富山	139	126	13	83	71	12	122	92	30
石川	156	135	20	104	85	18	106	93	13
福井	61	57	5	38	34	4	45	36	9
山梨	50	44	6	30	25	5	54	48	5
長野	152	134	17	98	86	12	138	114	24
岐阜	229	193	36	140	112	28	242	200	42
静岡	311	267	45	172	138	34	242	212	29
愛知	379	312	68	207	152	55	435	380	55
三重	138	114	24	97	76	21	130	112	18
滋賀	83	71	12	51	41	10	71	62	10
京都	163	145	18	100	85	15	102	89	13
大阪	653	538	116	396	302	94	538	480	58
兵庫	410	366	45	227	193	34	359	309	49
奈良	113	97	15	69	55	14	92	78	14
和歌山	106	101	6	70	67	3	84	81	3
鳥取	73	69	5	52	48	5	98	90	8
島根	98	93	5	65	60	4	108	92	16
岡山	289	263	26	170	147	24	224	207	17
広島	296	257	38	173	142	31	241	212	29
山口	125	116	9	78	69	9	95	83	12
徳島	160	153	7	105	99	6	79	73	6
香川	96	89	7	54	48	6	63	58	5
愛媛	319	299	20	173	157	16	234	214	21
高知	133	128	6	79	74	6	119	110	9
福岡	569	514	56	366	323	43	669	619	50
佐賀	123	107	16	88	75	13	107	92	15
長崎	319	290	29	196	172	24	272	248	24
熊本	179	169	9	131	124	8	177	162	16
大分	130	125	5	92	87	5	103	93	11
宮崎	157	145	11	108	98	10	128	113	15
鹿児島	449	435	14	310	300	10	326	309	17
沖縄	61	57	5	47	43	4	56	52	4

注：1）調査方法の変更等による回収率変動の影響を受けているため、数量を示す従事者数の実数は前年以前と単純に年次比較できない。
　　2）地域密着型介護予防サービスを一体的に行っている事業所の従事者を含む。
　　3）地域密着型介護予防サービスのみ行っている事業所は対象外とした。
　　4）「0」は常勤換算従事者数が0.5未満の場合である。

都道府県－指定都市・中核市（再掲）、職種（常勤－非常勤）別（31－22）

平成29年10月１日

都道府県 指定都市 中核市	計画作成担当者						その他の職員		
				介護支援専門員（再掲）					
	総数	常勤	非常勤	総数	常勤	非常勤	総数	常勤	非常勤
指定都市（再掲）									
札幌市	212	191	21	126	109	16	238	221	17
仙台市	105	99	7	60	54	6	62	55	7
さいたま市	61	53	8	29	25	5	56	47	9
千葉市	108	93	15	61	47	14	80	61	19
横浜市	239	201	38	124	95	30	236	202	34
川崎市	107	89	18	49	37	12	80	72	9
相模原市	39	29	10	27	17	9	31	27	4
新潟市	30	28	3	21	19	2	40	35	4
静岡市	92	77	16	50	38	12	57	49	8
浜松市	49	42	7	25	18	7	41	38	4
名古屋市	139	112	27	67	45	22	154	137	17
京都市	99	87	12	60	50	10	51	46	6
大阪市	266	225	41	148	115	33	189	173	16
堺市	69	59	10	43	34	9	59	52	7
神戸市	136	122	14	66	55	11	104	97	7
岡山市	95	88	8	60	54	6	76	69	8
広島市	133	115	18	81	67	14	107	92	15
北九州市	115	101	14	75	63	12	146	133	14
福岡市	108	96	12	59	50	9	132	124	7
熊本市	59	55	4	41	38	3	54	51	4
中核市（再掲）									
旭川市	85	82	3	55	52	3	71	66	5
函館市	53	49	4	31	27	4	36	35	1
青森市	46	42	4	25	24	1	38	36	2
八戸市	25	25	0	19	18	0	21	20	1
盛岡市	26	25	2	20	18	1	35	33	1
秋田市	25	24	1	21	20	1	28	26	2
郡山市	43	38	5	19	15	4	38	36	2
いわき市	36	31	5	24	20	5	37	31	6
宇都宮市	31	29	2	16	14	2	26	24	2
前橋市	16	12	3	12	10	3	15	12	3
高崎市	22	13	8	18	11	6	27	26	2
川越市	20	16	4	13	9	3	22	17	5
越谷市	11	9	3	6	4	2	13	11	2
船橋市	46	39	7	24	17	7	35	32	3
柏市	22	20	2	14	11	2	54	43	12
八王子市	16	14	2	8	5	2	12	12	1
横須賀市	46	42	4	31	27	4	35	30	5
富山市	36	33	3	21	18	2	33	28	6
金沢市	36	29	7	20	13	7	28	26	2
長野市	32	30	2	19	17	2	28	24	4
岐阜市	57	48	9	29	24	6	42	33	8
豊橋市	15	14	1	7	6	1	27	21	6
豊田市	25	19	6	15	11	4	20	17	3
岡崎市	16	12	4	10	7	3	13	12	1
大津市	24	22	1	14	13	1	17	15	2
高槻市	21	12	8	15	9	7	17	15	2
東大阪市	28	21	7	15	10	5	29	27	2
豊中市	29	20	9	20	11	9	23	21	2
枚方市	27	20	7	21	14	6	18	17	1
姫路市	32	29	3	14	12	2	26	25	1
西宮市	18	16	3	10	8	2	26	20	6
尼崎市	20	18	2	12	10	2	22	12	10
奈良市	21	17	5	15	12	4	20	15	5
和歌山市	55	51	4	36	35	2	36	36	0
倉敷市	82	75	7	42	35	7	58	56	1
福山市	60	50	10	34	26	8	49	42	7
呉市	14	14	1	10	9	1	13	13	1
下関市	20	18	2	13	11	2	13	12	1
高松市	43	40	3	22	19	3	31	28	3
松山市	132	121	11	70	61	9	109	99	9
高知市	52	50	2	25	23	2	44	41	3
久留米市	43	38	5	27	23	5	44	42	2
長崎市	76	67	10	46	38	9	74	67	7
佐世保市	60	55	5	37	33	4	49	42	7
大分市	43	42	1	26	25	1	31	27	4
宮崎市	46	39	6	35	29	6	38	32	7
鹿児島市	172	169	3	108	106	1	156	147	10
那覇市	18	17	1	15	15	1	13	12	1

地域密着型特定施設入居者生活介護

都道府県 指定都市 中核市	総数			介護職員			介護福祉士（再掲）		
	総数	常勤	非常勤	総数	常勤	非常勤	総数	常勤	非常勤
全国	4 517	3 767	749	3 079	2 594	485	1 428	1 301	126
北海道	447	404	43	312	286	26	173	165	9
青森	44	41	3	28	26	2	18	18	-
岩手	95	87	9	71	65	5	26	26	-
宮城	39	37	2	27	27	-	5	5	-
秋田	179	146	33	120	97	23	68	63	6
山形	-	-	-	-	-	-	-	-	-
福島	87	79	8	60	55	6	27	26	1
茨城	14	13	2	11	10	2	6	5	1
栃木	-	-	-	-	-	-	-	-	-
群馬	39	28	10	21	15	6	6	6	-
埼玉	133	101	32	93	68	26	40	34	7
千葉	159	125	35	103	83	20	48	40	8
東京	75	54	21	49	37	11	25	20	4
神奈川	184	139	46	120	92	28	39	35	4
新潟	103	97	6	79	76	3	49	47	2
富山	-	-	-	-	-	-	-	-	-
石川	20	15	5	14	13	1	12	12	-
福井	-	-	-	-	-	-	-	-	-
山梨	78	64	14	51	46	5	8	6	2
長野	253	215	38	169	154	16	99	92	8
岐阜	93	68	25	59	46	14	24	21	3
静岡	280	230	50	195	159	36	81	71	10
愛知	180	145	34	124	100	24	61	51	9
三重	46	38	9	33	27	6	6	6	0
滋賀	-	-	-	-	-	-	-	-	-
京都	217	157	59	162	115	47	66	55	11
大阪	160	135	24	114	96	18	36	34	2
兵庫	82	62	19	57	43	13	28	24	5
奈良	-	-	-	-	-	-	-	-	-
和歌山	128	105	23	89	71	18	42	35	8
鳥取	47	40	7	31	28	2	23	21	2
島根	23	21	2	17	15	2	6	6	-
岡山	93	82	12	65	58	7	40	37	4
広島	25	20	6	13	10	3	10	8	2
山口	59	48	11	43	36	7	16	15	1
徳島	-	-	-	-	-	-	-	-	-
香川	51	41	10	28	22	5	10	9	0
愛媛	-	-	-	-	-	-	-	-	-
高知	149	143	6	107	102	5	62	61	1
福岡	235	203	32	157	137	20	67	63	5
佐賀	53	46	7	29	25	4	8	8	-
長崎	-	-	-	-	-	-	-	-	-
熊本	158	127	31	110	88	22	50	46	4
大分	145	112	33	91	71	20	34	27	7
宮崎	-	-	-	-	-	-	-	-	-
鹿児島	276	240	36	182	153	28	86	84	2
沖縄	70	63	7	50	44	6	24	23	1

注：1）調査方法の変更等による回収率変動の影響を受けているため、数量を示す従事者数の実数は前年以前と単純に年次比較できない。
　　2）「0」は常勤換算従事者数が0.5未満の場合である。

都道府県－指定都市・中核市（再掲）、職種（常勤－非常勤）別（31－23）

平成29年10月１日

生活相談員			社会福祉士（再掲）			看護師			准看護師		
総数	常勤	非常勤	総数	常勤	非常勤	総数	常勤	非常勤	総数	常勤	非常勤
222	216	6	29	28	0	266	205	61	211	172	39
23	23	0	2	2	0	14	13	1	27	21	6
3	3	－	1	1	－	3	3	－	3	3	0
5	5	－	1	1	－	5	4	0	3	3	0
2	2	－	－	－	－	2	1	1	－	－	－
8	8	－	0	0	－	9	5	4	9	8	1
－	－	－	－	－	－	－	－	－	－	－	－
4	4	1	1	1	－	5	5	－	7	6	1
0	0	－	－	－	－	1	1	－	－	－	－
－	－	－	－	－	－	－	－	－	－	－	－
3	3	－	－	－	－	2	2	－	5	3	2
8	7	1	－	－	－	10	8	2	5	3	2
8	8	－	2	2	－	11	7	3	7	6	2
4	4	－	－	－	－	4	1	3	9	7	3
9	7	1	2	2	－	12	8	4	9	8	1
5	5	0	1	1	－	4	4	0	4	4	1
－	－	－	－	－	－	－	－	－	－	－	－
1	1	－	－	－	－	2	－	2	－	－	－
－	－	－	－	－	－	－	－	－	－	－	－
3	3	－	－	－	－	11	7	4	2	2	0
11	11	－	3	3	－	15	10	5	10	8	2
4	4	－	1	1	－	7	5	2	4	2	2
15	15	0	1	1	－	20	16	4	4	4	1
10	10	－	2	2	－	17	12	4	4	4	0
3	3	－	－	－	－	4	3	1	2	2	－
－	－	－	－	－	－	－	－	－	－	－	－
8	8	－	3	3	－	12	8	4	9	7	2
10	9	0	3	3	－	10	8	2	5	5	－
5	5	－	0	0	－	6	4	2	2	2	1
－	－	－	－	－	－	－	－	－	－	－	－
6	6	－	1	1	－	7	7	1	3	3	0
2	2	－	－	－	－	1	1	－	3	3	1
1	1	－	－	－	－	1	1	－	1	1	－
4	4	－	1	1	－	7	6	1	5	5	－
1	1	－	－	－	－	1	1	－	2	1	1
3	3	－	－	－	－	3	2	1	1	1	－
－	－	－	－	－	－	－	－	－	－	－	－
3	3	－	－	－	－	3	2	1	8	7	1
－	－	－	－	－	－	－	－	－	－	－	－
7	7	－	2	2	－	8	8	－	3	3	1
12	12	－	2	2	－	13	9	4	15	14	1
5	4	1	0	0	－	5	5	－	5	4	1
－	－	－	－	－	－	－	－	－	－	－	－
8	8	－	1	1	－	9	9	0	6	4	2
6	5	1	－	－	－	5	1	4	15	11	4
－	－	－	－	－	－	－	－	－	－	－	－
10	10	1	－	－	－	20	18	2	12	10	2
3	3	－	1	1	－	3	3	－	4	3	1

地域密着型特定施設入居者生活介護

都道府県 指定都市 中核市	総数			介護職員			介護福祉士（再掲）		
	総数	常勤	非常勤	総数	常勤	非常勤	総数	常勤	非常勤
指定都市（再掲）									
札幌市	9	8	1	6	6	1	3	3	-
仙台市	-	-	-	-	-	-	-	-	-
さいたま市	17	13	5	13	9	4	4	3	1
千葉市	14	7	7	9	5	4	2	-	2
横浜市	8	6	2	6	4	2	3	3	-
川崎市	-	-	-	-	-	-	-	-	-
相模原市	-	-	-	-	-	-	-	-	-
新潟市	21	19	2	16	16	-	8	8	-
静岡市	104	87	17	74	63	12	41	37	4
浜松市	110	92	18	78	64	14	34	29	5
名古屋市	56	50	6	40	34	5	27	21	5
京都市	159	110	49	120	81	38	41	32	9
大阪市	87	74	14	69	60	9	16	16	1
堺市	-	-	-	-	-	-	-	-	-
神戸市	-	-	-	-	-	-	-	-	-
岡山市	-	-	-	-	-	-	-	-	-
広島市	-	-	-	-	-	-	-	-	-
北九州市	-	-	-	-	-	-	-	-	-
福岡市	14	11	3	10	8	2	4	3	1
熊本市	16	13	3	13	11	2	5	5	-
中核市（再掲）									
旭川市	-	-	-	-	-	-	-	-	-
函館市	241	221	20	171	159	12	86	85	2
青森市	15	15	-	10	10	-	9	9	-
八戸市	13	12	1	6	6	-	6	6	-
盛岡市	-	-	-	-	-	-	-	-	-
秋田市	-	-	-	-	-	-	-	-	-
郡山市	16	16	-	14	14	-	4	4	-
いわき市	30	29	0	17	17	0	5	5	-
宇都宮市	-	-	-	-	-	-	-	-	-
前橋市	-	-	-	-	-	-	-	-	-
高崎市	-	-	-	-	-	-	-	-	-
川越市	26	17	9	19	14	6	5	4	1
越谷市	-	-	-	-	-	-	-	-	-
船橋市	44	39	5	27	25	2	14	13	1
柏市	-	-	-	-	-	-	-	-	-
八王子市	-	-	-	-	-	-	-	-	-
横須賀市	-	-	-	-	-	-	-	-	-
富山市	-	-	-	-	-	-	-	-	-
金沢市	-	-	-	-	-	-	-	-	-
長野市	174	151	24	119	108	12	77	71	6
岐阜市	34	24	11	25	18	7	11	9	2
豊橋市	-	-	-	-	-	-	-	-	-
豊田市	-	-	-	-	-	-	-	-	-
岡崎市	45	38	7	32	28	4	12	10	2
大津市	-	-	-	-	-	-	-	-	-
高槻市	26	24	2	16	15	1	13	12	1
東大阪市	-	-	-	-	-	-	-	-	-
豊中市	-	-	-	-	-	-	-	-	-
枚方市	-	-	-	-	-	-	-	-	-
姫路市	-	-	-	-	-	-	-	-	-
西宮市	-	-	-	-	-	-	-	-	-
尼崎市	26	21	5	18	16	2	9	9	1
奈良市	-	-	-	-	-	-	-	-	-
和歌山市	33	30	3	22	21	2	14	14	1
倉敷市	36	29	8	25	20	5	11	9	3
福山市	-	-	-	-	-	-	-	-	-
呉市	-	-	-	-	-	-	-	-	-
下関市	-	-	-	-	-	-	-	-	-
高松市	11	11	0	5	5	-	2	2	-
松山市	-	-	-	-	-	-	-	-	-
高知市	96	94	2	67	65	2	44	44	-
久留米市	-	-	-	-	-	-	-	-	-
長崎市	-	-	-	-	-	-	-	-	-
佐世保市	-	-	-	-	-	-	-	-	-
大分市	-	-	-	-	-	-	-	-	-
宮崎市	-	-	-	-	-	-	-	-	-
鹿児島市	60	50	10	41	33	8	24	22	2
那覇市	39	36	3	29	27	2	16	15	1

注：1）調査方法の変更等による回収率変動の影響を受けているため、数量を示す従事者数の実数は前年以前と単純に年次比較できない。
　　2）「0」は常勤換算従事者数が0.5未満の場合である。

平成29年10月１日

生活相談員			生活相談員 社会福祉士（再掲）			看護師			准看護師		
総数	常勤	非常勤	総数	常勤	非常勤	総数	常勤	非常勤	総数	常勤	非常勤
1	1	－	－	－	－	－	－	－	1	1	0
－	－	－	－	－	－	－	－	－	－	－	－
1	1	－	－	－	－	－	－	－	2	1	1
1	1	－	－	－	－	2	1	1	0	－	0
0	0	－	－	－	－	1	1	－	0	－	0
－	－	－	－	－	－	－	－	－	－	－	－
－	－	－	－	－	－	－	－	－	－	－	－
1	1	－	－	－	－	1	1	0	1	1	0
5	5	0	－	－	－	10	7	3	1	1	0
6	6	－	－	－	－	7	6	1	2	2	－
2	2	－	1	1	－	5	5	－	3	3	－
5	5	－	2	2	－	9	6	3	8	6	2
4	4	－	2	2	－	5	4	1	3	3	－
－	－	－	－	－	－	－	－	－	－	－	－
－	－	－	－	－	－	－	－	－	－	－	－
－	－	－	－	－	－	－	－	－	－	－	－
－	－	－	－	－	－	－	－	－	－	－	－
－	－	－	－	－	－	－	－	－	－	－	－
1	1	－	－	－	－	1	－	1	1	1	－
1	1	－	1	1	－	2	2	0	－	－	－
－	－	－	－	－	－	－	－	－	－	－	－
13	13	－	1	1	－	9	8	1	13	10	3
1	1	－	1	1	－	2	2	－	－	－	－
1	1	－	－	－	－	1	1	－	2	2	－
－	－	－	－	－	－	－	－	－	－	－	－
－	－	－	－	－	－	－	－	－	－	－	－
0	0	－	－	－	－	1	1	－	－	－	－
2	2	－	1	1	－	2	2	－	4	4	－
－	－	－	－	－	－	－	－	－	－	－	－
－	－	－	－	－	－	－	－	－	－	－	－
－	－	－	－	－	－	－	－	－	－	－	－
2	1	1	－	－	－	2	1	1	2	1	1
－	－	－	－	－	－	－	－	－	－	－	－
2	2	－	1	1	－	2	2	－	3	2	1
－	－	－	－	－	－	－	－	－	－	－	－
－	－	－	－	－	－	－	－	－	－	－	－
－	－	－	－	－	－	－	－	－	－	－	－
－	－	－	－	－	－	－	－	－	－	－	－
－	－	－	－	－	－	－	－	－	－	－	－
7	7	－	2	2	－	8	6	3	7	6	2
2	2	－	1	1	－	3	2	0	2	－	2
－	－	－	－	－	－	－	－	－	－	－	－
－	－	－	－	－	－	－	－	－	－	－	－
3	3	－	－	－	－	5	3	3	－	－	－
－	－	－	－	－	－	－	－	－	－	－	－
2	2	－	1	1	－	2	2	－	－	－	－
－	－	－	－	－	－	－	－	－	－	－	－
－	－	－	－	－	－	－	－	－	－	－	－
－	－	－	－	－	－	－	－	－	－	－	－
－	－	－	－	－	－	－	－	－	－	－	－
－	－	－	－	－	－	－	－	－	－	－	－
1	1	－	0	0	－	1	1	0	2	1	1
－	－	－	－	－	－	－	－	－	－	－	－
3	3	－	1	1	－	1	1	－	1	1	0
2	2	－	1	1	－	2	1	1	2	2	－
－	－	－	－	－	－	－	－	－	－	－	－
－	－	－	－	－	－	－	－	－	－	－	－
－	－	－	－	－	－	－	－	－	－	－	－
1	1	－	－	－	－	0	－	0	4	4	－
－	－	－	－	－	－	－	－	－	－	－	－
5	5	－	1	1	－	6	6	－	1	1	－
－	－	－	－	－	－	－	－	－	－	－	－
－	－	－	－	－	－	－	－	－	－	－	－
－	－	－	－	－	－	－	－	－	－	－	－
－	－	－	－	－	－	－	－	－	－	－	－
－	－	－	－	－	－	－	－	－	－	－	
2	2	－	－	－	－	4	4	－	1	1	
2	2	－	－	－	－	1	1	－	3	2	

第16表　常勤換算従事者数，地域密着型サービスの種類、

地域密着型特定施設入居者生活介護

都道府県 指定都市 中核市	計画作成担当者			機能訓練指導員			理学療法士（再掲）		
	総数	常勤	非常勤	総数	常勤	非常勤	総数	常勤	非常勤
全国	184	166	18	155	122	33	15	13	2
北海道	21	19	2	17	14	2	1	1	0
青森	2	2	-	2	2	1	-	-	-
岩手	4	4	1	2	1	1	-	-	-
宮城	2	2	-	1	0	1	-	-	-
秋田	6	5	1	3	2	1	-	-	-
山形	-	-	-	-	-	-	-	-	-
福島	4	4	1	2	2	1	-	-	-
茨城	0	0	-	1	1	-	-	-	-
栃木	-	-	-	-	-	-	-	-	-
群馬	1	1	-	4	2	2	-	-	-
埼玉	5	5	0	3	3	0	1	1	-
千葉	7	5	2	7	4	3	2	2	-
東京	2	2	1	4	1	3	1	-	1
神奈川	9	7	2	3	2	1	-	-	-
新潟	2	2	-	5	5	1	0	0	-
富山	-	-	-	-	-	-	-	-	-
石川	1	1	-	2	-	2	-	-	-
福井	-	-	-	-	-	-	-	-	-
山梨	2	2	1	2	0	1	-	-	-
長野	11	9	2	7	6	1	-	-	-
岐阜	3	2	1	1	1	0	-	-	-
静岡	12	11	1	9	8	1	-	-	-
愛知	7	6	1	8	6	2	-	-	-
三重	2	2	0	0	-	0	-	-	-
滋賀	-	-	-	-	-	-	-	-	-
京都	6	6	-	4	3	2	1	1	-
大阪	7	7	-	3	2	1	1	1	-
兵庫	3	3	-	4	3	1	-	-	-
奈良	-	-	-	-	-	-	-	-	-
和歌山	6	5	1	4	3	0	1	1	-
鳥取	2	2	1	2	2	0	1	1	-
島根	1	1	-	2	2	1	1	-	1
岡山	4	4	-	3	3	-	-	-	-
広島	1	1	-	1	1	-	-	-	-
山口	3	3	-	2	2	-	-	-	-
徳島	-	-	-	-	-	-	-	-	-
香川	2	1	0	2	2	1	2	1	1
愛媛	-	-	-	-	-	-	-	-	-
高知	8	8	-	6	6	-	-	-	-
福岡	11	10	1	9	9	1	-	-	-
佐賀	4	3	1	2	2	0	-	-	-
長崎	-	-	-	-	-	-	-	-	-
熊本	5	5	0	7	5	2	-	-	-
大分	4	4	-	7	5	2	0	-	0
宮崎	-	-	-	-	-	-	-	-	-
鹿児島	9	9	-	12	12	-	3	3	-
沖縄	4	4	-	2	2	-	1	1	-

注：1）調査方法の変更等による回収率変動の影響を受けているため、数量を示す従事者数の実数は前年以前と単純に年次比較できない。
　　2）「0」は常勤換算従事者数が0.5未満の場合である。

平成29年10月１日

作業療法士（再掲）			言語聴覚士（再掲）			看護師（再掲）			准看護師（再掲）		
総数	常勤	非常勤	総数	常勤	非常勤	総数	常勤	非常勤	総数	常勤	非常勤
7	5	2	1	1	0	59	42	17	58	48	10
0	－	0	0	－	0	4	3	1	11	10	1
－	－	－	－	－	－	1	1	－	1	1	－
－	－	－	－	－	－	2	1	1	0	－	0
－	－	－	－	－	－	1	0	1	－	－	－
1	0	0	－	－	－	1	1	0	1	1	0
－	－	－	－	－	－	－	－	－	－	－	－
0	0	－	－	－	－	1	1	－	1	1	1
－	－	－	－	－	－	1	1	－	－	－	－
－	－	－	－	－	－	－	－	－	－	－	－
－	－	－	－	－	－	－	－	－	4	2	2
－	－	－	－	－	－	1	0	0	1	1	－
1	－	1	－	－	－	2	－	2	1	1	0
0	－	0	－	－	－	3	1	2	－	－	－
－	－	－	－	－	－	1	0	1	2	1	0
－	－	－	－	－	－	2	2	0	1	1	0
－	－	－	－	－	－	－	－	－	－	－	－
－	－	－	－	－	－	2	－	2	－	－	－
－	－	－	－	－	－	－	－	－	－	－	－
－	－	－	－	－	－	1	0	1	1	0	0
－	－	－	－	－	－	2	1	0	5	5	0
－	－	－	－	－	－	1	0	0	1	1	－
2	1	1	－	－	－	5	5	－	1	－	1
0	－	0	－	－	－	5	4	1	1	1	0
－	－	－	－	－	－	0	－	0	－	－	－
－	－	－	－	－	－	－	－	－	－	－	－
－	－	－	－	－	－	2	1	1	1	0	1
－	－	－	－	－	－	2	1	1	0	0	－
－	－	－	－	－	－	3	2	1	1	1	－
－	－	－	－	－	－	－	－	－	－	－	－
－	－	－	－	－	－	2	2	0	1	1	0
－	－	－	－	－	－	1	1	－	1	1	0
－	－	－	－	－	－	2	2	－	－	－	－
1	1	－	－	－	－	1	1	－	1	1	－
－	－	－	－	－	－	1	1	－	－	－	－
－	－	－	－	－	－	1	1	－	2	2	－
－	－	－	－	－	－	－	－	－	－	－	－
0	0	－	－	－	－	－	－	－	1	1	－
－	－	－	－	－	－	－	－	－	－	－	－
－	－	－	－	－	－	2	2	－	3	3	－
－	－	－	－	－	－	2	1	1	5	5	－
－	－	－	－	－	－	1	1	0	1	1	－
－	－	－	－	－	－	－	－	－	－	－	－
－	－	－	－	－	－	4	3	2	3	3	1
1	1	－	－	－	－	1	1	－	5	3	2
－	－	－	－	－	－	－	－	－	－	－	－
1	1	－	1	1	－	3	3	－	3	3	－
－	－	－	－	－	－	1	1	－	0	0	－

地域密着型特定施設入居者生活介護

都道府県 指定都市 中核市	計画作成担当者			機能訓練指導員					
							理学療法士(再掲)		
	総数	常勤	非常勤	総数	常勤	非常勤	総数	常勤	非常勤
指定都市(再掲)									
札幌市	0	0	-	0	0	0	-	-	-
仙台市	-	-	-	-	-	-	-	-	-
さいたま市	1	1	-	0	0	-	-	-	-
千葉市	1	-	1	0	-	0	-	-	-
横浜市	1	1	-	0	-	0	-	-	-
川崎市	-	-	-	-	-	-	-	-	-
相模原市	-	-	-	-	-	-	-	-	-
新潟市	-	-	-	2	1	1	-	-	-
静岡市	4	4	1	1	1	1	-	-	-
浜松市	4	4	-	6	5	1	-	-	-
名古屋市	2	1	1	2	2	-	-	-	-
京都市	5	5	-	3	2	1	1	1	-
大阪市	2	2	-	1	0	1	-	-	-
堺市	-	-	-	-	-	-	-	-	-
神戸市	-	-	-	-	-	-	-	-	-
岡山市	-	-	-	-	-	-	-	-	-
広島市	-	-	-	-	-	-	-	-	-
北九州市	-	-	-	-	-	-	-	-	-
福岡市	1	1	0	1	1	-	-	-	-
熊本市	0	0	0	1	-	1	-	-	-
中核市(再掲)									
旭川市	-	-	-	-	-	-	-	-	-
函館市	11	10	1	11	10	1	1	1	-
青森市	1	1	-	1	1	-	-	-	-
八戸市	1	1	-	1	1	-	-	-	-
盛岡市	-	-	-	-	-	-	-	-	-
秋田市	-	-	-	-	-	-	-	-	-
郡山市	1	1	-	0	0	-	-	-	-
いわき市	2	2	-	-	-	-	-	-	-
宇都宮市	-	-	-	-	-	-	-	-	-
前橋市	-	-	-	-	-	-	-	-	-
高崎市	-	-	-	-	-	-	-	-	-
川越市	0	0	-	1	0	0	-	-	-
越谷市	-	-	-	-	-	-	-	-	-
船橋市	3	3	-	1	0	1	0	0	-
柏市	-	-	-	-	-	-	-	-	-
八王子市	-	-	-	-	-	-	-	-	-
横須賀市	-	-	-	-	-	-	-	-	-
富山市	-	-	-	-	-	-	-	-	-
金沢市	-	-	-	-	-	-	-	-	-
長野市	7	7	1	5	5	0	-	-	-
岐阜市	2	1	1	1	1	-	-	-	-
豊橋市	-	-	-	-	-	-	-	-	-
豊田市	-	-	-	-	-	-	-	-	-
岡崎市	2	2	-	2	2	0	-	-	-
大津市	-	-	-	-	-	-	-	-	-
高槻市	1	1	-	1	1	0	-	-	-
東大阪市	-	-	-	-	-	-	-	-	-
豊中市	-	-	-	-	-	-	-	-	-
枚方市	-	-	-	-	-	-	-	-	-
姫路市	-	-	-	-	-	-	-	-	-
西宮市	-	-	-	-	-	-	-	-	-
尼崎市	1	1	-	0	0	0	-	-	-
奈良市	-	-	-	-	-	-	-	-	-
和歌山市	1	1	-	1	1	0	-	-	-
倉敷市	1	1	-	2	2	-	-	-	-
福山市	-	-	-	-	-	-	-	-	-
呉市	-	-	-	-	-	-	-	-	-
下関市	-	-	-	-	-	-	-	-	-
高松市	1	1	-	1	1	-	-	-	-
松山市	-	-	-	-	-	-	-	-	-
高知市	5	5	-	3	3	-	-	-	-
久留米市	-	-	-	-	-	-	-	-	-
長崎市	-	-	-	-	-	-	-	-	-
佐世保市	-	-	-	-	-	-	-	-	-
大分市	-	-	-	-	-	-	-	-	-
宮崎市	-	-	-	-	-	-	-	-	-
鹿児島市	2	2	-	2	2	-	-	-	-
那覇市	2	2	-	2	2	-	1	1	-

注：1）調査方法の変更等による回収率変動の影響を受けているため、数量を示す従事者数の実数は前年以前と単純に年次比較できない。
2）「0」は常勤換算従事者数が0.5未満の場合である。

平成29年10月１日

作業療法士（再掲）			言語聴覚士（再掲）			看護師（再掲）			准看護師（再掲）		
総数	常勤	非常勤	総数	常勤	非常勤	総数	常勤	非常勤	総数	常勤	非常勤
–	–	–	–	–	–	–	–	–	0	0	0
–	–	–	–	–	–	–	–	–	–	–	–
–	–	–	–	–	–	–	–	–	0	0	–
–	–	–	–	–	–	0	–	0	0	–	0
–	–	–	–	–	–	–	–	–	0	–	0
–	–	–	–	–	–	–	–	–	–	–	–
–	–	–	–	–	–	–	–	–	–	–	–
–	–	–	–	–	–	1	1	0	1	1	0
–	–	–	–	–	–	1	1	–	1	–	1
2	1	1	–	–	–	2	2	–	–	–	–
–	–	–	–	–	–	2	2	–	–	–	–
–	–	–	–	–	–	1	0	1	0	0	–
–	–	–	–	–	–	1	–	1	0	0	–
–	–	–	–	–	–	–	–	–	–	–	–
–	–	–	–	–	–	–	–	–	–	–	–
–	–	–	–	–	–	–	–	–	–	–	–
–	–	–	–	–	–	–	–	–	–	–	–
–	–	–	–	–	–	–	–	–	–	–	–
–	–	–	–	–	–	–	–	–	1	1	–
–	–	–	–	–	–	0	–	0	0	–	0
–	–	–	–	–	–	–	–	–	–	–	–
–	–	–	–	–	–	2	1	1	7	7	0
–	–	–	–	–	–	1	1	–	–	–	–
–	–	–	–	–	–	–	–	–	1	1	–
–	–	–	–	–	–	–	–	–	–	–	–
–	–	–	–	–	–	–	–	–	–	–	–
0	0	–	–	–	–	–	–	–	–	–	–
–	–	–	–	–	–	–	–	–	–	–	–
–	–	–	–	–	–	–	–	–	–	–	–
–	–	–	–	–	–	–	–	–	–	–	–
–	–	–	–	–	–	–	–	–	–	–	–
–	–	–	–	–	–	1	0	0	–	–	–
–	–	–	–	–	–	–	–	–	–	–	–
–	–	–	–	–	–	1	–	1	–	–	–
–	–	–	–	–	–	–	–	–	–	–	–
–	–	–	–	–	–	–	–	–	–	–	–
–	–	–	–	–	–	–	–	–	–	–	–
–	–	–	–	–	–	–	–	–	–	–	–
–	–	–	–	–	–	–	–	–	–	–	–
–	–	–	–	–	–	1	1	0	4	4	–
–	–	–	–	–	–	–	–	–	1	1	–
–	–	–	–	–	–	–	–	–	–	–	–
–	–	–	–	–	–	–	–	–	–	–	–
–	–	–	–	–	–	1	1	0	1	1	–
–	–	–	–	–	–	–	–	–	–	–	–
–	–	–	–	–	–	1	1	0	–	–	–
–	–	–	–	–	–	–	–	–	–	–	–
–	–	–	–	–	–	–	–	–	–	–	–
–	–	–	–	–	–	–	–	–	–	–	–
–	–	–	–	–	–	–	–	–	–	–	–
–	–	–	–	–	–	–	–	–	–	–	–
–	–	–	–	–	–	0	–	0	0	0	–
–	–	–	–	–	–	–	–	–	–	–	–
–	–	–	–	–	–	0	0	–	1	1	0
1	1	–	–	–	–	–	–	–	1	1	–
–	–	–	–	–	–	–	–	–	–	–	–
–	–	–	–	–	–	–	–	–	–	–	–
–	–	–	–	–	–	–	–	–	–	–	–
–	–	–	–	–	–	–	–	–	1	1	–
–	–	–	–	–	–	–	–	–	–	–	–
–	–	–	–	–	–	2	2	–	2	2	–
–	–	–	–	–	–	–	–	–	–	–	–
–	–	–	–	–	–	–	–	–	–	–	–
–	–	–	–	–	–	–	–	–	–	–	–
–	–	–	–	–	–	–	–	–	–	–	–
–	–	–	–	–	–	–	–	–	–	–	–
–	–	–	–	–	–	2	2	–	–	–	
–	–	–	–	–	–	1	1	–	–	–	

地域密着型特定施設入居者生活介護

都道府県 指定都市 中核市	機能訓練指導員						その他の職員		
	柔道整復師（再掲）			あんま マッサージ指圧師（再掲）					
	総数	常勤	非常勤	総数	常勤	非常勤	総数	常勤	非常勤
全国	6	5	1	9	8	2	399	292	107
北海道	-	-	-	1	1	-	34	27	7
青森	-	-	-	1	1	1	4	4	1
岩手	-	-	-	0	-	0	6	5	1
宮城	-	-	-	-	-	-	5	5	-
秋田	0	-	0	-	-	-	23	19	4
山形	-	-	-	-	-	-	-	-	-
福島	0	-	0	-	-	-	5	5	-
茨城	-	-	-	-	-	-	-	-	-
栃木	-	-	-	-	-	-	-	-	-
群馬	-	-	-	-	-	-	3	2	1
埼玉	-	-	-	-	-	-	8	8	0
千葉	1	1	-	-	-	-	17	11	6
東京	-	-	-	-	-	-	4	3	1
神奈川	1	1	-	-	-	-	23	14	9
新潟	2	2	-	-	-	-	3	2	2
富山	-	-	-	-	-	-	-	-	-
石川	-	-	-	-	-	-	-	-	-
福井	-	-	-	-	-	-	-	-	-
山梨	-	-	-	-	-	-	8	5	2
長野	-	-	-	0	-	0	31	18	13
岐阜	-	-	-	-	-	-	14	8	6
静岡	-	-	-	2	2	-	26	19	7
愛知	0	0	-	1	1	0	10	7	3
三重	-	-	-	-	-	-	3	2	2
滋賀	-	-	-	-	-	-	-	-	-
京都	0	-	0	0	-	0	15	10	6
大阪	0	-	0	-	-	-	10	7	3
兵庫	-	-	-	-	-	-	5	3	2
奈良	-	-	-	-	-	-	-	-	-
和歌山	-	-	-	-	-	-	14	11	3
鳥取	-	-	-	-	-	-	6	4	2
島根	-	-	-	-	-	-	1	1	-
岡山	-	-	-	-	-	-	8	4	4
広島	-	-	-	-	-	-	7	5	2
山口	-	-	-	-	-	-	5	2	3
徳島	-	-	-	-	-	-	-	-	-
香川	-	-	-	-	-	-	5	4	1
愛媛	-	-	-	-	-	-	-	-	-
高知	1	1	-	-	-	-	11	11	0
福岡	-	-	-	2	2	-	18	13	5
佐賀	-	-	-	-	-	-	4	4	-
長崎	-	-	-	-	-	-	-	-	-
熊本	-	-	-	-	-	-	13	8	5
大分	-	-	-	-	-	-	18	14	3
宮崎	-	-	-	-	-	-	-	-	-
鹿児島	-	-	-	1	1	-	32	28	4
沖縄	-	-	-	-	-	-	4	4	-

注：1）調査方法の変更等による回収率変動の影響を受けているため、数量を示す従事者数の実数は前年以前と単純に年次比較できない。
　　2）「0」は常勤換算従事者数が0.5未満の場合である。

都道府県－指定都市・中核市（再掲）、職種（常勤－非常勤）別（31－27）

平成29年10月１日

都道府県 指定都市 中核市	機能訓練指導員						その他の職員		
	柔道整復師（再掲）			あん摩マッサージ指圧師（再掲）					
	総数	常勤	非常勤	総数	常勤	非常勤	総数	常勤	非常勤
指定都市(再掲)									
札幌市	－	－	－	－	－	－	0	0	－
仙台市	－	－	－	－	－	－	－	－	－
さいたま市	－	－	－	－	－	－	0	0	－
千葉市	－	－	－	－	－	－	－	－	－
横浜市	－	－	－	－	－	－	－	－	－
川崎市	－	－	－	－	－	－	－	－	－
相模原市	－	－	－	－	－	－	－	－	－
新潟市	－	－	－	－	－	－	1	－	1
静岡市	－	－	－	－	－	－	8	7	1
浜松市	－	－	－	2	2	－	7	6	2
名古屋市	－	－	－	－	－	－	3	3	－
京都市	0	－	0	0	－	0	11	6	6
大阪市	0	－	0	－	－	－	3	1	2
堺市	－	－	－	－	－	－	－	－	－
神戸市	－	－	－	－	－	－	－	－	－
岡山市	－	－	－	－	－	－	－	－	－
広島市	－	－	－	－	－	－	－	－	－
北九州市	－	－	－	－	－	－	－	－	－
福岡市	－	－	－	－	－	－	1	1	0
熊本市	－	－	－	－	－	－	－	－	－
中核市(再掲)									
旭川市	－	－	－	－	－	－	－	－	－
函館市	－	－	－	1	1	－	14	11	3
青森市	－	－	－	－	－	－	1	1	－
八戸市	－	－	－	－	－	－	3	3	1
盛岡市	－	－	－	－	－	－	－	－	－
秋田市	－	－	－	－	－	－	－	－	－
郡山市	－	－	－	－	－	－	－	－	－
いわき市	－	－	－	－	－	－	4	4	－
宇都宮市	－	－	－	－	－	－	－	－	－
前橋市	－	－	－	－	－	－	－	－	－
高崎市	－	－	－	－	－	－	－	－	－
川越市	－	－	－	－	－	－	0	0	－
越谷市	－	－	－	－	－	－	－	－	－
船橋市	－	－	－	－	－	－	6	5	2
柏市	－	－	－	－	－	－	－	－	－
八王子市	－	－	－	－	－	－	－	－	－
横須賀市	－	－	－	－	－	－	－	－	－
富山市	－	－	－	－	－	－	－	－	－
金沢市	－	－	－	－	－	－	－	－	－
長野市	－	－	－	－	－	－	21	15	6
岐阜市	－	－	－	－	－	－	1	1	－
豊橋市	－	－	－	－	－	－	－	－	－
豊田市	－	－	－	－	－	－	－	－	－
岡崎市	－	－	－	－	－	－	1	1	－
大津市	－	－	－	－	－	－	－	－	－
高槻市	－	－	－	－	－	－	3	3	－
東大阪市	－	－	－	－	－	－	－	－	－
豊中市	－	－	－	－	－	－	－	－	－
枚方市	－	－	－	－	－	－	－	－	－
姫路市	－	－	－	－	－	－	－	－	－
西宮市	－	－	－	－	－	－	－	－	－
尼崎市	－	－	－	－	－	－	2	1	1
奈良市	－	－	－	－	－	－	－	－	－
和歌山市	－	－	－	－	－	－	4	3	1
倉敷市	－	－	－	－	－	－	3	2	2
福山市	－	－	－	－	－	－	－	－	－
呉市	－	－	－	－	－	－	－	－	－
下関市	－	－	－	－	－	－	－	－	－
高松市	－	－	－	－	－	－	1	1	－
松山市	－	－	－	－	－	－	－	－	－
高知市	－	－	－	－	－	－	10	10	－
久留米市	－	－	－	－	－	－	－	－	－
長崎市	－	－	－	－	－	－	－	－	－
佐世保市	－	－	－	－	－	－	－	－	－
大分市	－	－	－	－	－	－	－	－	－
宮崎市	－	－	－	－	－	－	－	－	
鹿児島市	－	－	－	－	－	－	9	6	
那覇市	－	－	－	－	－	－	2	2	

複合型サービス（看護小規模多機能型居宅介護）

都道府県 指定都市 中核市	総数			介護職員					
							介護福祉士（再掲）		
	総数	常勤	非常勤	総数	常勤	非常勤	総数	常勤	非常勤
全国	5 461	4 246	1 215	3 262	2 588	674	1 738	1 545	193
北海道	533	426	107	331	280	51	178	165	13
青森	80	72	8	52	46	7	40	36	4
岩手	15	12	3	12	10	2	9	7	2
宮城	137	124	13	71	66	6	46	45	1
秋田	82	65	17	51	42	9	30	30	0
山形	78	68	10	49	44	5	35	34	2
福島	87	74	13	60	55	5	27	26	1
茨城	63	53	10	37	32	5	24	23	1
栃木	29	23	6	18	13	5	4	4	-
群馬	106	81	24	67	52	15	31	26	4
埼玉	162	124	38	96	74	22	32	25	7
千葉	93	80	13	53	47	5	23	22	1
東京	294	217	77	176	134	42	107	92	15
神奈川	398	274	124	233	164	70	108	93	15
新潟	114	99	16	81	74	8	49	47	2
富山	49	42	7	29	25	4	12	12	1
石川	16	14	3	12	10	2	-	-	-
福井	161	129	32	100	87	13	57	53	4
山梨	46	40	6	29	26	3	16	15	1
長野	30	11	19	19	8	12	8	7	2
岐阜	78	56	22	45	33	12	24	20	4
静岡	201	163	39	127	102	25	60	54	5
愛知	145	115	31	86	69	17	49	41	8
三重	57	31	26	34	18	16	15	10	5
滋賀	84	62	22	56	40	16	29	26	3
京都	107	70	37	77	47	30	49	37	12
大阪	436	317	119	264	197	67	139	111	27
兵庫	253	167	86	152	102	50	67	56	11
奈良	43	32	11	25	20	4	19	16	3
和歌山	76	59	18	49	36	13	24	20	4
鳥取	14	9	5	9	5	4	6	4	2
島根	63	47	16	35	23	12	18	16	2
岡山	68	51	17	37	27	10	22	19	3
広島	228	190	38	125	108	17	71	69	2
山口	17	15	2	11	10	1	6	6	1
徳島	37	31	6	19	15	4	10	9	1
香川	45	31	15	20	14	6	9	6	3
愛媛	122	97	25	65	55	11	39	36	4
高知	34	33	0	25	25	-	16	16	-
福岡	201	164	37	104	87	17	55	49	6
佐賀	66	54	12	39	31	7	18	17	1
長崎	95	74	22	47	34	13	23	19	4
熊本	120	107	13	73	63	10	36	34	2
大分	122	92	30	80	65	15	42	38	4
宮崎	48	43	5	32	28	4	21	21	0
鹿児島	96	86	11	33	31	2	28	27	2
沖縄	35	29	6	20	18	2	9	9	-

注：1）調査方法の変更等による回収率変動の影響を受けているため、数量を示す従事者数の実数は前年以前と単純に年次比較できない。
　　2）「0」は常勤換算従事者数が0.5未満の場合である。

都道府県－指定都市・中核市（再掲）、職種（常勤－非常勤）別（31－28）

平成29年10月1日

保健師			看護師			准看護師		
総数	常勤	非常勤	総数	常勤	非常勤	総数	常勤	非常勤
22	18	4	1 267	918	349	312	227	85
3	2	1	137	93	44	25	17	8
–	–	–	13	13	1	2	2	1
–	–	–	3	2	1	–	–	–
–	–	–	37	31	5	4	3	1
1	1	–	16	10	6	5	3	2
–	–	–	14	10	4	7	6	1
–	–	–	18	12	6	6	5	2
2	2	–	13	9	4	6	5	1
–	–	–	6	5	1	2	2	–
–	–	–	22	16	7	14	11	3
–	–	–	47	36	12	6	4	2
–	–	–	20	17	3	2	1	1
3	3	1	72	55	17	7	2	5
1	–	1	93	56	36	14	10	3
–	–	–	20	15	5	3	3	1
–	–	–	13	12	1	2	2	1
–	–	–	4	3	1	–	–	–
1	1	–	36	25	12	8	3	5
0	0	–	11	10	1	1	–	1
–	–	–	6	1	5	2	–	2
–	–	–	20	13	8	5	4	1
–	–	–	43	35	8	12	11	1
1	1	–	43	31	12	2	1	1
–	–	–	9	3	6	5	3	2
–	–	–	17	15	3	1	–	1
2	2	–	20	14	6	2	1	1
2	2	–	103	65	38	20	11	9
0	–	0	53	34	19	13	9	4
–	–	–	13	7	6	1	1	1
–	–	–	18	14	3	4	4	–
–	–	–	3	2	1	1	1	–
–	–	–	14	13	2	4	3	1
–	–	–	15	13	3	7	5	2
–	–	–	54	42	12	30	23	7
–	–	–	5	4	1	–	–	–
–	–	–	13	12	1	2	2	1
–	–	–	16	10	6	2	–	2
4	4	–	21	12	9	13	12	1
–	–	–	6	6	0	–	–	–
1	0	1	50	41	9	15	11	5
–	–	–	12	9	4	8	8	0
–	–	–	27	24	4	9	7	2
–	–	–	18	18	0	14	14	1
–	–	–	24	13	11	10	6	4
–	–	–	7	6	1	5	5	0
1	1	0	36	29	7	12	11	2
–	–	–	8	7	1	2	1	1

第16表　常勤換算従事者数，地域密着型サービスの種類、

複合型サービス（看護小規模多機能型居宅介護）

都道府県 指定都市 中核市	総数			介護職員			介護福祉士（再掲）		
	総数	常勤	非常勤	総数	常勤	非常勤	総数	常勤	非常勤
指定都市（再掲）									
札幌市	336	259	76	205	170	35	103	95	8
仙台市	75	67	8	47	44	3	32	31	1
さいたま市	42	41	2	23	21	2	-	-	-
千葉市	-	-	-	-	-	-	-	-	-
横浜市	152	106	46	97	70	27	50	45	5
川崎市	86	66	19	44	37	7	28	26	2
相模原市	12	4	8	6	1	5	3	1	1
新潟市	57	45	12	42	36	6	25	24	1
静岡市	86	66	20	57	45	13	21	19	2
浜松市	24	18	6	16	12	4	2	2	-
名古屋市	47	33	14	26	18	8	13	10	3
京都市	66	46	20	47	32	15	33	25	9
大阪市	123	89	34	66	50	16	37	31	6
堺市	119	74	45	82	52	30	42	29	13
神戸市	97	58	39	65	40	25	32	27	5
岡山市	9	2	7	5	0	5	-	-	-
広島市	40	37	3	20	20	0	15	15	0
北九州市	10	7	3	5	3	2	3	3	0
福岡市	36	30	6	19	18	1	14	14	-
熊本市	83	73	10	49	42	7	28	26	2
中核市（再掲）									
旭川市	-	-	-	-	-	-	-	-	-
函館市	50	44	6	30	26	4	13	12	1
青森市	22	20	3	17	14	3	14	12	2
八戸市	29	25	4	20	16	4	13	11	2
盛岡市	-	-	-	-	-	-	-	-	-
秋田市	20	14	6	13	8	5	8	8	-
郡山市	-	-	-	-	-	-	-	-	-
いわき市	18	13	4	13	12	1	6	6	-
宇都宮市	-	-	-	-	-	-	-	-	-
前橋市	-	-	-	-	-	-	-	-	-
高崎市	64	49	15	40	32	8	19	18	1
川越市	14	10	4	10	7	3	-	-	-
越谷市	-	-	-	-	-	-	-	-	-
船橋市	-	-	-	-	-	-	-	-	-
柏市	-	-	-	-	-	-	-	-	-
八王子市	26	17	9	12	9	3	10	8	2
横須賀市	-	-	-	-	-	-	-	-	-
富山市	49	42	7	29	25	4	12	12	1
金沢市	16	14	3	12	10	2	-	-	-
長野市	18	7	11	11	6	6	7	6	2
岐阜市	-	-	-	-	-	-	-	-	-
豊橋市	46	44	2	29	27	2	20	19	1
豊田市	-	-	-	-	-	-	-	-	-
岡崎市	-	-	-	-	-	-	-	-	-
大津市	14	6	8	9	3	7	2	2	0
高槻市	12	12	-	8	8	-	4	4	-
東大阪市	-	-	-	-	-	-	-	-	-
豊中市	-	-	-	-	-	-	-	-	-
枚方市	-	-	-	-	-	-	-	-	-
姫路市	-	-	-	-	-	-	-	-	-
西宮市	-	-	-	-	-	-	-	-	-
尼崎市	37	31	6	26	22	4	14	12	2
奈良市	27	22	5	18	17	2	13	13	1
和歌山市	60	50	10	38	31	8	16	16	-
倉敷市	41	35	6	20	19	2	14	13	2
福山市	93	77	16	51	44	7	28	27	1
呉市	-	-	-	-	-	-	-	-	-
下関市	-	-	-	-	-	-	-	-	-
高松市	12	5	7	2	-	2	1	-	1
松山市	53	31	22	28	19	10	14	11	3
高知市	34	33	0	25	25	-	16	16	-
久留米市	132	108	24	69	57	12	35	30	5
長崎市	46	31	15	30	18	12	14	10	4
佐世保市	12	11	1	7	7	0	2	2	-
大分市	74	57	17	50	41	9	29	27	3
宮崎市	15	15	-	11	11	-	10	10	-
鹿児島市	66	59	8	22	21	1	18	18	0
那覇市	-	-	-	-	-	-	-	-	-

注：1）調査方法の変更等による回収率変動の影響を受けているため、数量を示す従事者数の実数は前年以前と単純に年次比較できない。
　　2）「0」は常勤換算従事者数が0.5未満の場合である。

平成29年10月１日

保健師 総数	保健師 常勤	保健師 非常勤	看護師 総数	看護師 常勤	看護師 非常勤	准看護師 総数	准看護師 常勤	准看護師 非常勤
3	2	1	89	57	32	13	8	6
－	－	－	19	15	4	1	1	－
－	－	－	16	16	0	－	－	－
－	－	－	－	－	－	－	－	－
－	－	－	28	17	11	6	5	2
1	－	1	24	16	9	1	1	0
－	－	－	4	2	2	－	－	－
－	－	－	10	7	3	1	－	1
－	－	－	15	10	5	7	5	1
－	－	－	7	6	1	－	－	－
－	－	－	17	11	6	1	－	1
1	1	－	12	8	4	1	－	1
1	1	－	38	25	14	3	1	2
－	－	－	22	13	10	6	1	5
－	－	－	16	9	7	5	4	1
－	－	－	2	1	1	1	－	1
－	－	－	8	7	2	7	7	1
－	－	－	3	3	0	－	－	－
－	－	－	10	9	1	1	－	1
－	－	－	17	16	0	6	6	0
－	－	－	－	－	－	－	－	－
－	－	－	12	11	1	5	4	1
－	－	－	3	3	－	－	－	－
－	－	－	5	5	－	1	1	－
－	－	－	－	－	－	－	－	－
－	－	－	4	3	1	1	－	1
－	－	－	－	－	－	－	－	－
－	－	－	2	－	2	1	1	0
－	－	－	－	－	－	－	－	－
－	－	－	－	－	－	－	－	－
－	－	－	13	8	5	8	7	1
－	－	－	2	2	－	2	1	1
－	－	－	－	－	－	－	－	－
－	－	－	－	－	－	－	－	－
－	－	－	－	－	－	－	－	－
－	－	－	4	3	1	1	－	1
－	－	－	－	－	－	－	－	－
－	－	－	13	12	1	2	2	1
－	－	－	4	3	1	－	－	－
－	－	－	3	1	3	1	－	1
－	－	－	－	－	－	－	－	－
1	1	－	10	10	0	－	－	－
－	－	－	－	－	－	－	－	－
－	－	－	－	－	－	－	－	－
－	－	－	2	2	1	1	－	1
1	1	－	1	1	－	1	1	－
－	－	－	－	－	－	－	－	－
－	－	－	－	－	－	－	－	－
－	－	－	－	－	－	－	－	－
－	－	－	－	－	－	－	－	－
－	－	－	－	－	－	－	－	－
－	－	－	8	6	3	－	－	－
－	－	－	4	1	3	1	1	1
－	－	－	15	12	2	4	4	－
－	－	－	10	9	1	4	3	1
－	－	－	26	19	7	8	7	1
－	－	－	－	－	－	－	－	－
－	－	－	－	－	－	－	－	－
－	－	－	9	5	4	1	－	1
－	－	－	13	5	8	2	1	1
－	－	－	6	6	0	－	－	－
1	0	1	31	25	6	11	8	3
－	－	－	8	7	2	4	3	1
－	－	－	1	1	0	3	2	1
－	－	－	15	8	7	4	3	1
－	－	－	3	3	－	－	－	－
1	1	0	29	23	6	4	3	1
－	－	－	－	－	－	－	－	－

第16表　常勤換算従事者数，地域密着型サービスの種類、

複合型サービス（看護小規模多機能型居宅介護）

都道府県 指定都市 中核市	理学療法士 総数	理学療法士 常勤	理学療法士 非常勤	作業療法士 総数	作業療法士 常勤	作業療法士 非常勤
全国	74	54	20	40	31	8
北海道	7	5	2	2	1	1
青森	1	1	-	-	-	-
岩手	-	-	-	-	-	-
宮城	9	9	-	5	5	-
秋田	-	-	-	2	2	-
山形	3	3	-	2	2	-
福島	-	-	-	0	-	0
茨城	-	-	-	-	-	-
栃木	-	-	-	-	-	-
群馬	-	-	-	-	-	-
埼玉	2	2	0	-	-	-
千葉	2	2	-	3	3	-
東京	6	2	4	1	1	-
神奈川	6	4	2	5	2	3
新潟	-	-	-	-	-	-
富山	0	0	-	-	-	-
石川	-	-	-	-	-	-
福井	1	1	-	1	1	-
山梨	0	0	-	1	0	0
長野	-	-	-	-	-	-
岐阜	0	0	-	-	-	-
静岡	4	3	1	1	1	0
愛知	3	3	0	-	-	-
三重	-	-	-	-	-	-
滋賀	1	-	1	1	1	-
京都	-	-	-	1	1	-
大阪	8	5	3	6	5	1
兵庫	2	1	1	0	-	0
奈良	0	0	-	-	-	-
和歌山	1	0	0	0	0	-
鳥取	-	-	-	-	-	-
島根	2	2	0	1	1	0
岡山	1	1	-	1	1	-
広島	5	4	1	2	2	0
山口	-	-	-	-	-	-
徳島	2	1	1	-	-	-
香川	0	-	0	1	1	-
愛媛	0	-	0	1	-	1
高知	-	-	-	0	0	-
福岡	2	2	0	2	1	1
佐賀	0	0	0	0	0	-
長崎	1	-	1	0	-	0
熊本	2	1	2	2	1	0
大分	-	-	-	-	-	-
宮崎	-	-	-	-	-	-
鹿児島	4	4	-	-	-	-
沖縄	1	-	1	-	-	-

注：1）調査方法の変更等による回収率変動の影響を受けているため、数量を示す従事者数の実数は前年以前と単純に年次比較できない。
　　2）「0」は常勤換算従事者数が0.5未満の場合である。

平成29年10月１日

言語聴覚士			介護支援専門員			その他の職員		
総数	常勤	非常勤	総数	常勤	非常勤	総数	常勤	非常勤
7	5	2	244	221	23	234	184	50
0	-	0	14	14	-	15	15	0
-	-	-	7	7	-	5	5	-
-	-	-	0	0	-	0	0	-
1	1	-	6	5	1	5	4	0
-	-	-	3	3	-	4	4	-
-	-	-	2	2	0	2	2	-
-	-	-	2	2	0	0	0	-
-	-	-	3	3	-	3	3	-
-	-	-	2	2	-	2	2	-
-	-	-	2	2	0	1	1	-
-	-	-	8	7	1	2	1	1
0	0	-	4	4	-	10	5	4
1	-	1	12	10	2	17	10	6
-	-	-	27	23	4	20	15	4
-	-	-	4	4	-	5	3	2
-	-	-	3	3	0	2	2	1
-	-	-	1	1	-	0	0	-
0	0	-	8	8	-	8	5	3
-	-	-	2	2	-	2	2	-
-	-	-	1	1	-	2	1	1
-	-	-	3	2	1	5	4	1
-	-	-	9	6	3	6	5	1
0	-	0	5	5	-	6	6	-
-	-	-	4	3	1	5	4	1
-	-	-	5	4	1	3	2	1
-	-	-	4	4	-	2	2	0
2	2	1	20	20	1	12	12	-
-	-	-	12	10	2	20	12	9
-	-	-	3	3	-	1	1	-
0	0	-	4	3	1	1	1	-
-	-	-	1	1	-	-	-	-
1	1	-	2	2	-	4	3	1
-	-	-	3	2	1	6	4	2
0	-	0	9	8	1	4	4	0
-	-	-	1	1	-	-	-	-
-	-	-	1	1	-	1	1	-
-	-	-	2	2	-	5	5	1
-	-	-	7	7	1	10	8	2
-	-	-	2	2	-	1	1	-
-	-	-	14	13	1	13	9	4
0	-	0	5	5	1	2	1	1
-	-	-	5	5	1	6	5	1
0	0	-	6	6	-	5	5	-
-	-	-	5	4	1	4	4	-
-	-	-	2	2	-	2	2	1
1	1	-	4	4	-	6	5	1
-	-	-	1	1	-	4	2	2

複合型サービス（看護小規模多機能型居宅介護）

都道府県 指定都市 中核市	理学療法士			作業療法士		
	総数	常勤	非常勤	総数	常勤	非常勤
指定都市(再掲)						
札幌市	7	5	2	2	1	1
仙台市	-	-	-	-	-	-
さいたま市	-	-	-	-	-	-
千葉市	-	-	-	-	-	-
横浜市	1	-	1	1	-	1
川崎市	3	2	1	1	-	1
相模原市	-	-	-	-	-	-
新潟市	-	-	-	-	-	-
静岡市	0	0	0	0	-	0
浜松市	-	-	-	-	-	-
名古屋市	1	1	0	-	-	-
京都市	-	-	-	1	1	-
大阪市	4	2	2	-	-	-
堺市	-	-	-	-	-	-
神戸市	0	-	0	-	-	-
岡山市	-	-	-	-	-	-
広島市	-	-	-	-	-	-
北九州市	-	-	-	-	-	-
福岡市	1	1	-	-	-	-
熊本市	2	1	2	1	0	0
中核市(再掲)						
旭川市	-	-	-	-	-	-
函館市	-	-	-	-	-	-
青森市	-	-	-	-	-	-
八戸市	1	1	-	-	-	-
盛岡市	-	-	-	-	-	-
秋田市	-	-	-	1	1	-
郡山市	-	-	-	-	-	-
いわき市	-	-	-	-	-	-
宇都宮市	-	-	-	-	-	-
前橋市	-	-	-	-	-	-
高崎市	-	-	-	-	-	-
川越市	-	-	-	-	-	-
越谷市	-	-	-	-	-	-
船橋市	-	-	-	-	-	-
柏市	-	-	-	-	-	-
八王子市	3	-	3	1	1	-
横須賀市	-	-	-	-	-	-
富山市	0	0	-	-	-	-
金沢市	-	-	-	-	-	-
長野市	-	-	-	-	-	-
岐阜市	-	-	-	-	-	-
豊橋市	2	2	-	-	-	-
豊田市	-	-	-	-	-	-
岡崎市	-	-	-	-	-	-
大津市	-	-	-	-	-	-
高槻市	-	-	-	-	-	-
東大阪市	-	-	-	-	-	-
豊中市	-	-	-	-	-	-
枚方市	-	-	-	-	-	-
姫路市	-	-	-	-	-	-
西宮市	-	-	-	-	-	-
尼崎市	-	-	-	-	-	-
奈良市	0	0	-	-	-	-
和歌山市	0	-	0	-	-	-
倉敷市	1	1	-	1	1	-
福山市	1	-	1	2	2	0
呉市	-	-	-	-	-	-
下関市	-	-	-	-	-	-
高松市	0	-	0	-	-	-
松山市	0	-	0	0	-	0
高知市	-	-	-	0	0	-
久留米市	2	1	0	2	1	1
長崎市	-	-	-	0	-	0
佐世保市	-	-	-	-	-	-
大分市	-	-	-	-	-	-
宮崎市	-	-	-	-	-	-
鹿児島市	4	4	-	-	-	-
那覇市	-	-	-	-	-	-

注：1）調査方法の変更等による回収率変動の影響を受けているため、数量を示す従事者数の実数は前年以前と単純に年次比較できない。
　　2）「0」は常勤換算従事者数が0.5未満の場合である。

平成29年10月1日

言語聴覚士			介護支援専門員			その他の職員		
総数	常勤	非常勤	総数	常勤	非常勤	総数	常勤	非常勤
0	-	0	8	8	-	9	9	-
-	-	-	4	3	1	4	4	-
-	-	-	4	4	-	-	-	-
-	-	-	-	-	-	-	-	-
-	-	-	10	9	0	8	5	3
-	-	-	6	6	-	5	4	1
-	-	-	1	-	1	1	1	-
-	-	-	1	1	-	3	1	2
-	-	-	4	3	1	3	3	1
-	-	-	2	-	2	-	-	-
0	-	0	1	1	-	2	2	-
-	-	-	3	3	-	1	1	-
0	-	0	6	6	-	5	5	-
0	-	0	6	6	-	2	2	-
-	-	-	3	2	1	6	3	4
-	-	-	0	0	-	0	0	-
-	-	-	2	2	1	2	2	-
-	-	-	1	1	1	1	1	1
-	-	-	1	1	-	5	2	3
0	0	-	4	4	-	4	4	-
-	-	-	-	-	-	-	-	-
-	-	-	2	2	-	1	1	-
-	-	-	2	2	-	2	2	-
-	-	-	2	2	-	1	1	-
-	-	-	-	-	-	-	-	-
-	-	-	1	1	-	1	1	-
-	-	-	-	-	-	-	-	-
-	-	-	1	0	0	-	-	-
-	-	-	-	-	-	-	-	-
-	-	-	-	-	-	-	-	-
-	-	-	2	2	-	1	1	-
-	-	-	-	-	-	-	-	-
-	-	-	-	-	-	-	-	-
-	-	-	-	-	-	-	-	-
-	-	-	-	-	-	-	-	-
1	-	1	1	1	-	4	3	1
-	-	-	-	-	-	-	-	-
-	-	-	3	3	0	2	2	1
-	-	-	1	1	-	0	0	-
-	-	-	1	1	-	2	1	1
-	-	-	-	-	-	-	-	-
-	-	-	3	3	-	2	2	-
-	-	-	-	-	-	-	-	-
-	-	-	-	-	-	-	-	-
-	-	-	1	1	0	0	0	-
-	-	-	1	1	-	1	1	-
-	-	-	-	-	-	-	-	-
-	-	-	-	-	-	-	-	-
-	-	-	-	-	-	-	-	-
-	-	-	-	-	-	-	-	-
-	-	-	-	-	-	-	-	-
-	-	-	1	1	-	2	2	-
-	-	-	2	2	-	1	1	-
-	-	-	3	3	-	1	1	-
-	-	-	2	1	1	4	4	1
-	-	-	5	5	-	1	1	-
-	-	-	-	-	-	-	-	-
-	-	-	-	-	-	-	-	-
-	-	-	-	-	-	-	-	-
-	-	-	3	3	1	6	4	2
-	-	-	2	2	-	1	1	-
-	-	-	11	10	1	6	5	1
-	-	-	2	1	1	2	2	-
-	-	-	1	1	-	0	0	-
-	-	-	3	3	-	2	2	-
-	-	-	1	1	-	1	1	-
1	1	-	3	3	-	3	3	-
-	-	-	-	-	-	-	-	-

第17表　利用者数，都道府県－指定都市・中核市（再掲）、

都道府県 指定都市 中核市	定期巡回・随時対応型訪問介護看護						
	総数	要介護１	要介護２	要介護３	要介護４	要介護５	要介護認定申請中
全国	15 065	3 868	3 745	2 929	2 661	1 763	99
北海道	2 201	666	635	407	321	166	6
青森	69	7	20	17	16	9	-
岩手	62	12	14	12	17	7	-
宮城	304	127	72	48	37	20	-
秋田	65	17	18	12	6	12	-
山形	155	20	45	27	32	27	4
福島	276	61	65	56	38	53	3
茨城	64	13	12	11	19	9	-
栃木	41	12	6	11	5	6	1
群馬	244	57	51	49	46	41	-
埼玉	553	165	129	110	75	66	8
千葉	412	91	98	87	64	69	3
東京	1 121	242	248	220	247	156	8
神奈川	702	155	150	104	153	126	14
新潟	238	58	64	40	39	34	3
富山	231	56	60	54	36	25	-
石川	108	19	39	19	19	12	-
福井	105	45	20	14	19	7	-
山梨	72	12	27	15	9	9	-
長野	214	54	55	40	37	26	2
岐阜	99	11	18	19	23	28	-
静岡	293	142	57	33	38	19	4
愛知	512	115	131	106	98	58	4
三重	76	23	20	13	14	6	-
滋賀	22	7	6	3	3	3	-
京都	406	76	122	97	68	38	5
大阪	1 118	256	271	210	235	138	8
兵庫	797	169	189	212	152	67	8
奈良	524	138	182	109	66	29	-
和歌山	59	20	15	12	7	5	-
鳥取	96	24	30	19	15	8	-
島根	30	6	14	8	2	-	-
岡山	206	40	53	41	38	34	-
広島	459	131	97	96	69	65	1
山口	764	265	224	146	94	30	5
徳島	-	-	-	-	-	-	-
香川	41	8	12	14	4	3	-
愛媛	207	44	43	44	46	29	1
高知	89	35	22	12	15	5	-
福岡	781	157	136	147	193	142	6
佐賀	18	9	5	2	1	1	-
長崎	424	104	95	80	96	44	5
熊本	66	20	11	12	18	5	-
大分	210	76	47	32	35	20	-
宮崎	14	3	6	2	-	3	-
鹿児島	495	96	107	102	93	97	-
沖縄	22	4	4	5	3	6	-

注：1）調査方法の変更等による回収率変動の影響を受けているため、数量を示す利用者数の実数は前年以前と単純に年次比較できない。
　　2）定期巡回・随時対応型訪問介護看護は、連携型事業所の訪問看護利用者を含まない。

地域密着型サービスの種類、要介護度別（８－１）

平成29年９月中

都道府県 指定都市 中核市	定期巡回・随時対応型訪問介護看護						
	総数	要介護１	要介護２	要介護３	要介護４	要介護５	要介護認定申請中
指定都市(再掲)							
札幌市	1 699	546	499	303	248	99	4
仙台市	267	116	63	39	32	17	-
さいたま市	72	20	11	18	11	12	-
千葉市	52	15	11	8	11	7	-
横浜市	502	109	118	80	101	82	12
川崎市	68	10	13	10	19	16	-
相模原市	10	3	1	-	4	2	-
新潟市	36	15	14	6	1	-	-
静岡市	59	23	10	9	12	4	1
浜松市	188	97	38	18	22	12	1
名古屋市	183	22	46	43	38	31	3
京都市	325	65	103	74	53	30	-
大阪市	453	96	111	86	102	54	4
堺市	89	22	28	16	11	12	-
神戸市	122	24	34	17	36	10	1
岡山市	174	32	43	34	34	31	-
広島市	143	35	33	31	23	20	1
北九州市	258	28	40	63	74	53	-
福岡市	194	31	32	32	57	36	6
熊本市	-	-	-	-	-	-	-
中核市(再掲)							
旭川市	77	34	21	19	1	2	-
函館市	244	46	58	44	51	44	1
青森市	60	7	15	15	14	9	-
八戸市	8	-	4	2	2	-	-
盛岡市	25	5	5	3	5	7	-
秋田市	31	9	12	7	2	1	-
郡山市	114	29	25	26	16	15	3
いわき市	-	-	-	-	-	-	-
宇都宮市	36	10	5	10	5	5	1
前橋市	43	15	11	4	8	5	-
高崎市	110	20	25	24	19	22	-
川越市	14	4	2	4	2	2	-
越谷市	22	5	7	4	3	3	-
船橋市	98	12	28	24	13	21	-
柏市	112	24	26	24	17	21	-
八王子市	40	12	16	7	4	1	-
横須賀市	10	7	1	-	1	1	-
富山市	120	20	34	27	22	17	-
金沢市	30	1	6	7	7	9	-
長野市	64	16	19	8	13	7	1
岐阜市	28	3	2	3	8	12	-
豊橋市	103	38	24	21	17	3	-
豊田市	-	-	-	-	-	-	-
岡崎市	78	23	23	18	10	4	-
大津市	-	-	-	-	-	-	-
高槻市	1	-	-	-	1	-	-
東大阪市	130	33	27	25	30	15	-
豊中市	59	21	15	7	12	4	-
枚方市	7	2	2	-	2	1	-
姫路市	65	19	21	10	8	7	-
西宮市	40	10	11	10	7	2	-
尼崎市	112	35	29	25	15	8	-
奈良市	363	85	117	80	58	23	-
和歌山市	40	14	12	8	3	3	-
倉敷市	32	8	10	7	4	3	-
福山市	135	52	24	22	15	22	-
呉市	5	2	1	1	-	1	-
下関市	453	153	135	92	61	12	-
高松市	24	4	8	6	3	3	-
松山市	35	11	5	10	5	4	-
高知市	84	33	22	11	14	4	-
久留米市	108	21	20	27	24	16	-
長崎市	217	61	63	35	39	16	3
佐世保市	103	21	12	29	27	14	-
大分市	-	-	-	-	-	-	-
宮崎市	13	3	5	2	-	3	-
鹿児島市	339	48	69	67	71	84	-
那覇市	-	-	-	-	-	-	-

第17表　利用者数，都道府県－指定都市・中核市（再掲）、

都道府県 指定都市 中核市	夜間対応型訪問介護						
	総数	要介護１	要介護２	要介護３	要介護４	要介護５	その他
全国	3 360	209	541	670	953	949	38
北海道	115	3	32	29	20	31	－
青森	－	－	－	－	－	－	－
岩手	1	－	－	－	－	1	－
宮城	10	－	－	－	3	7	－
秋田	－	－	－	－	－	－	－
山形	22	8	7	2	3	2	－
福島	－	－	－	－	－	－	－
茨城	－	－	－	－	－	－	－
栃木	－	－	－	－	－	－	－
群馬	－	－	－	－	－	－	－
埼玉	8	2	－	1	4	1	－
千葉	121	18	14	27	38	24	－
東京	766	20	97	123	262	257	7
神奈川	481	25	68	89	136	157	6
新潟	1	－	－	1	－	－	－
富山	4	－	3	1	－	－	－
石川	－	－	－	－	－	－	－
福井	－	－	－	－	－	－	－
山梨	－	－	－	－	－	－	－
長野	1	－	1	－	－	－	－
岐阜	5	－	－	－	2	3	－
静岡	28	－	1	9	7	11	－
愛知	132	4	10	32	44	34	8
三重	17	1	5	4	7	－	－
滋賀	－	－	－	－	－	－	－
京都	756	24	137	193	199	191	12
大阪	115	3	7	24	21	60	－
兵庫	4	－	1	－	－	3	－
奈良	－	－	－	－	－	－	－
和歌山	1	－	－	－	1	－	－
鳥取	14	6	－	－	5	3	－
島根	102	40	23	17	7	15	－
岡山	3	－	－	－	－	3	－
広島	67	1	2	24	19	21	－
山口	83	4	41	3	22	13	－
徳島	－	－	－	－	－	－	－
香川	203	8	32	44	64	52	3
愛媛	95	1	9	27	35	23	－
高知	－	－	－	－	－	－	－
福岡	16	1	7	1	5	2	－
佐賀	－	－	－	－	－	－	－
長崎	28	5	9	4	6	4	－
熊本	72	9	9	9	24	21	－
大分	73	19	23	4	16	9	2
宮崎	14	7	3	2	2	－	－
鹿児島	2	－	－	－	1	1	－
沖縄	－	－	－	－	－	－	－

注：調査方法の変更等による回収率変動の影響を受けているため、数量を示す利用者数の実数は前年以前と単純に年次比較できない。

地域密着型サービスの種類、要介護度別（８－２）

平成29年９月中

都道府県 指定都市 中核市	夜間対応型訪問介護						
	総数	要介護１	要介護２	要介護３	要介護４	要介護５	その他
指定都市(再掲)							
札幌市	101	3	30	27	12	29	-
仙台市	10	-	-	-	3	7	-
さいたま市	3	2	-	-	1	-	-
千葉市	-	-	-	-	-	-	-
横浜市	341	10	38	60	108	121	4
川崎市	58	10	13	12	9	14	-
相模原市	17	-	-	3	7	7	-
新潟市	-	-	-	-	-	-	-
静岡市	28	-	1	9	7	11	-
浜松市	-	-	-	-	-	-	-
名古屋市	132	4	10	32	44	34	8
京都市	723	14	133	183	194	187	12
大阪市	44	1	5	1	8	29	-
堺市	-	-	-	-	-	-	-
神戸市	1	-	-	-	-	1	-
岡山市	3	-	-	-	-	3	-
広島市	67	1	2	24	19	21	-
北九州市	16	1	7	1	5	2	-
福岡市	-	-	-	-	-	-	-
熊本市	72	9	9	9	24	21	-
中核市(再掲)							
旭川市	3	-	1	-	1	1	-
函館市	-	-	-	-	-	-	-
青森市	-	-	-	-	-	-	-
八戸市	-	-	-	-	-	-	-
盛岡市	-	-	-	-	-	-	-
秋田市	-	-	-	-	-	-	-
郡山市	-	-	-	-	-	-	-
いわき市	-	-	-	-	-	-	-
宇都宮市	-	-	-	-	-	-	-
前橋市	-	-	-	-	-	-	-
高崎市	-	-	-	-	-	-	-
川越市	-	-	-	-	-	-	-
越谷市	-	-	-	-	-	-	-
船橋市	9	-	-	1	6	2	-
柏市	18	8	2	2	5	1	-
八王子市	4	-	1	1	1	1	-
横須賀市	-	-	-	-	-	-	-
富山市	1	-	-	1	-	-	-
金沢市	-	-	-	-	-	-	-
長野市	-	-	-	-	-	-	-
岐阜市	5	-	-	-	2	3	-
豊橋市	-	-	-	-	-	-	-
豊田市	-	-	-	-	-	-	-
岡崎市	-	-	-	-	-	-	-
大津市	-	-	-	-	-	-	-
高槻市	-	-	-	-	-	-	-
東大阪市	-	-	-	-	-	-	-
豊中市	16	-	-	5	-	11	-
枚方市	-	-	-	-	-	-	-
姫路市	-	-	-	-	-	-	-
西宮市	-	-	-	-	-	-	-
尼崎市	-	-	-	-	-	-	-
奈良市	-	-	-	-	-	-	-
和歌山市	1	-	-	-	1	-	-
倉敷市	-	-	-	-	-	-	-
福山市	-	-	-	-	-	-	-
呉市	-	-	-	-	-	-	-
下関市	23	4	13	1	-	5	-
高松市	201	8	32	43	64	51	3
松山市	4	-	-	2	2	-	-
高知市	-	-	-	-	-	-	-
久留米市	-	-	-	-	-	-	-
長崎市	4	-	3	-	1	-	-
佐世保市	14	5	4	2	1	2	-
大分市	12	4	-	-	2	6	-
宮崎市	14	7	3	2	2	-	-
鹿児島市	2	-	-	-	1	1	-
那覇市	-	-	-	-	-	-	-

第17表　利用者数，都道府県－指定都市・中核市（再掲）、

都道府県 指定都市 中核市	地域密着型通所介護						
	総数	要介護１	要介護２	要介護３	要介護４	要介護５	その他
全国	378 352	145 525	117 570	62 884	32 891	17 064	2 418
北海道	17 829	8 401	5 455	2 272	1 094	553	54
青森	3 015	1 130	988	454	265	145	33
岩手	4 399	1 624	1 434	712	425	164	40
宮城	6 901	2 813	2 054	1 008	674	295	57
秋田	3 482	1 376	1 141	571	261	123	10
山形	1 989	728	631	356	163	92	19
福島	5 521	1 924	1 798	968	558	251	22
茨城	7 142	2 403	2 253	1 407	726	330	23
栃木	4 583	1 710	1 361	724	490	236	62
群馬	4 994	1 916	1 541	814	473	225	25
埼玉	16 935	7 003	5 046	2 668	1 408	715	95
千葉	19 516	7 879	5 931	3 260	1 587	743	116
東京	43 977	17 099	13 761	7 349	3 695	1 707	366
神奈川	29 088	10 190	10 000	5 005	2 488	1 250	155
新潟	4 642	1 822	1 541	783	349	129	18
富山	4 014	1 622	1 181	725	324	150	12
石川	2 516	989	785	421	197	115	9
福井	1 319	518	439	229	86	38	9
山梨	3 971	1 116	1 372	918	349	205	11
長野	8 572	3 493	2 440	1 427	754	356	102
岐阜	5 050	1 794	1 581	883	474	244	74
静岡	7 799	3 321	2 189	1 243	666	279	101
愛知	17 354	6 492	5 855	2 902	1 315	716	74
三重	6 614	2 527	1 996	1 056	660	323	52
滋賀	5 407	2 089	1 755	892	435	215	21
京都	5 907	2 259	2 187	905	355	185	16
大阪	34 887	11 601	11 647	6 261	3 249	1 941	188
兵庫	17 145	6 998	4 910	2 818	1 526	814	79
奈良	3 863	1 213	1 316	760	337	212	25
和歌山	4 056	1 393	1 178	750	498	227	10
鳥取	1 551	556	501	255	144	85	10
島根	3 358	1 526	1 045	487	206	75	19
岡山	5 473	2 187	1 801	853	374	221	37
広島	6 645	2 569	1 964	1 123	584	375	30
山口	6 156	2 643	1 780	950	498	244	41
徳島	1 721	660	546	273	132	108	2
香川	3 041	1 186	905	510	263	167	10
愛媛	5 022	1 955	1 411	852	456	319	29
高知	3 045	1 298	892	481	276	88	10
福岡	12 896	5 396	3 668	1 936	1 096	692	108
佐賀	2 143	841	522	377	235	121	47
長崎	4 276	1 859	1 248	638	321	174	36
熊本	5 823	2 166	1 655	1 016	641	304	41
大分	2 110	888	542	307	200	145	28
宮崎	3 695	1 393	1 008	663	374	233	24
鹿児島	6 204	2 220	1 553	1 101	785	501	44
沖縄	2 706	739	763	521	425	234	24

注：調査方法の変更等による回収率変動の影響を受けているため、数量を示す利用者数の実数は前年と単純に年次比較できない。

平成29年９月中

都道府県 指定都市 中核市	地域密着型通所介護						
	総数	要介護１	要介護２	要介護３	要介護４	要介護５	その他
指定都市(再掲)							
札幌市	6 161	2 958	1 809	739	399	234	22
仙台市	2 676	1 346	756	271	200	85	18
さいたま市	2 315	931	689	403	192	82	18
千葉市	2 890	1 373	767	432	220	93	5
横浜市	11 494	3 230	4 497	2 169	1 010	537	51
川崎市	3 967	1 606	1 126	606	380	200	49
相模原市	2 715	791	1 055	509	243	105	12
新潟市	1 960	736	700	353	118	47	6
静岡市	210	67	58	33	35	17	-
浜松市	1 871	996	462	224	124	44	21
名古屋市	6 787	2 187	2 563	1 246	473	269	49
京都市	4 062	1 499	1 553	618	250	134	8
大阪市	12 462	3 600	4 317	2 366	1 327	787	65
堺市	3 584	1 289	1 127	615	353	190	10
神戸市	3 946	1 461	1 186	664	383	238	14
岡山市	2 236	832	748	351	151	132	22
広島市	2 822	1 060	908	467	220	156	11
北九州市	3 781	1 620	1 107	574	284	186	10
福岡市	4 133	1 689	1 214	631	332	218	49
熊本市	2 057	824	548	337	209	122	17
中核市(再掲)							
旭川市	1 179	577	327	156	74	42	3
函館市	526	240	141	75	43	24	3
青森市	998	408	305	152	89	41	3
八戸市	634	175	258	120	46	20	15
盛岡市	1 250	475	388	187	118	68	14
秋田市	984	415	306	150	62	50	1
郡山市	802	373	222	108	74	25	-
いわき市	1 567	472	535	300	172	86	2
宇都宮市	1 143	407	370	174	117	61	14
前橋市	929	385	239	152	104	47	2
高崎市	907	350	263	134	105	50	5
川越市	816	366	213	148	55	25	9
越谷市	806	396	219	105	61	25	-
船橋市	2 089	853	687	338	151	52	8
柏市	1 237	527	340	197	107	53	13
八王子市	2 251	1 203	592	249	144	56	7
横須賀市	1 538	690	435	242	116	52	3
富山市	1 601	542	517	349	127	63	3
金沢市	1 425	528	463	246	112	72	4
長野市	1 561	699	381	238	155	79	9
岐阜市	971	301	330	178	100	42	20
豊橋市	1 011	408	311	149	91	52	-
豊田市	883	368	266	136	73	39	1
岡崎市	982	470	244	158	80	29	1
大津市	1 797	577	653	338	145	79	5
高槻市	824	424	219	101	49	30	1
東大阪市	2 241	759	726	431	198	123	4
豊中市	1 343	505	447	240	97	54	-
枚方市	1 594	384	596	338	145	123	8
姫路市	1 785	795	420	299	158	104	9
西宮市	1 430	613	338	302	105	67	5
尼崎市	1 835	718	582	283	170	76	6
奈良市	1 115	374	344	221	102	64	10
和歌山市	1 816	585	530	347	227	124	3
倉敷市	1 036	426	344	151	80	32	3
福山市	1 229	549	279	197	112	82	10
呉市	316	163	85	38	19	6	5
下関市	1 585	749	442	226	118	45	5
高松市	1 673	650	522	254	139	103	5
松山市	1 556	620	384	252	148	147	5
高知市	1 592	740	418	228	157	47	2
久留米市	640	268	199	98	38	34	3
長崎市	1 913	832	601	273	127	77	3
佐世保市	421	200	110	55	31	20	5
大分市	559	194	142	82	83	57	1
宮崎市	1 044	529	221	155	69	52	18
鹿児島市	2 826	1 028	603	515	392	286	2
那覇市	323	119	79	69	37	16	3

都道府県 指定都市 中核市	認知症対応型通所介護						
	総数	要介護１	要介護２	要介護３	要介護４	要介護５	その他
全国	54 741	13 483	13 634	13 431	7 894	6 120	179
北海道	2 114	605	571	473	291	165	9
青森	670	158	179	166	87	77	3
岩手	737	200	207	164	115	50	1
宮城	787	202	236	168	110	71	-
秋田	417	118	105	110	47	36	1
山形	984	229	306	250	127	71	1
福島	1 335	276	360	342	213	142	2
茨城	466	110	121	123	64	46	2
栃木	471	125	104	110	68	64	-
群馬	835	237	184	225	108	80	1
埼玉	1 496	387	370	359	191	184	5
千葉	1 219	272	299	324	188	130	6
東京	7 919	1 306	1 647	2 014	1 474	1 448	30
神奈川	3 248	656	797	866	474	445	10
新潟	1 303	295	372	323	173	139	1
富山	862	227	226	213	132	64	-
石川	563	175	165	125	60	38	-
福井	913	293	238	192	107	82	1
山梨	246	29	62	83	45	26	1
長野	1 154	286	258	313	151	134	12
岐阜	764	211	192	192	105	60	4
静岡	1 941	486	428	462	304	252	9
愛知	2 041	517	532	529	272	183	8
三重	749	194	218	182	95	56	4
滋賀	1 114	357	307	249	115	82	4
京都	1 697	360	418	490	251	169	9
大阪	3 800	917	909	903	527	537	7
兵庫	2 434	650	592	634	322	230	6
奈良	359	70	77	100	62	48	2
和歌山	344	103	96	86	41	18	-
鳥取	439	131	142	93	47	25	1
島根	694	199	196	167	86	46	-
岡山	653	200	173	170	74	36	-
広島	925	271	228	219	121	85	1
山口	1 113	342	253	242	165	102	9
徳島	267	62	84	73	30	17	1
香川	403	126	109	88	41	38	1
愛媛	678	163	153	208	86	66	2
高知	601	168	166	139	83	43	2
福岡	1 396	414	364	304	182	123	9
佐賀	475	162	123	76	79	35	-
長崎	1 107	344	285	233	139	102	4
熊本	1 004	263	281	241	133	86	-
大分	825	287	212	141	116	62	7
宮崎	197	63	60	40	19	13	2
鹿児島	764	211	179	160	130	84	-
沖縄	218	26	50	67	44	30	1

注：調査方法の変更等による回収率変動の影響を受けているため、数量を示す利用者数の実数は前年以前と単純に年次比較できない。

地域密着型サービスの種類、要介護度別（８－４）

平成29年９月中

都道府県 指定都市 中核市	認知症対応型通所介護						
	総数	要介護１	要介護２	要介護３	要介護４	要介護５	その他
指定都市(再掲)							
札幌市	781	206	190	178	125	78	4
仙台市	412	123	130	70	50	39	－
さいたま市	185	43	37	46	29	29	1
千葉市	99	21	20	23	17	18	－
横浜市	1 409	247	353	375	228	201	5
川崎市	687	155	157	177	92	105	1
相模原市	166	22	33	56	26	29	－
新潟市	228	47	66	62	32	21	－
静岡市	582	130	127	137	101	81	6
浜松市	302	87	63	61	50	41	－
名古屋市	481	120	114	138	61	45	3
京都市	551	99	119	159	90	81	3
大阪市	1 605	395	359	366	202	280	3
堺市	276	85	69	64	33	25	－
神戸市	469	129	115	116	60	47	2
岡山市	141	32	38	46	17	8	－
広島市	206	33	54	50	39	30	－
北九州市	490	115	124	125	78	48	－
福岡市	247	58	55	51	42	32	9
熊本市	466	112	127	123	53	51	－
中核市(再掲)							
旭川市	165	40	55	31	25	14	－
函館市	74	27	10	8	16	13	－
青森市	151	31	30	27	28	35	－
八戸市	139	28	36	42	18	15	－
盛岡市	166	23	49	48	29	17	－
秋田市	74	15	20	27	6	6	－
郡山市	126	23	32	30	26	15	－
いわき市	140	13	38	48	27	13	1
宇都宮市	154	30	32	43	23	26	－
前橋市	182	71	25	42	18	26	－
高崎市	245	57	62	69	32	25	－
川越市	99	11	21	32	19	16	－
越谷市	127	50	31	22	11	13	－
船橋市	97	18	28	25	15	10	1
柏市	58	14	10	18	11	5	－
八王子市	287	67	64	60	44	50	2
横須賀市	318	91	71	72	48	34	2
富山市	258	40	68	90	36	24	－
金沢市	87	27	27	17	8	8	－
長野市	117	27	23	23	23	19	2
岐阜市	130	23	41	29	26	11	－
豊橋市	94	15	25	23	18	13	－
豊田市	176	51	44	35	32	14	－
岡崎市	145	34	36	49	13	13	－
大津市	195	35	54	54	23	27	2
高槻市	147	48	32	32	11	24	－
東大阪市	184	41	56	40	20	26	1
豊中市	64	9	16	13	14	12	－
枚方市	38	5	5	12	12	4	－
姫路市	38	14	9	8	4	3	－
西宮市	201	43	30	64	35	29	－
尼崎市	222	35	44	70	41	30	2
奈良市	188	34	32	51	33	38	－
和歌山市	147	27	41	40	30	9	－
倉敷市	171	50	44	49	20	8	－
福山市	195	81	42	38	21	12	1
呉市	105	43	25	17	9	11	－
下関市	180	42	37	45	33	23	－
高松市	179	34	53	45	23	23	1
松山市	249	73	34	90	27	23	2
高知市	314	93	91	72	37	21	－
久留米市	89	28	24	15	12	10	－
長崎市	375	68	112	99	46	48	2
佐世保市	401	198	92	64	34	12	1
大分市	251	53	70	53	55	20	－
宮崎市	102	42	29	17	6	6	2
鹿児島市	306	76	59	67	63	41	－
那覇市	9	3	1	1	3	1	－

都道府県 指定都市 中核市	小規模多機能型居宅介護 総数	要介護１	要介護２	要介護３	要介護４	要介護５	その他
全国	82 363	23 695	22 570	17 490	11 602	6 692	314
北海道	5 204	1 644	1 489	995	693	374	9
青森	680	190	187	154	80	64	5
岩手	1 376	382	403	299	198	89	5
宮城	1 002	329	259	196	142	72	4
秋田	1 157	355	307	257	137	98	3
山形	1 924	506	549	402	276	185	6
福島	1 890	482	503	444	262	192	7
茨城	1 218	340	350	272	172	77	7
栃木	1 227	389	311	268	150	101	8
群馬	1 843	449	431	453	312	198	-
埼玉	1 778	504	528	369	239	121	17
千葉	1 909	569	543	375	244	167	11
東京	2 880	757	808	626	400	272	17
神奈川	4 047	1 041	1 058	923	622	376	27
新潟	3 448	924	1 038	777	478	218	13
富山	1 206	382	335	290	139	57	3
石川	1 364	501	405	267	126	63	2
福井	1 313	404	371	291	167	78	2
山梨	282	54	85	86	40	17	-
長野	1 423	416	366	309	210	114	8
岐阜	1 296	315	394	279	187	117	4
静岡	2 191	627	605	458	315	169	17
愛知	2 599	785	711	517	350	224	12
三重	923	253	277	178	134	77	4
滋賀	1 191	342	353	235	165	95	1
京都	2 584	615	749	708	351	160	1
大阪	2 950	733	789	659	440	315	14
兵庫	3 765	989	956	819	625	360	16
奈良	576	137	186	119	74	60	-
和歌山	735	168	184	166	125	90	2
鳥取	867	247	255	182	123	58	2
島根	1 341	416	388	285	174	77	1
岡山	2 612	785	756	509	325	220	17
広島	3 232	926	845	696	490	266	9
山口	1 368	465	369	264	174	86	10
徳島	610	155	177	134	97	46	1
香川	690	235	209	141	72	32	1
愛媛	1 562	415	370	308	284	179	6
高知	537	154	146	104	80	51	2
福岡	3 798	1 292	981	691	514	310	10
佐賀	696	271	169	118	92	46	-
長崎	1 965	581	515	420	289	151	9
熊本	2 483	729	659	532	365	192	6
大分	722	262	202	106	89	57	6
宮崎	880	349	236	164	76	50	5
鹿児島	2 049	634	532	414	310	159	-
沖縄	970	197	231	231	195	112	4

注：調査方法の変更等による回収率変動の影響を受けているため、数量を示す利用者数の実数は前年以前と単純に年次比較できない。

地域密着型サービスの種類、要介護度別（８－５）

平成29年９月中

都道府県 指定都市 中核市	小規模多機能型居宅介護						
	総数	要介護１	要介護２	要介護３	要介護４	要介護５	その他
指定都市(再掲)							
札幌市	2 347	698	657	471	340	180	1
仙台市	577	212	141	106	79	37	2
さいたま市	225	46	76	52	33	14	4
千葉市	231	94	57	40	26	14	-
横浜市	1 749	340	457	434	307	197	14
川崎市	626	185	156	142	86	52	5
相模原市	284	78	87	66	29	24	-
新潟市	1 115	265	343	269	163	72	3
静岡市	487	143	127	104	65	42	6
浜松市	397	145	106	66	52	23	5
名古屋市	995	248	295	231	138	80	3
京都市	1 377	255	393	419	206	103	1
大阪市	850	236	232	176	116	86	4
堺市	337	73	69	82	56	55	2
神戸市	691	203	172	135	98	82	1
岡山市	1 066	297	314	190	145	112	8
広島市	531	136	151	130	63	48	3
北九州市	690	245	178	128	92	44	3
福岡市	646	187	161	137	100	61	-
熊本市	918	246	227	188	151	105	1
中核市(再掲)							
旭川市	226	88	66	28	23	21	-
函館市	340	81	110	55	54	37	3
青森市	80	19	34	10	11	6	-
八戸市	204	54	57	56	19	15	3
盛岡市	128	22	45	25	23	13	-
秋田市	407	111	104	100	50	41	1
郡山市	538	179	177	85	64	32	1
いわき市	378	46	84	107	62	76	3
宇都宮市	283	95	72	56	37	20	3
前橋市	242	82	58	37	36	29	-
高崎市	482	107	112	123	80	60	-
川越市	55	15	18	11	7	4	-
越谷市	105	35	31	21	11	4	3
船橋市	116	21	28	27	25	14	1
柏市	103	39	32	9	8	15	-
八王子市	251	82	80	36	33	20	-
横須賀市	106	35	36	16	15	4	-
富山市	382	100	113	100	44	25	-
金沢市	384	138	120	75	37	14	-
長野市	108	30	21	21	22	14	-
岐阜市	305	63	109	68	41	22	2
豊橋市	47	15	21	7	4	-	-
豊田市	30	16	10	3	1	-	-
岡崎市	48	18	9	13	6	2	-
大津市	211	42	69	50	30	20	-
高槻市	115	34	39	17	17	7	1
東大阪市	35	5	7	11	9	3	-
豊中市	336	71	93	81	52	39	-
枚方市	77	13	25	14	17	8	-
姫路市	449	94	99	90	111	52	3
西宮市	51	18	6	12	11	4	-
尼崎市	221	50	56	49	36	30	-
奈良市	108	21	31	26	17	13	-
和歌山市	431	87	110	94	86	54	-
倉敷市	550	171	163	127	57	30	2
福山市	1 321	405	316	222	230	144	4
呉市	127	58	15	27	18	9	-
下関市	310	142	78	46	31	10	3
高松市	196	48	73	45	16	13	1
松山市	635	183	146	113	109	79	5
高知市	293	85	72	57	47	31	1
久留米市	650	213	194	125	72	43	3
長崎市	551	124	185	134	74	34	-
佐世保市	828	263	174	161	148	74	8
大分市	182	50	57	38	25	12	-
宮崎市	436	208	100	66	26	31	5
鹿児島市	448	144	96	93	69	46	-
那覇市	245	44	56	70	49	26	-

都道府県 指定都市 中核市	認知症対応型共同生活介護						
	総数	要介護1	要介護2	要介護3	要介護4	要介護5	その他
全国	177 201	33 817	45 102	47 103	30 395	20 545	239
北海道	13 993	2 723	3 600	3 491	2 361	1 811	7
青森	4 566	750	1 171	1 348	820	467	10
岩手	2 264	382	591	717	375	197	2
宮城	3 503	806	970	817	585	324	1
秋田	2 478	491	757	724	335	166	5
山形	2 029	413	559	584	314	157	2
福島	3 093	472	738	940	559	381	3
茨城	3 854	733	991	1 023	648	449	10
栃木	1 870	380	433	562	318	173	4
群馬	2 481	421	555	650	467	384	4
埼玉	6 639	1 252	1 755	1 706	1 117	796	13
千葉	5 943	976	1 400	1 628	1 131	794	14
東京	8 230	1 455	2 207	2 294	1 359	906	9
神奈川	9 676	1 737	2 331	2 698	1 699	1 198	13
新潟	3 359	753	1 078	971	361	190	6
富山	1 896	381	532	610	245	119	9
石川	2 596	654	760	645	336	201	-
福井	1 163	288	391	303	116	61	4
山梨	866	106	205	316	144	95	-
長野	2 597	507	716	660	432	271	11
岐阜	3 675	604	1 007	989	654	420	1
静岡	4 989	1 155	1 191	1 255	829	545	14
愛知	7 504	1 905	2 098	1 714	1 040	745	2
三重	2 152	415	578	543	355	259	2
滋賀	1 687	312	476	478	245	174	2
京都	2 929	316	784	970	533	325	1
大阪	9 196	1 417	2 053	2 538	1 705	1 465	18
兵庫	5 870	1 252	1 553	1 529	900	631	5
奈良	1 539	264	404	406	247	215	3
和歌山	1 689	234	405	468	329	250	3
鳥取	1 175	231	342	313	187	102	-
島根	1 813	375	516	479	278	164	1
岡山	4 046	743	1 039	1 105	650	505	4
広島	5 040	893	1 325	1 261	880	674	7
山口	2 384	469	588	662	398	266	1
徳島	2 076	340	473	570	407	282	4
香川	1 575	317	441	405	227	184	1
愛媛	4 532	882	1 000	1 160	850	636	4
高知	2 153	427	571	591	356	204	4
福岡	8 708	1 806	2 062	2 077	1 679	1 071	13
佐賀	1 944	501	471	448	322	201	1
長崎	4 311	870	1 014	1 117	846	455	9
熊本	2 972	479	656	832	605	399	1
大分	1 804	415	434	391	335	226	3
宮崎	2 150	448	520	532	413	234	3
鹿児島	5 380	1 002	1 202	1 340	1 162	670	4
沖縄	812	65	159	243	241	103	1

注：調査方法の変更等による回収率変動の影響を受けているため、数量を示す利用者数の実数は前年以前と単純に年次比較できない。

地域密着型サービスの種類、要介護度別（８－６）

平成29年９月末

都道府県 指定都市 中核市	認知症対応型共同生活介護						
	総数	要介護１	要介護２	要介護３	要介護４	要介護５	その他
指定都市(再掲)							
札幌市	3 764	768	918	928	627	519	4
仙台市	1 550	412	465	275	246	151	1
さいたま市	931	193	221	234	176	104	3
千葉市	1 398	225	305	381	289	195	3
横浜市	4 289	757	1 021	1 247	746	516	2
川崎市	1 603	326	402	400	275	195	5
相模原市	842	149	190	249	157	96	1
新潟市	699	127	287	197	56	32	-
静岡市	1 521	288	378	406	270	174	5
浜松市	1 010	321	248	190	151	95	5
名古屋市	2 783	569	746	693	411	363	1
京都市	1 690	165	424	557	330	214	-
大阪市	3 265	626	732	805	610	491	1
堺市	1 095	183	250	321	172	168	1
神戸市	1 817	349	443	506	284	233	2
岡山市	1 411	244	354	351	236	225	1
広島市	2 319	373	674	616	364	289	3
北九州市	1 994	348	513	507	372	247	7
福岡市	1 740	337	390	433	334	245	1
熊本市	886	140	201	253	172	120	-
中核市(再掲)							
旭川市	1 234	253	310	224	211	236	-
函館市	761	108	176	207	161	108	1
青森市	884	94	173	290	182	145	-
八戸市	438	43	108	151	80	56	-
盛岡市	398	65	105	118	69	41	-
秋田市	353	75	116	104	43	15	-
郡山市	596	136	160	126	109	65	-
いわき市	553	56	98	207	102	89	1
宇都宮市	360	66	92	115	56	28	3
前橋市	338	81	67	63	73	52	2
高崎市	535	96	129	127	100	81	2
川越市	286	45	79	85	48	29	-
越谷市	241	63	65	53	36	24	-
船橋市	663	89	155	196	126	96	1
柏市	324	62	88	86	51	37	-
八王子市	311	78	81	64	49	39	-
横須賀市	574	77	133	151	118	95	-
富山市	484	61	136	181	61	40	5
金沢市	796	176	235	194	119	72	-
長野市	617	133	165	148	100	67	4
岐阜市	738	97	166	214	150	111	-
豊橋市	383	114	114	97	37	21	-
豊田市	417	146	131	73	49	18	-
岡崎市	323	101	88	73	44	17	-
大津市	566	63	133	164	114	92	-
高槻市	351	76	121	77	46	31	-
東大阪市	502	56	116	140	108	82	-
豊中市	465	51	105	145	85	76	3
枚方市	362	38	66	118	56	83	1
姫路市	509	142	158	112	70	25	2
西宮市	288	62	77	79	40	30	-
尼崎市	338	53	100	90	55	40	-
奈良市	359	43	90	88	80	57	1
和歌山市	751	85	172	221	147	123	3
倉敷市	1 043	158	271	310	176	128	-
福山市	1 017	193	214	200	219	188	3
呉市	278	109	70	53	34	12	-
下関市	308	50	77	99	55	26	1
高松市	713	94	190	210	107	111	1
松山市	1 774	413	359	390	334	275	3
高知市	759	170	222	205	114	46	2
久留米市	763	111	192	211	154	95	-
長崎市	922	105	263	244	190	117	3
佐世保市	806	234	166	212	122	69	3
大分市	525	50	139	121	115	99	1
宮崎市	643	187	156	119	94	84	3
鹿児島市	1 775	347	398	407	379	243	1
那覇市	219	14	32	78	66	29	-

第17表　利用者数，都道府県－指定都市・中核市（再掲）、

都道府県 指定都市 中核市	地域密着型特定施設入居者生活介護 総数	要介護1	要介護2	要介護3	要介護4	要介護5	要介護認定申請中
全国	6 456	1 199	1 641	1 332	1 356	904	24
北海道	677	141	192	129	130	85	－
青森	75	11	25	16	14	9	－
岩手	127	26	32	32	27	10	－
宮城	48	5	16	14	10	3	－
秋田	231	52	68	42	33	35	1
山形	－	－	－	－	－	－	－
福島	129	21	27	26	27	27	1
茨城	28	4	5	3	9	7	－
栃木	－	－	－	－	－	－	－
群馬	45	8	8	15	7	7	－
埼玉	206	38	65	39	36	28	－
千葉	242	66	62	42	46	25	1
東京	101	13	23	19	25	20	1
神奈川	246	46	48	36	56	58	2
新潟	149	21	40	32	34	21	1
富山	－	－	－	－	－	－	－
石川	28	8	1	4	7	8	－
福井	－	－	－	－	－	－	－
山梨	93	14	25	15	21	18	－
長野	344	60	61	68	91	62	2
岐阜	132	15	34	35	25	22	1
静岡	407	105	96	70	86	48	2
愛知	325	56	80	72	73	44	－
三重	71	11	28	17	8	6	1
滋賀	－	－	－	－	－	－	－
京都	277	44	85	76	51	21	－
大阪	226	39	57	46	51	31	2
兵庫	120	19	18	26	24	33	－
奈良	－	－	－	－	－	－	－
和歌山	190	48	46	42	41	13	－
鳥取	63	7	23	13	14	6	－
島根	39	16	9	5	7	2	－
岡山	133	22	39	32	20	18	2
広島	28	6	5	4	9	4	－
山口	114	30	31	19	14	15	5
徳島	－	－	－	－	－	－	－
香川	84	12	26	14	17	15	－
愛媛	－	－	－	－	－	－	－
高知	220	40	48	59	46	27	－
福岡	305	59	87	68	57	34	－
佐賀	71	7	19	11	24	10	－
長崎	－	－	－	－	－	－	－
熊本	245	44	69	64	44	23	1
大分	199	32	51	35	47	34	－
宮崎	－	－	－	－	－	－	－
鹿児島	335	47	73	67	93	55	－
沖縄	103	6	19	25	32	20	1

注：調査方法の変更等による回収率変動の影響を受けているため、数量を示す利用者数の実数は前年以前と単純に年次比較できない。

平成29年９月末

都道府県 指定都市 中核市	地域密着型特定施設入居者生活介護						
	総数	要介護１	要介護２	要介護３	要介護４	要介護５	要介護認定申請中
指定都市(再掲)							
札幌市	15	2	6	2	3	2	－
仙台市	－	－	－	－	－	－	－
さいたま市	29	6	11	3	2	7	－
千葉市	29	8	8	7	4	2	－
横浜市	12	1	4	3	3	1	－
川崎市	－	－	－	－	－	－	－
相模原市	－	－	－	－	－	－	－
新潟市	29	5	8	8	5	2	1
静岡市	147	32	42	25	29	17	2
浜松市	193	61	44	29	41	18	－
名古屋市	101	11	21	25	27	17	－
京都市	192	26	59	53	40	14	－
大阪市	120	19	32	25	29	15	－
堺市	－	－	－	－	－	－	－
神戸市	－	－	－	－	－	－	－
岡山市	－	－	－	－	－	－	－
広島市	－	－	－	－	－	－	－
北九州市	－	－	－	－	－	－	－
福岡市	16	2	5	4	5	－	－
熊本市	20	5	6	4	2	3	－
中核市(再掲)							
旭川市	－	－	－	－	－	－	－
函館市	367	52	84	77	87	67	－
青森市	29	6	11	7	3	2	－
八戸市	17	2	5	3	2	5	－
盛岡市	－	－	－	－	－	－	－
秋田市	－	－	－	－	－	－	－
郡山市	29	9	8	4	4	4	－
いわき市	27	2	1	9	4	11	－
宇都宮市	－	－	－	－	－	－	－
前橋市	－	－	－	－	－	－	－
高崎市	－	－	－	－	－	－	－
川越市	41	6	9	14	10	2	－
越谷市	－	－	－	－	－	－	－
船橋市	81	31	20	12	12	6	－
柏市	－	－	－	－	－	－	－
八王子市	－	－	－	－	－	－	－
横須賀市	－	－	－	－	－	－	－
富山市	－	－	－	－	－	－	－
金沢市	－	－	－	－	－	－	－
長野市	215	32	31	43	66	42	1
岐阜市	57	1	15	15	13	13	－
豊橋市	－	－	－	－	－	－	－
豊田市	－	－	－	－	－	－	－
岡崎市	78	17	20	18	13	10	－
大津市	－	－	－	－	－	－	－
高槻市	39	11	8	10	5	3	2
東大阪市	－	－	－	－	－	－	－
豊中市	－	－	－	－	－	－	－
枚方市	－	－	－	－	－	－	－
姫路市	－	－	－	－	－	－	－
西宮市	－	－	－	－	－	－	－
尼崎市	41	6	3	9	9	14	－
奈良市	－	－	－	－	－	－	－
和歌山市	50	14	13	14	6	3	－
倉敷市	44	7	18	13	4	2	－
福山市	－	－	－	－	－	－	－
呉市	－	－	－	－	－	－	－
下関市	－	－	－	－	－	－	－
高松市	11	－	2	5	－	4	－
松山市	－	－	－	－	－	－	－
高知市	142	27	34	37	28	16	－
久留米市	－	－	－	－	－	－	－
長崎市	－	－	－	－	－	－	－
佐世保市	－	－	－	－	－	－	－
大分市	－	－	－	－	－	－	－
宮崎市	－	－	－	－	－	－	－
鹿児島市	83	17	25	17	15	9	－
那覇市	56	5	10	10	22	8	1

都道府県 指定都市 中核市	複合型サービス（看護小規模多機能型居宅介護）						
	総数	要介護１	要介護２	要介護３	要介護４	要介護５	その他
全国	6 856	1 144	1 483	1 385	1 387	1 402	55
北海道	710	139	170	148	158	91	4
青森	93	13	23	18	15	23	1
岩手	20	1	8	5	3	2	1
宮城	176	35	42	33	30	36	-
秋田	90	13	17	19	14	27	-
山形	86	22	22	12	17	13	-
福島	115	8	25	17	25	37	3
茨城	81	14	16	12	19	18	2
栃木	45	10	15	7	8	5	-
群馬	175	27	53	42	31	22	-
埼玉	162	24	40	29	37	32	-
千葉	124	18	20	23	36	26	1
東京	389	67	85	81	64	86	6
神奈川	441	58	78	95	84	123	3
新潟	147	13	25	39	33	37	-
富山	42	5	8	8	13	7	1
石川	22	10	6	2	2	2	-
福井	170	28	43	33	36	29	1
山梨	59	9	14	12	8	16	-
長野	39	7	11	7	6	8	-
岐阜	114	16	32	28	14	19	5
静岡	246	42	57	47	53	45	2
愛知	171	32	31	24	42	42	-
三重	91	25	23	16	12	15	-
滋賀	119	17	30	25	15	28	4
京都	161	27	37	48	26	22	1
大阪	517	58	114	83	115	138	9
兵庫	327	51	68	69	63	74	2
奈良	37	8	4	11	6	8	-
和歌山	100	20	22	28	19	11	-
鳥取	21	5	-	7	6	3	-
島根	110	10	14	24	31	30	1
岡山	90	12	23	15	23	15	2
広島	264	48	50	53	60	51	2
山口	15	1	4	1	3	6	-
徳島	26	5	5	8	2	6	-
香川	49	9	10	7	6	17	-
愛媛	142	25	22	20	27	48	-
高知	40	11	4	7	12	6	-
福岡	311	50	79	60	61	61	-
佐賀	98	32	15	20	15	15	1
長崎	128	30	20	37	27	12	2
熊本	145	30	27	28	36	24	-
大分	165	31	36	34	38	25	1
宮崎	69	14	15	19	12	9	-
鹿児島	91	9	17	20	18	27	-
沖縄	23	5	3	4	6	5	-

注：調査方法の変更等による回収率変動の影響を受けているため、数量を示す利用者数の実数は前年以前と単純に年次比較できない。

地域密着型サービスの種類、要介護度別（８－８）

平成29年９月中

都道府県 指定都市 中核市	複合型サービス（看護小規模多機能型居宅介護）						
	総数	要介護１	要介護２	要介護３	要介護４	要介護５	その他
指定都市(再掲)							
札幌市	416	82	98	69	97	66	4
仙台市	116	25	29	18	19	25	-
さいたま市	14	1	2	2	2	7	-
千葉市	-	-	-	-	-	-	-
横浜市	195	18	24	37	48	66	2
川崎市	57	8	12	12	7	18	-
相模原市	10	-	3	3	3	1	-
新潟市	79	5	13	26	11	24	-
静岡市	130	30	36	31	18	13	2
浜松市	21	4	2	5	7	3	-
名古屋市	58	7	10	10	17	14	-
京都市	85	4	23	32	12	13	1
大阪市	152	13	30	30	30	48	1
堺市	162	12	48	19	50	33	-
神戸市	123	18	23	28	25	28	1
岡山市	12	4	2	2	3	1	-
広島市	28	10	8	3	4	3	-
北九州市	12	2	2	4	3	1	-
福岡市	46	12	11	9	5	9	-
熊本市	102	28	21	18	19	16	-
中核市(再掲)							
旭川市	-	-	-	-	-	-	-
函館市	92	24	28	17	16	7	-
青森市	27	5	7	6	4	5	-
八戸市	41	8	16	6	4	6	1
盛岡市	-	-	-	-	-	-	-
秋田市	14	3	4	1	2	4	-
郡山市	-	-	-	-	-	-	-
いわき市	-	-	-	-	-	-	-
宇都宮市	-	-	-	-	-	-	-
前橋市	-	-	-	-	-	-	-
高崎市	115	19	37	27	18	14	-
川越市	28	4	8	7	5	4	-
越谷市	-	-	-	-	-	-	-
船橋市	-	-	-	-	-	-	-
柏市	-	-	-	-	-	-	-
八王子市	20	6	3	-	3	8	-
横須賀市	-	-	-	-	-	-	-
富山市	42	5	8	8	13	7	1
金沢市	22	10	6	2	2	2	-
長野市	19	4	3	3	5	4	-
岐阜市	-	-	-	-	-	-	-
豊橋市	57	11	12	6	14	14	-
豊田市	-	-	-	-	-	-	-
岡崎市	-	-	-	-	-	-	-
大津市	24	3	6	4	5	5	1
高槻市	20	5	2	3	5	5	-
東大阪市	-	-	-	-	-	-	-
豊中市	-	-	-	-	-	-	-
枚方市	-	-	-	-	-	-	-
姫路市	-	-	-	-	-	-	-
西宮市	-	-	-	-	-	-	-
尼崎市	41	7	7	10	6	11	-
奈良市	23	6	2	9	2	4	-
和歌山市	71	13	10	20	17	11	-
倉敷市	57	3	17	8	15	13	1
福山市	107	29	19	14	23	21	1
呉市	-	-	-	-	-	-	-
下関市	-	-	-	-	-	-	-
高松市	11	-	-	1	3	7	-
松山市	80	14	13	9	16	28	-
高知市	40	11	4	7	12	6	-
久留米市	220	32	59	43	49	37	-
長崎市	61	11	11	15	18	6	-
佐世保市	22	2	2	8	5	3	2
大分市	98	19	25	28	17	9	-
宮崎市	18	3	3	5	4	3	-
鹿児島市	43	4	6	6	9	18	-
那覇市	-	-	-	-	-	-	-

第18表　利用者数，都道府県－指定都市・中核市（再掲）、

都道府県 指定都市 中核市	介護予防認知症対応型通所介護 総数	要支援1	要支援2	その他
全国	963	484	456	23
北海道	34	14	20	–
青森	13	9	4	–
岩手	14	9	5	–
宮城	18	10	8	–
秋田	11	5	5	1
山形	4	2	2	–
福島	22	12	10	–
茨城	8	2	6	–
栃木	27	11	16	–
群馬	24	9	15	–
埼玉	33	19	14	–
千葉	19	13	6	–
東京	44	17	27	–
神奈川	26	6	14	6
新潟	16	11	5	–
富山	21	10	11	–
石川	33	12	21	–
福井	21	13	8	–
山梨	1	1	–	–
長野	17	10	7	–
岐阜	18	8	9	1
静岡	35	18	17	–
愛知	26	10	15	1
三重	10	6	4	–
滋賀	33	19	14	–
京都	12	7	3	2
大阪	41	24	17	–
兵庫	72	41	30	1
奈良	6	3	3	–
和歌山	13	4	9	–
鳥取	7	2	5	–
島根	15	5	10	–
岡山	11	4	7	–
広島	38	23	15	–
山口	5	4	1	–
徳島	6	3	3	–
香川	17	9	8	–
愛媛	18	9	9	–
高知	14	12	2	–
福岡	26	12	12	2
佐賀	27	7	18	2
長崎	34	21	13	–
熊本	18	9	9	–
大分	29	15	7	7
宮崎	6	4	2	–
鹿児島	17	8	9	–
沖縄	3	2	1	–

注：調査方法の変更等による回収率変動の影響を受けているため、数量を示す利用者数の実数は前年以前と単純に年次比較できない。

地域密着型介護予防サービスの種類、要支援度別（３－１）

平成29年９月中

都道府県 指定都市 中核市	介護予防認知症対応型通所介護			
	総数	要支援１	要支援２	その他
指定都市(再掲)				
札幌市	5	3	2	-
仙台市	9	5	4	-
さいたま市	1	-	1	-
千葉市	1	-	1	-
横浜市	7	-	1	6
川崎市	10	3	7	-
相模原市	-	-	-	-
新潟市	5	5	-	-
静岡市	10	7	3	-
浜松市	3	2	1	-
名古屋市	9	3	6	-
京都市	-	-	-	-
大阪市	9	6	3	-
堺市	9	4	5	-
神戸市	5	5	-	-
岡山市	5	2	3	-
広島市	1	1	-	-
北九州市	1	1	-	-
福岡市	1	1	-	-
熊本市	4	3	1	-
中核市(再掲)				
旭川市	2	1	1	-
函館市	1	1	-	-
青森市	2	1	1	-
八戸市	1	1	-	-
盛岡市	1	-	1	-
秋田市	1	-	-	1
郡山市	2	2	-	-
いわき市	-	-	-	-
宇都宮市	3	3	-	-
前橋市	8	6	2	-
高崎市	4	1	3	-
川越市	1	1	-	-
越谷市	2	2	-	-
船橋市	-	-	-	-
柏市	-	-	-	-
八王子市	-	-	-	-
横須賀市	5	1	4	-
富山市	5	2	3	-
金沢市	1	1	-	-
長野市	1	1	-	-
岐阜市	2	1	1	-
豊橋市	-	-	-	-
豊田市	3	2	1	-
岡崎市	2	-	2	-
大津市	2	1	1	-
高槻市	3	3	-	-
東大阪市	4	2	2	-
豊中市	-	-	-	-
枚方市	-	-	-	-
姫路市	2	2	-	-
西宮市	12	2	10	-
尼崎市	1	1	-	-
奈良市	4	2	2	-
和歌山市	3	2	1	-
倉敷市	-	-	-	-
福山市	19	13	6	-
呉市	3	2	1	-
下関市	-	-	-	-
高松市	1	-	1	-
松山市	5	2	3	-
高知市	9	8	1	-
久留米市	1	-	1	-
長崎市	11	5	6	-
佐世保市	15	11	4	-
大分市	1	-	1	-
宮崎市	2	-	2	-
鹿児島市	3	-	3	-
那覇市	-	-	-	-

第18表　利用者数，都道府県－指定都市・中核市（再掲）、

都道府県 指定都市 中核市	介護予防小規模多機能型居宅介護 総数	要支援1	要支援2	その他
全国	10 448	4 585	5 799	64
北海道	646	301	341	4
青森	70	33	35	2
岩手	168	72	96	－
宮城	152	75	75	2
秋田	176	92	84	－
山形	244	89	153	2
福島	162	81	80	1
茨城	117	66	51	－
栃木	184	91	93	－
群馬	163	72	91	－
埼玉	182	76	105	1
千葉	213	94	119	－
東京	208	94	114	－
神奈川	428	153	268	7
新潟	456	169	284	3
富山	106	48	58	－
石川	210	82	127	1
福井	171	64	106	1
山梨	25	11	14	－
長野	193	84	107	2
岐阜	150	56	93	1
静岡	190	80	110	－
愛知	383	191	190	2
三重	145	62	82	1
滋賀	111	35	76	－
京都	193	70	123	－
大阪	351	153	193	5
兵庫	513	228	282	3
奈良	93	37	56	－
和歌山	90	29	60	1
鳥取	96	37	57	2
島根	211	97	114	－
岡山	409	176	233	－
広島	542	271	269	2
山口	167	90	73	4
徳島	103	48	54	1
香川	110	49	61	－
愛媛	217	103	114	－
高知	55	18	37	－
福岡	565	283	278	4
佐賀	152	55	97	－
長崎	353	146	202	5
熊本	323	139	182	2
大分	121	65	56	－
宮崎	127	33	90	4
鹿児島	330	162	167	1
沖縄	74	25	49	－

注：調査方法の変更等による回収率変動の影響を受けているため、数量を示す利用者数の実数は前年以前と単純に年次比較できない。

地域密着型介護予防サービスの種類、要支援度別（３－２）

平成29年９月中

都道府県 指定都市 中核市	介護予防小規模多機能型居宅介護			
	総数	要支援１	要支援２	その他
指定都市(再掲)				
札幌市	156	71	83	2
仙台市	89	44	45	−
さいたま市	18	6	12	−
千葉市	16	7	9	−
横浜市	107	36	67	4
川崎市	87	36	51	−
相模原市	70	18	52	−
新潟市	157	61	93	3
静岡市	34	17	17	−
浜松市	48	24	24	−
名古屋市	156	64	92	−
京都市	50	18	32	−
大阪市	133	56	74	3
堺市	23	11	12	−
神戸市	87	34	53	−
岡山市	169	83	86	−
広島市	52	20	32	−
北九州市	76	35	41	−
福岡市	48	20	28	−
熊本市	97	45	52	−
中核市(再掲)				
旭川市	58	29	28	1
函館市	70	29	41	−
青森市	1	−	1	−
八戸市	9	3	6	−
盛岡市	5	3	2	−
秋田市	76	41	35	−
郡山市	51	29	22	−
いわき市	22	8	13	1
宇都宮市	52	21	31	−
前橋市	43	21	22	−
高崎市	16	5	11	−
川越市	8	3	5	−
越谷市	11	5	6	−
船橋市	13	2	11	−
柏市	23	17	6	−
八王子市	15	9	6	−
横須賀市	15	9	6	−
富山市	25	11	14	−
金沢市	57	16	41	−
長野市	8	6	2	−
岐阜市	47	13	33	1
豊橋市	5	2	3	−
豊田市	5	3	2	−
岡崎市	9	4	5	−
大津市	34	5	29	−
高槻市	11	6	5	−
東大阪市	2	1	1	−
豊中市	31	14	17	−
枚方市	15	2	13	−
姫路市	32	18	14	−
西宮市	7	3	4	−
尼崎市	28	9	18	1
奈良市	16	10	6	−
和歌山市	46	13	33	−
倉敷市	83	32	51	−
福山市	263	153	109	1
呉市	64	31	32	1
下関市	31	14	16	1
高松市	15	5	10	−
松山市	108	57	51	−
高知市	32	10	22	−
久留米市	79	26	53	−
長崎市	60	18	41	1
佐世保市	171	69	100	2
大分市	11	6	5	−
宮崎市	83	14	65	4
鹿児島市	48	14	34	−
那覇市	9	3	6	

第18表　利用者数，都道府県－指定都市・中核市（再掲）、

都道府県 指定都市 中核市	介護予防認知症対応型共同生活介護		
	総数	要支援２	その他
全国	908	905	3
北海道	52	52	－
青森	16	16	－
岩手	9	9	－
宮城	13	13	－
秋田	17	17	－
山形	5	5	－
福島	14	14	－
茨城	27	27	－
栃木	11	11	－
群馬	11	11	－
埼玉	39	38	1
千葉	9	9	－
東京	22	22	－
神奈川	29	29	－
新潟	18	18	－
富山	9	9	－
石川	15	15	－
福井	3	3	－
山梨	2	2	－
長野	3	3	－
岐阜	20	20	－
静岡	42	42	－
愛知	59	59	－
三重	9	9	－
滋賀	2	2	－
京都	2	2	－
大阪	18	18	－
兵庫	38	38	－
奈良	8	8	－
和歌山	7	7	－
鳥取	3	3	－
島根	5	5	－
岡山	17	16	1
広島	31	31	－
山口	5	5	－
徳島	17	17	－
香川	5	5	－
愛媛	34	34	－
高知	8	8	－
福岡	68	68	－
佐賀	66	66	－
長崎	39	39	－
熊本	13	13	－
大分	16	16	－
宮崎	23	22	1
鹿児島	26	26	－
沖縄	3	3	－

注：調査方法の変更等による回収率変動の影響を受けているため、数量を示す利用者数の実数は前年以前と単純に年次比較できない。

地域密着型介護予防サービスの種類、要支援度別（３－３）

平成29年９月末

都道府県 指定都市 中核市	介護予防認知症対応型共同生活介護		
	総数	要支援２	その他
指定都市（再掲）			
札幌市	6	6	－
仙台市	7	7	－
さいたま市	4	4	－
千葉市	1	1	－
横浜市	9	9	－
川崎市	3	3	－
相模原市	2	2	－
新潟市	4	4	－
静岡市	10	10	－
浜松市	6	6	－
名古屋市	23	23	－
京都市	－	－	－
大阪市	7	7	－
堺市	－	－	－
神戸市	10	10	－
岡山市	3	3	－
広島市	9	9	－
北九州市	1	1	－
福岡市	11	11	－
熊本市	2	2	－
中核市（再掲）			
旭川市	4	4	－
函館市	3	3	－
青森市	1	1	－
八戸市	－	－	－
盛岡市	2	2	－
秋田市	2	2	－
郡山市	1	1	－
いわき市	1	1	－
宇都宮市	－	－	－
前橋市	3	3	－
高崎市	1	1	－
川越市	－	－	－
越谷市	－	－	－
船橋市	－	－	－
柏市	－	－	－
八王子市	－	－	－
横須賀市	1	1	－
富山市	1	1	－
金沢市	－	－	－
長野市	－	－	－
岐阜市	4	4	－
豊橋市	2	2	－
豊田市	8	8	－
岡崎市	6	6	－
大津市	1	1	－
高槻市	3	3	－
東大阪市	3	3	－
豊中市	－	－	－
枚方市	－	－	－
姫路市	3	3	－
西宮市	7	7	－
尼崎市	1	1	－
奈良市	2	2	－
和歌山市	2	2	－
倉敷市	6	5	1
福山市	11	11	－
呉市	7	7	－
下関市	－	－	－
高松市	－	－	－
松山市	17	17	－
高知市	2	2	－
久留米市	2	2	－
長崎市	4	4	－
佐世保市	8	8	－
大分市	1	1	－
宮崎市	14	13	1
鹿児島市	12	12	－
那覇市	－	－	

第Ⅳ編　用 語 の 定 義 等

介護保険施設

(1) **介護老人福祉施設**

老人福祉法に規定する特別養護老人ホーム（入所定員が30人以上であるものに限る。）で、かつ、介護保険法による都道府県知事の指定を受けた施設であって、入所する要介護者に対し、施設サービス計画に基づいて、入浴、排せつ、食事等の介護その他の日常生活上の世話、機能訓練、健康管理及び療養上の世話を行うことを目的とする施設

(2) **介護老人保健施設**

介護保険法による都道府県知事の開設許可を受けた施設であって、入所する要介護者に対し、施設サービス計画に基づいて、看護、医学的管理の下における介護及び機能訓練その他必要な医療並びに日常生活上の世話を行うことを目的とする施設

(3) **介護療養型医療施設**

医療法に規定する医療施設で、かつ、介護保険法による都道府県知事の指定を受けた施設であって、入院する要介護者に対し、施設サービス計画に基づいて、療養上の管理、看護、医学的管理の下における介護その他の世話及び機能訓練その他必要な医療を行うことを目的とする施設

居宅サービス

「居宅サービス」とは、訪問介護、訪問入浴介護、訪問看護、通所介護、通所リハビリテーション、短期入所生活介護、短期入所療養介護、特定施設入居者生活介護、福祉用具貸与及び特定福祉用具販売をいう。

介護予防サービス

「介護予防サービス」とは、介護予防訪問介護、介護予防訪問入浴介護、介護予防訪問看護、介護予防通所介護、介護予防通所リハビリテーション、介護予防短期入所生活介護、介護予防短期入所療養介護、介護予防特定施設入居者生活介護、介護予防福祉用具貸与及び特定介護予防福祉用具販売をいう。

地域密着型サービス

「地域密着型サービス」とは、定期巡回・随時対応型訪問介護看護、夜間対応型訪問介護、地域密着型通所介護、認知症対応型通所介護、小規模多機能型居宅介護、認知症対応型共同生活介護、地域密着型特定施設入居者生活介護、複合型サービス（看護小規模多機能型居宅介護）及び地域密着型介護老人福祉施設をいう。

地域密着型介護予防サービス

「地域密着型介護予防サービス」とは、介護予防認知症対応型通所介護、介護予防小規模多機能型居宅介護及び介護予防認知症対応型共同生活介護をいう。

居宅サービス・介護予防サービス

(1) **訪問介護、介護予防訪問介護**

居宅で介護福祉士等から受ける入浴、排せつ、食事等の介護その他の日常生活上の世話

(2) **訪問入浴介護、介護予防訪問入浴介護**

居宅を訪問し、浴槽を提供されて受ける入浴の介護

(3) **訪問看護、介護予防訪問看護**

居宅で看護師等から受ける療養上の世話又は必要な診療の補助

(4) **通所介護、介護予防通所介護**

老人デイサービスセンター等の施設に通って受ける入浴、排せつ、食事等の介護その他の日常生活上の世話及び機能訓練

(5) **通所リハビリテーション、介護予防通所リハビリテーション**

介護老人保健施設、病院・診療所に通って受ける心身の機能の維持回復を図り、日常生活の自

立を助けるための理学療法、作業療法等のリハビリテーション

(6) 短期入所生活介護、介護予防短期入所生活介護

特別養護老人ホーム等の施設や老人短期入所施設への短期入所で受ける入浴、排せつ、食事等の介護その他の日常生活上の世話及び機能訓練

(7) 短期入所療養介護、介護予防短期入所療養介護

介護老人保健施設、介護療養型医療施設等への短期入所で受ける看護、医学的管理下の介護と機能訓練等の必要な医療並びに日常生活上の世話

(8) 特定施設入居者生活介護、介護予防特定施設入居者生活介護

有料老人ホーム等に入居する要介護者等が、特定施設サービス計画に基づいて施設で受ける入浴、排せつ、食事等の介護その他の日常生活上の世話、機能訓練及び療養上の世話

(9) 福祉用具貸与、介護予防福祉用具貸与

日常生活上の便宜を図るための用具や機能訓練のための用具で、日常生活の自立を助けるもの（厚生労働大臣が定めるもの）の貸与

(10) 特定福祉用具販売、特定介護予防福祉用具販売

福祉用具のうち、入浴又は排せつの用に供するための用具等の販売

地域密着型サービス・地域密着型介護予防サービス

(1) 定期巡回・随時対応型訪問介護看護

定期的な巡回訪問又は通報を受け、居宅で介護福祉士等から受ける入浴、排せつ、食事等の介護その他日常生活上の世話、看護師等から受ける療養上の世話又は必要な診療の補助

(2) 夜間対応型訪問介護

夜間において、定期的な巡回訪問又は通報を受け、居宅で介護福祉士等から受ける入浴、排せつ、食事等の介護その他の日常生活上の世話

(3) 地域密着型通所介護

小規模の老人デイサービスセンター等の施設に通って受ける入浴、排せつ、食事等の介護その他の日常生活上の世話及び機能訓練

(4) 認知症対応型通所介護、介護予防認知症対応型通所介護

認知症の要介護者（要支援者）が、デイサービスを行う施設等に通って受ける入浴、排せつ、食事等の介護その他の日常生活上の世話及び機能訓練

(5) 小規模多機能型居宅介護、介護予防小規模多機能型居宅介護

居宅又は厚生労働省令で定めるサービスの拠点に通わせ、又は短期間宿泊させ、当該拠点において受ける入浴、排せつ、食事等の介護その他の日常生活上の世話及び機能訓練

(6) 認知症対応型共同生活介護、介護予防認知症対応型共同生活介護

比較的安定した状態にある認知症の要介護者（要支援者）が、共同生活を営む住居で受ける入浴、排せつ、食事等の介護その他の日常生活上の世話及び機能訓練

(7) 地域密着型特定施設入居者生活介護

有料老人ホーム等に入居する要介護者等が、地域密着型サービス計画に基づいて施設で受ける入浴、排せつ、食事等の介護その他の日常生活上の世話、機能訓練及び療養上の世話

(8) 複合型サービス（看護小規模多機能型居宅介護）

訪問看護及び小規模多機能型居宅介護の組合せにより提供されるサービス

(9) 地域密着型介護老人福祉施設

老人福祉法に規定する特別養護老人ホーム（入所定員が29人以下であるものに限る。）で、かつ、介護保険法による市町村長の指定を受けた施設であって、入所する要介護者に対し、地域密着型サービス計画に基づいて施設で受ける入浴、排せつ、食事等の介護その他の日常生活上の世話、機能訓練、健康管理及び療養上の世話を行うことを目的とする施設

介護予防支援

居宅要支援者の依頼を受けて、心身の状況、環境、本人や家族の希望等を勘案し、介護予防サービスや地域密着型介護予防サービスを適切に利用するための介護予防サービス計画等の作成、介護予防サービス提供確保のための事業者等との連絡調整その他の便宜の提供等を行うもの

居宅介護支援

居宅要介護者の依頼を受けて、心身の状況、環境、本人や家族の希望等を勘案し、在宅サービス等を適切に利用するために、利用するサービスの種類・内容等の居宅サービス計画を作成し、サービス提供確保のため事業者等との連絡調整その他の便宜の提供等を行うとともに、介護保険施設等への入所が必要な場合は施設への紹介その他の便宜の提供等を行うもの

在　所　者

平成29年９月30日24時現在に介護保険施設に在所の者

利　用　者

平成29年９月中に居宅サービス事業所等を利用した者

但し、以下の事業所の利用者は平成29年９月30日24時現在の者である。

・介護予防特定施設入居者生活介護事業所、特定施設入居者生活介護事業所

・介護予防認知症対応型共同生活介護事業所、認知症対応型共同生活介護

・地域密着型特定施設入居者生活介護事業所

開設・経営主体

広域連合・一部事務組合

地方自治法第284条の規定により総務大臣（自治大臣）または都道府県知事の許可を受けて設立した広域連合、都道府県一部事務組合、市区町村一部事務組合

独立行政法人

独立行政法人通則法（平成11年法律103号）の規定及び個別法の定めるところにより設立された法人

社会福祉法人

社会福祉法第22条の規定に基づく社会福祉法人（地方公共団体が設立した社会福祉事業団を含む）

医療法人

医療法第39条の規定に基づく医療法人

社団・財団法人

公益社団法人及び公益財団法人の認定等に関する法律等に基づく認定を受けた公益社団法人及び公益財団法人並びに一般社団法人及び一般財団法人に関する法律等に基づき設立等された一般社団法人及び一般財団法人

日本赤十字社・社会保険関係団体

日本赤十字社、厚生（医療）農業協同組合連合会、健康保険組合、健康保険組合連合会、国家公務員共済組合、国家公務員共済組合連合会、地方公務員共済組合、全国市町村職員共済組合連合会、日本私立学校振興・共済事業団、国民健康保険組合及び国民健康保険団体連合会

ただし、介護老人福祉施設及び地域密着型介護老人福祉施設においては、厚生（医療）農業協同組合連合会を「社会福祉法人（社会福祉協議会以外）」として表章した。（老人福祉法附則第６条の２の規定により、特別養護老人ホームについては、厚生（医療）農業協同組合連合会は社会福祉法人とみなされるため。）

協同組合

農業共同組合法の規定に基づく農業協同組合及び農業共同組合連合会並びに消費生活協同組合法の規定に基づく消費生活協同組合及び消費生活協同組合連合会

ただし、訪問看護ステーションにおいては、厚生（医療）農業協同組合連合会を「日本赤十字社・社会保険関係団体」として表章した。

営利法人（会社）

会社法の規定による株式会社、合名会社、合資会社、合同会社（会社法改正前の有限会社含む）

特定非営利活動法人（ＮＰＯ）

特定非営利活動促進法第2条の規定に基づく特定非営利活動法人

要介護者

1．要介護状態にある65歳以上の者

2．要介護状態にある40歳以上65歳未満の者であって、その要介護状態の原因である身体上又は精神上の障害が加齢に伴って生じる心身の変化に起因する疾病であって政令で定めるもの（以下「特定疾病」という。）によって生じたものであるもの

要介護状態

身体上又は精神上の障害があるために、入浴、排せつ、食事等の日常生活における基本的な動作の全部若しくは一部について、厚生労働省令で定める期間にわたり継続して、常時介護を要すると見込まれる状態であって、その介護の必要の程度に応じて厚生労働省令で定める区分（以下「要介護状態区分」という。）のいずれかに該当するもの

要支援者

1．要支援状態にある65歳以上の者

2．要支援状態にある40歳以上65歳未満の者であって、その要支援状態の原因である身体上又は精神上の障害が特定疾病によって生じたものであるもの

要支援状態

身体上又は精神上の障害があるために、入浴、排せつ、食事等の日常生活における基本的な動作の全部若しくは一部について、厚生労働省令で定める期間にわたり継続して、常時介護を要する状態の軽減若しくは悪化の防止に特に資する支援を要すると見込まれ、又は身体上若しくは精神上の障害があるために厚生労働省令で定める期間にわたり継続して日常生活を営むのに支障があると見込まれる状態であって、支援の必要の程度に応じて厚生労働省令で定める区分（以下「要支援状態区分」という。）のいずれかに該当するもの

介護支援専門員

要介護者又は要支援者（以下「要介護者等」という。）からの相談に応じ、及び要介護者等がその心身の状況等に応じ適切な居宅サービス、地域密着型サービス、施設サービス、介護予防サービス又は地域密着型介護予防サービスを利用できるよう市町村、居宅サービス事業を行う者、地域密着型サービス事業を行う者、介護保険施設、介護予防サービス事業を行う者、地域密着型介護予防サービス事業を行う者との連絡調整等を行う者であって、要介護者等が自立した日常生活を営むのに必要な援助に関する専門的知識及び技術を有する者として介護支援専門員証の交付を受けたもの

要介護度

「要介護度認定等に係る介護認定審査会による審査及び判定の基準等に関する省令」（平成11年4月30日厚生省令第58号）による。

要介護度は「要介護認定等基準時間」を用いて判定される。

要介護度認定等基準時間の分類

・直接生活介助　―　入浴、排せつ、食事等の介護
・間接生活介助　―　洗濯、掃除等の家事援助等
・問題行動関連介助　―　徘徊に対する探索、不潔な行為に対する後始末等
・機能訓練関連行為　―　歩行訓練、日常生活訓練等の機能訓練
・医療関連行為　―　輸液の管理、褥そうの処置等の診療の補助等

(1) 要支援１
上記５分野の要介護認定等基準時間が25分以上32分未満である状態又はこれに相当する状態

(2) 要支援２
要支援状態の継続見込期間にわたり継続して常時介護を要する状態の軽減又は悪化の防止に特に資する支援を要すると見込まれ、上記５分野の要介護認定等基準時間が32分以上50分未満である状態又はこれに相当する状態

(3) 要介護１
上記５分野の要介護認定等基準時間が32分以上50分未満である状態又はこれに相当する状態

(4) 要介護２
上記５分野の要介護認定等基準時間が50分以上70分未満である状態又はこれに相当する状態

(5) 要介護３
上記５分野の要介護認定等基準時間が70分以上90分未満である状態又はこれに相当する状態

(6) 要介護４
上記５分野の要介護認定等基準時間が90分以上110分未満である状態又はこれに相当する状態

(7) 要介護５
上記５分野の要介護認定等基準時間が110分以上である状態又はこれに相当する状態

ユニットケアの介護報酬上の届出種別

ユニットケア

少数の居室とそれに近接した共同生活室（入居者が交流し、共同で日常生活を営むための場所）により一体的に構成される場所（ユニット）ごとに入居者の日常生活が営まれ、これに対する支援が行われるもの

ユニット型

全室個室・ユニットケアを原則とし、全ての居室について介護報酬上の施設等の区分を「ユニット型」として届け出た施設又は事業所

従　事　者

有給・無給にかかわらず、平成29年10月1日現在に在籍する者

(1) 常勤者
施設・事業所が定めた勤務時間のすべてを勤務している者をいい、「専従」は専らその職務に従事する者、「兼務」は施設・事業所内の複数の職務に従事する者

(2) 非常勤者
常勤者以外の従事者（他の施設、事業所にも勤務するなど収入及び時間的拘束の伴う仕事を持っている者、短時間のパートタイマー等）

常勤換算従事者数

兼務している常勤者（当該施設（事業所）において定められている勤務時間数のすべてを勤務している者）及び非常勤者について、その職務に従事した１週間の勤務延時間数（残業を除く）を当該施設（事業所）の常勤の従事者が勤務すべき１週間の勤務時間数（32時間を下回る場合は32時間）で除し、小数点以下第２位を四捨五入した数と常勤の専従職員数の合計

【兼務している常勤者、非常勤者の常勤換算の計算式】

$$\frac{\text{職員の１週間の勤務延時間数}}{\text{施設・事業所が定めている１週間の勤務時間数}}$$

定価は表紙に表示してあります。

平成31年２月18日　発 行

平 成 29 年

介護サービス施設・事業所調査

編　集　厚生労働省政策統括官（統計・情報政策、政策評価担当）

発　行　一般財団法人 厚生労働統計協会
郵便番号 103-0001
東京都中央区日本橋小伝馬町４－９
小伝馬町新日本橋ビルディング３Ｆ
電 話 03－5623－4123（代表）

印　刷　統計プリント株式会社